W9-BWB-725

Sous la direction de
Benoît Gauthier

RECHERCHE SOCIALE
DE LA PROBLÉMATIQUE À LA COLLECTE DES DONNÉES

2010

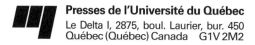

Presses de l'Université du Québec
Le Delta I, 2875, boul. Laurier, bur. 450
Québec (Québec) Canada   G1V 2M2

Catalogage avant publication de Bibliothèque
et Archives nationales du Québec et Bibliothèque et Archives Canada

Vedette principale au titre :

  Recherche sociale : de la problématique à la collecte des données

  5ᵉ éd.

  Comprend des réf. bibliogr.

  ISBN 978-2-7605-1600-7

  1. Sciences sociales – Recherche. 2. Sciences sociales – Méthodologie.
  3. Sciences sociales – Méthodes statistiques. I. Gauthier, Benoît, 1956-   .

  H62.R39 2009   300.72   C2008-942108-6

Nous reconnaissons l'aide financière du gouvernement du Canada
par l'entremise du Programme d'aide au développement
de l'industrie de l'édition (PADIE) pour nos activités d'édition.

La publication de cet ouvrage a été rendue possible
grâce à l'aide financière de la Société de développement
des entreprises culturelles (SODEC).

Mise en pages : Info 1000 mots

Couverture : Richard Hodgson

1 2 3 4 5 6 7 8 9 PUQ 2010 9 8 7 6 5 4 3 2 1

Tous droits de reproduction, de traduction et d'adaptation réservés
© 2009 Presses de l'Université du Québec

Dépôt légal – 1ᵉʳ trimestre 2009
Bibliothèque et Archives nationales du Québec / Bibliothèque et Archives Canada
Imprimé au Canada

AVANT-PROPOS

La première aventure de *Recherche sociale* a commencé en 1982. Après deux années de labeur, notre équipe de rédaction remettait un manuscrit complet du manuel à l'éditeur. Nous avons repris nos travaux en 1991 et publié une seconde édition en 1992, puis à nouveau en 1996 pour publication en 1997, modifiant plusieurs textes et en ajoutant deux nouveaux. En 2002, à la suite d'une consultation entre les collaborateurs, nous avons encore une fois remis les mains à la pâte et modifié nombre de chapitres, tout en en ajoutant quelques-uns.

En 2008, nous avons jugé bon de reprendre les travaux une cinquième fois. Les exemples ont été mis à niveau ; l'évolution des méthodes et de la pensée en méthodologie a été représentée ; des chapitres ont été entièrement pris en charge par de nouveaux auteurs. Résultat, très peu de textes sont ressortis inchangés de cette révision. Non pas que nous ayons été insatisfaits de notre quatrième édition, mais plutôt parce que tout évolue : les auteurs de *Recherche sociale*, la pensée en recherche sociale, les outils de la connaissance, comme la société en général.

Toutefois, notre approche générale à la recherche sociale n'a pas changé. Nous avons toujours la même philosophie de base concernant l'acquisition de connaissances, soit celle qui est exposée en introduction.

L'utilisation d'une approche procédurale pour la présentation du processus de recherche est toujours valable dans un cadre didactique comme celui-ci, croyons-nous. De plus, nos lecteurs étaient en général d'avis que l'approche, maintenant bien connue, de *Recherche sociale* répondait à leurs besoins.

Mais tout est perfectible. Nous avons modifié la présentation ici et là. Nous avons changé profondément certains textes pour améliorer la compréhension du thème ou nous mettre à jour eu égard à une connaissance changeante, comme dans le chapitre sur la modélisation et celui portant sur l'approche biographique. Nous avons adapté certains chapitres pour tenir compte des nouveautés du domaine comme c'est le cas pour le chapitre sur l'analyse de contenu. Nous avons ajouté un chapitre sur la recherche organisationnelle en dépeignant une réalité importante du monde de la recherche sociale qui avait été ignorée dans les éditions antérieures. Nous avons aussi ajouté une bibliographie thématique des écrits en recherche sociale des six dernières années publiés en français au Canada ; c'est là une fière reconnaissance de la profondeur de l'activité de recherche sociale chez nous.

Je voudrais saluer la venue de nouveaux collaborateurs à cette édition de *Recherche sociale* et remercier personnellement les auteurs de chacun des chapitres de ce manuel. Leur engagement personnel à l'égard de cette entreprise a permis de produire un autre ouvrage utile et intéressant. Merci aussi à notre éditeur pour sa patience et son aide au cours de l'année écoulée depuis le début des travaux de révision. Merci, enfin, à ma compagne et à mes enfants de me suivre dans cette aventure depuis plus de vingt-cinq ans.

Benoît Gauthier
8 septembre 2008

TABLE DES MATIÈRES

Partie 4
La critique de la méthodologie

INTRODUCTION

Benoît GAUTHIER

Garder un esprit ouvert est une vertu,
mais pas ouvert au point que le cerveau en tombe.

James OBERG

Cet ouvrage est à la fois une histoire, une philosophie et une référence. Il est lié à une *histoire* parce qu'il a été écrit à un certain moment du développement du monde; il représente cette époque, la reflète et en est le fruit; il ne peut pas être compris hors de son contexte historique; il n'aurait pas pu être écrit à un autre moment historique. Il est donc valable aujourd'hui. Demain, ses idées seront désuètes (mais quand sera demain?). «La science, et toute théorie scientifique, sont des produits historiques. Telle interprétation qui surgit à tel moment et non à tel autre, n'est possible que parce que sont réunies les conditions diverses de son élaboration[1].»

Cet ouvrage tient aussi d'une philosophie, celle du *doute* et de la *tolérance*. Chaque auteur participant à ce collectif doute, à la fois de ce qu'il a écrit et de ce que les autres auteurs ont écrit. Aucune affirmation (pour ne pas dire vérité) n'est tenue pour acquise. Aucun énoncé n'est accepté inconditionnellement. Mais ce doute est soutenu par l'ouverture d'esprit.

---

1. Jean ROSMORDUC, *De Thalès à Einstein*, Paris, Études Vivantes, 1979, p. 10.

On retrouve chez ces philosophes grecs trois des éléments importants de la pensée scientifique. D'abord l'importance de douter des vérités enseignées par la tradition ou l'autorité et de les remettre en question plutôt que de les accepter sans réfléchir à leur contenu et à leur valeur. Ensuite, l'importance de se méfier de nos sens, c'est-à-dire de ne pas toujours se fier aux apparences et tenter plutôt d'interpréter ce qu'on observe. Enfin, la valeur inestimable de l'observation de la nature pour alimenter la connaissance et la compréhension[2].

Tous les auteurs de ce manuel acceptent que d'autres pensent autrement et reconnaissent le bien-fondé d'autres axiomes que les leurs. Le doute isolé conduit à l'anarchie ; l'ouverture isolée produit l'incertitude. Nous pensons que la philosophie du doute ouvert est plus fructueuse, socialement et scientifiquement.

> Au cœur de la science, on retrouve un équilibre entre deux attitudes apparemment contradictoires : une ouverture aux nouvelles idées aussi bizarres ou contraires aux idées reçues qu'elles soient, et un examen impitoyable de toutes les idées, vieilles comme nouvelles. [...] Cette créativité et ce scepticisme, ensemble, constituent le garde-fou de la connaissance. Il existe évidemment des tensions entre ces deux attitudes. [...] Si vous n'êtes que sceptique, vous serez imperméable aux nouvelles idées ; vous n'apprendrez jamais rien. [...] En même temps, la science requiert un scepticisme sans compromis parce que la vaste majorité des idées sont simplement fausses et que le seul moyen de séparer le bon grain de l'ivraie est l'expérimentation critique et l'analyse[3].

Ce texte se veut enfin une *référence*. Dans la plupart des livres d'introduction, l'auteur veut faire croire qu'il a tout dit sur la question. Ce qui est différent, ici, c'est que *des* auteurs se sont réunis pour tenter d'établir ce qu'ils croient être les *bases* de la réflexion scientifique en sciences sociales. Ils ont cherché à cerner les débats qui ont cours sur chacune des questions abordées tout en présentant les éléments qui, selon eux, faisaient l'unanimité dans la communauté des chercheurs. Nous sommes très conscients que des pans entiers de l'univers de la recherche sociale n'ont pas été abordés dans cet ouvrage. Les contraintes d'espace et les limites de ce que l'on peut exiger d'un lecteur dans un seul livre ne sont que des explications partielles de ce que d'aucuns considéreront comme des lacunes. Nous avons effectivement fait des choix éditoriaux comme la sélection d'une approche structurée à la recherche sociale et un découpage du processus de recherche que certains pourraient qualifier de simplificateur. *Recherche sociale* est une simplification : c'est une vulgarisation de cette matière complexe dont les traités accaparent plusieurs étagères de nos bibliothèques de « spécialistes ».

---

2. Cyrille BARRETTE, *Mystère sans magie*, Québec, Éditions MultiMondes, 2006, p. 21-22.
3. Carl SAGAN, *The Demon-Haunted World, Science as a Candle in the Dark*, New York, Random House, 1995, p. 304-305.

Qu'est-ce que la recherche sociale?

On sait que ce livre porte sur la « recherche sociale ». On ne sait cependant pas ce qu'elle est. Le plus facile est encore de compartimenter et de se demander ce qu'est chacun des termes de l'expression.

1.1. Qu'est-ce que le social?

Il n'y a pas d'unanimité quant à la délimitation qu'on doit faire du social (et il en est bien ainsi). Madeleine Grawitz ne peut qu'en donner la définition suivante : « qui concerne les hommes en société[4] », mais comme il n'y a pas d'homme sans société, ni de société sans homme, la précision est redondante[5].

Jean-William Lapierre s'aventure un peu plus loin en affirmant que « les éléments d'un système social sont des personnes ou des groupes et les relations sociales sont des interactions entre ces personnes ou ces groupes[6] ». Il précise que le social comprend le sociogénétique, l'écologie, l'économique, le culturel et le politique.

Et nous pourrions allonger indéfiniment cette liste de propositions. Tout ce qu'on peut en ressortir, c'est que *le social traite de l'homme dans ses relations avec les autres hommes*. C'est maigre, mais il y a beaucoup de positif dans la faiblesse de cette précision. La pensée sociale tend aujourd'hui à se décompartimenter, à se multidisciplinariser, à s'ouvrir aux tendances parallèles ; la sociologie, la criminologie, la science politique, l'anthropologie, les relations industrielles, le travail social, etc., étudient tour à tour l'individu, le groupe et la masse, la paix et la violence, la statique et la dynamique… La bonne fortune de la science sociale naît aujourd'hui d'un attribut qui a pour nom la *collaboration* ; une délimitation trop rigide de son champ général et de ses disciplines particulières inhiberait les efforts de renouveau et de régénération provenant soit des sciences de la nature, soit d'autres sciences sociales et humaines. Grawitz a même pu écrire : « La

---

4. Madeleine GRAWITZ, *Lexique des sciences sociales*, Paris, Dalloz, 1981, p. 333.
5. Il est à noter que le terme « homme » utilisé dans cette introduction ne renvoie pas au groupe sexuel, mais à l'ensemble des éléments de l'espèce humaine. Par ailleurs, chacun des auteurs ayant participé à ce livre a résolu lui-même (et pour lui-même) le dilemme souvent mentionné du genre (masculin ou féminin) à utiliser dans les textes. En l'absence d'une norme fixe, l'originalité individuelle domine.
6. Jean-William LAPIERRE, *L'analyse des systèmes politiques*, Paris, Presses universitaires de France, 1973, p. 27.

recherche de distinctions et de classifications paraît une assez vaine tentative de justification après coup des découpages arbitraires des enseignements universitaires [...] Il n'y a pas d'inconvénients à utiliser indifféremment les deux termes de sciences humaines et de sciences sociales[7].»

■ 1.2. Qu'est-ce que la recherche?

Le concept de recherche recouvre lui aussi un large éventail de significations. Notre acception est cependant plus restrictive.

D'abord, nous définissons la recherche comme un processus, une activité: quand on recherche, on fait quelque chose. Cette activité se précise par certaines caractéristiques qui définissent le concept d'objectivité: la recherche est une activité qui vise l'objectivité. L'*objectivité* n'est pas ici comprise comme cette abstraction inhumaine et hors du temps qu'est l'absence de parti pris; elle est définie comme une *attitude d'appréhension du réel basée sur une acceptation intégrale des faits* (ou l'absence de filtrage des observations autre que celui de la pertinence), *sur le refus de l'absolu préalable* (ou l'obligation du doute quant à toute conception préexistante) *et sur la conscience de ses propres limites*. En fait, ce que l'on nomme traditionnellement objectivité devrait peut-être plutôt être étiqueté «impartialité». Nous laissons ce débat ouvert.

La fonction de la recherche est une autre dimension qui contribue à sa définition: la recherche est une activité de quête objective de *connaissances*. Le concept de recherche que nous voulons circonscrire ici vise, en effet, l'acquisition de nouvelles connaissances. La raison d'être de cette connaissance ne fait pas partie de cette définition: indifféremment, la recherche peut servir la connaissance théorique ou «pure», la connaissance immédiatement axée sur l'action, la connaissance nécessaire à la prise de décision ou à la gestion sociale, etc. Ces buts ultimes de l'acquisition de connaissances sont tous bien servis par une approche de recherche telle que celle proposée dans ce manuel. Cette caractéristique que nous ajoutons à notre définition de la recherche élimine cependant les activités qui visent à convaincre plutôt qu'à apprendre: la recherche n'est pas une opération de propagande et ne peut pas simplement servir à justifier un état de fait. La fonction de justification constitue une antinomie de la fonction d'acquisition objective de connaissances: on ne peut pas produire de nouvelles connaissances par un *modus operandi* d'ouverture et de transparence tout en visant à soutenir une position prise *a priori*.

---

7. Madeleine GRAWITZ, *op. cit.*, p. 326.

Enfin, l'objet de la recherche complète cette description : *la recherche est une activité de quête objective de connaissances sur des questions factuelles*. La recherche sociale ne s'arrête pas aux problématiques du bien et du mal, des préceptes et des règles : elle laisse ce champ normatif aux philosophes et s'en tient aux faits. Nous ne voulons pas nous enliser dans des débats philosophiques sur l'existence d'une réalité unique et sur les limites de la distinction entre faits et valeurs[8]. Nous participons à ce courant de la recherche sociale qui postule l'existence d'une réalité objective ; nous visons à construire des modèles de cette réalité qui rendent le mieux compte de son état et de sa dynamique de changement.

Ce concept de recherche est à la fois flou et évident. D'en proposer une définition semble superflu mais, une fois celle-ci précisée, il semble évident qu'il sera impossible de faire le consensus autour d'elle. Nous aimons à penser qu'il s'agit là d'un dilemme caractéristique de l'homme et de son esprit tortueux.

 2 QUI FAIT DE LA RECHERCHE SOCIALE ?

Ces définitions du social et de la recherche sont assez abstraites pour les rendre générales, mais aussi pour distinguer la « recherche sociale » de l'expérience individuelle et la reconnaître comme étant du ressort des spécialistes. Donc, il est bon de se demander qui fait de la recherche sociale, pour remettre la question en perspective. À cette question, nous pourrions répondre : tous. Tout le monde, en effet, à des intervalles plus ou moins réguliers et plus ou moins larges mène une activité d'observation systématique sur les humains qui l'entourent. Mais plus courante encore est l'activité de recherche non systématique : celle qui fait conclure à l'utilité de l'eau de source recueillie le soir de pleine lune pour le traitement des cors. Il faut donc différencier la recherche sociale de cette observation sélective quotidienne qui nous fait tirer des conclusions sur les événements dont nous sommes témoins, mais sans utiliser le regard objectif dont nous parlions plus tôt et sans s'en tenir à l'utilisation d'outils de mesure calibrables et réutilisables.

Si tous sont des candidats potentiels à la recherche, il reste que certains segments de la population sont plus spécialisés dans sa pratique. Le groupe le plus évident est celui des chercheurs universitaires qui consacrent tous leurs efforts à cette activité. Les fonctions publiques emploient beaucoup de chercheurs, entre autres, pour vérifier l'efficacité des programmes publics. Le

---

8. Le chapitre 20 de cet ouvrage s'attarde à ces questions importantes.

secteur privé absorbe aussi de tels experts : les « pages jaunes » contiennent même une rubrique « conseillers en recherche sociale ». De façon générale, le monde du travail engage des personnes démontrant des capacités de réflexion et de recherche systématiques. C'est pourquoi on s'attend à ce que des étudiants titulaires d'un diplôme universitaire ou, de plus en plus, collégial, en sciences sociales aient eu, et aient assimilé, une introduction à la recherche sociale.

En outre, en parallèle avec la sophistication des technologies du travail et avec l'augmentation de la part du travail intellectuel dans l'ensemble de l'« effort de travail national », on s'attend de plus en plus à ce que les gestionnaires et les travailleurs soient en mesure d'appliquer une pensée critique et systématique à leur environnement de travail. On condamnera aujourd'hui un employé qui ne fait que répéter une opération sans chercher à en améliorer la performance ; on jugera peu créateur un gestionnaire qui ne remettra pas en question ses procédés de travail et même la raison d'être des activités de son groupe. Or, ce type de réflexion constructive est ni plus ni moins qu'une application particulière de l'approche de recherche prônée dans ce livre. Donc, si certains spécialistes peuvent se targuer de dépenser toute leur énergie à la recherche sociale, il est de moins en moins vrai qu'ils en monopolisent la pratique. La clientèle de la recherche sociale croît de jour en jour en raison des changements dans l'environnement du travail.

Bref, la recherche sociale peut (devrait ?) être une activité courante et « populaire », et certains spécialistes s'y arrêtent plus que tout un chacun en fonction des exigences de leur travail.

 3 POURQUOI FAIRE DE LA RECHERCHE SOCIALE ?

Nous en sommes maintenant à un point critique de notre réflexion. On sait ce qu'est la recherche sociale, qui en fait et qui peut en faire ; on ne sait pas encore pourquoi on en fait. Il y a deux argumentations à avancer ici.

D'abord, pourquoi faire de la recherche sociale alors que ce qu'on appelle le sens commun ou le bon sens fournit une réponse à presque toutes les questions ? En effet, le sens commun peut fournir une réponse, mais est-ce la bonne ? Le bon sens repose souvent sur des prémisses fausses, normatives ou idéologiquement tiraillées. Il se soucie rarement de logique, de rationalité, de doute et de tolérance. Par exemple, le bon sens veut que la peine capitale soit une façon de réduire la criminalité violente et que les crimes augmentent en période de difficultés économiques nationales ;

les criminologues ont pourtant démontré le contraire. On peut aussi se rappeler que le bon sens nous dicte que la Terre est plate : on n'a qu'à regarder, on le voit... On connaît la suite. Le sens commun n'est donc pas une base assez solide pour élaborer un échafaudage social à la mesure de la complexité de nos sociétés actuelles.

> They [scientists] do not trust what is intuitively obvious. That the Earth is flat was once obvious. That heavy bodies fall faster than light ones was once obvious. That bloodsucking leeches cure most diseases was once obvious. That some people are naturally and by divine decree slaves was once obvious. That there is such a place as the center of the Universe, and that the Earth sits in that exalted spot was once obvious. That there is an absolute standard of rest was once obvious[9].

Par rapport au sens commun, la recherche sociale a l'avantage de systématiser l'observation. Elle se permet aussi de remettre en question ses prémisses, ce que le bon sens ne sait faire. Elle étend beaucoup le champ des connaissances alors que cette évolution est très lente avec le sens commun. Elle permet de généraliser et d'appliquer le savoir parcellaire du sens commun alors que celui-ci ne peut s'en tenir qu'au cas par cas. Par une utilisation planifiée et contrôlée d'outils de mesure réutilisables dans d'autres contextes sociaux et par d'autres chercheurs, la recherche sociale acquiert une caractéristique d'intersubjectivité que le sens commun ne connaît pas. Cette même mesure consciente, planifiée, systématique et réfléchie permet l'atteinte, sinon assurée du moins évaluable, de degrés satisfaisants de validité et de fiabilité dans l'opération d'extraction d'un sens, d'une signification, au corpus social. Voilà donc de bonnes raisons de faire de la recherche sociale plutôt que de se fier au sens commun.

La deuxième argumentation est plus englobante : mais, après tout, pourquoi faire quelque recherche que ce soit ? Le fondement de toute recherche, quelle qu'elle soit, est la soif de connaissances, de compréhension. Le prochain chapitre s'étendra là-dessus. Ce besoin de connaître peut prendre deux formes qui s'avèrent recouvrir deux types de recherche. On peut d'abord chercher à savoir pour le simple plaisir de comprendre les fondements d'un phénomène : c'est la *recherche fondamentale*. On peut aussi chercher à savoir en ayant en tête une application de ces nouvelles connaissances : c'est la *recherche appliquée*. Dans les deux cas, cependant, la recherche vise à *réduire l'incertitude*. Depuis les temps préhistoriques, l'homme a agi sur son environnement pour assurer sa survie et pour rendre sa vie plus confortable. Cette finalité de l'action humaine passe par une meilleure compréhension des conséquences des phénomènes naturels et, aujourd'hui plus que jamais, par une meilleure modélisation de la dynamique des comportements sociaux. En *connaissant* mieux notre

---

9. Carl SAGAN, *op. cit.*, p. 36.

environnement, nous réduisons les risques que renferment les nouvelles situations; nous réduisons l'incertitude[10]. Il y a là, cependant, deux inconnues:

- on sait que de mauvaises utilisations peuvent être faites de conclusions scientifiques; quand cela sera-t-il le cas?
- les conceptions de l'amélioration du sort de l'homme peuvent varier; y en a-t-il une plus «vraie» que les autres?

La recherche appliquée, ou à tout le moins la recherche utilisable à court terme, est louée par la plupart des programmes gouvernementaux de financement de la recherche, par les avocats de la rationalisation de l'utilisation des ressources sociales rares, par les partisans d'une conception du monde à court terme. Il ne faut, cependant, pas dénigrer la recherche fondamentale qui doit tenir une place importante: la recherche appliquée trouve réponse aux problèmes d'aujourd'hui, la recherche fondamentale permet de formuler les problèmes de demain (des esprits malicieux diraient que la recherche fondamentale *cause* les problèmes de demain). Cela n'empêche pas que la recherche n'existe que dans un environnement social (et non pas dans le vide) et, qu'en l'absence d'autres critères satisfaisants, la pertinence sociale d'une recherche devient une règle à considérer.

 QU'EST-CE QUE LA MÉTHODOLOGIE?

Jusqu'ici, nous avons cerné le concept de recherche sociale. Place maintenant au sujet de ce livre, la *méthodologie* de la recherche sociale. Nous avons sciemment évité d'utiliser les termes «méthode» ou «méthodes» qui portent à confusion. La méthodologie de la recherche englobe à la fois *la structure de l'esprit et de la forme de la recherche et les techniques utilisées pour mettre en pratique cet esprit et cette forme* (méthode et méthodes).

Nous concevons que le cœur de la méthodologie contemporaine de la recherche sociale est l'acte d'*observation* qui est lié à un cycle de *théorisation*. C'est la confrontation des idées, issues à la fois de l'expérience et de l'imagination, aux données concrètes, dérivées de l'observation, en vue de confirmer, de nuancer ou de rejeter ces idées de départ. La théorie et son

---

10. La valeur des recherches en sciences sociales, comme en sciences naturelles, peut être mesurée en termes de réduction de l'incertitude. Dans ce sens, on peut juger de la pertinence d'un investissement en recherche en évaluant son potentiel de réduction de l'incertitude et en posant un jugement sur la valeur de la disparition de cette incertitude.

processus seront abordés en détail plus loin. L'observation systématique ne tombe pas de nulle part : elle doit être préparée, effectuée et analysée (voir le tableau 1.1).

Préalablement à la préparation de l'observation, le chercheur s'interroge sur l'origine de sa connaissance et sur la validité de ses modes d'acquisition de nouvelles connaissances. Cette étape fondamentale sépare le penseur, qui est en mesure de contribuer à faire avancer le savoir, du producteur, qui participe à une connaissance immédiate (chapitre 2 : la sociologie de la connaissance).

TABLEAU 1.1
Étapes de la recherche sociale

Observation-théorisation (Sociologie de la connaissance)			
Préparation de la recherche		**Formation de l'information**	**Analyse de l'observation**
Établissement de l'objet d'étude	**Structuration de la recherche**		
Spécification de la problématique Accès à l'information Théorie et sens de la recherche Modélisation	Structure de la preuve Mesure Échantillonnage Éthique	Observation directe Entretien non directif Approche biographique Groupe de discussion Analyse de contenu Sondage Données secondaires	Traitement des données Analyse des données

La toute première phase de la recherche sociale est la préparation de l'observation. Cette phase préparatoire comprend deux étapes particulières : l'établissement de l'objet d'étude et la structuration de la recherche ; les deux premières parties de ce livre correspondent à ces deux étapes.

L'établissement de l'objet d'étude regroupe plusieurs idées et actions à entreprendre. D'abord, le chercheur se demande ce qu'il veut savoir, sur quel sujet il veut se poser des questions. Il doit d'abord apprendre à restreindre ses élans et à limiter son champ d'intérêt; cette détermination du champ d'enquête aura un impact profond sur tout le reste du déroulement de la recherche (chapitre 3: la spécification de la problématique). Comme personne n'est intéressé à réinventer la roue à chaque utilisation de sa bicyclette, une autre phase importante de l'établissement de l'objet de recherche est l'analyse de sources bibliographiques relatives à la problématique retenue. Nous avons tous l'impression de savoir utiliser une bibliothèque, mais, en fait, rares sont ceux qui y sont vraiment efficaces; de plus, les nouvelles technologies de l'information ouvrent des portes dont nous ne connaissions même pas l'existence il y a quelques années (chapitre 4: compétences informationnelles et accès à l'information). Ces prémisses permettent d'arriver au cœur de l'établissement de l'objet de recherche: la théorisation. La théorie est l'ensemble des énoncés qui permet l'interprétation des données, la généralisation des résultats et l'encadrement de la recherche. L'incorporation d'une théorie à la problématique est un moment crucial de la recherche sociale. De toute cette préparation ressort l'objet de recherche lui-même: l'hypothèse. L'hypothèse est le résumé des intentions, des présupposés et des attentes. C'est le matériel de base de la suite de la recherche (chapitre 5: la théorie et le sens de la recherche). La modélisation est une démarche ambitieuse de conception théorique qui constitue une option à l'adoption d'une théorie existante (chapitre 6: la modélisation).

La structuration de la recherche s'éloigne du raisonnement épistémologique et problématique de l'établissement de l'objet de recherche pour entrer dans des considérations plus terre à terre. La structure de preuve adoptée est le premier point. Il faut se demander quel type de recherche on doit faire, quelle structure on doit donner à la comparaison effectuée; autrement dit, on doit déterminer quelle est la logique qui permettra de confirmer ou d'infirmer les hypothèses (chapitres 7 et 8: la structure de la preuve et l'étude de cas). On se demande, ensuite, comment faire le passage entre l'énoncé verbal de la théorie et de la problématique et l'énoncé factuel, observable et mesurable de la phase de la collecte des données (chapitre 9: la mesure). La question suivante est de savoir si l'on veut étudier tous les cas disponibles ou seulement une sélection de ceux-ci. Dans le deuxième cas, il faut prévoir une façon de choisir ces sujets (chapitre 10: l'échantillonnage). Les questions éthiques retiennent enfin l'attention. On s'assure que la recherche n'enfreint pas la déontologie professionnelle, on se questionne sur la position du chercheur rémunéré, on s'intéresse à la place de la diffusion des résultats, etc. (chapitre 11: l'éthique en recherche sociale).

Une fois établis l'objet de recherche et la structuration de la recherche, cela constituant la phase préparatoire à l'observation, la seconde phase de la recherche sociale est la formation de l'information ou la collecte des données. Cette étape correspond à la troisième partie de ce livre. Cette étape peut être réalisée de diverses manières, mais dans chaque cas le principe reste le même : effectuer une observation *systématique* sur le terrain qui, comme le genre d'observation, varie d'une forme de collecte à l'autre.

La méthode la plus ancienne, mais aussi celle qui reçoit de plus en plus d'attention, est l'observation directe des sujets de recherche (chapitre 12 : l'observation directe). L'une des sources les plus utilisées dans la collecte d'informations – si l'on inclut les activités quotidiennes, les actes journalistiques, etc. –, soit l'entretien non directif, est quelque peu boudée par les méthodologues des sciences sociales. C'est pourtant un moyen comme nul autre d'approfondir la compréhension d'un individu (chapitre 13 : l'entrevue semi-dirigée). En réaction aux techniques englobantes et globalisantes, certains veulent revenir à plus de compréhension de l'homme et à une acceptation de la complexité de la relation entre l'homme et son environnement. L'approche biographique permet d'examiner peu de cas, mais d'approfondir au maximum leur compréhension (chapitre 14 : l'approche biographique). L'observation peut être plus structurée, même organisée, et peut s'appliquer à des contextes artificiellement créés par le chercheur. La convocation de groupes de discussion est l'une des techniques disponibles à cet égard (chapitre 15 : le groupe de discussion). Appliquée aux sources non réactives (celles qui ne peuvent pas changer à cause de la présence du chercheur), l'observation devient l'analyse de contenu : on ne parle pas d'observation directe de documents, comme on ne parle pas d'analyse de contenu du comportement d'un groupe, mais la même philosophie sous-tend les deux méthodes de collecte ; malgré tout, les auteurs des deux chapitres présentent des approches totalement différentes à l'observation : c'est une des choses qui rendent fascinante la comparaison de ces deux chapitres (chapitre 16 : l'analyse de contenu). Mais il reste que nombre de concepts ne peuvent être mesurés par simple observation ; il faut souvent provoquer l'expression d'opinions, d'attitudes et de comportements. Le sondage est alors utile (chapitre 17 : le sondage). Toutes les méthodes présentées dans la section sur la formation de l'information ont recours à des données mises en forme spécialement pour l'étude en cours. Pourtant, bon nombre de recherches ne requièrent pas ce type d'exercice de collecte ou ne peuvent pas compter sur des ressources suffisantes. Les données déjà existantes viennent alors à la rescousse (chapitre 18 : les données secondaires).

La troisième phase de la recherche sociale concerne l'analyse des observations ainsi colligées. Cette phase comprend le traitement et l'analyse de ces données et la diffusion des résultats. Mais, comme la somme de matériel contenue dans cette troisième phase nécessiterait la rédaction d'un ouvrage entier, comme les cours découpent généralement cet apprentissage en deux parties et comme l'esprit de la troisième phase est sensiblement différent de celui des deux premières, nous avons préféré ne pas aborder ces questions ici.

Par contre, même si la philosophie du doute est appliquée par chacun des auteurs, il a paru approprié de conclure ce livre par un retour sur une critique systématique de la recherche sociale. La quatrième partie s'y attarde. Elle le fait d'abord en présentant un concept de recherche qui s'inscrit en faux par rapport à la tradition objectiviste : la recherche-action (chapitre 19 : la recherche-action). Elle le fait aussi en articulant une critique plus fondamentale sur la recherche sociale, à partir de ses axiomes (chapitre 20 : une science objective ?). Elle le fait en offrant un ensemble de critères d'évaluation de l'enquête par sondage (chapitre 21 : l'évaluation de la recherche par sondage). Finalement, la quatrième partie se termine par un exposé des différences qui existent entre la démarche de recherche académique, sujet des chapitres précédents, et la démarche de recherche organisationnelle, ancré dans la vie réelle des organisations et influencée par les courants dynamiques qui la bousculent (chapitre 22 : recherche académique et recherche organisationnelle).

Le chapitre 23 (Bibliographie thématique) contient une liste d'articles scientifiques à caractère empirique publiés en français dans des revues savantes canadiennes et québécoises entre 2002 et 2008. Cette liste contient un grand nombre d'illustrations des propos présentés dans *Recherche sociale*. Elle constitue un état des lieux de la recherche sociale francophone au Québec et au Canada.

 MODÈLE NON LINÉAIRE DE LA RECHERCHE SOCIALE

Simple, la linéarité du modèle présenté au tableau 1.1 a l'avantage de clarifier une séquence logique des étapes de la recherche sociale, tout en collant à l'aspect séquentiel indispensable pour un livre comme celui-ci. Cependant, cette linéarité ne correspond pas à la réalité du développement d'une recherche sur le social. La figure 1.1 est une représentation plus fidèle des réelles interrelations entre les « moments » de la recherche sociale. Le lecteur trouvera cette présentation complexe à cette étape-ci de la lecture de *Recherche*

FIGURE 1.1
Cheminement de la recherche sociale

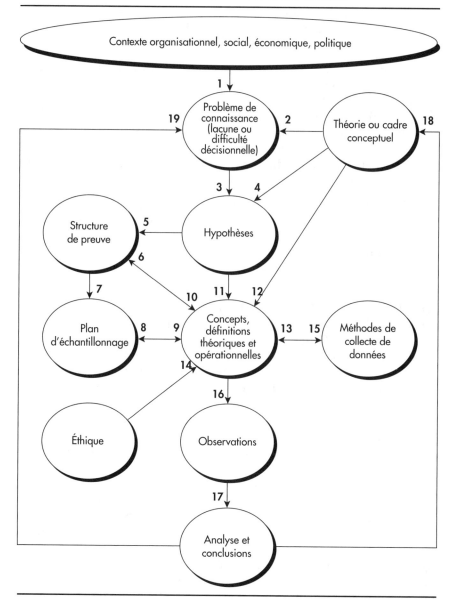

sociale, aussi devra-t-il y revenir régulièrement pour situer chaque pièce du casse-tête dans le tout que ce modèle représente. Ce modèle permettra aussi de compléter l'intégration de l'ensemble de la démarche du manuel, une fois complétée la lecture de ses vingt-trois chapitres.

Tout le cheminement de la recherche sociale baigne dans un *contexte* social, économique, politique, culturel et organisationnel particulier. C'est ce contexte qui produit un questionnement sur l'état de la connaissance, qui identifie une lacune problématique, qui pose une difficulté organisationnelle (lien 1).

Le *problème de connaissance* est aussi modelé par la *vision théorique* que le chercheur a de l'objet (lien 2) : le décrochage scolaire sera abordé comme une question intergénérationnelle par l'anthropologue, comme une conséquence du contexte social par le sociologue, comme une relation de pouvoir par le politicologue, comme un enjeu nutritionnel par le biologiste, comme une décision rationnelle par l'économiste, etc. Le problème de connaissance sera donc différent selon l'angle théorique ou conceptuel que l'on adopte.

Le cheminement de recherche oblige à l'expression des préjugés du chercheur sous forme d'*hypothèses* qui sont les affirmations que le chercheur tentera de confirmer ou d'infirmer. Ces hypothèses sont influencées à la fois par la nature du problème de connaissance (lien 3) et par la perspective théorique du chercheur (lien 4).

L'étape suivante du cheminement de recherche est absolument centrale, comme l'indique le nombre de flèches pointant vers la *définition conceptuelle et opérationnelle* des concepts centraux des hypothèses. En fait, toute la planification de la recherche se trouve encapsulée dans la définition des mesures qui seront prises pour représenter les éléments qui constituent les hypothèses. Bien sûr, le contenu des hypothèses déterminera les concepts qui devront être mesurés (lien 11). Les hypothèses participeront aussi à la détermination de la *structure de preuve* qui sera privilégiée dans une recherche donnée (lien 5) ; la structure de preuve est l'arrangement de la démonstration que le chercheur devra faire pour confirmer ses hypothèses. Entre la structure de preuve et l'opérationnalisation des concepts à mesurer, on trouve une relation à double sens : les mesures qui formeront le corps de l'observation sont contraintes par le type de structure de preuve choisi (lien 10) alors que le type de mesure requis pour opérationnaliser les concepts influence la nature de la structure de preuve à mettre en place (lien 6). De la même façon, opérationnalisation des concepts et *échantillonnage* s'interinfluencent, le type de mesure à prendre influençant le type d'échantillon requis (lien 8) et le type d'échantillon disponible réduisant l'univers des mesures possibles (lien 9). Il va de soi que la stratégie de preuve privilégiée conditionnera le choix de la stratégie d'échantillonnage puisqu'elle définit les groupes pertinents à l'étude (lien 7). La structure de preuve impose aussi ses contraintes au plan d'échantillonnage (lien 8). Il va de soi que les indicateurs praticables sont limités par la ou les *méthodes de collecte* d'information qui sont retenues par le chercheur (lien 13) – impossible de soumettre les participants à une enquête téléphonique au pèse-personne. Inversement, les indicateurs retenus pour représenter les concepts d'enquête exercent une influence certaine sur le choix des méthodes de collecte de données (lien 15). Finalement, les *considérations éthiques* limitent le type d'indicateur auquel le chercheur peut recourir (lien 14): pas question d'opération à estomac ouvert pour mesurer la qualité de l'alimentation des enfants et pour déterminer l'importance de ce facteur dans le décrochage scolaire.

La définition des concepts d'étude et leur opérationnalisation sous formes observables constituent le cœur de la démarche de recherche sociale. Ces définitions conceptuelles et opérationnelles permettent ensuite de faire des *observations* (lien 16) qui serviront aux *analyses* et permettront de tirer des *conclusions* sur la valeur des hypothèses initiales (lien 17). Comme toute recherche participe à un cycle d'apprentissage, les conclusions d'une étude donnée serviront à la fois à adopter la théorie utilisée pour appréhender la réalité (lien 18), dans le cadre d'une recherche universitaire, et à modifier la définition même du problème de connaissance (lien 19), dans le cadre d'une recherche appliquée ou organisationnelle.

CONCLUSION

Voilà notre vision du processus méthodologique de recherche appliqué aux sciences sociales. Elle est fondée sur la philosophie du doute ouvert, une attitude qui n'est pas innée: on naît au contraire avec une tendance au fétichisme, à l'égocentrisme, à l'absolu et à la croyance. La logique, la rationalité instrumentale, le systématisme et l'esprit critique s'apprennent, et il ne faudrait pas faire l'erreur de croire qu'ils sont le propre de l'espèce humaine. Dans le même esprit, on oublie souvent d'insister sur le fait qu'il n'y a pas qu'une seule vérité et que plusieurs ont droit de cité. Cette ouverture est la marque de commerce de notre ouvrage.

Nous avons voulu mettre en relief le fait que la recherche sociale est fondamentalement multidisciplinaire. Plutôt que d'adopter une vision disciplinaire, nous croyons que les étudiants doivent apprendre à communiquer de science à science et que les barrières disciplinaires sont en quelque sorte le transfert de l'esprit corporatiste moyenâgeux dans les sciences sociales, sans ses connotations péjoratives. Que l'on doive se spécialiser pour des fins d'approfondissement, soit. Mais il faut se rappeler que l'originalité de l'espèce humaine est son aptitude au mélange et à la synthèse[11]. Par ailleurs, nous croyons fermement que, de nos jours, nul ne peut maîtriser entièrement, seul, l'appareillage de la recherche en sciences sociales. La réunion de spécialistes de chaque question sous le chapeau du doute ouvert produit un ouvrage plus vaste quant à l'éventail des sujets traités, et aussi plus honnête dans sa représentation de l'état actuel de la méthodologie en sciences sociales : il fait ressortir la variété des approches que le terme singulier de « méthodologie » ne peut suggérer et qu'une équipe restreinte de rédacteurs ne pouvait rendre.

BIBLIOGRAPHIE ANNOTÉE

Quelques références sur les fondements de la pensée scientifique et sur l'activité scientifique

BAILLARGEON, Normand, *Petit cours d'autodéfense intellectuelle*, Montréal, Lux, 2005, 338 pages.

Ce petit livre est une introduction à la pensée critique qui utilise des références accessibles et compréhensibles. Il passe en revue les outils mathématiques simples et applique cet esprit critique aux expériences personnelles, à l'approche scientifique et au traitement médiatique des sujets sociaux.

BARRETTE, Cyrille, *Mystère sans magie*, Québec, Éditions MultiMondes, 2006, 245 pages.

Sous-titré *Science, doute et vérité : notre seul espoir pour l'avenir*, cet ouvrage affirme l'importance d'une approche rationnelle à la compréhension du monde. Il situe l'approche scientifique dans une constellation d'autres mécanismes d'appréhension de la réalité pour ensuite faire ressortir les défis que la science pose, de la mesure à l'observation et à la compréhension.

SAGAN, Carl, *The Demon-Haunted World, Science as a Candle in the Dark*, New York, Random House, 1995.

Carl Sagan est un grand vulgarisateur scientifique qui a su allier une extraordinaire capacité à s'émerveiller et à chercher avec une habileté, également remarquable, à questionner et à douter. Le titre du chapitre 12 indique clairement la nature de ce traité très accessible : « The Fine Art of Baloney Detection ».

---

11. La lecture des deux ouvrages d'Albert Jacquard est indispensable : *Éloge de la différence*, Paris, Seuil, 1978, et *Au péril de la science ?*, Paris, Seuil, 1982.

Quelques références à d'autres manuels d'introduction générale

AKTOUF, Omar, *Méthodologie des sciences sociales et approche qualitative des organisations*, Québec, Presses de l'Université du Québec, 1990, 213 pages.

Sous-titré *Une introduction à la démarche classique et une critique*, ce livre passe en revue les éléments fondamentaux du modèle classique de recherche (dont *Recherche sociale* s'inspire largement) et en propose une critique constructive. Dans sa deuxième partie, Aktouf décrit un modèle de recherche plus qualitatif et «clinique». Il s'agit d'une lecture intéressante qui jette un éclairage différent sur le processus d'acquisition de connaissances.

CONTANDRIOPOULOS, André-Pierre, François CHAMPAGNE, Louise POTVIN, Jean-Louis DENIS et Pierre BOYLE, *Savoir préparer une recherche, la définir, la structurer, la financer*, Montréal, Gaëtan Morin, 1990, 196 pages.

Voici un court traité sur les aspects pratiques du déroulement d'une recherche sociale. L'aspect formation de l'information y est presque complètement escamoté, mais d'autres sujets y sont analysés plus en profondeur. La facture du manuel est très pratique et plaira à l'étudiant en manque de conseils immédiatement applicables.

LESCARBEAU, Robert, Maurice PAYETTE et Yves SAINT-ARNAUD, *Profession: consultant*, Montréal, Gaëtan Morin, 2003, 333 pages.

Le chercheur situe souvent son action au sein d'une organisation. Il doit alors se voir comme un agent de changement placé dans une dynamique et comme un détenteur de pouvoir à l'intérieur d'une structure de pouvoir. Le livre de Lescarbeau, Payette et Saint-Arnaud aide à comprendre la place du consultant dans le processus de changement. Ce n'est pas un livre sur la recherche sociale, mais c'est une lecture importante pour le chercheur qui vise à participer au changement.

MUCCHIELLI, Alex, *Dictionnaire des méthodes qualitatives en sciences humaines et sociales*, Paris, Armand Colin, 1996, 275 pages.

Sur le modèle du dictionnaire alphabétique, Mucchielli et ses collaborateurs transportent le lecteur de l'«acceptation interne» et de l'«analyse actancielle» à la «vérification des implications théoriques» et à la «vision du monde». Un peu ésotérique parfois, cet ouvrage constitue cependant une source importante de références aux concepts fondamentaux de la recherche qualitative. Il identifie aussi nombre d'auteurs importants dans la discipline.

LA SOCIOLOGIE DE LA CONNAISSANCE

François-Pierre GINGRAS et Catherine CÔTÉ

Il ne faut point juger des hommes par ce qu'ils ignorent,
mais par ce qu'ils savent et par la manière dont ils le savent.

VAUVENARGUES

Tout le monde fait de la recherche, souvent sans le savoir. Que ce soit un enfant qui scrute les placards pour découvrir où sont cachés les cadeaux de Noël ou une sociologue qui se penche sur l'acculturation des immigrants, la vie de tous les jours se caractérise par une quête constante. C'est d'ailleurs cette envie de savoir, de connaître, de découvrir, qui a marqué l'évolution humaine.

La recherche vise à mieux connaître la réalité, à mieux comprendre cet univers dont nous faisons partie. Nous faisons de la recherche par curiosité ou par intérêt, pour être plus heureux aujourd'hui ou pour prédire nos lendemains, afin de nous adapter à un milieu humain stressant et à un environnement menacé ou plutôt en vue de les transformer en profondeur. Tout comme le faisaient les premiers humains pour survivre, nous cherchons à améliorer notre sort, à trouver une certaine forme de progrès[1]. Le savoir n'est pas inné : *toute connaissance s'acquiert.* La première section de ce chapitre constitue un examen des modes d'acquisition des connaissances.

Nous possédons tous un bagage plus ou moins vaste, plus ou moins spécialisé, plus ou moins juste de « connaissances ». Toutefois, depuis le XVIIe siècle, on distingue clairement les connaissances de type « scientifique » des autres types de connaissances. Une deuxième section de ce chapitre tente de cerner ce qu'on entend par « science », par opposition au savoir « ordinaire », tout en évitant la confusion entre la science et ses applications technologiques. Cela fournira l'occasion de considérer certains écueils de la recherche scientifique.

En traitant des principes méthodologiques de la recherche sociale, cet ouvrage postule le caractère scientifique d'une telle démarche. Il n'est donc pas superflu d'examiner, dans une troisième section, la prétention des sciences sociales au titre de « vraies sciences ». C'est d'ailleurs l'occasion de poser les fameuses questions de la place de la subjectivité dans la connaissance des phénomènes sociaux et de l'existence de lois du comportement humain.

La recherche sociale, pour avoir valeur scientifique, doit s'inspirer d'une pensée cohérente, d'une façon de voir le réel qui préside à l'ensemble de la démarche entreprise. Nous concluons donc ce chapitre en insistant sur certains défis posés par la recherche de la connaissance.

 1 LES SOURCES DE CONNAISSANCE

Nos connaissances ne sont le plus souvent que des **représentations** (ou images) imparfaites de la réalité. Nous nous fabriquons ces représentations à partir de ce que les psychologues appellent des **stimuli** sociaux, c'est-à-dire toute information disponible dans notre entourage : médias, conversations, expériences personnelles, etc. Comme le nombre de ces stimuli dépasse largement notre capacité de discernement, nous construisons un écran perceptuel qui filtre les informations et exerce inconsciemment pour nous un choix parmi tous les renseignements intelligibles. C'est grâce à ce tri des informations que nous pouvons faire des choix rapides en situation de stress, comme lorsqu'un obstacle se dresse sur notre route. Cet écran élimine non seulement les données qui ne présentent guère

---

1. C'est cette quête du progrès qui pousse l'être humain à toujours vouloir aller plus loin, ce qui est admirablement illustré dans le film de Stanley Kubrick, *2001 : l'odyssée de l'espace (2001 : A Space Odyssey).*

d'intérêt, mais il peut aussi refouler les informations qui contredisent nos convictions. Notre cerveau fait donc un tri selon ce qu'il juge important et pertinent par rapport à ce qu'il connaît déjà. Nous ne sommes donc pas «neutres» par rapport à la réalité, nous la percevons différemment selon notre expérience personnelle. C'est par exemple la raison pour laquelle une dispute au sein d'un couple sera relatée de manière bien différente selon le conjoint qui la raconte.

Nos façons d'«apprendre» dépendent donc de notre personnalité et correspondent aux types de rapports que nous entretenons avec la réalité. À l'échelle sociale, l'espace occupé par chacune des sources de connaissance permet de caractériser des personnes et des collectivités: on appelle «traditionnelles» certaines sociétés précisément parce qu'elles s'appuient sur les traditions et on dit, à tort ou à raison, des poètes qu'ils sont plutôt intuitifs, des financiers qu'ils sont plutôt rationnels, des personnalités politiques qu'elles doivent leur succès à leur expérience. Postulons dès le départ qu'aucune de ces sources n'est «meilleure» qu'une autre puisque chacune permet de connaître une partie de la réalité, ne serait-ce qu'imparfaitement.

■ 1.1. La pratique, l'expérience et l'observation

La connaissance acquise par la pratique est sûrement la plus ancienne façon d'apprendre. Elle demeure pour l'être humain, dès sa naissance, la première à laquelle il a recours. Bon nombre de nos connaissances proviennent des sensations que nous éprouvons, de nos expériences vécues et des observations que nous effectuons, par hasard ou de façon systématique.

> Les journalistes qui couvrent une campagne électorale cherchent à prendre le pouls de la population en interrogeant des électeurs, en assistant aux assemblées politiques, en accompagnant des chefs de partis dans leurs tournées électorales: ils en dégagent des connaissances qu'ils transmettent au public par leurs reportages. Certains journalistes ayant vécu de près des événements dramatiques ont même constitué des dossiers qui méritent d'être consultés pendant longtemps[2]. En outre, on ne compte plus les personnalités politiques dont les mémoires constituent de précieux témoignages – si subjectifs soient-ils – sur leur époque, comme ceux de René Lévesque et de Pierre Elliott Trudeau[3]. L'engagement personnel n'est pas nécessairement un obstacle à une

---

2. Voir, par exemple, Jean-Claude TRAIT, *FLQ 70: offensive d'automne*, Montréal, Éditions de l'Homme, 1970.
3. René LÉVESQUE, *Attendez que je me rappelle…*, Montréal, Québec/Amérique, 1986; Pierre Elliott TRUDEAU, *Mémoires politiques*, Montréal, Le Jour, 1993.

analyse rigoureuse, comme en témoigne l'analyse qu'André d'Allemagne fait du rôle joué par le Rassemblement pour l'indépendance nationale (RIN) dans les débuts du mouvement indépendantiste au Québec, en puisant abondamment dans son expérience comme président fondateur, candidat aux élections provinciales de 1966 et membre du comité exécutif du RIN jusqu'à sa dissolution en 1968[4]. Dans certaines sciences sociales, en particulier l'ethnologie, le travail social et la sociologie, on a parfois recours à l'observation participante pour percevoir du point de vue des sujets de l'action sociale ce qui ne pourrait l'être autrement[5]. Il existe d'ailleurs plusieurs exemples célèbres de ce type de méthode de recherche. On peut rappeler le rapport du scientifique Jean Itard sur l'«enfant sauvage» en 1806[6], ou encore l'ouvrage *Coming of Age in Samoa* de l'anthropologue engagée Margaret Mead, qui fut présenté, en 1928, comme une longue enquête de terrain qui allait donner un éclairage nouveau au passage de l'adolescence[7].

Le recours à la pratique, à l'expérience et à l'observation comme mode d'appréhension du réel se situe dans un grand courant que l'on nomme *empirisme* et que l'on peut faire remonter aux sophistes de la Grèce antique. Ces derniers cherchaient à rassembler le plus de connaissances possible sur l'évolution de la civilisation, notamment du langage, et sur l'insertion harmonieuse des gens dans la société : à leurs yeux, le savoir, fondé sur l'expérience et l'observation, devait naturellement déboucher sur l'action ; ainsi, l'éducation avait nécessairement une fonction utilitaire.

L'empirisme repose sur la perception que l'on a de la réalité. Comme l'a bien montré Platon dans son allégorie de la caverne, où des hommes enchaînés ne peuvent voir que leurs ombres et s'imaginent que c'est là tout ce qui existe[8], il importe de distinguer l'objet réel (celui dont on recherche la connaissance) de l'objet perçu par nos sens, qui semble bien réel mais qui n'est pas toute la réalité.

---

4. André D'ALLEMAGNE, *Le R.I.N. de 1960 à 1963 : étude d'un groupe de pression au Québec*, Montréal, L'Étincelle, 1974.

5. Voir, par exemple, Marie LETELLIER, *On n'est pas des trous-de-cul*, Montréal, Parti-Pris, 1971, et Patrick DECLERCK, *Les naufragés : avec les clochards de Paris*, Paris, Plon (coll. «Terre Humaine»), 2001.

6. Il s'agit du cas d'un enfant qui visiblement aurait passé une partie de sa petite enfance en forêt, loin de toute présence humaine. Il fut découvert par des paysans et on demanda au médecin et spécialiste de l'apprentissage Jean Itard de l'observer. Le rapport fait état des efforts pour éduquer «Victor», mais offre surtout un précieux apport à la psychologie infantile. Jean Marc Gaspard ITARD, *Rapport sur Victor de l'Aveyron*, 1806, <http://classiques.uqac.ca/classiques/itard_jean/victor_de_l_Aveyron/victor.html>.

7. Margaret MEAD, *Coming of Age in Samoa : A Psychological Study of Primitive Youth for Western Civilisation*, New York, W. Morrow, 1928, traduit sous le titre «Adolescence à Samoa» dans *Mœurs et sexualité en Océanie*, Paris, Pocket, 2006 [réédition d'une première édition française en 1963].

8. Voir le début du livre VII de *La République*.

> L'intellectuel révolutionnaire Pierre Vallières a cité son expérience au sein d'une communauté religieuse à l'appui de sa dénonciation de l'obscurantisme et de l'exploitation incessante des masses québécoises par l'Église catholique pendant trois siècles[9]. De son côté, l'abbé Gérard Dion a plutôt fait ressortir le caractère progressiste de nombreuses interventions de l'Église, dont une à laquelle il a lui-même participé, lors d'un conflit syndical qui ébranla le Québec tout entier[10]. Les expériences de chacun conditionnent leur interprétation de la réalité.

Au-delà de l'expérience immédiate d'un phénomène, l'engagement intellectuel pour une cause stimule et limite à la fois la connaissance qu'on peut acquérir de la réalité. S'appuyant sur l'expérience et l'observation, l'empirisme souligne de façon particulièrement aiguë la nécessité de prendre du recul face à ce que nous cherchons à comprendre et face à notre perception de la réalité. C'est ce qu'on appelle aussi la *rupture épistémologique*. Le sophiste Protagoras[11] semble avoir été l'un des premiers philosophes de l'Antiquité à voir l'importance du fait que la connaissance dépend à la fois de l'objet connu et du sujet connaissant, en d'autres mots, que la perception peut amener une personne à «connaître» une chose d'une «certaine manière» et une autre personne à «connaître» la même chose d'une «manière différente», peut-être contradictoire mais tout aussi vraie. En sciences sociales, ce problème est d'autant plus d'actualité que l'humain est à la fois le sujet et l'objet de la recherche; il s'agit de personnes qui font de la recherche sur d'autres personnes. D'où, selon d'abord Protagoras et plus tard Pyrrhon[12], la nécessité de toujours faire preuve d'un certain scepticisme face à la réalité perçue, qu'il s'agisse de personnes, de choses ou d'événements. D'où aussi l'importance du doute méthodique préconisé par Descartes[13] et qui est à la base de l'esprit scientifique.

1.2. La tradition, l'autorité et la mode

Notre perception des choses est façonnée par nos propres expériences, mais également par la société et la culture dont nous faisons partie. Nous sommes exposés dès notre tendre enfance à des explications concernant l'origine de la vie, le fonctionnement de l'univers, le comportement des

---

9. Pierre VALLIÈRES, *Nègres blancs d'Amérique*, éd. revue et corrigée, Montréal, Parti-Pris, 1969, chap. 4 (réédité en 1979 par Québec/Amérique).
10. Gérard DION, «L'Église et le conflit de l'amiante», p. 258, dans Pierre Elliot TRUDEAU, *La grève de l'amiante*, Montréal, Jour, 1970 (réédition de l'ouvrage de 1956).
11. PLATON, *Protagoras*, Paris, Mille et une nuits, 2006.
12. Marcel CONCHE, *Pyrrhon ou l'apparence*, Paris, Presses universitaires de France, 1994.
13. René DESCARTES, *Discours de la méthode*, Paris, Vrin, 1964. Aussi disponible dans les *Classiques des sciences sociales*, <http://classiques.uqac.ca/classiques/Descartes/discours_methode/discours_methode.html>.

humains, etc. Nous avons habituellement de bonnes raisons de croire ces interprétations. D'une part, nous ne sommes généralement pas en mesure de prouver qu'elles sont fausses et, d'autre part, nous avons de toute façon confiance en ceux et celles qui nous les transmettent : parents, professeurs, maîtres spirituels, journalistes et experts de tout acabit – en somme, tous ceux et celles qui « savent » ou prétendent savoir. Et puis, il y a ces traditions immémoriales qui font que personne (ou presque) ne songe même à remettre en question un certain « savoir » relayé par chaque nouvelle génération.

La tradition, l'autorité, la mode sont des sources de connaissances indirectes, contrairement à la pratique, l'observation et l'expérience personnelles. L'avantage de la tradition comme source de connaissances est évidemment son caractère cumulatif : il n'est pas nécessaire de toujours recommencer les recherches à zéro ; il suffit d'élargir le savoir. Mais le grand désavantage de la tradition est son caractère conservateur qui, en réalité, freine la remise en question du savoir acquis.

> Par exemple, lorsque Gilles Bourque, Jules Duchastel et Jacques Beauchemin se penchent sur le discours politique dominant au Québec de 1944 à 1960, ils se heurtent à l'interprétation dominante qui présente le Québec d'alors comme une société traditionnelle ; leur projet de recherche ne peut « être pleinement réalisé sans que l'on questionne les fondements de cette interprétation[14] ». De son côté, Maurice Pinard a irrité bien des sensibilités en soutenant la thèse que ce fut longtemps une élite, non la masse des Québécois, qui souscrivait au nationalisme[15], contrairement à l'interprétation dominante suivant laquelle le nationalisme, sous l'une ou l'autre de ses formes, a toujours été l'un des principaux courants idéologiques à mobiliser les Canadiens français en général et les Québécois en particulier.

Malgré la force de la tradition, tout au long de notre vie, nous profitons de nouvelles connaissances souvent appelées « découvertes ». Comme presque chaque jour quelqu'un, quelque part, allègue qu'il vient d'effectuer une nouvelle « découverte », il ne faut pas s'étonner si l'acceptation ou le rejet de cette « découverte » par la société dépende souvent du statut du « découvreur ».

---

14. Gilles BOURQUE, Jules DUCHASTEL et Jacques BEAUCHEMIN, *La société libérale duplessiste*, 1944-1960, Montréal, Presses de l'Université de Montréal, 1994, p. 7.
15. Voir en particulier Maurice PINARD, « La rationalité de l'électorat : le cas de 1962 », dans le recueil de Vincent LEMIEUX, *Quatre élections provinciales au Québec, 1956-1966*, Québec, Presses de l'Université Laval, 1969, p. 179-196, ainsi que Maurice PINARD, Robert BERNIER et Vincent LEMIEUX, *Un combat inachevé*, Québec, Presses de l'Université du Québec, 1997. Pour une réfutation, voir en particulier Pierre DROUILLY, *Indépendance et démocratie. Sondages, élections et référendums au Québec, 1992-1997*, Montréal, L'Harmattan, 1997.

Ainsi, au cours des années 1950, on pouvait compter des milliers de catholiques québécois qui écoutaient quotidiennement le programme radiophonique *La Clinique du cœur* où le père dominicain Marcel-Marie Desmarais leur apprenait comment ordonner leur vie quotidienne selon les préceptes de l'Église catholique. Citant des « autorités » médicales et religieuses, il enseignait entre autres comment le recours à des moyens autres que la continence « d'empêcher la famille » lésait « dans leur âme et dans leur corps » tous « les malheureux » qui s'y adonnaient[16]. Les premiers à ridiculiser aujourd'hui une telle soumission à des enseignements dépassés sont parfois les plus naïfs gobeurs des propos de nouveaux maîtres à penser qui, pendant un temps, éblouissent leurs adeptes... avant d'être à leur tour rejetés dans l'ombre.

Si la tradition et l'autorité, comme moyens d'acquisition de connaissances, ont leurs avantages et leurs inconvénients, on peut dire la même chose de l'engouement pour certaines « nouvelles » façons d'aborder le réel. Le béhaviorisme, la biosociologie, la prospective, le néo-marxisme, la cybernétique et le postmodernisme sont tous des exemples d'approches qui ont été à la mode pendant une certaine période et qui ont suscité un fervent enthousiasme chez certains partisans, mais dont on découvre maintenant les limites. Une telle ardeur initiale, par ailleurs, contribue à favoriser l'exploration de pistes de recherche inédites ou sous-exploitées et donc à l'avancement des connaissances, comme le suggère Nicos Poulantzas dans sa préface du livre d'Anne Legaré, *Les classes sociales au Québec*[17]. La mode intellectuelle prend le contre-pied de la tradition en prévenant la sclérose du savoir. Mais elle risque aussi de chercher à imposer ses nouveaux dogmes.

En somme, à l'instar des modes vestimentaires, les modes intellectuelles font parfois perdre le sens de la mesure. Cela ne signifie pas qu'il faille rejeter d'avance les propositions d'ouvrir de nouvelles portes sur la vérité. La sagesse consiste sans doute à discerner les sources les plus fécondes, quitte à passer de l'une à l'autre au besoin.

1.3. L'intuition

Bon nombre de découvertes seraient, dit-on, le fruit du hasard, de l'imagination, de l'intuition. Les exemples les plus souvent cités proviennent de la physique: à la fin du XVIIᵉ siècle, Denis Papin, voyant bouger le

---

16. Cette expression est tirée de Marcel-Marie DESMARAIS, *L'amour à l'âge atomique*, Montréal, Le Lévrier, 1950, p. 67. On retrouve les mêmes idées dans les multiples volumes de la série « La clinique du cœur », Montréal, Le Lévrier, 1957-1958.
17. Anne LEGARÉ, *Les classes sociales au Québec*, Montréal, Presses de l'Université du Québec, 1977, p. VII.

couvercle d'une marmite chauffant dans l'âtre domestique, en aurait tiré sa loi sur l'expansion des gaz; de son côté, Isaac Newton, voyant tomber une pomme d'un pommier, en aurait conçu la loi de l'attraction universelle, l'appliquant même à la gravitation de la Lune autour de la Terre. Dans notre quotidien, il nous arrive aussi de faire de petites découvertes sous le coup d'une intuition.

En sciences sociales, on parle d'intuition comme source non systématique de connaissance de nous-mêmes, d'autrui, des choses, des processus, des vérités fondamentales. L'intuition porte nécessairement sur certaines perceptions qu'on a de la réalité et ne saurait totalement exclure l'exercice d'un certain jugement combiné à une bonne dose d'imagination. Sans prendre la forme d'une analyse fondée sur un raisonnement rigoureux, l'intuition dépasse la simple connaissance acquise par les sens.

> Dans un texte rédigé au moment où la Révolution tranquille commençait à s'essouffler, Claude Ryan, alors directeur du quotidien montréalais *Le Devoir*, cherchait à faire le point sur le pouvoir religieux et la sécularisation au Québec[18]. Sans suivre de «démarche sociologique rigoureuse», il constatait le glissement du pouvoir de l'Église vers l'État. Opinant à contre-courant des universitaires, Ryan considérait que ces changements structurels du pouvoir s'effectuaient de «manière plutôt paisible» et il rejetait intuitivement l'hypothèse que les changements résultaient d'une lutte de pouvoir entre l'Église et l'État. Selon Ryan, la médiation de l'opinion publique jouait un rôle déterminant dans ce transfert possible du pouvoir. Par ailleurs, sentant que le pouvoir de l'idée religieuse demeurerait considérable parmi la population malgré la perte du pouvoir temporel de l'Église, Ryan avait l'intuition que les idées et la mentalité de la société québécoise allaient encore longtemps porter la marque d'un certain conservatisme.

Si l'intuition et l'imagination permettent une meilleure compréhension de la réalité, c'est en général parce qu'elles s'accompagnent d'un intérêt pour un objet de connaissance, d'un bagage considérable d'observation ou d'expérience et d'une grande capacité à raisonner sur ces faits. Des millions de personnes ont vu s'agiter des couvercles de marmites et tomber des pommes; bien peu, comme Papin et Newton, en ont tiré des lois physiques! Insensibles aux intuitions de Ryan, plusieurs auteurs québécois ont regardé la Révolution tranquille s'achever en posant le verdict d'une complète mise au rancart des valeurs religieuses: souvent anticléricaux, ils prenaient leurs désirs pour des réalités.

---

18. Claude RYAN, «Pouvoir religieux et sécularisation», *Recherches sociographiques*, vol. VIII, nos 1-2, janvier-août 1966, p. 101-109.

Toutes les intuitions ne sont pas corroborées par les faits observables. Au contraire, c'est là un mode de connaissance fort fragile. Il faut particulièrement se méfier des intuitions populaires au sujet de questions complexes. Le « sens commun » n'est que le résultat des préjugés et croyances propres à l'époque de référence. L'histoire regorge ainsi de cas où des chercheurs, faisant appel au sens commun plutôt qu'à l'esprit scientifique, refusèrent de croire en l'existence de la girafe ou encore des météorites[19] ! En vérité, devant des problèmes sociaux comme le viol, la délinquance ou la pauvreté, face à des crises ou des événements dramatiques comme des attentats terroristes, identifier les causes sur la base d'intuitions impose nécessairement des limites sérieuses à la compréhension globale de ces phénomènes. En effet, « que nous ayons l'intuition de causes communes ne nous met pas nécessairement en mesure d'identifier les liens entre [les crises humanitaires qu'ont vécues] la Bosnie, le Rwanda, l'Algérie, le Guatemala, le Chiapas, le Kosovo, la Tchétchénie[20] ». Pour rendre l'intuition féconde, il faut l'accompagner d'un raisonnement rigoureux tout en chassant les préjugés.

▦ 1.4. Le raisonnement

S'il nous est possible d'accroître nos connaissances sur nous-mêmes et notre environnement grâce à des sources directes comme la pratique, l'expérience et l'observation ou grâce à des sources indirectes comme la tradition ou l'autorité, il faut néanmoins reconnaître le caractère limité des acquisitions nouvelles qu'on peut faire par ces moyens. Il est économique de tirer des conclusions au-delà des observations, pour les appliquer à des ensembles de phénomènes analogues. Il est essentiel de pouvoir de temps à autre se dégager du carcan des traditions pour améliorer notre compréhension de l'univers et de la société. Le raisonnement est une source de connaissance fondée sur la faculté proprement humaine de saisir les rapports entre les choses et notamment les causes et les conséquences des phénomènes observables. Le raisonnement se fait grâce à ce que les philosophes appelaient l'abstraction. C'est une source de connaissance indirecte, mais systématique, qui n'implique pas la révélation surnaturelle de certitudes invérifiables. En sciences sociales, deux types de raisonnement doivent particulièrement retenir notre attention : le raisonnement inductif et le raisonnement déductif.

---

19. Sur ce sujet, voir la leçon 115 « Raison et bon sens » de Serge CARFANTAN, *Philosophie et spiritualité*, 2004, <http://sergecar.club.fr/cours/raison3.htm>.

20. Monique CHEMILLIER-GENDREAU, « L'humanitaire en débat : une loi commune à tous », *Le Monde diplomatique*, juin 2000, p. 31.

Le principe de l'*induction* repose précisément sur le raisonnement que si deux choses, faits ou caractéristiques se trouvent sans cesse associés lorsqu'on les observe, ils sont probablement toujours associés si les mêmes conditions prévalent. Et plus grand est le nombre de cas observés où les deux éléments se trouvent associés, plus grande est aussi la probabilité de leur association en d'autres occasions. Par exemple, pour revenir à un classique de la logique en philosophie : si tous les hommes que j'ai rencontrés étaient mortels, alors celui-ci l'est probablement. Un nombre considérable d'associations entraîne donc une probabilité très élevée, voire une quasi-certitude, de la généralisation qu'on effectue. On appelle cette conclusion une *généralisation empirique*. En principe, elle ne doit pas souffrir d'exception mais, paradoxalement, il est impossible de la prouver définitivement en faisant appel à l'expérience. En effet, le raisonnement inductif repose sur des probabilités, c'est-à-dire sur des connaissances acquises grâce à une agrégation de résultats, et, au mieux, elle ne propose donc que des quasi-certitudes. Dans la mesure où il n'y a pas, à strictement parler, de certitude absolue dans une généralisation empirique, on qualifiera alors d'« opinion vraisemblable » notre croyance en cette généralisation empirique si aucun fait porté à notre connaissance ne parvient à en démontrer la fausseté. Notre opinion est évidemment d'autant plus vraisemblable que la généralisation empirique fait l'objet de tests nombreux et variés qui tendent tous à la confirmer. La constance des rapports entre religion et politique au Québec au cours de la Révolution tranquille et dans les années qui ont suivi en constitue un exemple frappant : les électeurs qui ont remis en question leurs valeurs et leur pratique religieuses ont eu davantage tendance à appuyer « le parti du changement » et la souveraineté du Québec[21].

Si le raisonnement inductif prend racine dans les cas particuliers et aboutit à des généralisations dont on peut évaluer la vraisemblance (mais non la certitude) par la confrontation à d'autres cas particuliers, le *raisonnement déductif* trouve sa source dans des formulations générales abstraites et universelles (parfois appelées « lois générales ») dont on tire des hypothèses pour des cas particuliers. Tout raisonnement déductif part d'une loi générale établissant un rapport entre des concepts universels. Le raisonnement déductif, comme le philosophe Emmanuel Kant[22] l'a

---

21. Voir François-Pierre Gingras et Neil Nevitte, « La Révolution en plan et le paradigme en cause », *Revue canadienne de science politique*, vol. XVI, n° 4, décembre 1983, p. 691-716, ainsi que deux textes recueillis par Jean Crête, *Comportement électoral au Québec*, Chicoutimi, Gaëtan Morin éditeur, 1984 : André Blais et Richard Nadeau, « L'appui au Parti québécois : évolution de la clientèle de 1970 à 1981 » (p. 279-318) et Maurice Pinard et Richard Hamilton, « Les Québécois votent NON : le sens et la portée du vote » (p. 335-385).

22. Voir à ce sujet : Josiane Boulad-Ayoub, *Fiches pour l'étude de Kant*, 1990, <http://classiques.uqac.ca/classiques/kant_emmanuel/documents_connexes/Ajoub_fiches_pour_Kant.pdf>.

démontré, permet de partir de principes généraux (ou *axiomes*) et d'en tirer des connaissances nouvelles (les *conclusions*). La recherche sociale entre en jeu pour vérifier les implications particulières des nouvelles connaissances, en établissant d'abord une *hypothèse* générale dont il s'agit ensuite d'opérationnaliser chacun des *concepts*. D'autres sections de ce manuel éclairciront cette démarche. Il importe à ce moment-ci de réaliser que le raisonnement déductif ne fait pas nécessairement appel au principe de la causalité. Le raisonnement permet en effet de trouver des explications causales ou encore associatives, selon qu'on fait l'hypothèse qu'un phénomène en entraîne un autre ou l'hypohtèse que plusieurs phénomènes sont associés, sans que l'un ne soit la cause ni l'autre, l'effet.

> On peut parfois tirer aussi bien une hypothèse causale qu'une hypothèse non causale de généralisations empiriques construites à partir de l'observation de parallèles historiques. À plusieurs reprises depuis la Seconde Guerre mondiale, les gouvernements occidentaux, accaparés par des conflits internationaux mettant en jeu leurs intérêts économiques, ont laissé l'Union soviétique intervenir avec force dans la « sphère d'influence » occidentale. Ainsi, en 1956, les autorités soviétiques ont violemment réprimé les manifestations nationalistes en Hongrie pendant que l'attention de l'Occident se portait sur une crise internationale au sujet de l'assujettissement du canal de Suez par le gouvernement égyptien. On a observé la même passivité occidentale lors des interventions soviétiques en Tchécoslovaquie (1968), en Afghanistan (1979), etc. En janvier 1991, on a assisté à un déploiement sans ménagement de l'armée soviétique dans les républiques baltes (en particulier en Lituanie) manifestant des velléités indépendantistes, la même semaine où une large coalition d'États occidentaux attaquait l'Irak pour forcer ce pays à se retirer du Koweït ; il n'y a pas de relation causale évidente entre les deux événements, mais il est tentant de croire qu'au Kremlin, on pouvait prédire la passivité relative de l'Occident par la priorité que ses gouvernements semblent accorder au commerce international, à l'approvisionnement en pétrole et à l'équilibre des zones d'influence, plutôt qu'aux libertés démocratiques.

Dans la mesure où le raisonnement qui porte sur les phénomènes humains et sociaux implique un niveau d'analyse plus abstrait que le simple recours à la perception de nos sensations, il ne faut pas se surprendre de voir certains scientifiques élaborer des modèles très abstraits de la réalité en vue d'enrichir sans cesse les connaissances. Les chapitres sur la théorie et sur la modélisation démontreront le comment et le pourquoi de l'utilisation des modèles abstraits.

Les diverses approches rationalistes possèdent comme constante un double objectif d'explication et d'orientation vers l'action : d'une part, les rationalistes cherchent à expliquer un univers cohérent en termes de concepts et de rapports logiques entre ceux-ci ; d'autre part, ils aspirent

à ordonner la vie individuelle et sociale sur la base de principes universels et purement rationnels. Les comités éditoriaux des revues savantes
tentent d'éliminer le plus possible les jugements de valeur qui biaisent les
analyses de certains auteurs. Mais les implications concrètes de la logique
des rationalistes apparaissent parfois incontournables. Emmanuel Kant
va jusqu'à soutenir qu'il est irrationnel d'imaginer des objets (et donc des
causes) situés en dehors du temps et de l'espace. Il limite par conséquent
le pouvoir de la raison (donc de la science) à connaître le monde matériel
(ce qui rejoint les préoccupations des empiristes) et à guider nos actions.
Le chapitre 20 de ce manuel revient d'ailleurs sur toute la question de la
rationalité et de l'objectivité scientifique.

Quant aux choses qui échappent à l'expérience humaine, Kant affirme
qu'il faut toujours les aborder d'un œil critique et se méfier de la prétendue
connaissance que d'aucuns croient en avoir, car pour chaque proposition
(ou «thèse») qu'on puisse faire au sujet de leur nature, la raison pure permet
d'affirmer avec autant d'assurance une proposition contradictoire (ou
«antithèse»). On retrouve donc chez Kant une charnière dans l'évolution
de la *méthode dialectique*.

Dans la même veine et sans doute paradoxalement aux yeux de
certains, on discerne aussi chez Kant une charnière dans l'évolution de
la *méthode positiviste*. Le positivisme du père de la sociologie, Auguste
Comte[23], n'admet en effet comme valables que les affirmations fondées
sur l'expérience des sens, soit directe, soit résultant d'un test empirique
des conséquences déduites logiquement des faits d'expérience. Dans leur
recherche de connaissances nouvelles, les positivistes s'appuient sur le
postulat que les données de la science sont les expériences des organismes
(individus, groupes, structures sociales) ou les réactions (ou «réponses»)
de ces organismes aux stimulations ou expériences de leur environnement.
Pour les connaître de façon objective, la mesure systématique et la quantification se sont donc imposées assez tôt comme offrant un gage de validité.
À l'instar de Kant, un George A. Lundberg[24], par exemple, rejette toute
définition *a priori* de l'essence des choses, préférant les définir de façon
opératoire d'après ce que l'expérience peut en révéler. Cette approche
favorise les *définitions opératoires*[25] (comme celles qu'utilise Statistique

---

23. Auguste COMTE, *Cours de philosophie positive 1830-1842*, <http://classiques.uqac.ca/classiques/Comte_auguste/comte.html>.
24. George A. LUNDBERG, *Foundations of Sociology*, 1939, <http://www.questia.com/library/book/foundations-of-sociology-by-george-a-lundberg.jsp>.
25. En ce qui a trait aux définitions opératoires, voir l'introduction de l'œuvre majeure du pionner de la sociologie, Émile DURKHEIM, *Le suicide*, 1897, <http://classiques.uqac.ca/classiques/Durkheim_emile/suicide/suicide.html>.

Canada dans le choix de ses indicateurs[26]) au détriment des *définitions conceptuelles*. C'est pourquoi, par exemple, on définit souvent l'«intelligence» par la mesure qu'on en fait dans un test de quotient intellectuel ou la «pauvreté» par un seuil de revenu familial : les positivistes considèrent inconnaissable l'«intelligence en soi» et affirment que la «pauvreté» est nécessairement quelque chose de relatif. Ce genre de raisonnement, très pratique, peut facilement dégénérer en un découpage excessif d'un phénomène en d'innombrables composantes puis sa reconstitution artificielle par la somme des diverses observations qu'on en a faites : dans ce processus, on peut facilement oublier la signification essentielle des phénomènes et confondre des concepts, comme l'intelligence et les aptitudes scolaires. Qui plus est, les statistiques ne sont qu'un outil parmi d'autres, aussi des statistiques sur la pauvreté ne nous renseigneront pas sur l'expérience de la pauvreté au quotidien.

 LA CONNAISSANCE SCIENTIFIQUE

C'est un besoin naturel des humains que de chercher à savoir le pourquoi et le comment des choses, de vouloir prédire certaines caractéristiques de l'avenir. On connaît la panique qui s'empare des populations civiles lors de l'imminence de bombardements. On se rappelle la crainte répandue de prendre l'avion après les attentats terroristes du 11 septembre 2001. Faute de comprendre notre milieu (facteur d'ordre humain) et notre environnement (facteur d'ordre écologique), faute d'un minimum d'assurance face à ce que nous réserve le futur, faute enfin de pouvoir exercer quelque action éclairée sur nous-mêmes et sur ce qui nous entoure, nous deviendrions vite des étrangers, des aliénés.

2.1. Qu'est-ce que la science?

Dans toutes les sociétés, le savoir procure à ses détenteurs un avantage sur les «ignorants». Qu'on pense au chasseur qui a découvert la cache de son gibier, au médecin qui a appris à soigner les malades, à la mécanicienne qui sait remettre les voitures en état de marche, au sondeur qui prédit correctement un résultat électoral. La communication des connaissances parmi les membres d'une société représente naturellement un progrès de la civilisation. Nous avons déjà mentionné comment le statut de la personne

---

26. Voir, par exemple, comment STATISTIQUE CANADA définit ses concepts et variables, <http://www.statcan.ca/francais/concepts/definitions/index_f.htm>.

qui dit posséder une connaissance influence l'accueil fait par la société à la connaissance en question. Dans une société simple, il est beaucoup plus facile que dans une société complexe d'obtenir un consensus sur le statut des «personnes connaissantes» et donc aussi sur la valeur des connaissances qu'elles transmettent: on apprend vite qui est bon chasseur et il est facile de vérifier ses dires. Dans les sociétés simples, la population est généralement restreinte et de culture homogène: on partage une mentalité, une langue, des croyances, des conventions[27].

Dans les sociétés complexes, les consensus sont plus difficiles à obtenir. Non seulement chacun ne peut-il connaître tout le monde, mais la culture tend en outre à se fragmenter: les mythes eux-mêmes ne font plus consensus, ils se font concurrence! À qui, par exemple, doit revenir le pouvoir de gouverner? Au plus fort ou au plus riche? Au fils aîné du roi ou à l'élue du peuple? Au choix de l'oracle ou de la junte militaire? Qui croire... et que croire? Certaines interrogations (notamment sur le rôle de l'État dans nos sociétés) se font si pressantes qu'André Vachet n'hésite pas à parler du «désarroi [...] de l'ensemble de la pensée sociale et politique de notre temps[28]».

Si l'on estime désirables, d'une part, la connaissance qui permet de minimiser certaines incertitudes et, d'autre part, la diffusion de cette connaissance, alors un terrain d'entente s'établit. En d'autres termes, une démarche universellement acceptable et universellement reconnue comme valide constitue un préalable à la communication universelle des connaissances: *ce qu'on appelle la science est un savoir qui repose sur des conventions*. Le chapitre 20 de ce livre en témoigne. La convention première qui confère à une connaissance son caractère scientifique, c'est qu'on puisse répéter, en quelque sorte, la découverte: refaire l'observation, reprendre le raisonnement, confronter de nouveau l'hypothèse aux faits. C'est ce qu'on appelle la *reproductibilité*. Le phénomène unique observé ou vécu par une unique personne ne peut donc être l'objet d'une connaissance scientifique: les expériences mystiques individuelles en sont un exemple[29]. Les phénomènes présentant un caractère répétitif ou au moins une certaine durée,

---

27. Il en va de même chez certains groupes très homogènes où le contrôle social s'exerce avec intransigeance, comme la communauté juive hassidim montréalaise ou encore des groupes de motards comme les Hell's Angels.

28. *L'idéologie libérale: l'individu et sa propriété*, 2e éd., Ottawa, Presses de l'Université d'Ottawa, 1988, p. 13

29. Au plus fort de la guerre du Golfe en 1991, Saddam Hussein avait déclaré que Dieu lui était apparu en songe et l'avait assuré de sa victoire contre les forces occidentales cherchant à libérer le Koweït de l'invasion irakienne. Mis à part le fait que cette victoire ne s'est pas réalisée, il est impossible de savoir *scientifiquement* si le dictateur irakien a réellement eu ce songe ou bien s'il l'a inventé à des fins de propagande.

observables par plusieurs, offrent à la recherche scientifique un menu de choix, mais se prêtent aussi davantage au savoir «ordinaire» que les phénomènes rares, obscurs, complexes.

Principalement à cause de leur intérêt pour des phénomènes moins facilement compréhensibles par un grand public, les personnes ayant une formation poussée dans l'une ou l'autre branche du savoir ont, au cours des siècles, fixé des conventions et établi des critères d'acceptation ou de rejet des nouvelles connaissances. Dans la mesure où ces conventions et ces critères font l'objet d'un consensus parmi les «savants», *la science n'est que ce que les savants s'entendent pour croire qu'ils savent*, c'est-à-dire l'ensemble systématisé des connaissances partagées à une époque par les scientifiques dans leurs disciplines respectives.

L'histoire des progrès de la science et de l'accumulation du savoir est si chargée de rejets d'interprétations autrefois tenues pour des vérités que les gens de science en sont venus assez tôt à faire preuve de scepticisme à l'égard de leur propre savoir. C'est pourquoi, sans nécessairement se réclamer de Pyrrhon, le premier des grands philosophes sceptiques de l'Antiquité grecque, qui niait qu'une personne pût atteindre à la vérité, les gens de science pratiquent le «doute méthodique» cher à Descartes : douter de ce qui paraît douteux et s'interroger sur les prétendues certitudes.

> Certaines «vérités» rejetées ont cependant la vie dure : bien des gens croient encore aujourd'hui que la vitesse de chute des corps est directement proportionnelle à leur masse, comme l'avait affirmé Aristote ; ainsi, ce manuel, échappé par mégarde, tomberait environ quatre fois plus vite que le *Guide d'élaboration d'un projet de recherche* de Gordon Mace et François Pétry (Québec, Presses de l'Université Laval, 2000) ! On peut facilement vérifier qu'il n'en est rien. On doit à Galilée d'avoir remis en cause bien des «connaissances acquises» même si cela lui valut l'excommunication par l'autorité papale.

La satisfaction des scientifiques dépend souvent de leur capacité à prédire des phénomènes d'après l'observation de la régularité d'autres phénomènes, tout en s'accordant une marge de manœuvre pour tenir compte des impondérables : selon qu'on est optimiste ou pessimiste, on parlera de «degré de confiance» ou de «marge d'erreur». La science est à la fois probabiliste et déterministe.

Le déterminisme de la science implique que tout phénomène est susceptible d'être expliqué de façon rationnelle, mais il ne prétend jamais que toutes les explications sont actuellement connues : le déterminisme amène donc à prédire des comportements probables, mais il n'exclut pas la possibilité que des personnes ne se comportent pas comme on a prédit. La *prédiction* consiste à faire l'hypothèse d'un événement futur en se fiant aux données observables du passé ou du présent, tandis que la *prédestination* constitue une doctrine fataliste qui pose que certains événements se produiront inévitablement parce qu'une volonté surnaturelle en a décidé ainsi. Les scientifiques n'affirmeront jamais que l'avenir politique du Québec ou de la Palestine dépend de la volonté divine !

Quant à l'utilisation pratique et concrète des connaissances scientifiques, elle relève de la technologie et non de la recherche scientifique. Il faut dissiper une équivoque fréquente entre *science* et *technologie*. C'est la technologie ou la maîtrise des applications des résultats de recherches qui préside aux lancements fructueux de navettes spatiales ou au déroulement idoine des sondages d'opinion. Les « réalisations de la science » les plus remarquées du grand public sont en général des produits de la technologie. Une équipe scientifique devrait idéalement être en mesure d'utiliser toute la technologie à sa disposition en vue de poursuivre des recherches plus poussées. Mais la technologie progresse si rapidement qu'il est bien difficile de se mettre à son pas : bien des universitaires en sciences sociales, par exemple, ne réalisent pas encore les ressources inouïes mises à leur portée par les simulations informatisées. Quant aux technologues, il faut parfois déplorer leur manque de formation en recherche fondamentale : le sondage le mieux orchestré peut passer à côté de l'essentiel d'un phénomène social et un usage inconsidéré des « tests d'intelligence » peut mener à des méprises sur les capacités mentales des personnes. Nous reviendrons plus loin sur la nécessaire pertinence de la science.

▓ 2.2. Les contraintes de la recherche scientifique

Quiconque aspire à s'adonner à la recherche scientifique doit réaliser qu'il s'agit d'une pratique sociale sujette à une gamme étendue de contraintes, comme toute activité humaine. La science n'existe pas indépendamment de la société où elle s'élabore ; la recherche scientifique est une production humaine inscrite dans un environnement social qui, à la fois, détermine l'éventail des options disponibles et impose des contraintes quant aux choix entre ces diverses options. On peut regrouper sous quatre types ces sources d'influence manifeste[30].

L'état actuel des connaissances constitue évidemment la première contrainte de la recherche scientifique, dans la mesure où l'on accepte que la science procède en grande partie d'un raffinement, d'une amélioration du savoir organisé, d'une accumulation de connaissances qui, toujours, dépassent les précédentes.

---

30. Voir aussi Paul DE BRUYNE, Jacques HERMAN et Marc DE SCHOUTHEETE, *Dynamique de la recherche en sciences sociales*, Paris, Presses universitaires de France (coll. « Sup »), 1974, p. 29-33.

> À propos des mérites et limites des instruments de recherche en sciences sociales, les manuels (comme celui-ci) ont en principe la mission de mettre en garde contre une confiance aveugle. On trouve parfois des rapports de recherche qui consacrent quelques lignes aux contraintes liées aux outils utilisés. On peut citer comme modèle de réflexion critique les notes méthodologiques des politologues Caroline Andrew, André Blais et Rachel Desrosiers sur leur usage de diverses techniques dans une recherche sur les politiques de logement s'adressant aux bas-salariés : tout en soulignant « le rôle de l'imprévu » dans l'expérience de recherche, les auteurs évaluent longuement la pertinence du sondage, des entrevues d'élites, de l'analyse documentaire et de l'observation directe. Ils en concluent que, précisément à cause des limites de chaque instrument, « on devrait toujours viser à utiliser la plus grande variété de techniques possible[31] ».

Au-delà des limites imposées par l'état du savoir systématisé, qu'on appelle la science, il faut encore rompre avec les prétendues « évidences » ou « *certitudes* » *du sens commun* et de la vie quotidienne. Les jugements qu'on porte sur les causes des phénomènes reposent fréquemment sur des suppositions *a priori* dont on n'a même pas conscience et dont il n'est pas toujours facile de se dégager.

S'il importe de se méfier du sens commun, il faut tout autant réaliser combien les valeurs conditionnent la recherche scientifique. Les valeurs dont il est question ici sont autant *les valeurs personnelles de la personne qui fait la recherche que les valeurs collectives de la société.* De telles valeurs, collectives ou personnelles, ne constituent pas nécessairement des entraves à la recherche, mais elles conditionnent le choix des thèmes abordés, des problématiques, des orientations, des instruments, des données et donc des conclusions, c'est-à-dire des nouvelles connaissances qu'on en tirera. L'une des premières marques d'intégrité à exiger d'un chercheur ou d'une chercheure est de faire état de son subjectivisme, de son idéologie, de ses intérêts. Certaines recherches féministes sont des modèles à cet égard[32].

Cette confession étant faite, la recherche doit encore affronter une gamme de contraintes que De Bruyne, Herman et De Schoutheete nomment la *demande sociale*, c'est-à-dire ces façons qu'a chaque société particulière de créer des conditions plus ou moins favorables à l'exploration de diverses pistes de recherche scientifique : on distingue arbitrairement la recherche

---

31. Caroline ANDREW, André BLAIS et Rachel DESROSIERS, *Les élites politiques, les bas-salariés et la politique du logement à Hull*, Ottawa, Éditions de l'Université d'Ottawa, 1976. Voir p. 177-200, *passim.*
32. Voir par exemple le numéro thématique « Femmes et pouvoir » de la revue *Politique*, n° 5, hiver 1984 ainsi que Manon TREMBLAY et Nathalie BÉLANGER, « Femmes chefs de partis politiques et caricatures éditoriales : l'élection fédérale canadienne de 1993 », *Recherches féministes*, vol. 10, n° 1, 1997, p. 35-75.

théorique de la recherche sur le terrain « alors que leurs démarches sont inséparables[33] » ; on découpe tout aussi arbitrairement les champs de compétence des économistes, des politologues ou des criminologues ; on subventionne certaines recherches, on en commande d'autres par contrat, on refuse des fonds à d'autres encore ; on coopte des chercheurs sur des jurys de sélection de projets, mais certaines chercheures n'y participeront jamais ; on doit utiliser des données tronquées ou suspectes, faute de mieux[34] ; on ignore ou on dénigre les résultats qui ne cadrent pas avec les théories à la mode ou les intérêts dominants, etc. Il faut une bonne dose de courage, de confiance et de persévérance à ceux et celles qui, incompris ou marginaux au départ, décident de faire valoir leurs idées malgré tout[35].

Ainsi, la recherche scientifique est une activité de production du savoir exposée à des contrariétés comme toute activité sociale. Dans une société où les ressources sont limitées se dresse aussi inévitablement l'exigence de plus en plus forte de la pertinence de la recherche.

▨ 2.3. La pertinence de la recherche scientifique

Il est facile de voir comment les connaissances acquises par la recherche scientifique peuvent être utiles : une meilleure compréhension du fonctionnement, des sources d'échec ou de succès des organismes populaires peut mener à des ajustements susceptibles de favoriser la poursuite de leurs objectifs (amélioration du milieu de vie des secteurs défavorisés, défense des assistés sociaux et des locataires, mise sur pied de garderies populaires, etc.) ; un juste diagnostic de l'impact des politiques gouvernementales sur les taux de chômage dans chaque région peut entraîner des changements de stratégie favorables à la création d'emplois tout particulièrement dans les régions les plus touchées ; une meilleure compréhension des sources des tensions internationales peut éviter des guerres. L'utilité de certaines recherches dites scientifiques ne saute toutefois pas aux yeux.

---

33. DE BRUYNE, HERMAN et DE SCHOUTHEETE, *op. cit.*, p. 30.
34. Sur cet aspect particulier, voir le commentaire de Nicos POULANTZAS au sujet des sources officielles utilisées par Anne LEGARÉ dans son étude des classes sociales, *op. cit.*, p. VII.
35. « J'ai eu de grandes difficultés du fait que je n'étais pas dans la ligne », a confié le célèbre biologiste et homme de lettres Jean Rostand dans *Le sel de la semaine : Fernand Seguin rencontre Jean Rostand*, Montréal, Éditions de l'Homme et Radio-Canada, 1969, p. 39. L'entretien fait aussi ressortir l'importance de l'« émotion scientifique » ressentie par le chercheur comme facteur de motivation.

> Pourquoi se pencher sur les lettres d'un patriote condamné à mort en 1839[36]? Quel intérêt actuel y a-t-il à comparer des brochures de propagande publiées par le gouvernement provincial et l'Église catholique du Québec avec celles diffusées tout au long du XIXe siècle dans l'Empire britannique pour inciter l'immigrant à venir s'établir dans les colonies[37]? À quoi peut bien servir une analyse des idéologies véhiculées par quelques publications et quelques groupements de 1934 à 1936, a fortiori quand l'auteur prévient qu'«aucun rapprochement avec les temps actuels ne se chargera de joindre le passé au présent[38]»? Les auteurs ont, bien sûr, des réponses à de telles questions.

Les universitaires manifestent, en général, beaucoup d'ouverture aux recherches qui font avancer les connaissances même si elles n'ont pas d'application immédiate. Cependant, comme la production du savoir en sciences sociales se trouve en majeure partie financée directement (par des subventions aux chercheurs et aux chercheures, individuellement ou en équipe) ou indirectement (par des subventions aux établissements) à même les fonds publics et comme la demande de fonds s'accroît à un rythme auquel les gouvernements ne peuvent (ni ne veulent?) s'accorder, des priorités surgissent, des orientations se dégagent, des critères s'imposent. La recherche dite fondamentale (c'est-à-dire détachée des préoccupations quotidiennes) cède souvent le pas à la recherche qui s'applique à résoudre des problèmes bien précis[39]. Le Conseil de recherches en sciences humaines du Canada (CRSH), par exemple, a retenu en 2008 comme domaines prioritaires de recherche «stratégique»: les réalités autochtones, les alliances entre universités et communautés, le développement international, les nouvelles technologies numériques et la nordicité. Le CRSH s'attend à ce que les résultats influencent les décideurs des divers secteurs de la société

---

36. Voir dans le *Bulletin d'histoire politique*, vol. 5, nº 2 (hiver 1997), p. 144-146, la recension que Lucille BEAUDRY fait de Chevalier DE LORIMIER, *Lettres d'un patriote condamné à mort*, Montréal, Comeau et Nadeau, 1996, et de Pierre FALARDEAU, *15 février 1839*, Montréal, Stanké, 1996.

37. Serge COURVILLE, *Rêves d'Empire. Le Québec et le rêve colonial*, Conférences Charles R. Bronfman en études canadiennes, Ottawa, Institut d'études canadiennes, Les Presses de l'Université d'Ottawa, 2000, 68 p.

38. André-J. BÉLANGER, *L'apolitisme des idéologies québécoises. Le grand tournant de 1934-1936*, Québec, Presses de l'Université Laval, 1974, p. IX.

39. Dans une orientation de la recherche politique dans le contexte canadien (Montréal, Institut de recherches politiques, 1977), Raymond BRETON fournissait déjà une excellente illustration des exigences de pertinence que l'on imposait alors de plus en plus à la recherche sociale. L'auteur y identifiait les principaux objectifs de gestion sociale à l'époque, les principaux phénomènes caractérisant alors la condition canadienne, les cibles que la recherche sociale devait (selon lui) privilégier et les stratégies de recherche qui y correspondaient. Cette vision est maintenant largement partagée par les organismes subventionnaires.

canadienne[40]. Cette attitude n'est pas sans rappeler celle des précurseurs et des fondateurs des sciences sociales, fussent-ils des réformistes comme Henri de Saint-Simon ou des conservateurs comme Auguste Comte, pour qui les connaissances scientifiques devaient déboucher sur la solution de problèmes de leur temps et l'avènement d'une société plus conforme à leurs idéaux.

 3 **LES OBJETS DES SCIENCES SOCIALES**

La recherche scientifique repose sur la prémisse qu'il existe une explication rationnelle à tout phénomène. Les phénomènes humains et les phénomènes sociaux n'échappent pas à cette règle : comme l'écrivait un historien bien connu, «tout est cause et tout est causé[41]». La recherche scientifique devrait, du moins en principe, permettre de révéler causes et effets. Peut-on cependant utiliser pour les analyser les mêmes méthodes que celles qui ont été mises au point en chimie ou en physique ? On reconnaît généralement que l'analyse des phénomènes sociaux a acquis un caractère scientifique bien plus tard que l'analyse des phénomènes de la nature ; la question se pose de savoir où en sont actuellement rendues les sciences sociales dans le développement de leur scientificité. Cela nous amènera à souligner la vigilance qui s'impose à toute personne engagée dans la recherche sociale.

■ 3.1. Phénomènes sociaux, phénomènes humains

Une représentation typique de la recherche scientifique en trace un schéma cyclique : l'examen de certains faits mène à la construction d'une théorie dont on tire des hypothèses susceptibles d'être confrontées à d'autres faits en vue de juger de la vraisemblance de la théorie[42]. Admettons que l'examen de n'importe quel ensemble de faits sociaux (ayant au moins quelque caractère commun) puisse amener une personne ordinaire, possédant un minimum d'imagination et douée de la faculté de raisonner,

---

40. Pour des renseignements sur les programmes du CRSH, consulter le site Internet : <http:// www.crsh.ca>.

41. Lionel Groulx, *Histoire du Canada français depuis la découverte. Tome I : Le régime français*, 4e éd., Montréal, Fides, 1962, p. 14.

42. Cette représentation idéalisée ne se traduit pas toujours dans les faits par un cheminement simple ou prévisible, comme l'illustre le parcours décrit par l'un des auteurs de l'une des plus grandes découvertes du XXe siècle, le généticien James D. Watson, *La double hélice : compte rendu personnel de la découverte de la structure de l'ADN*, Paris, Hachette, 1999 [*The Double Helix*, 1968].

à réfléchir sur ce que ces faits ont en commun et accoucher d'une généralisation empirique. On peut sans aucun doute en tirer des hypothèses concernant des faits particuliers autres que ceux qui ont déjà été observés ; mais tous les faits sociaux se prêtent-ils au test de telles hypothèses ? Qui plus est, le test d'hypothèse permet-il seulement de saisir pleinement l'essentiel des phénomènes sociaux humains ?

Ces questions se posent avec pertinence puisqu'on admet habituellement que les phénomènes humains impliquent des valeurs, des buts, des motivations, des choix que ne peuvent faire les planètes du système solaire, les plantes ou les atomes de carbone. On peut concevoir l'intelligence, mais peut-on opérationnaliser ce concept sans le trahir ? On peut soupçonner que les conseils municipaux exercent une influence prépondérante sur leurs services de police, mais comment le vérifier ? Si les équipes de recherche d'Hydro-Québec peuvent faire des expériences dans leurs laboratoires pour vérifier de nouvelles théories, on ne peut dénombrer les « unités d'influence » d'un conseil municipal sur son service de police, encore moins les recréer en laboratoire ! Et comme les sciences sociales s'intéressent souvent au parcours intellectuel de certains penseurs ou au déroulement historique des phénomènes sociaux, on ne peut pas retourner demander à feu Lionel Groulx de clarifier ses propos sur le nationalisme ni questionner les curés de campagne de 1837 pour découvrir s'ils appuyaient ou non l'insurrection des Patriotes ! On pourrait penser, en somme, que certains phénomènes sociaux ne se prêtent pas, en principe, à la recherche scientifique, surtout quand ils ne peuvent se mesurer exactement (telle une influence des conseils municipaux) ni être observés directement ou en laboratoire (tels un penseur décédé ou les curés de 1837).

Pourtant, les sciences de la nature[43] possèdent aussi des objets difficilement mesurables ou observables. La lumière ou la chaleur, par exemple, sont des concepts aussi abstraits et relatifs que l'intelligence et l'influence : ils ne peuvent non plus être mesurés directement. Et s'il y a une discipline où la vérification empirique pose d'immenses problèmes parce que la possibilité d'expérimentation est fort limitée, c'est bien l'astronomie, une science de la nature, dont certaines recherches portent sur des parties de l'univers si éloignées de la Terre qu'on sait seulement qu'elles *existaient* il y a des millions d'années. Il n'y a donc pas que les phénomènes humains qui posent des défis à la recherche scientifique !

---

43. L'expression « sciences de la nature » est consacrée par l'usage, mais ne doit pas faire oublier que nous faisons partie de la nature et n'existons pas en marge d'elle.

Il ne faut pas non plus exagérer les difficultés que posent les faits sociaux. Un grand nombre de ceux-ci offrent la caractéristique de quantification et d'exactitude dont on rêve en mathématiques : les résultats électoraux ou référendaires, les recensements et une foule de statistiques diverses rendent compte d'autant de facettes de la réalité sociale et permettent la vérification empirique d'une multitude d'hypothèses. De nombreuses techniques utilisant des groupes témoins, des sondages, des jeux de rôles permettent de saisir des aspects changeants et dynamiques de cette même réalité sociale où les acteurs exercent leur liberté. Quant au retour en arrière, l'imagination (et l'application) des chercheurs a souvent fait preuve de fécondité pour explorer le passé grâce aux souvenirs ou à la documentation existante[44].

Cela dit, l'action humaine ne peut se réduire à des principes mécaniques et le sens de cette action va au-delà des effets observables. L'objet des sciences sociales est aussi le sujet des phénomènes humains. La distinction entre *objet* et *sujet* mérite d'ailleurs une clarification. Quand on étudie un phénomène humain, par exemple un conflit international, les populations civiles peuvent constituer l'objet de notre recherche parce qu'elles subissent la guerre. Être objet de recherche ou sujet aux bombardements, c'est une question de perspective qui fait toute une différence ! Nous devons donc considérer les faits sociaux comme des faits humains et réciproquement, partageant ainsi l'opinion de Jean Piaget que « l'on ne saurait retenir aucune distinction de nature entre les sciences sociales et les sciences humaines, car il est évident que les phénomènes sociaux dépendent de tous les caractères de l'homme y compris les processus psychophysiologiques et que réciproquement les sciences humaines sont toutes sociales par l'un ou l'autre de leurs aspects[45] ». À ce titre, il faut aux sciences sociales une méthodologie qui va au-delà de la méthodologie objective des sciences physiques, sans nécessairement la renier.

---

44. Ainsi, Manon TREMBLAY a procédé à l'analyse du contenu d'environ 19 300 pages du *Journal des débats* pour faire ressortir les attitudes des députées à l'Assemblée nationale de 1976 à 1981 ; voir « Les élues du 31ᵉ Parlement du Québec et les mouvements féministes : quelques affinités idéologiques », *Politique*, n° 16, automne 1989, p. 87-109. Pour leur part, Stephen CLARKSON et Christina MCCALL se sont appuyés sur une impressionnante documentation et plus de 800 entrevues pour analyser les relations entre Pierre Elliot Trudeau, la politique et les électeurs ; voir *Trudeau : l'homme, l'utopie, l'histoire*, Montréal, Boréal, 1990.

45. Jean PIAGET, *Épistémologie des sciences de l'homme*, Paris, Gallimard (coll. « Idées »), 1972, p. 15-16.

▓ 3.2. Deux grandes méthodologies

Un renommé médecin et biologiste a écrit : « Je crois que la science d'aujourd'hui [...] ne ressemble en rien à ce que, durant des siècles, on appela la Science[46]. » Cette sentence dramatise l'évolution de l'entreprise scientifique, dont les critères (ou normes) et les contenus (ou savoirs) n'ont cessé de cheminer, de s'élaborer avec des reculs et des bonds en avant, prenant tantôt des tangentes, portant tantôt des œillères, au point que l'idée même que les savants se font de la science s'écarte considérablement de la conception qu'on s'en faisait dans l'Antiquité.

Ce qu'il faut remarquer, comme le souligne Jean Ladrière[47], c'est que la science et les normes de scientificité ne peuvent « s'élaborer que grâce à une interaction constante entre des méthodes et des objets » : la nature des objets de recherche impose certains types de cheminement, et donc des méthodes, tandis que l'adoption de certaines méthodes conditionne le choix des objets de recherche et la nature des connaissances que l'on en tire. De ce processus émergent progressivement des idées différentes de scientificité : « l'idée de scientificité comporte à la fois un pôle d'unité et un pôle de diversité ». On peut ainsi distinguer dans la recherche sociale deux grandes méthodologies pertinentes.

D'une part, la méthodologie *objectiviste* envisage les faits humains comme des faits de la nature et accepte, à l'instar d'Émile Durkheim, que « la première règle et la plus fondamentale est de considérer les faits sociaux comme des choses ». Cette règle implique trois corollaires, à savoir qu'il faut :

- écarter tout jugement préconçu des faits, toute *prénotion* et rejeter « le sentiment [comme] critère de la vérité scientifique » ;

- ne prendre pour objet de recherche « qu'un groupe de phénomènes préalablement définis par certains caractères extérieurs qui leur sont communs et comprendre dans la même recherche tous ceux qui répondent à cette définition » ;

- considérer les faits « par un côté où ils se présentent isolés de leurs manifestations individuelles[48] ».

---

46. Jean HAMBURGER, *L'homme et les hommes*, Paris, Flammarion, 1976, p. 8.
47. Jean LADRIÈRE, « Préface » à l'ouvrage déjà cité de DE BRUYNE *et al.*, p. 10-11.
48. Émile DURKHEIM, *Les règles de la méthode sociologique*, 15e éd., Paris, Presses universitaires de France, 1963, chap. 2, *passim*. Dans sa préface à la seconde édition (p. XII), il précise : « Nous ne disons pas que les faits sociaux sont des choses matérielles, mais sont des choses au même titre que les choses matérielles. »

Ces fondements étant posés, l'explication des phénomènes sociaux repose avant tout sur la recherche séparée des causes efficientes qui les produisent (faits sociaux antécédents) et des fonctions qu'ils remplissent (fins sociales), laissant de côté les états de la conscience individuelle des acteurs ou agents. La preuve qu'une explication est vraisemblable s'effectue en comparant les cas où deux types de phénomènes sont simultanément présents (ou absents) et en cherchant si les variations présentées dans ces différentes combinaisons de circonstances témoignent de leur inter-dépendance, par exemple entre l'évolution de l'économie et de l'appui à différents partis politiques. Advenant qu'on observe une association entre les deux types de phénomènes sans parvenir à établir entre eux un lien de causalité unidirectionnelle, on parle alors de corrélation, ce qui caractérise bien des systèmes sociaux où les liens complexes de solidarité qui unissent les phénomènes ont un caractère tantôt de réciprocité, tantôt d'interconnexion.

> La méthodologie objectiviste s'intéresse particulièrement aux relations contrôlées ou définies de façon institutionnelle et aux phénomènes qui peuvent être décrits, conceptualisés, définis par des propriétés opératoires et enfin mesurés. Par exemple, elle inspire souvent les études électorales, qu'il s'agisse d'associer la façon dont les gens votent à leurs attributs sociodémographiques (tels l'âge, le revenu, l'instruction, la langue) ou encore d'interpréter les résultats électoraux comme conséquences de conditions socioéconomiques (comme les fluctuations des taux de chômage ou des dépenses gouvernementales).

D'autre part, la méthodologie *subjectiviste* recherche le sens de la réalité sociale dans l'action même où elle se produit, au-delà des causes et des effets observables, mais sans toutefois oublier ceux-ci. Dans cette perspective, l'action humaine n'est pas un phénomène que l'on peut isoler, figer et encadrer sans tenir compte du sens qui l'anime, de son dynamisme proprement humain, de l'intention (même inconsciente) des acteurs, de la société. L'intérêt de la recherche doit donc porter sur la personne ou la collectivité comme sujet de l'action, «sujet historique», écrit Alain Touraine[49], puisqu'il s'inscrit dans le temps et l'espace.

La méthode subjectiviste en sciences sociales insiste sur le caractère unique de chaque action, de chaque conjoncture où se produisent les phénomènes sociaux. Comme l'affirme Max Weber, elle «sélectionne, dans l'infini des événements humains, ce qui se rapporte aux valeurs [...]

---

49. Alain TOURAINE, *Sociologie de l'action*, Paris, Seuil, 1965, p. 38-40.

et élabore soit l'histoire, si le savant fixe son attention sur la suite unique des faits ou des sociétés, soit les diverses sciences sociales qui considèrent les consécutions régulières ou les ensembles relativement stables[50] ».

Pour parvenir à saisir le sens d'une action sociale, il faut ou bien la vivre soi-même avec d'autres sujets, ou bien la reconstituer à partir d'entrevues ou de documents. Même les contradictions apparentes permettent de rendre compte des enjeux qui secouent l'action sociale.

> Le criminologue Guy Tardif, chargé d'un bagage de douze ans dans la chose policière, a trouvé dans son expérience personnelle un moyen de se rapprocher des 64 chefs de police qu'il a rencontrés pour sa recherche, en évitant de les « objectiver » mais en les traitant plutôt comme des acteurs et des témoins privilégiés des rapports avec le pouvoir politique[51]. De son côté, après avoir lu l'ensemble de l'œuvre écrite de Lionel Groulx, l'historien Gérard Bouchard soutient que les contradictions de cet intellectuel sont bien réelles mais reflètent tout autant celles de la société canadienne-française dans laquelle il vivait[52].

On comprend que les deux méthodologies dont les grandes lignes viennent d'être tracées ne s'excluent pas mutuellement : elles représentent des façons différentes de concevoir les sciences sociales et donc d'aborder la réalité. Les objets d'étude eux-mêmes contribuent grandement au choix de l'une ou l'autre méthode. Il en va de même des instruments disponibles, des ressources matérielles et de la personnalité des gens impliqués dans la recherche. À ce dernier égard, le travail en équipe offre des perspectives intéressantes parce qu'il permet à chaque membre de contribuer par ses talents, ses intuitions et ses connaissances propres à l'effort commun. Le progrès des sciences sociales repose en grande partie sur l'ingéniosité, l'ouverture d'esprit, la persévérance et la collaboration des gens qui s'adonnent à la recherche scientifique.

▓ 3.3. Quelques pièges de la recherche sociale

Quelle que soit la méthodologie adoptée, la recherche sociale exige vigilance et modestie. En effet, de nombreuses embûches se dressent sur la route qui mène à la connaissance : il faut sans cesse prendre garde d'y trébucher. Qui plus est, il faut reconnaître les limites inévitables de toute recherche susceptible d'être entreprise. On pourrait en dresser un

---

50. Raymond ARON, « Introduction » à Max Weber, *Le savant et le politique*, Paris, Plon, 1963, p. 9.
51. Voir Guy TARDIF, *Police et politique au Québec*, Montréal, L'Aurore, 1974, p. 18, 24 et passim.
52. Voir Gérard BOUCHARD, *Les deux chanoines : contradiction et ambivalence dans la pensée de Lionel Groulx*, Montréal, Boréal, 2003.

répertoire détaillé et, somme toute, assez déprimant. Il suffit, pour les fins de ce chapitre, de relever quelques pièges typiques dans lesquels chacun et chacune tombent un jour.

Le premier type de piège se caractérise par *l'excès de confiance* en soi et en son appareillage théorique ou technique. Les meilleurs instruments de recherche demeurent imparfaits[53] et la plus superbe théorie n'est qu'une approximation acceptable pour un temps. Il est déraisonnable d'affirmer qu'on puisse effectuer une rupture épistémologique si totale qu'on devienne complètement «objectif» face à tout objet de recherche. Il n'est pas toujours facile d'éviter au moins un soupçon de subjectivité dans les décisions à prendre à différentes étapes de la recherche (choix de documents, choix de questions, modes de classification des données, façon de les résumer, etc.), y compris dans ses aspects les plus mécaniques (par exemple, la codification des réponses à un sondage d'opinion). Il n'est guère réaliste d'envisager de se mettre parfaitement dans la peau de quelqu'un d'autre pour comprendre le sens de son action, *a fortiori* si les expériences vécues antérieurement par le chercheur et le sujet offrent des divergences considérables.

À la modestie doit se joindre la vigilance, car un deuxième piège guette la démarche de recherche : celui de rester *en deçà de la totalité du phénomène* ou de l'action qui nous intéresse. Comme la réalité humaine n'est pas un système fermé, il est toujours nécessaire de procéder à un découpage quelconque de cette réalité. Aucune équation causale ni aucune compréhension ne peut rendre compte de toute la réalité dès qu'on la découpe. Tout découpage est nécessairement sélectif[54]. Au cours d'une recherche, il est bon de noter que la sélection de ce qui est et de ce qui n'est pas pertinent reflète parfois de façon plus ou moins consciente ce qu'on désire «savoir» ou, au contraire, «ignorer», en d'autres mots le genre d'informations ou de sensations qui correspondent à ses prédispositions, voire à ses préjugés. On conçoit donc comme absolument essentiel d'établir clairement les critères qui président aux choix, quitte à s'exposer à la critique : ce n'est qu'honnêteté intellectuelle. Toutes les revues ont leurs critères pour juger des articles qu'on leur propose, ce qui dispense souvent les auteurs d'afficher explicitement leurs couleurs. Les revues militantes

---

53. Par exemple, il est toujours difficile de mesurer le niveau de démocratie ou de corruption d'un État – en dépit de l'existence de «palmarès» tels que le «Democracy Index» de *The Economist* (voir «The Economist Intelligence Unit's Index of Democracy» sur le site <http://www.economist.com> et le «Corruption Index» de *Transparency International*, <http://www.transparency.org>).

54. Même si «les malheureux absents», admet BÉLANGER (*op. cit.*, p. 22) en faisant allusion aux publications et aux auteurs qu'il laisse de côté dans son analyse des idéologies des années 1930, «ne manquent pourtant pas de mérite», il faut en général se résoudre à des observations forcément partielles.

font ouvertement état de leurs orientations : *Cité libre*, *Parti pris* et l'*Action nationale* en constituent des exemples québécois classiques. Quant aux revues scientifiques, les spécialistes connaissent bien leurs créneaux disciplinaires et leurs orientations méthodologiques propres.

Si les matériaux dont on dispose restent souvent, tant sur le plan de la qualité que de la quantité, en deçà de ce qu'on souhaiterait, il y a aussi un risque de tomber dans un troisième piège : celui d'aller *au-delà de ce que les données permettent d'affirmer*. Il faut d'abord distinguer les prévisions scientifiques des extrapolations fantaisistes. Malgré tout, il arrive même aux mieux intentionnés de succomber à la généralisation excessive, à l'apport de faits non vérifiés, aux conclusions prématurées, etc.[55]. La démarche scientifique suppose l'existence d'une explication rationnelle de tous les phénomènes, qu'ils soient « humains » ou de la « nature ». Or, nous parvenons rarement à tout expliquer rationnellement : certains éléments d'explication nous échappent habituellement. La tentation est alors forte pour certains d'attribuer l'inconnu, l'inexpliqué à des causes mystiques ou surnaturelles[56] ou encore à tenir pour évident ce qui ne l'est pas[57].

Somme toute, la recherche scientifique exige le recours à une logique explicite gouvernée par des lois reconnues, à défaut de quoi la vérité n'y trouve pas son compte. Ainsi, lorsque des cas particuliers ne concordent pas avec des hypothèses généralement admises, il est tentant mais absolument *illogique* de traiter de tels cas (si rares soient-ils) comme des « exceptions qui confirment la règle[58] » : ce serait postuler qu'il *faut* des exceptions pour qu'une règle existe, ce qui est absurde ! Mieux vaut admettre que la

---

55. Pierre BERTHIAUME rappelle avec le sourire ce récit de voyage d'un marin qui avait écrit dans son journal « qu'il avoir passé à quatre lieues de Ténériffe, dont les habitants lui parurent fort affables » [*sic*] ; voir *L'aventure américaine au XVIIIᵉ siècle : du voyage à l'écriture*, Ottawa, Presses de l'Université d'Ottawa (Cahiers du Centre de recherches en civilisation canadienne-française), 1990, p. 1.

56. On est cependant parfois frappé par le rapprochement qu'on peut faire entre certaines théories scientifiques et des explications surnaturelles. Ainsi, on a dit qu'en évoquant la « main invisible du marché » l'économiste Adam Smith n'a fait que substituer la loi de l'offre et de la demande à « la main de Dieu », métaphore de la théologie médiévale pour désigner la soumission de l'univers à des lois intangibles. Voir Adam SMITH, *An Inquiry into the Nature and Causes of the Wealth of Nations*, 1776, <http://metalibri. incubadora.fapesp.br/portal/authors/AnInquiryIntoTheNatureAndCausesOfThe WealthOfNations> et sa critique par Bruno GUIGUE, *L'économie solidaire, alternative ou palliatif*, Paris, L'Harmattan, 2002.

57. Ainsi, on entend parfois que l'électorat a décidé de se doter « d'une forte opposition », ce qui suppose, à tort, l'existence d'une véritable volonté collective. Au sujet de telles fausses évidences, voir Lawrence OLIVIER et Jean-François THIBAULT, *Épistémologie de la science politique*, Québec, Presses de l'Université du Québec, 1998, p. 16-17.

58. Alors que l'opinion publique au Canada anglais était assez divisée face à l'intervention militaire canadienne en Afghanistan, celle du Québec y était presque unanimement hostile, ce qu'on a parfois présenté comme « l'exception qui confirme la règle » : Alexandre

science n'est que probabiliste. La recherche scientifique est non seulement exigeante, elle tend même des pièges! Heureusement, ce ne sont pas les sources d'inspiration qui manquent. Encore faut-il savoir traduire l'inspiration par une organisation appropriée de sa pensée. C'est la question sur laquelle nous allons maintenant nous pencher.

Les deux grandes méthodologies dont on vient de discuter inspirent divers modes d'organisation et d'exposition d'une pensée qui se veut scientifique et susceptible de guider la recherche sociale. Pas plus que les deux grandes méthodologies, l'une par rapport à l'autre, les modes d'organisation qui en découlent ne sont-ils incompatibles. En principe, ils ne font qu'accorder une priorité de recherche à des façons différentes de saisir la réalité. Ces approches sont autant de processus dynamiques qui conditionnent les résultats auxquels on peut s'attendre au terme de la recherche. Elles doivent relever le même défi: rester fidèles à la vérité. La nature de ce défi, c'est en même temps d'assurer aux sciences sociales un fondement en leur donnant pour objet ultime la liberté humaine, comme l'écrit Karl Jaspers:

> Les faits ne nous fournissent pas de normes obligatoires. Aucune science empirique ne nous apprendra ce que nous devons faire; elle nous apprend ce que nous pouvons obtenir par tel ou tel moyen, si nous nous proposons tel ou tel but. La science ne me montrera pas le sens de la vie, mais elle peut développer pour moi la signification de ce que je veux, et peut-être m'amener ainsi à changer d'intention. Elle peut me rendre conscient de ce que toute action (y compris l'inaction) a des conséquences, et me montrer lesquelles. Elle peut me montrer que, si je veux vivre, je ne peux éviter de prendre réellement parti dans l'affrontement des forces, si je ne veux pas être entraîné au néant et au désordre[59].

La liberté humaine passe par la connaissance, et la connaissance exige la recherche de la vérité. C'est un programme ambitieux pour une aventure exaltante dont chacun des chapitres de ce livre se veut un modeste point de repère.

SIROIS, «Faites l'amour, pas la guerre (sauf si l'ONU s'en mêle)», *La Presse* (Montréal), 2 septembre 2007, p. PLUS 5.

59. Karl JASPERS, *Initiation à la méthode philosophique*, Paris, Payot, 1966, p. 76.

BIBLIOGRAPHIE ANNOTÉE

Quelques ouvrages classiques pour réfléchir
sur les voies de la connaissance

DESCARTES, René, *Discours de la méthode*, Paris, Vrin, 1964, 146 pages. (Il existe de nombreuses autres éditions.)

Le rôle historique joué par cet ouvrage justifie une relecture. C'est le berceau de la pensée moderne où l'auteur expose dans une langue claire la place de la raison et du doute méthodique dans la recherche de la sagesse. L'introduction et les notes d'Étienne Gilson situent admirablement les réflexions de Descartes dans leur contexte historique.

DURKHEIM, Émile, *Les règles de la méthode sociologique*, précédé de «L'instauration du raisonnement expérimental en sociologie», par Jean-Michel Berthelot, Paris, Flammarion, 1988, 254 pages.

C'est le premier ouvrage qui porte de façon systématique sur la méthodologie des sciences sociales. Durkheim y expose clairement pourquoi et comment on peut traiter les faits sociaux comme des choses si l'on veut faire œuvre scientifique. Lire les préfaces : elles évoquent la polémique à laquelle le point de vue de l'auteur a donné naissance. L'article de Berthelot constitue un heureux complément.

JASPERS, Karl, *Initiation à la méthode philosophique*, Paris, Payot, 1968, 158 pages.

L'auteur s'intéresse à la poursuite des connaissances, à la recherche de la vérité qui doit permettre aux humains d'exercer leur liberté en effectuant des choix éclairés. Jaspers s'appuie sur des réalités de la vie et contraste les rôles de la science et du jugement.

KHUN, Thomas S., *The Structure of Scientific Revolutions*, Chicago, University of Chicago Press, 1962, 210 pages.

Ouvrage de réflexion sur la nature de la science. À l'aide d'exemples historiques, il explique la progression de la science par une succession de révolutions scientifiques qui proviennent d'un changement majeur du paradigme dominant.

LAKATOS, Imre, *The Methodology of Scientific Research Programmes : Philosophical Papers Volume 1*, Cambridge, Cambridge University Press, 1978, 250 pages.

Facilement applicable aux sciences sociales, cet ouvrage marque l'évolution du rationalisme critique. L'auteur adapte l'idée d'une réfutabilité absolue et lui substitue la thèse des programmes de recherche.

PIAGET, Jean, *Épistémologie des sciences de l'homme*, Paris, Gallimard (coll. «Idées»), 1972.

Psychologue et généticien, Piaget réunit dans cet ouvrage ses réflexions sur les contributions, les stratégies et les limites des sciences humaines en général et des sciences sociales en particulier. D'une lecture parfois ardue, ce livre propose un approfondissement de quelques thèmes majeurs abordés dans ce chapitre.

RUSSELL, Bertrand, *Problèmes de philosophie*, Paris, Payot, 1965, 189 pages.

Mathématicien et philosophe, Russell commence cet ouvrage en se demandant s'il existe au monde une connaissance dont la certitude soit telle qu'aucune personne raisonnable ne puisse la mettre en doute. Les chapitres qui suivent entraînent le lecteur à explorer avec une implacable logique les nombreuses facettes de cette question.

WATSON, James D., *La double hélice: compte rendu personnel de la découverte de la structure de l'ADN*, Paris, Hachette, 1984 (coll. «Pluriel»), 320 pages.

Ce livre raconte le point de vue d'un chercheur sur les voies tortueuses de la connaissance, dans le cas précis de la découverte de la structure de l'ADN, pour laquelle l'auteur a reçu un prix Nobel (l'acide désoxyribonucléique joue en génétique un rôle primordial). L'ouvrage, plein de suspense, se lit comme un roman. Il contribue à démystifier les conditions de la pratique scientifique.

WEBER, Max, *Le savant et le politique*, Paris, Union générale d'éditions (Plon, 10/18), 1963, 186 pages.

Cet ouvrage dramatise les divergences qui caractérisent les personnes à la recherche de nouvelles connaissances et les personnes engagées dans l'action. L'introduction par Raymond Aron est un magistral essai sur la pensée de Weber en général et, surtout, sur le rôle des valeurs dans la poursuite du savoir.

Deux séries de réflexions contemporaines pour faire le point

ACTION LOCALE BELLEVUE, *Sens et place des connaissances dans la société*, 3 vol. Paris, CNRS (Centre régional de publication de Meudon-Bellevue), 1986-1987.

Il s'agit des actes de trois «confrontations» sur un même thème: une société qui veut survivre et se développer et qui, de surcroît, veut prendre conscience d'elle-même et maîtriser ses propres fonctionnements, ne peut éviter de poser la question du rapport qu'elle entretient avec 1) la connaissance à l'égard de laquelle elle se justifie elle-même, 2) les savoirs qu'elle produit, 3) les sciences auxquelles elle voudrait accéder. Parmi les 21 intervenants, on retrouve plusieurs penseurs aussi connus que Cornélius Castoriadis, Albert Jacquard, Edgar Morin et Alain Touraine.

DE BRUYNE, Paul, Jacques HERMAN et Marc DE SCHOUTHEETE, *Dynamique de la recherche en sciences sociales*, Paris, Presses universitaires de France (coll. «Sup»), 1974, 240 pages.

Cet ouvrage, d'une lecture parfois ardue, sera surtout utile à ceux qui ont une certaine expérience de recherche sociale: il leur permettra de remettre en question les méthodologies exposées dans ce chapitre et dont De Bruyne et ses collègues font ressortir les fondements épistémologiques de façon un peu plus approfondie. La préface de Jean Ladrière traite de l'opportunité d'une méthodologie spécifique des sciences sociales. Les deux derniers chapitres sur les techniques de recherche sont cependant faibles.

Des articles de chez nous qui donnent à penser

COMEAU, Robert et Gordon LEFEBVRE, «Mémoire et histoire», *Bulletin d'histoire politique*, vol. 5, n° 3, été 1997, p. 5-8.

Ce court éditorial pose le problème de l'interprétation et de la réinterprétation du passé à la lumière des débats et querelles entourant l'identité québécoise et le nationalisme québécois. Un éloge du dialogue et de la critique civilisée qui «permettent de rendre manifestes les conflits latents qui traversent notre culture». À lire par toute personne à la recherche de la vérité.

FALARDEAU, Guy, «La sociologie des générations depuis les années soixante: synthèse, bilan et perspective», *Politique, revue québécoise de science politique*, vol. 17, hiver 1990, p. 59-89.

Une synthèse bibliographique qui fait ressortir comment l'importance numérique d'une génération (celle de l'après Seconde Guerre mondiale) explique probablement la grande influence qu'elle a exercée sur la recherche dans un domaine du savoir qui la concernait directement: la sociologie des générations. Intéressant exemple des motivations inconscientes de toute une génération de chercheurs.

LANDRY, Réjean, «La nouvelle analyse institutionnelle», *Politique*, vol. 6, automne 1984, p. 5-32.

L'auteur y étudie le contexte épistémologique de l'évolution récente de la science politique en fonction de deux traditions, l'une «postulant que les choix individuels dépendent des caractéristiques des institutions», l'autre affirmant que «les goûts et les valeurs individuelles déterminent les choix des individus».

SALÉE, Daniel, «Reposer la question du Québec? Notes critiques sur l'imagination sociologique», *Politique, revue québécoise de science politique*, vol. 18, automne 1990, p. 83-106.

Cet article examine comment un objet d'étude (ici, le Québec) peut stimuler l'intérêt des chercheurs. L'auteur se demande comment l'imagination sociologique répond aux questions actuelles.

FALARDEAU, Jean-Charles *et al.*, «La sociologie au Québec», *Recherches sociographiques*, vol. XV, n°s 2-3, mai-août 1974, 243 pages.

Un numéro jalon où des bâtisseurs des sciences sociales québécoises parlent d'eux-mêmes et des conditions de la production scientifique. Il faut lire l'aperçu historique de Jean-Charles Falardeau et le bilan dressé par Marcel Fournier, ainsi que les témoignages de 17 pionniers de la recherche sociale. La note critique de Nicole Gagnon à propos d'une recherche collective fait le procès d'un système dominant de production intellectuelle qui perdure.

L'ÉTABLISSEMENT
DE L'OBJET
DE RECHERCHE

CHAPITRE

3

LA SPÉCIFICATION
DE LA PROBLÉMATIQUE

Jacques CHEVRIER

*Les chercheurs débutants pensent que le but de la recension
des écrits est de trouver des réponses relativement au sujet
de recherche; au contraire, les chercheurs expérimentés étudient
les recherches antérieures pour développer des questions
plus intelligentes et plus pénétrantes à propos du sujet.*

YIN, 1994

Toute recherche se construit à partir d'une question intrigante. Pour obtenir la réponse désirée, il faut savoir poser la bonne question, à partir d'un problème bien articulé. Pour les étudiants en formation à la recherche, cette étape d'élaboration de la problématique s'avère l'une des plus difficiles à saisir et à maîtriser. Et pourtant, il s'agit d'une étape très importante puisque c'est elle qui donne à la recherche ses assises, son sens et sa portée. Dans ce chapitre, nous présenterons ce qu'est un problème de recherche et ce qui lui confère sa pertinence. Nous approfondirons ensuite les étapes d'élaboration de la problématique, appelée ***problématisation***, et la manière de présenter la problématique dans des écrits scientifiques.

Présenter la problématique de recherche dans un projet, un rapport ou un article de recherche, c'est fondamentalement répondre à la question suivante: «Pourquoi avons-nous besoin de réaliser cette recherche et de connaître les résultats qu'elle propose?» En définissant le problème auquel on s'attaque et en montrant pourquoi il faut le faire, la problématique fournit au chercheur les éléments nécessaires pour justifier sa recherche. En cela, elle constitue essentiellement un texte argumentatif présentant le thème de recherche, un problème spécifique se rattachant à une question générale et les informations nécessaires pour soutenir l'argumentation servant à justifier la recherche elle-même.

1 QU'EST-CE QU'UN PROBLÈME DE RECHERCHE ?

Comme l'indique si justement De Landsheere[1], «entre la résolution de problèmes dans la vie courante et la recherche, il n'y a pas d'opposition absolue : seuls diffèrent réellement le niveau de prise de conscience, l'effort de systématisation et la rigueur des généralisations». Chaque recherche renouvelle, pour le chercheur, le défi de faire avancer les connaissances. Chaque nouveau projet de recherche, loin d'être l'occasion d'une application aveugle de techniques spécifiques, exige du chercheur une démarche réfléchie où chaque décision doit être justifiée en vue de produire les connaissances les plus valides et les plus utiles possible. Dans cette optique, la démarche de recherche peut être considérée comme un cas particulier du processus, plus fondamental, de résolution de problème où l'identification du problème de recherche en constitue tout naturellement la première étape.

Il y a problème lorsqu'on ressent la nécessité de combler l'écart existant entre une situation de départ insatisfaisante et une situation d'arrivée désirable (la situation satisfaisante étant considérée comme le but). Résoudre un problème, c'est trouver les moyens pour annuler cet écart[2]. Dans ce contexte, un *problème de recherche se conçoit comme un écart conscient que l'on veut combler entre ce que nous savons, jugé insatisfaisant, et ce que nous devrions savoir, jugé désirable* (la situation satisfaisante correspondant au but avoué de la recherche et à sa finalité selon le point de vue adopté).

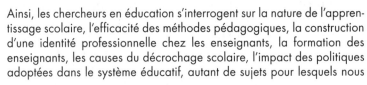

Ainsi, les chercheurs en éducation s'interrogent sur la nature de l'apprentissage scolaire, l'efficacité des méthodes pédagogiques, la construction d'une identité professionnelle chez les enseignants, la formation des enseignants, les causes du décrochage scolaire, l'impact des politiques adoptées dans le système éducatif, autant de sujets pour lesquels nous

---

1. G. De Landsheere, *Introduction à la recherche en éducation*, Paris, Colin-Bourrelier, 1976, p. 18.
2. Voir à ce sujet P. Goguelin, *Le penser efficace. Tome II, La problémation*, Paris, Société d'édition d'enseignement supérieur, 1967, ainsi que P. Lemaître, *Des méthodes efficaces pour étudier les problèmes*, Paris, Chotard, 1987.

jugeons nos connaissances insatisfaisantes, soit parce qu'elles ne nous permettent pas de comprendre la réalité, soit parce qu'elles ne nous fournissent pas les informations nécessaires pour prendre des décisions adaptées et agir efficacement. Pour tous ces sujets, nous désirons des connaissances qui soient à la fois les plus complètes, les plus valides et les plus utiles possible.

FIGURE 3.1
Problème de recherche

Savoir actuel, insatisfaisant	◀ ▶	Savoir recherché, désirable

Un problème de recherche est un écart conscient entre ce que nous savons et ce que nous devrions savoir.

 2 LA PERTINENCE D'UN PROBLÈME DE RECHERCHE

Cette définition du problème de recherche soulève la question du *savoir désirable*. Après tout, pourquoi étudier une question plutôt qu'une autre ? De manière générale, un thème de recherche trouve sa pertinence lorsqu'il s'inscrit dans les valeurs de la société. Le choix d'un thème de recherche ne peut, en effet, échapper à l'influence des valeurs personnelles du chercheur ni à celles de la société dans laquelle il vit (plus grand bien-être personnel, meilleures relations humaines, meilleure vie de groupe, travail plus efficace, niveau socioéconomique plus élevé, etc.). Le fait de choisir « l'intégration des handicapés en classe régulière » comme thème de recherche peut répondre non seulement à des préoccupations personnelles du chercheur (celui-ci veut améliorer la qualité de vie d'un handicapé qu'il connaît bien), mais aussi à celles de la société nord-américaine (comme ce fut le cas vers la fin des années 1970 et au début des années 1980, au moment fort de la valorisation de l'individu et de la qualité de vie au sein de la société).

Plus précisément, la *pertinence sociale* d'une recherche s'établit en montrant comment elle apporte réponse à certains problèmes des praticiens et des décideurs sociaux. Ainsi, en éducation, le thème d'une recherche est d'autant plus pertinent qu'il s'insère dans les préoccupations des praticiens (parents, enseignants, etc.) et des décideurs (directeurs d'écoles, politiciens, etc.) concernés par l'éducation.

> Par exemple, depuis que des statistiques ont sonné l'alarme à propos
> de la qualité du français des élèves, tous les intervenants du monde
> de l'éducation ont clairement signifié l'urgence de mieux comprendre le
> phénomène et de trouver des moyens de changer cet état de fait indé-
> sirable. Au plan politique, le gouvernement du Canada fait connaître
> les thèmes de recherche auxquels il accordera priorité dans le cadre
> de ses programmes de subvention de recherche du CRSH (Conseil de
> recherches en sciences humaines). En 2008, le CRSH, dont la mission est
> « de faire avancer les connaissances et d'aider à mieux comprendre les
> êtres humains, les collectivités et les sociétés », privilégie des thèmes aussi
> diversifiés que le phénomène des sans-abri, les droits de la personne,
> les femmes et le changement social au Canada, les réalités autochtones,
> la migration des populations, la diversité culturelle et l'intégration des
> immigrants dans les villes du Canada et dans le monde entier, la gestion,
> l'administration et les finances, les technologies numériques novatrices en
> lien avec les documents visuels, les textes et le son, le Nord canadien,
> la foresterie et la participation au sport.

La pertinence sociale sera donc établie en montrant comment la recherche peut répondre aux préoccupations des praticiens ou des décideurs concernés par le sujet de recherche. Cela pourra être fait en se référant à des textes citant des témoignages de praticiens ou à des écrits par des groupes de pression, des associations professionnelles ou des organismes gouvernementaux ou politiques, en montrant comment l'étude de ce sujet a aidé les praticiens ou les décideurs jusqu'à ce jour et comment la présente recherche pourrait leur apporter des informations pertinentes.

La *pertinence scientifique* d'une recherche s'établit en montrant comment elle s'inscrit dans les préoccupations des chercheurs. Cela peut être fait en soulignant l'intérêt des chercheurs pour le sujet (nombre de recherches, livres, conférences), en montrant comment l'étude de ce sujet a contribué à l'avancement des connaissances jusqu'ici et en insistant sur l'apport nouveau de la recherche aux connaissances (par rapport à un courant théorique ou à un modèle conceptuel). Une recherche sera jugée pertinente dans la mesure où l'on réussira à « établir un rapport solide entre le déjà connu et ce qui était jusqu'alors inconnu[3] », que ce soit pour le prolonger ou pour s'y opposer. Il est important de positionner la recherche par rapport au savoir collectif. En général, par l'expression « ce qui est connu », les chercheurs désignent uniquement l'ensemble des informations relativement organisées (théories, modèles, concepts, etc.) résultant des recherches où ont été utilisées des méthodes reconnues. Il

---

3. H. SELYE, *Du rêve à la découverte*, Montréal, Les Éditions La Presse, 1973, p. 106. Le Dᴿ Selye affirme même qu'« une chose vue mais non reconnue en ce qui concerne son importance et ses rapports avec d'autres choses n'est pas une chose connue » (p. 107).

est important que la question spécifique étudiée s'insère dans un contexte plus global. Pour cela, le chercheur doit pouvoir faire référence aux écrits spécifiques à son objet de recherche.

Pour trouver un problème de recherche, on peut,

- à partir des écrits des chercheurs dans un domaine, relever des lacunes très précises dans l'organisation conceptuelle et essayer de les combler grâce à une méthodologie planifiée d'avance qui fournira des observations particulières ou,

- à partir de notre observation et de l'analyse d'une situation type, mieux la comprendre, en tirer les concepts constitutifs et formuler une théorie émergente.

La première démarche, qui part de connaissances théoriques déjà établies pour les valider auprès de données empiriques, est *déductive et vérificatoire*, la seconde, qui part de données empiriques pour construire des catégories conceptuelles et des relations, est *inductive et générative*. Dans la première, la théorie est en quête de données concrètes, dans la seconde, la réalité est en quête d'une théorie[4].

Dans l'activité de recherche, ces deux démarches viennent souvent se compléter l'une l'autre. De fait, il semble impossible de faire de la recherche en faisant totalement abstraction de l'approche inductive ou déductive. Toutefois, poussées à l'extrême, ces deux démarches (trouver un problème à partir soit de l'organisation conceptuelle, soit d'une situation réelle) comportent des logiques qui commandent une problématisation très différente. C'est donc pour faciliter la distinction entre ces deux démarches que nous présenterons la problématisation selon chacune d'elles, tout en étant conscient que dans la réalité du chercheur, les questions issues des « penseurs » et celles provenant des « acteurs » s'interpellent constamment[5], se nourrissant l'une l'autre.

---

4. M.D. LECOMPTE et J. PREISSLE, *Ethnography and Qualitative Design in Educational Research* (2ᵉ éd.), San Diego, Academic Press, 1993.

5. La distinction entre approche quantitative et approche qualitative est souvent proposée pour caractériser ces deux démarches en deux paradigmes de recherche opposés. Y.S. LINCOLN et E.G. GUBA, *Naturalistic Inquiry*, Beverly Hills, Sage, 1985, ont proposé respectivement les termes « rationalistic » et « naturalistic ». L'inconvénient de cette nomenclature est de dichotomiser ce qui, pour plusieurs, s'inscrit fonctionnellement sur un continuum, les deux démarches étant en partie présentes dans beaucoup de recherches ou se complétant mutuellement dans un cycle plus large de recherche.

LA PROBLÉMATISATION SELON UNE LOGIQUE DÉDUCTIVE

Dans une perspective déductive et confirmatoire, la problématique s'élabore à partir de concepts issus de la littérature scientifique pour se concrétiser dans une question spécifique de recherche permettant de confronter cette construction théorique à une réalité particulière. Ce sera le premier objet de cette section. Ensuite, nous verrons comment structurer une problématique dans un écrit de recherche en en donnant un exemple détaillé.

▓ 3.1. Les étapes de la problématisation

Dans le cadre d'une approche déductive, les grandes étapes de la spécification de la problématique de recherche sont

1) le choix d'un thème de recherche,

2) la formulation d'une question générale,

3) la collecte, la structuration et l'analyse critique des informations pertinentes et

4) la détermination d'un problème et d'une question spécifiques de recherche.

En résumé, il s'agit d'abord de choisir un thème de recherche ; ensuite il faut, par une lecture attentive des ouvrages généraux sur ce thème, retenir une question générale de recherche (question encore trop vaste pour être la matière d'une recherche) ; enfin, il faut, cette fois par une lecture critique des écrits plus spécifiques reliés à la question générale, relever un problème particulier et en tirer une question spécifique de recherche (voir la figure 3.2). Nous verrons maintenant plus en détail chacune de ces étapes.

Le choix d'un thème de recherche

À partir de ses expériences personnelles (vie courante et vie professionnelle) et de la lecture des écrits à l'intérieur de son domaine d'étude, l'étudiant trouve un thème susceptible de l'intéresser suffisamment pour entretenir sa motivation tout au long de sa recherche. Pour cela, il doit d'abord se donner une vue d'ensemble des différents thèmes parmi lesquels il pourra choisir. Un premier moyen d'obtenir cette vue d'ensemble est la consultation des livres d'introduction générale, relatifs à ce domaine. Un second moyen pour obtenir une vue d'ensemble est de trouver des classifications qui présentent les grands thèmes étudiés par les chercheurs du domaine. En se familiarisant avec les divers thèmes, l'étudiant sera mis en contact avec les sujets plus spécifiques qui composent ces thèmes.

FIGURE 3.2
Problématisation selon une logique déductive

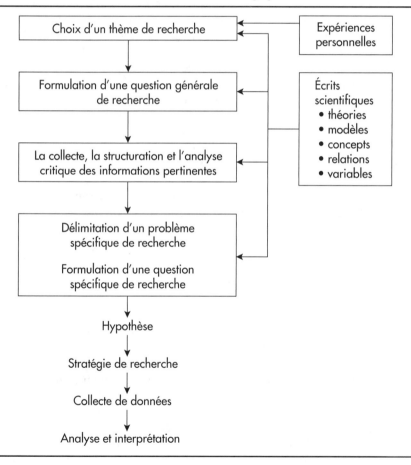

Ainsi, la Société canadienne pour l'étude de l'éducation utilise une classification en 11 secteurs des thèmes de recherche courants dans le domaine de l'éducation. Mentionnons, à titre d'exemples, quelques thèmes regroupés dans le secteur « Enseignants » : Attitude des enseignants, Comportement des enseignants, Formation des maîtres, Évaluation des enseignants.

La formulation d'une question générale de recherche

Lorsque le thème de recherche est choisi, il faut retenir une question générale qui pourra orienter la suite de la démarche de recherche. La lecture d'ouvrages généraux (recensions d'écrits, articles d'encyclopédies spécialisées ou de « *handbook*[6] ») sur le thème de recherche permet alors d'inventorier les problèmes généraux contemporains dans un domaine donné et de formuler les questions générales qui s'y rattachent. Prenons le cas, par exemple, de deux étudiantes qui choisissent le thème de l'abandon scolaire. Pour celle que la compréhension du phénomène intéresse, la question retenue pourrait être : « Qui abandonne l'école et quand ? » ou bien « Pourquoi ces étudiants ont-ils abandonné ? » Pour l'autre que l'intervention motive davantage, la question choisie pourrait être : « Quels sont les moyens (instruments, procédures) pour repérer ceux ou celles qui sont susceptibles d'abandonner ? » ou « Quel est le meilleur moyen de diminuer le nombre de décrocheurs ? » Selon la nature théorique ou pratique du problème, il y a les questions qui, en relation avec les difficultés à comprendre un phénomène, traduisent un besoin de décrire la réalité ou un besoin de l'expliquer, et il y a les questions qui, en relation avec les difficultés d'action sur le réel ou de prise de décision concernant une action, expriment des besoins relatifs à la création d'un moyen nouveau (outil, méthode, etc.), à la modification d'un moyen existant ou à la sélection, parmi un ensemble, de moyens adaptés à ses objectifs[7]. Ces questions seront utiles pour orienter les lectures subséquentes.

La sélection, la structuration et l'analyse critique des informations pertinentes

Pour l'étudiant (et le chercheur) qui aborde un nouveau sujet de recherche, la formulation d'une question générale ne peut se faire sans la collecte et l'examen des connaissances générales sur le sujet choisi. Déjà, à ce stade, il faut pouvoir indiquer les concepts généraux, les principes importants, les modèles théoriques ainsi que les grandes approches théoriques, et parfois même méthodologiques, privilégiées pour aborder les problèmes relatifs au thème choisi. Le chercheur qui travaille sur la même question générale depuis plusieurs années n'a pas à reprendre cette étape pour chaque nouveau projet, car il possède déjà un bagage de connaissances structurées ainsi qu'une vision d'ensemble de son sujet de recherche.

---

6. Voir, par exemple, les *Handbook of Research on Teaching*.
7. Le chapitre 7 portant sur les stratégies de preuve présente trois grands types de questions de recherche ; il complétera la présentation faite dans ce paragraphe.

Ensuite, l'étudiant doit acquérir une connaissance approfondie des informations reliées à la question générale et des méthodes utilisées pour y répondre.

Cette démarche a pour axe central la question générale et les questions spécifiques qui en découlent. Il ne s'agit donc pas d'un glanage d'informations mais bien d'une quête orientée, dirigée par ces questions spécifiques. Il peut être avantageux d'écrire, avant même d'avoir lu plus à fond, les questions précises qui semblent reliées à la question principale.

> Par exemple, dans le cas de la question portant sur la description du phénomène de l'abandon scolaire : « Qui sont les décrocheurs ? », on pourrait penser, entre autres, aux sous-questions suivantes : Quel âge ont-ils ? Y a-t-il autant de garçons que de filles ? Quelle est leur origine sociale ? Quel est leur rendement scolaire ? Comment devient-on décrocheur ?

Dans une approche déductive, le chercheur précise la problématique grâce à une *analyse critique* en profondeur des écrits de recherche plus spécifiques (articles de recherche, rapports de recherche, conférences scientifiques, etc.) reliés à la question générale ainsi que d'autres écrits pratiques qui s'y rattachent tels que des rapports d'organismes, des programmes, des politiques. Pour découvrir un problème de recherche, il est essentiel d'adopter une attitude active et critique à l'égard des idées relevées au cours de ses lectures. Cette attitude consiste à garder constamment à l'esprit des questions aussi fondamentales que les suivantes : Qu'affirme-t-on exactement ici ? Ces affirmations sont-elles vraies ? Quelles sont les preuves concrètes à l'appui de ces affirmations ? Ces preuves sont-elles valables ? Ces affirmations sont-elles compatibles entre elles ? Plus l'étudiant adoptera, à l'égard des informations qu'il recueille, une posture critique de remise en question, plus il favorisera la prise de conscience de problèmes spécifiques. L'étudiant trouvera probablement des réponses plus ou moins partielles à plusieurs de ses questions. Cela lui permettra d'éliminer certains secteurs où les connaissances sont assez avancées ou, au contraire, de s'inspirer de recherches antérieures pour élaborer la sienne. Ce questionnement continu s'avère donc important, car il sert à construire la structure mentale organisatrice des informations recueillies, à juger de la pertinence des informations et à faciliter la découverte d'un problème spécifique de recherche.

Cette posture critique requiert du chercheur un certain nombre d'*habiletés de base* telles que classer et juger des recherches selon certains critères, analyser une argumentation, analyser, comparer, faire la synthèse et structurer des informations (faits, concepts et idées)[8]. Pour juger une

---

8. Pour une présentation détaillée de ces habiletés, voir le livre de Chris HART, *Doing a Literature Review*, Thousand Oaks, Sage, 1998.

recherche, il faut pouvoir en évaluer les composantes en fonction des intentions des chercheurs et de leur cohérence. Et pour cela, il faut d'abord être capable de classer les recherches, c'est-à-dire être capable de reconnaître les parties d'un article présentant une recherche, de même que les types de recherche en fonction de leurs caractéristiques telles que le but (fondamentale, appliquée, recherche-action, évaluative, de développement, recherche-formation, etc.), la stratégie de preuve (recherche exploratoire, descriptive ou comparative[9]) et la méthodologie. Il faut aussi être en mesure d'identifier les concepts importants, les idées, les théories et les postulats ontologiques, épistémologiques, axiologiques et méthodologiques. Enfin, il faut être capable d'analyser et d'évaluer l'argumentation présentée dans une recherche pour justifier l'objet de la recherche, les décisions méthodologiques et les conclusions tirées des résultats obtenus.

Cette posture critique repose également sur les habiletés à comparer et à structurer les informations recueillies. Les *tableaux et les figures synoptiques* (tableau à double entrée, tableau historique, schéma, réseau de concepts, réseau sémantique, diagramme causal, organigramme, algorithme, etc.) sont d'excellents outils d'organisation des informations pour mettre en lumière les relations entre les informations. Par exemple, l'utilisation du réseau conceptuel[10], pour préciser les variables propres à un objet de recherche et les organiser en une structure cohérente, constitue un outil puissant d'analyse et de compréhension. Les modèles et les théories ont justement cette fonction de proposer un ensemble intégré de concepts et de relations. Dans certains articles de revue ou certains livres, on pourra trouver de tels réseaux conceptuels qui illustrent les relations dont on suppose l'existence[11].

 Par exemple, Jean Roy propose, dans un article sur l'enseignement des sciences au primaire, un modèle hiérarchique causal reliant, directement ou indirectement, la prestation d'enseignement des sciences au primaire à neuf variables indépendantes. La séquence présentée ici est extraite de ce modèle :

---

9. Voir le chapitre 7, « La structure de la preuve », pour une présentation de ces différentes stratégies et des exemples de questions correspondant à ces stratégies.
10. On trouvera des indications détaillées sur la façon de faire de telles représentations dans les textes suivants : J.N. NOVAK et D. GOWIN, *Learning How to Learn*, New York, Cambridge University Press, 1984, et le chapitre 6 dans Chris HART, *Doing a Literature Review*, Thousand Oaks, Sage, 1998. Il existe maintenant des logiciels très performants qui facilitent la construction de tels réseaux tels que Inspiration, MindMap et MOT; voir à ce sujet le chapitre 8 dans E.A. WEITZMAN et M.B. MILES, *Computer Programs for Qualitative Data Analysis*, Thousand Oaks, Sage, 1995.
11. Déjà à cette étape, le chercheur commence à choisir ou, le cas échéant, à élaborer le cadre conceptuel ou le cadre théorique de sa recherche. Le chapitre 5 du présent ouvrage est consacré au rôle de la théorie dans la démarche de recherche.

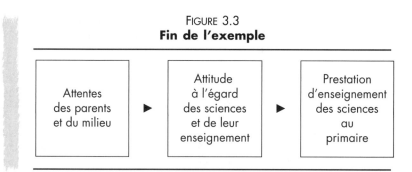

FIGURE 3.3
Fin de l'exemple

| Attentes des parents et du milieu | ▶ | Attitude à l'égard des sciences et de leur enseignement | ▶ | Prestation d'enseignement des sciences au primaire |

Silverman[12] présente d'autres stratégies qui, au cours de la recension des écrits, aident à développer une posture critique, facilitent l'émergence d'un problème de recherche et aide à construire une problématique. Il propose, entre autres, d'adopter une perspective particulière (historique, culturelle, politique, contextuelle) par rapport au sujet retenu, de trouver des limites à des énoncés généraux en les appliquant à de nouveaux contextes, d'introduire une troisième variable dans les relations étudiées, de changer la distance focale de notre lentille conceptuelle.

En conclusion, la sélection, la structuration et l'analyse critique des informations pertinentes requièrent l'acquisition d'habiletés de base particulières et de stratégies de traitement d'informations spécifiques. Pouvoir classer et juger les recherches, évaluer une argumentation, comparer et structurer les informations sont des habiletés de base essentielles au chercheur. Dans ce contexte, nous ne pouvons qu'encourager l'étudiant qui aborde les écrits sur un sujet donné à faire ses propres résumés sous forme de tableaux ou de figures. D'une part, cette démarche facilite dans bien des cas la compréhension des idées et, d'autre part, elle permet d'établir rapidement des relations peu documentées ou même ignorées par les chercheurs. La représentation synoptique des informations constitue une stratégie efficace pour trouver des problèmes spécifiques de recherche.

La délimitation d'un problème spécifique de recherche

C'est à l'occasion de l'élaboration d'un cadre de référence propositionnel pertinent à la question générale de recherche que des problèmes spécifiques surgissent. Par exemple, des *lacunes* ou des *difficultés* très particulières peuvent être relevées *dans l'organisation ou la cohérence de nos*

---

12. David SILVERMAN, *Doing Qualitative Research*, Londres, Sage, 2005.

connaissances scientifiques. Dans les paragraphes qui suivent, nous donnerons quelques exemples, tirés de la littérature francophone, de problèmes spécifiques de recherche.

Un premier type de problème spécifique de recherche réside dans *l'absence totale ou partielle de connaissances* concernant un élément de réponse à la question générale.

> Simard, Falardeau, Emery-Bruneau et Côté[13] considèrent que la question générale de l'approche culturelle en enseignement a fait l'objet de plusieurs travaux sur trois plans, les actions de concertation entre les acteurs scolaires et culturels, les pistes pédagogiques visant à intégrer la culture dans la classe et le curriculum, le sens du contexte culturel dans la formation des enseignants. Toutefois, ils relèvent que l'on ne possède pratiquement pas de données sur le rapport à la culture des enseignants alors que l'on a des raisons de croire en son importance dans la mise en œuvre d'une approche culturelle en enseignement. Leur question spécifique de recherche devint alors: Quel est le rapport à la culture d'étudiants en formation initiale en enseignement du français au secondaire? De même, Mary et Theis[14], relativement à la question générale des moyens pédagogiques pour favoriser le développement de la compétence à résoudre une situation problème mathématique au primaire, constatent l'absence d'études approfondies sur l'impact de l'utilisation des situations problèmes statistiques sur les stratégies de raisonnement d'élèves à risque en dépit de résultats de certaines recherches qui semblent suggérer que des élèves faibles bénéficient davantage que des élèves forts d'un contexte statistique en situation d'apprentissage. La question spécifique de recherche devint donc: Quel est le potentiel de situations de résolution de problèmes statistiques pour faire émerger des raisonnements statistiques chez des élèves à risque dans une classe spécialisée de fin primaire?

Un deuxième type de problème spécifique de recherche apparaît lorsque le chercheur a des raisons de croire qu'*on ne peut généraliser des conclusions de recherches antérieures à une situation particulière*.

---

13. D. SIMARD, E. FALARDEAU, J. EMERY-BRUNEAU et H. CÔTÉ, « En amont d'une approche culturelle de l'enseignement: le rapport à la culture », *Revue des sciences de l'éducation*, vol. XXXIII, n° 2, 1999, p. 287-304.
14. C. MARY et L. THEIS, « Les élèves à risque dans des situations problèmes statistiques: stratégies de résolution et obstacles cognitifs », *Revue des sciences de l'éducation*, vol. XXXIII, n° 3, 2007, p. 579-599.

> Beer-Toker et Gaudreau[15] considèrent que, sur la question générale des difficultés associées au développement de la littératie chez les élèves du primaire, on ne peut généraliser les conclusions des recherches faites auprès des élèves à risque non allophones aux élèves immigrants allophones qui éprouvent des difficultés, à cause de la différence de culture associée à la langue. Les facteurs retenus pour l'étude sont : le sentiment de compétence, les représentations de la nature et des fonctions de la lecture et de l'écriture, les attitudes envers la lecture et l'écriture ainsi que les pratiques de littératie. Ce constat justifie de poser la question suivante : pour la population allophone de l'école primaire montréalaise, quelles sont, parmi ces facteurs, ceux qui corrèlent avec le rendement en lecture et en écriture ? Dans le cadre général d'un problème d'intervention concernant le développement de la littératie, Morin et Montésinos-Gelet[16] veulent compléter nos connaissances concernant l'effet d'un programme d'orthographes approchées chez des enfants à risque en maternelle alors que les recherches sur ce sujet ont surtout été réalisées avec des élèves au début de l'école primaire. Dans une perspective préventive, il devient important d'en connaître les effets déjà à la maternelle.

Un troisième type de problème spécifique de recherche surgit lorsque *certaines variables n'ont pas été prises en compte dans les recherches* alors qu'il y a des raisons de croire en leur influence.

> Lison et De Ketele[17], sur la question générale des facteurs influençant la construction de l'identité professionnelle des enseignants au secondaire, partant du constat qu'en général 40 % des enseignants se disent non satisfaits de leur travail et remettent en question leur choix de carrière, réalisent que, en dépit des nombreuses recherches effectuées sur les variables qui influencent la satisfaction des enseignants au travail, variables reliées au contexte professionnel, à certaines caractéristiques personnelles, aux habiletés et aux capacités de l'enseignant, à l'engagement et à l'accomplissement de soi, « peu de travaux empiriques se sont penchés » sur le concept de « moral professionnel » et son lien avec la satisfaction professionnelle. Leur réflexion les amène à étudier particulièrement deux groupes de variables : le premier est relié aux caractéristiques personnelles et professionnelles de l'enseignant et le second, à l'environnement relationnel de l'enseignant. Ils posent alors la question des liens entre ces variables et la satisfaction professionnelle, la persistance professionnelle

---

15. M. BEER-TOKER et A. GAUDREAU, « Représentations, attitudes et pratiques : construction d'un outil de dépistage des difficultés en matière de littératie », *Revue des sciences de l'éducation*, vol. XXXII, nº 2, 2006, p. 345-376.

16. M.-F. MORIN et I. MONTÉSINOS-GELET, « Effet d'un programme d'orthographes approchées en maternelle sur les performances ultérieures en lecture et en écriture d'élèves à risque », *Revue des sciences de l'éducation*, vol. XXXIII, nº 3, 2007, p. 663-683.

17. C. LISON et J.-M. DE KETELE, « De la satisfaction au moral professionnel des enseignants : étude de quelques déterminants », *Revue des sciences de l'éducation*, vol. XXXIII, nº 1, 2007, p. 179-207.

et le moral professionnel. Dans le cadre d'un problème d'intervention relatif à la question générale des effets de l'identification sociale sur la performance collective, Toczek, Michinov et Michinov[18] concluent que les effets de la variable genre sur le sentiment d'appartenance en contexte de coopération à distance et que «la question de ses effets éventuels sur la socialisation du groupe et sur la qualité des performances collectives n'a jamais été soulevée». Les questions spécifiques de recherche s'énoncent ainsi : Les processus de groupe sont-ils les mêmes au sein des groupes composés majoritairement de filles versus de garçons? Peut-on créer un sentiment d'appartenance dans ces groupes de travail? Leurs performances collectives sont-elles équivalentes?

Un quatrième type de problème spécifique peut surgir au cours d'une recension des recherches antérieures lorsque le chercheur ressent une *incertitude face aux conclusions d'une recherche à cause de problèmes méthodologiques*. Le chercheur considère qu'il serait prématuré de conclure avant d'apporter à cette recherche certains changements de nature méthodologique.

Deslandes, Paré et Parent[19], dans le cadre de la question générale des éléments à prendre en considération dans la formation initiale actuelle des enseignants, soulèvent le problème du manque d'information sur les valeurs préconisées par les futurs enseignants et celles de leurs parents. Bien que de nombreuses recherches se soient intéressées à l'étude des valeurs des adolescents, plusieurs n'ont utilisé qu'un échantillon restreint et que l'entrevue comme méthode de collecte de données. Les chercheurs proposent donc d'utiliser un échantillon plus large et des questionnaires d'opinions couvrant plusieurs facettes du sujet. On questionne alors la continuité des valeurs entre les futurs enseignants (de la génération Y) et leurs parents ainsi que la congruence entre les valeurs des parents, à titre de conjoints. Dans le cadre d'un problème d'intervention relative à l'évaluation clinique en formation professionnelle, Pharand[20] examine l'intention du processus d'évaluation dans l'enseignement clinique en soins infirmiers. D'abord plus rares que les recherches sur l'évaluation de l'aspect théorique de la formation, celles portant sur l'évaluation de l'enseignement clinique, d'orientation quantitative, souffrent de «problèmes méthodologiques importants», d'imprécision dans leurs buts et de résultats souvent contradictoires. Se

---

18. M.-C. TOCZEK, E. MICHINOV et N. MICHINOV, «Coopérer à distance… un contexte équitable pour les filles et les garçons?», *Revue des sciences de l'éducation*, vol. XXXII, n° 2, 2006, p. 261-282.
19. R. DESLANDES, C. PARÉ et G. PARENT, «Relation entre les valeurs des futurs enseignants, membres de la génération Y, et celles de leurs parents», *Revue des sciences de l'éducation*, vol. XXXII, n° 3, 2006, p. 593-621.
20. D. PHARAND, «L'évaluation de l'enseignement des sciences infirmières en milieu clinique : des compétences à développer, plutôt que des compétences à prioriser», *Revue des sciences de l'éducation*, vol. XXXIII, n° 3, 2007, p. 703-725.

> positionnant dans une perspective qualitative, la chercheure pose alors la question spécifique suivante: Quels sont les éléments sur lesquels devrait porter l'objet de l'évaluation de l'enseignement clinique en soins infirmiers au collégial?

Un cinquième type de problème spécifique de recherche apparaît lorsque le chercheur constate l'existence de *contradictions entre les conclusions de recherches portant sur un même sujet.*

> Larue[21], étudiant la question générale des stratégies d'apprentissage en situation d'apprentissage par problèmes (APP), élabore son problème de recherche en mettant en évidence la contradiction entre les recherches qui trouvent que l'APP favorise une approche plus en profondeur chez les étudiants que le curriculum traditionnel et celles qui ne trouvent pas de différence ou très peu entre les deux formules pédagogiques. Pour résoudre cette contradiction, elle décide d'examiner de près les stratégies d'apprentissage d'un groupe d'étudiantes en soins infirmiers du collégial formées en apprentissage par problèmes durant le tutorat. Leur question spécifique de recherche devient alors: Quelle est la part respective des stratégies favorisant un apprentissage en surface ou en profondeur dans les stratégies utilisées par les étudiantes? Dans un contexte d'intervention, Deaudelin, Lefebvre, Brodeur, Mercier, Dussault et Richer[22] tentent d'éclairer les effets de la formation continue des enseignants sur l'implantation des TIC en milieu scolaire. Les recherches, d'une part, s'intéressent davantage à la satisfaction des enseignants qu'aux apprentissages réels qui semblent plus difficiles à cerner. D'autre part, un discours prescriptif soutenant que les TIC devraient conduire les enseignants à adopter des pratiques constructivistes alors que «le discours scientifique est, lui, moins consensuel». Afin de clarifier la situation, les chercheurs décident d'étudier à la fois les pratiques et les conceptions des enseignants suivant une formation continue dans un contexte de recherche-action-formation. La question de recherche pourrait se résumer ainsi: À la suite d'une formation continue sur l'intégration des TIC en milieu scolaire, comment les pratiques et les conceptions des enseignants ont-elles respectivement évolué relativement à l'enseignement, à l'apprentissage et aux TIC?

Un sixième type de problème spécifique de recherche peut découler de l'*absence de vérification d'une interprétation, d'un modèle ou d'une théorie.*

---

21. C. LARUE, «Les stratégies d'apprentissage d'étudiantes durant le travail de groupe dans un curriculum centré sur la résolution de problèmes», *Revue des sciences de l'éducation*, vol. XXXIII, n° 2, 2007, p. 467-488.
22. C. DEAUDELIN, S. LEFEBVRE, M. BRODEUR, J. MERCIER, M. DUSSAULT et J. RICHER, «Évolution des pratiques et des conceptions de l'enseignement, de l'apprentissage et des TIC chez des enseignants du primaire en contexte de développement professionnel», *Revue des sciences de l'éducation*, vol. XXXI, n° 1, 2005, p. 79-110.

Dans la perspective de compréhension d'un phénomène, Chevrier et Charbonneau[23] justifient leur recherche à partir du constat qu'aucune recherche n'a tenté explicitement de valider le modèle récursif en quatre étapes proposé par Kolb pour décrire l'apprentissage expérientiel. Dans une perspective d'intervention, la recherche de Cavanagh[24] vise à tester le modèle synthétique d'intervention à travers la mise en œuvre d'un programme comportant des caractéristiques propres à ce modèle en vue de favoriser la cohérence textuelle au primaire.

D'autres types de difficultés peuvent se poser au cours de l'analyse critique des écrits. Ainsi, on peut relever que deux théories prédisent dans les faits des observations différentes ou contraires et qu'il serait alors opportun de clarifier cette opposition par une recherche[25]. On peut aussi faire le constat d'une impasse dans le progrès des connaissances sur un sujet donné, plusieurs faits et observations étant impossibles à expliquer ou à interpréter au moyen des théories existantes[26]. C'est l'ingéniosité d'un chercheur qui permettra de progresser à nouveau. Le processus de recherche lui-même peut faire l'objet de recherches spécifiques lorsque, pour pallier l'absence d'outils de recherche adaptés, la réflexion du chercheur se porte sur l'activité même d'élaboration d'un questionnaire ou sur la conception de nouvelles méthodes d'analyses quantitatives (statistiques ou autres) de données[27].

La formulation d'une question spécifique de recherche

L'établissement d'un problème particulier engendre des besoins particuliers de connaissances qui se traduisent par des questions précises, plus spécifiques, qui servent de point de départ à la mise en œuvre d'une stratégie pour y répondre. Si le chercheur n'est pas toujours en mesure d'émettre une ou des hypothèses précises, c'est-à-dire de donner

---

23. J. CHEVRIER et B. CHARBONNEAU, « Le savoir-apprendre expérientiel dans le contexte du modèle de David Kolb », *Revue des sciences de l'éducation*, vol. XXVI, n° 2, 2000, p. 287-323.
24. M. CAVANAGH, « Validation d'un programme d'intervention : Pour la cohérence des écrits argumentatifs au primaire », *Revue des sciences de l'éducation*, vol. XXXII, n° 1, 2006, p. 159-182.
25. Voir par exemple l'article suivant : P. CAZENAVE-TAPIE et F.F. STRAYER, « Racines socioculturelles des statuts sociométriques chez les enfants en milieu scolaire », *Revue des sciences de l'éducation*, vol. XXVI, n° 1, 2000, p. 113-132.
26. Pour plus d'exemples, voir le chapitre « Formuler le problème » dans G. MACE et F. PÉTRY, *Guide d'élaboration d'un projet de recherche*, 2ᵉ éd., Québec, Presses de l'Université Laval, 2000.
27. Voir par exemple l'article suivant : M. CYR, J. TOUPIN, A.D. LESAGE et C.A.M. VALIQUETTE, « Méthode de formation d'interviewers et évolution temporelle de l'accord interjuges », *Revue canadienne de psychoéducation*, vol. 21, n° 1, 1992, p. 21-28.

une réponse provisoire à la question spécifique de recherche, il doit, par ailleurs, utiliser des méthodes qui assureront aux conclusions de sa recherche le maximum de validité. Les conclusions, qui sont les réponses à la question de la recherche, devraient résoudre, en tout ou en partie, le problème.

> Pronovost et Leblanc[28] constatent qu'on n'a jamais vérifié l'une des théories de base concernant la délinquance, à savoir que le fait de travailler prévient la délinquance chez ceux qui abandonnent leurs études. Les chercheurs se demandent alors si l'accès au travail fait régresser le taux de délinquance chez les décrocheurs. La question spécifique de recherche découle donc directement de la prise de conscience du problème et tente d'y apporter des éléments de solution.

On doit apporter beaucoup de soin à la formulation de cette *question spécifique* puisqu'elle servira de guide tout au long de la recherche. Elle doit être formulée de façon précise et chaque terme doit être clairement défini, particulièrement de façon opérationnelle. Chaque élément de la question doit pouvoir être observable ou mesurable. Le fait qu'une question soit spécifique n'en fait pas pour autant une question de recherche. Le chercheur ne doit pas croire qu'il peut faire l'économie de la recension des écrits parce qu'il a déjà en sa possession une question spécifique à laquelle il voudrait répondre par une recherche. La question spécifique de recherche doit s'inscrire logiquement dans une problématique spécifique. Une recherche rapporte d'autant plus qu'elle répond à une question précise dont les implications et les limites sont clairement perçues par le chercheur.

Le choix d'un problème et d'une question spécifique de recherche implique la prise en compte des critères de faisabilité, c'est-à-dire l'ampleur de la question, le temps disponible pour faire la recherche, l'argent disponible, la collaboration d'autres personnes comme assistants ou comme sujets, la possibilité de faire la recherche dans le milieu désiré, l'accessibilité aux instruments de mesure. Malgré l'importance de la faisabilité, la pertinence de la question spécifique de recherche par rapport à l'ensemble de la problématique demeure un critère central pour juger de l'intérêt du problème choisi.

---

28. L. PRONOVOST et M. LEBLANC, « Le passage de l'école au travail et la délinquance », *Apprentissage et socialisation*, vol. 11, n° 2, 1979, p. 69-73.

▓ 3.2. La présentation de la problématique

Éléments d'une problématique

Dans les écrits s'inspirant d'une démarche déductive, la problématique doit démontrer, par une argumentation serrée, qu'il est utile et nécessaire pour l'avancement des connaissances sur un phénomène particulier (la pertinence scientifique) d'explorer empiriquement une question spécifique ou de vérifier une idée spécifique (hypothèse) découlant d'un raisonnement basé sur des informations issues des écrits scientifiques. Il s'agira donc de construire, dans une démarche de spécification allant d'un problème général à une question spécifique, une argumentation cohérente, complète et parcimonieuse.

Que ce soit pour un projet ou un article de recherche, la problématique doit comporter un ensemble d'éléments correspondant généralement aux suivants. Autrement dit, dans la section problématique, on s'attend à ce que

a) le thème de recherche soit précisé ;

b) la pertinence de la recherche soit soulignée, c'est-à-dire que le thème et la question générale constituent une préoccupation actuelle de chercheurs, de praticiens ou de décideurs ;

c) dans le cadre de la question générale, des informations pertinentes soient présentées (résultats de recherches empiriques et théoriques : faits, concepts, relations, modèles, théories), soit pour démontrer l'existence du problème spécifique de recherche, soit pour fournir des éléments de solution au traitement du problème spécifique de recherche. Ces informations procurent un cadre conceptuel ou un cadre théorique à la recherche ;

d) un problème spécifique soit mis en évidence ;

e) une question spécifique de recherche soit formulée pour orienter la collecte des données et que la réponse à cette question permette de résoudre le problème spécifique.

Exemple de problématique

Pour illustrer, dans une démarche déductive, une problématique liée à la compréhension, nous avons choisi de présenter la problématique de la recherche de Marcotte, Fortin, Royer, Potvin et Leclerc (2001)[29] ayant pour thème « le risque d'abandon scolaire ». Les auteurs cherchent à comprendre les causes de l'abandon scolaire chez les adolescents et plus particulièrement à comprendre le rôle que jouent le style parental, la dépression, les troubles de comportement et le sexe en lien avec le risque d'abandon scolaire. D'emblée les auteurs établissent la pertinence sociale de la recherche en montrant, chiffres à l'appui, que « l'abandon scolaire au secondaire est un problème social de première importance au Québec » (p. 688).

Les auteurs introduisent graduellement l'objet de la recherche en affirmant que l'abandon scolaire est influencé par plusieurs facteurs et que les études réalisées jusqu'ici (pertinence scientifique) en identifient deux grandes catégories : ceux liés aux « caractéristiques personnelles de l'élève » et ceux liés aux « variables sociales et environnementales » (p. 688). Relativement à la première catégorie de facteurs, les auteurs mentionnent que les résultats des recherches « suggèrent que les troubles concomitants à l'abandon scolaire, surtout ceux reliés à la santé mentale, méritent d'être considérés plus explicitement » (p. 688). Relativement à la seconde catégorie de facteurs, ils concluent que, en dépit de nombreuses recherches, « très peu d'études ont évalué [d'une part] l'effet du style parental sur le risque d'abandon scolaire, de même que [d'autre part] l'interaction entre le style parental, la présence de troubles concomitants et le risque d'abandon » (p. 689). Cette dernière partie souligne le manque de connaissances à propos de l'interaction elle-même entre ces deux facteurs.

Suit la présentation des résultats de recherches sur les trois facteurs étudiés, à savoir la dépression à l'adolescence en général et à l'école en particulier, les troubles du comportement à l'adolescence en général et à l'école en particulier et le style parental. On y apprend que la dépression est un problème important de manière générale à l'adolescence dans les pays industrialisés et qu'à l'école, bien que la relation entre symptômes dépressifs et rendement scolaire faible soit confirmée par les études, peu de recherches ont exploré le lien entre la dépression et le risque d'abandon scolaire. On y apprend aussi que les troubles du comportement ou comportements antisociaux sont très présents à l'adolescence, particulièrement chez les garçons et l'association entre ces troubles et l'abandon scolaire est bien documentée. De même, on

---

29. D. MARCOTTE, L. FORTIN, É. ROYER, P. POTVIN et D. LECLERC, « L'influence du style parental, de la dépression et des troubles du comportement sur le risque d'abandon scolaire », *Revue des sciences de l'éducation*, vol. XXVII, n° 3, 2001, p. 687-712.

apprend que la famille a un rôle déterminant à jouer dans le risque d'abandon scolaire et que les styles parentaux ont des effets très spécifiques. Toutefois, le style démocratique, connu pour son effet bénéfique sur le développement de l'adolescent, a été peu étudié dans son lien entre ses trois composantes (engagement parental, encadrement parental et encouragement à l'autonomie) et les «problématiques adolescentes». Des problèmes d'ordre méthodologique semblent aussi présents dans la manière de mesurer la dépression dans certaines études.

Problématique de la recherche
de Marcotte, Fortin, Royer et Leclerc

THÈME DE RECHERCHE	L'abandon scolaire
QUESTION GÉNÉRALE DE RECHERCHE	Quels sont les causes ou facteurs de l'abandon scolaire?
PROBLÈME SPÉCIFIQUE DE RECHERCHE	Alors que les résultats de recherches pointent dans la direction d'un effet de l'interaction entre le style parental et la présence de troubles concomitants tels que la dépression et les troubles du comportement sur le risque d'abandon scolaire, et ce de manière différenciée selon le sexe, trop peu d'études ont étudié ces facteurs (particulièrement les trois dimensions du style démocratique) et leurs relations en fonction du sexe des adolescents pour qu'il se dégage une image claire de l'influence de ces facteurs. De même, certaines faiblesses méthodologiques quant à la mesure du style parental et à la nature représentative des échantillons selon le sexe diminuent la confiance que l'on peut accorder aux conclusions des quelques recherches en lien avec ce sujet.
QUESTION SPÉCIFIQUE DE RECHERCHE	Quelle est l'importance, en fonction du sexe de l'adolescent, des trois dimensions du style parental démocratique pour prédire les symptômes de dépression et les troubles du comportement et leurs impacts sur le risque d'abandon scolaire?

Tous les éléments sont maintenant en place pour formuler le problème spécifique de recherche: il existe plusieurs données qui indiquent que «les agents de socialisation que sont les facteurs familiaux [et particulièrement le style parental], reconnus comme étant associés à ces problématiques [dépression et troubles du comportement], pourraient avoir une influence différente selon le sexe de l'adolescent» (p. 696) sur le risque d'abandon scolaire mais aucune recherche ne nous permet actuellement d'avancer de telles affirmations. La question spécifique de la recherche devient donc celle-ci: quelle importance ont «les trois dimensions du style parental démocratique, en fonction du sexe de l'adolescent, dans la prédiction des symptômes de la dépression et des troubles du comportement, et leurs impacts sur le risque d'abandon scolaire » (p. 696) ?

4 LA PROBLÉMATISATION SELON UNE LOGIQUE INDUCTIVE

Comme dans la section précédente, nous aborderons les étapes de la problématisation et la présentation de la problématique dans un texte scientifique. *Dans le contexte d'une démarche inductive, l'élaboration de la problématique* ne s'effectue pas à partir de la structuration de concepts et de propositions générales mais *se réalise dans la formulation itérative de questions à partir du sens donné à une situation concrète.*

▓ 4.1. Les étapes de la problématisation

Dans le cadre d'une démarche inductive, les grandes étapes de la spécification de la problématique sont

1) la formulation d'un problème de recherche provisoire à partir d'une situation comportant un phénomène particulier intéressant,

2) la formulation d'une question de recherche permettant le choix d'une méthodologie adaptée,

3) l'élaboration d'interprétations basées sur la collecte de données et l'analyse inductive de ces dernières,

4) la reformulation itérative du problème et/ou de la question de recherche en fonction des prises de conscience effectuées au cours de la collecte et de l'analyse préliminaire des données[30] (voir la figure 3.3).

Nous verrons maintenant plus en détail chacune de ces étapes que nous illustrerons à l'aide d'un exemple tiré d'un article de recherche[31] sur le thème de « l'enseignement de la langue maternelle selon une approche

---

30. L'accent porte ici sur les opérations relatives à la spécification de la problématique. Les autres opérations ne sont mentionnées que pour situer le lecteur. Nous le référons aux autres chapitres du livre pour compléter les informations.

31. C. EDELSKY, K. DRAPER et K. SMITH, « Hookin' 'Em in at the Start of the School in a "Whole Language" Classroom », *Anthropology & Education Quarterly*, vol. 14, n° 4, p. 257-281. Un extrait du texte est présenté dans le chapitre 3 de MCMILLAN et SCHUMACHER (1989).

globale». Dans cet article, les chercheures Edelsky, Draper et Smith rapportent les faits saillants de leur démarche de questionnement et de reformulation du problème.

La formulation d'un problème de recherche provisoire

Dans le cadre d'une démarche inductive de recherche, les problèmes spécifiques de recherche émanent du vécu personnel du chercheur et plus particulièrement de son expérience personnelle de situations comportant un phénomène particulier, curieux ou étonnant relié à ses intérêts de recherche. Une situation concrète est sélectionnée par le chercheur parce qu'elle comporte «un phénomène qui peut être décrit et compris à partir des significations que les participants donnent aux événements[32]». Elle offre donc des caractéristiques assez riches pour définir un contexte particulier, comporter un phénomène intéressant (qui fait déjà l'objet de recherches ou non) et fournir l'espoir de faire avancer les connaissances. Le chercheur partira de cette situation particulière pour formuler, provisoirement, un problème de recherche, articuler au moins une question générale de recherche et sélectionner une méthodologie appropriée. Nous présentons ici quelques exemples de situations singulières qui peuvent servir à définir un problème de recherche.

Un type de situation qui peut donner naissance à un phénomène intéressant peut être suscité par des *changements introduits dans le fonctionnement habituel* d'un groupe de personnes, modifications susceptibles d'entraîner des réactions significativement différentes chez les personnes. Des modifications légales, un changement de programme scolaire, l'intégration de nouvelles technologies, le remplacement d'une institutrice ou l'implantation d'une innovation pédagogique en sont des exemples.

> Couture[33], se penchant sur «les tentatives de renouvellement en matière d'éducation scientifique», constata que «ce volet éducatif est peu abordé à l'école primaire» au Québec, qu'il existe un «besoin d'envisager des approches différentes» et que «les approches collaboratives permettent d'aborder la question sous un nouvel angle», ce qui l'incita à explorer une nouvelle piste de travail, à savoir «la collaboration praticien-chercheur à la coconstruction d'un projet en sciences de la nature»

---

32. J.H. MCMILLAN et S. SCHUMACHER, *Research in Education: A Conceptual Introduction*, Glenview, Scott Foresman, 1989, p. 93.

33. C. COUTURE, «Repenser l'apprentissage et l'enseignement des sciences à l'école primaire: une coconstruction entre chercheurs et praticiens», *Revue des sciences de l'éducation*, vol. XXXI, n° 2, 2005, p. 317-333.

en tentant de répondre à la question suivante : Dans la perspective d'un renouvellement de l'enseignement des sciences à l'école primaire, quelles contributions praticiens et chercheurs peuvent-ils apporter à la coconstruction de situations d'enseignement et d'apprentissage ?

FIGURE 3.4
Problématisation selon une logique inductive

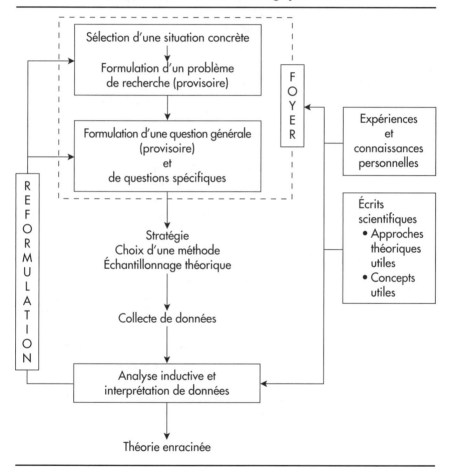

Un type de situation particulièrement singulier peut avoir pour source des ***pratiques originales établies***. Une enseignante qui utilise une méthode spéciale, une école qui se distingue par son approche pédagogique alternative constituent des situations sociales qui s'écartent suffisamment de la « norme » pour éveiller la curiosité et chercher à comprendre les processus en jeu à travers les significations données aux événements vécus par les acteurs.

> Laplante[34], constatant l'originalité de sa démarche en recherche collaborative établie depuis une dizaine d'années, décida de faire le point sur son cheminement éthique en tant que chercheur en éducation engagé dans ce type de recherche. Il analysa plus spécifiquement la façon dont il a interagi avec les personnes ayant participé à ces projets de recherche collaborative. Sa réflexion l'amena à toucher aux questions suivantes : l'acceptable ou l'inacceptable dans ces situations, les responsabilités et droits des participants, la nature des relations à entretenir avec les autres, le type d'être humain désiré et le genre de communauté à laquelle le chercheur veut contribuer.

Un type de situation où un phénomène particulier peut attirer l'attention d'un chercheur est celui que créent des *événements problématiques récurrents ou des pratiques qui échouent ou qui s'établissent difficilement*. L'analyse de ces situations peut donner lieu à une meilleure compréhension du vécu des acteurs dans ces situations et, de là, contribuer à l'amélioration des situations ou des interventions.

> Savoie-Zajc et Lanaris[35], relevant la récurrence de l'abandon scolaire en Outaouais, décidèrent d'étudier la situation dans une école de cette région. Abordant la question autant du point de vue de l'individu que du groupe, de l'institution et de la communauté, elles adoptèrent une démarche de recherche mobilisatrice des acteurs concernés. Deux objectifs ont été poursuivis : « poser un diagnostic de la situation » qui prévalait à cette école et « développer avec le personnel de l'école des suggestions de pistes d'intervention ».

En contrepartie, il y a la situation créée par des *événements heureux et des pratiques qui réussissent*. Ainsi, les enseignantes et les écoles particulièrement efficaces, qui ont des histoires à succès, sont des sources de questionnement. On cherche à comprendre comment les situations sont vécues, à connaître la perception collective des principaux acteurs.

> Rousseau et Vézina[36] considère que le Centre de formation en entreprise et récupération (CFER), apprécié des jeunes ayant des difficultés scolaires importantes, utilise une démarche pédagogique innovante (la tâche globale) qui, par ses succès auprès des élèves,

---

34. B. LAPLANTE, « Cheminement éthique d'un chercheur engagé en recherche collaborative », *Revue des sciences de l'éducation*, vol. XXXI, n° 2, 2005, p. 417-440.

35. L. SAVOIE-ZAJC et C. LANARIS, « Regards et réflexions d'une communauté face au problème de l'abandon scolaire : le cas d'une recherche dans une école secondaire de l'Outaouais », *Revue des sciences de l'éducation*, vol. XXXI, n° 2, 2005, p. 297-316.

36. N. ROUSSEAU et C. VÉZINA, « La tâche globale : une organisation innovante pour une plus grande réussite des élèves à risque », *Revue des sciences de l'éducation*, vol. XXXIII, n° 3, 2007, p. 685-701.

en justifie l'analyse. La recherche entreprise vise donc à relever «les caractéristiques qui décrivent le mieux la tâche globale» et en quoi celle-ci contribue «réellement à la persévérance scolaire des jeunes ayant des troubles d'apprentissage».

Un autre type de situation qui peut présenter un phénomène intéressant est celui créé par des *événements ayant des composantes inattendues ou des interventions ayant des conséquences imprévues.* Sans nécessairement comporter de connotation heureuse ou malheureuse, ni même être en soi originaux, certains événements, qui semblent en gros habituels, peuvent présenter certaines caractéristiques inattendues qui remettent en question notre vision du monde.

Baillat et Espinoza[37] analysent l'attachement des enseignants de l'école primaire en France à la polyvalence. Ils justifient leur questionnement en se basant sur le fait que, malgré un consensus des enseignants en faveur de la polyvalence, les enseignants, de façon surprenante, «recourent massivement à des pratiques qui réduisent leur polyvalence». Il est donc «apparu nécessaire de comprendre ce paradoxe entre attachement déclaré à la polyvalence et des pratiques qui s'en éloignent». La question de recherche suivante fut posée: Comment les maîtres conçoivent-ils et vivent-ils leur polyvalence (degré d'attachement, avantages, inconvénients)?

Il n'est pas toujours nécessaire que la situation ait un caractère singulier. L'intérêt peut être suscité par des *événements habituels ou des pratiques courantes non documentées.* Il y a encore beaucoup de pratiques courantes, tenues pour acquises, pour lesquelles nous n'avons pas vraiment d'informations systématiques du point de vue des personnes qui les vivent.

Morrissette et Maheux[38] considèrent que l'évaluation formative des apprentissages, étudiée depuis un peu plus de 35 ans, a été «mobilisée dans le discours ministériel québécois depuis plus de 25 ans et que ce discours mérite d'être analysé afin d'en comprendre l'évolution». La question de recherche retenue est la suivante: Quelle est l'évolution de la fonction de l'évaluation formative des apprentissages à travers le discours ministériel québécois entre 1981 et 2002?

Cette liste n'est certes pas exhaustive et se veut seulement indicative de situations à surveiller pour leur potentiel à produire des résultats de recherche intéressants.

---

37. G. BAILLAT et O. ESPINOZA, «L'attachement des maîtres de l'école primaire à la polyvalence: le cœur a ses raisons…», *Revue des sciences de l'éducation*, vol. XXXII, n° 2, 2006, p. 283-305.
38. J. MORRISSETTE et G. MAHEUX, «Évolution de la fonction de l'évaluation formative des apprentissages à travers le discours ministériel québécois entre 1981 et 2002», *Revue des sciences de l'éducation*, vol. XXXIII, n° 3, 2007, p. 727-748.

La définition du problème est déjà commencée avec la découverte d'une situation contenant un phénomène curieux ou étonnant. Le problème, pressenti par le chercheur devra être formulé clairement. Cette formulation, qui demeure assez générale, consiste à expliciter l'aspect curieux du phénomène. La formulation du problème, dans une démarche inductive et générative, est considérée *provisoire* compte tenu de la connaissance limitée que le chercheur a de la situation. En d'autres mots, le problème central pourra être reformulé pendant la recherche s'il ne correspond plus à la réalité observée.

La formulation du problème doit se faire avant tout à partir des connaissances du chercheur. Généralement, le chercheur débute avec un cadre descriptif et interprétatif très partiel, basé sur ce que Glaser et Strauss appellent des «concepts locaux[39]», concepts renvoyant à des éléments évidents de la structure et des processus propres à la situation (l'enseignante, les élèves, la relation maître-élève, les programmes, les consignes, l'horaire, etc.). Pour formuler le problème de recherche, le chercheur peut aussi faire appel à ses connaissances personnelles ainsi qu'à des connaissances tirées des écrits scientifiques, généralement ceux de tradition «qualitative» ayant rapport avec le phénomène. Même si le chercheur peut utiliser des concepts reconnus de la littérature scientifique, il est clair que le problème se définit moins par la découverte d'une difficulté spécifique dans les écrits scientifiques que par l'impossibilité de donner du sens à la situation.

Dans la recherche sur «l'enseignement de la langue maternelle selon une approche globale», les chercheures choisissent comme situation de départ, le cas d'une enseignante de 6ᵉ année au primaire qui utilise une approche globale pour l'enseignement de l'anglais (langue maternelle) écrit et parlé. Il s'agit d'une enseignante qui utilise une pratique originale et qui, par surcroît, réussit très bien. Les auteurs savent qu'il y a plusieurs approches pour enseigner la langue maternelle mais sont intéressés plus particulièrement par l'approche globale de l'enseignement du langage qui diffère des autres approches plus courantes qui sont linéaires et très graduées. Lors de plusieurs visites préalables dans la classe de cette enseignante, les chercheures purent observer cette approche de l'enseignement de la langue appliquée avec beaucoup de succès. Phénomène étonnant, cette enseignante réussissait, sans l'aide de manuels ni de livres d'exercices, à développer chez les élèves un niveau d'habileté à lire et à écrire plus élevé que celui auquel on aurait pu s'attendre dans ce type d'école. Comme ce succès ne semblait pas se prêter à une interprétation facile, les chercheures décidèrent de l'investiguer plus à fond en privilégiant une démarche inductive de recherche.

---

39. B.G. GLASER et A.L. STRAUSS, *The Discovery of Grounded Theory: Strategies for Qualitative Research*, New York, Aldine, 1967, p. 45.

La formulation d'une question générale provisoire

Dans le prolongement du problème de recherche, la question est un outil important du chercheur. La question de départ, elle aussi considérée provisoire, doit être à la fois assez générale pour permettre d'engendrer des questions plus spécifiques et faciliter la découverte des aspects importants du phénomène et assez spécifique pour focaliser la recherche. Le foyer (*focus*) de la recherche a deux fonctions[40] : a) établir les limites et le territoire de la recherche et b) déterminer la pertinence des informations recueillies en fournissant des balises pour décider d'inclure ou d'exclure une information de la collecte ou de l'analyse des données.

La question générale s'accompagne habituellement de questions spécifiques qui visent à explorer les éléments structuraux, les interactions et les processus (socioculturels et organisationnels) afin de déterminer et de décrire les dimensions importantes du phénomène. Le défi pour le chercheur est justement de découvrir les questions les plus pénétrantes et les plus perspicaces pour comprendre le phénomène. Pour formuler ces premières questions, le chercheur se base sur ses connaissances et ses interprétations personnelles[41]. Ensuite, le chercheur choisit la ou les méthodes qu'il compte utiliser (observation, entrevues, documents) et détermine, par échantillonnage théorique, les personnes à contacter ou les documents à consulter. Le plan de la recherche sera lui aussi émergent puisqu'il dépend des questions subséquentes. Contrairement à la démarche confirmatoire où la question spécifique demeure inchangée lors de la collecte de données, dans une démarche génératrice, le foyer peut changer en cours de route.

> Dans la recherche sur « l'enseignement de la langue maternelle selon une approche globale de l'écriture et de la lecture », les chercheures posèrent comme question générale de départ : « Comment cette enseignante, avec sa théorie de l'enseignement global de l'écriture et de la lecture, parvient-elle à faire en sorte que les élèves répondent à ses attentes peu habituelles ? » Subsidiairement à la question générale, elles posèrent les questions spécifiques suivantes : « Quelles sont, dans cette classe, les normes pour la lecture et l'écriture ? » « Comment l'enseignante réussit-elle à faire en sorte que les élèves s'attendent à écrire ? » « Comment certaines procédures sont-elles établies (p. ex., écriture d'un journal ou d'un livre) ? » « Quelles sont les relations maître-élève les plus évidentes ? » Compte tenu des questions, les méthodes principales de collecte de données prévues furent l'observation participante avec prise de notes et l'observation différée à l'aide d'enregistrement vidéo.

---

40. Y.S. LINCOLN et E.G. GUBA, *Naturalistic Inquiry*, Beverly Hills, Sage, 1985, p. 227-228.
41. LINCOLN et GUBA (1985) parlent de connaissances tacites et MARSHALL et ROSSMAN (1989) de théories personnelles.

Des entrevues avec les élèves étaient prévues après la première semaine
d'école et avec l'enseignante, avant le début des classes et au cours
de la quatrième semaine d'école. Il est clair que la formulation de ces
questions se fonde sur la connaissance des chercheures du fonctionnement de l'enseignante et sur deux postulats : a) le changement prend un
certain temps à s'opérer et b) le temps d'adaptation et la manière de le
faire varient selon les élèves (acceptation rapide, hésitation, ajustement
lent).

L'analyse inductive et l'interprétation des données

Après une première collecte de données, le chercheur les analyse et en
tire une description riche et détaillée des événements tels qu'ils ont été
vécus et perçus par les personnes impliquées dans la situation. À partir
de cette description, le chercheur élabore des hypothèses (au sens large
d'énoncés hypothétiques et non d'hypothèses avec variables opération-
nalisées) visant à comprendre, en tout ou en partie, le phénomène. Il
s'agit ici de donner un sens à des événements et non pas d'établir un lien
causal linéaire à sens unique.

Cette élaboration d'hypothèses, comme d'ailleurs la collecte et l'analyse inductive des données, ne peut se réaliser en demandant au chercheur
de faire totalement abstraction de ce qu'il connaît. Pour élaborer sa théorie
enracinée du phénomène, le chercheur utilise principalement des concepts
et des hypothèses qui ont émergé des données recueillies. Cela n'empêche
pas le chercheur de faire appel à des écrits scientifiques pertinents, particulièrement à ceux utilisant une démarche inductive de recherche, pour lui
fournir des concepts utiles et l'assister dans sa compréhension du phénomène. Comme le soulignent Glaser et Strauss[42], il s'agit surtout d'éviter de
s'emprisonner dans une théorie. Le chercheur doit posséder les habiletés
(avoir des *insights* théoriques) et les attitudes (l'ouverture théorique) nécessaires pour être en mesure de conceptualiser et d'élaborer une théorie à
partir des données plutôt que de forcer une théorie sur les données.

Dans la recherche sur « l'enseignement de la langue maternelle selon une
approche globale de l'écriture et de la lecture », l'observation montra
que, dès la première journée d'école, tous les élèves répondaient déjà
aux attentes de l'enseignante. Déjà, au cours de l'après-midi, les élèves
nettoyaient la classe sans qu'on leur demande, s'entraidaient et prenaient
des décisions eux-mêmes. La surprise fut grande pour les chercheures
qui s'attendaient à étudier le processus sur au moins deux semaines.

---

42. B.G. GLASER et A.L. STRAUSS, *op. cit.*, p. 46.

Voilà qu'en quelques heures seulement les élèves agissaient de manière « naturelle » dans un environnement relativement nouveau. Les postulats des chercheures s'avéraient non fondés. Pour recueillir les données, il fallait devancer les entrevues avec les élèves à la deuxième journée d'école. Les entrevues montrèrent que les élèves avaient vite réalisé que cette classe était différente. Cependant, bien qu'ils eussent remarqué l'absence des exercices pratiques traditionnels et des livres d'épellation, ils demeuraient incapables de verbaliser les attentes de l'enseignante et comment ils avaient su quoi faire. Ils affirmaient qu'ils « avaient su dès le début » que cette nouvelle année serait difficile mais remplie de projets intéressants (p. ex : monter des pièces pour l'école). Ils n'avaient pas l'impression d'avoir travaillé bien qu'ils eussent déjà fait quelques expériences scientifiques, participé à des discussions, etc. Les chercheures conclurent que les élèves savaient reconnaître les moments où ils devaient agir exactement comme l'enseignante le demandait et ceux où ils pouvaient suivre l'idée générale de ses affirmations. Pour expliquer ces comportements, les chercheures émirent l'hypothèse de la présence « d'ententes tacites ».

Reformulation itérative du problème ou de la question

Cet effort pour donner un sens aux données permet au chercheur de prendre conscience de certains problèmes particuliers (lacunes, incohérences, etc.) dans sa connaissance du phénomène, problèmes qui l'empêchent de comprendre le phénomène dans sa « totalité » ou dans sa « globalité ». Ces problèmes spécifiques donnent naissance à des questions spécifiques qui servent à orienter la collecte des informations pertinentes et permettent d'étudier plus en profondeur certains aspects particuliers du phénomène et d'élaborer une théorie enracinée (concept émergent[43], relations émergentes, modèle émergent) la plus complète et la plus valide (crédible) possible.

Le problème général de recherche peut lui-même être reformulé au cours de la recherche. Il peut arriver, surtout au début de la recherche, que la formulation initiale du problème soit incomplète ou tout à fait inadéquate à la lumière des constatations issues des premières analyses inductives des données. La formulation elle-même du problème de recherche peut donc évoluer au cours de la recherche. La formulation synthétisée et définitive du problème, qu'il y ait eu ou non des changements, sera accomplie vers la fin de la recherche. Il faut donc s'attendre à ce que la formulation du

---

43. Pour un exemple de concept émergent, voir M. CHOMIENNE et J. VÁSQUEZ-ABAD, « L'émergence du concept d'enracinement des applications pédagogiques de l'ordinateur », *Revue des sciences de l'éducation*, vol. XVI, n° 1, 1990.

problème telle qu'elle est présentée dans les écrits de recherche ne corresponde pas nécessairement à la formulation initiale du problème, en début de recherche.

Les questions spécifiques, elles aussi, changent (pour s'adapter aux changements observés), s'ajoutent (quand il manque des informations), disparaissent (quand on leur a répondu) au fur et à mesure qu'avance l'analyse inductive des données et que le portrait se compose et commence à prendre un sens. Il en est de même pour la question générale. Contrairement à la démarche déductive, où la question générale de recherche demeure inchangée au cours de la collecte des données, la question de recherche, dans une démarche inductive, étant intimement liée au problème, peut elle-même être appelée à changer en cours de route.

> Dans la recherche sur « l'enseignement de la langue maternelle selon une approche globale de l'écriture et de la lecture », les chercheures ont été amenées à reformuler leur problème initial. Le phénomène devient encore plus curieux, plus incompréhensible et, par le fait même, plus problématique. On a une enseignante qui, d'une part, réussit à obtenir très rapidement ce qu'elle veut des élèves et, d'autre part, qui a des attentes peu habituelles à l'égard des élèves en plus d'adopter une pratique qui ne correspond pas à celle que l'on présente pour une enseignante efficace en début d'année. Il manque de connaissances pour expliquer cette situation. Pour résoudre le problème, les chercheures ajoutèrent à leur question initiale la question suivante : « Que se passe-t-il ? » en se référant aux « règles non formulées » à surveiller dans l'observation des bandes vidéo. La nouvelle hypothèse a donc forcé les chercheures à reformuler en partie le problème initial et à ajouter une question de recherche. De manière succincte, la question définitive de la recherche fut : « Comment, dès le début de l'année, une enseignante efficace, avec une approche globale de l'enseignement de la langue parlée et écrite, "contraint-elle" les élèves de manière à obtenir la vie de classe qu'elle désire ? »

▓ 4.2. La présentation de la problématique

Éléments d'une problématique

Dans les écrits s'inspirant d'une démarche inductive, la problématique doit démontrer qu'il est utile et nécessaire d'analyser empiriquement une situation spécifique (événement, organisation, etc.) pour faire avancer nos connaissances sur un phénomène donné. Encore ici, l'argumentation devra être cohérente, complète et parcimonieuse.

Dans un projet ou un article de recherche, la problématique doit comporter un ensemble d'éléments correspondant généralement aux suivants. Autrement dit, dans la section problématique, on s'attend généralement à ce que

a) une situation concrète (sociale), comportant un phénomène particulier, soit relevée;

b) un problème de recherche soit posé relativement à cette situation intrigante;

c) une question de recherche soit formulée;

d) la pertinence de la recherche soit démontrée, c'est-à-dire que ce problème (ou cette question) constitue une préoccupation actuelle de praticiens, de décideurs ou de chercheurs;

e) ce problème de recherche s'inscrive dans des préoccupations théoriques (construits, approches, etc.) et que des informations connues sur ce problème soient présentées (recherches, modèles ou théories);

f) le cas échéant, la théorie, le modèle, le concept qui ont été empruntés ou qui ont émergé, soient mentionnés;

g) l'on montre en quoi la recherche permet de faire avancer les connaissances relativement au problème de recherche.

Exemple de problématique

Pour illustrer la présentation d'une problématique dans le cadre d'une démarche inductive, nous avons choisi d'examiner la problématique présentée dans la recherche de Martine Chomienne et Jesús Vázquez-Abad[44] sur le phénomène particulier de l'«implantation de la micro-informatique scolaire au Québec». Le problème de recherche est déterminé: l'implantation de la micro-informatique scolaire est située dans le cadre des innovations technologiques; l'idée d'applications pédagogiques de l'ordinateur date du début des années 1960 et pourtant les technologies qui y correspondent ont souvent été implantées (imposées) sans être adaptées; les applications pédagogiques de l'ordinateur sont d'actualité, elles font l'objet de publicité et d'investissements considérables et pourtant, «l'informatique à l'école demeure un phénomène encore mal connu».

---

44. M. Chomienne et J. Vásquez-Abad, op.cit., p. 91-104.

Problématique de la recherche de Chomienne et Vázquez-Abad

PHÉNOMÈNE PARTICULIER	L'implantation d'une innovation en éducation.
SITUATION CONCRÈTE	L'implantation de la micro-informatique scolaire au Québec.
PROBLÈME DE RECHERCHE	Il est nécessaire de mieux comprendre ce phénomène. L'implantation de la micro-informatique scolaire au Québec ne s'est pas faite sans difficultés, elle est d'actualité, elle fait l'objet de publicité et d'investissements considérables et pourtant «l'informatique à l'école demeure un phénomène encore mal connu».
QUESTION DE RECHERCHE	Comment se déroule le processus d'implantation de la micro-informatique scolaire au Québec et quels en sont les facteurs d'évolution?

Pour résoudre en partie ce problème et focaliser la recherche (définir le foyer de la recherche), les auteurs se proposent d'«analyser en profondeur le processus d'implantation en tant que tel» et se demandent quelles sont les étapes de son déroulement et les facteurs d'évolution propres à chacune d'elles. Cette interrogation constitue essentiellement leur question de recherche.

La pertinence sociale de la recherche est démontrée en soulignant comment le problème s'inscrit dans les préoccupations des décideurs et des praticiens. L'historique du début montre que l'implantation informatique scolaire, qui a commencé dans les années 1960, n'est pas près de s'arrêter, qu'elle a fait l'objet de décisions discutables et que les enseignants n'ont pas toujours la tâche facile quand ils doivent adapter des technologies la plupart du temps conçues à d'autres fins. Mention est aussi faite des préoccupations des chercheurs sur la question, en évoquant les «nombreuses recherches qui se sont intéressées à l'étude de l'implantation de l'ordinateur dans le milieu scolaire». Ce faisant, les auteurs situent leur recherche dans un contexte scientifique plus global.

Dans cette problématique, les auteurs ont tenté de rattacher leur problème de recherche à des préoccupations théoriques. On y présente différents modèles de diffusion des innovations. Tous ces modèles ont en commun d'être prescriptifs, aucun n'est descriptif. C'est ici que les auteurs montrent comment leur recherche fera avancer les connaissances sur l'implantation informatique scolaire en tentant «d'établir un modèle descriptif de l'implantation d'une innovation en éducation». En ce qui concerne le cadre théorique, dans cette recherche, aucun modèle théorique n'avait été retenu au départ pour analyser les données. Pour comprendre le processus d'implantation informatique scolaire au Québec et donner un sens aux données, le concept émergent d'«enracinement des applications pédagogiques de l'ordinateur» a semblé le plus approprié.

BIBLIOGRAPHIE ANNOTÉE

ACKERMAN, Winona B. et Paul R. LOHNES, *Research Methods for Nurses*, New York, McGraw-Hill, 1981.

Dans le chapitre 1, on trouve la relation entre recherche et résolution de problème. Les auteurs présentent une bonne description des problèmes liés à la connaissance et à l'intervention, d'une façon générale, dans le chapitre 2 et, d'une façon spécifique, dans le chapitre 3.

BOUCHARD, Yvon, «De la problématique au problème de recherche», dans Thierry KARSENTI et Lorraine SAVOIE-ZAJC (dir.), *Introduction à la recherche en éducation*, 2ᵉ éd., Sherbrooke, Éditions du CRP, 2004, p. 61-80.

L'auteur discute de la notion même de problématique et introduit clairement la distinction entre problématique et problème de recherche (l'effet d'entonnoir). Ce chapitre présente un exemple de problématique mal posée et des exemples d'objectifs de recherche bien et mal formulés.

CRESWELL, JOHN W., *Research Design: Qualitative, Quantitative, and Mixed Methods Approaches*, 2ᵉ éd., Thousand Oaks, Sage, 2003.

Les chapitres 4 («The Introduction») et 5 («The Purpose Statement») présentent plusieurs exemples reliés à l'étape de formulation du problème. Bien que séparés, ces deux chapitres abordent des points importants de la problématisation du point de vue des approches quantitatives et qualitatives.

DESHAIES, Bruno, *Méthodologie de la recherche en sciences humaines*, Laval, Beauchemin, 1992.

Le chapitre 5 présente l'étape de formulation du problème. La réflexion sur les racines psychologiques montre l'importance de l'affectif dans l'activité de recherche.

DESLAURIERS, Jean-Pierre et Michèle KÉRISIT, «Le devis de recherche qualitative», dans Jean POUPART, Jean-Pierre DESLAURIERS, Lionel-Henri GROULX, Anne LAPERRIÈRE, Robert MAYER et Alvaro P. PIRES (dir.), *La recherche qualitative: Enjeux épistémologiques et méthodologiques*, Montréal, Gaëtan Morin, 1997, p. 85-111.

Adeptes de la recherche qualitative, les auteurs de ce chapitre abordent la spécification de la problématique sous l'angle des sujets privilégiés en recherche sociale et de la construction de l'objet de recherche.

ENGELHART, Max D., *Methods of Educational Research*, Chicago, Rand McNally, 1972.

Le chapitre 3 analyse les deux opérations de sélection et de définition d'un problème de recherche du point de vue de l'étudiant qui en est à ses premières armes en recherche.

FORTIN, Marie-Fabienne, Josée Côté et Françoise Filion, *Fondements et étapes du processus de recherche*, Montréal, Chenelière-Éducation, 2006.

Les chapitres 4, 7 et 8 portent respectivement sur le choix d'un problème de recherche, la formulation d'un problème de recherche et le but et les questions de recherche.

HART, Chris, *Doing a Literature Review*, Londres, Sage, 1998.

Ce livre présente de manière très détaillée les compétences nécessaires pour réaliser une recension des écrits. On y trouvera un chapitre sur chacune des compétences suivantes : lire et classer les recherches, analyser une argumentation, organiser et exprimer des idées et analyser et mettre en réseau des idées.

KERLINGER, Fred, *Foundations of Behavioral Research*, 4e éd., Fort Worth, Harcourt College Publishers, 2001.

Dans les chapitres 2, 3, 4 et 5, Kerlinger analyse en profondeur divers thèmes liés à la spécification de la problématique dont les valeurs, les variables et les relations entre les variables, la définition des concepts.

LECOMPTE, Margaret et Judith PREISSLE, *Ethnography and Qualitative Design in Educational Research*, 2e éd., San Diego, Academic Press, 1993.

Excellente discussion dans le chapitre 2 sur la relation entre le but de la recherche et la manière de formuler les questions de recherche.

LINCOLN, Yvonne S. et Egon S. GUBA, *Naturalistic Inquiry*, Beverly Hills, Sage, 1985.

Ce livre présente la démarche inductive, dans ses phases de planification, réalisation et publication. La notion de focus de recherche y est développée.

MACE, Gordon et François PÉTRY, *Guide d'élaboration d'un projet de recherche*, 2ᵉ éd., Québec, Presses de l'Université Laval, 2000.

Ce petit livre constitue un excellent guide pour les étudiants dans le contexte de la logique déductive. La section sur la problématique est très bien illustrée.

MARSHALL, Catherine et Gretchen B. ROSSMAN, *Designing Qualitative Research*, 4ᵉ éd., Thousand Oaks, Sage, 2006.

Dans la perspective de la logique inductive, le chapitre 2 porte sur le contenu et l'organisation de la problématique dans le cadre de la rédaction d'un projet de recherche. L'effet d'entonnoir y est bien illustré.

MCMILLAN, James H. et Sally SCHUMACHER, *Research in Education : Evidence-Based Inquiry*, 6ᵉ éd., Boston, Pearson, 2006.

Excellente introduction générale à la recherche en éducation. Le chapitre 3 porte spécifiquement sur la problématique, en distinguant les points essentiels eu égard aux paradigmes qualitatif et quantitatif. À la fin de ce chapitre, les auteurs présentent des questions permettant d'évaluer la formulation d'une problématique selon chacun des deux paradigmes.

TURCOTTE, Daniel, «Le processus de la recherche sociale», dans Robert MAYER, Francine OUELLET, Marie-Christine SAINT-JACQUES, Daniel TURCOTTE et collaborateurs, *Méthodes de recherche en intervention sociale*, Montréal, Gaëtan Morin, 2000, p. 39-68.

Dans la section sur la définition de la situation problème, l'auteur présente plusieurs exemples de questions liées à la compréhension et à l'intervention et propose des critères pour évaluer des questions de recherche.

COMPÉTENCES INFORMATIONNELLES ET ACCÈS À L'INFORMATION

Danielle BOISVERT

Sans l'ignorance, point de questions.
Sans questions, point de connaissance,
car la réponse suppose la demande.

Paul VALÉRY

L'essence de la recherche est de faire avancer une discipline en ébauchant des théories et des pratiques, et en les évaluant ou les modifiant au besoin. Pour ce faire, il est essentiel que le chercheur prenne connaissance de ce qui a déjà fait l'objet d'une attention particulière et mené à des conclusions bien établies. Aussi, le fait de référer à des sources reconnues ajoute de la crédibilité au travail de recherche. C'est pourquoi l'une des étapes primordiales de l'exploration d'un sujet est de dresser un éventail de tout ce qui est disponible sur une thématique. Les moyens électroniques actuels font que le passé et le présent se confondent quelque peu et que le chercheur peut être mis en contact quasi instantanément avec tout le savoir humain existant ou en création.

> La recension des écrits se fait à toutes les étapes de la conceptualisation de la recherche ; elle doit précéder, accompagner et suivre l'énoncé des questions de recherche ou la formulation des hypothèses. La recension peut être plus ou moins copieuse selon la complexité du sujet. Elle se clôt sur une appréciation de l'apport des différents textes à la résolution du problème de recherche[1].

Pour introduire ce chapitre et vous aider à prendre conscience de l'importance de maîtriser les notions qu'il ébauche, nous aimerions nous servir d'une analogie liée à une courte fable de Lafontaine, « Le renard et les raisins[2] ». En résumé, il était une fois un renard affamé qui vit des raisins en haut d'une treille, il essaya de les atteindre sans succès, il se dit alors qu'ils étaient verts et bons seulement pour des êtres plus vils que lui.

Comme il n'est pas toujours aisé d'avoir accès à la documentation scientifique (cela exige de la discipline et des efforts d'apprentissage), il semble souvent plus facile de recueillir des informations sur le Web. Qui dit que l'on trouvera aisément ce dont on a besoin alors qu'on est aussi affamé que le renard (manque de temps, peu de notions de ce que sont des sources scientifiques, difficultés à les citer correctement) ? Le champ de la recherche est vaste et les pages qui suivent visent à fournir une échelle vers la documentation scientifique en franchissant tous les barreaux qu'elle comporte.

Face à la multitude de données informationnelles, documentaires[3], factuelles et numériques ou autres, le chercheur est mis au défi de trouver les meilleurs outils d'information, de faire sa recherche sous différents modes qui évoluent constamment et d'en faire le tri en évaluant les informations ainsi que leur pertinence par rapport à sa discipline.

Nous mettrons l'accent sur les outils de recherche documentaire comme sources d'information en laissant (quelque peu) dans l'ombre leur support technique qui évolue constamment. Il est vrai que l'imprimé existe toujours et reste une source classique de consultation. Le bon vieux dictionnaire a encore sa place pour la vérification rapide d'une information.

---

1. Marie-Fabienne FORTIN, *Fondements et étapes du processus de recherche*, Montréal, Chenelière-éducation, 2006, p. 70.
2. Jean de LA FONTAINE, « Le renard et les raisins », *Les Fables de La Fontaine*, München, Hasso Ebeling International Publishing, 1984, p. 148.
3. « La recherche documentaire se situe dans le champ plus large de la recherche d'information (*information retrieval*). Elle s'en distingue par le fait qu'elle permet l'accès à des documents (ou des parties de documents) qui donneront lieu à interprétation par le lecteur, alors que la recherche d'information englobe aussi l'accès à des bases de données de faits et de connaissances, c'est-à-dire à des informations interprétées et encodées à la source. » (Stéphane OLIVESI, *Introduction à la recherche en SIC*, Grenoble, Presses universitaires de Grenoble, 2007, p. 96.)

Toutefois, il est de plus en plus remplacé par des versions électroniques ou le Web qui exigent un apprentissage souvent simple pour accéder à une information précise et pouvant répondre exactement aux besoins immédiats.

1 STRATÉGIE DE RECHERCHE

La stratégie de recherche est l'élément clé pour accroître le degré de pertinence et d'efficacité lors du repérage de la documentation dont on a besoin. Une stratégie de recherche escamotée ou incomplète entraînera éventuellement des retours en arrière et des pertes de temps – un temps précieux qui aurait pu être consacré à la lecture de l'information recueillie.

> L'une des causes majeures d'échec vient de ce que le chercheur modifie ou oublie, en cours de recherche, le but initial qu'il s'était assigné. Par exemple, il trouve un document qui l'intéresse dans le cadre d'une autre activité, c'est ce que l'on nomme la sérendipité[4].

De plus, la stratégie de recherche exige un effort de réflexion et d'analyse pour établir ce que l'on cherche vraiment ainsi que la capacité de s'ajuster si le résultat n'est pas concluant.

Nous relèverons trois phases[5] dans la recherche d'information (intuitive, exploratoire et expérimentation ou action).

La *phase intuitive* est la plus stressante, parce qu'elle est floue et crée de l'insécurité chez le chercheur. Il a une vague impression de ce qu'il cherche et souvent ne connaît pas le thème. C'est l'occasion pour lui de se demander ce qui le mobilise par rapport au thème ou la population à étudier, d'échanger avec le professeur, d'autres étudiants ou des pairs, d'évaluer la pertinence ou l'actualité de cette recherche par rapport à sa discipline et ce qu'on exige de lui. Jusqu'où doit-il approfondir le thème? De cette phase émergera l'énergie qui le motivera à poursuivre sa démarche.

L'autre *phase dite exploratoire* relève plus de l'essai-erreur, ce qui est habituel lorsqu'on cherche sur le Web. Elle permet de glaner de l'information complémentaire, du vocabulaire, des définitions, d'évaluer les possibilités de trouver de l'information pertinente et même de faire ressortir certains aspects qui pourraient être traités lors de la recherche.

---

4. *Ibid.*, p. 110.
5. Line LeBlanc *et al.*, «Travail préparatoire: Processus de recherche d'information», *Méthodes de recherche pour la réussite des études universitaires*, <http://pdci.uquebec.ca/methodes-travail-uqo/a02.ppt>, page consultée le 21 mars 2008.

Aussi, *dictionnaires et encyclopédies* restent de bonnes sources d'information, peu importe leur support (papier ou électronique), pour aborder un sujet de recherche avec lequel on est peu familier. On y trouve des pistes initiales, des auteurs importants dans le domaine et les thématiques privilégiées par la discipline. Une source d'information récente et spécialisée permettra aussi de dresser un portrait des tendances de la recherche dans ce domaine et orientera la sélection d'une thématique d'actualité. La consultation du *catalogue* d'une bibliothèque permet de trouver les outils particuliers dans un domaine de recherche. De plus, la section *référence* de cette même bibliothèque permet de relever différents outils (dictionnaires, encyclopédies, guides documentaires, bibliographies, annuaires et répertoires) qui pourraient fournir une information pertinente.

Grâce à ces sources préparatoires d'information, le chercheur s'est familiarisé avec son domaine et commence à comprendre comment il veut orienter sa recherche. Au cours de ses lectures, il acquiert du vocabulaire qui sera très précieux par la suite. Aussi, il y a une grande différence entre la recherche reliée à une thèse de doctorat et celle que l'on effectue pour répondre aux exigences d'un cours de premier cycle. La première doit être exhaustive tandis que la seconde, très restreinte dans le temps, doit être limitée aux sources d'information les plus accessibles, cela n'excluant pas l'innovation et la créativité par rapport au thème abordé.

Au cours de cette phase, le chercheur doit aussi s'interroger sur *l'envergure de sa recherche* en termes de période à couvrir, de langue, d'aire géographique (p. ex., limité au Québec ou non), de types de sources d'information à consulter (monographies, périodiques, journaux, pages Web), extraites des sources primaires ou secondaires. La nature de l'information est aussi à considérer. Est-elle théorique, empirique, historique, statistique ? L'information recherchée sera-t-elle scientifique, professionnelle, technique ou un mélange des trois ?

Après avoir tenu compte de tous ces éléments, le chercheur devra structurer sa pensée (stratégie de recherche) pour extraire l'information requise.

La troisième **phase d'expérimentation** ou d'**action** est tributaire de la qualité des deux premières. Elle exige d'être plus structuré et plus logique. Tous les efforts consentis par le chercheur seront récompensés par la facilité d'interrogation des outils à sa portée et la possibilité de se réajuster en cours d'interrogation.

Lorsqu'on parle de stratégie de recherche, on fait référence à cette habileté intellectuelle qui permet au chercheur de mieux saisir un thème et de décider, suivant le résultat obtenu, s'il est nécessaire d'élargir ou de préciser davantage la recherche. Les bases de données et Internet en particulier (avec sa masse d'information) sont particulièrement exigeants en ce sens.

Il est essentiel de maîtriser une méthode d'analyse d'un sujet qui évitera la confusion et la perte de temps.

Par exemple, on peut aborder le thème du pouvoir en relation avec la santé, l'ingénierie, la gestion, les relations familiales, etc. Il importe, dans un premier temps, d'établir sous *quel angle* on veut traiter le thème, de préciser le *vocabulaire* relié à son sujet (mots clés, descripteurs) et de définir les *avenues* que l'on peut prendre pour trouver un maximum d'information.

Ensuite, il est crucial de se prêter à l'exercice de formuler sa problématique de recherche en une seule ou quelques phrases clés, comportant tous les éléments qu'on désire couvrir, et d'associer aux différents aspects de celle-ci tout le vocabulaire pertinent (français, anglais, synonymes, éléments à exclure, etc.). En franchissant cette étape, le chercheur montre qu'il a avancé dans son processus pour cerner le sujet et qu'il a fait des choix stratégiques.

Certains outils de recherche plus perfectionnés mettent à la disposition du chercheur un éventail des mots clés utilisés par celui-ci (thésaurus, vedettes-matière, liste de mots clés etc.). Cela permet de traduire une problématique de recherche en langage documentaire. Ces outils peuvent généralement être consultés dans une base de données ou en version imprimée. Ils présentent souvent une définition du contexte dans lequel le mot s'applique, des synonymes, des termes recommandés ainsi que des termes associés.

Il est aussi essentiel que le chercheur maîtrise la *logique de la recherche booléenne*. La plupart des bases de données spécialisées, tout comme les outils de recherche disponibles sur Internet, privilégient cette structure de recherche. Quelquefois, ce type d'interrogation est intuitif (p. ex., « et » par défaut dans Google) ou affiché à l'écran. Chaque outil a ses particularités, mais l'utilisation des « et » (*and*) (pour préciser le sujet), « ou » (*or*) (pour ajouter des synonymes ou d'autres aspects à inclure, c'est-à-dire élargir), « sauf » (*not*) (pour exclure des concepts que l'on ne veut pas traiter) est possible dans presque toutes les sources d'information électroniques. Ainsi, bien comprendre cette syntaxe permet d'ajouter de la pertinence à sa recherche et de disposer de plus de temps pour se concentrer sur l'analyse du contenu des sources les plus intéressantes.

TABLEAU 4.1
**Les étapes d'une démarche de recherche efficace :
choisir son vocabulaire**

Extraire de la question de recherche les mots ou expressions qui en expriment les *idées principales.* Inscrire ensuite, pour chacun, des synonymes (termes équivalents), des termes génériques (plus larges) et/ou spécifiques (plus pointus). Les traduire pour l'interrogation des bases anglophones.

Question de recherche	**Quel est l'impact du stress sur la santé mentale de l'étudiant de niveau universitaire ?**			
Mots / Expressions	**Termes équivalents (synonymes)**		**Termes plus larges (termes génériques)**	**Termes plus pointus (termes spécifiques)**
	Français	**Anglais**		
Stress	Stress* Anxiété Fatigue Tension mentale Tension psychologique	*Anxiety Crisis Distress Endurance Stress*	Conditions de vie Qualité de vie Style de vie Environnement social	Gestion Réactions Chronique Physiologique Psychologique Phobie sociale Attitude Post-traumatique Comportement
Étudiant*	Apprenant*	*Students*	Communauté universitaire (professeurs, étudiants, personnel) Clientèle scolaire	Étudiants adultes Étudiant immigrants Temps complet ou partiel Tous les niveaux (1er cycle, 2e cycle, 3e cycle...)
Universitaire	Université Gradué Enseignement supérieur	*University Higher Education*	Milieu académique Recherche	
Santé mentale	Maladie mentale Bien-être Mieux-être Résilience	*Mental health Mental illness Mental Disorders Well-being*	Santé Maladie	Physique Maladies mentales spécifiques Dépression, troubles Épuisement

Il est recommandé d'utiliser l'astérisque pour inclure les pluriels ou tous les mots qui commencent par le début de la chaîne de caractères.

Il est possible d'utiliser des expressions standards. Toutefois, il ne faut pas utiliser de phrases pour faire une recherche dans une base de données à moins qu'elles soient présentes dans les « dictionnaires » qui accompagnent les outils (thésaurus).

Il serait aussi opportun de construire d'autres questions de recherche en lien avec la thématique.

Exemples :   **Comment un étudiant universitaire parvient-il à concilier travail et études ?**

Quel est l'impact sur la vie familiale et sociale d'un adulte qui fait un retour aux études ?

Source : Feuille de travail adaptée par D. PERREAULT et tirée du document de Debi RENFROW, « Developing Keywords », dans Carol Anne GERMAIN et Deborah BERNNARD (dir.), *Empowering Students II : Teaching Information Literacy Concepts with Hands-on and Minds-on Activities*, « Active Learning Series, no. 8 », Pittsburgh, Library Instruction Publications, 2004, 168 p.

 TYPES DE DOCUMENTS

▓ 2.2. Monographies et thèses

Pour débuter sa recherche, le chercheur pensera aux monographies (volumes ou livres). Ces sources d'information sont les plus accessibles dans sa bibliothèque. De plus, elles font rapidement la synthèse d'un sujet. Les bibliothèques utilisent des classifications par grands sujets (p. ex., Library of Congress, Dewey) qui peuvent aider à repérer sur place les documents. Aussi, le catalogue de bibliothèque reste le meilleur outil pour trouver des livres précis. La maîtrise de la recherche par sujet de ce catalogue permettra plus d'efficacité et de pertinence par rapport aux données recueillies. Déjà, à cette étape, le chercheur pourra tester sa stratégie de recherche pour la modifier ou la préciser au besoin.

De plus en plus, le chercheur pourra rechercher électroniquement (y compris de chez lui par Internet) des monographies pertinentes dans des catalogues de bibliothèques similaires à la sienne. Les modes de recherche sont diversifiés et un apprentissage spécifique est souvent requis. Par exemple, on peut retracer une monographie très pertinente qui se trouve dans une bibliothèque à Chicoutimi alors que l'on réside à Gatineau. L'utilisation du service de prêt entre bibliothèques est essentielle et exige du chercheur une gestion du temps assez stricte, s'il veut pouvoir consulter l'ouvrage dans des délais raisonnables. Toutefois, avec l'introduction de moyens technologiques raffinés (p. ex., Colombo) et la présence de plus en plus fréquente du texte complet des monographies dans les bases de données (p. ex., Érudit, PsycBooks), l'accès est facilité.

Les thèses représentent aussi une information précieuse, car elles touchent des thématiques très pointues et visent à les explorer de façon exhaustive. Constatant la qualité des données qui y sont consignées, le monde scientifique vise de plus en plus à les rendre accessibles rapidement, soit par une politique de numérisation des documents et l'insertion de leur contenu dans des bases de données accessibles aux chercheurs (p. ex., Érudit et Dissertation Abstracts and Full Text, Thèses Canada).

■ 2.2. Périodiques

Les périodiques qui paraissent régulièrement (un ou plusieurs numéros par année) représentent une source d'information de première main, car leur contenu se renouvelle à chaque numéro. Ils sont souvent plus à jour que les monographies et traitent d'un sujet pointu selon des règles d'analyse et de présentation très strictes, en fonction du public auquel ils s'adressent (chercheurs ou grand public).

Les périodiques dits scientifiques (spécialisés, académiques ou savants; p. ex., *Sociologie et sociétés, Actes de la recherche en sciences sociales*) sont associés la plupart du temps à une université, à une association spécialisée, à une organisation, à une corporation ou à un groupe de recherche. Ils paraissent habituellement plusieurs fois par an et certains d'entre eux paraissant une fois l'an (*Annual…*) présentent des comptes rendus de congrès ou de conférence, ou abordent une thématique particulière en regroupant les meilleurs chercheurs du domaine. La plupart de ces périodiques ont un comité d'experts qui sélectionne les articles à paraître.

Tous les articles sont rédigés selon une méthodologie et dans un langage qui s'adresse à des spécialistes; leur présentation est très épurée et comprend, outre les textes (souvent précédés par un résumé et des informations sur les auteurs), des graphiques et tableaux. Chacun des articles est accompagné d'une bibliographie détaillée.

Dans ces différents périodiques, on retrouve une grande variété d'articles. Premièrement, il y a les **articles de recherche** dans lesquels un ou plusieurs chercheurs présentent les résultats de leurs propres travaux à l'aide de tableaux statistiques ou de graphiques. On y décrit de façon détaillée la démarche (problématique, cadre théorique, hypothèses ou questions, méthodologie, résultats, conclusions et bibliographie). Les résultats d'une recherche descriptive appliquée ou d'une intervention y sont présentés. L'étude peut porter sur des milliers de sujets ou un petit échantillon. Le détail du contenu de ces articles est assez explicite pour permettre de refaire le même type de démarche. Toutefois, la lecture de tels articles présuppose souvent des connaissances approfondies du domaine.

Si l'on veut être sensibilisé et informé sur une thématique, un autre type d'articles, que l'on peut qualifier de *recension d'écrits* ou d'analyse critique, peut être très utile lors d'une recherche. Ces articles analysent, synthétisent ou critiquent différents travaux réalisés dans le cadre de recherches, d'interventions, de programmes, de politiques. Ces textes sont souvent accompagnés d'une longue bibliographie et visent à décrire l'état des connaissances à un moment donné sur une problématique de recherche ; ils se terminent souvent sur des recommandations visant des travaux à effectuer pour faire avancer la connaissance. L'analyse critique, quant à elle, met l'accent sur les qualités et les limites de certains travaux.

Les périodiques proposent aussi quelquefois des textes qui contribuent à susciter une réflexion personnelle. Dans des articles que l'on peut qualifier de *textes d'opinions*, des auteurs présentent leurs réflexions et opinions sur diverses thématiques en s'appuyant sur leur expérience personnelle ou sur un nombre limité de références. Pour utiliser ce type d'articles, il est important de vérifier la crédibilité et l'expertise des auteurs. D'autres articles rapportent les réactions de chercheurs à des articles publiés. Leur contenu permet de suivre le débat et de connaître un autre point de vue.

Certains articles font état de *projets*, programmes ou interventions *en cours* de réalisation, d'implantation ou d'évaluation. Ils apparaissent souvent dans des périodiques issus des corporations professionnelles. Toutefois, ils manquent souvent de données qui permettent d'évaluer la qualité, la pertinence et l'utilité de ces activités.

Les périodiques présentent aussi des *éditoriaux* où l'auteur prend position et introduit le lecteur au contenu du numéro publié. Les *critiques de livres* prennent aussi une certaine place dans le contenu de ces périodiques.

Actuellement, dans le milieu scientifique, on voit naître, dans ce que l'on peut appeler le collège invisible (groupe de chercheurs qui travaillent sur une même thématique et qui s'échangent de l'information), des lieux virtuels où les chercheurs peuvent avant de publier dans les revues savantes échanger avec leurs collègues sur une théorie ou une hypothèse qui par la suite fera l'objet d'un article. Ce lieu d'échange permet donc la production d'articles liés à un thème très pointu et assez innovateur.

Évidemment, ce sont les périodiques scientifiques qui demeurent la meilleure source de documentation pour le chercheur, mais il existe aussi d'autres types de périodiques qui peuvent être très utiles pour compléter la collecte d'information. On parle ici des revues professionnelles et d'intérêt général.

Les revues professionnelles (p. ex. *Intervention*) sont publiées par et pour les membres de la profession dans un langage propre au champ de pratique et sur des questions qui intéressent ses lecteurs, avec comme but de les informer. On y retrouve souvent des nouvelles ou des expérimentations faites par les membres et quelquefois des articles scientifiques. Elles peuvent prendre la forme d'un simple bulletin de nouvelles ou ressembler à un périodique plus académique. La recherche se fait aussi sur le terrain et la lecture de ces périodiques permet au chercheur de connaître les problématiques actuelles et de s'en inspirer pour réaliser une recherche plus poussée.

Les revues d'intérêt général (p. ex., *L'actualité*, le *Monde diplomatique*) s'adressent à un public plus large et sont plus accessibles en termes de vocabulaire, de présentation (publicité, distribution plus large, etc.). Leur contenu est souvent coloré par l'actualité et on se sert des articles scientifiques (que l'on cite très sommairement) pour illustrer le propos et piquer la curiosité du lecteur en vulgarisant un thème complexe. Leur contenu témoigne des problématiques qui préoccupent la population à un moment donné et, comme pour les revues professionnelles, le chercheur peut s'en inspirer mais ne peut les utiliser pour appuyer son argumentation.

Les monographies, les thèses et les articles de périodiques sont les sources principales d'information pour le chercheur. Toutefois, il existe d'autres types de documents qui répondent à des besoins spécifiques. Par exemple, ce qui est consigné dans les journaux peut donner des informations pertinentes sur les problématiques qui touchent la société à un moment donné, faire état de statistiques issues d'institutions publiques, etc. Des données statistiques produites par des gouvernements (p. ex., Statistique Canada, Institut de la statistique du Québec) ou des études empiriques peuvent appuyer une argumentation. Il est important de savoir y accéder et d'apprendre à manipuler ces données selon le besoin. On peut extraire et créer des tableaux ou graphiques pour illustrer son propos. La documentation audiovisuelle a de plus en plus sa place pour illustrer un phénomène et toucher un auditoire auquel on s'adresse, lors d'un exposé oral par exemple. Les publications gouvernementales regorgent aussi de données importantes pour le chercheur, car elles font état de situations particulières dans un pays donné associées souvent aux politiques officielles mises en place.

Pour des besoins encore plus particuliers, on peut aussi penser aux cartes géographiques, aux tests psychométriques et guides spécialisés pour les chercheurs de ces disciplines.

 ## 3 LA RECHERCHE D'INFORMATION

Internet est une gigantesque toile où se multiplient les interconnexions entre les gens et l'information qu'ils désirent échanger. Aujourd'hui, une quantité phénoménale d'information est accessible sans qu'on ait à quitter sa résidence.

> Le paysage de la recherche documentaire s'est totalement recomposé depuis vingt ans ; d'activité réservée aux professionnels, elle est devenue le quotidien de tous. Le brouillard qui dissimulait les documents, perceptibles alors que par des fins connaisseurs/esthètes, s'est estompé ; la masse de ceux qui apparaissent au premier plan interdit toute mise en perspective ou en relief [6].

Donc, le monopole du savoir semble ne plus être entre les mains d'une minorité. Chacun peut créer des pages d'information, les mettre à jour et les diffuser quasi instantanément à l'échelle mondiale. Cela pose un sérieux problème au regard de la qualité et de l'utilité de cette information pour le chercheur. De plus en plus aussi, on parle de création de la connaissance en collaboration (p. ex., forums, wikis) et de diffusion au plus grand nombre (p. ex., Wikipédia).

Le monde de la recherche garde tout de même des accès privilégiés sur le Web. C'est ce que le chercheur qui veut se documenter doit privilégier. Les organismes qui les diffusent ont déjà fait le tri des informations (validées) qui y sont véhiculées, ce qui augmente leur crédibilité pour la recherche. Elles sont souvent accessibles en accès contrôlé sur le site Web des bibliothèques universitaires ou des organismes de recherche et l'investissement en apprentissage de ces outils accélérera le recueil d'information scientifique.

Le chercheur peut faire la « remontée des filières historiques : [il] part de l'article ou de la publication connue la plus récente et remonte à partir des références citées en bibliographie vers les plus anciennes [ou fait une] recherche systématique : [il] dépouille systématiquement les sommaires

---

6. Stéphane OLIVESI, *op. cit.*, p. 95.

des revues où sont habituellement publiés les articles du champ exploré et pour compléter [il] effectue une recherche par mot clé sur les bases de données bibliographiques[7] ».

▓ 3.1. Catalogues de bibliothèques

De plus en plus de catalogues de bibliothèques sont accessibles au chercheur. Leur consultation permet de connaître les ressources qu'elles contiennent. Le chercheur peut donc consulter un fonds de collection multidisciplinaire ou une documentation réunie par un organisme très spécialisé et souvent emprunter ces documents selon les politiques des institutions prêteuses.

▓ 3.2. Bases de données

Pour choisir les bons outils pour faire son repérage d'information, le chercheur doit connaître les différentes bases de données mises à sa disposition, leurs spécialités de même que le type d'information (articles de périodiques ou de journaux, thèses, livres, etc.) qu'elles diffusent. C'est donc encore les variables issues de sa stratégie de recherche qui orienteront son choix. Par exemple, s'il décide de faire une recherche de données en langue française, il aura tendance à s'en tenir aux outils qui ont cette caractéristique (p. ex., Repère, Érudit, Cairn, Eureka) tout en étant conscient des limites qu'il s'impose. Évidemment, une couverture internationale de la documentation est préférable.

Plusieurs autres bases de données à contenu scientifique sont à sa disposition (p. ex., Dissertations and Theses Full Text, PsycINFO, SocIndex, Sociological Abstracts). Pour interroger ces outils, il faut évidemment employer un vocabulaire anglais et comme parfois leur contenu est international, on peut y trouver de la documentation en langue française. Aussi de plus en plus, les éditeurs académiques (p. ex., PsycArticles, Oxford, Sage, Taylor & Francis, SourceOCDE) donnent accès à leur contenu de recherche en ligne et le chercheur peut être assuré de la qualité de ces articles (soumis à des comités de lecture). En plus, si sa recherche exige une mise à jour constante ou s'il a un intérêt marqué pour une thématique donnée, plusieurs outils (p. ex., Business Source Complete, Eric, Scopus) permettent de créer des « alertes » de sujet, d'auteur ou de périodique (voir plus bas).

---

7. Pierre ROMELAER et Michel KALIKA, *Comment réussir sa thèse ? La conduite du projet de doctorat*, Paris, Dunod, 2007, p. 91-92.

À partir d'un article très pertinent, il est possible pour le chercheur de naviguer en amont ou en aval de celui-ci. Certains outils incluent l'accès à la bibliographie des sources dont s'est servi l'auteur pour écrire son document, le nom des auteurs qui ont cité cet article, ainsi que d'autres articles en lien avec le thème abordé par celui-ci. Y figurent aussi une courte biographie de l'auteur ainsi que son adresse électronique pour communiquer avec lui.

Un guide d'utilisation (souvent en ligne), un guide d'autoformation, des brochures et des formations dispensées par les institutions restent des ressources importantes que le chercheur doit connaître et utiliser s'il veut être efficace et acquérir une méthode de travail rigoureuse. Elle représente donc la base à maîtriser et à utiliser pour obtenir des résultats pertinents.

▓ 3.3. Accès aux textes des documents

De plus en plus, dans chacun des outils de recherche, on crée un lien vers le texte des articles de périodiques, des thèses ou des livres. Ceux-ci deviennent donc accessibles immédiatement comme sur le Web. Quelquefois, le périodique ou le livre n'existe qu'en format imprimé; il faut alors vérifier dans le catalogue si la bibliothèque possède ce document. Sinon, il est possible de demander (moyennant certains frais) une photocopie de l'article ou le livre lui-même par le service de prêt entre bibliothèques (p. ex., Colombo).

Enfin, comme il est difficile de s'adapter à tous ces outils, le milieu de la recherche (particulièrement les bibliothèques universitaires) introduit des outils de recherche de plus en plus performants qui combinent les catalogues de bibliothèques et les bases de données. L'introduction d'une interface unique facilite donc l'apprentissage et l'accès aux sources d'information.

▓ 3.4. Autres astuces pour faciliter le repérage de l'information

Après avoir déterminé son thème de recherche, le chercheur peut se créer des « alertes » dans les principaux outils (bases de données, catalogue de bibliothèques, etc.) qu'il utilise. Celles-ci lui permettent de recevoir automatiquement l'information sur les documents de recherche nouvellement diffusés à son adresse de courriel ou par fil RSS[8]. Le repérage se fait

---

8. « Facilement identifiable sur une page Web par les icônes RSS, 🔊 ou XML, la technologie RSS (acronyme de *Really Simple Syndication*), plus communément appelée fil RSS ou fil de syndication ou encore en anglais *"RSS Feed"*, permet de signaler les

habituellement pour un sujet, un périodique spécifique, un auteur, etc. Il lui suffit d'entrer l'information requise et de configurer le tout. On parle donc ici d'économie de temps et d'une possibilité de mise à jour continue.

3.5. Recherche sur Internet

Le grand défi du chercheur est certainement de trouver l'information pertinente. La réflexion issue de la stratégie de recherche reste un atout majeur et la plupart des moteurs de recherche utilise les opérateurs de recherche de façon intuitive (p. ex., Google utilise le « et » par défaut pour chercher des pages Web).

Par la suite, le travail de tri de cette information reste à faire. Nous avons abordé cet aspect pour ce qui est des articles de périodiques, mais qu'en est-il du Web ? Comment savoir si ce que l'on glane un peu partout a une valeur scientifique ? Est-ce que l'« excellent » rapport gouvernemental trouvé sur Internet peut servir de base au travail de recherche ?

Au départ, on peut dire que consulter des sites universitaires ou gouvernementaux permet de recueillir une information de qualité et ces sites donnent souvent accès à d'autres sites qui ont, eux-mêmes, été choisis par des spécialistes pour leur pertinence et leur rigueur. Il arrive aussi régulièrement que certains chercheurs (dans un esprit de démocratisation de la connaissance ou de diffusion plus large de leurs données) donnent accès à leurs écrits de recherche avant qu'ils ne fassent l'objet de publication dans des revues savantes (avec un comité de lecture). En plus, certains « joueurs majeurs » du Web (p. ex., Google Scholar) s'associent à de grandes institutions pour diffuser la connaissance scientifique.

La participation à des forums de discussion sur la discipline ou le thème peut aussi être très intéressante pour connaître les enjeux qui font l'objet de débats. Certains de ces groupes sont dits fermés et seules les personnes répondant à certains critères peuvent y participer, tandis que d'autres sont ouverts à toutes les interventions de la part des membres de la communauté scientifique.

---

nouveautés d'une page Web à un lecteur, sans que celui-ci n'ait à consulter la page en question. Les fils RSS sont de petits fichiers XML contenant des informations qui sont régulièrement mises à jour. » Service des bibliothèques de l'UQAM, « Assurer une veille informationnelle, méthode Push », *Infosphère*, <http://www.bibliotheques.uqam.ca/InfoSphere/sciences_humaines/module9/push.html#rss>, page consultée le 10 mars 2008.

Toutefois, avant de se lancer tous azimuts, il importe d'être sensible à l'importance d'évaluer la qualité de l'information que l'on y trouve et de développer un esprit critique par rapport à celle-ci. Les quelques notions qui suivent donneront des balises pour faire des choix éclairés.

TABLEAU 4.2
**Critères d'évaluation de la qualité de l'information
sur un site Web**

Création et gestion du site	Date de création du site et mise à jour régulière ?
	Les liens vers d'autres sites font-ils l'objet d'une vérification constante ?
	De quelle expertise jouissent les personnes ou organismes (associations, gouvernement, institutions d'enseignement, firme privée) qui l'ont créé ? Sont-ils bien identifiés ?
	De quel pays provient-il ? L'adresse URL nous donne souvent cette information (p. ex., « ca » pour Canada).
	A-t-on accès gratuitement à tout le site ou non ? Faut-il un abonnement ?
	Ce site exige-t-il l'utilisation de logiciels pour consulter les données (pour décompresser un fichier, pour consulter des informations de type multimédia, etc.) ?
	Peut-on communiquer (adresse électronique) avec l'auteur pour émettre certains commentaires ou questions ?
Contenu du site	Le but du site est-il éducatif, informationnel, commercial ou promotionnel ? Quelle est la clientèle visée ?
	L'information qu'il contient est-elle d'ordre général, spécialisé ou technique ? Est-elle exacte et vérifiable dans d'autres sources ? Le vocabulaire est-il scientifique ou de vulgarisation ?
	Avons-nous accès au texte complet de certains documents cités ?
	Quel est le degré d'exhaustivité et la profondeur de l'analyse ? Les auteurs commentent-ils les sources ciblées ?
	Le discours fait-il état de faits, d'opinions ou y a-t-il une touche de propagande ?
	Le texte est-il clair et soutenu par une argumentation bien construite et structurée ?
	Est-ce un site original ou est-il dérivé d'autres sources existantes (CD-ROM, papier, électronique) ?
	Ce site fait-il consensus et est-il une référence que plusieurs chercheurs citent souvent ? Est-il souvent visité ?
	Est-il évalué dans les outils de référence et considéré comme un modèle dans le domaine ?
Organisation du site	Possède-t-il une logique de navigation facile à saisir ?
	Les icônes et les liens sont-ils pertinents (supplément d'information, exemples) ?
	Situe-t-il bien le lecteur dans le temps et dans l'espace (carte du site) ?
	Y a-t-il un équilibre entre l'information sur le site et les accès extérieurs ?
	Un aiguilleur interne permet-il de trouver rapidement l'information ?
	Donne-t-il accès à une base de données ?

Notons que certains de ces critères d'évaluation peuvent être également appliqués à des monographies, à des articles de périodique ou à d'autres documents.

4 ÉTHIQUE DOCUMENTAIRE, BIBLIOGRAPHIE, NORMES DE PRÉSENTATION ET ORGANISATION DE L'INFORMATION REPÉRÉE

Lors de la rédaction de document de recherche, le chercheur peut être tenté de s'inspirer « fortement » (plagiat) du contenu qu'il retrouve dans ses documents ou sur le Web. Par exemple pour ce qui est du Web,

> *These students might assume that since the information was published on the Web, it was fine to use it as their own. Due to the sharing nature of the Web, students might tend to overlook the copyright issue. Students need to understand that although the spirit of the Web is sharing, it does not mean that one can take another's work as one's own. Copyright applies to the Web just as it does to printed materials in the real world[9].*

Lorsque qu'il cite des sources, le chercheur n'enlève pas de crédibilité à son travail, au contraire, il en ajoute. Il démontre qu'il a su saisir la pensée d'un auteur, en faire la synthèse et la confronter à d'autres études sur le même sujet et en tirer des conclusions. Citer, c'est respecter une éthique documentaire. Lorsque que l'on crée une œuvre qu'elle soit sonore, visuelle, écrite, elle devient notre propriété (droit d'auteur) et quelle satisfaction pour nous de savoir que quelqu'un l'utilise pour la partager avec les autres et s'en inspirer pour faire cheminer la connaissance.

Il importe de préciser qu'il existe des différences entre les bibliographies qui accompagnent la recherche.

> La bibliographie d'un projet de recherche est différente de celle que l'on soumet au moment de présenter le rapport de recherche. En effet, la bibliographie d'un rapport de recherche ne recensera que les textes ayant servi directement à la recherche, tandis que la bibliographie du projet de recherche est habituellement plus volumineuse parce que la recherche est loin d'être terminée au moment où l'on met le projet en route. C'est au terme de la recherche que l'on est en mesure d'épurer la bibliographie du projet de recherche pour ne retenir... que les textes qui ont été immédiatement utiles pour le travail d'analyse[10].

Étant donné que les sources de documentation sont très variées, cela complique la vie du chercheur débutant pour créer et citer ses sources. Cependant, il existe des outils technologiques efficaces qui peuvent l'aider

9. Yu-Mei WANG et Marge ARETO, « Caught in the Web : University Student Use of Web Resources », *Educational Media International*, vol. 42, n° 1, mars 2005, p. 9.
10. Gordon MACE et François PÉTRY, *Guide d'élaboration d'un projet de recherche*, Québec, Presses de l'Université Laval, 2000, p. 12-13.

à créer sa propre base d'information personnelle. La constitution d'un tel outil permettra à l'utilisateur d'accumuler des données, de les organiser et de les classer afin de les rendre aussi facilement repérables que dans une base de données traditionnelle. Le chercheur passe d'un mode imprimé à un mode entièrement électronique de consignation de ces données (références bibliographiques, résumés et fiches de lecture et citations). Divers logiciels (p. ex., EndNote, RefWorks, Zotero) permettent de créer un outil adapté aux besoins personnels. La création de cette base d'information exige de la rigueur dans l'entrée de données et la description de chacun des documents doit adopter un format standard pour permettre un repérage rapide de l'information.

Le chercheur fait donc face, bien qu'à une plus petite échelle, aux exigences de la création d'un outil de repérage. Les avantages d'un tel outil personnalisé résident dans le fait que, une fois la structure d'entrée des données bien comprise et bien appliquée, il est aisé lors de la rédaction du document de recherche de l'utiliser, pour y puiser des références ou des citations à utiliser, de faire une recherche de contenu, de produire une bibliographie selon des normes de présentation (p. ex., Chicago, APA, MLA ou normes institutionnelles) ou de localiser un document, peu importe où il se trouve dans notre environnement de recherche (ordinateur, classeur, bureau, bibliothèque, etc.), et de créer des liens permanents vers ceux-ci. De plus, il existe des passerelles donnant accès à des catalogues de bibliothèques ou certains outils commerciaux qui permettent de transférer automatiquement les données repérées dans la base de données personnelle et ainsi de la mettre à jour constamment.

CONCLUSION

Le monde de l'information explose. On y observe une grande diversité d'outils de communication de la pensée scientifique. On passe du livre imprimé à un réseau électronique diversifié. Les supports varient, mais la recherche de contenu reste la priorité du chercheur.

Les milieux de l'éducation s'orientent de plus en plus vers la constitution d'une communauté d'apprentissage plutôt que strictement un milieu d'enseignement théorique. Chacun des membres de cette communauté se prend en main et chemine vers une autonomie plus grande dans sa recherche d'information. La bibliothèque et les ressources qu'elle offre représente un lieu stratégique pour le chercheur, car elle donne accès à plusieurs types de données et organise l'environnement pour s'assurer d'une diffusion appropriée et aisée. Elle a aussi comme mandat de former les chercheurs et de leur apprendre à trouver, localiser et utiliser cette masse d'information.

Pour sa part, le chercheur doit développer sa flexibilité et acquérir des habiletés, si ce n'est des réflexes, qu'il peut transposer dans des environnements multiples qui évoluent constamment. Un esprit analytique et la capacité de faire des choix éclairés restent les éléments de base dont il a besoin. Il ne doit pas se laisser impressionner par toute la « quincaillerie » qui lui est proposée, mais se concentrer sur la démarche de nature intellectuelle de sa recherche. Il aura toujours la possibilité de demander de l'aide pour son apprentissage ou la collaboration de ses collègues.

En fait, la réflexion qui entoure sa thématique est de son ressort et lui seul peut décider de l'ampleur et de l'orientation qu'il veut lui donner.

Le développement des compétences informationnelles permet donc au chercheur « sur tous les chemins de la vie, de chercher, d'évaluer, d'utiliser et de créer l'information pour des objectifs personnels, sociaux, professionnels et éducationnels[11] ».

Ces compétences informationnelles ne se dissocient donc pas des autres activités de réflexion, de rédaction et de communication de résultats qui sont communes à l'environnement du chercheur. Au contraire, elles lui permettent d'enrichir son propos et d'y ajouter de la crédibilité.

Sur le marché du travail aussi, on recherche actuellement des gens qui démontrent de telles habiletés, soit des personnes autonomes capables de trouver l'information crédible en peu de temps et de l'utiliser avec efficacité. Globalement,

> [...] tout au long de la vie, plus on apprend et plus on connaît, mais surtout plus vite on maîtrise et adopte des capacités, habitudes et attitudes d'apprentissage efficaces – trouver comment, où, auprès de qui et quand rechercher et extraire l'information dont on a besoin mais qu'on n'a pas encore acquise – plus on maîtrise l'information. L'aptitude à appliquer et à utiliser ces capacités, habitudes et attitudes permet de prendre des décisions judicieuses en temps opportun pour faire face aux difficultés qui peuvent survenir sur les plans personnel et familial comme sur les plans de la santé et du bien-être, de l'éducation, de l'emploi, de la citoyenneté et autres[12]. »

---

11. Extrait de la Proclamation d'Alexandrie, adoptée en novembre 2005 par le Colloque de Haut-Niveau sur la maîtrise de l'information dans Forest Woody HORTON Jr., *Introduction à la maîtrise de l'information*, Genève, Organisation des Nations Unies pour l'éducation, la science et la culture, 2008, p. I.
12. Forest Woody HORTON Jr., *Introduction à la maîtrise de l'information*, Genève, Organisation des Nations Unies pour l'éducation, la science et la culture. 2008, p. VII.

BIBLIOGRAPHIE ANNOTÉE

DUHAMEL, Martine et Claire PANIJEL (dir.), CERISE, Conseils aux étudiants pour faire une recherche d'information spécialisée efficace,< http:// www.ext.upmc.fr/urfist/cerise/>, page consultée le 10 mars 2008.

Cet outil de formation français s'adresse aux étudiants de premier cycle en lettres et en sciences humaines.

FORTIN, Marie-Fabienne, *Fondements et étapes du processus de recherche*, Montréal, Chenelière-éducation, 2006, 485 pages.

Cet ouvrage traite en détail la formulation d'une problématique de recherche. Il est illustré d'exemples pour aider le chercheur en devenir. Dans chaque chapitre, on trouve des objectifs et des activités d'apprentissage, des résumés. On met l'accent sur la lecture et l'analyse de travaux de recherche pour favoriser chez le chercheur le développement de la pensée critique.

HORTON, Forest Woody Jr., *Introduction à la maîtrise de l'information*, Genève, Organisation des Nations Unies pour l'éducation, la science et la culture, 2008, 102 pages.

LÉTOURNEAU, Jocelyn, *Le coffre à outils du chercheur débutant* : *Guide d'initiation au travail intellectuel*, Montréal Boréal, 2006, 264 pages.

Le but de ce livre est d'initier l'utilisateur au travail intellectuel. Il est divisé en deux parties : savoir-faire pratiques (compte rendu de lecture, analyse de document, recherche en bibliothèque, techniques d'enquête) et réalisation d'un travail de recherche (circonscrire un sujet, plan et rédaction du travail et présentation bibliographique).

MACE, Gordon et François PÉTRY, *Guide d'élaboration d'un projet de recherche*, Québec, Presses de l'Uiversité Laval, 2000, 134 pages.

PROVOST, Marc-André, *Normes de présentation d'un travail de recherche*, Trois-Rivières, Québec, SMG, 2006, 196 pages.

Guide illustré d'exemples décrivant de façon détaillée les normes de présentation de l'American Psychological Association.

ROMELAER, Pierre et Michel KALIKA, *Comment réussir sa thèse ? La conduite du projet de doctorat*, Paris, Dunod, 2007, 204 pages.

SERVICE DES BIBLIOTHÈQUES DE L'UQAM, *Infosphère*, <http://www.bibliotheques.uqam.ca/InfoSphere/>, page consultée le 10 mars 2008.

Outil didactique de qualité qui vise à développer l'autonomie chez l'étudiant. Il est divisé en deux parties : sciences humaines et sciences de la gestion et sciences et technologie. Il illustre chacune des étapes de recherche d'information avec des commentaires explicatifs, des quiz et des exemples concrets.

TREMBLAY, Raymond Robert et Yves PERRIER, *Savoir plus : Outils et méthodes de travail intellectuel*, Montréal, Chenelière Éducation, 2006, 230 pages.

Guide qui présente des techniques de base pour un étudiant : étudier, prendre des notes, faire une recherche, rédiger un travail, se préparer aux examens, structurer des présentations orales ou écrites et travailler en équipe. Il est illustré d'exemples et d'exercices.

UNIVERSITÉ DU QUÉBEC, *Programme de développement des compétences universitaires (PDCI)*. <http://pdci.uquebec.ca/>, page consultée le 10 mars 2008.

Ce site Web présente un ensemble d'outils et de liens visant à faciliter l'acquisition de compétences tant dans la recherche d'information que dans l'utilisation de cette information. Soulignons les notions liées à la critique de l'information, à l'éthique documentaire (plagiat) et à la gestion de l'information.

LA THÉORIE ET LE SENS DE LA RECHERCHE

François-Pierre GINGRAS et Catherine CÔTÉ

Apprendre sans penser est inutile,
mais penser sans apprendre est dangereux.

CONFUCIUS

La théorie n'est ni une chimère, ni une panacée. Ce n'est surtout pas quelque chose de transcendant qui s'oppose au réel, au concret, à l'empirique. *La théorie guide le chercheur comme le chien guide l'aveugle.* Les résultats de la recherche confirment ou non la validité de la théorie, comme l'arrivée à destination de l'aveugle témoigne de la valeur de son fidèle compagnon.

Ce chapitre tente essentiellement de montrer comment la théorie englobe deux cheminements complémentaires du processus de recherche : le cheminement de la *découverte* et le cheminement de la *preuve*. Il faudra donc d'abord dissiper certaines idées fausses au sujet de la théorie et lui réserver une place centrale dans le processus de recherche. Pour bien en saisir les caractères, on se penchera ensuite sur la manière dont on construit une théorie et sur les différents niveaux de généralité sous lesquels elle peut se manifester. Cela nous mènera tout naturellement à traiter de la validité des théories et de la vérification des hypothèses qui en découlent. Le chapitre se termine en montrant que l'adhésion à un cadre théorique peut facilement mener à un engagement orienté vers l'action sociale.

QU'EST-CE QUE LA THÉORIE ?

On donne au mot « théorie » de très nombreux synonymes[1]. Il faut toutefois s'en méfier : dans la Grèce antique, on appelait « théorie » la députation des villes aux fêtes solennelles, telles les Panathénées en l'honneur de Minerve, déesse de la sagesse et des sciences. Aujourd'hui, on appelle « théorie » ce qui guide habituellement les interprétations des spécialistes des sciences sociales se réunissant dans les congrès scientifiques comme ceux de l'Association francophone pour le savoir (Acfas) ou de la Fédération canadienne des sciences humaines[2]. Dans un sens, ces congrès sont des sortes de célébrations du savoir où des milliers de chercheurs y procèdent à de nombreux va-et-vient entre le concret et l'abstrait dans leurs disciplines respectives. Mais il faut clarifier davantage ce que les sciences sociales entendent par théorie.

1.1. Ce qu'elle n'est pas

Le langage courant nomme parfois « théorie » diverses constructions de la pensée qui ne correspondent pas à l'acception retenue par les sciences sociales[3]. Par conséquent, établissons tout de suite que la théorie *n'est pas :*

SPÉCULATION	Une spéculation ou une recherche abstraite, une intuition détachée du réel, une illumination quelquefois mystique et parfois créatrice : au contraire, la théorie adopte une démarche systématique reliant entre eux, de façon logique, plusieurs phénomènes sociaux observables.
PHILOSOPHIE	Une philosophie sociopolitique où la réflexion porte sur l'origine, la nature, la raison et le sens de la vie humaine, la légitimité des institutions, la morale sociopolitique : la théorie ne porte pas de jugement et ne distingue pas dans les comportements humains le bon, le mauvais et l'indifférent.

---

1. Par exemple, on peut retrouver jusqu'à 64 synonymes de ce mot dans un dictionnaire. Henri BERTAUD DU CHAZAUD, *Dictionnaire des synonymes*, Paris, Robert (coll. « Les usuels »), 1983, p. 312 et 478 (renvoi au vocable « méthode »).
2. Voir leurs sites Internet respectifs pour connaître des renseignements sur les activités et les congrès annuels de ces organismes qui regroupent des dizaines de disciplines : <http://www.acfas.ca> et <http://www.fedcan.ca>.
3. Pour une discussion classique de la notion de théorie et une dénonciation de sa polysémie à l'intérieur même des sciences sociales, voir Robert K. MERTON, *Éléments de théorie et de méthode sociologique*, 2e éd., Paris, Plon, 1965, p. 27-44.

IDÉOLOGIE	Une idéologie, c'est-à-dire un modèle d'action dominant, un système cohérent de valeurs qui justifie l'ordre établi, comme le firent le libéralisme en Amérique du Nord ou le communisme en Union soviétique : la théorie cherche à expliquer sans avoir l'intention de justifier.
UTOPIE	Une utopie, c'est-à-dire une vision du monde en changement, un projet de société établi autour d'un système de valeurs qui n'est pas partagé par les détenteurs du pouvoir, tels le socialisme au Québec ou l'anarchisme en Allemagne : la théorie n'est pas un programme révolutionnaire.
CONSTRUCTION ÉSOTÉRIQUE	Une construction ésotérique qui complique à l'extrême tout, jusqu'aux banalités, dans un jargon accessible à une minorité d'initiés : les sociologues et les économistes, comme les ébénistes et les physiothérapeutes, possèdent leur vocabulaire professionnel spécialisé, qui n'oblige ni les uns ni les autres à tenir des discours hermétiques. On notera avec intérêt que l'adjectif «hermétique» désignait à l'origine les livres qui auraient renfermé les secrets de l'alchimie et d'autres connaissances prétendument dangereuses à mettre entre les mains de personnes non averties.
FORMALISATION	Une formalisation excessive qui schématise à outrance les rapports des phénomènes sociaux entre eux et donne lieu à des modèles très éloignés du réel : en sciences sociales, aucune théorie ne loge en entier dans une équation différentielle ou dans un diagramme de Venn.
MÉTHODE	Une méthode est un type de cheminement intellectuel, un mode d'organisation et d'exposition de la pensée qui conditionne le choix des objets de recherche et la nature des connaissances que l'on en tire. Les différentes méthodes se distinguent en accordant une priorité de recherche à des façons différentes de saisir la réalité et constituent des processus dynamiques qui conditionnent les résultats sur lesquels la recherche peut déboucher. Contrairement à une théorie, une méthode ne prétend pas fournir d'explication de phénomènes sociaux.
ACCUMULATION	Une accumulation monumentale de descriptions et de données dont on peut faire ressortir des constantes, des tendances et des corrélations, mais non des explications : un recueil de statistiques ne constitue pas une théorie.
CONNAISSANCE UNIVERSELLE	La connaissance universelle, une somme qui résume tous les savoirs des sciences sociales, qui prétend tout expliquer et ne rien laisser de côté : une théorie n'est pas une encyclopédie rendant compte de toute la complexité de la vie en société.

La théorie a des visées bien différentes.

▓ 1.2. Ce qu'elle est

La théorie est avant tout un moyen de donner un sens à nos connaissances. On peut la définir comme *un ensemble de propositions logiquement reliées, encadrant un plus ou moins grand nombre de faits observés et formant un réseau de généralisations dont on peut dériver des explications pour un certain nombre de phénomènes sociaux.*

En sciences sociales, toute théorie part d'un intérêt pour certains phénomènes sociaux et de l'identification de «problèmes» qui demandent une explication. Aspirant à devenir cette explication, la théorie considère les informations disponibles qu'elle *filtre* et *organise* dans une problématique[4]. À partir des problèmes, elle élabore un corps d'hypothèses qui forme la base de toute théorisation.

Partie prenante du cheminement de la découverte, la théorie *crée la capacité d'imaginer des explications* pour tout phénomène social, au-delà des prénotions du sens commun: la théorie ne tient pas pour acquises nos explications courantes. Au contraire, la théorie implique une certaine confrontation avec les objets perçus: c'est à partir d'une théorie que l'on formule des hypothèses, définit des concepts et choisit des indicateurs.

La théorie n'est pas seulement une formulation en des termes plus exacts du savoir déjà acquis, mais encore une *stimulation à poser de nouvelles questions* pour améliorer notre savoir ou à proposer de nouvelles voies pour influencer le monde dans lequel nous vivons. Ces questions et ces propositions peuvent se poser en des termes plus généraux ou inciter à de nouvelles orientations de recherche. Les considérations théoriques peuvent ainsi engendrer de nouveaux paradigmes, de nouvelles grilles de lecture, de nouveaux courants (systèmes ou écoles) de pensée, de nouvelles *épistémès*, de nouvelles *Weltanschauungen*, de nouvelles idéologies, de nouveaux cadres de référence ou encore de nouvelles méthodes. Tenter de définir une fois pour toutes ces termes constitue sans doute une tâche irréaliste, tant ils possèdent pour la plupart une grande variété d'acceptions. Qu'il suffise de constater que dans le contexte des sciences sociales, ces termes ont en commun de renvoyer à un ensemble de règles implicites ou explicites

---

4. Voir aussi le chapitre 3 sur la spécification de la problématique ainsi que Pierre BOUR-
   DIEU, J.-C. CHAMBOREDON et J.-C. PASSERON, *Le métier de sociologue: préalables épistémolo-*
   giques, 2ᵉ éd., Paris, Mouton, 1973, p. 11-106; Paul DE BRUYNE, Jacques HERMAN et Marc
   DE SCHOUTHEETE, *Dynamique de la recherche en sciences sociales*, Paris, Presses universitaires
   de France (coll. «Sup»), 1974, chapitre 3; Arthur STINCHCOMBE, *Constructing Social*
   Theories, New York, Harcourt, Brace & World, 1968, chapitre 1.

orientant la recherche scientifique, pour un certain temps, en fournissant, sur la base de connaissances généralement reconnues, des façons de poser des problèmes, d'effectuer des recherches et de trouver des solutions.

> Ayant longtemps joui d'une place de choix parmi les cadres de référence, le *fonctionnalisme* cherche à expliquer les phénomènes sociaux par les « fonctions » que remplissent les institutions sociales, les structures des organisations et les comportements individuels ou collectifs. On parle du caractère « fonctionnel » ou « dysfonctionnel » d'une institution, d'une structure ou d'un comportement selon qu'ils favorisent ou non l'atteinte d'un « objectif » habituellement caractérisé par l'ordre, la stabilité, l'équilibre. Ce cadre de référence permet, par exemple, d'étudier l'adaptation de la politique étrangère d'un État face à l'émergence de nouvelles menaces à l'équilibre international ou encore de montrer que, malgré ses côtés dysfonctionnels en regard des valeurs démocratiques, le patronage politique peut néanmoins exercer une fonction redistributive de biens et services au bénéfice de certains groupes défavorisés[5].

> Pour sa part, Thomas Kuhn entend par paradigme *scientifique* un ensemble de pratiques en science, comprenant aussi bien la manière de poser des questions que celle d'interpréter les résultats de la recherche[6]. On a ainsi déjà parlé du « paradigme de la Révolution tranquille » pour désigner une façon répandue en sciences sociales (mais aujourd'hui contestée) d'interpréter les changements sociaux survenus au Québec pendant les années 1960 à 1970 : « De l'avis de maints théoriciens de la Révolution tranquille, les changements institutionnels et structurels des années soixante ne seraient que des symptômes de transformations plus fondamentales bien que moins immédiatement observables » : transformations des mentalités, des attitudes et des valeurs[7].

 ## 2 LA CONSTRUCTION DES THÉORIES

Le grand défi de la théorie, c'est la **pertinence**, à savoir sa **capacité de refléter la réalité**. On peut en effet construire des théories inconséquentes mais parfaitement logiques. L'aspect conceptuel de la théorie prend toute son

5. Voir Philippe LE PRESTRE, « Les États-Unis : vers un nouvel isolationnisme ? », *Politique*, n° 16, automne 1989, p. 5-33 ; Vincent LEMIEUX et Raymond HUDON, *Patronage et politique au Québec : 1944-1972*, Sillery, Boréal-Express, 1975. Voir aussi, à propos des fonctions des partis politiques, l'important ouvrage de Vincent LEMIEUX, *Systèmes partisans et partis politiques*, Montréal, Presses de l'Université du Québec, 1985.

6. T. S. KUHN, *La structure des révolutions scientifiques*, Paris, Flammarion, 1962.

7. Voir la critique de ce paradigme par François-Pierre GINGRAS et Neil NEVITTE, « La révolution en plan et le paradigme en cause », *Revue canadienne de science politique*, vol. XVI, n° 4, 1983, p. 671-716.

importance au moment de sa formulation : la clarification des mots clés répond au besoin de compréhension qui donne aux théories leur pertinence. La conceptualisation aide à organiser la pensée dans un système de termes significatifs auquel on peut se référer de façon rigoureuse et non équivoque.

▓ 2.1. La conceptualisation et les liens avec la problématique

La théorie est un outil de recherche. Elle utilise son langage propre, donnant une signification précise et particulière à plusieurs mots également utilisés dans le langage courant. Ainsi, pour la plupart des gens, le « hasard » fait référence à un ensemble de circonstances imprévues, favorables (la « chance ») ou défavorables (la « malchance ») ; en revanche, les sociologues et tous ceux qui utilisent les statistiques définissent le hasard d'après un calcul des probabilités mathématiques qu'un événement se produise. D'autres termes font l'objet de plusieurs définitions plus ou moins contradictoires, même chez les spécialistes : la « nation » en est un remarquable exemple, car on la définit tantôt par des critères objectifs (la langue, le territoire, etc.), tantôt par des critères subjectifs (le vouloir-vivre collectif), quand on ne l'utilise pas pour désigner la population d'un État[8].

Pour éviter les malentendus, toute théorie doit donc définir avec précision ses *concepts*. Cette définition peut s'effectuer sur le plan plutôt abstrait des *concepts universels* (comme les traits culturels fondamentaux d'une nation) ou, si l'on s'engage dans l'opérationnalisation, sur le plan plutôt empirique des *concepts particuliers* (comme les réponses d'un échantillon représentatif de la population adulte canadienne à une série de sondages portant sur les opinions politiques).

> Le *béhaviorisme* tente de mesurer avec exactitude les facteurs sociopsychologiques et les effets des « attitudes ». Ainsi que l'indique le chapitre 9, on définit celles-ci comme des réalités latentes faisant partie de la personnalité des individus et s'exprimant dans des opinions (par exemple, à l'occasion d'un sondage) et des comportements (comme lors

---

8. Les critères culturels objectifs permettent de parler du « tournoi des six nations » au rugby auquel participent l'Angleterre, l'Écosse, la France, l'Irlande, l'Italie et le pays de Galles. Il faut s'en remettre à des critères culturels principalement subjectifs pour parler de « nation juive » englobant les Juifs d'Israël et de la diaspora (en se rappelant que des millions de gens que l'on qualifie de « Juifs » ne pratiquent pas nécessairement la foi judaïque). La troisième acception, fréquente en droit international (pensons aux « Nations Unies »), correspond au sens qu'on lui donne couramment en anglais comme synonyme de *nation-state* (État-nation).

d'élections ou de référendums). Derrière les réponses données à des questions (les variables manifestes) existent des attitudes (les variables latentes) qui ne sont pas directement observables. On suppose que l'attitude est un véritable « univers », c'est-à-dire qu'il existe une multitude de références auxquelles les individus se rapportent pour préciser leur idéologie et leur système de valeurs. L'opérationnalisation consiste à trouver les meilleurs concepts particuliers qui manifestent ces attitudes et à les traduire en groupes de questions formant des « échelles d'attitudes ». Diverses techniques permettent de définir la position de chaque individu sur un « continuum » en fonction des opinions exprimées[9].

En soumettant la problématique à une théorie, on se retrouve inévitablement à réduire le thème de la recherche à un processus de spécification de la problématique, dont il est question au chapitre 3. Il ne faut alors pas perdre de vue les limites de la théorie pour évaluer le plus exactement possible ce qu'elle prétend vraiment expliquer.

La formulation de la théorie permet la manipulation des concepts et leur agencement en vue de l'explication. Les *propositions synthétiques* sont des constructions rigoureuses d'un ensemble d'idées qui tentent d'expliquer un aspect de la réalité sociale : elles se situent au niveau de la *problématique d'ensemble*. Les *propositions analytiques* découlent des précédentes et remplissent une fonction opératoire : elles représentent la force démonstrative des théories et se situent au niveau de la *question spécifique de la recherche* et des hypothèses qui en découlent.

La plupart des hypothèses des sciences sociales considèrent deux principaux types de concepts : des causes ou *facteurs* qui ont des conséquences ou *effets*. Dans les propositions analytiques, les facteurs se nomment aussi *variables indépendantes* (habituellement représentées par la lettre X) tandis que les effets prennent le nom de *variables dépendantes* (représentées par Y). Un même facteur X peut produire plusieurs effets différents (Y_1, Y_2,... Y_n). Un même phénomène social Y peut également avoir plusieurs causes distinctes (X_1, X_2,... X_n). Enfin, des *variables intermédiaires* peuvent modifier

---

9. Tout un pan de la science politique découle de ce courant. Ainsi, la plupart des études qui traitent des campagnes électorales et des choix électoraux s'inspirent du béhaviorisme : par exemple celle d'André BLAIS, Elisabeth GIDENGIL, Richard NADEAU et Neil NEVITTE, *Anatomy of a Liberal Victory : Making Sense of the Vote in the 2000 Canadian Election*, Peterborough, Broadview Press, 2002, ou encore l'ouvrage collectif de Jean CRÊTE *et al.*, *Comportement électoral au Québec*, Chicoutimi, Gaëtan Morin éditeur, 1984. Plus récemment, on retrouvera des articles comme celui d'Angelo ELIAS, Michael LEWIS-BECK et Richard NADEAU, « Economics, Party, and the Vote : Causality Issues and Panel Data », *American Journal of Political Science*, vol. 52, hiver 2008, p. 83-93, ou encore celui d'Éric BÉLANGER et Andrea M.L. PERRELLA. « Facteurs d'appui à la souveraineté du Québec chez les jeunes : une comparaison entre francophones, anglophones et allophones », *Politique et sociétés*, vol. 27, n° 3, 2008.

l'action de X sur Y selon le contexte ou la conjoncture (voir la figure 5.1).
Par exemple, un chercheur veut vérifier si la lecture des journaux (variable
indépendante) augmente chez ses lecteurs leur sensibilité à la situation
dans les pays en voie de développement (variable dépendante). Il constatera
que la lecture des journaux augmente en effet leur niveau de connaissance
des événements, mais pas leur compréhension. Il suppose alors qu'une
variable intermédiaire pourrait expliquer cette différence, soit dans ce cas-ci,
le traitement de l'information fait par les médias. Il pourra alors conclure
que la manière dont sont traités les événements a plus d'impact sur la
connaissance de l'actualité que le temps consacré à s'informer[10].

FIGURE 5.1
Facteurs, effets et variables

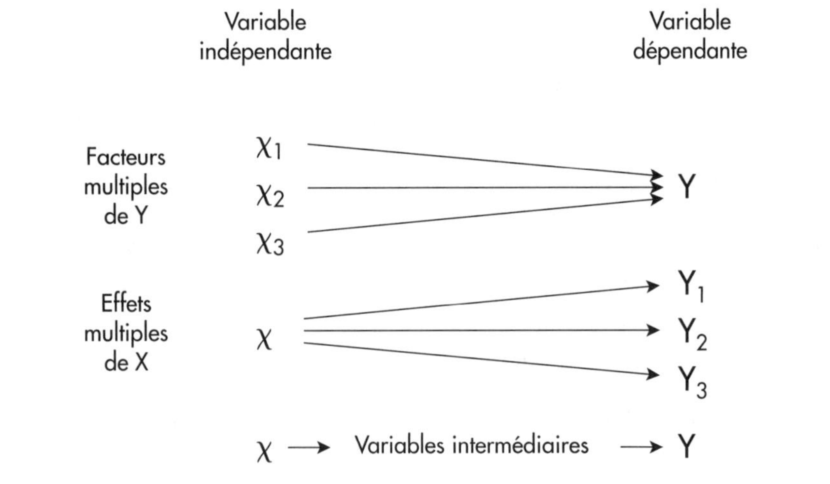

▓ 2.2. La formalisation

Deux sortes d'hypothèses servent de piliers à la construction d'une
théorie :

- les *axiomes* : des propositions de portée universelle que l'on
  renonce à démontrer (souvent parce qu'on les estime évidentes)
  et qui servent de fondement à la réflexion théorique ;

---

10. Pour une explication détaillée de cet exemple ainsi que plusieurs indications sur l'analyse
de contenu, voir l'ouvrage de Jean DE BONVILLE, *L'analyse de contenu des médias : de la
problématique au traitement*, Louvain-la-Neuve, De Boeck Université, 2006, p. 62.

- les **hypothèses générales** : des propositions synthétiques visant à accorder les axiomes aux données disponibles dans des contextes empiriques particuliers.

Cette démarche, appelée **axiomatisation**, exige un ensemble de règles de transformation (règles syntaxiques) qui permettent de construire la théorie, un peu comme les règles de grammaire permettent d'assembler des mots pour en faire des phrases compréhensibles. Le but ultime de l'axiomatisation est de structurer une explication d'un phénomène social complexe de la manière la plus claire et la plus valide possible.

Pour visualiser en quelque sorte l'essentiel d'une théorie, on a souvent recours à la **formalisation**, c'est-à-dire à l'élaboration de représentations abstraites, idéales, symboliques et souvent mathématiques de la réalité[11]. Ces représentations fournissent une vision simplifiée mais caractéristique des phénomènes sociaux ; elles prennent parfois la forme de **modèles**, c'est-à-dire des images épurées du système social qui cherchent d'abord à expliciter les conséquences des comportements des individus et des groupes, puis à comprendre les causes des conflits et, enfin, à étudier les procédures de prise de décision collective[12]. On peut aussi, par exemple, identifier les déterminants économiques et politiques de la popularité d'un gouvernement ou encore les rapports de force entre l'État et le secteur privé en matière d'intervention gouvernementale dans l'économie[13]. Les sciences de la nature utilisent beaucoup les modèles pour comprendre la réalité qu'ils ne peuvent appréhender grâce à leurs outils. Par exemple, le modèle utilisé pour expliquer le fonctionnement de l'atome a été modifié à de nombreuses reprises au cours des années selon les avancées technologiques et on suppose qu'il le sera encore à nouveau[14].

Parfois, la démarche théorique se concentre sur la construction de formes réunissant les traits essentiels d'une certaine catégorie de personnes ou de choses. On parle alors de types « idéaux » parce qu'il s'agit de points

---

11. En particulier, la simulation sur ordinateur a recours à des algorithmes (suites de raisonnements et d'opérations mathématiques) pour trouver la solution à certains problèmes complexes.

12. Voir par exemple Julien BAUER, « Résolution des conflits et crise de décision », *Politique*, n° 13, printemps 1988, p. 5-36 ; Réjean LANDRY et Paule DUCHESNEAU, « L'offre d'interventions gouvernementales aux groupes : une théorie et une application », *Revue canadienne de science politique*, vol. XX, n° 3, septembre 1987, p. 525-552.

13. Voir par exemple Pierre MARTIN et Richard NADEAU, « La victoire de George W. Bush n'annonce pas une mainmise républicaine sur la Maison Blanche », *Options politiques*, vol. 26, 2005, p. 43-47 ; André BLAIS, Philippe FAUCHER et Robert YOUNG, « La dynamique de l'aide financière directe du gouvernement fédéral à l'industrie manufacturière au Canada », *Revue canadienne de science politique*, vol. XIX, n° 1, mars 1986, p. 29-52.

14. Pierre RADVANYI, *Histoire de l'atome : De l'intuition à la réalité*, Paris, Belin (coll. « Belin Sup Sciences – Histoire des Sciences »), 2007.

de repère abstraits et « parfaits » dont on ne retrouve habituellement, dans la réalité, que des approximations[15]. Les exemples les plus classiques de typologies viennent de Max Weber (l'éthique protestante et l'esprit du capitalisme, la bureaucratie) et on utilise encore aujourd'hui les distinctions qu'ont faites Maurice Duverger entre partis de cadres et partis de masse[16] ou V.O. Key entre différents types d'élections[17].

Un modèle ou un type idéal n'est jamais à lui seul une théorie complète, mais peut constituer le point de départ, l'outil principal ou encore l'aboutissement d'une démarche théorique.

■ 2.3. Les divers niveaux de généralité des théories

Toutes les théories sociales constituent des essais d'explication des phénomènes sociaux. Comme la théorie comprend aussi bien des axiomes fondamentaux que des propositions analytiques, le discours théorique peut se situer à l'un ou l'autre de ces deux pôles ou à n'importe quel degré intermédiaire. Bien des controverses stériles proviennent d'interlocuteurs s'exprimant à des niveaux différents, comme des radioamateurs qui tenteraient de communiquer en utilisant des longueurs d'ondes différentes.

Voici un exemple de différents niveaux de généralité d'une même théorie[18] :

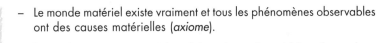

- Le monde matériel existe vraiment et tous les phénomènes observables ont des causes matérielles (*axiome*).

- Les rapports sociaux sont des phénomènes observables ; ils ont donc des causes matérielles (*proposition synthétique*).

- L'organisation de la production des biens et services crée des rapports sociaux dans le domaine économique (*axiome*).

15. Pour un exemple de correspondance empirique d'un type idéal, voir l'étude de Jean MERCIER, « "Le phénomène bureaucratique" et le Canada français : quelques données empiriques et leur interprétation », *Revue canadienne de science politique*, vol. XVIII, n° 1, mars 1985, p. 31-55.

16. Voir le résumé et la critique de cette typologie par Denis MONIÈRE et Jean H. GUAY, *Introduction aux théories politiques*, Montréal, Québec/Amérique, 1987, chapitre 4.

17. On retrouve une application de cette typologie des élections dans Vincent LEMIEUX, Marcel GILBERT et André BLAIS, *Une élection de réalignement : l'élection du 29 avril 1970*, Montréal, Jour, 1970, et dans Réjean PELLETIER et Jean CRÊTE, « Réalignements électoraux et transformations du personnel politique », *Revue canadienne de science politique*, vol. XXI, n° 1, mars 1988, p. 3-33.

18. L'idée originale de cette section vient de STINCHCOMBE, *op. cit.*, chapitre 2.

- Les rapports sociaux entretenus dans le cadre des activités de production des biens et services créent des intérêts et motivations que les gens transposent dans les autres domaines de l'activité humaine (*axiome*).

- Chaque niveau de développement de l'économie d'une société détermine un type de rapports sociaux prédominants dans le domaine économique (axiome) et donc aussi dans les autres domaines de l'activité humaine : politique, éducation, santé, etc. (*proposition synthétique*).

- Lorsqu'une économie atteint un niveau de développement où les rapports sociaux prédominants reposent sur la propriété des moyens de production (et l'exercice de l'autorité qui en découle), alors les rapports sociaux prédominants reposent aussi sur des relations de propriété et d'autorité (*proposition synthétique*).

- Différents types prédominants de propriété de moyens de production et d'exercice de l'autorité dans le domaine économique déterminent différents types dominants de relations de propriété et d'autorité dans les autres domaines : politique, éducation, santé, etc. (*proposition synthétique*).

- Le passage de la société québécoise d'une phase de développement économique à une autre a entraîné un changement dans les types de rapports sociaux prédominants, tant dans la politique et le gouvernement que dans l'éducation et les services de santé (*proposition analytique constituant l'hypothèse générale de la recherche*).

- Le passage de la société québécoise de la domination d'un mode de production petit-bourgeois (avec une prédominance des petites entreprises agricoles, commerciales et industrielles qui ne favorisent pas le développement de la conscience de classe) à un mode de production capitaliste axé sur les grandes entreprises (où le pouvoir réside souvent davantage chez les gestionnaires que chez les propriétaires) a entraîné le passage d'un paternalisme politique populiste « à la Duplessis » vers une technocratie accompagnée d'une dépersonnalisation des rapports entre le gouvernement et le public (*proposition analytique constituant une hypothèse spécifique de recherche*).

L'étape suivante implique le choix d'indicateurs et ne sera donc pas traitée ici, mais plutôt au chapitre 9 portant sur les indicateurs.

3 L'ACCEPTATION OU LE REJET DES THÉORIES

Une théorie qui ne peut pas être soumise à une vérification empirique ressemble à un prototype de l'avenir lors d'un salon de l'automobile : elle peut impressionner, mais elle ne mène nulle part pour l'instant. Le meilleur test pour une voiture, c'est d'abord l'essai routier dans des conditions défavorables, puis l'épreuve du temps qui déterminera sa fiabilité. Il n'en va pas autrement des théories, dont il faut pouvoir évaluer la *vraisemblance*. Une théorie est dite « *réfutable*[19] » si l'on peut en évaluer empiriquement la vraisemblance. Une théorie réfutable est réputée être *scientifique* tant que l'observation qui permet de la réfuter n'a pas été faite. En revanche, une théorie non réfutable est considérée comme *non scientifique*.

Il faut donc éviter les théories non réfutables qui tentent de tout expliquer et qui ne reconnaissent pas de cas où elles ne peuvent s'appliquer. La théorie non falsifiable serait en quelque sorte tautologique, c'est-à-dire toujours vraie, peu importe les résultats de l'expérience. Il faut donc que la théorie ait des « falsificateurs potentiels », soit des cas qui pourraient la mettre en déroute. Par exemple, les différentes théories du complot sont non réfutables parce que, par définition, elles sont invérifiables : c'est l'absence de preuve qui constitue la preuve elle-même (il y a peut-être un complot derrière le fait qu'on croit qu'il n'y a pas de complot !). Karl Popper, père de la « falsifiabilité », dénonça d'ailleurs plusieurs théories qu'il estimait non réfutables comme la psychanalyse (Freud) ou l'historicisme matérialiste (Marx) qui pouvaient donner une explication à n'importe quel cas. Il s'attaqua notamment à la théorie du complexe d'infériorité d'Alfred Adler[20] qui peut expliquer deux cas de comportements très différents, soit « celui de quelqu'un qui pousse à l'eau un enfant dans l'intention de le noyer, et celui d'un individu qui ferait le sacrifice de sa vie pour tenter de sauver l'enfant […] Selon Adler, le premier souffre de sentiments d'infériorité [qui font peut-être naître en lui le besoin de se prouver à lui-même qu'il peut oser commettre un crime], tout comme le second [qui éprouve le besoin

---

19. Le mot « falsifiable » est souvent utilisé car il fait directement référence au « falsificanionnisme » de Karl Popper. Toutefois, Popper lui-même lui préférait le mot « réfutabilité » pour la version française du terme. Voir Karl POPPER. *Le réalisme et la science*, Paris, Éditions Hermann, 1990, p. 8-11.

20. Selon cette théorie, l'individu à sa naissance vit dans un état d'infériorité et de dépendance face aux adultes qui est dû à son état physiologique. Or, si à l'âge adulte il ne dépasse pas ce stade, son sentiment d'infériorité devient pathologique. Voir Alfred ADLER, *La psychologie de la vie*, Paris, L'Harmattan, 2006.

de se prouver qu'il ose sauver l'enfant][21].» Dans les deux cas, les deux individus agiraient alors en fonction de leur sentiment d'infériorité. Selon Popper, les théories ont donc besoin de «cas», c'est-à-dire de falsificateurs potentiels, pour résister à la réfutation et ainsi être corroborées.

■ 3.1. La confirmation et l'infirmation d'une théorie

On accepte ou rejette rarement une théorie en bloc. Les visées ambitieuses des propositions synthétiques et des hypothèses générales rendent habituellement impossible de prouver hors de tout doute l'exactitude de leurs prétentions. Il est vrai que la confrontation avec les données observables peut infirmer une théorie, c'est-à-dire **affirmer sa fausseté**. Dans le cas contraire, elle ne peut, au mieux, que **confirmer sa vraisemblance** (et non pas son exactitude), à savoir témoigner qu'on n'a pas réussi à faire la preuve de son manque de fondement. Ainsi, une théorie ne peut être «prouvée» mais seulement considérée comme n'étant pas encore réfutée. En sciences sociales, on se garde donc d'être trop affirmatif et on parle davantage de probabilités. En ce sens, comme il est impossible de confirmer de manière absolue une hypothèse, les chercheurs qui utilisent des données quantitatives vont plutôt rejeter son hypothèse contraire, que l'on appelle «**hypothèse nulle**», ce qui revient presque à une confirmation de l'hypothèse. Malgré tout, les statistiques ne peuvent démontrer qu'un lien entre deux variables, au mieux, que démontrer que des variables varient ensemble selon un seuil de signification que l'on désigne par α (alpha) et qui est généralement établi à 1 %, voire à 5 % (ou à 10 %)[22]. En somme, *une théorie garde son statut scientifique tant et aussi longtemps qu'on n'a pas démontré l'inexactitude des hypothèses de recherche qui en découlent.* Mais on ne peut jamais dire qu'elle est «vraie».

Quant aux hypothèses de recherche, formulées en propositions analytiques, on les contrôle de quatre façons:

1) par un examen de la logique qui les fait dériver de la théorie;

2) par un test de consistance interne, en comparant la cohérence de plusieurs hypothèses différentes dérivées d'une même théorie;

3) par comparaison avec d'autres hypothèses semblables qui pourraient être dérivées de théories différentes;

---

21. Karl POPPER, *La falsifiabilité critère des théories scientifiques. Sciences et pseudo-sciences: marxisme et freudisme comme idéologies*, Disponible sur Internet: <http://www.archipope.net/article-12135107.html>.

22. Pour plus d'informations sur ce sujet, voir William FOX, *Statistiques sociales* (traduit de l'anglais par Louis IMBEAU), Louvain-la-Neuve, De Boeck Université, 1999.

4) par test d'hypothèse, c'est-à-dire par la vérification empirique des conclusions.

▓ 3.2. Le test d'hypothèse et la vraisemblance de la théorie

Parmi les conventions du test d'hypothèse figure l'entente de ne pas tout remettre en question à chaque nouveau test : même s'il faut pratiquer le doute méthodique, la science doit tout de même conserver un certain caractère cumulatif, comme on l'a vu au chapitre sur la sociologie de la connaissance.

À la base, le test d'hypothèse comprend cinq étapes, décrites ci-dessous et schématisées dans la figure 5.2.

ÉNONCÉ	Un énoncé clair et concis des propositions synthétiques de la théorie.
DÉRIVATION LOGIQUE	La dérivation logique de une ou plusieurs propositions analytiques qui constituent les hypothèses de recherche à vérifier (cette étape comprend le passage des concepts aux indicateurs).
VÉRIFICATION EMPIRIQUE	La vérification empirique où l'on confronte les prédictions de chaque hypothèse avec les données disponibles.
TEST D'HYPOTHÈSE	Le rejet ou la confirmation de l'hypothèse de recherche.
TEST DE VRAISEMBLANCE	Le rejet ou la confirmation de la vraisemblance de la théorie.

FIGURE 5.2
La théorie et le test d'hypothèse : stratégie élémentaire

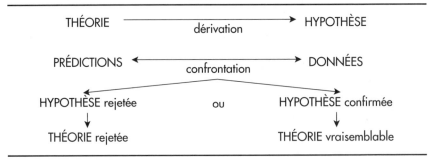

La confirmation de l'hypothèse accroît la vraisemblance de la théorie, mais ne la prouve pas. En effet, bien des éléments sans lien avec la théorie peuvent faire en sorte que l'hypothèse soit juste. Pour savoir combien vraisemblable est une théorie qui a déjà quelque crédibilité, il faut raffiner la stratégie de vérification d'hypothèse. Une première façon consiste à dériver plusieurs hypothèses (H_1, H_2, H_3) de la théorie, comme à la figure 5.3. La théorie qui passe avec succès un test d'hypothèses multiples est plus vraisemblable, plus valide qu'une théorie peu testée. La vraisemblance est encore plus grande si les hypothèses vérifiées l'ont été dans des conditions différentes, dans des milieux différents, avec des stratégies de vérification différentes.

FIGURE 5.3
La théorie et le test d'hypothèses multiples

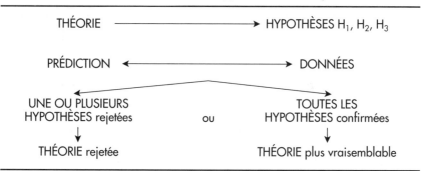

Il arrive souvent que plusieurs théories distinctes prétendent expliquer un même type de phénomènes sociaux. On parle alors de théories concurrentes (T_1, T_2,... T_n). Il y a un intérêt à trouver quelques hypothèses (H_1, H_2,... H_n) qui soient compatibles avec certaines théories (par exemple, T_1 et T_2), mais incompatibles avec d'autres (par exemple, T_3 et T_4). Un tel test permet d'éliminer plusieurs théories et donne encore plus de vraisemblance à celles qui subsistent (voir figure 5.4).

Le processus d'élimination des théories concurrentes peut durer longtemps. Il prend (temporairement) fin lors d'un *test critique* mettant aux prises deux théories qui, chacune de son côté, ont déjà résisté à plusieurs vérifications empiriques.

FIGURE 5.4
Le test de théories concurrentes

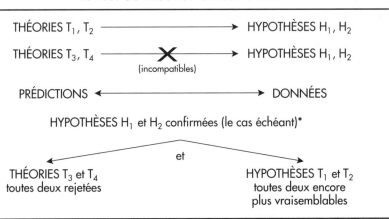

THÉORIES T_1, T_2 ⟶ HYPOTHÈSES H_1, H_2

THÉORIES T_3, T_4 ⟶✗⟶ HYPOTHÈSES H_1, H_2
(incompatibles)

PRÉDICTIONS ⟵⟶ DONNÉES

HYPOTHÈSES H_1 et H_2 confirmées (le cas échéant)*

et

THÉORIES T_3 et T_4
toutes deux rejetées

HYPOTHÈSES T_1 et T_2
toutes deux encore
plus vraisemblables

L'analyse des causes du suicide par Émile Durkheim fournit un exemple classique de test critique. À la fin du XIXe siècle, on estimait couramment que le suicide était dû à des maladies mentales ou aux mêmes facteurs qui causaient les maladies mentales. Durkheim prédit que, si tel était le cas, les mêmes populations manifesteraient des taux élevés de suicide et de maladies mentales. Or, les recherches antérieures de Durkheim avaient déjà fait ressortir comme causes probables du suicide des facteurs bien différents, comme l'individualisme des membres d'une collectivité (par opposition à leur solidarité). Il adopta donc comme stratégie de comparer les taux de suicide et de maladies mentales de plusieurs populations différentes ; selon lui, au terme de l'épreuve, une corrélation élevée appuierait le lien entre suicide et maladies mentales tandis qu'une corrélation minime appuierait plutôt sa propre théorie des facteurs sociaux du suicide. Les observations qu'il fit lui donnèrent raison[23].

Une version particulièrement intéressante du test critique consiste à opposer la théorie « statistique » à une théorie « substantielle » (comme celles dont ce chapitre traite). En effet, il y a toujours au moins deux explications « inattendues » qui pourraient contredire une théorie prétendant rendre compte des phénomènes sociaux ; ce sont les suivantes :

---

23. On notera qu'à l'époque on entendait par « maladie mentale » surtout ce qu'on nomme aujourd'hui schizophrénie. Voir Émile Durkheim, *Le suicide*, Paris, Presses universitaires de France (coll. « Quadrige »), 1981. Texte téléchargeable depuis le site des Classiques des sciences sociales, <http://classiques.uqac.ca/classiques>.

- c'est peut-être par «hasard» que les données empiriques confirment les hypothèses dérivées de la théorie, car les observations effectuées ne reflètent peut-être pas la réalité : ces observations pourraient différer de façon importante de la totalité des observations qu'on aurait pu faire ;

- les phénomènes sociaux analysés sont peut-être le résultat d'un grand nombre de «petites causes» dont l'impact respectif ne peut pas être isolé ; par conséquent, les facteurs retenus par la théorie et confirmés par la vérification empirique ne sont peut-être pas réellement «significatifs».

La théorie statistique des distributions aléatoires (qu'on symbolisera par S) est très raffinée sur le plan mathématique ; on en dérive une *hypothèse nulle* (H_0), c'est-à-dire une hypothèse selon laquelle ou bien il n'y a pas de lien significatif entre les phénomènes relevés par une théorie substantielle (T) ou bien les données recueillies ne sont pas représentatives de l'ensemble des données pertinentes. Un test critique peut donc opposer l'hypothèse nulle à l'hypothèse de recherche (H_1) et se solder soit par le rejet de l'explication statistique, soit par le rejet de la théorie[24].

FIGURE 5.5
Le test critique d'une théorie avec une hypothèse nulle

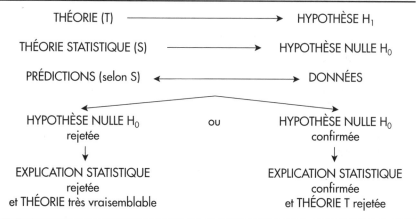

THÉORIE (T) $\longrightarrow$ HYPOTHÈSE H_1

THÉORIE STATISTIQUE (S) $\longrightarrow$ HYPOTHÈSE NULLE H_0

PRÉDICTIONS (selon S) $\longleftrightarrow$ DONNÉES

HYPOTHÈSE NULLE H_0 ou   HYPOTHÈSE NULLE H_0
rejetée   confirmée

EXPLICATION STATISTIQUE   EXPLICATION STATISTIQUE
rejetée   confirmée
et THÉORIE très vraisemblable   et THÉORIE T rejetée

---

24. Rappelons qu'on ne soumet à un test critique que des hypothèses dérivées de théories qui ont déjà subi l'épreuve de plusieurs vérifications empiriques.

Revenons à la théorie des causes du suicide chez Durkheim. Il montra sans difficulté que l'urbanisation, l'instruction et les activités commerciales favorisaient le développement de valeurs individualistes et ainsi s'accompagnaient de taux de suicide plus élevés que la vie rurale, le peu de scolarité et l'activité économique dans les secteurs primaire (mines, agriculture, pêche, forêt) ou secondaire (industries de transformation). Durkheim admit qu'il pouvait théoriquement y avoir bien d'autres facteurs que l'individualisme (mais encore inconnus) pour expliquer les liens entre le suicide et l'urbanisation, l'instruction et le commerce. Si tel était le cas, estima-t-il, de tels liens devraient se manifester peu importe le niveau de solidarité interne des groupes ; par ailleurs, si tel n'était pas le cas et que l'urbanisation, l'instruction et le commerce n'étaient que des indicateurs de l'individualisme (par opposition à la solidarité), les groupes urbains, instruits et commerçants mais très solidaires devraient avoir un faible taux de suicide. Les Juifs de France constituaient, à la fin du XIXe siècle, une communauté commerçante, instruite et très urbanisée qui se caractérisait aussi par le respect de nombreuses normes strictes dont plusieurs exigeaient la participation solidaire des individus à des activités collectives. Quand Durkheim prouva que les Juifs de France avaient un très faible taux de suicide, sa théorie en sortit encore plus vraisemblable. Non seulement avait-il éliminé dans un premier temps toutes les théories concurrentes, mais encore avait-il rejeté l'explication par des causes encore inconnues (en écartant l'hypothèse nulle voulant que la solidarité des groupes n'affecte pas les liens entre suicide, d'une part, et urbanisation, instruction et commerce, d'autre part).

■ 3.3. L'interprétation des résultats et la diffusion des théories

L'acceptation ou le rejet des théories se situent dans le cheminement de la preuve. S'il y a plusieurs conventions qui régissent le test d'hypothèse, le choix des stratégies de vérification et des données qui servent à vérifier empiriquement les théories est lui-même subordonné à l'appréciation des chercheurs, donc à leur maîtrise des techniques de recherche, à leur connaissance des données, à leur compréhension des données et, finalement, à leur jugement.

Certaines approches méthodologiques privilégient l'expérience vécue et la compréhension du point de vue des sujets de l'action sociale (les acteurs, par opposition aux spécialistes qui les observent) : elles accordent donc priorité à l'interprétation que les sujets donnent des événements qu'ils vivent. Pour comprendre ce qui se passe du point de vue des sujets, il faut idéalement « aller vivre » soi-même les phénomènes sociaux qui nous intéressent. C'est ce que font régulièrement plusieurs spécialistes des sciences sociales, en particulier les anthropologues.

À défaut de pouvoir vivre personnellement ces phénomènes, on peut « laisser la parole » aux acteurs et intérioriser par *empathie* leur vécu, qu'il s'agisse de paysannes mexicaines, d'intellectuels, de personnes défavorisées ou de chefs de police québécois[25]. On nomme *Verstehen* la réalité ainsi interprétée par une personne empathique ; on la retrouve notamment dans les histoires de vie, les comptes rendus d'entretiens semi-dirigés et d'observation directe. On lira avec profit les chapitres de ce manuel qui se rapportent à ces techniques.

À l'opposé, d'autres approches favorisent l'accumulation et l'organisation des connaissances en un ensemble cohérent coiffé par une théorie générale : on dit qu'elles se fondent sur la *méthode hypothético-déductive* et reposent sur la recherche d'une cohérence logique dans l'interprétation de coïncidences constantes. Par exemple, la *théorie des jeux* est une approche mathématique utilisée pour étudier les situations où plusieurs acteurs ont à prendre une décision dont dépend un résultat qui les concerne tous. On peut avoir recours à la théorie des jeux quand on se pose des questions reliées à la concurrence économique et aux conflits politiques, militaires, sociaux. Les négociations constitutionnelles en sont un excellent exemple. Un « jeu » comprend des « joueurs » (chacun cherchant à prendre des avantages dans un débat où les règles sont établies), une « procédure » (les règles du jeu), un « environnement » (dont le caractère est soit « certain », « risqué » ou « incertain », le risque s'exprimant sous forme de probabilités), des « tactiques » (les décisions des joueurs), des « gains » et « pertes » (les résultats quantifiables pour chaque joueur). La théorie des jeux considère toujours les procédures de recherche d'équilibre lorsqu'il y a conflit, c'est-à-dire une situation finale qui serait acceptable à tous les joueurs, y compris les perdants, qu'il s'agisse de participants à un conflit international ou de partis se livrant une lutte électorale[26].

L'interprétation des résultats s'effectue souvent en fonction des attentes des scientifiques et de leur milieu : on perçoit parfois comme un échec la conclusion qu'une hypothèse doit être rejetée. On passe rarement

---

25. Pour une illustration dans un contexte international, voir Marie-France LABRECQUE, « Femmes et développement : la double domination masculine », p. 44-52 dans l'ouvrage collectif de Victor M.P. DA ROSA et Joseph Yvon THÉRIAULT (dir.), *Développement, coopération et intervention sociale : discours et pratiques*, Ottawa, Presses de l'Université d'Ottawa (coll. « Développement international »), 1988 ; pour des témoignages personnels de « sujets » d'un phénomène social, voir les Actes du colloque « Liberté, l'écriture et le politique », sous la direction de Sylvain SIMARD, dans *Cultures du Canada français*, n° 7 (1990) ; pour deux exemples exceptionnels de *Verstehen*, voir les ouvrages de Marie LETELLIER, *On n'est pas des trous-de-cul*, Montréal, Parti-Pris, 1971, et Guy TARDIF, *Police et politique au Québec*, Montréal, L'Aurore, 1974.

26. Voir par exemple Réjean LACHAPELLE, *L'avenir démographique du Canada et les groupes linguistiques*, Montréal et Ottawa, Institut de recherches politiques, 1987 ; Richard NADEAU, « L'effet lune de miel dans un contexte parlementaire : le cas canadien », *Revue canadienne de science politique*, vol. XXIII, n° 3, septembre 1990, p. 483-497.

à la postérité pour un échec et il n'est pas rare que des théories soient choisies ou rejetées «pour des raisons étrangères à toute logique de la preuve[27]». Même avec la meilleure volonté, cette logique est rarement à toute épreuve et les revues spécialisées font régulièrement état de querelles d'interprétation.

> Certaines questions particulièrement «chaudes», comme l'interprétation du comportement référendaire au Québec, donnent lieu à des controverses qui ont la vie dure. Ainsi, des universitaires réputés comme Maurice Pinard et Pierre Drouilly, analysant pourtant les mêmes données, n'ont cessé de se quereller, chacun soutenant avec vigueur qu'elles appuyaient sa propre théorie et non celle de l'autre[28]!

Les réunions savantes et les publications spécialisées constituent les principaux véhicules de communication des résultats de recherches en sciences sociales. Comme il se tient annuellement des dizaines de colloques et conférences et qu'on publie chaque année des centaines de revues qui rendent compte de milliers de recherches, il est difficile à quiconque de se tenir au courant de tous les progrès pertinents dans un même domaine du savoir. Bien souvent, les résultats des travaux semblent contradictoires et dans tout congrès de sciences sociales qui se respecte, chaque communication est suivie d'au moins un commentaire critique fait par un collègue. Comment s'étonner alors que la persuasion soit le principal mode de diffusion des théories[29]? Les organismes qui subventionnent la recherche et les comités qui se penchent sur le statut des universitaires accordent plus de crédibilité aux personnes déjà reconnues qui publient dans les plus prestigieuses revues. Mais la science n'est pas immunisée contre l'erreur ou l'accroc à l'éthique.

> On a vu le département de sociologie d'une université québécoise soumettre ses étudiants de deuxième et troisième cycles à un examen de synthèse en méthodologie qui exigeait notamment l'interprétation de données recueillies par un sociologue très en vue; les candidats ignoraient que, pour répondre convenablement, il leur fallait en réalité conclure *le contraire* de ce que l'auteur avait prétendu «démontrer» dans une revue de tout premier ordre: l'erreur était devenue un classique du genre. Quant aux impostures, c'est-à-dire l'altération consciente de

---

27. DE BRUYNE *et al.*, *op. cit.*, p. 104.
28. Voir Maurice PINARD, Robert BERNIER et Vincent LEMIEUX, *Un combat inachevé*, Québec, Presses de l'Université du Québec, 1997, et Pierre DROUILLY, *Indépendance et démocratie. Sondages, élections et référendums au Québec, 1992-1997*, Montréal, L'Harmattan, 1997.
29. Thomas S. KUHN, *La structure des révolutions scientifiques*, Paris, Flammarion, 1972, p. 234.

données et la dissimulation de détails gênants par des chercheurs qui veulent être publiés à tout prix, elles sont malheureusement suffisamment fréquentes pour que plusieurs aient sonné l'alarme[30].

4 INSPIRÉE PAR LA THÉORIE, LA RECHERCHE PEUT-ELLE ÊTRE « NEUTRE » ?

Le coffre à outils d'un ouvrier renferme une variété d'instruments parmi lesquels son propriétaire choisit selon la tâche à accomplir. Les scientifiques disposent, de leur côté, d'un éventail de cadres de référence (aussi appelés cadres d'analyse) pour analyser les phénomènes sociaux. Les cadres de référence étant des guides logiques et pratiques pour éviter les hypothèses *ad hoc*, ils s'inscrivent dans l'une des deux grandes méthodologies (objectiviste ou subjectiviste) discutées au chapitre 2. Il y a ainsi de nombreuses modalités d'organisation de la pensée scientifique, qui constituent des approches différentes, mais non incompatibles, à la compréhension des phénomènes sociaux. Nous ne discuterons pas ici de tous les cadres de référence utilisés à notre époque dans les sciences sociales. Qu'il suffise de mentionner quelques-uns des plus courants[31] : le fonctionnalisme, le structuralisme, l'analyse systémique, le béhaviorisme, la théorie des choix rationnels et la théorie des jeux font partie des méthodes objectivistes, tandis que les méthodes subjectivistes incluent, entre autres, la phénoménologie, l'herméneutique et la sémiologie, l'historicisme, les types idéaux, la dialectique, l'actionnalisme, l'analyse archéologique et la déconstruction postmoderne. L'épreuve du temps élimine les cadres de référence moins utiles et les vagues intellectuelles en font valoir périodiquement de nouveaux.

En recherchant des explications aux phénomènes sociaux, en essayant de comprendre le monde dans lequel nous vivons, nous remarquons inévitablement des oppositions, des contradictions sociales (comme les rapports de production, la division sexuelle du travail, les écarts de salaires, la distribution de l'espace dans les grandes villes) qui peuvent agir comme

---

30. Voir par exemple Serge LARIVÉE et Marie BARUFFALDI, « La science et son péché : la fraude », *Interface* (revue de l'Acfas), vol. 13, n° 2 (mars-avril 1992), p. 20-28, ainsi que Pascal LAPOINTE, « Comment la fraude a pu passer entre les mailles du filet », *Science Presse*, 9 janvier 2006, <http://www.sciencepresse.qc.ca/archives/2006/man090106.html>.

31. Chaque discipline et même certains champs d'une même discipline possèdent leurs propres « étiquettes » pour des cadres de référence, par exemple le néo-institutionnalisme en science politique et le réalisme en relations internationales, l'approche comportementale (ou profilage) en criminologie, la théorie des rôles en travail social, etc.

révélateurs de la polarisation et de la complémentarité des humains, sujets de l'action sociale et divisés par des frontières, des niveaux de revenus ou d'éducation, des allégeances politiques. L'exploration des aspects structurels de ces oppositions permet d'exposer l'ambiguïté et la complexité d'éléments pourtant habituellement perçus comme homogènes (comme les tensions au sein d'une nation, d'une classe sociale, d'un parti politique, d'une famille). L'existence d'une variété de cadres de référence constitue un encouragement à analyser les rapports sociaux sous leurs multiples angles et à démêler ces angles les uns des autres sous l'éclairage de leurs contradictions[32].

Dans le cadre de la recherche en sciences sociales, on découvre aussi que pouvoir et connaissance (ou information) sont parfois indissociables[33] et qu'il convient de remettre en question les prétendues vérités dans des domaines aussi divers que la santé, l'économie, la justice, la sexualité ou le langage. On en vient parfois à interroger les systèmes de connaissance et à scruter les formes employées par le pouvoir pour produire de telles préten- dues vérités. Cette attitude permet, par exemple, de retracer les étapes de la pensée politique occidentale à l'endroit de l'Orient ou encore d'analyser les conditions d'apparition de la prison et de percevoir celle-ci comme produit de l'ordre social mais aussi comme le produisant[34]. Il est alors tentant (nécessaire, pour certaines consciences) de dénoncer des situations, voire de s'engager dans l'action sociale. Vue sous cet angle, l'*analyse engagée* se caractérise par un parti pris conscient de la part de la personne effectuant la recherche. La théorie elle-même cherche à expliquer sans justifier ni incriminer, mais libre aux chercheurs et aux chercheures d'utiliser la théorie dans leur poursuite de leurs idéaux de justice et de liberté.

---

32. Voir par exemple Hélène DAVID et Louis MAHEU, « D'Asbestos à Montréal », p. 107-115 dans l'ouvrage collectif de Claude RYAN (dir.), *Le Québec qui se fait*, Montréal, Hurtubise HMH, 1971 ; Anne LEGARÉ, *Les classes sociales au Québec*, Montréal, Presses de l'Université du Québec, 1977 ; Pierrette BOUCHARD, « Féminisme et marxisme : un dilemme pour la Ligue communiste canadienne », *Revue canadienne de science politique*, vol. XX, n° 1, mars 1987, p. 57-77.

33. Les personnes ou organismes qui détiennent plus d'informations que d'autres possèdent naturellement un avantage. Pour des exemples d'étude formelle des communications et des informations à l'intérieur des systèmes sociaux, voir Simon LAFLAMME, *Contribution à la critique de la persuasion politique*, Québec, Presses de l'Université du Québec et Sudbury, Université Laurentienne, 1987 ; Janine KRIEBER, « La démocratie du secret : le contrôle des activités de renseignement au Canada », *Politique*, n° 13, printemps 1988, p. 37-62. Sur la contrainte entre les informations dont dispose le gouvernement et celles qui sont accessibles au public, voir par exemple le vol. XVI, n° 3, septembre-décembre 1975 de *Recherches sociographiques* consacré à « La communication administrations/publics » et particulièrement l'article de Caroline ANDREW, André BLAIS et Rachel DESROSIERS, « L'iformation sur le logement public à Hull », p. 375-383.

34. Voir Thierry HENTSCH, *L'Orient imaginaire : la vision politique occidentale de l'Est méditer- ranéen*, Paris, Minuit, 1988 ; Jacques LAPLANTE, *Prison et ordre social au Québec*, Ottawa, Presses de l'Université d'Ottawa (coll. « Sciences sociales »), 1989.

Lorsqu'elle porte sur une « totalité », la recherche-action (qui fait l'objet du chapitre 19) vise à transformer la société en mobilisant acteurs et actrices grâce à la « conscientisation » permise par la diffusion de nouvelles informations sur la situation vécue et ressentie[35]. La recherche peut alors agir comme « détonateur » susceptible de faire « exploser » une situation caractérisée par des oppositions profondes mais dont les manifestations ont parfois été longtemps réprimées[36]. La recherche engagée apparaît donc souvent comme « subversive », surtout si elle est financée, directement ou indirectement, par les deniers publics, comme c'est le cas pour plusieurs programmes d'aide au développement communautaire ou international.

Lénine disait qu'il ne saurait y avoir de pratique révolutionnaire sans théorie révolutionnaire[37]. En réalité, l'importance des faits et celle des théories dépendent l'une de l'autre : *la théorie relie les faits et leur donne un sens*, comme un fil qui retient les perles d'un collier.

D'une certaine façon, toutes les théories, toutes les méthodes se prêtent à une utilisation idéologique ou utopique. La dialectique postule que le changement est inévitable, tandis que l'analyse systémique adopte souvent les valeurs dominantes en élaborant une explication des conditions nécessaires pour maintenir le système en place[38]. On a même soutenu avec passablement de force persuasive qu'en analysant le vote comme moyen pour la population d'exercer sa souveraineté, les spécialistes des sciences sociales jouent depuis longtemps un important rôle de soutien de l'idéologie politique du néolibéralisme[39].

Non, les théories sociales ne sont jamais totalement « neutres ». Mais cela n'enlève rien à leur nécessité pour donner un sens à la recherche.

---

35. Gisèle AMPLEMAN, Gérald DORÉ, Lorraine GAUDREAU, Claude LAROSE, Louise LEBŒUF et Denise VENTELOU, *Pratiques de conscientisation : expériences d'éducation populaire au Québec*, Montréal, Nouvelle Optique, 1983.
36. Voir par exemple le n° 5 de *Politique* consacré au thème « Femmes et pouvoir », en particulier l'article de Claire DUGUAY et Micheline DE SÈVE, « Tant d'amarres à larguer : une analyse des pratiques du mouvement des femmes », p. 51-73.
37. Vladimir Ilich LÉNINE, *Que faire !* Paris, Seuil, 1966. Texte téléchargeable depuis le site des Classiques des sciences sociales, <http://classiques.uqac.ca/classiques>.
38. Denis MONIÈRE, *Critique épistémologique de l'analyse systémique de David Easton : essai sur le rapport entre théorie et idéologie*, Ottawa, Éditions de l'Université d'Ottawa (coll. « Sciences sociales »), 1976.
39. Voir Koula MELLOS, « Les élections, les études électorales et la théorie politique », p. 421-442 dans l'ouvrage collectif sous la direction de Jean CRÊTE, *op. cit.*

BIBLIOGRAPHIE ANNOTÉE

BOUDON, Raymond, *La crise de la sociologie : questions d'épistémologie socio-logique*, Genève, Droz, 1971.

Dans plusieurs des 11 essais qui composent cet ouvrage, les réflexions sur la nature et le rôle de la théorie occupent une place de choix. Boudon voit les sciences sociales écartelées entre deux extrêmes : le prophétisme et l'expertise. Il critique l'un et l'autre et propose le recours à la « raison sociologique » pour éliminer de l'enquête les éléments de subjectivité et pour vérifier les théories. La lecture de cet ouvrage est parfois ardue.

BOURDIEU, Pierre, J.-C. CHAMBOREDON et J.-C. PASSERON, *Le métier de socio-logue : préalables épistémologiques*, 2ᵉ éd., Paris, Mouton, 1973.

Deux livres en un. D'abord, dans une centaine de pages, un exposé des rapports entre épistémologie et méthodologie ; on y met l'accent sur la rupture épistémologique, le rôle des hypothèses, le caractère systématique de la théorie. Ensuite, 45 extraits d'ouvrages illustrant les propos de la première partie, avec au programme des auteurs classiques comme Bachelard, Durkheim, Kaplan, Katz, Lévi-Strauss, Malinowski, Marx, Mauss, Mills, Polanyi, Weber, Wittgenstein.

DE BRUYNE, Paul, Jacques HERMAN et Marc DE SCHOUTHEETE, *Dynamique de la recherche en sciences sociales*, Paris, Presses universitaires de France (coll. « Sup »), 1974.

Les auteurs discutent d'un « espace méthodologique quadripolaire » : à côté du pôle théorique se trouvent les pôles épistémologique, morphologique et technique. Cet ouvrage, d'une lecture parfois diffi-cile, sera surtout utile aux personnes qui ont une certaine expérience de recherche sociale : il leur permettra de réfléchir sur les fondements épistémologiques de la théorie. La préface de Jean Ladrière traite de l'opportunité d'une méthodologie spécifique des sciences sociales. Les deux derniers chapitres sur les techniques de recherche sont cependant faibles.

DURKHEIM, Émile, *Les règles de la méthode sociologique*, précédé de « L'ins-tauration du raisonnement expérimental en sociologie », par Jean-Michel Berthelot, Flammarion, 1988.

C'est le premier ouvrage qui porte de façon systématique sur la méthodologie des sciences sociales. Durkheim y expose clairement pourquoi et comment on peut traiter les faits sociaux comme des choses si l'on veut faire œuvre scientifique. Lire les préfaces : elles évoquent la polémique à laquelle le point de vue de l'auteur a donné naissance. L'article de Berthelot constitue un heureux complément.

KUHN, Thomas S., *La structure des révolutions scientifiques*, Paris, Flammarion, 1972.

Avec des illustrations tirées de diverses disciplines, l'auteur étudie les moments de crise que traverse la science au cours de son évolution : selon Kuhn, il y a révolution scientifique lorsqu'une théorie scientifique consacrée par le temps est rejetée au profit d'une nouvelle théorie. Cette substitution amène généralement un déplacement des problèmes offerts à la recherche et des critères selon lesquels les spécialistes décident de ce qui doit compter comme problème ou solution. Toute révolution scientifique est facteur de progrès.

MONIÈRE, Denis, *Critique épistémologique de l'analyse systémique de David Easton : essai sur le rapport entre théorie et idéologie*, Ottawa, Éditions de l'Université d'Ottawa (coll. « Sciences sociales »), 1976.

L'auteur cherche à montrer que, dans les sciences sociales, on ne peut tracer de ligne de démarcation entre la science et l'idéologie : il y a un lien entre l'idéologie et la théorie qui fournit les concepts de la pratique scientifique. Pour illustrer sa thèse, Monière critique le paradigme de l'analyse systémique.

MONIÈRE, Denis et Jean H. GUAY, *Introduction aux théories politiques*, Montréal, Québec/Amérique, 1987.

D'une lecture facile évitant tout jargon inutile, il s'agit véritablement d'une introduction s'adressant « aux esprits curieux qui en sont à leurs premiers pas dans la compréhension du phénomène politique », comme l'écrivent les auteurs. Moins de 200 pages à lire absolument en complément à ce chapitre.

POPPER, Karl, *Logique de la découverte scientifique*, traduction française de *Logik der Forschung*, Paris, Payot (coll. « Bibliothèque scientifique »), parution originale en 1935, édité en français en 1973.

Il s'agit d'un des ouvrages de philosophie des sciences les plus marquants. Popper y critique le courant dominant d'alors, l'induction, ainsi que les théories « pseudoscientifiques » que sont la psychanalyse et le marxisme , et propose plutôt la « falsifiabilité », c'est-à-dire l'idée que le propre d'une théorie scientifique est qu'elle puisse prévoir des expériences qui pourraient éventuellement la réfuter. Il s'agira d'un tournant dans la façon d'aborder le cadre théorique en sciences sociales.

PRÉVOST, Jean-Guy, *De l'étude des idées politiques*, Québec, Presses de l'Université du Québec, 1995.

Un ouvrage de lecture facile qui présente succinctement les principales écoles de pensée en études des idées politiques, montrant leurs recoupements et leurs divergences. Sur le plan méthodologique, l'auteur soulève des questions de fond et touche aux grands débats contemporains. Machiavel, Locke, Montesquieu et les autres deviennent des interlocuteurs privilégiés de quiconque parcourt ce petit livre de 110 pages.

STINCHCOMBE, Arthur, *Constructing Social Theories*, New York, Harcourt, Brace & World, 1968.

Cet auteur attribue aux théories la tâche de créer la capacité d'imaginer des explications des phénomènes sociaux. L'ouvrage propose diverses façons de construire des théories favorisant la compréhension de notre milieu et de notre environnement. On y retrouve beaucoup d'exemples tirés d'ouvrages classiques en sciences sociales (en particulier ceux de Durkheim, Freud, Marx et Weber).

CHAPITRE

LA MODÉLISATION[1]

Jean ROBILLARD

La science est travail humain.

Gilles-Gaston GRANGER

Pour débuter, un raccourci historique : le concept de modèle est apparu assez tardivement dans l'arsenal des sciences. Tel que nous le comprenons actuellement, bien que parfois indistinctement utilisé en compagnie d'autres concepts théoriques ou méthodologiques, il apparaît en effet à une époque cruciale de l'histoire des sciences, soit au moment où les scientifiques doivent départager les postulats méthodologiques anciens de ceux qui commencent alors à faire consensus. Cette période faste s'étend *grosso modo* du début du XIXe siècle au début du XXe.

Durant cette période, toutefois, on ne connaît pas de concept de modèle *scientifique*. Par exemple, Henri Poincaré, dans *La science et l'hypothèse*[2], ouvrage paru la première fois en 1902, traitait de la constitution des hypothèses scientifiques, physiques et mathématiques, presque dans les mêmes termes que ceux que nous utilisons pour parler des principes de la construction de modèles. Sans jamais, à moins d'erreur de notre

---

1. Dans ce qui suit, le masculin est utilisé de manière épicène dans le seul but d'alléger le texte. Certaines parties sont reprises de nos publications antérieures et, le cas échéant, la source sera mentionnée.
2. Henri POINCARÉ, *La science et l'hypothèse*, Paris, Flammarion (coll. « Champs »), 1968 (1902).

part, utiliser ce mot. C'est le concept d'hypothèse qui retient son attention. Or, l'hypothèse est pour lui un moyen d'appréhender le réel et de vérifier l'adéquation des théories aux faits ; ou alors d'en modifier les contenus si l'hypothèse s'avérait contredite. Tout y était affaire de raisonnement juste, de déduction régulée à partir de prémisses bien souvent indémontrables elles-mêmes, comme en géométrie, euclidienne ou non. L'hypothèse doit amener le scientifique à bien réfléchir sur les phénomènes en en fournissant une représentation formelle adéquate. Ce sera précisément le rôle attribué au modèle scientifique. Des remarques similaires peuvent être appliquées au concept d'analogie de Durkheim[3], lequel est inscrit dans un processus heuristique de découverte scientifique. Deux mots, mais une même fonction.

Il y a depuis cette époque au moins deux acceptions du mot « modèle ».

1. En visant un objectif d'*explication* ou de *description*[4], un modèle scientifique organise sous forme schématique les *idées* que nous nous en faisons. C'est ce qu'avaient en tête Poincaré ou Durkheim lorsque le premier attribuait à une hypothèse valable et le second à une analogie le caractère d'une formulation heuristique ; une explication est recherchée, et l'on travaille à établir les relations causales qui déterminent l'état de la chose analysée ou du processus amenant à cet état, but ultime d'une théorie.

2. S'opposent à cette première acception d'autres définitions qui tentent de déterminer le caractère parfois *analogique* des modèles, par exemple la structure atomique modélisée matériellement grâce à des bâtonnets et à des boules de différentes couleurs ; ou parfois encore le caractère représentatif, comme c'est le cas du modèle *imaginaire*[5], dont la principale caractéristique est de décrire un quelconque état du monde sans pour autant affirmer quoi que ce soit quant à la qualité de la relation qu'il entretient avec l'état qu'il sert à décrire.

Mais cela ne répond pas à une question pressante : qu'est-ce qu'un modèle ? N'est-ce que le résultat d'une activité cognitive de modélisation ? Pourquoi modélise-t-on ?

---

3. Émile DURKHEIM, *Les règles de la méthode sociologique*, Paris, Flammarion (coll. « Champ »), 1988.
4. Voir « Modèle et sciences humaines », dans Sylvie MESURE et Patrick SAVIDAN (dir.), *Le dictionnaires des sciences humaines*, Paris, Presses universitaires de France (coll. « Quadrige »), 2006, p. 781-784.
5. *Ibid.*

La détermination du statut épistémologique d'un modèle est une tâche extrêmement difficile et qui requiert de revoir les liens entre les différents aspects de la *pratique* scientifique et la modélisation. Ce sera l'objet de ce chapitre.

1   LE RÉEL ET LA SCIENCE

1.1. Objectivité et subjectivité

En sciences sociales, la question de savoir de quoi est fait le réel (social) qu'elles étudient inspire traditionnellement deux grands groupes de réponses:

1) le réel social est un ensemble de faits ou d'événements *observables*, *dénombrables* et *mesurables* grâce à des techniques fiables de collecte et de traitement de données; surtout, ces faits ou événements sociaux participent d'une structure sociale quelconque, et dont la nature des rapports qui s'y manifestent peut être l'objet d'une analyse libre de toute intentionnalité de la part du scientifique;

2) le réel social est un ensemble de faits ou d'événements *connaissables* et *interprétables* grâce au travail du scientifique parce que ce dernier y a accès directement et en particulier par le biais de la *similitude* de ses expériences privées (ou personnelles, biographiques, si l'on veut) et des événements analysés, expériences privées qui contribuent à constituer par *empathie* ses connaissances des faits ou des événements sociaux.

Le premier groupe de réponses est associé à une philosophie des sciences sociales souvent désignée, mais à tort ou abusivement, comme positiviste[6]. Cette philosophie postule une norme d'objectivité de la science:

---

6. Depuis le milieu du XXe siècle, le positivisme est défini à partir des thèses des philosophes ayant formé le «cercle de Vienne»: Carnap, Schlick, Von Neurath, etc. (Voir: <http://fr.wikipedia.org/wiki/Cercle_de_Vienne>.) Il s'agit du «positivisme logique» qui défendait la thèse que toute observation scientifique devait se rapporter à une proposition ou énoncé logique élémentaire ou atomique, créant ainsi un *rapport de correspondance direct* entre un objet et un énoncé logique le représentant (radicalisation de la tradition du réalisme aristotélicien). Même en sciences sociales, le positivisme d'Auguste Comte, pourtant celui qui forma le mot et le concept de la toute première sociologie, n'est pas ce à quoi le concept de positivisme renvoie. Finalement, le «positivisme» de la psychologie populaire états-unienne n'est évidemment pas ce qui est ici visé...

pour pouvoir être qualifiée de scientifique, une théorie *doit nécessairement* respecter des règles assurant l'étanchéité de la frontière entre le phénomène étudié et l'intervention expérimentale, ou la manipulation des techniques ou des données recueillies. De plus, dans les sciences sociales, cette philosophie est souvent associée à l'approche quantitativiste, c'est-à-dire à la méthode qui promeut l'usage de procédures quantitatives (statistiques, par exemple et le plus souvent) représentant les données par des nombres sur lesquels peuvent être effectuées diverses opérations de calcul.

Le second groupe de réponses, quant à lui, est la plupart du temps associé à une philosophie des sciences opposée à la précédente, où l'interprétation du scientifique des phénomènes sociaux étudiés est encadrée par une méthode dite *qualitative*, c'est-à-dire une méthode qui promeut l'usage des connaissances implicites du scientifique dans le processus de découverte de nouvelles connaissances[7]. Cette seconde approche, sans être uniformément *subjectiviste*, met l'accent sur le rôle des connaissances et des intuitions déjà présentes chez le scientifique et non sur le processus d'observation mis de l'avant dans le premier groupe.

Il y a bien entendu plusieurs variations possibles des réponses au sein de ce deuxième groupe, comme c'est d'ailleurs le cas dans le premier. Mais ce qui importe de voir pour l'instant, c'est que les deux groupes de réponses ne postulent pas le même rapport entre la science sociale et le réel. Pour le premier groupe, ce rapport est établi par la *gestion de la distance à l'objet étudié*; pour le second, ce rapport est compris comme une *inclusion des connaissances du scientifique acquises antérieurement au processus actuel d'analyse*.

Or, pour l'un comme pour l'autre groupe, des modèles sont appelés à favoriser le développement théorique. Les modèles sont au cœur de toute méthode scientifique, quels qu'en soient les postulats méthodologiques ou la philosophie des sciences, parce que les sciences construisent des théories et des concepts qui visent à interpréter et comprendre le réel.

---

7. Les termes « qualitatif » et « quantitatif » n'ont pas le même sens quand ils servent à désigner la méthodologie que lorsqu'ils sont utilisés pour faire la distinction entre variables quantitatives et qualitatives en statistique descriptive.

▓ 1.2. La science sociale et son double[8]

Mais il subsiste une difficulté supplémentaire, celle de l'évaluation des résultats d'une étude en sciences sociales. Cette difficulté est intrinsèquement liée à la question du statut épistémologique des modèles dans les sciences sociales.

Cette difficulté supplémentaire, définissons-la grâce à deux caractéristiques:

1) Premièrement, les événements ou les objets étudiés par les sciences sociales sont inscrits dans une durée: l'*historicité* des faits sociaux contribue à distinguer les sciences sociales des sciences naturelles; mais cela n'est certainement pas un critère absolu, dans la mesure où par exemple l'astronomie, la biologie, la paléontologie et la géologie sont des sciences naturelles qui doivent elles aussi tenir compte d'une histoire particulière à chacune et forcent donc les scientifiques qui les pratiquent à un effort de *reconstruction* des processus causaux passés ayant entraîné la formation des objets étudiés *maintenant*[9];

2) Deuxièmement, les sciences sociales ne sont pas des sciences expérimentales à proprement parler, ce qui impose aux scientifiques qui les pratiquent de ne pas pouvoir *reproduire expérimentalement* leurs observations autant de fois qu'ils le souhaiteraient comme c'est le cas des scientifiques en chimie, physique, etc. (Cela est également le cas de certaines sciences naturelles telles que la géologie.)

---

8. Ce sous-titre est une paraphrase du titre d'un livre de Clément ROSSET, *Le réel et son double*, Paris, Gallimard, 1984 (1976).

9. Cela s'apparente à ce que les philosophes des sciences et les scientifiques appellent un «problème inversé»: un problème, en science, est défini par la recherche d'une explication causale, c'est-à-dire de ce qui explique qu'un phénomène Y soit transformé par un autre phénomène X, de sorte qu'il puisse être possible d'établir que, connaissant le comportement de X, X cause (directement ou indirectement) Y; un problème dit «inversé» est plus compliqué car il faut essayer d'expliquer comment un état Y peut *résulter* de X, dans l'absence de toute information empiriquement testable à propos de X. Exemple de problème inversé: étant donné un état quelconque du marché de l'emploi chez les diplômés universitaires (du premier cycle) récents (de 0 à 5 ans après l'obtention de leur diplôme, par exemple), décrivez les mécanismes socioéconomiques qui expliquent cet état depuis les dix dernières années. Pour y arriver, il faut décrire l'état actuel et émettre de multiples hypothèses sur l'évolution de cet état; et de telles hypothèses ne sont testables, évidemment, que sur le plan théorique puisque les états qu'elles représentent successivement sont *passés*.

Ces deux caractéristiques augmentent la difficulté qu'éprouvent les sciences sociales à produire des explications causales puisque, bien souvent, leurs objets ne sont pas directement observables. Il n'y a pas que la taille de ces objets qui soit en cause ici, mais également le fait qu'ils résultent d'un processus historique dont il est impossible de vérifier empiriquement les hypothèses qui l'introduisent dans l'analyse : car le passé n'est observable et étudiable que par le biais des signes et des traces documentaires qui en auront préservé l'actualité.

Or le problème de la taille est aussi lié à un processus sociohistorique et explique, du moins en partie, pourquoi la modélisation devient presque inévitable en sciences sociales : l'information et les données disponibles, peu importe leur nature et la méthode de collecte et la philosophie des sciences sociales qui auront été adoptées, seront toujours parcellaires et incomplètes. Un modèle, en ce sens, agit au titre de doublure de la science sociale : un modèle y est comme un objet théorique qui n'a d'existence que théorique. Mais un modèle doit faire référence à quelque chose de concret.

1.3. Quel réel, quelle explication, quelle preuve[10]?

Le modèle en sciences sociales a ainsi le statut d'un concept *quasi* transcendantal. Théorique par sa nature abstraite, il ne possède pas les caractères d'une théorie scientifique achevée. Loin s'en faut. Aucune science ne se résume d'ailleurs aux modèles dont elle se sert. En ce sens, les sciences sociales ne sont pas différentes des sciences naturelles.

Or, par « quasi transcendantal », nous entendons quelque chose de très précis :

Définition 1

Un modèle est quasi transcendantal du fait d'être une construction théorique[11] destinée à rendre compte d'un fait, objet ou événement social empirique quelconque, de manière schématique[12] – c'est-à-dire d'un

---

10. Nous reprenons ici en partie une étude de notre ouvrage intitulé *Le mirage global : traité d'épistémologie critique de la communication et de l'information*. À paraître.

11. Au sens du constructivisme épistémologique de Mario Bunge, dans Mario BUNGE, *Finding Philosophy in Social Science*, New Haven, Yale University Press, 1996, p. 295-296.

12. Au sens non kantien de schématisme. Sur le schématisme kantien, voir : Olivier CHÉDIN, *Sur l'esthétique de Kant*, Paris, Librairie philosophique J. Vrin, 1982. Sur le schématisme en général : Jean-Louis LE MOIGNE, *La modélisation des systèmes complexes*, Paris, Dunod, 1999 (Paris, Bordas, 1990, pour la première édition).

point de vue général –, en fonction des variables qu'il met en œuvre et qu'il relie au moyen des règles d'association qui président à leur manipulation[13].

Ainsi, le réel social étudié est un réel dont les caractéristiques sont organisées de telle manière que les liens et rapports de causalité entre un ou plusieurs événements ou faits sociaux quelconques, et le processus qui en est à l'origine, sont par définition hypothétiques.

Or, si ces rapports de causalité sont hypothétiques, la preuve de la validité du modèle et de l'analyse sociale qu'il inspire doit être empiriquement ancrée. Mais qu'est-ce qu'une preuve ? Une preuve, en mathématique par exemple, est une confirmation de l'usage approprié de règles et d'axiomes dans le raisonnement[14]. En sciences sociales, par contre, la preuve de la validité des modèles est plus descriptive et varie selon le *type* de modèle utilisé. Nous verrons brièvement dans ce chapitre pourquoi et comment cela est possible[15].

2 THÉORIES DES MODÈLES

Cette section a pour but de circonscrire le rôle d'un modèle dans la réflexion scientifique qui a pour objet un phénomène social. Nous utilisons l'exemple de la théorie du physicien, sociologue et philosophe Mario Bunge.

En effet, pour ce dernier, le concept de modèle est assignable à deux grandes classes reliées entre elles. La première classe est celle des *modèles d'objets concrets*. Si, dit-il , un modèle d'objet a pour référent un objet concret, ou une situation concrète (un événement, etc.), alors ce modèle est

---

13. Notamment les analyses de corrélation ou de réduction linéaire en statistique.
14. A.S. TROELSTRA et H. SCHWICHTENBERG, *Basic Theory of Proof*, Cambridge, Cambridge University Press, 2000 (1996) ; Jean VAN EIJENOORT, *From Frege to Gödel*, Cambridge, Harvard University Press, 1967.
15. Mais notez dès à présent qu'un modèle, pour être explicatif, doit établir des liens de causalité entre les événements que l'on cherche à expliquer. La notion de causalité est en elle-même l'objet de nombreux débats que nous ne reprendrons pas ici. À ce sujet, voir : Nancy CARTWRIGHT, *Hunting Causes and Using Them*, Cambridge, Cambridge University Press, 2007 ; Ellery EELLS, *Probabilistic Causality*, Cambridge, Cambridge University Press, 1996 (1991) ; James H. FETZER, *Scientific Knowledge. Causation, Explanation, and Corroboration*, Dordrecht, D. Reidel, 1981 ; Robert FRANCK (dir.), *Faut-il chercher aux causes une raison ? L'explication causale dans les sciences humaines*, Paris, Librairie philosophique J. Vrin, 1994 ; James WOODWARD, *Making Things Happen. A Theory of Causal Explanation*, Oxford, Oxford University Press, 2003.

une *idéalisation* de cet objet (situation, événement, etc.)[16]. Par «idéalisation» il faut comprendre ceci : une représentation schématique, une construction conceptuelle. Mais pas n'importe laquelle : cette idéalisation doit dénoter ou référer à quelque chose qui soit factuellement observable (directement ou indirectement). C'est à cette condition qu'un modèle d'objet pourra se voir attribuer un caractère scientifique ; car sans référent concret, nulle science ne sera possible. Et un modèle d'objet peut revêtir plusieurs formes : un diagramme, un graphique, un organigramme, une maquette, une équation mathématique, etc.

Un modèle d'objet a pour principale caractéristique d'être formé d'une *liste descriptive* plus ou moins complète de propriétés attribuées à l'objet. Symbolisons un modèle quelconque par M et une propriété quelconque par la lettre p ; alors un modèle d'objet sera caractérisé de la manière suivante : $M = \{p_1, p_2 \ldots p_n\}$. Remarquons toutefois que le scientifique construit son modèle en ne retenant que les propriétés de l'objet qui correspondent à l'hypothèse qu'il a retenue pour son analyse. De plus, le fait de ne retenir qu'une liste finie de propriétés a pour conséquence que le modèle ainsi construit ne peut prétendre représenter l'objet ou la situation dans toute sa complexité phénoménale. Or, plus grand sera le nombre de propriétés retenues, plus complexe sera alors le modèle de l'objet construit.

La seconde classe à laquelle renvoie le concept de modèle est celle constituée par ce que Bunge appelle les «*modèles théoriques*». Or, un modèle théorique est une théorie ayant pour objet un modèle d'objet. Bunge définit ainsi le concept de modèle théorique :

> Un *modèle théorique* est un système hypothético-déductif qui concerne un modèle d'objet, lequel est par ailleurs une représentation schématique conceptuelle d'une chose ou d'une situation dont il est postulé qu'elle est actuelle ou possible. Si une telle théorie est élaborée en termes exacts (mathématiques), elle est souvent dénommée *modèle mathématique* d'un certain domaine de faits [...][17].

À cette caractéristique principale d'un modèle théorique s'ajoute celle du type de liens causaux qu'il reproduit ou cherche à expliquer. Car il y a en effet de deux types de liens causaux : déterministes et indéterministes ou probabilitaires (que Bunge appelle quant à lui «stochastiques», ce qui revient au même).

---

16. Mario BUNGE, *Method, Model and Matter*, Dordrecht, D. Reidel, 1973, p. 92 et ss.
17. Mario BUNGE, *Method, Model and Matter, op. cit.*, p. 97 ; notre traduction.

Un *modèle théorique déterministe* a pour caractéristique de proposer une explication causale stricte, c'est-à-dire qu'à tout phénomène *Y*, une cause *X* sera identifiée comme étant responsable de *Y*. Cela se traduit généralement par un énoncé hypothétique formulé de la manière suivante : Si *X*, alors *Y*.

> Par exemple : si tous les travailleurs terminent leur journée de travail à 17 heures, alors il y a usage maximal de la capacité de transport collectif par les usagers, soit le système (métro, autobus, passagers, etc.) sera bondé. L'hypothèse concerne ici un lien de causalité entre deux événements : l'heure commune de la fin de la journée de travail des travailleurs (*X*) et le degré atteint d'achalandage du système de transport collectif à partir de cette heure (*Y*). L'explication de cet achalandage est donnée par le fait que les travailleurs sont présumés terminer la journée à la même heure. Il peut y avoir d'autres causes à l'achalandage du système qui pourraient de plus agir conjointement, mais ce premier modèle théorique n'en fait pas mention : le chercheur pourrait par exemple ultérieurement retenir un déficit de wagons de métro, une grève des transports publics de surface, l'augmentation du prix du carburant, une loi interdisant la circulation automobile au centre-ville, etc. Il en résulterait une hypothèse plus complexe.

Un *modèle théorique indéterministe* ou probabilitaire, pour sa part, ne vise pas l'établissement de liens causaux stricts. Il vise à estimer une distribution normale des probabilités qu'une situation donnée survienne. Ainsi, en ce qui concerne notre exemple de l'achalandage du métro (décrivant la situation qui requiert d'être expliquée), l'hypothèse serait formulée différemment : si tous les travailleurs terminent leur journée de travail à 17 heures (*X*), alors la probabilité P que le métro soit bondé à partir de cette heure est de P(*Y*). Afin de la vérifier, plusieurs observations seront nécessaires, pour, entre autres choses, mesurer la fréquence de *X* et celle de *Y*, et établir les liens statistiques pertinents. Or, cela veut dire que le modèle théorique stochastique fournit rarement plus d'une estimation (une mesure probabilitaire) de la probabilité de la ou des causes d'une situation quelconque.

La relation entre les deux concepts de modèles (c.-à-d. d'objet et théorique) en est une d'inclusion : les modèles d'objet sont inclus dans les théories parce que les théories ont pour fonction d'expliquer (de manière strictement causale ou probabilitaire) un objet, une situation, un fait social quelconque. C'est la raison pour laquelle les modèles théoriques sont plus complexes que les modèles d'objet dans la mesure où ceux-ci sont essentiellement descriptifs : le caractère explicatif d'une théorie lui vient de ce qu'elle représente le mécanisme causal présidant à la constitution de l'objet étudié. Et cela est également en partie redevable au fait que le modèle théorique peut avoir fait l'objet de nombreuses vérifications scientifiques et que certains de ses énoncés ont le statut de lois scientifiques, enrichissant alors d'autant la déduction explicative des causes d'un phénomène.

3 TYPOLOGIE DES MODÈLES THÉORIQUES

▓ 3.1. Modèle logique et mathématique

Au sens strict du terme, le concept de modèle logique ou mathématique, ou de logique mathématique, est un concept qui fait partie de l'étude des conditions de satisfaction des axiomes d'un langage logico-mathématique quelconque[18]. Au sens strict du terme, la théorie des modèles logiques et mathématiques est une sémantique formelle. Ce n'est pas dans ce sens que nous utilisons ici le concept de modèle logique et mathématique. Nous l'utilisons plutôt dans le sens défini aux deux sections précédentes et cela veut dire ceci : en sciences humaines et sociales, la théorie des modèles porte sur l'étude des formes abstraites permettant d'analyser et de déduire correctement des connaissances scientifiques à propos de la société.

Notre définition 1 (voir p. 140) établit le caractère abstrait d'un modèle et celui de sa propriété référentielle en tant que condition première : un modèle scientifique ne sera scientifique qu'à la condition de référer à quelque chose de concret dans le monde. Or ce concept de « monde de référence », ou son équivalent usuel « univers de référence », est lui-même un concept qui doit être rigoureusement défini.

---

18. Soit L un tel langage, comprenant une série S d'axiomes, un ensemble E de règles de formation d'expressions bien formées (ebf), un ensemble F de fonctions, R un ensemble de relations, V un ensemble de variables et K un ensemble de constantes de telle manière que L = ⟨S, E, F, R, V, K⟩. La théorie des modèles étudie les relations entre ces éléments de L du point de vue de leur *complétude*, c'est-à-dire des conditions formelles permettant d'exclure toute contradiction de L. Mentionnons cependant une différence importante entre la théorie des modèles logico-mathématique et la théorie des modèles en sciences sociales (ou encore physiques) : alors que la première tient son origine de la théorie mathématique et de la logique formelle, la seconde tient pour prémisses des observations empiriques *en vue* d'en développer une théorie. Ces mouvements inverses ont toute leur importance dans la mesure où ils inscrivent la fonction de chaque théorie des modèles dans des univers scientifiques fort distincts. Pour une étude détaillée, voir : Pascal NOUVEL (dir.), *Enquête sur le concept de modèle*, Paris, Presses universitaires de France (coll. « Science, histoire et société »), 2002.

Définition 2

Un univers de référence est un ensemble de données symbolisées par un nombre quelconque de variables et de constantes logiquement organisées et analysées dans un discours scientifique qui les prend pour objet.

Cette définition correspond à la notion mathématique de référentiel[19]. Elle correspond également aux concepts de modèle que nous avons étudiés chez Bunge; elle retient la distinction entre modèle d'objet et modèle théorique: ainsi, parmi l'ensemble de variables et de constantes formant le monde de référence, certaines peuvent être regroupées et alors former un modèle d'objet, tandis que l'ensemble du système des variables formera un modèle théorique particulier.

Définition 3

Un univers de référence est alors strictement l'ensemble des objets sur lesquels porte un modèle théorique ou théorie scientifique (système hypothético-déductif non contradictoire) exprimée linguistiquement à des fins de communication.

Notez bien qu'un univers de référence n'est pas l'univers total! Un modèle théorique est donc nécessairement partiel. Les éléments qui composent un univers de référence sont en effet toujours l'objet d'une sélection effectuée rigoureusement par le scientifique[20].

Ainsi, lorsqu'il s'agit d'étudier le décrochage scolaire chez les élèves du secondaire, nul n'est besoin de tenir compte de tous les motifs individuels menant à la décision de quitter l'école avant l'obtention du diplôme – à moins de vouloir par exemple effectuer une taxonomie des motifs au décrochage scolaire. Comme il n'est pas requis non plus de tenir compte de la taille des élèves ou de la couleur de leurs cheveux ou de leurs choix musicaux – à moins bien sûr que l'on veuille par exemple établir une catégorisation complète des motivations et leur organisation interne (soit la manière dont elles sont structurées et liées à des représentations sociales de l'école), ou encore que l'on veuille vérifier une hypothèse visant à corréler choix musicaux et décrochage scolaire.

---

19. Un référentiel est un ensemble comprenant tous les éléments sur lesquels portent les opérations; l'ensemble *complémentaire* d'un référentiel est l'ensemble vide.
20. Herbert SIMON, *Models of Bounded Rationality, Empirically Grounded Economic Reason, Volume 3*, Cambridge, MIT Press, 1997; Herbert SIMON, *The Sciences of the Artificial*, Cambridge, MIT Press, 1996; Massimo EGIDI et Robin MARRIS (dir.), *Economics, Bounded Rationality and the Cognitive Revolution*, Aldershot, Edward Elgar Publishing, 1992; William C. WIMSATT, *Re-engineering Philosophy for Limited Beings*, Cambridge, Harvard University Press, 2007.

Un univers de référence est alors concrètement ce à quoi la théorie scientifique réfère en toute rigueur. Ce qui veut dire ceci : avant de modéliser un objet ou de formuler une théorie quelle qu'elle soit, les scientifiques voient *en général* à obtenir le maximum de données descriptives sur les objets qu'ils veulent étudier.

Modèle logique

Définition 4a

Un modèle logique est une forme d'inférence ou de raisonnement.

Prenons un exemple célèbre, tiré de la non moins célèbre théorie de la falsification de Karl R. Popper[21]. Cette théorie défend la thèse centrale suivante : tout progrès de la science est déterminé par la réfutation d'une théorie. Corollairement, toute théorie scientifique, en tant qu'elle est réfutable, ne propose jamais qu'une version temporaire d'une vérité scientifique.

Pour défendre sa thèse, Popper s'appuie sur une forme d'inférence particulière, le *modus tollendo tollens*, qu'il analyse alors à titre de modèle logique du raisonnement scientifique typique. Celui-ci a la forme suivante : $((p \to q) \ \& \sim q) \to \sim p)$. Traduction : si p implique q et que q est faux, alors p est faux.

Exemple 1

Si les rames de métro suffisent en nombre, alors tous les travailleurs peuvent rentrer du travail à temps pour le souper ; or, tous les travailleurs ne rentrent pas à l'heure pour le souper, donc les rames de métro ne suffisent pas en nombre.

Ici l'hypothèse du nombre suffisant de rames de métro pour le transport des travailleurs est falsifiée – si l'on tient pour acquis que les données probantes confirment que ce ne sont pas tous les travailleurs qui rentrent à temps à la maison en fin de journée.

Exemple 2

Si le taux directeur de la banque centrale augmente suffisamment, alors l'inflation fléchit ; or, l'inflation ne fléchit pas, donc le taux directeur de la banque centrale n'augmente pas suffisamment.

---

21. Karl R. POPPER, *La logique de la découverte scientifique*, Paris, Payot, 1973.

Dans cet exemple, l'hypothèse de l'effet de l'augmentation du taux directeur sur l'inflation est à son tour falsifiée – si l'on dispose en effet de données économiques démontrant soit que le taux d'inflation demeure bien inchangé, soit qu'il augmente en dépit de l'intervention de la banque centrale.

Ces deux exemples illustrent bien quelle place occupe le modèle logique.

Définition 4b

Un modèle logique est un modèle qui se situe au niveau de la théorie scientifique dans la mesure où il sert à structurer linguistiquement une théorie scientifique[22].

Or, un modèle logique est-il l'équivalent d'un modèle scientifique, au sens de Bunge ? Réponse : en partie seulement. Car si un modèle scientifique est, au sens de Bunge, un système hypothéticodéductif, il est certain que les règles logiques y sont appliquées ; mais un modèle théorique peut aussi inclure une *formalisation* mathématique, c'est-à-dire être exprimé sous la forme d'équations mathématiques.

Ces dernières remarques s'appliquent autant aux approches et aux philosophies qualitativistes des sciences sociales qu'aux approches quantitativistes. Car les premières, parce qu'elles refusent de recourir à une forme ou une autre de calcul (donc à des quantités), n'ont d'autre alternative que de construire des modèles logiques, intrinsèques aux discours scientifiques qui sont les leurs. On peut donc dire que les modèles logiques sont les modèles typiques des sciences sociales qualitativistes, autant pour la construction des modèles d'objet que pour celle des modèles théoriques. Le problème que celles-ci doivent surmonter est alors celui de la justification des modèles qu'elles utilisent : jusqu'à quel point sont-il empiriquement fiables ? Mais n'allez pas croire que ce problème est uniquement celui de la science sociale qualitativiste !

Modèle mathématique

Étudions maintenant la nature et la fonction propres du modèle mathématique. Nous reproduisons et adaptons ici partiellement l'argument de Bunge (1973, *op. cit.*, p. 131-142) à cet effet.

---

22. Gilles-Gaston GRANGER, *Pensée formelle et sciences de l'homme*, Paris, Aubier Montaigne, 1960.

Comment illustrer l'utilité d'un modèle mathématique ?

L'objet dont Bunge propose l'étude est le flux migratoire entre deux territoires ou régions géographiques séparés par une frontière. Ce pourrait être n'importe quel pays des Amériques, de l'Europe, de l'Asie ou de l'Afrique, et dont les frontières sont contiguës.

Bunge formule alors linguistiquement une hypothèse explicative *a priori* du flux migratoire en question (p. 136) : Posons, dit-il, que ce qui conduit les gens à migrer est la différence entre les possibilités que chacun atteigne des buts personnels dans chaque région[23]. Appelons la force de ces motifs *pression migratoire*.

Afin que cette hypothèse soit complète, il faut présumer *a*) que la pression migratoire agit ou peut être représentée comme une fonction (mathématique) sur l'ensemble G des régions géographiques concernées ; et *b*) que la valeur de cette pression d'une région à une autre dépend de l'attrait[24] qu'exercent les conditions de possibilité (plus grande facilité, meilleur encadrement économique, etc.) d'atteindre les buts personnels recherchés.

C'est alors que la construction du modèle peut débuter. L'hypothèse ainsi formulée devra être rigoureusement traduite en symboles mathématiques ; et le but est ici d'obtenir une équation mathématique qui non seulement représente cette hypothèse mais fournit en outre les moyens d'en éprouver la valeur explicative.

> Représentons donc le concept de pression migratoire par le symbole de variable suivant : P_{ij}, où les indices i et j représentent deux régions quelconque entre lesquelles un flux migratoire se remarque (de i vers j). Supposons, de plus, que la différence des niveaux de vie entre ces deux régions *explique* cette variable P_{ij}. Autrement dit, si E_i représente le niveau de vie de la région i ; et si E_j représente le niveau de vie de la région j ; alors $E_j - E_i$ exprime cette différence. On peut dès lors supposer que P_{ij} est une *fonction* de cette différence, puisqu'elle l'explique ; et il faut supposer de plus qu'il existe un facteur d'attrait k pour toute région E_k ; ce qui justifie l'hypothèse de l'existence de tels facteurs dans les régions i et j.
>
> Il faut aller encore plus loin et supposer d'autres caractéristiques. En particulier, supposons que P_{ij} est une fonction linéaire[25] de la différence entre les niveaux de vie dans les régions considérées. Dans ce cas, il est

---

23. Peu importe ces buts : économiques, politiques, professionnels, culturels, etc.
24. Bunge utilise « *enticement* », « *enticing* », littéralement : séduction, séduire.
25. Pour un rappel de ce qu'est une fonction linéaire, lire : <http://fr.wikipedia.org/wiki/Fonction_lin%C3%A9aire>, page consultée le 30 janvier 2008.

possible de représenter cette fonction comme la division de cette différence par la somme des facteurs d'attrait ; cela évitera de devoir définir
une unité de mesure applicable à tous les facteurs d'attrait possibles,
évitant du coup de complexifier inutilement le modèle que l'on construit
et nous fournissant une équation ne contenant pas d'unités de mesure
particulière. L'hypothèse que l'on a retenue peut dès lors être exprimée
de la manière suivante :

$$P_{ij} = k_1 \frac{E_j - E_i}{E_j + E_i} + k_2 \qquad (1)$$

où k_1 et k_2 (constantes) sont des nombres réels qui devront être estimés
à partir des données concernant (i, j). Autrement dit, les constantes
auront les valeurs que les données empiriques concernant les régions
étudiées révéleront. Or, les valeurs de ces constantes ne sont pas identiques à celles des variables sur i et j. Par exemple, écrit Bunge, il serait
possible d'interpréter k_1 comme représentant globalement la perméabilité
de la frontière dans la direction de i vers j ; tandis que k_2 sera alors
représentative de la somme des facteurs d'attrait.

On peut concrètement attribuer des valeurs à ce raisonnement, sous
forme linguistique pour l'instant. Par exemple, supposons que les deux
régions concernées sont la Chine et Singapour. Dans les faits, la frontière entre ces deux pays n'est pas perméable ; et le flux migratoire est
essentiellement dirigé de la Chine vers Singapour, et non en direction
inverse. Dans ce cas, la valeur de k_1 est égale à 0 ($k_1 = 0$). Si la frontière
était au contraire parfaitement perméable (comme c'est le cas des pays
membres de l'Union Européenne), alors $k_1 = 1$[26].

L'équation (1) représente mathématiquement l'hypothèse de la pression
migratoire. Elle est un modèle d'objet. Elle ne représente pas un modèle
final. Cette hypothèse doit donc être incluse dans un modèle théorique.
Pour ce faire, Bunge propose de convenir d'une troisième supposition.

Supposons, dit-il, que le flux migratoire à un moment donné t du temps est
proportionnel à la pression migratoire P_{ij} **et** à la densité de la population
de la région i à ce temps t relativement à la densité de la population
de la région j au même moment ; représentons ces deux mesures de la
densité respectivement par δ_i et δ_j. Et symbolisons le concept de flux
migratoire par le symbole Φ_{ij}. Cette deuxième supposition (ou hypothèse)
se lira alors comme suit :

$$\Phi_{ij}(t) = \frac{P_{ij} \bullet \delta_i(t)}{\delta_j(t)} \qquad (2)$$

---

26. Ces valeurs sont évidemment arbitraires mais elles décrivent les limites inférieures et
supérieures de l'univers de référence ; de plus, grâce à cet artifice de notation, il serait
possible de traduire cet univers en termes d'espace probabilisé, ce que d'ailleurs fait
Bunge plus loin dans son texte.

Il s'agit donc de multiplier la pression migratoire par la densité de la population *i* et de diviser ce résultat par la densité de la population *j*, pour obtenir la valeur de Φ_{ij}.

Or, le flux migratoire de *i* vers *j* doit être mesuré à partir de la différence des effets de la migration sur les deux populations, c'est-à-dire que l'impact du flux Φ_{ij} sera positif sur la population *j*, comme le suppose l'hypothèse (1). Cela veut dire que le flux migratoire total mesuré sur la population *j* est égal à la somme de (2) sur toutes les régions adjacentes à *j* (*i* étant une région quelconque, cet indice peut prendre toutes les valeurs possibles). Soit :

$$\Phi_j = \sum_i \Phi_{ij} \qquad (3)$$

Sachant que les équations (1) et (2) peuvent être incorporées à (3), en vertu de règles simples de substitution et d'équivalence, ce faisant nous arrivons au stade final de la construction de notre modèle du flux migratoire, qui se lira alors comme suit :

$$\Phi_j(t) = \sum_{i \neq j} k_1 \frac{\delta_i(t)(E_j - E_i)}{\delta_j(t)(E_j + E_i)} + k_2 \qquad (4)$$

Sur le plan méthodologique, ce modèle théorique signifie que « les variables mesurables sont celles de la densité de la population δ_1 et δ_2, et le flux migratoire symbolisé par Φ_{ij}. Par ailleurs, les pressions migratoires P_{ij} sont des construits hypothétiques, dont les valeurs doivent être induites à partir de celles de la densité et de flux en vertu de la formule (2). À partir du moment où la valeur de P_{ij} est obtenue, on aura alors soin de se tourner vers les facteurs d'attrait *E* qui sont supposés mesurables, dans le but de déterminer, avec l'aide de (1), autant la permissivité k_1 que l'effet total k_2 des facteurs d'attrait non tenus en compte. Or ces remarques concernent la testabilité et l'usage de la théorie : elles n'en font pas partie[27] ».

Or, ni nous, ni Bunge au demeurant, n'affirmons ici que ce modèle soit le seul possible. Inspiré de la mécanique des fluides, ce modèle conviendrait-il à l'étude de l'objet social visé (le flux migratoire) ? Ou n'est-il au mieux qu'une analogie formelle (avec un modèle mécanique) ? À ces questions, seule peut répondre la vérification des hypothèses au moyen de la collecte de données.

---

27. BUNGE, *op. cit.*, p. 138. Notre traduction.

3.2. Modèle statistique

Dans ce qui suit, nous tenons pour acquis que le lecteur possède une connaissance minimale de la statistique.

Définition 5

Un modèle statistique est principalement construit par le calcul de la distribution de probabilités de variables aléatoires.

Un tel modèle est illustré graphiquement par la fameuse courbe en cloche, appelée « courbe normale » ou « courbe de Gauss ».

FIGURE 6.1.
Schéma de la courbe normale ou gaussienne

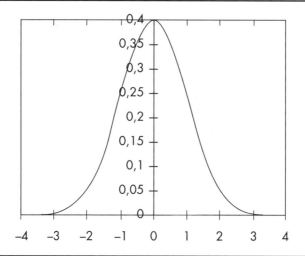

Or, pour comprendre de quoi il s'agit au juste, il importe de définir quelques concepts de cette définition. Commençons par le concept de probabilité, qui y occupe une position centrale.

La probabilité est rien de moins qu'une mesure : celle de l'éventualité d'un événement incertain, c'est-à-dire un événement dont on ne sait pas à l'avance s'il surviendra ou non, et s'il survient, quelle en sera la fréquence. L'exemple du dé à six faces est commun. Si on lance un tel dé, considérant bien entendu que celui-ci est parfaitement honnête, sommes-nous certain d'obtenir par exemple un cinq ? Non. On dit que l'on a « une chance sur six » que ce soit le numéro cinq qui soit obtenu. La probabilité d'un 5 est alors de 1/6. Par conséquent, la probabilité est le nombre représenté par la division du nombre de cas favorables par le nombre de possibilités. Le cas favorable est ici 1 puisqu'il n'y a qu'une seule face numérotée 5 ; le nombre de cas possibles est 6 puisque le dé comporte six faces. Le *calcul* des probabilités est construit comme une arithmétique à partir de tels concepts : dans notre exemple, il s'agit du concept d'éventualité qui est quant à lui défini comme représentant un événement *élémentaire* et *indécomposable*. Comme le dé comporte six faces, donc qu'il y a six événements élémentaires possibles, on dira que ces événements sont *équiprobables*[28].

En second lieu, un autre concept de la définition 5 sur lequel il faut se pencher est celui de « variable aléatoire ». Notons que ce concept est l'exact synonyme de « règle de mesure ». Une règle de mesure est un procédé d'attribution de valeurs numériques à un événement ou à une classe d'événements : un nombre. Voici des exemples d'événements pouvant se voir attribuer un nombre : la taille d'une personne en centimètres, son poids en grammes ; le type de profession qu'elle mène : médecin = 1, ingénieur = 2, avocat = 3, sociologue = 4, économiste = 5, etc. (Dans ce dernier cas, on parle de codage.) Si l'application d'une règle de mesure ne produit pas de valeurs numériques, alors il ne s'agit pas d'une variable aléatoire ; par exemple, seulement noter « chrétienne », « musulmane » ou « juive », etc., pour identifier la religion d'une personne dans un questionnaire n'est pas une règle de mesure numérique et n'est donc pas une variable aléatoire.

Une variable aléatoire peut être discontinue ou continue, et cela dépend du type d'espace échantillonnal qui est l'objet de l'investigation (un espace échantillonnal est un sous ensemble d'une population). Si cet espace est composé d'un ensemble d'événements simples ou élémentaires, comme avec notre exemple du dé, alors la variable aléatoire sera continue parce que chaque événement peut obtenir une valeur numérique au sein d'une échelle continue de valeurs (de 1 à 6 dans le cas du dé) ; sinon, elle sera discontinue, c'est-à-dire qu'elle est relative à un espace échantillonnal comprenant des événements composés (soit d'un événement simple et de un ou plusieurs autres) et du calcul de sa probabilité d'occurrence. Notons au passage qu'un espace échantillonnal est *probabilisé* quand on le représente sous la forme d'une équation probabiliste ou ensembliste des probabilités associées à un univers de référence.

Si Ω est un tel espace, et qu'il comprend, comme avec notre exemple du dé, 6 éléments, soit $\{1, 2, 3, 4, 5, 6\}$, l'ensemble des éventualités est équivalent à l'ensemble des probabilités P d'un événement élémentaire : $\Omega = P_{1\ldots n} (Y = y) = 1/6$. La probabilité de l'occurrence de chaque chiffre

---

28. Pour une introduction et un exposé clair et détaillé du calcul des probabilités, voir Ian HACKING et Michel DUFOUR, *L'ouverture au probable. Éléments de logique inductive*, Paris, Armand Colin, 2004.

d'un dé honnête est toujours $1/6$, soit il y a équiprobabilité. *La somme des probabilités est toujours égale à 1* : $\Omega = \{1/6 + 1/6 + 1/6 + 1/6 + 1/6 + 1/6\} = 1$. Cette dernière remarque est importante, puisque ainsi l'espace probabilisé est fini par l'intervalle compris entre 0 et 1 et inclusivement.

C'est ce pourquoi l'on dit qu'une variable aléatoire, en tant qu'elle est une règle, est une valeur indéterminée qui sera déterminée une fois qu'une épreuve quelconque aura eu lieu. Si une valeur indéterminée est celle d'une mesure incertaine, alors elle peut prendre n'importe quelle grandeur, x_1, x_2, ... x_n.

Conclusion : le modèle statistique vise à déterminer comment, une fois un sondage réalisé parmi une population[29] donnée, une variable aléatoire se comportera, c'est-à-dire quelles seront les valeurs *effectives* qui pourront lui être attribuées, liées à une probabilité d'occurrence. Cette détermination provient de la mesure de la distribution de cette variable aléatoire. Ce que représente le schéma de la courbe de Gauss.

Or, une telle distribution est obtenue en associant une probabilité quelconque à une variable aléatoire. Cela est exprimable sous la forme d'équations mathématiques. La démarche consiste dans un premier temps à relier à une variable aléatoire un événement simple. Cela détermine *ipso facto* que cette variable sera discontinue. Elle est sans aucun doute la règle de mesure la plus usitée en sciences sociales.

Appelons Y une telle variable aléatoire discontinue et f la distribution des probabilités de celle-ci où $f(y) = P(Y = y) = y/N$. Nous allons construire une table des valeurs où seront associées les valeurs des variables aléatoires et la probabilité de leur occurrence :

y	$P(y)$
y_1	$P(y_1)$
y_2	$P(y_2)$
y_3	$P(y_3)$
...	...
...	...
y_n	$P(y_n)$

---

29. Nous rappelons que les concepts de « sondage » et de « population » sont en statistique des termes techniques qui ne renvoient pas nécessairement à des populations humaines ou aux seuls sondages d'opinion. Une population est un ensemble quelconque d'unités statistiques ; un sondage est un test mesurant les fréquences, les variations, la distribution, etc., de variables caractéristiques des unités statistiques étudiées.

Ce tableau satisfait la formule $P_{1...n}$ $(Y = y) = 1/6$ dans le cas du dé à six faces. (Il faut pour s'en convaincre, remplacer les valeurs de y par les chiffres du dé.)

Pour obtenir un modèle statistique final, d'autres opérations de calcul seront nécessaires: par exemple ceux de la moyenne, de l'écart type ou encore de la variance d'une distribution de probabilités. Nous ne nous pencherons pas ici sur ces calculs. Ils sont toutefois requis quand il s'agit de construire le modèle statistique de la distribution normale illustré par la figure 6.1.

Or, la question qui nous intéresse davantage est la suivante: pourquoi cet intérêt pour la distribution normale? À cela, deux réponses sont possibles. La première est d'ordre historique et la seconde, d'ordre épistémologique.

Du point de vue historique, l'étude de la distribution normale de probabilités est apparue tôt comme étant centrale. En effet, à l'origine des statistiques, le problème majeur auquel les scientifiques se heurtaient était celui de l'imprécision des mesures effectuées. Ce problème touchait particulièrement les astronomes qui, du XVIIᵉ siècle au début du XIXᵉ, accumulaient des données, sous la forme de mesures, sur le mouvement des astres. Or, on s'aperçut très rapidement que les astronomes qui utilisaient les mêmes instruments d'observation obtenaient, des *mêmes* phénomènes, des mesures *différentes*. On se rendit alors compte que ce n'était pas tant les instruments qui étaient défaillants – puisqu'en toute logique, entre deux observations, l'état dans lequel se trouvait un instrument ne pouvait pas d'un seul coup, comme par magie, être si différent de l'état dans lequel il se trouvait au moment d'une observation antérieure (étant entendu que les conditions d'utilisation et d'entretien demeuraient identiques) – que l'opération de mesure elle-même qu'effectuait chaque astronome. Il fallait donc tenir compte de ces erreurs et de leur distribution normale. Ce à quoi ont contribué des mathématiciens tels que Jacob Bernoulli (dont on a retenu le théorème ou loi des grands nombres), Abraham de Moivre (loi de distribution binomiale) et Pierre-Simon Laplace (loi des moindres carrés)[30].

---

30. L'œuvre de ces illustres penseurs ne peut être résumée ici. Celle de de Moivre et de Laplace occupant par ailleurs des territoires si vastes qu'il serait même présomptueux de prétendre en parcourir l'horizon dans un simple regard. Pour en savoir davantage, voir: Alain DESROSIÈRES, *La politique des grands nombres. Histoire de la raison statistique*, Paris, La Découverte (coll. « Sciences humaines et sociales »), 2000 (1993) ; Ian HACKING, *op. cit.* ; Jacques MAIRESSE, *op.cit.* ; Stephen M. STIGLER, *The History of Statistics. The Measurement of Uncertainty before 1900*, Cambridge, Harvard University Press, 1986 ; Stephen M. STIGLER, *Statistics on the Table. The History of Statistical Concepts and Methods*, Cambridge, Harvard University Press, 1999.

Parmi ces astronomes, tous férus de mathématiques et de calcul des probabilités, se trouvait un Belge, Adolphe Quételet[31] (1796-1874), qui opéra une sorte de révolution épistémologique dans le domaine des statistiques et de leurs applications aux sciences sociales. En effet, il construisit le concept d' «homme moyen», qui est en soi un modèle statistique fondé sur le calcul des moyennes des mesures obtenues sur une population donnée, compte tenu, croyait-il alors, de la constance et de la régularité des erreurs de mesures et de leur stabilité dans le temps. L'«homme moyen» était ce modèle construit à partir de considérations portant sur les moyennes statistiques de mesures de variables caractérisant une population donnée.

Sur le plan épistémologique, l'ambition de Quételet était donc de permettre aux sciences de l'homme de dégager des lois sociologiques, tout comme la physique et l'astronomie étaient dans leur domaine respectif aptes à fournir les lois du comportement de la nature observable, en dépit des erreurs de mesure observées mais contrôlées grâce aux statistiques et au calcul des probabilités.

Conclusion : bien entendu, les statistiques pratiquées aujourd'hui par les scientifiques sont beaucoup plus sophistiquées que celles que pouvaient espérer utiliser Quételet et d'autres à son époque. En fait, le modèle de Quételet était essentiellement fondé sur la notion de moyenne arithmétique ; ce qui, aujourd'hui apparaît plutôt élémentaire. Néanmoins, les efforts des statisticiens qui ont poursuivi les recherches à sa suite, et ce, jusqu'au milieu du XXe siècle environ, ont consolidé l'idée même d'un modèle sociologique statistique traité comme un ensemble d'opérations de calcul sur des moyennes. Et les modèles actuels, certes plus raffinés, ont ainsi conservé l'esprit des origines.

▩ 3.3. Modèle informationnel

Un modèle informationnel est, par définition, un modèle qui repose soit sur les principes d'une théorie de l'information, soit sur des techniques informatiques. Il y a donc deux types de modèles informationnels. Pour plus de clarté, nous réserverons ici le terme «modèle informationnel» à la désignation du premier type, celui qui est fondé sur une théorie de l'information et le terme de «modèle informatique», au second type.

Des exemples de modèle informationnel nous sont fournis par de nombreux sociologues, anthropologues et économistes, associés à divers degrés à différents courants de pensée. L'un de ces courants, sans doute le

---

31.   On écrit parfois Quetelet.

plus explicite quant à son usage d'une théorie de l'information, est celui de la sociocybernétique, dont l'un des plus illustres représentants est Niklas Luhmann[32]. Nous précisons immédiatement que notre exposé des thèses de ce dernier se limite à celles qui concernent directement l'objet de ce chapitre[33].

Pour Luhmann, comme pour l'ensemble du mouvement sociocybernéticien, le modèle d'analyse sociologique est le même que celui de la théorie de la communication développée par Claude Shannon et publiée en 1949[34]. Or ce que Luhmann en retient, ce n'est pas tant la formulation mathématique de la théorie que le schéma dit de la « boîte noire », que Shannon a pour sa part emprunté à la thermodynamique ; ce schéma illustre le comportement des gaz dans un cylindre dont le contenu est *in*observable. Shannon le traduit en termes de bits d'information transitant dans un canal quelconque.

Ce que fait la théorie shanonnienne de l'information et de la communication, c'est essentiellement de mettre en relief le concept d'incertitude imbriqué dans le calcul de l'entropie, afin d'illustrer comment un phénomène de communication non seulement lui ressemblait, mais trouvait là les fondements nécessaires à toute interprétation quelle qu'elle soit de ce qui se passe lorsqu'un signal quelconque, émis à partir d'une source déterminée, transite par un canal dont on sait seulement qu'il est un lieu de transit stochastique, et aboutit à l'autre extrémité passablement réduit en force et en clarté, parce que réduit en nombre en raison du « bruit » s'insérant dans le canal à un moment donné du processus ; ce phénomène n'est explicable qu'en vérifiant une hypothèse ergodique stipulant que ce processus aléatoire ne produit d'événement connaissable qu'en vertu de la considération de la stabilité de la source à partir de laquelle a lieu le transit[35]. La probabilité que la réception des signaux soit quantitativement équivalente à l'entrée et à la sortie du canal devient ainsi le résultat d'un calcul, le résultat étant que l'information y est ensuite définie comme la réduction de cette incertitude. Le niveau de grande généralité de cette théorie, mathématique rappelons-le, permit ensuite plusieurs adaptations et appropriations.

---

32. Niklas LUHMANN, *Social Systems*, Stanford, Stanford University Press, 1995.
33. Nous avons proposé une étude approfondie de sa théorie dans *Ce que dit la communication. Essai de modélisation de la communication sociale*, Thèse de doctorat non publiée, Montréal, UQAM, 2000, n° de référence D732.
34. Claude SHANNON et Warren WEAVER, *The Mathematical Theory of Communication*, Urbana et Chicago, University of Illinois Press, 1963 (1949).
35. L'ergodicité est essentielle à la démonstration pourvu que l'état stationnaire et stable de la source (hypothèse première) autorise l'hypothèse (seconde) d'un nombre fini de signaux. À ce sujet : John R. PIERCE, *An Introduction to Information Theory. Symbols, Signals and Noise*, New York, Dover Publications, 1980.

Cette théorie est généralement représentée par le schéma graphique *simplifié* que reprend la figure 6.2. La « boîte noire » est ce lieu de transit des bits d'information ; elle est « noire » parce que, justement, ce qui s'y passe n'est pas accessible au regard d'un observateur.

FIGURE 6.2
Schéma graphique général du modèle de la « boîte noire ».

En ce qui concerne la théorie de l'information, les éléments qui effectuent le transit sont des bits d'information qui sont eux-mêmes des nombres composés d'un alphabet binaire (0, 1) et qui sont associés à d'autres symboles (intrants) d'une langue, comme les lettres de l'alphabet romain et les chiffres, ou encore tout symbole d'un langage formel quelconque tel que la logique et les mathématiques. Ces symboles sont traduits en octets et constituent le message. La théorie vise à mesurer le degré d'incertitude quant à l'information qui résultera du transit en calculant la différence probable entre les quantités à l'entrée et à la sortie.

Le modèle informationnel de Shannon est toutefois plus complexe que ne le laisse supposer la figure 6.2, qui en est une simplification répandue mais inexacte. En effet, dans son ouvrage, Shannon[36] analyse la fonction de la transmission localisée dans un canal et le rôle qu'y joue le bruit ; le concept de bruit étant défini comme toute forme de signal intervenant aléatoirement dans la transmission d'un message quelconque, augmentant ainsi le nombre et les types de signaux reçus, réduisant *de facto* la qualité de la réception du message. À la source d'origine d'un message s'ajoute celle de ce bruit. Il importe donc de prévoir un mécanisme de correction, ou d'autocorrection, du message lors de sa transmission ; ce qui est l'objet du deuxième théorème de sa théorie.

Ce mécanisme d'autocorrection est capital pour la compréhension du modèle informationnel de la société formulé par Luhmann et les sociocybernéticiens. En effet, pour Luhmann, la société est un ensemble complexe de traitement d'informations, subdivisé en sous-systèmes instruits de tâches spécifiques, et inscrit dans un processus autorégulateur fonctionnant selon les principes mêmes de la théorie de l'information. Dans cette théorie de la société, les acteurs sociaux ne sont que des réceptacles d'information, ou des sources possibles mais non nécessaires au processus

36. Claude SHANNON et Warren WEAVER, *op.cit.* ; voir pages 34 et 68.

sociocommunicationnel lui-même. De cette théorie se dégagent au moins deux thèses importantes : d'une part, les individus sont soumis au processus social des interactions communicationnelles, et n'ont pas véritablement la possibilité d'y exercer de libre arbitre au sens où l'entendent la sociologie et la philosophie issues du libéralisme et du républicanisme classiques et de la philosophie des Lumières : ils n'ont pas le statut d'*agents sociaux*. D'autre part, la société, en tant qu'ensemble complexe de processus entre sous-systèmes articulés fonctionnellement comme des canaux de transmission d'information, est un système autoreproducteur[37], qu'elle n'évolue pas en raison des tensions internes que produiraient les oppositions entre groupes d'intérêts divergents (comme dans la tradition marxienne ou comme chez Habermas, par exemple), mais plutôt en raison de ses mécanismes de distribution de l'information disponible parmi les sous-systèmes qui la composent. Ainsi, toute transformation sociale est strictement limitée aux structures informationnelles, et ses effets sont strictement limités à ce que Luhmann appelle le sous-système du sens, qui est ce qui fonde une interprétation culturelle des processus sociaux. Le modèle sociétal de Luhmann est conservateur par définition.

L'exemple de la théorie de Luhmann illustre bien un défaut important des modèles informationnels : ce sont des modèles théoriques sans modèles d'objets correspondants. Un « objet » informationnel, dans ce sens, n'existe pas si ce n'est qu'en termes de processus communicationnels, lesquels ne peuvent être caractérisés que par l'intermédiaire de la théorie de la communication de Shannon. Or, cette dernière est elle-même une théorie générale et non un modèle d'objet particulier.

Un mot, en terminant, sur la modélisation informatique. Pour les fins de cette partie de notre exposé, nous ne retiendrons que l'exemple de la simulation multi-agents. Les présupposés théoriques et les intentions premières de cette approche en font un outil de modélisation sociologique fort intéressant.

---

37. Luhmann fonde cette thèse sur la notion d'autoréférentialité : « On peut appeler auto-référentiel un système quelconque si tous les éléments qui le composent sont ceux-là mêmes qui en constituent les unités fonctionnelles et qui conduisent la référence à cette autoconstitution à travers toutes les relations qu'entretiennent entre eux ces éléments, reproduisant ainsi continuellement cette autoconstitution. En ce sens, les systèmes autoréférentiels opèrent nécessairement par autocontact ; ils ne possèdent aucune autre forme de contact avec un environnement sinon que par le moyen de cet autocontact à eux-mêmes. » (*Op. cit.*, p. 33 ; notre traduction. Tout le cinquième chapitre de son ouvrage traite de la relation entre système et environnement.)

Le rôle de la simulation est des plus importants en science[38]. Mais contrairement à ce que l'on serait tenté de croire, le but de la simulation, informatique ou autre, n'est pas *a priori* de représenter un événement concret, empiriquement avéré et vérifiable : le but de la simulation est d'abord et avant tout de formaliser une ou des hypothèses et d'en tester la validité en modifiant les valeurs de certaines variables. La simulation est donc une approche qui permet aux scientifiques de *manipuler* des variables et de vérifier les différents liens causaux qui se produisent *in abstracto*, c'est-à-dire au sein de modèles *virtuels*, c'est-à-dire dont l'univers de référence n'est pas nécessairement construit à partir de données empiriques : l'objectif y est principalement de mesurer les effets obtenus lorsqu'on manipule les variables.

Maintenant, voyons ce qu'il en est avec l'exemple de la simulation multi-agents. Signalons d'abord qu'un « agent », dans cette approche, n'est pas nécessairement une représentation ou un modèle de ce que dans les sciences humaines on appelle un agent, c'est-à-dire la désignation d'un individu typique ou d'un groupe dont les caractéristiques sont représentées par des variables liées à un concept d'action dans le monde. En fait, un agent, dans cette approche, est un ensemble de caractéristiques définies à partir de la place qu'il occupe dans un système d'information ou un réseau d'information. La métaphore sociale sert de lieu d'expérimentation ; l'« agent » est une composante du système en réseau.

La simulation multi-agents se fonde sur quelques concepts de base :

- l'intelligence distribuée : c'est-à-dire une capacité de traitement et de computation distribuée parmi tous les points de traitement du réseau (les ordinateurs, en l'occurrence), ce qui en principe en augmente la puissance ;

- l'architecture de système distribuée : le système computationnel est conçu comme un réseau d'ordinateurs hiérarchisés en fonction des tâches à effectuer afin d'obtenir la puissance de calcul voulue ;

- la planification et la coordination des interactions (principe d'organisation) : les interactions sont des échanges d'information au sens strict du terme ; celles-ci doivent être planifiées afin de respecter, et les étapes, et les objectifs du calcul ; c'est un peu l'équivalent informatique du principe fordien de l'organisation du travail en usine ;

---

38. Voir Peter GALISON, *Image and Logic. A Material Culture of Microphysics*, Chicago et Londres, University of Chicago Press, 1997.

- les relations entre agent et «environnement» (systèmes cognitifs, «perceptions», intentions, décisions) : tout agent peut être
paramétré selon les tâches spécifiques qu'il aura à accomplir
dans le calcul et le système ; s'il s'agit par exemple de simuler un
environnement social sociologiquement descriptible, les agents
pourront alors être paramétrés comme des consommateurs, des
décideurs d'entreprise, des investisseurs, des terroristes, etc. ;
ainsi, au nombre des variables retenues à cette fin, on décidera,
lors de la conception, de simuler les connaissances requises pour
l'exécution des tâches et de construire une base de données à
l'avenant ; etc.

- la résolution de problèmes : la simulation multi-agent est une
approche de résolution de problème exigeant une grande capacité
de calcul, d'où l'importance de la distribution des tâches et de la
mise en œuvre d'un principe d'organisation fondé sur la notion
de spécialité ; la mécanique de la résolution est fondée sur le
développement d'algorithmes ;

- la programmation à partir de langages de formalisation des interactions et de communication entre systèmes et entre agents.

On se retrouve ainsi avec un «environnement social» entièrement
déterministe au sein duquel les agents sont des agents *téléonomiques*,
c'est-à-dire programmés dans un but spécifique grâce à l'implémentation
de règles et d'algorithmes permettant l'exécution de la tâche ou des tâches
sérialisées dans le système. On voit nettement en quoi cela équivaut à une
métaphorisation de la socialité : la collaboration inter-agent y est introduite
en tant qu'expression d'une rationalité computationnelle et non en tant
que *modèle* empiriquement vérifiable de rapports sociaux. Autrement dit,
les rapports sociaux y sont représentés comme des étapes d'un calcul global
et l'agent y est représenté comme un élément pouvant effectuer l'une des
étapes du calcul.

En raison de cette métaphorisation, ses applications ne conviennent
qu'aux univers *formels*, et exclusivement. Car ses objets sont, en premier
lieu, le «parcours» (étapes du calcul) de l'algorithme des interactions et,
en second lieu, la modification des états du système par la manipulation
des variables. C'est la raison pour laquelle nous pensons d'ailleurs que la
simulation multi-agents et la simulation en général sont des heuristiques :
or, les scientifiques recourent depuis toujours aux méthodes heuristiques et
leur informatisation est certes souhaitable. Mais, compte tenu des concepts
mis en œuvre dans la simulation multi-agents et de l'environnement formel
métaphorique qui y est déployé, ce n'est pas d'un modèle théorique qu'elle
accouchera en sciences sociales, mais de multiples modèles d'objets dont

il faudra ensuite tester la pertinence et la validité pour éventuellement être en mesure d'élaborer une *théorie* des interactions une fois que celles-ci auront quitté le milieu formel et computationnel pour se retrouver sur le plancher des vaches.

CONCLUSION GÉNÉRALE

Quels sont les usages de la modélisation dans la recherche en sciences sociales ?

Donner une réponse valable à cette question nécessiterait que l'on produise une étude de sociologie empirique sur, justement, les usages des modèles et sur les significations accordées à la modélisation dans la pratique des sciences sociales chez les scientifiques qui y ont recours. Pour certaines sciences sociales, par exemple l'économie ou la démographie, les modèles sont inséparables de la méthode d'enquête et d'analyse. La statistique et les mathématiques y sont très largement utilisées à ces fins. À l'autre bout du spectre, la sociologie qui prend pour objet les petits groupes sociaux n'a que très rarement recours à une forme de modélisation aussi évidente que dans les précédentes sciences. Les sciences sociales qualitativistes, comme nous l'avons proposé plus haut, ont certes recours à une forme logique de modélisation, mais les modèles n'y sont pas exposés en eux-mêmes en tant qu'objets formels justifiant une analyse propre – ou, du moins, si les modèles y sont également inséparables des méthodes prescrites, ils n'en forment pas des catégories extrinsèques.

Dans tous les cas, la modélisation est un procédé *heuristique* au sein duquel la formulation d'hypothèses joue un rôle crucial. L'exploration de cette dernière idée nous servira de conclusion générale à ce chapitre.

■ De l'hypothèse au modèle

Par définition, une hypothèse est une *conjecture* à propos de quelque phénomène inconnu ou à propos d'une explication possible de la relation causale entre deux phénomènes ou plus. Une hypothèse est donc un énoncé quelconque (linguistique, logique ou mathématique) qui organise des liens entre variables représentant chacune une caractéristique ou un groupe de caractéristiques du phénomène étudié.

Identifier des variables n'est cependant pas possible sans préalablement observer et recueillir de l'information pertinente sur le phénomène. Ces données, au départ, sont souvent inorganisées ; mais elles sont ce qui indiquera aux scientifiques, le plus souvent de manière descriptive (sous la forme de tableau statistique ou non), ce qui « se passe ». L'étape suivante consiste à en fournir une explication. Et c'est à ce moment que les hypothèses jouent leur rôle en organisant les données.

Le modèle, qu'il soit d'objet ou théorique, résulte de ce travail d'organisation.

▓ Éprouver le modèle

Si la modélisation, ou la construction de modèle, inclut la formulation d'hypothèses et si la modélisation est une heuristique, cela veut nécessairement dire que tout modèle est faillible car incertain jusqu'à un certain point. Pourquoi faillible et incertain ? Parce qu'un modèle est généralement incomplet ou, encore, ne dit pas tout. En effet, pour pouvoir « représenter » complètement un phénomène quelconque, un modèle devrait être construit avec une information elle-même complète. Or, nous avons vu que les scientifiques font des choix en isolant les variables qui leur semblent les plus significatives ou plus susceptibles d'expliquer le phénomène étudié. Cela va de soi quand on sait, d'une part, que le nombre de variables qui pourraient être retenues, si l'information accessible couvrait tous les aspects du phénomène, serait tel que leur traitement demanderait une capacité de calcul ou de computation supérieure à tout instrument d'analyse disponible et que, d'autre part, un trop grand nombre de variables peut introduire des biais en obligeant à tenir compte de valeurs extrêmes.

En tant qu'heuristique, la modélisation doit alors assumer certains principes épistémologiques et méthodologiques qui pallient la capacité réelle de calcul des instruments scientifiques :

1. L'application d'une procédure heuristique ne garantit aucunement qu'elle débouchera sur une solution valable ;

2. Le temps estimé, l'effort et la complexité computationnelle de l'application d'une procédure heuristique sont généralement moindres que ceux de la recherche et de l'application d'un algorithme de traitement de données[39] ;

3. Les échecs et les erreurs causés par l'application d'une procédure heuristique ne sont pas aléatoires mais systématiques, en ce sens qu'elles découlent de la manière dont ces procédures sont

---

39. Critère qui suggère que la simulation informatique débouche sur des modèles généralement simplifiés ; d'où d'ailleurs l'importance que nous notions à les confronter à la réalité empirique.

élaborées et appliquées ensuite : une heuristique introduit des erreurs, comme le montre la pratique scientifique, et ces erreurs sont généralement introduites de manière régulière, aux mêmes endroits lors des tests[40].

Ces trois principes épistémologiques et méthodologiques ne sont pas négligeables : ils caractérisent au contraire le *travail humain* de l'analyse scientifique et de la recherche de connaissances du social. Ce travail d'application d'une procédure heuristique et de la construction de modèles peut alors être décrit comme un travail au cours duquel les scientifiques soumettent les hypothèses et les variables qu'ils auront retenues aux tests qui permettront de valider ou d'invalider, de confirmer ou d'infirmer et de falsifier les hypothèses qui les contiennent.

> Un exemple parmi de très nombreux autres nous est fourni par un article des chercheures Marie-Josée Legault et Stéphanie Chasserio[41]. Cet article entend fournir des explications sur le phénomène de la ségrégation professionnelle selon le genre sexuel dans les entreprises de haute technologie montréalaises ayant adopté le mode de gestion par projet en tant que méthode de gestion de leur production de biens ou de services technologiques. Les auteures énoncent ainsi leur objectif :
>
> *Le présent texte résume ce qui, dans nos travaux antérieurs, vise à répondre à la question suivante : peut-on trouver un fondement à cette ségrégation professionnelle dans la forme de l'organisation du travail, soit la gestion par projet? Diverses particularités de cette forme d'organisation du travail permettent d'envisager des pistes que nous jugeons fécondes. (Op. cit., p. 2.)*
>
> Les travaux antérieurs, ainsi que des travaux d'autres chercheurs ayant travaillé à des objets similaires ou semblables sont aussi mis à contribution quant à ce qui a trait non seulement au cadrage théorique mais également à ce que nous avons appelé plus haut l'univers de référence. Or, les auteures ne développent pas de modèle mathématique ou statistique[42], bien que la procédure heuristique qu'elles exposent fasse usage de données statistiques établissant une distribution de diverses variables parmi l'échantillon retenu. Elles constatent alors ceci :

---

40. Ces trois critères sont repris de William C. WIMSATT, *Re-engineering Philosophy for Limited Beings*, Cambridge, Harvard University Press, 2007, p. 68-69. L'auteur vise ici aussi bien les sciences naturelles que les sciences sociales dont il décrit les objets comme étant des *systèmes complexes*.

41. Marie-Josée LEGAULT et Stéphanie CHASSERIO, « La gestion de projets dans les services technologiques aux entreprises et ses effets de genre », *Regards sur le travail*, vol. 2, n° 3, 2006.

42. Il s'agit d'une enquête qualitative menée auprès d'employés des deux sexes au sein de « cinq organisations de la nouvelle économie et deux grandes bureaucraties plus traditionnelles utilisées comme secteur de comparaison » (p. 2), et l'enquête fut effectuée au

*Notre échantillon d'entreprises n'ayant aucune prétention à la représenta-
tion statistique du secteur (laquelle requerrait d'ailleurs une précision pas
encore atteinte des contours des services technologiques aux entreprises),
toute interprétation de cette distribution doit se formuler prudemment.
Elle vous est d'abord fournie pour sa vertu d'indiquer que la part des
femmes, dans l'effectif des postes liés aux services technologiques dans
les sept organisations constituant notre population, ne dépasse jamais
le tiers – ou, si tel est le cas, de peu. Cette conclusion s'apparente aux
statistiques plus générales déjà vues. Cependant, on ne peut passer
sous silence dans cette distribution la différence entre les bureaucraties
et les PME des services technologiques aux entreprises* (p. 6).

Quelle réponse sont-elles alors en mesure de fournir à la question qui
ouvre leur article? Elles proposent les éléments suivants : temps de travail
réel, désirs d'en modifier la durée divergeant selon le genre, exigences
structurales du mode de gestion par projet et ses effets sur les relations
sociales dans les entreprises.

*L'importance des longues heures et la résistance farouche à la réduction
du temps de travail [...], les heures supplémentaires non payées, l'indemnisation d'une partie des heures supplémentaires sujettes à négociation
avec le chef de projet, selon des critères arbitraires, créent d'importants
problèmes de conciliation entre la vie privée et la vie professionnelle
que supportent avant tout les femmes* (p. 10).

Ainsi, le milieu de travail des employés et employées de ce secteur est
modélisé en fonction de ces trois grandes variables et une constante
latente[43] : la difficulté qu'éprouvent les femmes à concilier vie privée et
vie professionnelle.

Elles concluent, après avoir livré le compte rendu détaillé de leurs
analyses, ceci :

*La gestion par projet a dans les organisations visitées des effets notables
sur l'intensité du travail, sur l'engagement demandé aux professionnels,
sur la vie hors-travail et, en vertu de l'état actuel du partage du travail
domestique, sur la carrière des femmes.*

*À partir de nos résultats, on peut établir les effets dévastateurs de la
séquence suivante :*

---

moyen d'entretiens individuels enregistrés puis analysés selon les variables retenues ; les
réponses furent réparties en fonction du genre du répondant ou de la répondante.

43. « Latente » est ici utilisé au sens statistique du terme, soit : ce qui ne peut ou difficilement
être mesuré (quantifié). Et ce concept de difficulté est quant à nous une constante car
il est ainsi traité dans le texte cité. Cela dit, nous voulons préciser que ces dernières
remarques n'ont absolument pas pour but de réduire l'importance de cette constante
dans l'argumentation des auteures, ou d'en diminuer la valeur en tant que phénomène
empirique identifiable : bien au contraire.

> – on trouve davantage chez les femmes que chez les hommes un désir
>   de limiter ses heures de travail ;
>
> – or, les heures de travail et le présentéisme sont plus que jamais un
>   important indicateur de l'engagement des employés dans les milieux
>   étudiés, à la fois selon les travaux et dans notre échantillon ;
>
> – l'engagement est par ailleurs un important facteur de promotion
>   qui, en vertu des indicateurs choisis, défavorise les demandeurs et
>   demandeuses de réduction des heures de travail (p. 14).

Ainsi, l'hypothèse de l'existence d'un fondement à la ségrégation professionnelle est comparée à l'hypothèse de l'influence du milieu de travail, en tant qu'organisation mais aussi en tant que système de relations sociales du travail. Le modèle qui en est proposé repose sur des considérations empiriques, ce que confirment les entrevues et la répartition des réponses au questionnaire administré par les enquêteurs. La gestion par projet, méthode d'organisation concrète du travail, est alors reconnue comme principale cause du phénomène de ségrégation professionnelle dans l'échantillon étudié, compte tenu de ses effets sur la structure des relations sociales du travail.

▓ Du modèle à la théorie

L'objet étudié par les chercheures dans l'exemple précédent est la ségrégation professionnelle selon le genre sexuel dans le milieu des entreprises de haute technologie ; l'univers de référence est constitué par l'espace échantillonnal retenu ; l'hypothèse testée est celle de l'influence du mode de gestion de la production sur les relations sociales de travail en tant que ces relations déterminent (du moins en partie et localement) les conditions d'apparition du phénomène de ségrégation étudié.

Le modèle qui en est issu tend à confirmer cette hypothèse. Mais il n'a pas la prétention d'une théorie générale. Il s'agit tout de même d'une théorie au sens plein du terme parce qu'elle présente et étudie des mécanismes causaux dans un cadre hypothéticodéductif.

Grâce à cet exemple, on voit aisément qu'une théorie *locale* est en mesure de contribuer à l'explication d'un phénomène social si les conditions méthodologiques et la procédure de modélisation sont respectées.

Ce qui vient d'être dit est normatif. L'épistémologie est une discipline qui étudie les normes de la construction des connaissances, de leur découverte, de leur justification. Et ce, simplement parce que les scientifiques eux-mêmes appliquent des normes qui parfois peuvent leur échapper.

Cela dit, la modélisation n'échappe pas à la normativité des sciences, sociales ou autres.

BIBLIOGRAPHIE ANNOTÉE

BERTHELOT, Jean-Michel (dir.), *Épistémologie des sciences sociales*, Paris, Presses universitaires de France (coll. «Premier cycle»), 2001.

Un ouvrage essentiel, en français, qui traite de la plupart des enjeux et problématiques de l'épistémologie actuelle des sciences sociales.

BERTHELOT, Jean-Michel, *Les vertus de l'incertitude. Le travail de l'analyse dans les sciences sociales*, Paris, Presses universitaires de France (coll. «Sociologie d'aujourd'hui»), 1996.

Ce livre permet de comprendre comment les scientifiques parviennent à mettre ensemble les données, à les organiser dans des théories.

BURGESS, John P., *Mathematics, Models and Modality*, Cambridge, Cambridge University Press, 2008.

Un livre pour les amateurs de mathématiques avancées, dans lequel l'auteur non seulement explique et démontre la formalisation et la modélisation mathématiques, mais où au surplus il discute de leur pertinence scientifique.

GEYER, Felix et Johannes van der ZOUWEN (dir.), *Sociocybernetic Paradoxes. Observation, Control and Evolution of Self-Steering Systems*, New Delhi, Sage, 1986.

Cet ouvrage réunit plusieurs auteurs spécialistes de la sociocybernétique, dont Luhmann, et a pour objectif de fonder cette approche.

GRANGER, Gilles-Gaston, *Formes, opérations, objets*, Paris, Vrin (coll. «Mathesis»), 1994.

Dans cet ouvrage, Granger a réuni plusieurs articles dont l'unité traduit, au fil des années de leur publication, la grande cohérence de sa pensée. Il y est surtout question du rapport entre la construction des modèles d'analyse scientifique et la construction des objets scientifiques en tant qu'objets constitutifs de la réalité.

PASSERON, Jean-Claude, *Le raisonnement sociologique. L'espace non-poppérien du raisonnement naturel*, Paris, Nathan (coll. «Essais et Recherches»), 1991.

L'auteur défend une thèse postanalytique audacieuse, soit que la mise en forme du raisonnement sociologique est tributaire d'une logique du sens commun en raison de ses assises historiquement déterminées.

LA STRUCTURE
DE LA RECHERCHE

LA STRUCTURE DE LA PREUVE

Benoît GAUTHIER

*L'analyse ne peut réparer ce qui a été gâché
par une mauvaise conception.*

R.J. LIGHT, J. SIGNER et J. WILLET

Vous avez eu beaucoup à faire depuis le moment où vous vous êtes intéressé à un sujet de recherche. Vous avez d'abord eu à en spécifier la nature, à en préciser la problématique et à en délimiter les thèmes importants. Vous vous êtes ensuite penché sur ce que *d'autres* chercheurs avaient dit du même sujet, sur les conclusions qu'ils avaient tirées et sur les leçons que vous deviez en retenir. Puis est venue l'incorporation à une *théorie* qui vous a permis de replacer cette problématique spécifique dans un cadre plus général, de suggérer des raisons aux attentes que vous aviez forgées et d'envisager de généraliser la portée de vos conclusions empiriques. Enfin, vous avez marié ces divers ingrédients préalables pour cuisiner des *hypothèses* qui font la synthèse de vos efforts de recherche, traduisent les énoncés théoriques en affirmations vérifiables et dirigeront le reste de votre recherche.

On ne saurait mettre suffisamment d'accent sur le fait que sans un contenu solide (une bonne problématique, une bonne théorie et de bonnes hypothèses), tout effort de vérification, quel qu'il soit, sera vain. De la même façon, le meilleur contenu préalable ne mènera à aucune conclusion solide s'il n'est pas couplé à une approche adaptée de démonstration, de preuve.

1   DISCUSSION GÉNÉRALE

Une fois les hypothèses posées, le chercheur doit déterminer comment il entend confirmer ou infirmer ces hypothèses. Le chercheur devra *monter un dossier* qui permette soit de conclure à la validité de ses hypothèses, soit de les réfuter. Ce dossier comprendra des observations empiriques qui seront reliées aux hypothèses et à la question de recherche. Voici un exemple.

> Imaginons qu'un chercheur veuille déterminer si un programme québécois d'accession à la propriété, par exemple, la réduction du taux d'emprunt hypothécaire, a un impact sur la construction résidentielle. Il pourrait émettre l'hypothèse suivante : la réduction du taux d'emprunt hypothécaire a permis à 50 % des clients du programme d'accession à la propriété d'acquérir une maison. Une fois cette hypothèse émise, le chercheur doit décrire quelle approche il utilisera pour confirmer l'hypothèse ou la rejeter. Il pourrait tester son hypothèse d'au moins deux façons. D'abord, il pourrait demander aux participants si leur décision d'achat de maison a été influencée par la baisse du taux hypothécaire, et donc se fier au jugement des participants au programme pour constituer sa preuve. Le chercheur pourrait aussi comparer les taux d'achat de maisons par des ménages gagnant des revenus équivalents au cours des années antérieures au taux d'achat depuis l'entrée en vigueur du programme ; le critère du chercheur (son élément de preuve) serait alors que les taux d'achat sont supérieurs depuis que le programme a été mis en place. Il s'agit de deux structures de preuve légitimes qui ont chacune leurs forces et leurs faiblesses.

Le chercheur doit donc proposer une logique de démonstration ou de preuve, c'est-à-dire une approche de recherche qui permettra de monter un dossier en faveur de ses hypothèses ou à leur charge. La description de cette structure de preuve est une des caractéristiques principales de la recherche dite scientifique : le scientifique doit décrire précisément le protocole qu'il utilisera pour tester ses hypothèses et, par ailleurs, il ne bornera pas son observation aux seuls faits qui confirment ses idées préconçues ; il prendra en compte toutes les observations disponibles, qu'elles soutiennent ses hypothèses ou non.

Plus spécifiquement, la *structure de la preuve* dans une recherche sociale est *l'arrangement des modes de comparaison adopté pour vérifier des hypothèses, assurer les liens entre les variables retenues et éliminer les influences d'autres variables.*

2 **QUESTIONS DE RECHERCHE ET STRUCTURES DE PREUVE**

Il existe trois types de questions de recherche et à chaque type de question de recherche est associée une stratégie de preuve privilégiée. Nous disons bien «privilégiée» et non pas exclusive puisque les liens que nous établissons ici ne sont pas nécessaires; ils sont plutôt les plus courants.

TABLEAU 7.1
Questions de recherche et stratégies de preuve

	Questions exploratoires	**Questions descriptives**	**Questions relationnelles**
Définition	Question de recherche ouverte portant sur un thème peu connu, en exploration.	Question portant sur la description d'un état.	Question portant sur la relation entre deux états.
Exemple	Quelle est la nature du lien entre les jeunes et la société contemporaine?	Quelle est la satisfaction des clients d'une entreprise?	Existe-t-il un lien entre les ressources financières et la probabilité de compléter un diplôme universitaire?
Stratégie de preuve privilégiée	Approche exploratoire: étude de cas.	Approche descriptive: description de cas multiples.	Approches comparatives: structures corrélationnelles, structure expérimentale.
Justification	L'étude de cas permet la description en profondeur et l'enclenchement d'un processus inductif.	La description de cas multiples permet de documenter l'état d'un nombre suffisant d'individus pour enclencher un processus déductif.	La comparaison de cas permet d'établir des liens de concomitance qui, associés à une théorie, permettent d'inférer des liens de causalité.

Les *questions de recherche exploratoires* visent des thèmes qui ont été peu analysés et dont le chercheur n'est pas en mesure d'établir un portrait à partir des connaissances existantes. En voici des exemples: Quelle est la nature du lien entre les jeunes et la société contemporaine? Quelle est la signification de la citoyenneté canadienne pour les immigrants récents? Quelles sont les causes de l'insatisfaction des clients de l'entreprise A? L'objectif de recherche, dans le cas des questions exploratoires, est de nature inductive: La situation existante peut-elle nous apprendre quelque chose que l'on puisse formuler ensuite au moyen d'un modèle temporaire de représentation de la réalité? Pour aborder les questions exploratoires, on privilégie une approche qui permet de s'imprégner de l'essence d'une situation, d'en capter la complexité et d'en interpréter le sens. L'approche exploratoire par excellence est l'étude de cas. Elle fera l'objet de la prochaine section ainsi que du prochain chapitre.

Les *questions de recherche descriptives* s'intéressent à la description pure et simple d'états : Quelle proportion des clients de l'entreprise A sont satisfaits ? Combien de Québécois ont l'intention de voter de telle ou telle façon lors de la prochaine élection ? Quelles sont les préoccupations des immigrants en ce qui a trait au marché du travail ? Quel rang occupe le Canada au regard de l'indice de développement humain ? Les questions descriptives tiennent une grande place dans la littérature en sciences sociales, comme dans le débat public. Ces questions sont généralement abordées à partir d'une structure de preuve basée sur une description de multiples cas dont nous traiterons à la section 4.

Les *questions de recherche relationnelles* mettent en relation deux ou plusieurs états de faits : Les ressources financières disponibles aux étudiants influencent-elles la probabilité qu'ils obtiennent un diplôme universitaire ? Pourquoi la part de marché de l'entreprise A diminue-t-elle ? Comment pourrait-on réduire le décrochage scolaire ? Ces deux dernières questions sont de nature relationnelle puisqu'elles exigent de s'interroger sur les causes sous-jacentes à un phénomène : avant de chercher des moyens de réduire le décrochage scolaire, il faut déterminer les facteurs qui le provoquent. À la question relationnelle correspond la nécessité de comparer des situations : la démonstration de la relation entre deux variables (p. ex., les ressources financières et l'obtention d'un diplôme) passe par la comparaison d'au moins deux groupes : on comparera le taux d'obtention d'un diplôme des étudiants ayant beaucoup et peu de ressources financières, par exemple. Les approches comparatives forment une famille bigarrée le long du continuum allant de la description pure et simple de deux groupes à l'expérience hautement contrôlée. Elles feront l'objet de la section 5.

En résumé, la structure de la preuve poursuit essentiellement trois buts :

- fournir une réponse de recherche aussi valide, objective, précise et économique que possible en établissant clairement les potentialités et limites de la méthode de recherche choisie ;

- produire un cadre où l'on sera en mesure de rejeter les explications alternatives, après avoir démontré la justesse des hypothèses de recherche ; savoir que le niveau technologique et l'urbanisation sont reliés ne permet pas de conclure que l'un cause l'autre, il faut aussi éliminer les influences des autres variables (l'industrialisation, par exemple) et leurs influences réciproques;

– préciser les observations à faire; la structure de preuve dicte, par exemple, s'il faut étudier un seul sujet ou plusieurs, quelles variables semblent pertinentes, quelles comparaisons effectuer, etc.

 L'ÉTUDE DE CAS

Quand on analyse seulement une situation, un seul individu, un seul groupe, une seule campagne électorale, un seul pays, etc., et à un seul moment dans le temps, on dit qu'on effectue une étude de cas. On peut étendre cette définition pour inclure les circonstances où l'on étudiera quelques situations en profondeur ou une situation évoluant dans le temps. Somme toute, cette approche de recherche se caractérise à la fois par le *nombre restreint* de situations analysées, la *profondeur de l'analyse* et l'importance accordée à une *démarche inductive,* qui alimentera une phase de développement de théories ou de modèles (tout en reconnaissant que certaines études de cas peuvent aussi servir dans une perspective déductive et confirmatoire).

Cette structure est à la fois forte et faible, justement en raison de cette attention à très peu de situations. Le fait qu'elle n'utilise qu'un cas (ou un nombre limité de cas) lui permet de l'approfondir beaucoup plus que ne peut le faire l'analyse comparative: ici, pas autant de contraintes de ressource et d'équivalence des concepts à comparer comme ce sera le cas dans l'approche comparative. Cet approfondissement permet d'effectuer des spécifications, de préciser des détails, d'expliquer des particularités comme la structure comparative ne peut le faire.

La démarche de l'étude de cas est suffisamment particulière pour que nous ayons jugé nécessaire de lui consacrer un chapitre entier. Le lecteur trouvera donc davantage d'information sur ce sujet dans le chapitre 8.

 LA STRUCTURE DESCRIPTIVE

La structure descriptive à cas multiples a pour but essentiel de décrire un état pour documenter, de façon fiable, une situation. Elle diffère de l'approche exploratoire par l'utilisation non plus d'un seul cas (ou d'un petit nombre de cas) mais de plusieurs.

Brigitte Blanchard[1] s'intéressait aux relations mère-enfant en milieu carcéral. Sa recherche visait à présenter un portrait de la situation des mères incarcérées et de leurs enfants et à examiner les relations entretenues au cours de la sentence carcérale. La plus grande partie des données de recherche provenaient d'un questionnaire soumis aux mères incarcérées dans les principaux établissements carcéraux et maisons de transition pour femmes au Québec. Les réponses obtenues ont permis de tracer le profil de ces femmes, de documenter la situation de garde de leurs enfants, de scruter les services auxquels elles ont recours, ainsi que l'appréciation qu'elles en font. L'auteure écrit : « À l'analyse, on constate que les détenues ayant des enfants présentent plusieurs caractéristiques semblables à celles qui se dégagent pour l'ensemble des femmes incarcérées (faibles revenus, sous-scolarisation, problèmes de toxicomanie, etc.). On remarque ensuite que les services et programmes pour maintenir le lien mère-enfant varient considérablement d'un établissement à l'autre et semblent répondre aux besoins d'une minorité. De tels constats mettent en lumière la complexité de la problématique et la nécessité de poursuivre les recherches afin de cibler les priorités d'action permettant d'assurer le meilleur intérêt de la dyade mère-enfant. »

La plupart des sondages d'opinion entrent dans cette catégorie. Ils décrivent les réponses d'un grand nombre de personnes. On verra à la prochaine section que les sondages peuvent aussi être utilisés dans le cadre d'une approche comparative.

Il est très important de remarquer que toute stratégie de démonstration qui est basée sur la description simple de données colligées sur de nombreux cas relève de l'approche descriptive. En particulier, toutes les stratégies de preuve qui se basent sur l'opinion qu'ont des individus sur le changement qui a pu survenir (« Lisez-vous plus ou moins de livres aujourd'hui qu'autrefois ? », « Est-ce que la réduction du taux hypothécaire vous a amené à devancer l'achat de votre résidence ? ») relèvent de l'approche descriptive. En effet, dans ces cas, la preuve avancée est la *description* d'un état, soit l'état de la comparaison que l'on demande à une personne de faire entre deux situations, et non pas la comparaison de deux états.

Une étude menée par la Fédération étudiante universitaire du Québec[2] conclut que les problèmes financiers constituent la principale cause d'abandon des étudiants à la maîtrise et au doctorat. Pour preuve, selon un sondage auprès de 1 000 étudiants aux cycles supérieurs, plus de la moitié travaillent une moyenne de 25 heures, le travail constitue la première source de revenus pour 43 % des étudiants et le tiers d'entre eux jugent que leur condition financière précaire est la première cause

---

1. Brigitte BLANCHARD, « La situation des mères incarcérées et de leurs enfants au Québec », *Criminologie*, vol. 35, n° 2, 2002, p. 91-112.
2. Isabelle PARÉ, « L'argent, principale cause d'abandon », *Le Devoir*, 15 septembre 1993.

> d'abandon des études. Reprise sous une forme plus claire, la question de recherche se lit ainsi : Existe-t-il un lien entre l'abandon des études aux cycles supérieurs et les ressources financières ? C'est clairement une question de recherche de nature relationnelle, liant ressources financières à réussite scolaire. Aussi imposante que semble la preuve, à l'analyse, elle se révèle faible. Plutôt que de comparer le taux de réussite pour deux groupes d'étudiants qui auraient des ressources financières différentes, la preuve est fondée sur le jugement des intéressés sur la question. L'analyse décrit donc les positions des étudiants, ce qui ne constitue pas une preuve de la relation entre les deux variables, mais une démonstration des positions subjectives des étudiants.

On peut immédiatement voir les faiblesses de la structure descriptive comme approche à la démonstration d'une relation de cause à effet entre un facteur déclenchant et un changement d'état : comme on ne fait que décrire la situation après que le facteur déclenchant a fait son œuvre, on ne peut inférer la relation de cause à effet qu'à partir du jugement des acteurs. On ne peut pas apporter de démonstration factuelle de l'effet du facteur déclenchant par la description pure et simple d'un seul groupe.

> Par exemple, il n'est pas possible de déterminer directement si un programme de diète alimentaire affecte le poids des participants en mesurant simplement le poids collectif d'un groupe de personnes ayant suivi une diète. En effet, tout ce que l'on saurait alors, c'est que le groupe pèse X livres, sans pouvoir dire si cela correspond à une perte de poids. Bien sûr, on pourrait, au cours d'une mesure unique et postérieure à la participation à cette diète collective, demander aux participants s'ils ont perdu du poids. Cependant, d'une part, il ne s'agirait pas d'une démonstration directe de l'effet et, d'autre part, cette procédure impliquerait une comparaison implicite de la part des participants. La structure descriptive n'est pas appropriée dans ce cas parce que l'hypothèse inclut l'idée de changement.

La structure de preuve descriptive a l'*avantage*, par rapport à l'étude de cas, de ne pas se fier à un seul sujet (ou très peu de sujets) qui peut être non représentatif. Elle s'arrête plutôt à de nombreuses situations pour s'assurer de bien dépeindre l'ensemble de l'objet de recherche, mais ne va pas au-delà de la description de l'agrégation des données recueillies. Par contre, elle comporte aussi des *inconvénients*. Comme elle requiert plus d'efforts distribués sur plusieurs individus, la structure descriptive à cas multiples ne peut décrire en profondeur chaque situation ; la figure 7.1 fait ressortir le lien entre le nombre de cas utilisés dans la preuve et la profondeur de l'analyse.

FIGURE 7.1
Relation entre le nombre de sujets et la profondeur de l'analyse

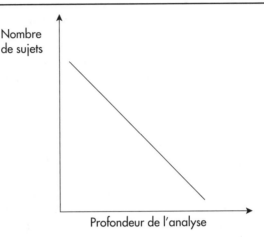

Comme toute autre structure de preuve, la structure descriptive doit respecter deux critères fondamentaux pour être considérée comme scientifique :

1) elle doit être systématique, dans le sens où la description doit être exhaustive et retenir tous les éléments pertinents du sujet d'observation ;

2) la description doit aussi être basée sur une théorie. Nombreux sont les apprentis chercheurs qui considèrent que le recours à la théorie est superflu dans le cas de structures purement descriptives. Pourquoi s'encombrer de théories compliquées quand la question de recherche vise simplement à décrire une situation ? En fait, la théorie est aussi importante dans la structure de preuve descriptive que dans la structure comparative puisque c'est grâce à la théorie que le chercheur saura *quelles observations* faire et comment *interpréter* ses observations. Encore une fois : les données ne parlent pas d'elles-mêmes ; il faut leur *donner un sens* grâce à la théorie.

 5 LES STRUCTURES COMPARATIVES

Aux questions relationnelles correspondent les structures de preuve comparatives. Pourquoi ? Simplement, parce qu'une question relationnelle suggère l'existence d'un lien (de concomitance ou de cause à effet) entre deux variables, l'une (la variable dite *indépendante*) entraînant souvent l'autre (la variable dite *dépendante*), au moins au niveau des hypothèses. Quoi de plus naturel que de démontrer l'existence de cette relation en *comparant* l'état de la variable dépendante selon l'état de la variable indépendante. Le tableau 7.2 donne quelques exemples éclairants.

TABLEAU 7.2
Exemples de questions relationnelles

Question de recherche	Variable indépendante	Variable dépendante	Proposition de stratégie de preuve (d'autres seraient valables)
Les gens âgés résistent-ils davantage au changement que les jeunes?	Âge	Résistance au changement	*Comparer* une mesure de résistance au changement entre un groupe de jeunes et un groupe de personnes âgées.
Les réactions aux politiques sociales sont-elles les mêmes pour les hommes et les femmes?	Sexe	Réactions aux politiques sociales	*Comparer* les résultats d'une mesure de réaction aux politiques sociales entre un groupe d'hommes et un groupe de femmes.
La publicité X augmente-t-elle les ventes du produit A?	Publicité	Ventes de produits	*Comparer* les ventes du produit A dans un groupe ayant vu la publicité X et dans un groupe qui n'y a pas été exposé.
Les programmes de partis influencent-ils les choix des électeurs?	Programmes de partis	Choix électoraux	*Comparer* les choix électoraux d'un groupe exposé aux programmes et ceux d'un groupe qui ne l'est pas.
L'exposition aux radiations électromagnétiques accroît-elle les probabilités de leucémie infantile?	Radiations électro-magnétiques	Leucémie infantile	*Comparer* l'incidence de la leucémie infantile chez les enfants d'un groupe de mères ayant été exposées à d'intenses radiations et chez des enfants d'un groupe de mères non exposées.
La qualité de l'alimentation des enfants affecte-t-elle leur réussite scolaire?	Alimentation	Réussite scolaire	*Comparer* le taux de réussite scolaire entre un groupe d'enfants bien alimentés et un groupe d'enfants mal alimentés.
Est-ce que la réduction du prix des cigarettes conséquente à la réduction des taxes a affecté la santé publique?	Baisse des taxes sur le tabac	Santé publique	*Comparer* l'évolution dans le temps de la proportion de fumeurs, avant et après la réduction des taxes.

TABLEAU 7.2 (*suite*)
Exemples de questions relationnelles

Question de recherche	Variable indépendante	Variable dépendante	Proposition de stratégie de preuve (d'autres seraient valables)
Est-ce que l'usage de drogues dures accroît l'incidence de la criminalité chez les jeunes?	Drogue	Criminalité	*Comparer* le comportement criminel avant et après la mise en place du comportement d'utilisation de drogues dures.
Est-ce que le financement du démarrage d'entreprises permet de créer des emplois?	Financement de démarrage d'entreprises	Création d'emplois	*Comparer* le taux de création de nouvelles entreprises et le taux de création d'emplois chez les nouvelles entreprises dans une province touchée par le programme et dans une province qui ne l'est pas.
Est-ce que le financement des bibliothèques publiques a permis d'accroître le comportement de lecture?	Financement des bibliothèques publiques	Comportement de lecture	*Comparer* le nombre de livres lus par les résidents de municipalités possédant une bibliothèque publique et par ceux qui ne peuvent compter sur cette infrastructure.
Est-ce que la réfection des routes permet de réduire le nombre d'accidents mortels?	Pavage des routes	Accidents mortels	*Comparer* l'incidence d'accidents mortels avant et après le pavage de segments de routes, et avec d'autres routes n'ayant pas fait l'objet de réfection.

Dans tous les cas présentés au tableau 7.2 (dont la grande majorité a effectivement fait l'objet de recherches empiriques publiées), la question de recherche relie deux variables; elle est donc relationnelle. Dans tous les cas, la preuve à apporter à l'appui de l'hypothèse est la comparaison de différents états: entre deux groupes de personnes, entre deux juridictions, entre deux périodes, etc. Retenons ce message essentiel: *à question relationnelle, preuve comparative*.

La structure de preuve comparative se caractérise par *l'observation de plusieurs cas* dont elle *relève à la fois les ressemblances et les différences*. Le but ultime est de mettre au jour les constances qu'on peut retrouver d'un cas à l'autre tout en observant les similitudes et les dissemblances. La comparaison de plusieurs cas permet d'établir des liens de covariation sur la base de différences entre des groupes constitués analytiquement; par l'utilisation de la théorie, on peut passer de ces observations de concomitances à des conclusions sur les relations de cause à effet.

Pour montrer qu'une situation A entraîne une situation B, l'analyse comparative observe plusieurs contextes où elle cherche à découvrir que 1) A et B sont présents simultanément, 2) A et B sont absents simultanément, etc. Sans entrer dans le détail des problèmes de causalité[3], disons que la comparaison de plusieurs cas permet de faire ressortir des situations présentant certaines différences et certaines ressemblances, et que le travail du chercheur consiste à relever les constances.

La logique de la structure de preuve comparative veut que des observations concernant la variable dépendante soient accumulées et regroupées dans des groupes définis selon la variable indépendante (voir le tableau 7.2 pour plusieurs exemples). On pourra construire ces groupes essentiellement de trois façons (on notera que ces critères peuvent être conjugués à l'intérieur d'une même stratégie de preuve pour combiner leurs forces et atténuer leurs faiblesses) :

- en catégorisant les sujets de l'étude selon une *caractéristique qui leur est propre*. Par exemple, dans le cadre d'une analyse de contenu des programmes des partis politiques, on pourra comparer les énoncés selon qu'ils proviennent d'un parti ou d'un autre. Une variante de ce critère est la comparaison effectuée en regroupant les sujets sur une base géographique. Par exemple, on pourra comparer le comportement des fumeurs de l'Ouest canadien avec celui des Québécois, non à cause des aspects territoriaux, mais parce que la réduction des taxes sur le tabac a été beaucoup moindre dans le premier cas que dans le second[4] ;

- en comparant *à travers le temps* une situation antérieure avec une situation présente. Par exemple, on pourrait observer l'évolution annuelle du nombre de naissances par femme en âge de procréer pour y déceler les effets d'une politique familiale ;

- en comparant les résultats atteints par deux groupes créés artificiellement par le chercheur, *sur la base du hasard*. Par exemple, on pourrait demander à des professeurs soit d'appliquer une nouvelle pédagogie d'enseignement des mathématiques, soit de conserver une pédagogie existante, après avoir assigné chacun des professeurs à l'un des deux groupes, au hasard. On pourrait ensuite

---

3. Voir les références additionnelles suivantes : Hubert M. BLALOCK Jr., *Causal Inferences in Nonexperimental Research*, Chapel Hill, University of North Carolina Press, 1964, p. 3 à 26 ; Morris ROSENBERG, *The Logic of Survey Analysis*, New York, Basic Books, 1968, chapitres 1 à 7 ; Travis HIRSCHI et Hanan C. SELVIN, *Recherches en délinquance, principes de l'analyse quantitative*, Paris, Mouton, 1975, chapitres 3 à 8.

4. Isabelle PARÉ, « La baisse des taxes a été néfaste au plan de la santé », *Le Devoir*, 4 février 1997.

comparer les résultats obtenus par les élèves des professeurs des deux groupes et tirer des enseignements sur le rendement comparatif des deux pédagogies.

Pour être utile et scientifique, la structure comparative doit obéir aux deux mêmes exigences que la structure descriptive :

1) elle doit être systématique et utiliser toutes les observations pertinentes ;

2) elle doit s'appuyer sur une théorie qui encadre l'observation et propose des explications aux constances observées ; en effet, l'observation ne peut révéler que des covariations, les relations de cause à effet doivent être inférées théoriquement à partir de ces constatations : ainsi, on peut constater que le rougissement des feuilles à l'automne suit le refroidissement de la température, mais cela ne veut pas dire que ceci entraîne cela (ce qui n'est d'ailleurs pas le cas) ; on peut aussi constater que la majorité des Britanniques sortent leur parapluie *avant* qu'il ne pleuve, mais on ne peut conclure à la causalité du premier sur le second que si l'on dispose d'une théorie pour l'expliquer.

La comparaison est la seule façon de démontrer une relation, soit. Mais elle n'est pas sans écueil. La première difficulté vient du problème du *niveau de conceptualisation*. On ne peut percevoir les faits et les choses qu'en leur donnant une forme, une vie, une explication à travers le langage et la théorie ; c'est ce qui explique que deux observateurs peuvent décrire différemment la même situation et que les conceptions scientifiques du monde ont évolué dans l'histoire[5]. Les faits ne sont donc pas comparables par eux-mêmes, ils doivent d'abord être conceptualisés (ajustés à des catégories conceptuelles connues) avant de pouvoir être intégrés à une théorie qui permette de les comparer. L'écueil de la comparaison vient de ce que, à la limite, on pourrait former des catégories tellement lâches et ouvertes que toutes les observations montreraient que les faits se ressemblent (toutes les tables seraient des meubles) ; ou, alors, on pourrait créer des catégories tellement précises et spécifiques que chaque fait semblerait unique (votre table serait de style Louis XVI avec une égratignure au coin gauche). Où se situe donc le niveau de précision des concepts qui permette à la fois de distinguer les situations différentes et de faire ressortir les constances

---

5. On lira avec profit Jean ROSMORDUC, *De Thalès à Einstein*, Paris, Études Vivantes, 1980, 205 pages ; et Claude BOUCHER, *Une brève histoire des idées de Galilée à Einstein*, Montréal, Fides, 2008, 291 pages.

(ressemblances) pertinentes ? C'est là la grande difficulté de la comparaison[6]. La structure comparative comporte aussi d'autres interrogations qui requièrent au préalable d'approfondir le détail de son application.

Reprenons maintenant, pour décrire leurs forces et leurs faiblesses, les grands critères de constitution des groupes qui servent à la comparaison. Nous présenterons ensuite quelques stratégies de preuves classiques qui combinent ces critères.

Mais avant d'aller plus loin, il faut clarifier le concept d'*événement déclencheur*. Toute structure de preuve comparative correspond à une hypothèse portant sur un changement d'état : on fait l'hypothèse qu'un état est modifié par une situation particulière ou par un événement spécifique. Cet événement ou cette situation sont ici appelés « facteurs déclenchants » puisqu'ils sont supposés responsables du changement dans l'état de l'objet d'observation ; ce concept correspond à ce que d'autres auteurs appellent « la variable indépendante ».

■ 5.1. Comparaison selon une caractéristique propre

Bernier et Laflamme[7] s'intéressaient aux disparités de revenus entre hommes et femmes au Canada. Dans une première recherche, ils avaient documenté des progrès importants vers l'équité salariale accomplis par les femmes dans différentes catégories d'emplois tout en relevant des secteurs où l'accès à l'égalité semblait encore problématique. Dans une nouvelle recherche, les auteurs se sont penchés sur la dimension linguistique de l'équité salariale entre hommes et femmes. Ils posent la question suivante : les femmes francophones, en plus d'être discriminées sur la base de leur sexe, le sont-elles aussi sur la base de la langue ? Pour répondre à cette question, les auteurs ont utilisé les micro-données de l'enquête de 1996 de Statistique Canada sur les particuliers. Ils ont comparé le salaire et les traitements reçus d'un emploi selon le sexe, la langue maternelle, la région, l'occupation et le type de travail. Les caractéristiques des individus documentées dans cette base de données leur étaient propres, bien entendu ; elles n'étaient nullement sous le contrôle des chercheurs. Les auteurs observent que la discrimination salariale au Canada est d'abord une affaire de sexe ; la différence linguistique est peu déterminante. Leur interprétation des résultats est faite en fonction

6. L'article de Jane JENSON, « The Filling of Wine Bottles is Not Easy », *Canadian-Journal of Political Science*, vol. 11, n° 2, juin 1978, p. 437-446, est très intéressant à cet égard.
7. Christiane BERNIER et Simon LAFLAMME, « Discrimination sexuelle et discrimination linguistique : lecture des inégalités salariales au Canada et en Ontario », *Revue du Nouvel-Ontario*, vol. 27, 2002, p. 63-91.

de deux thèses généralement invoquées, dans la postmodernité, comme explication aux transformations sociétales : la postmodernité autorisant les différenciations sociales et identitaires, et la postmodernité comme facteurs d'homogénéisation.

Dans la structure comparative où les groupes sont constitués sur la base d'une caractéristique propre (aussi appelée *stratégie avec groupe témoin non aléatoire*), la démonstration de l'impact d'un facteur déclenchant prend sa source dans la mesure de la différence entre les états des deux groupes. On fait l'hypothèse que les deux groupes sont équivalents avant l'intervention du facteur déclenchant (de la variable indépendante) et que les différences mesurées *ex post facto* sont dues à ce facteur.

La *force* de la structure comparative fondée sur les caractéristiques propres aux groupes tient à ce que l'on utilise le groupe témoin comme critère d'effet plutôt que le groupe expérimental[8] lui-même, comme dans le cas d'une stratégie proprement descriptive. En conséquence, on peut conclure que le facteur déclenchant semble créer un écart entre les deux groupes.

Le *problème* que la structure comparative fondée sur la comparaison de groupes sur la base de caractéristiques propres ne règle pas, c'est la question de l'équivalence des groupes et, donc, de la capacité du chercheur à attribuer les changements dans la variable dépendante aux changements dans le facteur déclenchant. En effet, il est possible que les deux groupes comparés ne soient pas réellement comparables avant l'intervention du facteur déclenchant. Par exemple, les participants à un programme de formation pourraient être systématiquement plus motivés à l'acquisition de connaissance ou être systématiquement dans une situation d'emploi plus précaire.

Pour régler cette question, on aura recours à l'une des deux stratégies suivantes :

1) On ajoutera le critère du temps au critère de la caractéristique : on utilisera une stratégie qui inclura une comparaison des groupes à la fois sur la base du temps (avant et après une intervention, par exemple) et de caractéristiques propres (la participation à un programme de formation, par exemple).

2) On pourra aussi mettre en œuvre différentes stratégies pour accroître la probabilité que les groupes comparés soient équivalents sous les aspects autres que la caractéristique qui intéresse l'analyste. Ces stratégies incluent la sélection des cas à comparer

---

8. On nomme « groupe expérimental » le groupe d'individus soumis au facteur déclenchant et « groupe témoin » le groupe qui est libre de l'intervention du facteur déclenchant.

sur la base du pairage (choisissant, pour le groupe témoin, des cas qui soient aussi rapprochés que possible des cas soumis au facteur déclenchant) et l'analyse statistique multivariée où l'analyste tente, *a posteriori*, de contrôler les impacts des autres facteurs différenciant les deux groupes sur lesquels est basée sa stratégie de preuve. C'est cette dernière approche qui a été choisie par Bernier et Laflamme dans leur étude sur l'équité salariale.

▓ 5.2. Comparaison dans le temps

Une seconde stratégie fondamentale de la preuve en sciences sociales est l'utilisation du temps. Le postulat utilisé ici est que l'on est à même d'établir l'impact d'un changement (variable indépendante ou facteur déclenchant) en observant comment une situation a évolué après sa mise en place, ou en comparant l'état de la situation avant et après ce changement. On reconnaît trois situations de structures de preuves fondées sur le temps selon l'agencement des comparaisons dans le temps : plusieurs comparaisons après le facteur déclenchant, une comparaison entre la situation avant et après, et des comparaisons multiples avant et après.

Plusieurs comparaisons après le facteur déclenchant

Une première structure très simple de comparaison fondée sur le passage du temps est caractérisée par la prise de plusieurs mesures uniquement après le facteur déclenchant.

> Imaginons, par exemple, qu'une entreprise met en place un programme de satisfaction au travail. Les gestionnaires de la compagnie décident d'instituer un programme d'évaluation du rendement, de former les chefs de service à la communication interpersonnelle, de fournir des occasions aux employés de faire connaître leurs doléances, etc. La présidente de la firme voudrait connaître les effets réels de ces efforts de gestion. Cependant, nul n'a jugé bon de mesurer empiriquement la satisfaction des employés avant la mise en place du programme. Les responsables sont donc réduits à mesurer régulièrement la satisfaction après la mise en place des mesures correctrices. Il s'agit 1) d'une structure de preuve comparative puisqu'elle est basée sur la comparaison de mesures, 2) mais à un seul groupe puisque seuls les employés seront questionnés et 3) avec plusieurs mesures postérieures au programme.

L'*avantage* premier de cette structure de preuve est la simplicité. On peut implanter une telle structure à tout moment, même après le facteur déclenchant. Ainsi, on peut mesurer l'état de l'opinion publique à l'égard du gouvernement à tout moment après son élection. Les *faiblesses* de cette structure sont aussi évidentes. L'attribution, au facteur déclenchant, de la paternité des changements dans l'état de l'objet mesuré doit être fondée sur le postulat que cet état n'évoluait pas déjà dans la direction observée avant le facteur déclenchant. C'est là un postulat très faible. Pourtant, beaucoup d'évaluations de programmes gouvernementaux doivent se contenter de ce type de structure de preuve à défaut de mesures de l'état de la cible de l'intervention antérieures à la mise en place du programme public.

> Si la satisfaction des employés évoluait déjà à la hausse avant la mise en place des nouveaux programmes, l'observation que la satisfaction augmente après le facteur déclenchant pourrait amener l'analyste à conclure, faussement, que les nouvelles mesures ont eu un effet positif. Dans les faits, la tendance à la hausse pourrait être causée par d'autres sources ou être le résultat d'une évolution naturelle. Cette structure de preuve ne permet pas de décortiquer ces effets.

L'utilisation de ce type de structure requiert un encadrement théorique particulièrement solide. En effet, l'analyste ne peut pas compter que le hasard éliminera les différences entre les groupes comparés puisqu'un seul groupe est analysé. Les autres raisons qui pourraient expliquer les changements de l'état de l'objet d'étude doivent être déterminées, incluses dans le modèle de mesure et contrôlées statistiquement pour en éliminer les influences parasitaires. Cette procédure est un pis-aller, cependant. D'autres structures de preuve permettent mieux d'éliminer ces explications alternatives.

Comparaison unique avant et après le facteur déclenchant

> En 1996, le régime canadien d'assurance-chômage a été remplacé par le régime d'assurance-emploi. Dans le nouveau régime, les conditions qui permettent de recevoir des indemnités sont plus difficiles à remplir, la période pendant laquelle le chômeur peut les recevoir est plus courte et la valeur maximale de l'indemnité hebdomadaire est réduite. La proportion des chômeurs qui reçoivent des indemnités est également plus faible. Martel, Laplante et Bernard[9] ont voulu savoir si les stratégies utilisées par les chômeurs et leurs familles avaient changé en conséquence. Ils ont donc comparé les stratégies immédiates de recouvrement du revenu d'un groupe de personnes ayant perdu leur emploi en 1993 à celles d'un autre groupe de personnes ayant perdu leur emploi en 1998, soit avant et après la réforme. Cette comparaison permet de conclure que

---

9. Édith MARTEL, Benoît LAPLANTE et Paul BERNARD, « Chômage et stratégies des familles. les effets mitigés du passage de l'assurance-chômage à l'assurance-emploi », *Recherches sociographiques*, vol. 46, n° 2, 2005, p. 245-280.

les personnes ont retrouvé leur revenu plus rapidement après la réforme qu'avant parce qu'on accepte des emplois qu'on n'aurait pas accepté avant la réforme et qu'on a largement renoncé à améliorer son sort par la formation.

Dans l'exemple ci-dessus, un seul groupe fait l'objet d'observation : les familles frappées par une période de chômage. Cette observation se fait en deux temps et le critère décisif de l'analyse est la comparaison d'une valeur donnée (comme la recherche d'emploi, la formation, l'obtention d'un emploi) entre deux moments séparés par le facteur déclenchant (la réforme du programme d'assurance-chômage). Cette structure comporte un *avantage* certain par rapport à la comparaison uniquement ultérieure : l'analyste peut au moins documenter un changement.

Cette structure soulève, cependant, plusieurs *problèmes*. L'évolution entre les deux mesures était-elle déjà en cours avant la mesure antérieure ? L'évolution entre les deux mesures persistera-t-elle après la mesure ultérieure ? La différence entre les deux mesures est-elle réellement due aux effets du facteur déclenchant ou est-il possible que les changements observés soient reliés à d'autres modifications dans l'environnement ou à des effets de vieillissement ou de maturation ? Toutes ces questions sont valables. Le principal outil de l'analyste utilisant une structure de preuve à comparaison unique avant et après le facteur déclenchant ou voulant réduire les possibilités que ces problèmes ne hantent ses conclusions est la théorie. Encore une fois, c'est le support théorique qui fournira au chercheur les munitions logiques permettant d'établir le lien de causalité entre les différents changements et qui lui permettra de prévoir les autres modifications de l'environnement qui pourraient expliquer les changements dans l'état de l'objet d'observation.

Comparaisons multiples avant et après le facteur déclenchant

Entre 1997 et 1998, la ville de Boucherville a vécu une augmentation constante des cambriolages. En réponse au problème, quatre mesures de sensibilisation (kiosques, rencontres de groupes communautaires, dépliants d'information et articles de journaux) et trois mesures de prévention situationnelle (visites sécuritaires, visites de domiciles à risques et inscription dans des groupes de surveillance de quartier) ont été déployées. Mathieu Charest[10] s'est intéressé à l'impact cumulé des mesures de sensibilisation et des mesures situationnelles. Pour ce faire, il a comparé statistiquement les tendances mensuelles dans certains

---

10. Mathieu CHAREST, « Effets préventifs et dissuasifs : analyse d'impact d'une opération policière de prévention des cambriolages », *Criminologie*, vol. 36, n° 1, 2003, p. 31-56.

indicateurs de criminalité au cours des 59 mois ayant précédé les nouvelles interventions et au cours des 12 mois de la mise en œuvre du projet. La stratégie de preuve déployée incluait à la fois des variables dépendantes dont on s'attendait qu'elles soient affectées par le projet (les cambriolages résidentiels) et d'autres qui ne devraient pas présenter de variation due aux nouvelles interventions (ici, les cambriolages commerciaux et les vols de moins de 5 000 $ dans ou sur les véhicules). L'auteur conclut « Nos conclusions suggèrent que la baisse des cambriolages observée à la suite de la mise en place d'un projet de prévention est en partie imputable à une série d'arrestations ciblées de délinquants particulièrement actifs qui se sont produites de manière concomitantes à la mise en place du projet de prévention. Il n'en reste pas moins que les mesures de prévention ont été efficaces. »

Dans cet exemple, les chercheurs n'ont observé l'évolution que d'un seul groupe, soit un ensemble de délits perpétrés à Boucherville. Par contre, ils ont utilisé plusieurs dizaines de mesures antérieures au facteur déclenchant (le projet) et 12 mesures qui lui sont postérieures. Nous nous trouvons donc devant le troisième type de structure comparative fondée sur le temps : la structure à mesures multiples antérieures et postérieures au facteur déclenchant. On appelle aussi cette structure *série chronologique*.

Cette structure a l'*avantage* certain de répondre aux préoccupations relevées plus tôt à l'égard de la continuité de l'effet après une première mesure postérieure et à l'égard de l'existence possible d'une tendance antérieure au facteur déclenchant et, donc, indépendante de celui-ci. La série chronologique constitue donc une preuve plus solide que la structure à mesure antérieure et postérieure unique.

Cependant, elle n'écarte pas les *problèmes* d'attribution du changement observé au facteur déclenchant. Il n'est pas possible de démontrer irréfutablement que le changement dans l'objet d'observation (le nombre de cambriolages résidentiels dans l'exemple ci-dessus) est dû au facteur déclenchant puisque d'autres changements ont pu se produire concomitamment. Bien que des outils économétriques existent pour permettre de réduire l'incertitude face à cette situation possible, ils ne sont pas sans faille et la preuve est rarement parfaite.

▓ 5.3. Comparaison de groupes créés au hasard

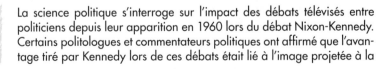

La science politique s'interroge sur l'impact des débats télévisés entre politiciens depuis leur apparition en 1960 lors du débat Nixon-Kennedy. Certains politologues et commentateurs politiques ont affirmé que l'avantage tiré par Kennedy lors de ces débats était lié à l'image projetée à la télévision par chaque candidat. Giasson, Nadeau et Bélanger[11] considéraient que la démonstration de cette conclusion était faible compte tenu des éléments de preuve disponibles. Prenant comme objet d'étude le débat francophone opposant les candidats à l'élection fédérale canadienne de 2000, ils se sont donc attachés à évaluer si l'image, la représentation visuelle des leaders politiques lors d'un débat télévisé a réellement un impact sur les évaluations des électeurs. Les auteurs ont mené une expérience le soir de la diffusion du débat. Ils ont recruté des participants pour leur étude par des petites annonces publiées dans deux quotidiens francophones montréalais. Trente-six participants se sont présentés le soir de l'expérience ; ils ont été divisés aléatoirement en deux groupes afin d'atténuer l'impact de leurs variables sociologiques sur les résultats de l'étude. Dans le groupe témoin, 20 citoyens ont écouté en direct le débat à la radio, alors que les 16 participants du groupe expérimental l'ont regardé simultanément à la télévision dans une autre salle. La variable visuelle se trouvait ainsi isolée. Préalablement à la tenue de l'expérience, les préférences électorales, le niveau d'information politique et la fermeté de l'identité partisane des participants ont été relevés. Comme les auteurs le soulignent : « À première vue, un échantillon de participants de 36 individus pourrait paraître limité. Pourtant, il n'est pas rare en sciences sociales, en particulier en psychologie et en science politique, que des études expérimentales soient menées auprès d'échantillons restreints. Les utilisateurs de la méthode avancent, avec raison, que leurs résultats sont généralisables grâce au processus d'assignation au hasard des participants dans les divers groupes expérimentaux. Cette technique permet [...] d'atténuer, sinon d'éliminer, l'impact des variables sociodémographiques des participants sur les différences observées dans les données tirées du groupe de contrôle et celles du groupe expérimental. » Les auteurs ont confirmé que les évaluations post-débat varient entre les deux groupes, avec une variation plus marquée dans l'échantillon téléspectateurs (par opposition à auditeurs), et que la représentation visuelle des politiciens constitue un élément d'information important qu'intègrent les téléspectateurs d'un débat dans leur processus d'évaluation de la performance des chefs.

Dans la stratégie de preuve décrite ci-dessus, le chercheur assigne au hasard les deux groupes qu'il observe à des valeurs différentes du facteur déclenchant (l'écoute du débat des chefs à la télévision ou à la radio). Ce faisant, le chercheur peut ramener les différences entre les groupes de comparaison à des niveaux analysables grâce aux techniques de la statistique inférentielle. Autrement dit, si suffisamment d'individus et de groupes sont analysés et soumis à une attribution aléatoire des valeurs

---

11. Thierry GIASSON, Richard NADEAU et Éric BÉLANGER, « Débats télévisés et évaluations des candidats : la représentation visuelle des politiciens canadiens agit-elle dans la formation des préférences des électeurs québécois ? », *Revue canadienne de science politique*, vol. 38, n° 4, 2005, p. 867-895.

du facteur déclenchant, les autres différences reliées aux autres caractéristiques des groupes analysés devraient s'annuler respectivement de sorte que les différences observées dans l'état de l'objet mesuré seront attribuables directement au facteur déclenchant. C'est en cela que l'on dit que le hasard fait bien les choses : si suffisamment de cas sont observés après avoir été attribués au hasard à un groupe ou à l'autre (groupes définis selon différentes valeurs du facteur déclenchant), le hasard fera en sorte que tous les autres facteurs qui différencient les individus (ou les cas) seront distribués également entre les groupes et s'annuleront mutuellement, laissant au facteur déclenchant différenciant les groupes la paternité des différences observées entre les groupes.

> Dans l'exemple traitant du régime canadien d'assurance-chômage, si l'analyste avait pu désigner aléatoirement que certains chômeurs recevraient les bénéfices de l'ancien programme et que d'autres recevraient les bénéfices du nouveau programme d'assurance-emploi, il aurait pu éliminer les autres différences caractérisant les groupes expérimental et témoin. Par exemple, le climat économique, les conditions socio-économiques individuelles, les attitudes par rapport au chômage, etc., auraient été similaires d'un groupe à l'autre (puisque les participants auraient été distribuées entre les deux groupes suivant le hasard pur) et ces variables n'auraient pas pu contribuer à expliquer les différences observées ultérieurement entre les groupes stratégiques. Évidemment, comme nous le verrons plus loin, une telle stratégie soulève d'importantes questions éthiques.

La détermination aléatoire de l'appartenance des objets d'observation aux groupes expérimental ou témoin présente donc des *avantages* certains au regard de la preuve : le chercheur n'a pas à s'inquiéter autant de l'équivalence antérieure des deux groupes stratégiques ; les autres explications de l'état ultérieur des objets d'observation sont mises en échec puisque, en théorie, seule l'exposition au facteur déclenchant diffère d'un groupe à l'autre ; l'impact du processus de sélection lui-même est contrôlé puisque les deux groupes l'ont subi ; etc.

En revanche, la sélection aléatoire des cas dans l'un ou l'autre groupe stratégique comporte des *faiblesses* certaines. D'abord, il s'agit généralement d'une procédure artificielle qui ne trouvera pas d'équivalent dans la vraie vie. Par exemple, personne n'est obligé d'écouter un débat et, pour la plupart, le média d'écoute (radio ou télévision) relèvera d'un choix personnel. Cet exemple nous amène à la seconde faiblesse de la sélection aléatoire des cas, soit la difficulté de généraliser les résultats obtenus lorsque le contexte expérimental s'éloigne significativement de la réalité. C'est entre autres à cause de ces difficultés que nombre de grandes (et coûteuses) évaluations américaines de programmes de soutien du revenu n'ont donné aucun résultat tangible au regard des politiques publiques puisque leurs conclusions n'étaient pas crédibles dans le monde réel[12].

Finalement, l'attribution aléatoire des individus aux groupes expérimental et témoin soulève souvent de sérieux problèmes d'éthique. Certains d'entre eux seront approfondis dans le chapitre traitant spécifiquement de cette question. Mentionnons dès maintenant qu'il est pratiquement impossible de refuser une intervention gouvernementale sous prétexte de constitution de groupes de traitement ; par exemple, quelle serait la réaction du public si un administrateur décidait de n'offrir ses subventions qu'à la moitié des municipalités sous prétexte que l'autre moitié servira de groupe témoin dans le cadre d'une recherche sur la performance d'un programme ? Il est possible de constituer les groupes stratégiques sur une base aléatoire lorsque la recherche est menée sur une petite échelle et qu'elle n'implique pas de décision gouvernementale. La recherche universitaire tombe souvent dans cette catégorie. C'est plus rarement (mais cela arrive) le cas de la recherche appliquée effectuée hors de l'université (le chapitre 22 de ce livre indiquera que la structure de preuve expérimentale est par contre utilisable dans le contexte de la recherche organisationnelle). Au regard de la qualité de la preuve, cependant, c'est une structure plus rigoureuse que les autres, car l'analyste est en mesure de réduire les risques inhérents à la détermination aléatoire de l'appartenance des objets d'observation aux groupes stratégiques.

Une dernière note. Pour surmonter les difficultés que pose la mise en place de structures de preuve comparatives avec constitution aléatoire des groupes stratégiques, certains chercheurs ont développé une nouvelle méthode de recherche : la *simulation*. La simulation est l'élaboration d'un modèle mathématique représentant une simplification de la réalité et permettant d'analyser la dynamique d'un système. Comme les relations sont formelles et quantifiées, le chercheur a un parfait contrôle sur toutes les conditions de sa simulation et peut modifier certains paramètres expérimentaux pour analyser leurs impacts.

---

12. Frank L. GRAVES, « The Changing Role of Non-randomized Research Designs in the Assessment of Program Effectiveness », dans Joe HUDSON, John MAYNE et Ray THOMLISON, *Action-Oriented Evaluation in Organizations : Canadian Practices*, Toronto, Wall & Emerson, 1992, p. 230-254.

Par exemple, en utilisant une simulation mathématique du comportement d'un parc de logement soumis à diverses politiques gouvernementales, Gauthier[13] a démontré que la construction, la démolition et la rénovation de logements aussi bien que la création d'emplois ou qu'une politique d'information ne réussissaient ni l'une ni l'autre isolément à améliorer le bien-être d'une municipalité. Il conclut que c'est la conjonction de l'aide à l'entreprise, de l'augmentation des services publics et d'une meilleure information qui est la meilleure garantie d'une ville en santé.

▓ 5.4. Combinaisons de critères

Comme on l'a laissé entendre plus tôt, il est possible de combiner différents critères pour solidifier la preuve proposée. D'autres sources (dont certaines sont mentionnées dans la bibliographie de fin de chapitre) fournissent un traitement plus approfondi de cette question. Mentionnons les cas les plus classiques.

La stratégie *avant-après avec groupe témoin* a la faveur. On y compare une caractéristique donnée (dépendante) mesurée chez deux groupes à la fois avant et après un facteur déclenchant. Le chercheur est donc en mesure, en théorie, de distinguer les changements qui sont attribuables au facteur déclenchant de ceux qui relèvent de la simple mesure et de ceux qui sont provoqués par le passage du temps.

Chaque année, Saint-Boniface (Manitoba) est le lieu d'un festival d'envergure qui met en vedette la culture canadienne-française. C'est le Festival des Voyageurs, ainsi nommé en l'honneur des grands découvreurs français qui ont repoussé les limites de l'Ouest. Le gouvernement du Canada subventionne annuellement le Festival des Voyageurs et justifie son geste par la contribution que le Festival est supposé offrir à une meilleure compréhension de la situation des francophones au Manitoba et à une plus grande tolérance à l'égard du fait français dans cette province. Pour vérifier ce postulat du financement fédéral, une firme d'experts-conseils a mis au point la structure de recherche suivante. Quelques semaines avant la tenue du Festival, un échantillon de 1 000 Manitobains a été interviewé par téléphone. Au cours de cette entrevue, on mesurait les connaissances, opinions et attitudes des sujets envers les francophones et le fait français. Deux semaines après le Festival, les mêmes individus ont été contactés à nouveau et resoumis au même questionnaire. Les chercheurs comptaient démontrer que les attitudes des sujets de l'enquête qui s'étaient rendus au Festival s'étaient plus améliorées que celles des sujets qui ne s'y étaient pas rendus.

---

13. Benoît GAUTHIER, *Logement et politiques gouvernementales: le cas de Donnacona*, Québec, Université Laval, Laboratoire d'études politiques et administratives, Notes et travaux de recherche n° 2, mars 1982, 265 pages.

La stratégie de Salomon combinent quatre groupes distincts : deux sont soumis au facteur déclenchant, deux ne le sont pas ; concurremment, deux groupes subissent une mesure avant l'intervention ainsi qu'après alors que l'état des deux autres n'est mesuré qu'après. L'avantage de cette approche est de clarifier l'impact de la mesure elle-même sur les changements qui surviennent dans les différents groupes.

Et l'on peut imaginer encore bien d'autres scénarios. L'important, cependant, est d'être en mesure de bien juger la qualité de la preuve qui est fournie par une stratégie donnée, dans une situation donnée. La prochaine section fournit des pistes à cet égard.

> Voici un autre exemple : Martin, Richez-Battesti et Mermet[14] voulaient comparer le degré de corporatisme de la négociation salariale avant et après le traité de Maastricht (1992) dans neufs pays européens en raison de l'impact profond de ce traité sur de nombreux aspects des politiques publiques européennes. L'hypothèse était que le traité de Maastricht a accru la flexibilité salariale. Les auteurs ont comparé un indicateur de corporatisme dans neuf pays avant et après l'application du traité. La démonstration était enrichie par le fait que deux pays (le Royaume-Uni et la Suède) constituaient des cas atypiques puisqu'ils avaient choisi de rester en marge de l'Europe monétaire. Il ressort de l'analyse un clivage important selon que les pays appartiennent ou non à la zone euro.

6   VALIDITÉ INTERNE ET VALIDITÉ EXTERNE

Dans les sections précédentes, nous avons jugé de la valeur des différentes structures de preuve à partir des principales forces et faiblesses de chacune. Il est maintenant temps de cataloguer ces différents critères plus systématiquement. Dans la littérature sur le sujet, on relève généralement deux types de menaces à la solidité des conclusions de recherche : les menaces à la validité interne et celles à la validité externe. *La validité interne est la caractéristique d'une structure de preuve qui fait que les conclusions sur la relation de cause à effet reliant le facteur déclenchant au changement d'état de la cible sont solides et qui assure que les changements ne sont pas causés par la modification d'autres variables.* En comparaison, *la validité externe est la caractéristique d'une structure de preuve qui fait que les résultats obtenus sont généralisables au-delà des cas observés pour les fins de l'étude.* Une recherche peut donc présenter une bonne validité interne

---

14. Régis MARTIN, Nadine RICHEZ-BATTESTI et Emmanuel MERMET, « Euro et degré de corpora-
    tisme dans la négociation salariale : Un effet club ? », *Revue Études internationales*, vol. 37,
    n° 3, 2006, p. 399-422.

FIGURE 7.2
Menaces à la validité interne

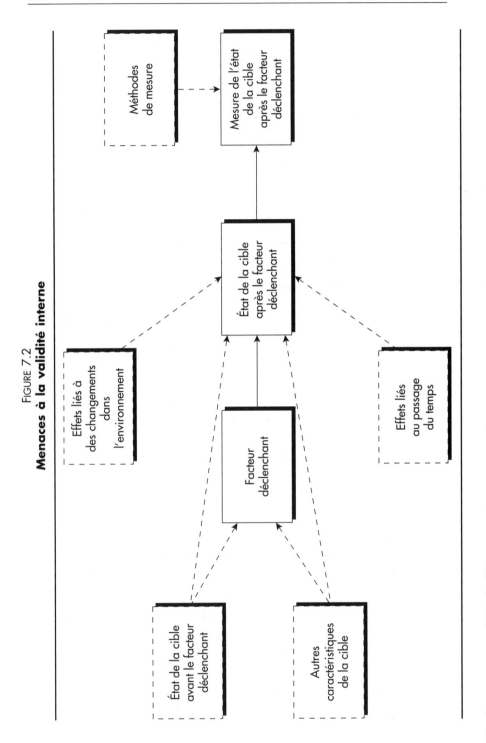

sans que sa validité externe ne soit très forte : c'est le cas d'une expérience très réduite et extrêmement contrôlée où quelques sujets sont assignés aléatoirement à des traitements différents et où les conditions dans lesquelles se déroule l'étude sont strictement équivalentes pour tous les groupes. À l'inverse, une étude peut avoir une bonne validité externe sans être très recommandable au plan de la validité interne : les sondages ponctuels prennent une mesure large chez un grand nombre d'individus et sont facilement généralisables, mais ils sont faibles quant à l'assurance que les changements observés sont reliés uniquement au facteur déclenchant.

On reconnaît un nombre restreint de menaces aux validités interne et externe[15]. Les figures 7.2 et 7.3 les schématisent. La validité interne est surtout menacée par :

- *l'état de la cible avant le facteur déclenchant* : l'équivalence des groupes stratégiques est en cause ici. S'ils ne sont pas comparables, quant à l'état de la cible avant l'intervention du facteur déclenchant, les conclusions sur l'effet du facteur déclenchant peuvent être faussées ;

- *les autres caractéristiques de la cible* : ce facteur est lui aussi relié à l'équivalence des groupes, mais au regard des caractéristiques autres que l'état de l'objet d'observation. Des groupes non équivalents dans d'autres aspects de leur nature peuvent rendre difficile l'établissement du lien de causalité ;

- *les changements dans l'environnement* : des modifications peuvent intervenir au cours de la période d'observation et affecter l'état de la cible. Ces changements pourraient être faussement attribués au facteur déclenchant ;

- *le passage du temps* : aussi appelée effet de maturation, cette menace est reliée à la maturation des groupes stratégiques, à l'évolution de leurs expériences et de leurs connaissances par rapport à des sujets reliés à l'objet d'observation ;

- *les méthodes de mesure* : au cours de la recherche, les instruments de mesure peuvent changer ou encore la façon de les utiliser peut dévier. Ces modifications pourraient affecter la mesure de l'état de la cible et être confondues avec des changements réels dans la cible elle-même.

---

15. Voir par exemple André OUELLET, *Processus de recherche : Une approche systémique*, Québec, Presses de l'Université du Québec, 1981, p. 147-152, ou André-Pierre CONTANDRIOPOULOS *et al.*, *Savoir préparer une recherche*, Montréal, Presses de l'Université de Montréal, 1990, p. 40-47.

La validité externe est soumise aux conditions problématiques suivantes (voir figure 7.3) :

- *l'autosélection* : lorsque la sélection des individus à l'intérieur des groupes stratégiques est non aléatoire, les caractéristiques des individus sélectionnés peuvent être la cause de l'état ultérieur de la cible plutôt que le facteur déclenchant. Parfois, la sélection aléatoire peut induire des effets artificiels non représentatifs ;

- *l'effet de contagion* : il arrive que les groupes stratégiques ne sont pas étanches les uns par rapport aux autres. On assiste alors à des phénomènes de contagion des effets d'un groupe à l'autre, ce qui rend difficile la généralisation des résultats ;

- *le contexte* : lorsque plusieurs traitements sont appliqués simultanément aux mêmes sujets d'observation, il est difficile de déterminer quelles généralisations tirer ;

- *les conditions expérimentales* : la situation expérimentale est souvent très différente des conditions auxquelles seront soumis les sujets dans les situations réelles ;

- *les relations causales ambiguës* : il est courant que les résultats d'une recherche ne soient pas représentatifs de la situation réelle parce que le modèle théorique a omis de reconnaître l'importance de certains facteurs explicatifs. Dans ce cas, les conclusions de l'analyse ne sont pas facilement généralisables.

- *la réactivité aux prétests* : la mesure antérieure caractéristique de la structure comparative à mesures antérieures et postérieures peut modifier le comportement des sujets de recherche et limiter la représentativité des résultats à une population qui ne serait pas soumise à une telle mesure ;

- *le désir de plaire* : lorsqu'ils se savent observés, les sujets de recherche tendent naturellement à adopter le comportement recherché par l'analyste. Cet état des cibles d'observation n'est cependant pas généralisable aux circonstances non expérimentales ;

- *le biais de l'analyste* : l'analyste s'attend à tel ou tel résultat. Il est possible que les résultats obtenus soient davantage représentatifs des attentes du chercheur que de la réalité objective, sans qu'il ne cherche consciemment à biaiser les conclusions.

Le choix de la structure de preuve optimale vise à mettre ces menaces en échec. Bien sûr, la sélection de la structure de preuve doit tenir compte des menaces potentielles, mais aussi des problèmes éthiques reliés au contexte de recherche, des ressources du chercheur, du temps disponible, de la flexibilité de la situation de recherche, etc.

FIGURE 7.3

Menaces à la validité externe

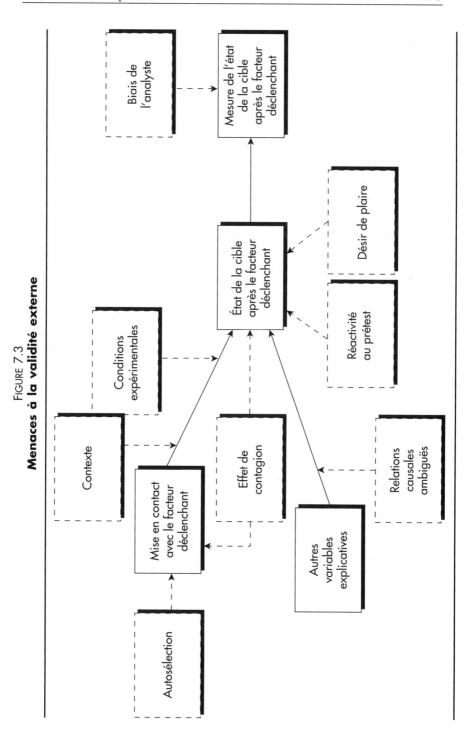

CONCLUSION

Dans ce chapitre, nous n'avons présenté que les structures de preuve les plus simples, pour faciliter la compréhension. De nombreuses structures plus complexes ont été mises au point pour faire face à des défis particuliers et pour limiter les menaces à la validité interne et à la validité externe ; on peut en trouver des discussions dans les ouvrages plus avancés.

Les principaux messages de ce chapitre restent cependant valides :

- La confirmation ou l'infirmation d'une hypothèse requiert une *preuve* qui se construit à partir d'une stratégie réfléchie.

- Il existe trois grands types de *questions de recherche* : les questions exploratoires, descriptives et relationnelles.

- À chaque type de question correspond une *stratégie de preuve privilégiée* : exploration – étude de cas, description – approche descriptive, relation – approche comparative.

- L'approche comparative requiert la *comparaison de situations* qui se distinguent selon une caractéristique propre, selon le temps ou selon une décision active du chercheur d'impliquer le hasard dans l'attribution des situations de recherche aux cas analysés.

- Toute stratégie de preuve peut être évaluée en fonction de critères regroupés sous les étiquettes de *validité externe* (généralisabilité) et de *validité interne* (démonstration de lien). Le chercheur cherche à maximiser l'une comme l'autre quoique l'accroissement de l'une entraîne souvent la diminution de l'autre.

- En dernier lieu, nous insistons encore une fois sur le rôle central que joue la théorisation dans le processus de recherche sociale. Nous avons vu que certaines structures sont plus aptes à vérifier des théories, d'autres à les contester ou à les modifier. Nous avons cependant conclu dans tous les cas que la théorie occupe une place de choix dans la sélection des observations ainsi que dans leur arrangement analytique. Nous espérons qu'il est révolu le temps où l'on trouvait plus important de faire une bonne mesure que de bien comprendre ce qu'on mesurait. *L'explication est cent fois plus importante que l'observation.*

BIBLIOGRAPHIE ANNOTÉE

BORDELEAU, Yvan, *Comprendre et développer les organisations*, Montréal, Éditions Agence d'Arc, 1987, 297 pages.

Le premier de ces livres s'intéresse à la recherche exploratoire, descriptive ou explicative ainsi qu'à la recherche évaluative et à la recherche-action. Son originalité tient au traitement des terrains : le laboratoire ou l'organisation. Il intéressera particulièrement le chercheur qui se place dans le contexte de l'action. Le second livre est une continuité en même temps qu'une systématisation du premier.

BORDELEAU, Yvan *et al.*, *Comprendre l'organisation : approches de recherche*, Montréal, Éditions Agence d'Arc, 1982, 198 pages.

BROWN, Steven R., *Experimental Design and Analysis*, Newbury Park, Sage, 1990, 86 pages.

Ce petit livre approfondit les aspects plus techniques des structures de preuve comparatives avec groupe témoin et constitution aléatoire des groupes stratégiques. Parfois indûment ésotérique, souvent assez peu critique des limites de cette structure de preuve, ce texte est tout de même important pour l'analyste engagé dans ce type de recherche.

LADOUCEUR, Robert et Guy BÉGIN, *Protocoles de recherche en sciences appliquées et fondamentales*, Saint-Hyacinthe, Edisem, 1980, 135 pages.

Écrit par deux psychologues, ce livre reflète leurs préoccupations particulières. En conséquence, il présente extensivement les protocoles expérimentaux et porte une attention particulière aux protocoles à cas uniques qui sont de plus en plus utilisés en psychologie.

ROBERT, Michèle (dir.), *Fondements et étapes de la recherche scientifique en psychologie*, Montréal, Chenelière et Stanké, 1982, chap. 5, 6 et 7.

Autre introduction générale mettant l'accent sur les mêmes thèmes que Ladouceur et Bégin, mais plus brièvement. Le chapitre 6 sur les structures quasi expérimentales est particulièrement intéressant.

SPECTOR, Paul E., *Research Designs*, Newbury Park, Sage, 1981, 80 pages.

Dans ce livre, l'auteur traite plus en profondeur des thèmes qui ont fait l'objet de ce chapitre. Même si la typologie des structures de preuve diffère de celle privilégiée ici, le lecteur y trouvera une compilation très intéressante des enjeux entourant l'utilisation des différentes approches. Fortement recommandé.

YIN, Robert K., *Case Study Research: Design and Methods*, Newbury Park, Sage, 1989, 166 pages.

Il est rare de trouver des discussions traitant directement et exhaustivement de l'approche par étude de cas. Yin a écrit un livre d'une rare richesse à cet égard. Le texte s'arrête aux questions concernant la planification des études de cas uniques et multiples, la préparation de la collecte des données, la collecte elle-même, l'analyse des informations et la rédaction du rapport d'étude de cas. L'introduction compare l'étude descriptive aux autres structures de preuve.

L'ÉTUDE DE CAS

Simon N. ROY

Tout ce qui compte ne peut être compté,
et tout ce qui peut être compté ne compte pas forcément.

Albert EINSTEIN

Il est pour ainsi dire naturel pour l'être humain de tenter de comprendre les réalités qui l'entourent en observant des « cas » – qu'ils soient des personnes, des choses ou des événements. Cette tendance naturelle explique un peu pourquoi l'étude de cas est l'une des approches de recherche les plus anciennes. Les premiers médecins-chercheurs[1], par exemple, procédaient à l'étude de cas particuliers pour comprendre des maladies et expérimenter des médicaments. De façon intuitive, l'être humain a tendance à étudier des cas particuliers pour comprendre la réalité et la prévoir. Ce caractère primaire et limité de l'étude de cas est d'ailleurs la raison pour laquelle elle soulève autant de controverses en science. Le développement de méthodes faisant appel à de grands échantillons aléatoires et de statistiques complexes a quelque peu porté atteinte à la réputation de l'étude de cas comme approche de recherche scientifique. Certains accordent à l'étude de cas un statut à peine plus élevé que les études journalistiques. Pourtant, il est étonnant de voir

---

1. Dans ce chapitre, le générique masculin sera utilisé uniquement pour alléger le texte. Il fait référence autant aux femmes qu'aux hommes.

comment la méthode s'est répandue en sciences sociales et comment elle est maintes fois utilisée encore aujourd'hui, y compris dans les sciences dites pures[2].

Bien entendu, comme toutes les autres méthodes et approches méthodologiques, l'étude de cas peut faire l'objet d'un usage abusif. Son caractère «primitif» la rend peut-être plus vulnérable à cet égard. Il demeure néanmoins que cette approche conserve une place privilégiée dans l'ensemble des méthodologies. Comme toute chose, l'étude de cas a évolué au sein des disciplines en sciences sociales; on a développé des approches plus rigoureuses, et on y a trouvé des «niches» que les autres approches méthodologiques ont délaissées ou ne peuvent occuper en raison de leurs propres faiblesses. Utilisée à bon escient, l'étude de cas devient une approche puissante dont les résultats peuvent être très convaincants.

Dans ce chapitre, on tâchera de définir l'étude de cas et de montrer comment elle complète d'autres approches de recherche. On discutera aussi de quelques techniques pouvant lui assurer une certaine rigueur.

1 QU'EST-CE QUE L'ÉTUDE DE CAS?

■ 1.1. Une définition provisoire

L'étude de cas n'est pas simple à définir. Un parcours rapide de la littérature montre qu'il en existe plusieurs types. En s'inspirant de Stoecker[3], on peut définir de façon provisoire l'étude de cas comme étant une approche méthodologique qui consiste à étudier une personne, une communauté, une organisation ou une société individuelle. Comme le suggère son nom, l'étude de cas se penche sur une unité particulière quelconque. Considérons les trois cas suivants: une région, un événement et une profession:

---

2. En science, on étudie parfois des cas particuliers pour mieux comprendre des phénomènes mal connus. Par exemple, on retrouve plusieurs études de cas portant sur des pathologies rares ou des anomalies qui pourraient servir la science médicale, comme un cas de résistance exceptionnelle au virus du sida (voir par exemple M.A. Luscher, K.S. MacDonald, J.J. Bwayo, F.A. Plummer et B.H. Barber, «Sequence and Peptide-binding Motif for a Variant of HLA-A*0214 (A*02142) in an HIV-1-resistant Individual from the Nairobi Sex Worker Cohort», *Immunogenetics*, février 2001, vol. 53, n° 1, p. 10-14).

3. Randy Stoecker, «Evaluating and Rethinking the Case Study», *Sociological Review*, vol. 39, n° 1, 1991, p. 88.

Deux chercheurs ont étudié une localité particulière, celle de la banlieue de la Rive-Sud de Montréal, pour comprendre son développement et son rapport avec la ville centre de la métropole montréalaise. En retraçant à grands traits l'histoire de cette zone, les auteurs démontrent comment les banlieues disposent d'une autonomie propre, qui s'exprime sur le plan démographique, économique, politique et institutionnel. En particulier, ils montrent comment une ville centre et la banlieue peuvent se développer de pair – et non seulement par la mobilité des urbains vers la banlieue dortoir. Les chercheurs concluent qu'il ne faut pas faire l'étude de la banlieue à partir de la ville centre, mais plutôt l'étude de la banlieue pour elle-même[4].

D'autres chercheurs se sont intéressés à la construction de l'identité francophone canadienne hors Québec. Ils ont choisi d'analyser cette construction à travers différents discours officiels dans le cadre d'un événement précis, celui des Jeux francophones de l'Alberta. Ils se sont penchés sur différents discours, dont ceux des organisateurs de l'événement et celui d'un commentateur sportif anglophone particulièrement critique à l'égard des jeux. L'analyse de leurs propos démontre les écarts de discours au sujet du statut des francophones au Canada. On montre aussi la tension qui existe entre les conceptions linguistiques et culturelles de l'identité francophone hors Québec. Les chercheurs concluent que l'étude des minorités francophones offre un terrain propice au développement de la théorie du discours[5].

À partir du cas des avocats de la ville de Chicago, deux chercheurs se sont intéressés aux inégalités hommes-femmes en milieux professionnels. Ils ont cherché à mesurer les écarts entre avocats et avocates dans une perspective à long terme. Selon leur analyse des promotions internes, les écarts hommes-femmes se manifestent tôt dans la carrière et s'accentuent au fur et à mesure que les carrières progressent[6].

L'étude de cas fait le plus souvent appel à des méthodes qualitatives, dont l'entrevue semi-dirigée. Cependant, il n'est pas rare que les informations soient recueillies par différents types d'instruments, y compris par des outils quantitatifs. L'étude des avocats citée ci-dessus a fait appel à des données statistiques pour analyser les trajectoires professionnelles. Le cas d'une organisation ou d'une école pourrait aussi s'appuyer sur une revue de statistiques d'effectifs. Comme le cas étudié est typiquement de nature assez

---

4. Jean-Pierre COLLIN et Claire POITRAS, « La fabrication d'un espace suburbain : la rive-sud de Montréal », *Recherches sociographiques*, vol. 43, n° 2, 2002, p. 275-310.
5. Christine DALLAIRE et Claude DENIS, « If You Don't Speak French, You're Out : Don Cherry, The Alberta Francophone Games, and the Discursive Construction of Canada's Francophones », *Cahiers canadiens de sociologie*, vol. 25, n° 4, 2000, p. 415-440.
6. K. HULL et R. NELSON, « Assimilation, Choice or Constraint ? Testing Theories of Gender Differences in the Careers of Lawyers », *Social Forces*, septembre 2000, vol. 79, n° 1, p. 229-264.

limitée, on n'hésitera pas à examiner différentes sources d'information, y compris des personnes, des journaux ou des registres. L'examen de ces sources exigera des instruments de recherche adaptés et souvent plusieurs méthodologies. Pour cette raison, on s'entend généralement pour dire que l'étude de cas n'est pas une méthode en soi mais plutôt une approche ou une stratégie méthodologique faisant appel à plusieurs méthodes.

Comme le souligne Hamel[7], le cas ne se limite pas à des lieux physiques. En science politique, par exemple, on peut s'intéresser à une crise internationale particulière pour comprendre un processus de décisions. Une telle étude peut replacer les décisions dans leur contexte institutionnel et analyser le jeu des acteurs apparents et non apparents. L'étude du jeu des groupes de pression peut aussi servir à comprendre les jeux de pouvoir, sans être ancrée dans un lieu bien délimité.

Par ailleurs, l'étude de cas est souvent utilisée en recherche appliquée, notamment en évaluation de programmes gouvernementaux, où elle est utile pour prendre la mesure de l'efficacité – ou des limites – d'un programme. La méthode facilite en outre l'identification de pratiques administratives exemplaires qui peuvent servir de leçons d'avenir pour l'ensemble du programme évalué. Un exemple typique est l'analyse d'un point de service en particulier d'un programme plus large.

> Il existe au Canada plusieurs organismes à caractère public qui apportent un soutien financier aux petites entreprises. Afin d'évaluer l'efficacité de ces organismes, un chercheur s'est penché sur le cas particulier de la Société d'aide au développement des communautés (SADC) de la région de La Baie/Bas-Saguenay. Le chercheur a mesuré les retombées économiques de cette société en faisant un recensement des impacts directs, indirects et induits de chaque entreprise ayant reçu un prêt de l'organisme dans cette région[8].

Ce chercheur s'est intéressé ici à un cas de la SADC pour évaluer l'efficacité du programme fédéral qui finance l'ensemble des sociétés d'aide au développement des communautés. Il aurait pu aussi étudier plusieurs cas de la SADC pour mieux comprendre l'efficacité du programme global. Selon Stake[9], l'étude de cas multiples sert surtout à comprendre un ensemble plus large, que l'on peut subdiviser en sous-ensembles ou sous-cas distincts. L'étude de cas multiples permet d'enrichir notre compréhension de

---

7. Jacques Hamel, *Études de cas et sciences sociales*, Paris, L'Harmattan, 1997, p. 93.
8. É. Guillemette et C. Thiboutot, « Les retombées économiques des SADC : étude de cas », *Canadian Journal of Regional Science/Revue canadienne des sciences régionales*, vol. 22, n° 3, automne 1999, p. 263-276.
9. Robert E. Stake, *Multiple Case Study Analysis*, New York, The Guilford Press, 2006, p. 23.

l'ensemble plus large, en examinant comment chaque cas s'articule dans son contexte particulier. Stake souligne que l'étude de cas multiples vise essentiellement, tout comme l'étude de cas uniques, à mieux comprendre la dynamique interne de chaque cas, de même que les interactions entre les cas et leur contexte particulier. La multiplication des cas ne sert pas à faire des comparaisons internes entre cas, du moins pas a priori, même si en pratique la méthode mènera à des comparaisons pour mieux saisir l'interaction entre les cas et leur environnement.

Un cas peut donc faire référence à une réalité qui dépasse largement les systèmes locaux. Plusieurs études, par exemple, examinent des phéno-mènes dans des secteurs économiques particuliers. Une étude portant sur les relations de travail au sein des caisses populaires ou sur l'absentéisme dans le secteur manufacturier automobile sont de bons exemples de cas qui s'étendent sur de grandes surfaces géographiques, mais dans des cas-secteurs particuliers. D'aucuns diraient qu'ils sont à la limite de l'étude de cas. Effectivement, les cas sont si larges qu'ils constituent souvent une population d'intérêt en soi. Une étude se penchant sur un ministère de la Santé, par exemple, peut soulever un intérêt particulier et constituer une population représentative de ce qui intéresse la communauté, c'est-à-dire le ministère de la Santé en soi (et non pas les ministères gouvernementaux ou les ministères de la Santé en général). Par contre, une étude de l'évolution d'un village quelconque constituera plutôt un cas parmi l'ensemble des villages de la même taille, soit le véritable point d'intérêt. Il y a donc une certaine subjectivité dans la définition des ensembles et des populations, rendant parfois difficile de distinguer une étude de cas d'une étude d'un échantillon ou d'une population entière. Cependant, lorsque le cas devient un point d'intérêt en soi, on abandonne un peu l'objectif d'interpréter le cas particulier pour comprendre une réalité plus large, ce qui est sans doute l'objectif fondamental de toute science. En revanche, l'étude de cas pour son intérêt en soi peut revêtir une importance sur un autre plan, sur un plan politique ou économique notamment.

▓ 1.2. Un peu d'histoire

Dans l'histoire des sciences sociales, on note quelques études et écoles clés qui sont à l'origine de l'étude de cas telle qu'on la connaît aujourd'hui. Plusieurs auteurs (dont Hamel et Del Bayle[10]) citent Leplay comme étant l'un des premiers chercheurs en sciences sociales à en faire usage de façon systématique.

---

10. J.-L. DEL BAYLE, *Initiation aux méthodes en sciences sociales*, Paris, L'Harmattan, 2000, p. 143-144.

Dans les années 1830, Leplay entreprit une vaste étude des populations ouvrières de plusieurs pays européens. En 1839, il mena plus de trois cents « monographies de familles ». La grille d'analyse dont se servit Leplay comprenait quatre rubriques : la définition du lieu ; l'organisation industrielle et de la famille ; les moyens d'existence de la famille ; et le mode d'existence et l'histoire de la famille. À l'époque, Leplay se distingua par le caractère systématique de ces études et par l'emploi de données chiffrées pour décrire certaines dimensions de ces monographies. Comme le rappelle Hamel, Léon Guérin s'inspira de Leplay pour mener des travaux semblables au Québec[11].

Premier sociologue de langue française en Amérique, Guérin entreprit des monographies de familles canadiennes-françaises au début du XXe siècle. Comme Leplay, il a pour prémisse que l'on peut étudier une société globale à partir d'une unité sociale sélectionnée à cette fin.

Les États-Unis ont donné naissance à une véritable école qui a considérablement influencé plusieurs branches des sciences sociales. D'après Stoecker[12], l'étude de cas était fort populaire en psychologie, en médecine et en management au début du XXe siècle aux États-Unis. L'absence de méthodes alternatives explique peut-être cette popularité. En sciences sociales, elle connaît son « âge d'or » dans le premier tiers du XXe siècle grâce à l'école de Chicago. La tradition de Chicago, comme on l'appelait à l'époque, a dominé la sociologie américaine jusqu'en 1935. Elle s'appuyait surtout sur des méthodes qualitatives, dont l'observation participante et les histoires de vie de famille. Park, Burgess et plus tard Blumer et Hughes, pour ne nommer qu'eux, ont mené de nombreuses études de cas dans le domaine de l'urbanisation, de la socialisation, de l'écologie urbaine, de la déviance et de la délinquance. À travers des monographies très minutieuses, on rendit compte de la condition et de l'acculturation des immigrants, des minorités, des Afro-Américains et des sans-abri. On mena également des études sur le banditisme, le gangstérisme de quartier et les racines sociales profondes de ces phénomènes sociaux.

À partir des années 1950, l'étude de cas chez les Américains est plutôt perçue comme une méthode inductive que déductive, c'est-à-dire plus utile pour explorer des phénomènes que pour vérifier des hypothèses par déduction. Selon Stoecker[13], elle en vient à occuper une place secondaire en sociologie aux États-Unis, au profit des méthodes quantitatives et par échantillon. Dans certaines disciplines et dans certaines écoles, la méthode occupe toujours une place importante. L'anthropologie y fait régulièrement

---

11. Jacques HAMEL, *op. cit.*, p. 7-26.
12. Randy STOECKER, *op. cit.*, p. 88-90.
13. *Ibid.*

appel. Dans cette discipline, on ne peut passer sous silence la contribution de chercheurs clés tels que Mead et Malinowski. Ce dernier procéda à des relevés détaillés de la culture de sociétés restreintes par la méthode dite d'observation participante. L'approche de Malinowski consistait à s'intégrer progressivement à la population, en se mêlant à leur vie quotidienne.

Aujourd'hui, peu de sciences sociales se privent totalement d'études de cas. En témoignent les nombreuses études de ce genre publiées dans les revues de sociologie, des sciences de l'éducation, de science politique, de criminologie, de relations industrielles et de travail social.

▓ 1.3. Les types d'études de cas

Il est aussi possible de définir ce qu'est une étude de cas en montrant ce qu'elle n'est pas. Ainsi, Tremblay[14] et plusieurs autres auteurs expliquent que l'étude de cas s'oppose en quelque sorte aux études sur échantillon. Il existe bien d'autres types de recherche (comparatives, notamment), mais le plus souvent, on compare l'étude de cas aux études par échantillon. Contrairement à ces dernières, l'étude de cas s'intéresse à un nombre limité de sujets et ne prétend pas à la représentativité statistique. Comme le signale Tremblay, les études portant sur des échantillons comportent un grand nombre de sujets, mais recueillent généralement un nombre limité d'informations sur chacun d'eux. À l'inverse, les études de cas sont intensives dans le sens où elles se limitent à moins de sujets, tout en réunissant un grand nombre d'informations et d'observations sur chacun d'eux et leur contexte. L'étude de cas suivante se penche sur un petit groupe de jeunes marseillais afin de mieux comprendre la transition vers l'âge adulte et la déviance chez certains jeunes.

> La transition des jeunes vers l'âge adulte est de plus en plus longue. Pour comprendre les conséquences sociales de l'allongement de cette transition, un chercheur a suivi un groupe de jeunes adultes d'un quartier populaire de Marseille. Au cours d'une longue période, il a accompagné ce groupe de jeunes adultes pour comprendre la complexité de leurs valeurs et leurs comportements déviants. Il observe une certaine apathie chez les jeunes, un immobilisme et une démobilisation générale. Il attribue ces problèmes au déclin des institutions et à la discontinuité de la croissance économique locale[15].

---

14. Marc-Adélard TREMBLAY, *Initiation à la recherche en sciences humaines*, Montréal, McGraw-Hill, 1968.
15. C. ANDRÉO, « La transition vers l'âge adulte de jeunes marseillais issus de milieux populaires dans les années 90 », *Déviance et société*, vol. 25, n° 3, 2001, p. 347-365.

Tremblay[16] suggère trois types d'études de cas: l'approche monographique, l'étude de cas suggestifs et l'étude de sujet individuel. Ce découpage aide à mieux les comprendre ainsi qu'à saisir l'usage que peuvent en faire les différents champs disciplinaires.

L'approche monographique. Il s'agit d'une description exhaustive d'une situation, d'un problème, d'une unité géographique, etc. Il existe par exemple des monographies de villages, d'hôpitaux ou d'organisations. Ces études s'inscrivent souvent dans un ensemble de travaux qui peuvent confirmer ou enrichir une théorie plus générale. Ce qui importe, c'est de recueillir des informations sur tous les aspects de la question et de la traiter comme une totalité opérante. Par exemple, dans l'étude d'une ville ou d'une région, on se penchera sur le milieu physique, l'histoire sociale du lieu, la démographie, l'organisation économique et sociale, les mentalités et les croyances.

L'étude de cas suggestifs. Ces études sont similaires à l'étude monographique mais ressortent par le caractère atypique ou suggestif du cas étudié. Ce type est sans doute le plus répandu dans la littérature actuelle. Selon cette approche, des cas exemplaires ou même exagérés sont sélectionnés pour étudier ou illustrer un phénomène qui ailleurs demeure diffus ou à l'état embryonnaire. Par exemple, ce peut être une nouvelle approche de gestion peu répandue, dite d'avant-garde, qui deviendra peut-être une pratique généralisée. L'étude de cas suggestifs peut aussi alimenter des théories générales en s'appuyant sur des exemples particulièrement révélateurs qui expriment une réalité plus diffuse ou difficilement mesurable ailleurs.

L'étude de sujets individuels. Ce genre de recherche s'appuie sur l'étude d'un seul sujet, qui fait l'objet d'un cas. Certains courants en psychologie s'appuient sur l'étude de sujets particuliers en documentant l'analyse et le traitement d'un seul individu. Les histoires de vie appartiennent à ce type d'étude de cas.

L'étude de cas peut aussi se différencier par son mode de contribution aux connaissances de la discipline. Elle peut être descriptive, exploratoire, explicative ou évaluative. De façon générale, cependant, on la reconnaît surtout pour sa capacité à décrire des phénomènes ou à les explorer lorsque le sujet est unique ou jusque-là négligé par la science.

On peut maintenant présenter, à partir de ces types et des exemples cités plus haut, une définition plus précise de l'étude de cas. Ainsi, on peut dire que l'étude de cas est *une approche de recherche empirique qui consiste*

---

16. Marc-Adélard Tremblay, *op. cit.*, p. 185.

à enquêter sur un phénomène, un événement, un groupe ou un ensemble d'individus, sélectionné de façon non aléatoire, afin d'en tirer une description précise et une interprétation qui dépasse ses bornes. Le cas étudié est donc bien délimité, mais forme un *sous-système* dont l'analyse permet de mieux comprendre un système plus large. Ainsi, on s'intéressera aux composantes qui forment le cas, y compris son contexte immédiat, son histoire et ses différentes dimensions.

▓ 1.4. Les critiques à l'égard des études de cas

L'étude de cas est encore largement utilisée en sciences sociales et, pourtant, elle fait l'objet de nombreuses critiques qui portent essentiellement sur la *validité interne* et la *validité externe* des résultats.

D'une part, d'aucuns diront que les études de cas sont subjectives et s'appuient sur des informations partielles *qui ne représentent pas toute la réalité du cas.* Cela fait référence au problème de validité interne. Pour ces détracteurs, les chercheurs qui s'adonnent aux études de cas prennent trop de liberté et introduisent des biais dans les résultats. Par exemple, ces chercheurs peuvent négliger certains témoignages et mettre l'accent sur des propos ou des groupes de répondants qui les intéressent, qui défendent leur thèse. On associe la méthode au journalisme et on reproche aux chercheurs de ne pas être systématiques dans leur collecte de données. Bref, les études de cas rapportent des images qui déforment la réalité, qui la représentent mal, soit parce que la méthode permet aux chercheurs de biaiser les résultats, soit parce que leurs données ne sont pas uniformes.

D'autre part – et c'est peut-être la critique la plus sérieuse –, on reproche à la méthode de se pencher sur des cas qui ne sont pas «représentatifs» de l'ensemble. Autrement dit, les résultats des études de cas seraient déficients sur le plan de la *validité externe*. Contrairement aux études s'appuyant sur des *échantillons* d'individus, sélectionnés au hasard et dont le nombre est suffisamment grand, les cas sélectionnés et étudiés ne représentent pas la société globale, selon cette critique. On ne peut pas généraliser à partir d'un seul cas, surtout s'il n'est pas sélectionné au hasard, dira-t-on. L'étude d'un seul cas fait que l'on ne peut vraiment l'utiliser pour vérifier des hypothèses sur un ensemble plus large. Le reproche est donc de nature *statistique* dans le sens où l'on critique l'unicité des cas. Le cas n'est pas un échantillon représentatif qui permettrait de tirer des conclusions globales.

Évidemment, cette opposition entre l'étude de cas et l'étude par échantillonnage a fait couler beaucoup d'encre. Plusieurs auteurs dont Stoecker[17]
résument bien le débat, lequel est beaucoup plus complexe qu'une simple
mésentente sur la qualité statistique d'un cas. La forme même d'un rapport
d'étude de cas en rebute plus d'un : présentée sous la forme de mots et de
récits, plutôt que de chiffres et de tests mathématiques, l'étude de cas paraît
moins « scientifique » aux yeux de plusieurs. Fort heureusement, les tenants
de l'étude de cas ont réagi à ces critiques en perfectionnant la méthode et
en répondant directement à leurs détracteurs. Ces réponses montrent en
fait toute la force de cette approche.

▓ 1.5. Les forces de l'étude de cas

Il faut admettre que l'étude de cas peut comporter des limites, notamment
sur le plan de la représentativité.En revanche, elle présente des forces
indéniables.

Pour explorer des phénomènes nouveaux ou négligés

De façon presque unanime, on reconnaît la valeur de l'étude de cas pour
les recherches de type exploratoire. La science est souvent mal armée pour
comprendre des phénomènes nouveaux ou en forte croissance, comme les
gangs de rue, les sectes, le taxage et les « raves ». Comme ces phénomènes
sont apparus relativement rapidement, ils constituaient de véritables *terra
incognita* dont on connaissait peu de chose. Dans de telles situations, les
méthodes qualitatives et l'étude de cas présentent des qualités indéniables : en effectuant des entrevues semi-dirigées sur des cas particuliers,
on peut « découvrir » et mieux comprendre des phénomènes nouveaux
ou difficiles à mesurer.

Certains phénomènes moins nouveaux attirent parfois l'attention
de nouvelles générations de chercheurs qui les font découvrir. Les théories existantes sont souvent mal adaptées à ces sujets ignorés auparavant.
Par exemple, comme l'indique Bradshaw[18], l'étude de cas a été très utile
pour comprendre certaines problématiques liées aux pays en voie de
développement. Les théories occidentales traditionnelles se sont révélées
plus ou moins efficaces pour expliquer certains phénomènes, dont le
développement (ou le retard) économique et social de ces sociétés.

---

17. Randy STOECKER, *op. cit.*, p. 90-94.
18. York BRADSHAW et Michael WALLACE, « Informing Generality and Explaining Uniqueness :
    The Place of Case Studies in Comparative Research », *International Journal of Comparative
    Sociology*, vol. 32, nos 1-2, 1991, p. 154-171.

Grâce à son approche inductive, l'étude de cas devient très efficace pour analyser des réalités négligées par la science et que les théories existantes expliquent mal ou seulement en partie.

Pour comprendre le contexte et l'histoire entourant le cas

L'étude de cas peut aussi devenir une approche privilégiée pour rendre compte de facteurs qui sont difficilement mesurables dans le cadre d'études quantitatives par échantillon. En se penchant sur un seul cas, au cadre clairement délimité, il est possible d'inscrire le phénomène qui nous intéresse dans son contexte géographique et historique. La capacité d'un groupe d'immigrants à s'intégrer dans une société, par exemple, se comprend mieux lorsqu'on insère le phénomène dans un contexte socio-politique plus large :

> L'intégration sociale des immigrants peut s'analyser par la place qu'ils occupent dans les jeux de pouvoir de la société d'accueil. Pour mieux comprendre cette dynamique, un chercheur s'est penché sur le cas des Irlandais d'une paroisse québécoise du XIXᵉ siècle. Ses analyses des archives d'époque montrent comment l'intégration de ce groupe s'est faite dans une communauté qui comptait des Irlandais protestants et des francophones catholiques. Les Irlandais catholiques ne réussirent ni à s'assimiler ni à se trouver une « niche » sociale ou politique dans cette communauté rurale. Selon les travaux, l'intégration d'un groupe d'immigrants varie selon la place qu'il occupe dans les institutions politiques et religieuses[19].

Pour combler les lacunes des études par échantillon

L'étude de cas n'est pas la seule approche à connaître des limites métho-dologiques. En ce sens, elle peut servir à combler les lacunes des autres stratégies de recherche – et vice-versa. Les méthodes quantitatives offrent aux chercheurs toute une panoplie d'outils statistiques qui leur permettent notamment de cerner l'influence de plusieurs variables. À l'aide de tests statistiques sur des échantillons représentatifs, il est possible de trouver des relations de cause à effet en contrôlant l'effet de plusieurs autres variables, et ce de façon systématique et plus ou moins objective.

Toutefois, comme le soulignent plusieurs auteurs dont Stoecker[20], les études quantitatives par échantillon ont aussi des limites. L'auteur relève deux critiques à leur égard. D'une part, *les études par échantillon peuvent*

---

19. Aidan D. McQuillan, « Pouvoir et perception : une communauté irlandaise au Québec du dix-neuvième siècle », *Recherches sociographiques*, vol. 40, 1999, p. 263-283.
20. Randy Stoecker, *op. cit.*, p. 90-94.

également souffrir de problèmes de validité. Afin de recueillir des informations auprès d'un grand nombre de personnes ou de répondants difficiles
à joindre, les études par échantillon feront appel à des instruments stan-
dardisés qui comprennent une grande proportion de questions fermées.
Or, comme le rapporte Stoecker, il n'est pas rare que les catégories de
réponses suggérées soient incomplètes ou mal comprises par les répondants. Par exemple, on peut demander à des répondants par l'entremise
d'un questionnaire si oui ou non ils ont été victimes de harcèlement au
travail. Or, si les chercheurs omettent de définir clairement le type de harcèlement (sexuel, psychologique, etc.), il en résultera des erreurs de mesure
ou des interprétations fautives. En l'absence d'études de cas ou de travaux
qualitatifs, les recherches de nature quantitative s'appuieront sur les seules
intuitions de ceux qui concevront les questionnaires. Et là est justement
l'erreur si ces chercheurs n'ont pas de connaissances préalables dans le
domaine. Ils devront prévoir toutes les causes et toutes les catégories de
réponses possibles sans vraiment connaître toutes les possibilités.

L'inexpérience ou l'inattention des assistants de recherche – qui
font souvent le pont entre le chercheur principal et les sujets de l'échantillon – peuvent aussi mener à des classements fautifs. Contrairement aux
études quantitatives, les études de cas permettent souvent une plus grande
proximité entre les chercheurs principaux et les répondants, un avantage
considérable qui limite le risque d'erreur de mesure due à la forme du
questionnaire.

D'autre part, on peut reprocher à certaines études par échantillon
*d'établir des liens de causalité en s'appuyant uniquement sur des corréla-
tions statistiques.* Si les statistiques peuvent suggérer une association entre
phénomènes, elles ne remplacent pas l'explication logique. Dans certains
cas, on peut se demander si les causes et les effets ne sont pas en fait des
relations inversées. Par exemple, on peut démontrer une association entre
le bénévolat et le sentiment de bien-être chez l'individu et défendre l'idée
que le premier mène vers le deuxième. Mais on peut tout aussi bien faire
l'hypothèse que ce sont les gens « bien dans leur peau » qui font davantage
de bénévolat que la moyenne. Bref, les statistiques ne peuvent pas toujours
permettre de distinguer l'œuf de la poule.

La corrélation statistique peut aussi être trompeuse si elle ne mesure
pas tous les facteurs susceptibles d'expliquer le phénomène sous étude. Par
exemple, une étude par échantillon peut très bien montrer une corrélation
entre l'enseignement privé et le succès de l'étudiant, et faire l'hypothèse que
l'enseignement du secteur privé est supérieur à celui du secteur public. En
réalité, le succès du secteur privé est attribuable à de nombreux facteurs,
dont l'écrémage des candidats et le capital culturel des élèves acquis au sein

de la famille. Pour découvrir et comprendre de tels facteurs, il faut souvent aller sur le terrain, visiter des familles et voir ce qui se cache vraiment derrière le phénomène (ou la variable dépendante) étudié.

À cet égard, la profondeur des études de cas permet de mieux comprendre les relations de cause à effet. Comme l'affirme Tremblay[21], l'étude de cas permet d'observer une multitude de variables chez un nombre réduit d'individus. Cela permet au chercheur de prendre en compte plusieurs facteurs de causalité et souvent, de les observer *in situ*, tandis que les études par échantillon ne mesurent souvent qu'un nombre limité de variables. Certaines variables clés risquent donc de passer inaperçues, surtout lorsque le chercheur est très éloigné des sujets.

Pour apporter des connaissances préthéoriques

Comme on l'a montré au chapitre 2, la science cherche à réduire l'incertitude et à prévoir par l'accumulation de connaissances observées et vérifiées. C'est donc pour leur valeur *prédictive* que les théories et les recherches démontrant des relations de causes à effets jouissent d'une certaine notoriété dans la communauté scientifique. Une théorie causale démontrée par une preuve – statistique notamment – aura souvent moins de mal à s'imposer qu'un compte rendu descriptif d'un cas isolé. Une preuve qu'un certain comportement parental a un impact sur le bien-être d'un enfant, par exemple, est plus susceptible d'attirer l'attention des médias qu'une étude descriptive des garderies familiales en milieux défavorisés.

Pourtant, de nombreux auteurs nous rappellent que les connaissances d'une science se forment rarement à partir de travaux isolés de cause à effet. De nombreuses études descriptives enrichissent de façon inestimable le corpus de connaissances d'une science. Des études de cas de type monographique, par exemple, peuvent faire découvrir des phénomènes et montrer un vide théorique à combler. Des classifications et des typologies résultant d'études de cas, comme l'indique Hamel[22], constituent déjà une connaissance abstraite et un outil pour comprendre la réalité. Les descriptions, organisées en classifications ou non, peuvent faire émerger des hypothèses à être vérifiées par des travaux ultérieurs. En ce sens, l'étude de cas peut montrer l'influence de facteurs inattendus. Ces connaissances sont donc préthéoriques car elles précèdent et aident à former des théories.

---

21. Marc-Adélard TREMBLAY, *op. cit.*, p. 184.
22. Jacques HAMEL, *op. cit.*, p. 114-115.

La complémentarité entre études de cas et études par échantillon

Comme la discussion précédente le suggère, les études de cas peuvent constituer des compléments essentiels aux études par échantillon. Les travaux de grande envergure cherchant à vérifier une relation de cause à effet bénéficieront souvent des hypothèses ou des descriptions développées par des études de cas antérieures. L'étude de cas donne en quelque sorte une valeur ajoutée au corpus scientifique en comblant les points faibles typiques des études par échantillon. Mais les descriptions elles-mêmes des études de cas peuvent avoir une grande valeur : une classification de faits, même si elle n'est pas causale, fournit déjà un cadre pour mieux comprendre la réalité.

Ainsi, l'étude de cas aide à la compréhension des phénomènes sociaux qui nous entourent, soit en apportant des repères pour comprendre la réalité, soit en préparant le terrain des études causales menées auprès d'échantillons représentatifs.

Enfin, on peut résumer les caractéristiques des études de cas par rapport aux études par échantillon à l'aide du tableau suivant.

	Étude de cas	**Étude par échantillon**
Nombre de sujets	Limité	Étendu
Nombre de variables	Étendu	Limité
Approche	Plutôt inductive et interprétative	Plutôt hypothéticodéductive
Forces méthodologiques	Exploratoire	Résultats statistiquement représentatifs
	Proximité du chercheur aux sujets	Mesure et analyse systématique de données
	Méthodes plurielles	Démonstration de théories causales par tests statistiques multivariés
	Intégration de facteurs difficiles à mesurer (histoire, contexte, etc.)	

2 PISTES DE DÉMARCHE

L'étude de cas est une approche ou une stratégie de recherche qui peut faire appel à plusieurs méthodes, dont l'observation participante, l'entrevue semi-dirigée et le questionnaire écrit. D'autres chapitres du présent ouvrage se consacrent à ces méthodes. Cependant, une discussion sur quelques techniques associées à l'étude de cas n'est pas inutile, compte tenu des nombreuses critiques d'ordre méthodologique adressées aux auteurs d'études de cas. Ainsi, on leur reproche souvent :

- de ne pas prendre conscience de leurs biais ;
- de ne pas choisir de bons « cas » ;
- de ne pas étudier le cas suffisamment en profondeur ;
- de ne pas vérifier la validité et la fidélité des résultats ;
- de ne pas interpréter et/ou généraliser les résultats correctement.

Les critiques ont déclenché une véritable réflexion collective sur ces lacunes et les autres problèmes méthodologiques associés à la démarche. Il en a résulté un effort considérable pour améliorer l'approche. Dans cette deuxième section du chapitre, nous indiquerons quelques pistes susceptibles d'aider le chercheur novice à éviter quelques-unes des erreurs typiques des études de cas. Sans être des recettes magiques, ces pistes constituent des stratégies pour rendre, d'une part, la collecte d'information plus systématique et, d'autre part, les résultats et les conclusions plus fructueuses et pertinentes aux yeux de la collectivité scientifique.

2.1. La préparation du cadre théorique

Une étude de cas sera critiquée – le plus souvent ignorée – lorsque son sujet ou ses conclusions seront peu pertinents pour la communauté. Une bonne préparation du cadre théorique mènera à une question de recherche et à des résultats qui soulèveront un intérêt parmi les pairs. Cela vaut pour tous les types de recherche, mais il n'est pas inutile de le rappeler ici car le novice est souvent tenté de choisir un « cas » un peu à la hâte, sans vraiment considérer la pertinence théorique du sujet.

Le cadre théorique – qui contient essentiellement les questions de recherche, les théories apparentées, les hypothèses et les indicateurs – s'appuiera d'abord sur une revue de littérature. Idéalement, le chercheur sélectionnera le cas après avoir mené une revue de littérature sur un sujet plus large qui le préoccupe. La revue portera sur les recherches empiriques antérieures, et les différentes théories qui touchent de près ou de loin son sujet. L'importance du cadre théorique peut sembler contradictoire avec ce qui a été écrit plus tôt. En effet, l'étude de cas est généralement reconnue pour ses qualités exploratoires. On l'a dit, son approche inductive est particulièrement utile pour découvrir certaines dimensions insoupçonnées d'un phénomène nouveau. Une revue des théories et des travaux antérieurs, même en périphérie à un sujet nouveau, aide cependant le chercheur à poser des questions pertinentes.

Mais, plus important encore, cette revue des théories préexistantes offre des clés précieuses pour comprendre le phénomène qui sera étudié. Une théorie, c'est à la fois une explication et un outil de prédiction. De façon plus concrète, la théorie aidera le chercheur à comprendre et à interpréter rapidement ce qu'il rencontre sur le terrain. Par exemple, une étude sur les gangs de rue fera peut-être appel aux différentes théories sur le pouvoir. Stoecker[23] nous rappelle d'ailleurs l'importance de considérer plusieurs types de travaux et plusieurs théories, y compris celles qui se contredisent. Lorsque le sujet est particulièrement nouveau, il vaut mieux ratisser large pour être mieux armé lorsqu'on « débarquera » sur le terrain.

La théorie peut aussi servir de soutien lorsqu'il s'agira d'évaluer dans quelle mesure on peut généraliser nos conclusions. L'un des principaux défis pour l'utilisateur de l'étude de cas, c'est de faire valoir la pertinence de ses travaux. Le plus souvent, cette pertinence se mesure par la capacité de l'étude à dégager des conclusions qui dépassent le cas, qui sont, dans une certaine mesure, généralisable à une réalité plus large. En intégrant des éléments de théories reconnues et acceptées dans un nouveau cadre d'interprétation, le chercheur pourra plus facilement convaincre ses lecteurs des implications plus larges de ses conclusions.

Bien entendu, le chercheur pourra aussi vérifier si les théories anté-rieures sont valables – ou suggérer des variances ou des améliorations. Plus souvent, il expliquera pourquoi les théories s'appliquent mal au cas étudié et il proposera des voies théoriques alternatives. Mais cela se fait difficilement sans avoir une connaissance des théories au préalable. Sinon, le chercheur risque de ne pas poser les bonnes questions pour vérifier ces théories.

Cependant, la revue de littérature ne sera pas l'unique déterminant du cadre théorique de l'étude de cas. Stoecker soutient que les caractéris-tiques du cas détermineront aussi le choix du cadre théorique. Comme c'est souvent le cas en recherche, il n'est pas toujours possible, ni souhai-table, de suivre un processus linéaire. Les meilleures équipes de recherche feront plutôt des allers-retours entre le processus de sélection du cas et la construction du cadre théorique. Il y a donc un processus itératif, du moins au début, qui mènera vers la construction d'un cadre théorique solide.

---

23. Randy Stoecker, *op. cit.*, p. 101.

Enfin, signalons qu'une préparation minutieuse de la recherche avant la collecte de données est aussi importante pour l'étude de cas que pour n'importe quelle autre stratégie de recherche. Comme l'explique Yin[24], il faut établir un plan de recherche qui devrait inclure les questions de recherche, les données pertinentes à collecter et un plan d'analyse de données. Pour ce faire, on puisera dans la littérature et on consultera des collègues au besoin (on y reviendra). Surtout, on mènera une préenquête sur le terrain; mais, auparavant, il faudra bien choisir le cas sur lequel on se penchera.

▓ 2.2. La sélection du ou des cas

Comme nous venons de le mentionner, le choix du cas ne devrait pas se faire avant, ni tout à fait après la construction du cadre théorique. Il constitue néanmoins une étape cruciale qui aura un impact direct sur la pertinence des résultats des travaux.

Selon notre définition, un cas peut faire référence à un phénomène, un événement, un groupe ou un ensemble d'individus; le cas ne se limite donc pas nécessairement à un lieu physique. Selon Hamel[25], un cas correspond à un observatoire qui présente certaines qualités. Rappelons qu'il faudra choisir un cas exemplaire ou qui illustre bien un problème qui intéresse la communauté scientifique. Il peut aussi être choisi pour sa façon particulière d'accentuer un phénomène particulier. Le cas peut être sélectionné pour son caractère révélateur, son potentiel de découverte, ou par l'opportunité qu'il présente d'étudier un phénomène en temps réel; l'étude d'un conflit de travail – dont l'événement est limité dans le temps – en est un exemple typique. Comme on le sait, le cas ne sera pas représentatif sur le plan statistique, mais plutôt sur le plan théorique.

La sélection de plusieurs cas pour une même recherche rend ce travail de sélection plus complexe. On considérera alors plusieurs critères de sélection pour rendre la sélection plus ou moins homogène, selon l'intention de l'équipe de recherche. Une certaine variabilité est souhaitable et même nécessaire si l'on veut expliquer des variations ou établir des relations causales à l'aide de comparaisons entre les cas. On tâchera notamment de «contrôler» certains facteurs explicatifs, notamment la taille de chaque cas, et toute autre variable explicative qui pourraient empêcher des comparaisons valables, si cela est l'intention. Une sélection plus homogène de cas servira plutôt à dégager des tendances générales de

24.   Robert K. YIN, *Case Study Research*, Thousand Oaks, Sage, 1994, p. 18-20.
25.   Jacques HAMEL, *op. cit.*, p. 93.

nature descriptive. Gagnon suggère de sélectionner un plus grand nombre de cas que nécessaire, car il est probable que certains cas ne puissent être complétés comme prévu[26].

Pour Yin[27], la littérature influencera parfois le choix du cas. Selon le sujet et l'état de la recherche, il sera parfois utile de choisir un cas en fonction des travaux antérieurs sur le sujet. Par exemple, il est parfois avantageux de choisir des cas dont les caractéristiques permettront des comparaisons avec des cas étudiés précédemment. On pourrait considérer le contexte géographique, la taille de l'ensemble ou du groupe qui nous intéresse, le secteur économique, etc. L'étude d'un cas dans un contexte semi-urbain pourrait suivre une étude précédente menée dans un contexte fortement urbanisé, par exemple, pour contrôler ou vérifier l'effet du contexte.

Plusieurs auteurs dont Yin[28] recommande de bien délimiter le cas ou, du moins, de vérifier si des frontières existent. S'il n'y a pas de limites, ce n'est pas vraiment un cas. Il doit donc avoir une limite théorique au cas et il faut que celui-ci soit complet. Parfois, cela sera vérifié en faisant un relevé des personnes à questionner. Si ce nombre est pour ainsi dire illimité, on doit se poser des questions sur les frontières réelles du cas. Une délimitation claire facilitera l'interprétation des résultats – dont le rôle du contexte social et historique.

Enfin, Gagnon[29] souligne l'importance de ne pas entretenir de relations professionnelles avec les participants ou les répondants du cas. Pour assurer l'impartialité de la collecte de données, l'équipe de recherche ne devrait pas agir en tant qu'experts-conseils, ou échanger la participation à l'étude contre des services professionnels. Selon Gagnon, les participants peuvent parfois solliciter une compensation quelconque en retour du temps accordé.

▓ 2.3. La préparation du terrain et la préenquête

Suivant la complexité du cas, notamment la taille de la population qu'il représente, il faudra mettre en place des mesures préparatoires pour assurer le bon déroulement des travaux et de l'étude en général.

---

26. Yves-C. GAGNON, *L'étude de cas comme méthode de recherche*, 2005, Québec, Presses de l'Université du Québec, p. 58.
27. Robert K. YIN, *op. cit.*, p. 24.
28. *Ibid.*, p. 24.
29. Yves-C. GAGNON, *op. cit.*, p. 57

Dans certaines situations, il faudra négocier son entrée sur le terrain, notamment pour étudier un ensemble hiérarchisé, comme un ministère ou une entreprise. Il s'agira de repérer les personnes clés pour leur présenter l'étude, ses objectifs et ses commanditaires, le cas échéant. Bien que ce ne soit pas toujours facile, le chercheur tâchera de repérer les centres de pouvoir clés et de présenter l'étude à chacun. L'étude d'un hôpital, par exemple, sera présentée aux différents comités, conseils et syndicats. Avec ces représentants, il faudra aussi discuter des questions de confidentialité. Des lettres d'ententes sont utiles à cet égard.

Une préenquête n'est pas un luxe. Il s'agit d'une première visite sur le terrain pour interviewer quelques personnes clés. Ces individus sauront brosser un tableau global de la situation et indiquer des sources d'information, y compris les personnes et les ressources écrites ou matérielles. La préenquête servira à prendre connaissance de la nature et de l'envergure du matériel à traiter, et à prévoir les obstacles susceptibles de nuire aux travaux. Cette première visite offre parfois l'occasion de jeter un coup d'œil sur des documents et des statistiques qui pourront éventuellement être dépouillés de façon plus systématique. Elle mènera aussi vers l'établissement d'un véritable inventaire des personnes à interviewer, sonder ou observer. Si le nombre de répondants est important, il faudra peut-être constituer des échantillons que l'équipe de recherche établira d'avance selon les principes d'échantillonnage (bien entendu, on peut toujours ajouter des noms à la liste au fil des travaux de terrain). Lorsque la recherche implique plusieurs cas et que l'intention de l'équipe de recherche est de quantifier certaines informations, la préenquête sera essentielle pour finaliser la sélection des indicateurs et des unités de mesure. Mais elle pourrait aussi remettre en question la sélection des méthodes ou même le choix du cas en soi.

La préenquête sera la principale source d'information pour le processus de planification de recherche. Le plan de recherche comprendra les questions pointues de recherche, les variables à analyser, le plan d'analyse et les ressources nécessaires pour mener à bien les travaux. Un plan de recherche détaillé assurera toutefois au chercheur une revue maximale des sources d'information dans les échéanciers (et les budgets de recherche) prévus.

Une fois le plan finalisé, on pourra procéder aux dernières préparations de terrain, dont la préparation des instruments de collecte d'information, la rédaction de lettres d'introduction et la formation des assistants. Sur ce point, on peut faire un cas ou quelques entrevues pilotes pour former les assistants et prétester les instruments de collecte.

▓ 2.4. La collecte de données

Pour plusieurs chercheurs, la collecte de données constitue le moment fort de leurs travaux. Pour l'étude de cas, cela est peut-être encore plus vrai, compte tenu du rôle actif que jouera probablement le chercheur principal sur le terrain. Celui-ci devra procéder de façon systématique s'il veut éviter les critiques citées en début de section.

Deux stratégies clés aideront le chercheur à réduire l'influence de ses biais personnels et à approfondir son analyse du cas étudié.

La première stratégie consiste à multiplier ses méthodes ou ses sources de mesure. En faisant appel à plusieurs méthodes et sources de données, on limite les biais causés par des erreurs de mesure. Par exemple, si dans un cas donné on apprend par entrevues qu'une décision politique a été influencée par un groupe quelconque, on pourra tenter de vérifier cette influence en effectuant une revue des contributions aux caisses du parti au pouvoir (des contributions régulières suggéreront une influence importante sur les décisions). Cette *triangulation des données* permettra au chercheur de combler les lacunes ou biais de chacune des méthodes ou des sources d'information dont il fera usage. Comme l'explique Hamel, la triangulation des données place l'objet d'étude sous « le feu d'éclairages différents dans l'espoir de lui donner tout son relief[30] ».

La multiplication des méthodes (entrevues, études de statistiques, revue de presse, etc.) permet au chercheur « d'asseoir » ses observations sur des bases plus solides. Mais la triangulation peut aussi se faire dans le cadre d'une même méthode. La méthode d'entrevue, notamment, peut s'appliquer à des populations très différentes sur le plan du positionnement face au problème qui nous intéresse. Par exemple, l'étude d'une catastrophe écologique pourra s'appuyer sur des documents, mais aussi sur des entrevues auprès de plusieurs personnes, y compris des observateurs neutres qui n'ont pas d'intérêts particuliers dans les enjeux en cause.

La deuxième stratégie consiste à tenir un journal de bord détaillé. On ne mettra jamais assez d'accent sur l'importance de cet outil. Le journal du chercheur contiendra les notes générales, les difficultés rencontrées sur le terrain, les réflexions personnelles, les ébauches d'explication, les descriptions globales et les questions que le chercheur notera au fur et à mesure des travaux. Le caractère libre et privé du journal de bord lui permettra de tout noter, sans gêne ou discrimination. Cette méthode est très bien présentée dans le chapitre sur l'observation directe dans le présent ouvrage. Comme on le mentionne dans ce chapitre, il permet au chercheur

---

30. Jacques Hamel, *op. cit.*, p. 104.

de prendre conscience de ses biais et, surtout, de prendre des mesures spéciales pour vérifier ses observations lorsque celles-ci concordent avec ses idées de départ.

Peut-être plus important encore, le journal de bord aide le chercheur à tisser des liens entre différentes observations ou différentes sources de mesures. Le chercheur saura tout noter et, surtout, se relire plusieurs fois pour atteindre une meilleure compréhension de la situation. Un cas est souvent composé d'éléments très variés, y compris des témoignages contra-dictoires et des facteurs de contexte très étendus, dont l'interprétation demandera plusieurs jours de réflexion. Le novice ébauchera peut-être des dizaines d'hypothèses et d'explications avant d'élever son interprétation au-dessus du sens commun.

Bref, en notant tout dans son journal, le chercheur finira par prendre conscience de ses biais et par objectiver sa pensée et ses interprétations. Ainsi, le journal l'aidera à accroître à la fois la validité de ses observations et la profondeur de ses interprétations.

▓ 2.5. L'analyse

Il a souvent été écrit que la recherche n'est pas un processus linéaire. Cela est vrai pour toutes les étapes de l'étude de cas, y compris l'analyse. Le chercheur d'expérience analyse ses résultats au fur et à mesure que ceux-ci sont recueillis. Ce processus d'analyse continue lui permettra de relever des facteurs d'influence insoupçonnés ou de nouvelles sous-questions. Il pourra alors affiner ses instruments de recherche ou même tenter de recueillir des données de sources différentes. Par exemple, il ajoutera quelques questions supplémentaires à un questionnaire d'en-trevue, ou il obtiendra des données additionnelles pour éclaircir un point particulier.

Il demeure néanmoins que le cœur du travail d'analyse se fera une fois que toutes les données seront recueillies. À ce moment, on cherchera essentiellement à répondre aux questions de recherche initiales – et à celles qui ont fait surface au cours des travaux de terrain. On tâchera aussi de confirmer ou d'infirmer les hypothèses de départ, le cas échéant. Pour ce faire, le chercheur devra faire un examen systématique et méticuleux de l'ensemble de ses données.

On ne reviendra pas ici sur ce qui a déjà été écrit sur les méthodes d'analyses qualitatives et quantitatives dans les autres chapitres de cet ouvrage. Cependant, comme nous le rappelle Yin[31], un cas ne peut être

---

31. Robert YIN, *op. cit.*, p. 31.

considéré comme un échantillon représentatif de la société plus large, ce qui a des implications importantes au moment de l'analyse. Sur le plan quantitatif, par exemple, ce serait commettre une erreur de faire des calculs statistiques pour évaluer la représentativité des résultats. Par contre, il est possible et souhaitable de tirer des généralisations sur le plan analytique ou conceptuel.

Évidemment, une telle interprétation est plus délicate et sujette à la critique. Pour obtenir des résultats pertinents et convaincants, le chercheur menant une étude de cas devra redoubler d'effort pour analyser ses résultats de terrain de façon systématique. Cela sera d'autant plus difficile si de multiples sources de données et d'information sont utilisées pour analyser le cas.

Pour s'assurer de faire une analyse systématique des résultats, il est fortement recommandé de transférer toutes les informations recueillies dans un support ou une structure unique qui facilitera leur manipulation. *Il s'agit en quelque sorte de construire une base de données qualitatives qui renfermera les résultats de toutes les sources.* Des fiches, par exemple, peuvent servir de support pour réunir les informations recueillies, que ce soit des notes d'entrevues, des citations, des extraits de revue de littérature, des résumés d'analyses statistiques, etc. Numérotées et titrées de quelques mots clés, les fiches peuvent être organisées et triées pour différentes analyses. Les informations résumées et transformées en format uniforme peuvent alors être facilement croisées et comparées pour dégager des tendances et des contradictions. Avec l'ordinateur, on peut constituer une véritable base de données que l'on peut manipuler avec beaucoup de facilité. À l'aide d'un logiciel approprié, on peut établir des champs ou des segments (par question de recherche par exemple) pour trier les résultats. Le chercheur pourra toujours retourner à ses notes ou ses imprimés de données statistiques pour revoir des résultats détaillés ; les fiches ou la base de données fourniront cependant au chercheur des résumés globaux d'information de toutes sources aux fins de croisement et d'analyse.

Avec le journal de recherche, une base de données permettra au chercheur de mieux prendre conscience de son matériel ainsi que des pièces manquantes dans le corpus de résultats. On l'a mentionné plus tôt, on reproche parfois aux auteurs d'études de cas de ne pas faire suffisamment le tour de toutes les sources de données. Des résultats bien organisés et intégrés dans une structure unique permettront de juger de la quantité d'information collectée au fur et à mesure que les travaux progressent. Toute lacune sera facilement comblée dans la mesure où elle est repérée rapidement. D'où l'importance d'intégrer l'information dans la base de données le plus rapidement possible.

Avec une base de données bien organisée, on sera en mesure d'obtenir des réponses globales aux questions de recherche de départ. La base de donnée structurée facilitera aussi la tâche si le travail d'analyse s'effectue après un certain laps de temps : des résultats organisés et indexés deviennent plus accessibles et comblent les trous de mémoire inévitables lorsque plusieurs mois se sont écoulés après les enquêtes de terrain.

Enfin, la complexité naturelle des cas fait parfois apparaître des résultats contradictoires qui rendront la tâche plus difficile à l'équipe de recherche. Il peut être tentant d'écarter ou d'ignorer certains résultats qui peuvent contredire les interprétations générales. Les exceptions ne manquent pas dans la nature et on saura ignorer les anomalies exceptionnelles ou qui s'expliquent autrement. Cependant, elles offrent parfois l'occasion d'approfondir davantage le problème et peut-être d'enrichir les enseignements à tirer du cas.

▓ 2.6. La rédaction

La présentation de toute étude aura un impact direct sur la perception de sa pertinence. Des travaux bien présentés seront plus convaincants et donc pertinents pour la communauté. Yin[32] conseille de bien cibler l'auditoire avant la rédaction. Cet auditoire peut comprendre la communauté scientifique, mais aussi des groupes professionnels, des organismes subventionnaires et, bien entendu, la communauté à l'étude. Chaque groupe aura ses besoins propres. Si nécessaire, plusieurs textes seront produits en formats différents et adaptés à des auditoires précis.

Yin suggère aussi de réfléchir à la forme de la présentation du cas dès la phase de conception de la recherche. Il distingue les approches suivantes[33] :

1) *L'approche linéaire-analytique.* Il s'agit de la présentation « classique » des études empiriques, où l'on présente successivement la revue de la littérature, les questions de recherche, la méthode, les résultats et les conclusions.

2) *L'approche comparative.* Cette approche consiste à présenter la même étude de cas plusieurs fois et de façon consécutive dans un même texte, mais en utilisant des descriptions ou des explications différentes. Par exemple, le même cas peut être présenté de façon différente selon plusieurs cadres conceptuels.

---

32. *Ibid.*, p. 128-129.
33. *Ibid.*, p. 135-143.

3) *L'approche chronologique.* Comme son nom l'indique, cette approche présente les différents éléments d'un cas selon leur évolution dans le temps. Une telle présentation linéaire peut être utile pour rendre une explication qui se déroule dans le temps. Yin note cependant que les adeptes de cette approche ont tendance à mettre trop d'accent sur certains éléments de contexte en début de chronologie. Pour éviter ce piège, il suggère de commencer la rédaction en relatant les événements de la fin.

4) *La construction théorique continue.* Selon cette approche, les arguments associés à une théorie sont présentés un par un, ou pièce par pièce, en s'appuyant sur le cas. Ainsi, la théorie est graduellement dévoilée au fil des sections et démontrée en s'appuyant sur les résultats du cas.

5) *L'approche « suspense ».* Il s'agit de révéler l'interprétation ou les conclusions de l'étude de cas en début de texte, pour ensuite présenter le contexte et les résultats qui y ont mené. Cette approche est peut-être plus susceptible de capter l'attention du lecteur assez tôt dans le texte, mais elle présuppose une analyse qui dépasse la simple description.

Dans tous les cas, on saura démontrer qu'on a recueilli suffisamment d'information pour appuyer ses dires. Plusieurs donneront une place importante à la description et à l'analyse du contexte du cas à l'étude. On l'a dit plus tôt, c'est une des forces de cette approche : comme le cas est par définition limité, l'équipe de recherche a la possibilité d'approfondir l'influence des différents éléments contextuels autour du cas. Cela peut comprendre le contexte historique, géographique, économique, etc. Le caractère restreint du cas et l'emploi de méthodes multiples permettent une analyse en profondeur de ces éléments de contexte, ce qui est souvent impossible dans les études par échantillon. Gagnon[34] indique qu'une description détaillée du contexte particulier du cas sera également très utile à d'autres équipes de recherche qui voudront comparer les résultats avec d'autres cas semblables.

Par contre, comme le souligne Hamel[35], si l'on attend une certaine description du cas et de son contexte, on ne doit pas se contenter d'une présentation simple des informations de terrain, du moins lorsqu'il s'agit d'une étude à caractère scientifique. On s'attend généralement à une explication ou une interprétation formulée dans un langage scientifique. L'explication elle-même doit transcender la description et être exposée

---

34. Yves-C. GAGNON, *op. cit.*, p. 28.
35. Jacques HAMEL, *op. cit.*, p. 109-110.

avec des mots propres à la science. Si le cas n'est pas statistiquement représentatif, on s'attend tout de même à une interprétation qui dépasse ses bornes. Idéalement, on cherchera à formuler des clés d'explication, lesquelles, potentiellement, pourront s'appliquer à des cas différents ou dans des circonstances différentes.

Enfin, on sera parfois confronté à la question de l'anonymat. Idéalement, il faudrait identifier le cas dans le texte. Pour Yin[36], cela aide à comprendre le cas et à juger de la valeur des interprétations proposées par l'auteur. L'identification du cas peut aussi être utile pour la sélection de cas futurs. Cependant, si le sujet est controversé ou délicat, ou si la publication des résultats est susceptible d'avoir un impact sur l'avenir des sujets, il vaudra peut-être mieux conserver l'anonymat. L'emploi de noms fictifs rendra toutefois la lecture plus agréable. Le chapitre de cet ouvrage portant sur l'éthique en recherche sociale approfondit ces questions.

▓ 2.7. La participation d'acteurs externes aux travaux

Comme nous l'avons déjà signalé, l'étude de cas est à certains égards plus exigeante que l'étude par échantillon. Les préjugés sont nombreux sur ce genre d'étude uniquement pour des raisons méthodologiques. Le choix d'un cas approprié, une approche systématique, des interprétations pertinentes et une présentation claire des résultats forment les ingrédients d'une étude de cas réussie. Outre les techniques mentionnées plus haut, on peut ajouter l'importance de faire participer des acteurs externes tout au long du processus.

On saura notamment faire appel à des collègues à différents stades de ses travaux pour bénéficier de leur expertise et de leur objectivité. Leurs conseils seront souvent précieux pour évaluer la pertinence d'un cas ou d'une méthodologie. Un deuxième regard permettra aussi de mieux prendre conscience de ses biais et de confirmer ses interprétations.

La participation des sujets faisant partie du cas peut aussi être considérée. Retourner aux sujets ou faire participer les sujets aux travaux peut être un moyen de valider les résultats. Cette validation peut se faire à la fin des travaux de terrain, ou au fur et à mesure que les travaux progressent. Par exemple, on peut vérifier ses interprétations à la fin des entrevues avec les derniers répondants à l'étude. Bien souvent, les répondants seront eux-mêmes étonnés de la justesse des interprétations. On peut aussi s'attendre à ce que certains sujets soient en désaccord avec les interprétations si des

---

36. Robert Yin, *op. cit.*, p. 143.

intérêts particuliers sont en jeu : on peut anticiper, par exemple, des divergences d'opinions entre employeurs et syndicats sur certaines questions entourant leurs rapports. Dans ces cas, le chercheur saura faire preuve de jugement dans l'interprétation des commentaires des parties.

CONCLUSION

Ce chapitre a cherché à présenter essentiellement deux choses : une définition de l'étude de cas comme stratégie de recherche et quelques techniques connues pour rendre cette approche plus systématique et ses résultats plus pertinents. Pour accomplir la première tâche, nous avons entre autres décrit les forces et faiblesses de l'approche. Cela a ouvert la voie à la deuxième partie, qui consistait essentiellement à suggérer quelques pistes pour éviter les biais et limites souvent attribués à cette méthode.

À certains moments, le lecteur a peut-être eu l'impression que l'auteur a profité de sa position privilégiée pour promouvoir cette approche de recherche. Nous plaidons coupable. Cependant, il ne faudrait pas interpréter nos propos dans le sens d'un dénigrement des autres stratégies de recherche, dont l'étude par échantillon. C'est plutôt la complémentarité qui a été défendue ici. En dépit de toutes les critiques dont sont l'objet les différentes approches, il existe une symbiose entre chacune, du moins dans plusieurs disciplines des sciences sociales. Cette complémentarité est bien réelle, mais peu fréquente à l'intérieur d'un seul projet de recherche. En effet, des études qui comportent à la fois une dimension quantitative par échantillon et un nombre limité de cas étudiés en profondeur, demeurent encore très rares. L'avenir nous réserve peut-être un plus grand nombre de telles études d'envergure. Il en résulterait des études plus riches – et sans doute aussi des chercheurs un peu moins confinés.

BIBLIOGRAPHIE ANNOTÉE

ECKSTEIN, Elliot W., « Case Study and Theory in Political Science », dans Fred I. GREENSTEIN et Nelson W. POLSBY (dir.), *Handbook of Political Science*, vol. 7, New York, Addison-Wesley, 1975, p. 79-137.

Un texte qui date mais qui demeure une référence en sciences politiques. L'auteur discute entre autres du rôle de l'étude de cas dans le développement de théories, en comparant cette approche notamment avec l'étude comparative.

GAGNON, Yves-C., *L'étude de cas comme méthode de recherche*, Québec, Presses de l'Université du Québec, 2005.

Un ouvrage qui se veut un guide pratique en la matière. L'auteur résume avec concision la méthode en huit étapes plus ou moins linéaires. Les étudiants en gestion ou en relations industrielles apprécieront peut-être davantage ce manuel car l'auteur fait beaucoup référence à des exemples tirés de travaux qu'il a menés auprès de petites entreprises.

HAMEL, Jacques, *Études de cas et sciences sociales*, Paris, L'Harmattan, 1997.

Ce texte à caractère plutôt épistémologique constitue une excellente introduction à l'étude de cas pour ceux qui s'intéressent à son histoire, ses différentes variantes et à ses conditions d'application.

STAKE, Robert E., *Multiple Case Study Analysis*, New York, The Guilford Press, 2006.

Comme son nom l'indique, cet ouvrage se penche sur les études de cas multiples. Les méthodes d'analyse qualitative transversale, illustrées à l'aide de plusieurs exemples, y sont particulièrement bien présentées et expliquées. L'ouvrage nous paraît surtout utile pour les champs d'études à caractère plus appliqué, comme l'évaluation de programme, mais aussi pour les disciplines qui utilisent l'étude de cas multiples pour comprendre des réalités plus larges que l'on peut difficilement analyser avec des méthodes par échantillon.

STOECKER, Randy, « Evaluating and Rethinking the Case Study », *Sociological Review*, vol. 39, n° 1, 1991, p. 88-112.

Paru il y a quelques années, cet article est toujours d'actualité et fait le point sur les critiques à l'égard de l'étude de cas et propose quelques techniques pour augmenter la qualité de ses résultats.

YIN, Robert K., *Case Study Research*, Thousand Oaks, Sage, 1994.

Ce livre demeure l'un des plus poussés sur le sujet. L'auteur se démarque par les approches et techniques systématiques qu'il propose pour augmenter la validité interne et externe des résultats. Un excellent texte de référence pour tous ceux qui font des études de cas.

LA MESURE

Claire DURAND et André BLAIS

> We seem to have two distinct languages, one of which is in
> some sense more complete than the other. The first is a
> theoretical language in which we do our thinking. The second
> is an operational language involving explicit instruction for
> classifying or measuring. The two languages cannot be linked
> by any strictly logical argument. Instead,
> a correspondence between two concepts,
> one in each language, must be established by
> common agreement or a priori assumption.
>
> Hubert M. BLALOCK

L'action de mesure se situe à la jonction des deux grandes étapes de la recherche, la *formulation des hypothèses*, d'une part, et leur *vérification*, d'autre part. Ces deux étapes possèdent leur langage propre. Le langage utilisé à l'étape de la formulation des hypothèses est essentiellement *abstrait*. Un certain nombre de propositions sont avancées, qui établissent des relations entre des concepts : on affirme, par exemple, que « c'est lorsqu'il y a domination d'un parti qu'un tiers parti est plus susceptible d'émerger[1] ». Le langage de la vérification est *concret* et se fonde sur l'observation empirique des phénomènes : on examine, par exemple, les

---

1. Maurice PINARD, *The Rise of a Third Party: A Study in Crisis Politics*, Englewood Cliffs, Prentice-Hall, 1971.

résultats des différentes élections provinciales tenues au Canada pour
déterminer si les tiers partis obtiennent plus de votes lorsque le principal
parti d'opposition avait obtenu moins de votes dans les élections précédentes. Les deux langages sont indispensables à l'ensemble de l'opération.
La recherche n'est possible que si l'on peut formuler des hypothèses sur
la réalité, hypothèses que l'on confronte avec l'information recueillie. Ce
processus permet, en interprétant les résultats de la confrontation, d'en
arriver à des conclusions sur la réalité.

Le problème de départ est celui du passage du langage de l'abstraction, qui prévaut dans la formulation d'hypothèses de recherche, à celui de
l'observation ou de la mesure, qui s'impose au niveau de la vérification. Le
problème est analogue à celui qui se pose lorsqu'on veut exprimer une idée,
un sentiment. On cherche à utiliser les mots, les formulations qui traduisent
le mieux ce que l'on pense ou ressent. Cette opération est d'autant plus
difficile lorsqu'on tente de s'exprimer dans une autre langue que sa langue
maternelle. C'est un peu la situation que l'on rencontre lorsqu'on passe du
langage de l'abstraction au langage empirique. D'une part, plus ce que l'on
pense ou ressent est clair, plus il est facile de le traduire en mots. D'autre
part, plus notre connaissance de la langue seconde, la langue empirique,
est solide, plus il nous est facile de nous exprimer ; toutefois, la langue
empirique demeurera toujours une langue seconde. Ainsi en est-il dans le
domaine de la recherche. Il s'agit, tout en sachant qu'il n'existe pas de solution parfaite, d'identifier pour chacun des concepts retenus, un ou plusieurs
équivalents empiriques, qui constituent en quelque sorte la traduction, dans
le langage de l'observation, des constructions abstraites de l'esprit.

> Prenons, par exemple, le concept de participation politique. Un chercheur
> peut s'intéresser aux facteurs qui influencent (positivement ou négative-
> ment) la participation et énoncer un certain nombre d'hypothèses à cet
> égard. La participation (ou la non-participation) est une construction de
> l'esprit, à laquelle on fait appel pour comprendre le réel. Elle est une
> abstraction : elle ne se voit pas, ne s'entend pas, ne se sent pas, ne se
> touche pas. Le chercheur a, par contre, accès à des phénomènes qu'il
> peut interpréter comme étant des signes, des équivalents empiriques de
> la participation, telle qu'il la conçoit et la définit. Un tel individu vote
> (ou ne vote pas), assiste (ou non) à une assemblée publique, prend part
> (ou non) à une manifestation. Ce seront là autant d'indicateurs possibles
> du concept de participation. On peut également regarder comment
> Statistique Canada traduit un concept comme le chômage. Trois indi-
> cateurs sont utilisés : le fait d'être sans emploi, le fait d'être disponible
> pour travailler et le fait de se chercher un emploi. Ainsi, un chômeur
> est défini non pas simplement comme une personne sans emploi, mais
> aussi comme une personne qui peut et qui veut travailler.

Le passage de la théorie à la vérification exige que l'on mesure des *concepts* au moyen d'*indicateurs*, ce qui demande d'établir un pont entre l'univers de l'abstraction et l'univers de l'observation et de la mesure. Les conclusions d'une recherche dépendent étroitement des décisions qui ont été prises à l'étape du choix des indicateurs. Ces conclusions ne tiennent qu'en autant que ces données empiriques (les indicateurs) reflètent adéquatement les constructions théoriques avancées (les concepts). La sélection des indicateurs est donc une opération lourde de conséquences.

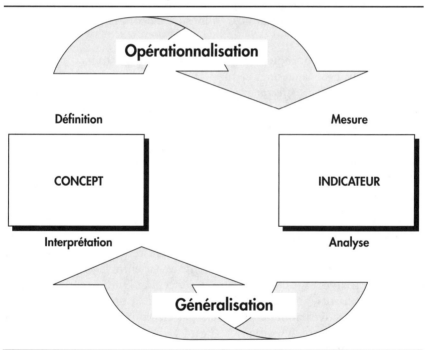

FIGURE 9.1
**Les deux mouvements de traduction associés
à l'opération de mesure**

 1 DU CONCEPT À L'INDICATEUR

L'indicateur ne peut être envisagé par lui-même, de façon isolée; il se définit par rapport à un concept. L'hypothèse peut être centrée sur un seul concept que l'on examine dans le temps ou dans l'espace. Il en est ainsi des études qui tentent de vérifier si la criminalité, la participation politique, la consommation des médias ou le chômage augmentent ou diminuent dans le temps ou sont plus élevés dans une société que dans une autre. L'hypothèse peut aussi porter sur des liens possibles entre un certain nombre de concepts, de dimensions. La recherche se veut alors explicative. On tentera de démontrer, par exemple, que l'augmentation du chômage entraîne une diminution de la popularité du gouvernement, que la concentration industrielle est associée à une augmentation des profits des entreprises, que la syndicalisation entraîne une rémunération plus élevée des employés. Dans chacun de ces exemples, on retrouve deux concepts centraux. Certaines hypothèses peuvent être plus complexes. Ce qu'il importe de retenir, c'est que l'hypothèse renvoie à un ou plusieurs concepts, que ces concepts sont abstraits et qu'on a besoin de signes concrets de ces concepts pour être en mesure de confirmer ou d'invalider l'hypothèse.

Le processus par lequel on passe de concepts abstraits à des indicateurs concrets, c'est la *mesure*. La mesure est définie comme l'*ensemble des opérations empiriques, effectuées à l'aide de un ou plusieurs instruments de mise en forme de l'information, qui permet de classer un objet dans une catégorie pour une caractéristique donnée.*

On utilise aussi le terme de mesure pour désigner le résultat de l'opération. On dira que l'exercice du droit de vote ou la présence à une assemblée publique d'un parti politique sont des mesures (ou des indicateurs) de la participation politique.

Nous avons parlé jusqu'ici exclusivement de concept et d'indicateur. Un autre terme connexe est couramment utilisé en recherche, celui de *variable*. Le terme s'emploie par opposition au terme « constante » pour indiquer *toute caractéristique susceptible de varier entre les unités*. Certains situent la variable à mi-chemin entre le concept et l'indicateur, le concept étant plutôt associé à une théorie et la variable, à une hypothèse. Cette dernière perspective paraît heureuse. On parlera donc d'hypothèses portant sur les relations entre des variables. C'est ici qu'interviennent les concepts de *variables indépendante(s) et dépendante(s)*. Prenons l'hypothèse selon laquelle la concentration industrielle entraîne une augmentation des profits des entreprises. Dans cette hypothèse, le degré de concentration est la variable indépendante parce qu'on suppose qu'elle est la *cause* et le taux de profit est la variable dépendante parce qu'on suppose qu'elle est la *conséquence* qui découle de la cause. Dans cet exemple, les variables sont constituées à partir d'un seul indicateur. Une variable peut également être construite en combinant des indicateurs au moyen de diverses opérations logiques ou mathématiques.

■ 1.1. L'objectif: la classification

L'objectif poursuivi dans le processus de mesure est de classifier les unités par rapport à un concept donné – degré de participation politique, occupation, origine ethnique, opinion sur l'avortement, satisfaction au travail. Comme le concept est le point de référence, il est essentiel qu'il ait été préalablement défini de façon précise. Il ne sert à rien de tenter de mesurer la participation politique si l'on n'a pas déjà une conception précise de ce qu'elle comprend et ne comprend pas. La mesure n'intervient qu'une fois le concept clairement circonscrit.

L'indicateur ne mesure qu'une dimension d'un concept. L'inverse n'est pas vrai. Ainsi, à un concept donné ne correspond pas nécessairement un seul indicateur. La traduction de l'abstrait au concret demande souvent le recours à plusieurs signes différents qui constituent autant d'approximations du concept de départ. La notion de profit, par exemple, peut être mesurée de plusieurs façons: on peut considérer les bénéfices avant ou après impôt, on peut les diviser par l'équité, le total des actifs, le capital investi, les ventes, chaque mesure comportant certains avantages et désavantages. On peut sélectionner un indicateur particulier ou en combiner plusieurs selon le cas. Par ailleurs, il est habituel d'élaborer des échelles à partir d'une série d'énoncés pour mesurer les attitudes. Chaque question vise alors à capter une « manifestation » particulière de cette attitude.

L'indicateur ou les indicateurs visent à permettre de placer les objets d'étude dans des catégories. Les catégories correspondent aux différentes situations où peuvent se retrouver les objets par rapport à la caractéristique retenue. Si l'on s'intéresse à la pratique religieuse, par exemple, on pourra distinguer des niveaux de pratique: pratique intense, pratique modérée, pratique faible. La classification impose la construction de catégories. L'objectif est d'entrer chaque individu dans l'une des « boîtes » ainsi constituées, de déterminer que tel individu, par rapport à tel indicateur (la pratique religieuse), doit être placé dans la catégorie « forte ». La logique est la même lorsque l'unité d'analyse n'est pas individuelle.

> On peut donner, à titre d'exemple, la définition et la mesure du concept d'origine ethnique utilisée dans l'enquête *Comportements, besoins et préoccupations des élèves de 3e et 5e secondaire de l'île de Montréal selon leur origine* ethnique[2]. Les auteurs justifient d'abord l'utilisation du terme groupe ethnique plutôt que communauté culturelle par le fait que le premier terme s'applique à tous, y compris les francophones et les anglophones. Ils définissent ensuite le groupe ethnique comme « un ensemble d'individus qui ont en commun quelques caractéristiques se

---

2. GOUVERNEMENT DU QUÉBEC, Ministère de l'Éducation du Québec, 1991.

rapportant à leur langue, au lieu où ils sont nés ou au lieu où sont nés leurs parents» (p. 3). Le texte ajoute qu'il aurait été plus approprié de parler de groupements d'ethnies puisque certains groupes – les Asiatiques, par exemple – comprennent plusieurs ethnies. Ensuite, tous les critères de classification sont précisés. Ils sont basés sur un certain nombre d'indicateurs tels que le lieu de naissance de l'élève, de même que celui de son père et de sa mère, la langue maternelle de l'élève (définie comme la première langue parlée et encore comprise) et sa langue d'usage (définie comme la langue parlée à la maison). Enfin, les cas particuliers, ceux pour lesquels les lieux de naissance de l'élève et de chaque parent sont tous trois différents, sont classifiés en fonction de critères relatifs à la langue d'usage. Ainsi, seront classifiés dans le groupe asiatique les élèves nés en Asie dont au moins un des parents est né en Asie et les élèves nés au Québec dont les deux parents sont nés en Asie ainsi que les élèves nés au Québec qui déclarent comme langue maternelle ou comme langue d'usage une langue asiatique et ce, quel que soit le lieu de naissance des parents. Cette classification exclut du groupe asiatique l'enfant asiatique adopté par des parents québécois.

Cet exemple montre bien que plusieurs indicateurs peuvent être nécessaires pour classifier les personnes relativement à un concept qui doit lui aussi être défini précisément. On parle de ce processus comme de l'opérationnalisation du concept. La fonction de l'indicateur ou des indicateurs est de permettre de traduire le plus fidèlement possible, dans l'univers empirique, le concept que l'on désire mesurer et seulement ce concept.

On distingue généralement trois types de catégorisation :

– Le premier est la *catégorisation nominale,* où les catégories sont simplement juxtaposées les unes aux autres. Cette catégorisation permet de différencier les individus en fonction de critères «qualitatifs», sans qu'il y ait ordonnancement d'une catégorie à l'autre. Le sexe, la religion, le lieu de naissance, la langue maternelle en sont des exemples. La langue maternelle, par exemple, peut être le français, l'anglais, etc. Un bon nombre de concepts utilisés en sciences sociales font appel à ce type de classification.

– Le deuxième type est la *catégorisation ordinale,* où les catégories possèdent également la propriété d'être hiérarchisées les unes par rapport aux autres, ce qui permet de ranger les objets étudiés selon un continuum allant du plus grand au plus petit (ou vice-versa). Le niveau de pratique religieuse appartient à ce type. L'information est ici plus riche. Non seulement peut-on distinguer les individus (ou les groupes) les uns par rapport aux autres, mais on peut aussi les ranger, des plus pratiquants aux moins pratiquants. La mesure des attitudes utilise fréquemment des échelles de ce type. On mesurera, par exemple, le degré de satisfaction par une échelle de réponse du type « très satisfait, assez satisfait, peu satisfait, pas du tout satisfait » appliquée à un certain nombre d'éléments. Un grand nombre de recherches sociales ont recours à ce type de classification pour lequel l'ordre entre les catégories est connu mais non la distance d'une catégorie à l'autre.

– Le troisième type de catégorisation, la *catégorisation numérique* (à l'intérieur de laquelle on pourrait distinguer les niveaux *intervalle* et *proportionnel*), est encore plus précis. Comme son nom l'indique, les catégories de ce type correspondent alors à des nombres. L'âge, mesuré en années, le revenu, exprimé en dollars, et le taux de chômage, exprimé en proportion « nombre de chômeurs sur population active », en sont des exemples. Dans ces cas, non seulement peut-on ranger les objets d'étude les uns par rapport aux autres, mais on peut également apprécier avec exactitude les écarts qui les séparent les uns des autres. On pourra dire d'un individu que son revenu est deux fois plus élevé que celui d'un autre, ou d'un pays que son taux de chômage est de deux points de pourcentage inférieur à celui d'un autre pays. Ce type de catégorisation requiert une unité standardisée de mesure (le dollar, par exemple), qui constitue le principe même de la classification. C'est le niveau de mesure le plus riche, celui qui donne les informations les plus détaillées. Un certain nombre de disciplines (la science économique en particulier) en font un grand usage.

Le chercheur a intérêt à faire appel à la catégorisation la plus riche, qui se prête à des traitements statistiques plus raffinés et au plus grand éventail possible de traitements. C'est ainsi que lorsqu'on veut connaître l'âge des individus dans une enquête donnée, il est préférable de poser une question sur l'année de naissance (de façon à ce que l'âge soit établi en nombre d'années), plutôt que de se fier à des catégories moins précises (18 à 24 ans, 25 à 34 ans, etc.). Il est d'autant plus important de procéder ainsi lorsque l'on veut faire des analyses de tendance et que l'on doit être en mesure de modifier les catégories d'âge pour tenir compte de l'évolution du temps. C'est toutefois la nature même des concepts retenus qui dicte le plus souvent le niveau de classification. Certains concepts sont nécessairement qualitatifs et ne se prêtent pas à la catégorisation numérique ou même ordinale. Il s'agit en somme de choisir le type de catégorisation qui convient au concept que l'on veut mesurer.

Cette catégorisation peut revêtir des aspects théoriques importants. L'hyperactivité chez l'enfant, par exemple, peut être mesurée par certains indicateurs physiques relatifs à la fréquence des mouvements pendant une période de temps déterminée, ce qui donnera une mesure continue, numérique. On peut alors se demander, à partir de la définition de l'hyperactivité, si l'on ne doit pas plutôt dichotomiser la mesure continue selon un critère où un certain niveau d'activité serait considéré « normal », l'hyperactivité étant définie à partir d'un niveau exceptionnel de mouvement. Il n'y aurait donc pas des degrés d'hyperactivité, mais des individus qui peuvent être classifiés ou non comme hyperactifs en fonction de certains critères. Une telle approche est courante, entre autres, en sciences du comportement et en éducation (notes de passage définissant le succès et l'échec).

Toutes les classifications ont en commun que les catégories qui les constituent doivent être collectivement *exhaustives* et mutuellement *exclusives*. Cela signifie d'abord que tout objet d'étude doit pouvoir être placé dans une catégorie et donc que la liste des possibilités est complète. Si l'on s'intéresse au comportement électoral, par exemple, les catégories doivent se référer aux différents partis (ou candidats) en liste, mais aussi aux autres possibilités qui sont l'abstention et l'annulation. Il faut de plus que tout objet ne puisse être assigné qu'à *une seule* catégorie et qu'il n'y ait donc aucun recoupement possible entre les catégories. Ce principe n'est pas respecté lorsqu'on tente de mesurer deux dimensions en même temps. Prenons l'occupation, par exemple. Un certain nombre d'individus peuvent occuper un emploi tout en étant aux études, de sorte qu'ils pourraient théoriquement être classés dans plus d'une catégorie. Pour contourner cette difficulté, on utilisera plutôt le concept d'occupation principale, ce qui permet de classer chaque individu dans une seule catégorie, ou alors on utilisera une question supplémentaire sur l'occupation secondaire dans le cas où cette information serait centrale dans la recherche – si elle portait sur les sources de revenus des étudiants, par exemple.

■ 1.2. Le moyen: les instruments et les opérations

L'objectif de la mesure étant de placer chaque objet étudié dans une catégorie, s'impose dès lors la nécessité de règles précises d'assignation aux catégories. Par exemple, à partir de quel critère désignera-t-on un syndicat donné comme étant d'un militantisme « fort » et tel autre d'un militantisme « faible » ? En fonction de quelle information dira-t-on que le taux d'inflation a été de 3,4 % au cours des 12 derniers mois ? La classification procède à partir de règles qui sont actualisées dans un ensemble d'opérations empiriques concrètes.

Revenons à l'exemple bien connu du chômage, un concept fort utilisé, tant en recherche que dans les médias. Statistique Canada cherche depuis plusieurs années à le mesurer le plus correctement possible. À quoi peut-on reconnaître qu'un individu est (ou n'est pas) chômeur? À partir de la définition qu'il s'est donnée, Statistique Canada suit la procédure suivante. Est considéré comme chômeur un individu qui, dans le cadre de l'enquête mensuelle, répond qu'il était sans travail au cours de la dernière semaine et affirme (en réponse à d'autres questions), qu'il n'y a aucune raison qui l'aurait empêché de prendre un emploi et qu'il a cherché du travail au cours des quatre dernières semaines[3]. En somme, Statistique Canada mesure le chômage à partir d'un ensemble de réponses données à un questionnaire administré à un échantillon de Canadiens. Il y a là toute une série d'opérations concrètes qui se finalisent dans un ensemble de questions et de réponses. Chaque individu est classé dans une catégorie (chômeur, ayant un emploi, inactif) selon les réponses qu'il a fournies. Ces opérations sont empiriques, puisqu'elles sont fondées sur l'observation. Un interviewer écoute les réponses données à ses questions et les inscrit sur un formulaire. On voit ici l'écart qui peut exister entre la notion de chômage, telle qu'on peut se la représenter dans l'abstrait, et sa mesure empirique, qui, elle, se fonde sur des opérations bien concrètes. Il faut toutefois rappeler que l'ensemble de ces opérations découle directement de la conception que l'on se fait du chômage. Il ne suffit pas de savoir si une personne travaille ou non. On veut aussi déterminer si elle «veut» travailler ou non, ce qui amène à relever des signes de «bonne volonté». C'est à l'aide de telles opérations qu'on classifie chacun des objets d'étude dans l'une ou l'autre des catégories. C'est pourquoi on parle généralement d'opérationnalisation ou encore de mesure du concept pour faire référence au processus qui permet de traduire un concept en variable empirique.

La construction des indicateurs fait appel à des instruments de mise en forme de l'information. Ces instruments, ce sont essentiellement l'observation directe, l'analyse de contenu – discours, données institutionnelles chiffrées ou textuelles, entrevues – et le questionnaire. Ces trois instruments sont fondés sur l'observation, soit de comportements, soit de documents, soit de réponses à des questions. La construction des indicateurs exige dans un premier temps de retenir l'un ou l'autre de ces instruments ou une combinaison d'entre eux. Mais cela n'est pas suffisant. L'opérationnalisation renvoie également au mode d'emploi de l'instrument, à la grille d'observation ou d'analyse, à la formulation même des questions ainsi

---

3. Pour une description plus précise de la procédure voir STATISTIQUE CANADA, *Enquête sur la population active,* enregistrement 3701, <http://www.statcan.ca>.

qu'au code d'interprétation des résultats obtenus. Le critère ici est la capacité de reproduire de façon exacte les opérations effectuées de façon à ce qu'un autre chercheur puisse les vérifier et les répéter au besoin.

Puisque le processus de mesure a pour fonction de classer des objets dans des catégories, l'instrument ou les instruments utilisés pour procéder à la classification et l'ensemble des opérations qui sont effectuées doivent être précisés. Il ne suffit pas de dire que les données proviennent d'un sondage, il faut aussi indiquer la procédure d'échantillonnage qui a été utilisée, le mode d'administration du questionnaire et les résultats de la collecte des données dont le taux de réponse. Ensuite, pour chacun des concepts retenus, les opérations effectuées doivent être précisées. Il s'agit en somme de renseigner le lecteur, avec le plus de détails possible, sur toutes les opérations faites pour passer du concept à la mesure. Ces renseignements doivent être suffisamment précis pour que tout autre chercheur puisse reproduire la procédure et donc répéter l'étude.

> Il est aisé de comprendre que si chaque chercheur intéressé à mesurer la température créait son propre thermomètre et sa propre échelle, il deviendrait extrêmement difficile, même pour le commun des mortels, de parler de température puisqu'une expression aussi banale que « Il fait 20 degrés » ne serait plus comprise de la même manière par tous s'il y avait plusieurs échelles de mesure de la température et qu'il fallait préciser l'échelle de référence à chaque fois. C'est pourtant une situation fréquente en sciences sociales où les mêmes concepts sont souvent mesurés de manière différente. Il devient alors d'autant plus essentiel que la procédure suivie pour effectuer la mesure soit précisée.

Cette exigence découle de la conception que la communauté scientifique se fait de la connaissance. Toute recherche procède par découpage et ne peut éclairer, dans le meilleur des cas, qu'une partie de la réalité. De plus, comme les risques d'erreurs sont importants, les chercheurs n'ont vraiment confiance aux résultats que s'ils sont corroborés par d'autres études. D'où la nécessité de répéter une recherche pour en vérifier les conclusions. Tout cela suppose un échange optimal d'informations entre les chercheurs, de façon à distinguer les résultats moins sûrs des plus sûrs et à contribuer ainsi à l'accumulation des connaissances. La procédure employée par le chercheur est-elle suffisamment bien rapportée pour qu'on puisse la reproduire avec exactitude ? Si la réponse est négative, il y a là une lacune sérieuse, qui peut amener à mettre en doute les conclusions de la recherche.

En résumé, une fois qu'un concept a été défini de façon précise, le processus consiste à élaborer ou à sélectionner un ou des indicateurs qui permettront de construire une mesure susceptible de bien représenter, de traduire dans le langage empirique, le concept que l'on désire opérationnaliser. De façon à ce que ce processus puisse être apprécié, certains critères ont été élaborés.

2 LES CRITÈRES D'APPRÉCIATION

L'opération de mesure vise à représenter un concept sur le plan empirique. On a déjà souligné que cette traduction ne connaît pas de solution parfaite. Cette opération se fait par approximation, de sorte qu'on peut difficilement se prononcer de façon définitive sur la qualité d'une mesure. Une telle indétermination ne signifie pas toutefois que la sélection des indicateurs relève de l'arbitraire. La communauté scientifique a en effet développé un certain nombre de critères d'évaluation. Chacun peut être considéré comme une condition nécessaire mais non suffisante. C'est seulement si chacun d'entre eux semble respecté que l'on pourra conclure que l'indicateur apparaît satisfaisant.

Les deux critères d'appréciation habituellement invoqués sont ceux de la *fidélité* et de la *validité*. La fidélité a trait à la qualité de la mesure elle-même alors que la validité porte sur la qualité de la traduction du concept en mesure empirique. En ce sens, le critère de validité est plus englobant. Le respect de ces critères «premiers» demande le respect d'autres critères qui en découlent tels que la *précision* et la *non-contamination*.

2.1. La fidélité

La mesure empirique du concept se doit d'être fidèle, c'est-à-dire qu'elle doit donner des résultats constants. *La fidélité est un indice de la qualité de la mesure «en soi».* Le principe est simple. L'indicateur est supposé ne mesurer qu'une caractéristique spécifique d'un objet et rien d'autre. Si tel est le cas, chaque mesure faite à partir des mêmes opérations devrait donner un résultat identique, pour autant que l'objet demeure inchangé.

> Prenons l'exemple de la température. Celle-ci est mesurée à l'aide d'un thermomètre. On dira de cet instrument qu'il est fidèle si la température indiquée, à chaleur constante, est toujours la même. Cette constance s'applique d'abord dans le temps : on parlera alors de *stabilité* de la mesure. Si l'on répète l'opération, à température constante, le résultat – la mesure donnée par le thermomètre – doit être identique. En d'autres termes, le thermomètre ne doit pas être affecté par d'autres facteurs, comme les variations de pression atmosphérique et l'endroit où il est

placé. La constance doit aussi s'appliquer dans l'espace : on parlera
alors d'*équivalence*. Ainsi, deux thermomètres différents doivent indiquer
la même mesure de la température dans des circonstances identiques.
En somme, des instruments qui ont une même fonction doivent donner
des résultats identiques, sinon on ne peut pas vraiment s'y fier (d'où la
notion de fidélité ou de fiabilité, terme également utilisé dans certains
textes). On remarquera qu'aucune des opérations mentionnées ne permet
de savoir si le thermomètre mesure vraiment la température ; on sait
seulement que l'instrument appelé thermomètre mesure « quelque chose »
de façon constante lorsque certaines conditions sont respectées.

Ce critère de fidélité est fondamental. Si un indicateur n'est pas fidèle,
c'est qu'il mesure plusieurs choses à la fois et qu'en conséquence on ne sait
plus trop ce qu'il mesure. Par ailleurs, il est rare qu'un indicateur donne
des résultats parfaitement constants, ce qui oblige à accepter une certaine
« dose d'infidélité ». Il n'en demeure pas moins que, lorsqu'un minimum de
constance et d'équivalence ne peut être atteint, il est préférable de rejeter
l'indicateur. C'est pourquoi une étape importante de la structuration de
la recherche consiste dans la vérification préliminaire de la fidélité des
indicateurs et des mesures empiriques proprement dites.

L'indicateur permet d'informer sur l'état où se trouve un objet d'étude
par rapport à une caractéristique donnée à l'aide d'instruments de mesure.
Or ces instruments, qui sont une partie intégrante de l'activité scientifique,
introduisent une dimension nouvelle. L'interviewer et son questionnaire,
l'observateur et sa grille d'observation ne font pas partie de la vie quotidienne. Leur seule présence peut exercer des effets spécifiques qui sont
tout à fait distincts de ceux qu'on veut mesurer. On parle alors de l'*effet
de contamination de l'instrument*. Ce qui est observé est alors différent de
ce qui l'aurait été en l'absence de l'instrument.

Le cas classique de contamination est une étude effectuée dans les
années 1930, étude qui voulait mesurer l'effet des conditions de travail
sur la productivité des employés d'une usine[4]. Pendant plus d'un an, les
chercheurs ont modifié l'horaire, les pauses, l'éclairage et le système de
rémunération chez un petit groupe d'employés et analysé leur productivité. Or, peu importe les conditions, ce petit groupe s'est avéré plus
productif que les autres employés de l'usine. Les chercheurs ont ainsi
constaté que leur productivité était surtout influencée par le fait qu'ils
se savaient observés. L'observation créait un milieu artificiel dans lequel
les employés se comportaient de façon « anormale ». Dans la même

---

4. F.J. ROETHLISBERGER et W.J. DICKSON, *Management and the Worker*, Cambridge, Harvard
University Press, 1939.

perspective, on a observé que le seul fait de répondre à un questionnaire électoral pendant une campagne électorale pouvait augmenter la
propension à aller voter le jour de l'élection[5].

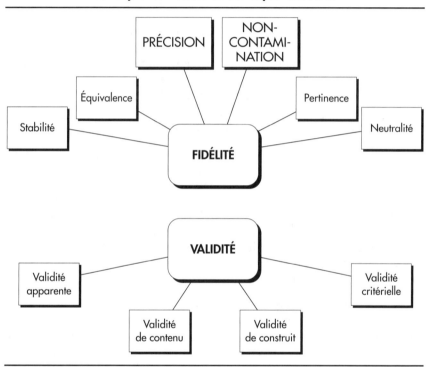

FIGURE 9. 2
**L'appréciation des indicateurs :
concepts centraux et concepts associés**

Les risques de contamination constituent un problème sérieux pour
le chercheur. Les effets de contamination sont très difficiles à mesurer, de
sorte qu'on ne peut guère en brosser un tableau complet ni construire
des tests précis. Dans certains cas particuliers, comme dans certains devis
expérimentaux, l'effet de contamination d'une mesure sur une autre peut
être évalué. De même, pour les questionnaires de sondage, de nombreuses
études ont été faites pour mesurer l'effet de l'ordre dans lequel les questions sont posées. Deux stratégies s'offrent au chercheur qui veut minimiser
l'effet de contamination :

---

5. André BLAIS et Robert YOUNG, « Why Do People Vote ? An Experiment in Rationality »,
   Public Choice, 1999, vol. 99, p. 39-55.

– La première stratégie consiste à choisir l'instrument le moins
contaminant possible. Sur ce plan, l'analyse de contenu, par
exemple, présente un grand intérêt, le document étudié n'étant
pas affecté par la présence de l'analyste. Il en est ainsi de certaines
formes d'observation « non visible ». Cette stratégie, si elle n'est pas
à rejeter, est cependant d'une application limitée. La sélection d'un
instrument est d'abord dictée par d'autres considérations, la plus
fondamentale étant la nature même des concepts à mesurer.

– La deuxième stratégie consiste à limiter au minimum les effets sur
le plan de l'opérationnalisation proprement dite. Si l'on adopte
l'entrevue par questionnaire, on entraînera les interviewers pour
qu'ils influencent le moins possible les réponses. Si le chercheur
participe à la vie d'un groupe, il ne procédera à la collecte de
données qu'après une période d'intégration au groupe, au moment
où sa présence est devenue moins perceptible.

Dans la même perspective, le chercheur doit faire ses observations
dans des périodes « normales », habituelles, et non dans des circonstances
exceptionnelles à moins que l'on ne vise à enquêter précisément la situation exceptionnelle. Ainsi, on ne fera pas une enquête sur la perception des
conditions de travail pendant un conflit de travail alors que les positions
sont exacerbées si le but de la recherche est de connaître la perception
habituelle des employés sur leurs conditions de travail. Dans ce cas, la
mesure serait contaminée non pas par l'instrument mais par le contexte
dans lequel la mesure est prise.

La volonté de ne pas contaminer amène à se préoccuper de la **pertinence** des questions posées. Poser des questions d'opinion à des personnes
qui ne sont pas du tout au courant du sujet sur lequel on leur demande
leur avis ou qui n'y ont jamais réfléchi entraîne nécessairement une certaine
contamination de la mesure qui influence la fidélité. Il est d'autant plus
probable que l'opinion sur un sujet soit instable dans le temps ou varie en
fonction de la manière dont la question est posée s'il s'agit d'une opinion
non informée. Elle subira d'autant plus facilement des influences non
pertinentes, circonstancielles.

La **neutralité** est aussi un critère pour ce qui est de la non-contamination des indicateurs. Une question qui laisse entendre qu'un point de vue
est plus approprié qu'un autre biaisera les résultats et donnera un indicateur non fidèle de l'opinion réelle : la mesure de celle-ci variera dès que la
formulation sera modifiée. La grille d'observation qui permettrait de tenir
compte uniquement des phénomènes qui confirment les perceptions du
chercheur ou la codification du contenu d'un discours qui ne prévoirait de

coder que ce qui est jugé conforme aux hypothèses posées entacheraient inévitablement la fidélité des mesures puisqu'un autre chercheur qui répéterait la même opération n'arriverait pas au même résultat.

Le dernier critère à soulever est celui de la **précision** de l'indicateur. Un indicateur précis est compris par tout le monde et compris de la même manière par tout le monde. Ainsi, la précision demande, pour ce qui est du questionnaire ou de l'entrevue, l'utilisation d'un niveau de langage approprié et de termes ayant la même signification pour tous. Pour ce qui est de la construction d'une grille d'observation, ce qui doit être observé doit être défini très précisément de façon à ce que deux observateurs de la même situation arrivent à des résultats similaires. Dans l'analyse de textes, les codes et leur signification doivent être définis de façon à ne pas laisser au codeur ou au juge trop de latitude dans l'interprétation.

▓ 2.2. La vérification empirique de la fidélité

La fidélité s'évalue en fonction de deux aspects : la stabilité dans le temps et l'équivalence dans l'espace. La technique d'évaluation classique de la stabilité dans le temps est celle qui est connue sous le nom de « test-retest ». Les mêmes objets sont soumis à la même mesure à des moments différents et les résultats sont comparés. On comprendra que cette procédure pose des problèmes particuliers en sciences sociales. Prenons le cas d'un questionnaire qui porterait sur la consommation des médias. On pourrait vérifier sa fidélité en administrant le même questionnaire après un intervalle d'un an. Un certain nombre de difficultés surgissent toutefois. On ne peut postuler que les individus interviewés n'ont pas modifié leur comportement entre les deux mesures. Il est possible évidemment de remédier à ce problème en réduisant l'intervalle entre les deux mesures. Mais ce faisant, on crée un autre problème. Si l'intervalle est court, les individus se rappelleront les réponses données la première fois et risqueront de répéter les réponses qu'ils croiront avoir alors fournies. Il semble se poser là un problème qui n'a pas de solution vraiment satisfaisante. En conséquence, il est très rare dans la recherche sociale que la stabilité des indicateurs soit testée par la méthode test-retest, sauf pour des caractéristiques qui, en règle générale, changent peu dans le temps, certaines attitudes entre autres.

Une plus grande attention doit donc être accordée au critère de l'équivalence. La procédure habituelle consiste à faire effectuer les mêmes opérations par des chercheurs différents et à comparer les résultats.

- Dans le cas d'un questionnaire, on compare les réponses obtenues par différents interviewers. Bien sûr, ces interviewers n'ont pas interrogé les mêmes personnes. Mais dans la mesure où les sujets de l'échantillon ont été répartis aléatoirement, on peut considérer les différents sous-groupes d'interviewés comme à peu près similaires et on peut comparer les réponses. Si des écarts importants, significatifs, émergent dans les distributions de réponses selon les interviewers, on devra conclure à un manque de fidélité de l'instrument, associé ici à l'effet de l'interviewer.

- La même procédure peut s'appliquer à l'observation directe et à l'analyse de contenu. S'il s'agit, par exemple, d'estimer la proportion de nouvelles internationales dans la presse écrite, on soumettra un échantillon du matériel à analyser à deux ou trois codeurs et on comparera systématiquement leurs résultats. Si des écarts significatifs se manifestent, il faudra conclure que les règles d'interprétation de ce qui constitue (et ne constitue pas) une nouvelle internationale ne sont pas suffisamment précises.

- Il en est de même pour l'observation directe. Si l'on veut connaître la proportion des gens qui sourient dans le métro, on a intérêt à confier la tâche à plusieurs observateurs et à comparer leurs compilations (pour des moments et lieux équivalents). Si les compilations divergent sensiblement, c'est que la grille d'observation n'est pas suffisamment détaillée, soit dans la description de ce qui constitue un sourire, soit dans les consignes sur l'échantillonnage ou la durée de l'observation.

Ces différents exemples montrent bien l'avantage pour le chercheur d'avoir recours à plusieurs observateurs pour obtenir l'information souhaitée. C'est souvent la seule façon de vérifier la fidélité des indicateurs, surtout lorsqu'on utilise un seul indicateur par concept mesuré. Généralement, cette vérification se fait avant la collecte proprement dite des données, dans un prétest ou une préenquête. Elle permet de détecter certains problèmes et de les corriger avant d'amorcer l'observation proprement dite.

La situation est différente mais le principe est le même lorsqu'on a recours à plusieurs indicateurs – et donc à plusieurs observations – pour mesurer un concept. Cette situation se présente souvent lorsqu'on mesure les attitudes. La fidélité est alors vérifiée en fonction de la théorie classique des tests qui spécifie que le score observé (qui peut être la réponse d'une personne à une question) est une combinaison d'une partie représentant le « vrai » score – la « vraie » valeur du positionnement sur une échelle – et d'une partie d'erreur aléatoire constituée par la variation due aux conditions de collecte et d'enregistrement de l'information. Le test de fidélité le plus couramment utilisé mesure la consistance interne, c'est-à-dire jusqu'à quel point chacune des questions, chacun des indicateurs – des items selon la terminologie de la psychométrie –, constitue une mesure équivalente d'un même concept.

On mesure la consistance interne en utilisant le *alpha de Cronbach*. Ce coefficient peut être considéré comme la moyenne des coefficients que l'on obtiendrait pour toutes les combinaisons possibles de deux sous-ensembles des indicateurs mesurant un même concept. Il peut aussi être vu comme l'estimation de la corrélation que l'on obtiendrait entre une mesure d'un concept et une mesure alternative du même concept comprenant le même nombre d'indicateurs.

Le coefficient alpha est la borne inférieure de la fidélité réelle : celle-ci ne peut pas être inférieure à la valeur du alpha. Cette valeur augmente avec le nombre d'indicateurs, à la condition que la corrélation moyenne entre les indicateurs ne diminue pas avec l'ajout de nouveaux indicateurs.

Il est donc possible de vérifier la fidélité sous certaines conditions, c'est-à-dire lorsqu'on a recours à plusieurs indicateurs pour mesurer un même concept. La mesure de la relation entre les indicateurs donnera alors une mesure de la concordance.

> Ainsi, une mesure de la satisfaction intrinsèque au travail comprendra un certain nombre de questions relatives au degré de satisfaction eu égard à divers aspects du travail : contenu du travail, autonomie, défis, jusqu'à quel point le travail valorise, utilise les capacités, permet d'apprendre, etc. Le degré d'intercorrélation moyen entre ces questions tel qu'il est mesuré par le coefficient Alpha de Cronbach donne un indice de fidélité. Cet indice est considéré excellent s'il atteint plus de 0,85 et commence à apparaître problématique en bas de 0,70. Un indice alpha élevé signifie que l'ensemble des éléments choisis pour représenter le contenu du travail est cohérent et constitue une bonne mesure de la satisfaction intrinsèque. D'autres indications fournies par les logiciels permettront de voir si chaque indicateur doit être gardé ou si certains indicateurs nuisent à la fidélité de la mesure et devraient être retirés. Après avoir fait cette analyse, il sera possible de construire une variable par addition des réponses aux divers indicateurs du concept.

La vérification de la consistance interne, particulièrement dans le cadre de la mesure des attitudes, se fait habituellement en concordance avec la vérification de la validité convergente et discriminante.

■ 2.3. La validité

Un indicateur est *valide* lorsqu'il *représente adéquatement* un concept.
Ce critère est fondamental. La question posée est simple : l'indicateur
mesure-t-il vraiment ce qu'il est censé mesurer ? Un indicateur ne peut
être valide que s'il est fidèle et donc précis, non contaminé, stable. Mais
ces conditions ne sont pas suffisantes. D'autres distorsions peuvent se
produire au moment même de la traduction du concept.

> Supposons qu'un chercheur veut mesurer le niveau de bonheur des
> gens, qu'il choisit comme indicateur la fréquence du sourire dans une
> population donnée et qu'il décide d'utiliser l'observation directe pour
> recueillir l'information. Il pourrait élaborer une grille d'observation
> précise, en tester la fidélité et même s'assurer que les observateurs seront
> pratiquement invisibles. Même si toutes ces conditions étaient satisfaites,
> il ne pourrait prétendre hors de tout doute que son indicateur est valide.
> Resterait la question fondamentale : le sourire fait à un moment donné,
> dans des circonstances précises, est-il un signe de bonheur ? Par contre,
> s'il choisit plutôt de demander aux gens jusqu'à quel point ils se sentent
> heureux, il devra présumer que leurs réponses reflètent véritablement
> leur sentiment.

Le passage du concept à l'indicateur repose ainsi sur certains postulats. On parlera *de validité apparente,* pour dénoter le fait que l'indicateur
apparaît valide « à sa face même », *de validité de contenu* pour dénoter le fait
que l'ensemble du « domaine » du concept mesuré est couvert, *de validité de
construit* pour dénoter le fait que le concept est mesuré de façon appropriée
et enfin *de validité reliée au critère* pour dénoter la relation entre la mesure
d'un concept et ce à quoi le concept est supposé être relié.

La *validité apparente* est la validité conceptuelle, logique de la mesure.
Un indicateur doit apparaître valide comme « justice doit apparaître être
rendue ». Le fait de se promener dans un magasin le matin n'apparaît
pas comme un bon indicateur de chômage puisque l'on pourra aisément
objecter que les horaires de travail ne sont pas les mêmes pour tous et que
bien des raisons peuvent expliquer cette présence, y compris la possibilité
d'être un employé du magasin voisin en pause syndicale.

La *validité de contenu* est satisfaite lorsque tous les aspects du concept
que l'on désire mesurer sont couverts. Ainsi, une mesure de la satisfaction
au travail doit couvrir l'ensemble des aspects reliés au travail, qu'ils soient
intrinsèques, extrinsèques ou sociaux et une mesure de la participation politique devrait inclure toute une gamme d'activités politiques. Une excellente
connaissance du sujet est un préalable incontournable pour en arriver à
construire un instrument ayant une bonne validité de contenu.

La **validité de construit** est relative à l'opérationnalisation des variables, à la qualité de l'élaboration et du choix des indicateurs. La **validité convergente et discriminante**, qui veut qu'un indicateur mesure un et un seul concept, est utilisée comme test d'une bonne validité de construit. Elle repose sur l'idée que, d'une part, les divers indicateurs d'un même concept seront reliés entre eux et que, d'autre part, ces mêmes indicateurs seront peu reliés à d'autres indicateurs censés mesurer d'autres concepts.

La **validité reliée au critère** est respectée lorsque la mesure d'un concept qui est présumé relié à un autre concept – le critère – l'est effectivement. On la dit **concurrente** lorsque le critère est mesuré en même temps et **prédictive** lorsque le critère est mesuré après.

> Un exemple illustre les divers types de validité. L'élaboration d'un nouveau test de maîtrise du français demanderait de poser des questions 1) clairement reliées à la connaissance du français (validité apparente), 2) qui couvrent toutes les principales dimensions de la connaissance du français et non seulement un aspect tel l'accord du participe passé par exemple (validité de contenu) et 3) qui sont liées positivement entre elles et peu liées ou moins liées aux réponses à un test de mathématiques (validité de construit, convergente et discriminante). Enfin, le score total devrait être lié aux résultats scolaires en français, résultats qui constituent une mesure présumée liée aux connaissances en français (validité concurrente) et devra se montrer lié dans l'avenir aux résultats en français obtenus (validité prédictive).

En dernier ressort, il revient au chercheur de démontrer que ses opérations permettent de traduire adéquatement le concept qu'il a à l'esprit. Par exemple, sur le plan conceptuel, le chômeur est défini comme quelqu'un qui n'a pas d'emploi et qui peut et veut travailler. Les indicateurs doivent refléter cette définition. Si le chercheur veut formuler des questions appropriées, il doit avoir des informations sur la façon dont le chômage est vécu par les gens, et sur les stratégies qui sont à leur disposition pour l'éviter ou en sortir, de façon à déterminer les démarches qui seront considérées comme des signes d'une volonté de travailler. Par ailleurs, la validité et la fidélité sont des critères reliés. Un indicateur vague, biaisé ou non pertinent peut difficilement constituer un indicateur valide d'un concept.

L'appréciation de la validité et de la fidélité d'un indicateur est en partie qualitative et subjective. Il subsiste une part d'arbitraire que l'on ne peut éliminer. La tâche du chercheur consiste à la réduire au minimum, à partir de ses connaissances des instruments et du phénomène étudié. Parce que l'élément subjectif demeure, il y a place à désaccords sur la validité de tel ou tel indicateur. Les débats sont nombreux et parfois virulents. Ils sont rarement tranchés de façon définitive. Dans la plupart des cas, toutefois, une opérationnalisation donnée est retenue par la majorité des chercheurs, parce qu'elle semble mieux traduire le concept de départ… jusqu'à ce que de nouvelles informations remettent en question ce choix. Toutefois, sur le plan empirique, il est souvent possible de vérifier certains aspects de la validité et de la fidélité, surtout lorsque l'on a recours à plusieurs indicateurs pour la mesure d'un concept.

◼ 2.4. La vérification empirique de la validité

Les validités apparente et de contenu se prêtent à un jugement qualitatif et subjectif, contrairement à la validité de construit, convergente et discriminante. Dans ce cas, il s'agit de vérifier la concordance des mesures. Une mesure valide d'un concept sera liée à d'autres mesures du même concept. De même, pour ce qui est de la vérification de la validité reliée au critère, il s'agit d'examiner les relations avec d'autres variables mesurées de façon concurrente ou postérieure. Dans ces deux cas – validité de construit et validité critériée –, la vérification procède à l'aide d'analyses statistiques (analyse factorielle, analyse de variance, corrélation, analyse de tableaux de contingence, etc.).

Lorsque plusieurs indicateurs d'un même concept sont utilisés, il est possible de vérifier que chaque indicateur constitue bien une mesure du concept et qu'il constitue une mesure de ce seul concept (dans les cas où la validité des mesures de plusieurs concepts est vérifiée concurremment). Cette vérification se fait souvent à l'aide de l'analyse factorielle, procédure qui tente de réduire un nombre important d'informations (prenant la forme de valeurs sur des variables) à quelques grandes dimensions, c'est-à-dire un ensemble restreint de «composantes» ou de facteurs. On utilise le terme de variables latentes pour parler de ces variables qui existent au seul plan conceptuel et qui ne sont pas mesurées.

> De façon à mesurer la satisfaction des gens à l'égard de leur travail, on a d'abord déterminé que celle-ci portait sur trois grandes dimensions : la qualité des relations interpersonnelles, la nature même du travail et les aspects extrinsèques (salaire, horaire, etc.). Pour chacune des dimensions, on a posé un certain nombre de questions du type «Êtes-vous très satisfait, assez satisfait, peu satisfait ou pas du tout satisfait a) de la qualité de vos relations avec vos collègues… b) de la qualité de vos relations avec vos supérieurs… c) de la qualité de vos relations avec vos subordonnés d) de la qualité générale des relations interpersonnelles à votre travail, etc. ? » En agissant ainsi, *on postule qu'une dimension générale de satisfaction face au climat des relations interpersonnelles existe* et que le positionnement des individus par rapport à cette dimension «explique», «prédit» leur positionnement sur chacune des «variables mesurées», c'est-à-dire les réponses aux questions. *Si cette hypothèse est vraie*, les personnes auront

> tendance à répondre de la même manière aux quatre questions portant
> sur cette dimension ; leurs réponses à ces questions seront fortement
> corrélées entre elles (*validité convergente*) et elles seront moins corrélées
> avec les variables portant sur les autres dimensions mesurées (*validité
> discriminante*). Cette approche suppose que l'on conçoit que les variables
> mesurées constituent un échantillon de l'ensemble des indicateurs aptes à
> mesurer le concept choisi. L'*analyse factorielle* vise à donner un sommaire
> des patrons de corrélations entre les variables. Si les regroupements
> proposés par l'analyse factorielle confirment les hypothèses faites, il est
> possible de vérifier ensuite la fidélité des regroupements et de procéder
> à la constitution d'échelles additives dans le cas où toutes les indications
> (validité convergente et discriminante, fidélité) concordent pour assurer
> la qualité de la mesure.

Ainsi, il est possible de s'assurer avec un certain niveau de confiance
de la validité des mesures sur le plan empirique en procédant aux vérifications appropriées quant à la concordance des mesures.

3 LA CONSTRUCTION DES INDICATEURS

■ 3.1. La logique

Nous venons de voir les critères dont s'inspire le chercheur dans l'élabo-
ration et la sélection des indicateurs de chaque concept qu'il doit mesurer.
Mais comment, concrètement, le chercheur sélectionne-t-il les indicateurs ?
Il convient, dès le départ, de rappeler deux principes :

- Le premier est qu'on ne connaît pas d'indicateur parfait : il s'agit
  de choisir celui qui présente les moins grandes lacunes par rapport
  aux divers critères d'appréciation et de vérifier autant que possible
  que ces critères sont respectés.

- Le deuxième est qu'à tout concept peuvent correspondre un
  grand nombre d'indicateurs. Puisqu'il n'y a pas d'équivalence
  exacte entre le langage de l'abstraction et celui de l'observation,
  on doit se rabattre sur une approximation et il est rare qu'une
  approximation donnée s'impose d'emblée. On peut généralement
  concevoir plusieurs « traductions », chacune ayant ses avantages
  et ses désavantages.

▓ 3.2. Les étapes

Vu sous cet angle, le processus peut être décomposé en étapes bien démarquées. La première consiste à *recenser l'ensemble des indicateurs possibles.* Ce recensement s'appuie sur les recherches antérieures. On peut ainsi identifier les mesures utilisées dans les recherches précédentes qui ont porté sur le même sujet. Le chercheur doit aussi faire appel à son imagination et se demander s'il serait possible et surtout approprié de construire de nouvelles mesures. L'objectif est d'établir une liste à peu près exhaustive des possibilités. Ces indicateurs peuvent renvoyer à différents instruments de recherche. Le degré d'intérêt pour un cours magistral, par exemple, peut se mesurer par l'observation directe ou par un questionnaire. Chaque instrument peut aussi se prêter à un certain nombre d'opérations, donnant lieu à autant d'indicateurs. Comme signes d'intérêt (ou de non-intérêt) pour un cours magistral, on peut observer la fréquence des questions, des conversations entre étudiants, la convergence des regards vers le professeur, etc.

La deuxième étape est *l'évaluation de chacun des indicateurs recensés* selon les critères déjà énoncés. Cette évaluation se fait à partir des connaissances méthodologiques acquises sur les mérites et limites des différents instruments de recherche, des bilans qui ont déjà été faits dans les recherches antérieures, soit de la part des chercheurs eux-mêmes, soit de la part de critiques, et aussi d'une certaine familiarité avec le sujet étudié. Cette évaluation tient également compte des coûts associés à chaque indicateur. L'opération vise aussi à éliminer les indicateurs qui apparaissent les moins appropriés. Cela amène parfois le chercheur à ne retenir qu'un indicateur, qui apparaît nettement plus valable que tous les autres. Habituellement, cependant, on essaiera d'avoir plus d'un « élu » de façon à pouvoir vérifier empiriquement la fidélité et la validité.

Après la collecte des informations, il sera possible de procéder aux analyses permettant la vérification empirique de la validité et de la fidélité des mesures et de comparer ces informations à celles fournies par d'autres chercheurs qui ont utilisé les mêmes indicateurs. L'étape de la mesure aura constitué un moment essentiel du processus qui permettra ensuite la vérification des hypothèses portant sur les relations entre les concepts.

CONCLUSION

Les données empiriques n'existent pas à l'état pur. Elles sont formées par le chercheur en fonction de ses intérêts théoriques. C'est pourquoi il convient de parler de la *construction des indicateurs*, ce qui amène à reconnaître le rôle actif qui est dévolu au chercheur dans la structuration de la recherche. Cette construction consiste en un ensemble d'opérations qui permettent de *traduire un concept*, exprimé dans un langage abstrait, dans le langage de l'observation. Cette traduction, qui n'est jamais tout à fait satisfaisante, procède par approximation. Elle vise à *classifier des objets* à l'aide d'un certain nombre d'opérations effectuées à partir de un ou plusieurs instruments de mise en forme de l'information.

Pour que la traduction soit la plus adéquate possible, il importe de faire d'abord preuve d'imagination de façon à considérer l'éventail des possibles, et ensuite de rigueur, de façon à écarter les indicateurs qui présentent de trop grandes lacunes. Un indicateur n'est satisfaisant que s'il est *fidèle*, c'est-à-dire s'il donne des résultats constants dans le temps et l'espace. Pour cela, il devra être *précis*, c'est-à-dire que la procédure doit être suffisamment bien définie pour qu'elle puisse être reproduite dans des circonstances similaires. Il devra également être *non contaminé*, c'est-à-dire que les résultats ne seront pas substantiellement influencés par la procédure utilisée. Ces conditions ne sont cependant pas suffisantes. La *validité* d'un indicateur repose sur la correspondance entre le contenu des opérations effectuées et la représentation que l'on se fait du concept de départ. La vérification de la validité comporte une part plus qualitative, basée sur le jugement du chercheur. Toutefois, il est possible de procéder à des vérifications empiriques de la validité de construit et critériée. Ces opérations revêtent une grande importance puisqu'elles constituent le seul moyen de s'assurer que les conclusions tirées après avoir vérifié les hypothèses posées sont valables.

BIBLIOGRAPHIE ANNOTÉE

GOETZ, G., *Social Science Concepts: A User's Guide*, Princeton, Princeton University Press, 2005.

Un livre entièrement consacré à l'élaboration des concepts, à leur évaluation et à leur analyse.

GOULD, S. J., *La mal-mesure de l'homme*, Paris, Éditions O. Jacob, 1997.

Historique de la question de la mesure en sciences sociales avec exemples très pertinents sur les conséquences de la mesure particulièrement en ce qui a trait à la mesure de l'intelligence.

PEDHAZUR, E.J. et L.P. SCHMELKIN, *Measurement, Design and Analysis*, Hillsdale, Lawrence Erlbaum Ass., 1991, 819 pages.

Une «bible» pour ce qui est de la mesure, du design d'enquête et de l'analyse, incluant les analyses liées à la vérification de la fidélité et de la validité.

PUNCH, K.F., *Introduction to Social Research: Quantitative and Qualitative Approaches*, 2ᵉ éd., Londres, Sage, 2005.

Manuel de base portant sur la méthodologie quantitative et qualitative; y compris la combinaison des deux méthodes.

L'ÉCHANTILLONNAGE

Jean-Pierre BEAUD

*Combien faut-il goûter de nouilles pour savoir
si le plat est réussi ?*

L'échantillonnage n'est pas seulement le fait des sondeurs et chercheurs universitaires ou professionnels. Comme bien d'autres outils utilisés en sciences sociales, les techniques d'échantillonnage s'appuient sur des principes que nous mettons en œuvre, de façon presque spontanée, dans la vie de tous les jours. Pour des raisons d'ordre pédagogique, il semble bon de partir de cette pratique presque instinctive, de l'évaluation de sa richesse et bien sûr de ses limites, pour dégager des règles rigoureuses concernant le choix et la constitution des échantillons. Il convient toutefois, dès le départ, de mettre en garde contre une vision «techniciste» des méthodes et techniques de recherche et, donc, des procédures d'échantillonnage. Il ne suffit pas, en effet, de savoir comment on construit un échantillon pour être quitte des problèmes reliés à l'échantillonnage. Le choix de la technique de sélection de l'échantillon, en particulier, ne saurait être dissocié du questionnement qui est à l'origine de la recherche, de la population étudiée et des diverses contraintes (p. ex., financières, humaines) avec lesquelles le chercheur doit composer : il doit donc être le résultat d'une réflexion qui fait largement appel à des connaissances non techniques, à la formation générale du chercheur.

Ainsi, des procédures non probabilistes, que bon nombre d'auteurs de manuels de méthodes jugent peu dignes d'intérêt, peuvent être plus adaptées, dans certains cas, aux conditions de la recherche que des techniques probabilistes, considérées généralement comme plus fiables : un bon chercheur saura reconnaître ces cas et, malgré les injonctions de certains méthodologues, faire le choix qui s'impose. Il est clair que, dans le domaine de l'échantillonnage en particulier, la quête de la perfection méthodologique constitue souvent plus un frein à la recherche qu'un véritable moteur, et qu'il vaut mieux faire de la recherche avec un outil imparfait que de ne pas faire de recherche du tout, faute d'avoir trouvé l'outil parfait.

Encore faut-il, et le texte qui suit vise à introduire à une telle attitude, prendre conscience des limites imposées par les différentes techniques, et ce, afin de pouvoir en tenir compte au moment de l'analyse des données. On peut parfois même tirer profit des «impuretés» d'un échantillon.

> C'est ce que font, par exemple, Daniel Gaxie et Patrick Lehingue dans leur étude sur la constitution des enjeux politiques dans une élection municipale en France[1]. Après avoir recensé les différents biais introduits par un échantillon spontané (constitué de lecteurs d'un quotidien régional français), évalué les écarts relativement à certaines variables entre l'échantillon obtenu et la population de référence, les auteurs prennent justement comme objet d'étude, au moins dans un premier temps, ces mêmes distorsions. Ils s'interrogent ainsi sur la sous-représentation dans leur échantillon des femmes, des classes populaires, des non-diplômés, des ruraux, et posent que « ce qu'apporte [...] un échantillon spontané, c'est la possibilité de repérer les intérêts qui ont porté tel groupe d'agents (et pas, au moins, tel autre) à répondre, intérêts à mettre en relation avec le type de questions posées, la forme de celles-ci, le support utilisé, l'institution productrice de l'enquête[2]... ». Aussi, « à la condition qu'elles soient connues et reconnues, "les impuretés" de l'échantillon collecté n'oblitèrent pas d'emblée l'analyse, mais au contraire l'enrichissent[3] ».

Loin de nous l'idée d'insinuer que l'outil choisi importe finalement peu et que tout exposé sur les valeurs intrinsèques des techniques d'échantillonnage est à écarter ou, pis encore, que plus une technique est «impure», plus l'analyse à laquelle elle peut conduire est potentiellement riche. Nous voulons simplement insister sur la nécessaire relation entre les données et les conditions dans lesquelles elles ont été produites. C'est bien cette posture qui a conduit les politologues et les sociologues à s'interroger sur la signification des non-réponses, sur les «ratés» de la communication

---

1. Daniel GAXIE et Patrick LEHINGUE, *Enjeux municipaux ; la constitution des enjeux politiques dans une élection municipale*, Paris, Presses universitaires de France, 1984.
2. *Ibid.*, p. 89.
3. *Ibid.*

entre sondeurs et sondés. C'est elle qui se dégageait de certaines des recommandations du Comité des sondages de la Société canadienne de science
politique et de l'Association canadienne des sociologues et anthropologues
de langue française[4] et du Comité des sondages du Regroupement québécois des sciences sociales[5]. C'est elle aussi qui devrait être intériorisée par
tout chercheur.

Pratiques spontanée et « professionnelle » de l'échantillonnage

Prenons une première expérience banale, certes, mais instructive : la
préparation d'un plat. Avant de servir un mets, il est un geste que nous
faisons généralement : nous le goûtons. Le principe même du sondage
et des techniques qu'il implique (dont celles de l'échantillonnage) se
trouve ainsi posé : nous recueillons de l'information sur une fraction
(*échantillon*) de l'ensemble (*population*) que nous voulons étudier, puis
nous généralisons, parfois à tort il est vrai, à cet ensemble ce que nous
avons mesuré sur le sous-ensemble. Dans l'exemple précédent, la cuillerée
que nous avalons constitue l'échantillon et le plat, la population. Tout
comme il n'est point besoin de manger tout le plat pour savoir si nous
pouvons le servir (heureusement !), il n'est point nécessaire, ni souhaitable, ni possible parfois, d'étudier toute la population (que ce soient les
électeurs canadiens, les composants électroniques sortant d'une usine,
etc.), c'est-à-dire de recourir à un *recensement*, pour bien la connaître.

Cependant, l'échantillon ne peut être choisi sans précaution ! Ainsi,
dans le cas d'un potage, ce n'est que lorsque les ingrédients sont bien
mélangés, lorsque la préparation est homogène, que l'on goûte le plat. Dans
le cas d'un mets plus complexe, constitué d'éléments différents et qui ne
peuvent être mélangés, ce n'est qu'après avoir testé chacun de ces éléments
(la viande ou le poisson, les légumes, la sauce, etc.) que l'on peut porter un
jugement sur l'ensemble. En théorie de l'échantillonnage, en fait, les choses
se présentent un peu de la même façon : on sait, par exemple, que plus
la population est *homogène*, moins l'échantillon aura besoin, à précision
constante, d'être de taille importante ; on sait aussi que lorsqu'on a affaire

---

4. « L'art consiste sans doute [...] autant à permettre au répondant de se taire qu'à l'amener
    à s'exprimer ; le chercheur, lui, se doit d'expliquer certaines régularités aussi bien dans
    l'expression formelle d'attitudes et d'opinions que dans les non-réponses. Les non-
    réponses aussi sont l'expression de certaines attitudes et opinions et doivent être analysées
    comme telles. » Sondages politiques et politique des sondages au Québec, Montréal,
    Société canadienne de science politique et Association canadienne des sociologues et
    anthropologues de langue française, 1979, p. 18.
5. Voir à ce sujet Jean-Pierre BEAUD, « Médias et sondages politiques : le cas de la campagne
    électorale fédérale de 1988 », *Revue québécoise de science politique*, n° 20, automne 1991,
    p. 131-151.

à une population composée d'éléments bien distincts, il est préférable de la découper en sous-ensembles relativement homogènes, de la *stratifier*. Le lecteur aura sans doute compris que ce qui est recherché, aussi bien dans la pratique spontanée que dans la pratique plus méthodique de l'échantillonnage, c'est la **représentativité**: l'échantillon, dont la taille variera en fonction de l'homogénéité de la population, devra être représentatif de cette dernière[6]. Ce que nous apprendrons concernant l'échantillon, nous devrons pouvoir le généraliser à l'ensemble de la population.

La notion de représentativité

L'analogie entre la pratique instinctive et la pratique réfléchie de l'échantillonnage pourrait être poussée plus loin: il serait possible, par exemple, de montrer qu'une technique aussi raffinée que la stratification non proportionnelle a sa contrepartie dans la vie de tous les jours. Mais il est à craindre qu'alors, elle conduise à un contresens historique, à penser que, la notion de représentativité relevant du simple bon sens, il s'est bien trouvé, très tôt, quelque scientifique pour l'imposer comme critère dans le domaine des études de populations (humaines ou non). Or, ce n'est qu'assez récemment que le problème de la représentativité[7] a été formulé par les « statisticiens d'État» (pour reprendre l'expression d'Alain Desrosières[8]) et les spécialistes des études sociales. Il faudra en effet attendre les travaux du Norvégien Kiaer à la toute fin du XIXe siècle pour voir s'amorcer, dans le cadre des réunions de l'Institut international de statistique, un débat sur l'utilisation de la méthode représentative. Qu'un tel débat ait eu lieu si « tardivement» peut paraître étonnant puisque, d'une part, les bases théoriques (le calcul des probabilités) de la méthode représentative étaient connues depuis fort longtemps et que, d'autre part, la pratique même des enquêtes auprès de petits groupes d'individus avait été chose courante durant tout le XIXe siècle[9]. Mais, comme le montre Alain Desrosières, « l'invention et la mise en œuvre d'une technologie

---

6. Ce qui ne veut pas dire, comme nous l'avons montré plus haut, que des données recueillies à l'aide d'un échantillon non représentatif ne sont d'aucune utilité pour le chercheur.

7. Au sens où les statisticiens, les sondeurs, les chercheurs en sciences sociales entendent aujourd'hui ce terme.

8. Alain DESROSIÈRES, « La partie pour le tout: comment généraliser? La préhistoire de la contrainte de représentativité», *Journal de la Société de statistique de Paris*, tome 129, n°s 1-2, 1988, p. 96-115. Voir aussi, du même auteur, *La politique des grands nombres. Histoire de la raison statistique*, Paris, Éditions La Découverte, 1993, chapitre 7.

9. Ces enquêtes prenaient alors la forme de monographies et faisaient appel à une idée de représentativité bien différente de celle qui est à l'origine de la plupart des techniques d'échantillonnage.

supposent des conditions inséparablement cognitives et sociales[10]». La mise en place, en Europe, à la fin du XIXᵉ siècle, des premières mesures étatiques d'aide sociale, puis le développement, essentiellement aux États-Unis, des études de marché et des prévisions électorales, qui traduisent le «passage de modes de gestion *locaux* centrés sur des relations personnelles (bienfaisance, petit commerce, artisanat, marchés ruraux, clientélisme électoral) à d'autres modes, *nationaux* [ont] nécessité une uniformisation du territoire et une standardisation des modes de description des personnes, lesquelles constituent les préalables indispensables à la mise en œuvre[11]» et au perfectionnement des méthodes représentatives et en particulier des méthodes d'échantillonnage probabilistes. Le principe de base des méthodes représentatives, à savoir que la partie peut remplacer le tout, ne sera véritablement adopté qu'à la fin du premier quart du XXᵉ siècle, et la «supériorité» des techniques aléatoires sur les techniques par choix judicieux ne sera «démontrée» que dans les années 1930. Comme le mentionne Philippe Tassi, «toutes les bases de la statistique des sondages sont alors posées[12]».

> Mais l'adoption des techniques probabilistes par les organismes statistiques officiels (que d'aucuns assimilent à une révolution), par exemple, ne se fera pas facilement pour autant. Au Canada, cette innovation a suscité le scepticisme de plusieurs statisticiens du Bureau fédéral de la statistique, en partie parce qu'elle allait à l'encontre de traditions bien établies. Et il faudra attendre la Seconde Guerre mondiale et surtout l'engagement du gouvernement canadien relativement au problème de l'emploi dans l'après-guerre pour que les résistances soient enfin vaincues[13].

Au plan théorique, les développements ultérieurs concerneront essentiellement les techniques probabilistes, et ce, malgré une pratique qui, au moins dans certains milieux, restera encore profondément marquée par l'utilisation des techniques par choix raisonné.

---

10. *Loc. cit.*, p. 97.
11. *Ibid.*, p. 96, 104.
12. «De l'exhaustif au partiel : un peu d'histoire sur le développement des sondages», *Journal de la Société de statistique de Paris*, tome 129, nᵒˢ 1-2, 1988, p. 126 ; voir aussi, du même auteur (en collaboration avec Jean-Jacques DROESBEKE), *Histoire de la statistique*, Paris, Presses universitaires de France (coll. «Que sais-je ?»), 1990, nᵒ 2527.
13. Voir à ce sujet, Jean-Pierre BEAUD et Jean-Guy PRÉVOST, «The Politics of Measurable Precision : The Emergence of Sampling Techniques in Canada's Dominion Bureau of Statistics», *The Canadian Historical Review*, vol. 79, nᵒ 4, décembre 1998, p. 691-725.

Le champ d'application des techniques d'échantillonnage

Depuis la fin du XIXe siècle, la méthode représentative a vu son champ d'application s'élargir de façon telle qu'aujourd'hui elle se confond pratiquement avec l'ensemble des activités humaines : tout ou presque se prête, en effet, à l'échantillonnage. En recherche appliquée, dès que des contraintes de temps ou de moyens surgissent, toute population d'une certaine ampleur est plus aisément étudiée par sondage, c'est-à-dire en ayant recours à un échantillon, que par recensement. Ce que l'on perd en certitude (idéal théoriquement accessible par recensement), on le gagne en rapidité, en coût et même, paradoxalement, en qualité. À partir du moment où l'on a affaire à un échantillon probabiliste et où les principes commandant le tirage des individus ont été respectés, les conditions sont réunies pour qu'on puisse généraliser (par inférence statistique) à la population ce qui a été mesuré sur l'échantillon.

Dans l'industrie, par exemple, le contrôle de la qualité des produits ne peut être réalisé que sur un échantillon de la population totale. S'il fallait tester la durée de vie de toutes les lampes, de tous les circuits sortant d'un atelier, il est sûr que l'on connaîtrait avec précision la qualité du travail réalisé. Il est sûr également qu'on ne pourrait plus rien vendre. L'échantillonnage est donc, là, pratique courante.

En sociologie, en science politique, et, d'une façon générale, dans toutes les sciences sociales, les populations étudiées peuvent être de tailles très diverses : du petit groupe (p. ex., l'association de comté d'un parti politique, le « gang ») aux communautés nationales et parfois même internationales en passant par les populations de taille moyenne (un syndicat, une municipalité, une tribu, un village, etc.). On comprendra aisément qu'à des populations de tailles différentes correspondent des outils différents : dès qu'une certaine taille est atteinte, le sondage se révèle être en fait le seul outil utilisable.

Dans la pratique administrative, le recours à l'échantillonnage s'est généralisé au point où les données recueillies de cette façon sont généralement plus nombreuses que les données collectées de façon exhaustive. Même le recensement, qu'on a longtemps opposé au sondage, intègre de plus en plus l'idée même d'échantillonnage. Au Canada, le questionnaire long n'est ainsi distribué qu'à 20 % de la population[14].

---

14. Pour une présentation de l'activité statistique des gouvernements, on se rapportera, du moins pour ce qui est du Canada, à Jean-Pierre BEAUD et Jean-Guy PRÉVOST, « Les statistiques : source d'information », dans Pierre P. TREMBLAY (dir.), *L'État administrateur : Modes et émergences*, Québec, Presses de l'Université du Québec, 1997, p. 181-209.

CONCEPTS GÉNÉRAUX

Nous avons déjà rencontré, dans l'introduction, un certain nombre de termes comme ceux d'échantillon, de population, de représentativité, qu'il va falloir définir précisément avant d'aborder la distinction, essentielle, entre les échantillons probabilistes (ou aléatoires) et les échantillons non probabilistes.

D'une *population*, nous dirons qu'il s'agit d'une collection d'individus, d'objets, c'est-à-dire, pour reprendre la définition de Christian Gourieroux, d'*un ensemble d'«unités élémentaires sur lesquelles porte l'analyse*[15]*»*. Ces individus peuvent être humains ou non : l'unité élémentaire en sciences sociales, c'est souvent, une personne ; mais c'est parfois aussi un groupe, une ville, un syndicat, un pays. La population est alors un ensemble de personnes, de groupes, de villes, de syndicats, de pays. Une ville, par exemple, peut être considérée, dans certains cas, comme une population, dans d'autres cas, comme un élément constitutif d'une population plus large. Tout dépend alors de l'objet même de la recherche. En conséquence, tout travail d'échantillonnage implique une définition précise de la population à étudier et donc de ses éléments constitutifs. L'unité élémentaire peut être aussi un mot, un paragraphe, un article, un numéro de journal, ou une lampe, un circuit électronique, une parcelle de terrain, etc.

Le chercheur devra donc, et ce n'est pas aussi simple qu'il y paraît, définir la population pertinente pour l'étude qu'il se propose de réaliser. Veut-il analyser le comportement électoral au Québec ? Il lui faudra alors sans doute prendre comme population l'électorat québécois, c'est-à-dire l'ensemble des personnes qui ont 18 ans et plus, qui sont de citoyenneté canadienne et qui résident au Québec depuis au moins six mois. Comme on le voit, dans ce cas, le problème de la définition de la population ne se pose pas vraiment puisqu'il existe des critères officiels, non ambigus et peu contestables (on cherche à mesurer un geste réglementé !) permettant de distinguer électeurs et non-électeurs. Le problème aurait été quelque peu différent s'il s'était agi d'étudier les opinions politiques au Québec, la distinction légale entre électorat et «non-électorat» n'étant plus alors nécessairement pertinente. Le problème est également plus complexe lorsqu'on cherche à analyser une population comme celle des chômeurs. Doit-on, pour la cerner, reprendre la définition officielle du chômage, au risque d'écarter des «sans-emploi» auxquels l'administration refuse le statut

---

15. Christian GOURIEROUX, *Théorie des sondages*, Paris, Economica, 1981, p. 35.

de chômeur (l'évolution des définitions officielles du chômage a fait ici et là l'objet de nombreux travaux[16]), ou doit-on plutôt forger sa propre définition, au risque de ne pouvoir l'opérationnaliser?

On voit donc qu'à ce niveau déjà plusieurs problèmes se posent:

- Celui de la définition de la population mère (ou *univers de l'enquête*), étape théorique comme le souligne Simon Langlois[17].

- Celui de l'explicitation de cette définition: Qui fait partie de cette population? Qui n'en fait pas partie? On doit donc fixer clairement les critères permettant d'affecter ou non, sans qu'il y ait possibilité de contestation, les individus à la population. Nous obtenons alors la population visée par la recherche.

- Celui de la constitution de la liste des individus composant la population; il s'agit là d'une étape concrète. Comme il est bien souvent difficile de construire cette liste et qu'un tel travail long et coûteux mènerait en toute logique à la réalisation d'un recensement plutôt que d'un sondage, les chercheurs utilisent généralement des listes déjà constituées (annuaires téléphoniques, listes de personnel, etc.) avec tous les inconvénients que cela suppose: les populations ainsi obtenues ne coïncident plus nécessairement avec les populations visées. Ainsi, lorsqu'on utilise les annuaires téléphoniques pour pallier l'absence d'une liste électorale à jour, on inclut dans la population des individus qui ne devraient pas en faire partie (non-électeurs), et, surtout, ce qui a des conséquences encore plus graves, on écarte des électeurs qui, pour diverses raisons, n'ont pas de téléphone ou de numéro inscrit dans l'annuaire. Cela importe peu au Québec, et de façon générale en Amérique du Nord, le taux de pénétration du téléphone dans les ménages y étant très élevé. Par contre, dans plusieurs pays, l'utilisation d'une telle liste entraînerait aujourd'hui encore des distorsions considérables[18].

---

16. Voir à ce sujet, pour le Canada, Martin COMEAU, *Analyse politique de l'élaboration et de la mesure du taux de chômage au Canada*, Montréal, Université du Québec à Montréal, 1995; et, pour la France, Jean-Louis BESSON et Maurice COMTE, *La notion de chômage en Europe. Analyse comparative*, Paris, Ministère du Travail, de l'Emploi et de la Formation professionnelle, Ministère de la Solidarité, de la Santé et de la Protection sociale, mars 1992.

17. Simon LANGLOIS, *Techniques d'échantillonnage*, Université Laval, s.d.

18. Comme pour cette chercheure en marketing polonaise rencontrée (au début des années 1990) par le directeur de publication qui aurait aimé adopter les méthodes nord-américaines de sondage téléphonique alors que seulement un ménage sur dix possédait alors le téléphone en Pologne.

Cette dernière étape n'est toutefois pas toujours nécessaire. L'un des atouts de la méthode des quotas, et plus généralement des méthodes non probabilistes présentées plus loin, est justement de ne pas requérir de liste des éléments constitutifs de la population (ce que l'on appelle aussi une *base de sondage*). Notons que certains types d'échantillonnage probabiliste ne nécessitent pas non plus de liste, au sens strict, des individus formant une population : c'est le cas de la méthode aréolaire[19]. Ajoutons, enfin, qu'une technique comme la génération aléatoire des numéros de téléphone, maintenant couramment utilisée, permet de faire un tirage aléatoire sans base de sondage. En partant de la série de trois premiers chiffres en usage dans la région étudiée, le chercheur génère au hasard (au sens probabiliste du terme) les derniers chiffres. Bien sûr, si par cette technique on obtient des numéros de téléphone attribués mais non inscrits dans les annuaires, on obtient aussi (parfois très souvent) des numéros de téléphone auxquels ne correspondent pas d'abonnés : le coût d'un sondage effectué au moyen de cette technique s'en trouve ainsi augmenté. Le développement de l'usage des téléphones cellulaires depuis le début des années 1990 et, plus générale- ment, le fait qu'aujourd'hui de plus en plus d'individus possèdent plusieurs numéros rendent cette génération aléatoire plus problématique !

Nous avons jusqu'ici, à plusieurs reprises, distingué deux techniques de collecte des données : le recensement et le sondage. Lorsqu'on fait un *recensement*, à ne pas confondre avec le simple dénombrement (c'est-à- dire le comptage d'une population), *on recueille l'information auprès de l'ensemble de la population*. Lorsqu'on fait un *sondage, c'est auprès d'un sous-ensemble de cette population, appelé échantillon, que les données sont recueillies*. En fait, certains considèrent même le recensement comme un type particulier de sondage, le sous-ensemble étudié se confondant dans ce cas avec l'ensemble de la population.

On comprend alors – l'échantillon pouvant être n'importe quel sous- ensemble de la population – que la question cruciale est de savoir si les conclusions d'un sondage peuvent être légitimement étendues à l'ensemble de la population. Pour que cette généralisation soit possible, acceptable, il faut que l'échantillon soit *représentatif* de cette population, *c'est-à-dire que les caractéristiques mêmes de la population soient présentes dans l'échan- tillon ou puissent y être retrouvées moyennant certaines modifications*. Mais comment être sûr que les caractéristiques de la population sont bien présentes dans l'échantillon si, par définition, on ne les connaît pas toutes ? Disons tout de suite que, dans la théorie de l'échantillonnage, la notion de certitude est écartée. Même un recensement, d'ailleurs, ne nous permet

---

19. En fait, cette méthode requiert bien l'utilisation d'une liste ; cependant, il s'agit d'une liste de zones géographiques découpées à partir d'une carte.

que théoriquement d'atteindre cette certitude. L'erreur d'échantillonnage, c'est-à-dire l'erreur liée au fait de n'analyser qu'une partie de la population pour connaître cette dernière, disparaît alors, quoique la population d'un pays ne soit jamais rejointe dans sa totalité lors d'un recensement; cependant, l'erreur de mesure, ou d'observation, indépendante de la première, demeure. Pour Leslie Kish, « [les erreurs indépendantes de l'échantillonnage] se produisent parce que des observations doivent être faites pour obtenir les résultats dont on a besoin et que les méthodes physiques d'observation sont sujettes à imperfections[20] ».

On a trouvé jusqu'à présent deux solutions pour minimiser l'erreur d'échantillonnage (à distinguer donc de l'erreur de mesure[21]) :

- reproduire le plus fidèlement possible la population globale, en tenant compte des caractéristiques connues de cette dernière (application du principe de la *maquette*, du modèle réduit);

- tirer de façon aléatoire les individus qui feront partie de l'échantillon (application du principe du *hasard*).

La première solution relève de techniques qu'on a appelées *non probabilistes*, la seconde, de techniques *probabilistes*. Cette distinction est essentielle, car seuls les échantillons se réclamant du hasard peuvent, par définition, donner lieu à une généralisation s'appuyant sur les principes du calcul des probabilités.

2 LES ÉCHANTILLONS NON PROBABILISTES

S'en remettre au hasard pour fixer le choix des individus qui feront partie de l'échantillon apparaît à première vue comme la preuve d'une démission de l'esprit humain. C'est pourquoi les techniques non probabilistes, ou du moins certaines d'entre elles, semblent souvent plus satisfaisantes, plus « scientifiques » même que les techniques probabilistes : comment le hasard pourrait-il faire mieux que nous, avec nos connaissances, notre esprit méthodique, rationnel ? Les techniques non probabilistes offrent l'avantage de ne pas heurter le bon sens, d'être souvent faciles à comprendre et à appliquer. Elles sont de qualité inégale, certaines ayant

---

20. Leslie KISH, « Le choix de l'échantillon », dans Leon FESTINGER et Daniel KATZ, *Les méthodes de recherche dans les sciences sociales*, tome I, Paris, Presses universitaires de France, 1963, p. 255.
21. Par exemple, les erreurs faites pendant la collecte des données, les erreurs de compilation, etc.

été particulièrement raffinées, d'autres non. En Europe, elles demeurent les méthodes les plus fréquemment utilisées, et, il faut bien le dire, la plus connue d'entre elles, la méthode des quotas, ne semble pas avoir donné de mauvais résultats, ce qui porte certains auteurs et praticiens à en recommander l'utilisation, même si les généralisations auxquelles les méthodes non probabilistes conduisent sont en fait purement hypothétiques. Nous présenterons plusieurs de ces techniques, insisterons sur la plus utilisée et, semble-t-il, la plus fiable d'entre elles, la méthode des quotas, et nous verrons quelles en sont les applications possibles.

Les techniques non probabilistes sont souvent presque absentes des présentations que font les spécialistes américains des procédures d'échantillonnage. On n'en recommande pas l'utilisation car, comme le soulignent Loether et McTavish, « même si les techniques d'échantillonnage non probabilistes sont souvent plus économiques et commodes que les techniques probabilistes, l'impossibilité d'évaluer les erreurs d'échantillonnage représente un inconvénient majeur. Donc, on devrait déconseiller l'utilisation de techniques non probabilistes par les sociologues[22]. » Les auteurs européens, et particulièrement les auteurs français, consacrent souvent, quant à eux, de longs développements à ces techniques. *Répétons ce qu'on dit généralement à leur sujet, à savoir qu'elles sont peu coûteuses, rapides, faciles à appliquer, mais qu'on ne peut préciser l'erreur d'échantillonnage.* Mentionnons ici qu'on emploie concurremment, dans la littérature *ad hoc*, les termes de méthodes, de techniques et de procédures pour parler de la constitution des échantillons, alors qu'il faudrait, ces termes ayant des significations différentes[23], ne parler que de techniques. Ajoutons aussi que, plus précisément dans le domaine des échantillons non probabilistes, le champ sémantique est loin d'être fixé : ainsi l'expression « par choix raisonné » fait parfois référence à une technique non probabiliste, parfois à un ensemble de techniques non probabilistes, etc.

Nous parlerons successivement des échantillons « accidentels », des échantillons constitués de volontaires, des échantillons systématiques, par choix raisonné et par quotas, qui sont tous non probabilistes.

---

22. Herman J. LOETHER et Donald G. MCTAVISH, *Descriptive and Inferential Statistics. An Introduction*, Boston, Allyn and Bacon, 1980, p. 424.

23. Voir, pour une définition de ces termes, Madeleine GRAWITZ, *Méthodes des sciences sociales*, Paris, Dalloz, 1972, p. 291-294. Notons que de notre côté, pour éviter des répétitions ou pour faire référence à une expression établie (la méthode des quotas), nous utiliserons malgré tout les trois termes.

■ 2.1. Les échantillons «accidentels»

Les échantillons «accidentels» (*haphazard samples, accidental samples*) sont de tous les échantillons non probabilistes ceux qui offrent le moins de garantie. Et pourtant, les «techniques» correspondantes sont celles qui apparemment semblent laisser la plus grande place au hasard. Lorsqu'on interroge les cent premières personnes rencontrées au coin de telle rue, c'est le hasard, dit-on, qui nous les fait rencontrer. Notons que le sens ainsi donné au terme de hasard est bien celui que le langage commun lui attribue. Bien des enquêtes réalisées par les médias après un événement relèvent de ces «techniques». L'enquêteur pense n'introduire d'autre critère que le hasard pour le choix des individus qui feront partie de l'échantillon : il les prend, ces passants, comme ils se présentent. En fait, et nous anticipons sur ce qui sera dit plus loin, si l'on entend par tirage au hasard tout tirage que l'on peut assimiler à celui des loteries et qui attribue à chaque individu une chance connue et non nulle (souvent égale) d'être choisi, on voit que le hasard du sens commun est bien différent du hasard probabiliste. Dans ces sondages réalisés «pour tâter le pouls de l'électorat» (c'est ainsi qu'on les présente maintenant pour prévenir toute critique), de très nombreux individus n'ont aucune chance d'être choisis, leurs occupations les retenant loin du lieu de l'entrevue, alors que d'autres, travaillant ou habitant près de ce lieu, ont de fortes chances d'être inclus dans l'échantillon. Or, rien n'indique que ces derniers soient représentatifs de la population, et rien n'indique non plus que ceux qui auront été effectivement choisis soient même représentatifs du sous-groupe de ceux qui habitent le quartier ou y travaillent. En fait, on pourrait dire que la représentativité des échantillons ainsi constitués ne peut être qu'accidentelle.

Certes, les journalistes faisant un tel sondage peuvent toujours multiplier les lieux, heures et jours d'enquête et même, consciemment ou non, introduire des quotas (autant d'hommes que de femmes alors qu'il y a, par exemple, plus de femmes que d'hommes dans la rue à ce moment-là) ou encore introduire un intervalle constant entre chaque entrevue ; cependant, quoique moins imparfaite, la technique n'en demeure pas moins fort critiquable. Supposons, par exemple, que pour «tâter le pouls de l'électorat» à propos des politiques du gouvernement du Parti libéral du Québec un sondeur se poste, malencontreusement, près d'une salle où sont réunis des militants du Parti québécois ou de l'ADQ et qu'il choisisse de faire ses entrevues alors même que ces derniers terminent leur réunion : on imagine la suite ! L'événement n'est malheureusement pas totalement improbable. Ne pensons pas non plus que cette technique soit réservée aux seuls journalistes. Chaque fois qu'un chercheur accepte une sélection, faite par d'autres, des individus qui pourront être analysés, il court le risque de travailler avec des échantillons accidentels. Par exemple, lorsque, pour des fins d'analyse de contenu, on tire, même aléatoirement[24], des articles, éditoriaux, paragraphes, nouvelles, à partir des seuls quotidiens que reçoit une université ou un centre de recherche, qu'on ne prend pas en considération l'écart entre cette population (quotidiens reçus) et la population visée (ensemble des quotidiens), et qu'on étend les conclusions de l'analyse à l'ensemble des quotidiens, on se trouve, toutes proportions gardées, dans le même cas que précédemment. Pour conclure, disons que les échantillons accidentels sont, en fait, bien souvent des échantillons construits « au petit bonheur » (*haphazardly*).

▓ 2.2. Les échantillons de volontaires

La technique des échantillons constitués de volontaires (*voluntary samples*) est fréquemment utilisée dans les domaines de la psychologie, de la recherche médicale, des sciences sociales appliquées, en fait, dans tous les cas où il semblerait difficile d'interroger des individus sur des thèmes considérés comme tabous, intimes[25] (comportement sexuel, euthanasie, avortement, par exemple), de leur imposer une expérimentation (de médicaments, de thérapies) potentiellement douloureuse, gênante, voire dangereuse, ou, à l'inverse, de leur refuser le bénéfice d'un programme (de réhabilitation, par exemple)[26]. Comme son nom l'indique, la technique consiste à faire appel à des volontaires pour constituer l'échantillon.

---

24. C'est-à-dire en donnant à chaque individu une chance connue et non nulle d'appartenir à l'échantillon.

25. Notons, à ce sujet, qu'entre la première édition de ce texte en 1984 et la nouvelle édition de 2008, les limites de ce qui est tabou ont évolué. Ainsi, le comportement sexuel n'est plus aujourd'hui, du moins dans plusieurs pays occidentaux, un sujet qu'on aborde difficilement. Il est même possible qu'il soit devenu si banal (les chroniques qui y sont consacrées dans les médias sont si nombreuses !) que les précautions qu'on prenait hier ne soient plus de mise de nos jours. L'euthanasie, par contre, est toujours de l'ordre de l'interdit ou presque (mais les choses à ce sujet semblent évoluer bien vite).

26. Cette dernière question a fait l'objet de réflexions de la part de spécialistes en évaluation de programme. Voir, à ce sujet, Roland LECOMTE et Leonard RUTMAN (dir.), *Introduction aux méthodes de recherche évaluative*, Ottawa, Université Carleton, 1982 (en particulier le chapitre 6). La question est également abordée sous l'angle plus général de la démarche expérimentale. Voir, à ce sujet, Benjamin MATALON, *Décrire, expliquer, prévoir : démarches expérimentales et terrain*, Paris, Armand Colin, 1988. Dans ce livre, d'ailleurs, l'auteur fait une distinction importante entre la randomisation qui consiste à affecter de façon aléatoire les sujets aux différentes conditions expérimentales (p. 16, 41) et qui « a pour but d'assurer la comparabilité des groupes et, de ce fait, la validité interne de leur comparaison » (p. 48), et « la constitution d'un échantillon aléatoire [qui] vise à permettre la généralisation à la population parente » (*Ibid.*) et qui a donc pour objectif la validité externe.

Éventuellement, dans le but d'obtenir une meilleure représentativité, on procédera à une sélection, en fonction de quotas, parmi ces volontaires, ou à un redressement *a posteriori* de l'échantillon. Il reste que l'utilisation de cette technique suscite des débats particulièrement vifs. On invoquera ainsi le fait que les volontaires ont généralement des caractéristiques psychologiques particulières (volonté de plaire, désir de connaître, besoin de régler des problèmes, etc.) et que, par conséquent, toute généralisation est hasardeuse.

> C'est bien, par exemple, ce qui a été reproché au fameux « rapport Kinsey ». Cette enquête sur les comportements sexuels a été réalisée aux États-Unis auprès d'un échantillon de 5 300 volontaires. Comme le font remarquer Herman J. Loether et Donald G. McTavish, reprenant les critiques faites par un groupe de chercheurs[27] : « L'assertion selon laquelle les résultats de l'étude étaient généralisables au-delà des 5 300 hommes interviewés était particulièrement exposée à la critique. Un commentateur mentionna qu'il y avait des preuves que plusieurs hommes s'étaient portés volontaires parce qu'ils avaient besoin d'aide pour résoudre leurs propres problèmes sexuels ou parce qu'ils avaient des questions à poser sur la sexualité [...][28] »

Faut-il alors déconseiller l'utilisation de cette technique ? Pas nécessairement. Comme d'autres techniques non probabilistes, moyennant prudence, connaissance des limites de l'outil et certaines précautions, elle peut donner d'intéressants résultats : encore faut-il, par exemple, faire un choix parmi ces volontaires (en utilisant des quotas), contrôler leurs caractéristiques, s'abstenir de toute généralisation hâtive. Dans certains domaines ou pour des études exploratoires, c'est souvent la technique la plus économique. Elle est, de plus, très utilisée ; en témoignent les nombreuses demandes de volontaires dans les colonnes des journaux universitaires.

On peut assimiler à ces techniques celles que les médias appliquent lorsqu'ils sollicitent l'avis de leur public. Mais ceux-ci, contrairement aux chercheurs, n'ont guère la possibilité ou la volonté de contrôler, de sélectionner les volontaires et de réserver les conclusions de l'enquête[29]. Aussi, les lignes ouvertes, les sondages maison sont-ils au mieux des moyens pour

---

27. William G. COCHRAN *et al.*, *Statistical Problems of the Kinsey Report on Sexual Behavior in the Human Male*, Washington, American Statistical Association, 1954.
28. *Op. cit.*, p. 423.
29. Ou, comme le font Daniel Gaxie et Patrick Lehingue dans l'étude citée au début du texte, de prendre la faible représentativité comme objet même d'étude.

les médias de connaître leur public, au pire des outils pour l'influencer[30]. Notons donc que les échantillons les moins fiables sont ceux qui sont construits à partir de la double technique « accidentelle-volontaire ».

▓ 2.3. Les échantillons systématiques

Les échantillons systématiques (*systematic samples*) sont constitués d'individus pris à intervalle fixe dans une liste (par exemple, un individu tous les dix, tous les cent). Cette procédure a l'avantage d'être facile à utiliser, mais, comme toutes les techniques présentées jusqu'ici, elle ne peut être considérée comme probabiliste, puisque, au sein d'une même population, certains individus n'ont aucune chance d'être choisis alors que pour d'autres, la probabilité de l'être est égale à 1. On verra plus loin que si le point de départ (premier individu à être tiré) est choisi aléatoirement, ce qui généralement se fait sans difficulté et n'est guère coûteux, alors ce type de technique peut être considéré comme probabiliste. Nous renvoyons donc à ce qui sera présenté ultérieurement à ce sujet.

▓ 2.4. Les échantillons typiques et les échantillons en boule de neige

Alors que les techniques dont nous avons parlé jusqu'ici se caractérisent souvent par la recherche d'un tirage s'apparentant au tirage aléatoire, celles que nous analyserons dans cette section et dans la suivante tournent délibérément le dos à cette quête illusoire. Les premières méthodes se voulaient essentiellement fondées sur le bon sens et l'expérience commune ; les secondes se veulent plus rationnelles. Un échantillon représentatif, c'est en quelque sorte une maquette de la population à étudier : pourquoi alors ne pas sciemment construire cette maquette ? C'est là le raisonnement qui est à l'origine de la méthode des quotas. Et si ce qui importe, ce n'est pas la précision des résultats, mais la découverte d'une logique, d'un mécanisme, si la recherche se veut exploratoire, si ce qui

---

30. Ainsi, cet extrait du *Chicago Tribune* du 20 juillet 1990 reproduit dans *Imprints* de mai 1991 : « *On June 8-10, "the nation's newspaper" – USA Today – ran a Trump Hot Ligne asking readers to phone in and vote on whether "Donald Trump symbolizes what makes the USA a great country" or "Donald Trump symbolizes the things that are wrong with this country". USA Today declared a "landslide" for Trump, with 81 percent of the calls agreeing with the first statement and 19 percent with the second. But an embarrassed USA Today reported Thursday that an analysis of the results showed that 5,640 calls came from two phone numbers at Great American Insurance Co., a subsidiary of Cincinnati financier Carl Lindner Jr.'s American Financial Corp. A spokeswoman for Lindner said the vote-stuffing calls were made because Lindner admires Trump's "entrepreneurial spirit"* ».

intéresse le chercheur, ce ne sont pas les variations mêmes à l'intérieur de la population, mais plutôt quelques particularités de celle-ci, pourquoi alors rechercher une représentativité qui n'aura qu'un intérêt limité? Voilà le raisonnement qui est à la base d'une technique comme celle de l'échantillonnage typique. Comme on le voit, ces diverses techniques sont non probabilistes par choix plutôt que par défaut.

L'échantillonnage en boule de neige (*snowball sampling*) est une technique qui consiste à ajouter à un noyau d'individus (des personnes considérées comme influentes, par exemple) tous ceux qui sont en relation (d'affaires, de travail, d'amitié, etc.) avec eux, et ainsi de suite. Il est alors possible de dégager le système de relations existant dans un groupe, ce qu'un échantillon probabiliste classique n'aurait pas permis de découvrir. Cette technique permet de réaliser ce que Raymond Boudon appelle des sondages contextuels, par opposition à des sondages de type atomique. On peut avec les premiers «[…] analyser le comportement individuel en le replaçant dans une "structure sociale", alors que les sondages atomiques […] considèrent des individus détachés de leur contexte et placés, pour ainsi dire, dans un espace social amorphe[31]». Il est possible, enfin, de combiner cette technique de «boule de neige» avec une technique probabiliste pour obtenir un sondage probabiliste contextuel.

Lorsque, explique également Raymond Boudon, l'enquête vise «à répondre à certaines questions théoriques ou à vérifier certaines hypothèses», que, par exemple, «[…] on se demande *pourquoi* certains médecins ont adopté [un] nouveau médicament et d'autres non[32]», il peut être inutile de construire un échantillon représentatif de la population des médecins de l'ensemble du pays. «On pourra supposer que les médecins dont les contacts professionnels sont limités à une clientèle privée seront moins prompts à adopter une nouveauté que les médecins des hôpitaux, qui sont stimulés par des mécanismes d'influence interpersonnelle[33].» Il est possible alors de ne retenir, par exemple, que les médecins (ou une partie de ceux-ci) d'une ville donnée, la relation ainsi mise en lumière ayant de bonnes chances d'être également vérifiée ailleurs. L'échantillon, en l'occurrence une certaine ville, aura été choisi non pas en fonction de sa représentativité statistique, mais du fait de son *caractère typique*, parce que l'on pense qu'il «ne présente aucun trait particulier, exceptionnel, susceptible d'affecter fortement le phénomène étudié, et donc que ce qu'on y a observé est suffisamment semblable à ce qu'on aurait trouvé [ailleurs][34]». L'échan-

---

31. Raymond BOUDON et Renaud FILLIEULE, *Les méthodes en sociologie*, Paris, Presses universitaires de France (coll. «Que sais-je?»), 2002, p. 15.
32. *Ibid.*, p. 18.
33. *Ibid.*
34. Benjamin MATALON, *op. cit.*, p. 80-81.

tillonnage typique, fort courant en sciences sociales, fait l'objet, comme la plupart des techniques non probabilistes, de très vifs débats. Pour certains, il s'agit d'une technique qui, lorsque ses limites sont clairement reconnues (possibilité de généraliser les relations mais non les mesures), est tout à fait appropriée à certains types de recherche. En fait, « presque toutes les recherches de sociologie ou de psychosociologie empiriques, quand elles ne se bornent pas à exploiter des statistiques publiques, procéde[raient] ainsi [par échantillonnage typique][35] ». Pour d'autres, les relations entre variables, tout comme les mesures, étant sujettes à des erreurs d'échantillonnage, il ne saurait être justifié de procéder à une généralisation de ces relations dans le cas des échantillons non probabilistes[36].

▓ 2.5. Les échantillons par quotas

La méthode des quotas est la méthode non probabiliste à laquelle les ouvrages traitant d'échantillonnage consacrent les plus longs développements. Les spécialistes sont cependant loin d'être d'accord quant au jugement d'ensemble que l'on peut porter sur cette technique : pour certains, les plans d'échantillonnage ainsi construits peuvent, sous condition, « rivaliser » avec ceux qu'on élabore à partir de techniques probabilistes ; pour d'autres, le caractère non probabiliste de la méthode est une raison suffisante pour la « disqualifier » aux yeux des chercheurs soucieux de rigueur. L'échantillonnage par quotas (*quota sampling*) repose sur un principe simple : celui de la reproduction la plus fidèle possible de la population à étudier. C'est ce principe que, voilà presque soixante-dix ans, George Gallup, le père des fameux sondages Gallup, dégagea et mit peu à peu en application[37].

Pour reproduire parfaitement une population, il faudrait en connaître toutes les caractéristiques. Mais si on les connaissait toutes, on ne ressentirait pas le besoin de réaliser un sondage. L'absence d'informations concernant certaines caractéristiques de la population à étudier n'est toutefois pas un obstacle à la construction d'un modèle réduit, d'une maquette de celle-ci. En effet, les caractéristiques d'une population ne sont pas toutes de même niveau. Certaines, comme le sexe, l'âge, le revenu, la classe sociale, la religion, jouent généralement, dans la recherche en sciences sociales, le rôle de variables indépendantes, alors que d'autres, telles que les comportements, les opinions, sont plutôt considérées comme des variables dépendantes :

35. *Ibid.*, p. 81.
36. Voir, par exemple, C. SELLTIZ et al., *Les méthodes de recherche en sciences sociales*, Montréal, Les Éditions HRW, 1977, p. 525-531.
37. Voir, par exemple, Alfred MAX, *La république des sondages*, Paris, Gallimard, 1981, p. 67-75.

bref, les premières rendraient compte des variations des secondes. Un échantillon construit de telle façon qu'il reproduise fidèlement la distribution de la population selon le sexe, l'âge, l'origine ethnique ou d'autres variables du même type (que l'on appellera variables contrôlées) devrait donc également reproduire la distribution de la population selon les autres caractéristiques (qui sont liées aux premières) et donc selon celles que l'on veut étudier. C'est ce raisonnement qui est à la base de la méthode des quotas. On voit cependant tout de suite un des problèmes que pose cette technique. S'il est vrai que les sous-groupes construits à partir des variables contrôlées sont relativement homogènes, ils ne le sont toutefois pas totalement. Les individus choisis (de façon non aléatoire) à l'intérieur de chaque strate, de chaque sous-groupe, ne sont donc pas nécessairement représentatifs de la strate, du sous-groupe.

De façon pratique, voici comment la méthode est mise en application : on dégage un certain nombre de caractéristiques, préférablement des variables dont on peut supposer qu'elles sont en relation avec ce que l'on cherche à mesurer ; à l'aide d'un recensement récent, on détermine comment la population se répartit suivant ces caractéristiques ; on construit alors l'échantillon en respectant cette répartition. Si, par exemple, il y a 51 % de femmes dans la population, on construira un échantillon comprenant 51 % de femmes, ce qui, si l'échantillon comprend 1 000 individus, donnera un quota de femmes de 510 et un quota d'hommes de 490. L'enquêteur devra respecter ces quotas et donc interroger 510 femmes et 490 hommes. Plus on introduira de variables (sexe, âge, origine ethnique, religion, etc.), plus on obtiendra une réplique fidèle de la population et plus les strates, les sous-groupes (du moins on en fait l'hypothèse) seront homogènes ; mais plus il sera difficile aussi pour le chercheur de « remplir ses quotas ». Notons toutefois qu'il est possible de donner à l'échantillon une structure différente de celle de la population à étudier, à partir du moment où cela est fait consciemment, et de « réparer » certaines erreurs faites par les enquêteurs comme la sur-représentation (ou la sous-représentation) de strates. Il est aussi possible, pour remédier à la difficulté de travailler avec de trop nombreuses caractéristiques, de ne stratifier que selon les caractéristiques les plus évidentes (âge, sexe, etc.) et de recueillir, par ailleurs, l'information sur les autres. Il suffira par la suite, lors de l'analyse des données, de rétablir la structure désirée en pondérant différemment les strates ou en créant de nouvelles strates.

Le principal défaut de la technique, c'est qu'elle est non probabiliste : l'enquêteur choisit qui il veut pour « remplir ses quotas ». En fait, à l'intérieur de chacune des strates, le tirage se fait accidentellement et non aléatoirement. L'enquêteur ne sera-t-il pas alors tenté d'interroger d'abord les membres de son entourage (qui lui ressemblent, mais qui ne sont pas nécessairement représentatifs de la population), de privilégier les lieux très fréquentés[38], etc. ?

Des techniques ont cependant été proposées afin de donner un caractère moins accidentel au tirage des individus qui feront partie d'un échantillon. On peut, par exemple, fixer un parcours le long duquel l'enquêteur fera ses entrevues, cette technique étant connue sous le nom de méthode des itinéraires. Il est fréquent, également, que l'on détermine les heures des rencontres. Le choix d'enquêteurs provenant de milieux sociaux différents, habitant des régions différentes tend, de plus, à réduire la gravité des effets d'un tirage accidentel.

Le lecteur aura sans doute compris que l'expression « techniques non probabilistes » (ou « techniques empiriques ») recouvre un large champ de pratiques. Si l'on peut sans crainte rejeter comme très peu fiables les techniques accidentelles, on ne saurait catégoriquement déconseiller l'utilisation d'autres techniques non probabilistes telles que la méthode des quotas, l'échantillonnage en boule de neige et l'échantillonnage typique. Dans certains cas, par exemple, en l'absence de base de sondage ou lorsque les objectifs sont moins de mesurer que de découvrir une logique, les méthodes non probabilistes sont souvent les seules utilisables, ou en tout cas, les plus adaptées. Il reste que, pour des raisons qui seront précisées plus loin, les techniques aléatoires sont celles qui, dans les autres cas, offrent le plus de garanties aux chercheurs.

3 LES ÉCHANTILLONS PROBABILISTES

Les techniques probabilistes (ou aléatoires) sont les seules qui offrent au chercheur une certaine garantie lors du processus de généralisation. À la différence des techniques dont on a parlé précédemment, elles lui donnent la possibilité, en s'appuyant sur les lois du calcul des probabilités, de préciser les risques qu'il prend en généralisant à l'ensemble de la population les mesures effectuées auprès d'un échantillon. S'il peut ainsi estimer l'erreur d'échantillonnage, le chercheur, en revanche, ne peut faire la même estimation pour les erreurs de mesure. L'*erreur totale*, celle qui *a priori* intéresse le plus le chercheur et qui est constituée de l'erreur d'échantillonnage et des erreurs de mesure (ou d'observation), reste donc

---

38. Bien des histoires « d'horreur » circulent à ce sujet ; par exemple, des enquêteurs rempliraient eux-mêmes ou avec l'aide d'amis les questionnaires dans le confort d'un café parisien !

pour lui une inconnue. Nous verrons qu'il existe des principes simples permettant de diminuer, dans le cas d'un échantillon aléatoire, l'erreur d'échantillonnage (par exemple, en augmentant la taille de l'échantillon). Il faut également savoir que le chercheur n'est pas totalement démuni face aux erreurs de mesure. Comme le montre bien Christian Gourieroux, il existe une série de « traitements empiriques » des causes de ces erreurs[39] : on se reportera pour toutes ces questions aux chapitres 7 et 8 de son ouvrage, *Théorie des sondages*.

Par *techniques d'échantillonnage probabilistes*, on entend *toutes celles qui impliquent un véritable tirage au hasard, c'est-à-dire qui donnent à chaque élément de la population une chance connue et non nulle d'être choisi*[40]. Il peut y avoir, de plus, mais cela n'est pas toujours souhaitable, équiprobabilité de tirage. Dans ce cas, le choix des individus qui feront partie de l'échantillon s'apparente à celui des numéros dans une loterie. Nous avons alors affaire à la technique probabiliste de base, celle de l'échantillon aléatoire simple (*simple random sample*), à laquelle il est parfois proposé de réserver l'usage de l'expression « échantillonnage au hasard[41] ». C'est cette technique que nous présenterons tout d'abord, même si, dans la pratique, lui sont souvent préférées celles qui en dérivent et dont les caractéristiques seront ensuite exposées.

▓ 3.1. L'échantillon aléatoire simple

L'*échantillon aléatoire simple* (on trouve également l'expression « échantillon aléatoire » tout court, ce qui ne manque pas d'entretenir une confusion sémantique déjà trop évidente !) est tiré selon une technique qui accorde à chaque individu une *chance connue, égale et non nulle d'être choisi*. Notons qu'une deuxième condition doit être respectée : toute combinaison possible de n[42] éléments doit avoir la même probabilité de sélection, ce qui revient à dire que *le tirage d'un élément doit être indépendant du tirage de n'importe quel autre élément appartenant à la population*. Pour bien comprendre ce principe, il faut savoir que 1) le choix d'un échantillon probabiliste est en fait une série de choix successifs d'individus pris dans une population et 2) qu'il existe deux façons

---

39. *Op. cit.*, p. 209.
40. Comme on l'a vu, il y a généralement un écart entre la population visée et la population réellement atteinte lors du sondage. Il faudrait donc dire que chaque élément de la population réellement atteinte possède une chance connue et non nulle de faire partie de l'échantillon.
41. Voir Leslie KISH, « Le choix de l'échantillon », dans Leon FESTINGER et Daniel KATZ, *op. cit.*, p. 216.
42. n : taille de l'échantillon.

d'obtenir cette suite d'individus qui constituera l'échantillon : soit en faisant un tirage exhaustif (dit aussi sans remplacement), soit en faisant un tirage non exhaustif (avec remplacement). Dans le premier cas, chaque individu tiré une fois ne peut l'être une nouvelle fois ; dans le second cas, après chaque tirage, la population initiale est reconstituée. Alors que la deuxième technique satisfait à la condition d'*indépendance* présentée plus haut, la première conduit à accorder à certaines combinaisons, toutes celles qui incluent plus d'une fois le même élément, une probabilité nulle de sélection. Il n'y a pas alors indépendance des tirages comme le montre l'exemple qui suit.

> Une population est constituée en partie égale d'hommes et de femmes. Au premier tirage, la probabilité de choisir un homme est la même que celle de choisir une femme. Supposons que le premier individu tiré est une femme et que l'on procède à un tirage sans remplacement ; la probabilité qu'un homme soit choisi au second tirage est alors plus forte que celle que ce soit une femme. Si le premier individu tiré avait été un homme, les chances pour le second tirage auraient été inversées. Les tirages dépendent donc alors des tirages précédents.

On montrera aisément que, lorsque la taille de la population croît, les probabilités sont de moins en moins affectées par les résultats de tels tirages et que, lorsque le taux de sondage (c'est-à-dire le rapport entre la taille de l'échantillon et la taille de la population) est faible, on peut assimiler les tirages exhaustifs aux tirages avec remplacement, sans que cela pose de sérieux problèmes. Il faut toutefois noter que seuls les échantillons « avec remise » sont *stricto sensu* des échantillons aléatoires simples et que les développements statistiques concernant le processus d'inférence (de généralisation), que l'on retrouve dans la plupart des ouvrages sur le sujet, ne sont valables que pour ceux-ci. Dans la pratique, comme le font remarquer Loether et McTavish, il semble que l'on éprouve quelque réticence à inclure dans un échantillon plus d'une fois le même individu[43]. Il serait cependant tout à fait logique de procéder ainsi.

Élémentaire en principe, la technique de l'échantillon aléatoire « simple » se révèle en fait être parfois d'utilisation difficile, particulièrement lorsque la liste complète des individus composant la population est longue et non numérotée. En effet, il s'agira, après avoir établi la liste et affecté un numéro à chaque individu, de tirer, à l'aide d'une table de nombres aléatoires, une suite de numéros représentant les individus qui constitueront l'échantillon. Les tables de nombres aléatoires reproduisent les résultats de tirages, généralement faits par ordinateur, s'apparentant à ceux des loteries. Elles épargnent donc au chercheur tout ce travail, jamais

---

43. *Op. cit.*, p. 409.

totalement satisfaisant, de réunion des conditions d'un tirage aléatoire
« manuel » : urne, papiers sur lesquels on inscrit les noms des individus
appartenant à la population, mélange des papiers, etc. Le seul problème
technique n'est (n'était) donc pas celui du choix des numéros, ces tables
étant très faciles à utiliser, mais celui qui est en amont de la confection de
la liste et de son numérotage.

Il faut noter toutefois que ce problème tend à disparaître. Dans le
cas des sondages téléphoniques, il est en effet maintenant possible de
générer aléatoirement, sans base de sondage, des numéros de téléphone.
Cette dernière technique est d'ailleurs souvent jumelée à une méthode de
sélection permettant de déterminer qui, dans le ménage rejoint, devrait
répondre au sondage. On craint donc que les personnes décrochant le
téléphone ne possèdent pas les caractéristiques recherchées. Pour éviter
des biais, on utilise une série de grilles qui, de fait, introduisent des quotas
pour l'échantillon. Voici comment Vincent Lemieux, dans son excellent
petit livre sur les sondages, présente la façon de procéder :

> La population visée est celle de 18 ans et plus. L'interviewer commence
> par demander combien de personnes de cet âge habitent le foyer, puis
> combien il y a d'hommes (ou de femmes) parmi ces personnes. Supposons
> qu'au premier appel la réponse est trois personnes, dont un homme.
> L'interviewer applique alors la grille 1 et demande à parler à la dame
> la plus âgée. Si à un deuxième appel, on lui répond : quatre personnes
> dont trois hommes, l'interviewer, passant à la grille 2, demande de parler
> au monsieur le plus âgé. Et ainsi de suite, jusqu'à la grille 6, après quoi
> l'interviewer réutilise la grille 1, dans une nouvelle séquence de six[44].

Le problème avec une telle technique de sélection, c'est qu'à la
pratique, elle peut se révéler coûteuse. Il n'est pas rare en effet que la
personne désignée par la grille de sélection ne soit pas libre au moment
du premier contact téléphonique. Il faudra donc fixer, si cela est possible,
un rendez-vous téléphonique avec la personne choisie, avec tous les risques
(elle n'est toujours pas là, elle ne veut pas répondre) que cela comporte. Le
taux de collaboration à l'enquête risque donc de baisser. Ce que l'on gagne
d'un côté (meilleure représentativité) n'est-il pas perdu de l'autre (coûts
plus élevés, délais allongés, baisse du taux de collaboration) ? N'est-il pas
préférable quand on est en contact avec une personne du ménage choisi
de ne pas lui laisser un bon prétexte (elle n'est pas celle que désigne la
grille) pour ne pas répondre ? Une évaluation sérieuse des avantages et
inconvénients de cette méthode, surtout quand elle est jumelée avec celle
de la génération aléatoire des numéros de téléphone, devrait être réalisée.

---

44. Vincent LEMIEUX, *Les sondages et la démocratie*, Québec, Institut québécois de recherche
    sur la culture, 1988, p. 28.

D'autant que les maisons de sondage constatent qu'elles ont affaire à un public de moins en moins coopératif[45]. Le temps où un individu pouvait se sentir flatté d'avoir été choisi comme représentant d'une population est sans doute révolu.

▓ 3.2. L'échantillon systématique

L'échantillonnage systématique (*systematic sampling*), dont il a déjà été question dans une section précédente, est souvent préféré à l'échantillonnage aléatoire simple, essentiellement du fait de sa simplicité et des conditions plus souples que nécessite sa mise en œuvre. L'échantillon est alors constitué d'individus pris à intervalle fixe sur une liste, seul le premier étant tiré aléatoirement. Cet intervalle correspond au rapport entre la taille de la population et la taille de l'échantillon, soit à l'inverse du taux de sondage. Comme on le voit, cette technique ne satisfait pas à une des conditions du tirage aléatoire simple, puisque, une fois le premier élément choisi, les chances des autres éléments d'être tirés, d'égales qu'elles étaient avant ce premier choix, ou s'annulent, ou deviennent certaines : il n'y a plus alors indépendance des tirages, le premier conditionnant tous les autres. De plus, même avant ce premier tirage, la grande majorité des combinaisons possibles de n éléments n'ont aucune chance de constituer l'échantillon : il en est ainsi de toutes celles qui sont composées d'éléments non séparés régulièrement sur la liste.

Cette technique peut-elle alors être considérée comme probabiliste ? On ne peut en fait donner de réponse absolue, définitive : comme le précise Barbara Leigh Smith, «l'échantillonnage systématique produit un échantillon relativement représentatif si la liste initiale de la population est triée de façon aléatoire[46]». Leslie Kish ajoute : «Avec l'échantillonnage systématique, on doit avoir des raisons suffisantes pour croire que l'arrangement des unités d'échantillonnage dans chaque strate peut être considéré comme l'effet d'un pur hasard[47].» Selon Kish, on ne saurait utiliser cette technique lorsque la liste à partir de laquelle se fera le tirage de l'échantillon est ordonnée, ou, du moins, on devrait tenir compte de cet ordre lors du choix des individus et changer de «point de départ» à plusieurs reprises durant le tirage. Supposons, par exemple, que la liste de la population soit ordonnée selon l'âge et que l'intervalle entre deux tirages soit de cinquante

---

45. Les chercheurs universitaires subissent sans doute aussi les effets de cette érosion de la bonne volonté du public.

46. Barbara Leigh SMITH *et al.*, *Political Research Methods : Foundations and Techniques*, Boston, Houghton Mifflin, 1976, p. 138.

47. «Le choix de l'échantillon», dans FESTINGER et KATZ, *op. cit.*, p. 235.

éléments : un échantillon constitué des premier, cinquante et unième, cent unième,… individus n'aura sans doute pas le même âge moyen qu'un autre constitué des cinquantième, centième, cent cinquantième,… individus.

Il faut également s'assurer que l'intervalle entre deux tirages ne correspond pas à une fluctuation cyclique de la liste ou de ce qui en fait office. Le danger est particulièrement grand lorsque la technique est utilisée pour tirer, le long d'un parcours, un échantillon de maisons, de logements : il est nécessaire d'éviter qu'il y ait concordance entre l'intervalle et, par exemple, le nombre de logements dans un immeuble, et par suite qu'il y ait surreprésentation d'un certain type d'habitation, de logement. Il demeure que la technique même de l'échantillon systématique est souvent utilisée par les spécialistes. Il est vrai qu'alors la liste utilisée est souvent celle des noms dans un annuaire, qui, heureusement, est exempte des deux biais présentés plus haut. Les maisons de sondages au Québec recourent parfois, quoique moins souvent que par le passé, à cette technique : par exemple, pour l'enquête CROP – *La Presse* réalisée entre le 11 et le 14 novembre 1988, avant donc les élections fédérales canadiennes, « l'échantillon a été tiré selon la méthode du hasard systématique des listes publiées des abonnés du téléphone de l'ensemble du Québec[48] ».

Aux États-Unis, au Mexique, en Europe et dans bien des démocraties de par le monde (mais pas au Québec !), cette technique est utilisée aujourd'hui lors des sondages « sortie des urnes » (SSU, *exit polls*). Ce type de sondage, dont les premiers exemples remontent aux années 1960[49], consiste à interroger des électeurs à la sortie des bureaux de vote, une fois le geste électoral accompli. Aux États-Unis[50], ces sondages sont organisés à peu près de la façon suivante. On tire d'abord aléatoirement (en utilisant la technique de l'échantillonnage stratifié qui consiste, en l'occurrence, à grouper des bureaux aux caractéristiques comparables) une série de bureaux de vote en accordant à chaque bureau une chance d'être tiré qui est proportionnelle au nombre de votants (en se basant sur les élections antérieures) ; par la suite, des entrevues sont réalisées à la sortie du bureau en utilisant la technique de l'échantillon systématique (en fait, on calcule le rapport entre le nombre d'individus souhaité pour l'échantillon et la population « normale » de votants pour le bureau ce qui permet de déterminer l'intervalle – un électeur tous les cinq, par exemple). Ce faisant, les répondants seront « étalés » pendant toute la journée, ce qui aura

---

48. *La Presse*, vendredi 18 novembre 1988, p. A2.
49. En France, son introduction date de 1983, voir à ce sujet <http://www.ifop2007.fr/cms/faq/sondage-sortie-des-urnes.html>, site consulté pour la dernière fois le 9 mars 2008.
50. Voir à ce sujet <http://www.pollster.com/blogs/exit_polls_what_you_should_kno_1.php>, site consulté pour la dernière fois le 9 mars 2008, ou <http://www.exit-poll.net/exit_polling.html>, site consulté pour la dernière fois le 9 mars 2008.

pour effet de contrôler l'influence éventuelle du moment du vote (les personnes âgées étant souvent les premières à aller voter). Si les personnes « choisies » refusent de répondre, des informations sur le sexe, la race et l'âge approximatif sont notées afin de pouvoir par la suite procéder à un redressement. On voit, en fait, que cette technique « mélange » diverses formes d'échantillonnage (stratification, tirage aléatoire proportionnel, ce qu'on appelle aussi *échantillonnage avec probabilité proportionnelle à la taille*, et tirage systématique). Aux États-Unis, le débat a été très vif après l'élection de 2004 qui a vu le républicain George W. Bush l'emporter sur le démocrate John Kerry malgré des sondages « sortie des urnes » pourtant favorables à ce dernier. Pour Robert F. Kennedy Jr., qui a écrit un long article sur le sujet dans la revue *Rolling Stone*, « *over the past decades, exit polling has evolved into an exact science*[51] ». Selon lui, ses avantages sur le sondage habituel (préélectoral) sont bien connus. Il ne s'agit pas, ici, de déterminer s'il s'agit bel et bien d'un cas de fraude électorale (même si le texte de Kennedy est particulièrement bien documenté à ce sujet), mais plutôt de noter que le débat depuis a pris chez certains un tour méthodologique et chez d'autres un tour plus politique. Y a-t-il des erreurs de mesure qui, additionnées à l'erreur d'échantillonnage, expliquent la médiocrité de la prédiction (enquêteurs généralement trop jeunes et donc vus comme plutôt favorables aux démocrates ; questionnaire trop long ; etc.) ? Y a-t-il même une mauvaise utilisation de l'échantillonnage systématique (le fait que l'on prenne parfois la personne qui suit celle qui a refusé de répondre plutôt que d'appliquer l'intervalle) ? Y a-t-il une plus forte propension des démocrates à répondre aux sondages « sortie des urnes » et à dévoiler leur vote ? Ou toutes ces arguties techniques ne sont-elles là que pour cacher un tour de passe-passe politique ? Ce que rappelle toutefois cet exemple, c'est le caractère composite des stratégies d'échantillonnage : un bon plan est le résultat d'une réflexion sur l'objet de la recherche, les caractéristiques de la population à étudier et le contexte global dans lequel se fera l'enquête ; il peut et, parfois, doit puiser dans l'ensemble des ressources techniques disponibles.

---

51. <http://www.rollingstone.com/news/story/10432334/was_the_2004_election_stolen> site consulté pour la dernière fois le 9 mars 2008. Par contre, pour l'Institut français d'opinion publique, « cet instrument précieux d'analyse sociologique et politique comporte toutefois une limite claire : il ne permet en aucun cas de donner des indications fiables sur les résultats de l'élection compte tenu du nombre de personnes refusant de répondre et de la relative sincérité des réponses données. Un SSU n'a par conséquent pas la même fiabilité qu'une estimation des résultats, ni même qu'un sondage classique, réalisé d'après la méthode des quotas », <http://www.ifop2007.fr/cms/faq/sondage-sortie-des-urnes.html>, site consulté pour la dernière fois le 9 mars 2008.

■ 3.3. L'échantillon aréolaire

Nous avons vu qu'une des conditions au tirage aléatoire simple et, dans une moindre mesure, au tirage systématique était (la situation a maintenant un peu changé) l'existence d'une base de sondage, c'est-à-dire d'une liste complète des individus composant la population. Avec la *méthode aréolaire*, il n'est plus nécessaire de disposer d'une liste au sens strict du terme; ce sera plutôt *une carte géographique, une photo ou un plan qui fera office de liste.* Les éléments de cette liste seront alors des zones et selon une technique, par exemple le tirage systématique, on déterminera celles qui constitueront l'échantillon. Cette méthode aréolaire, ou topographique (*area sampling*), est particulièrement indiquée lorsque n'existent ni liste pouvant donner lieu à un tirage probabiliste «traditionnel», ni recensement récent pouvant conduire à l'utilisation de la méthode des quotas. En Afrique, selon Michel Hoffmann:

> Les échantillons sont établis à partir de la méthode par quotas ou, à défaut, de la méthode topographique. [...] L'existence d'une documentation cartographique importante, et souvent d'excellente qualité, facilite le tirage au sort des zones à prospecter pour l'enquête et l'établissement des plans de cheminement. Cette procédure présente l'avantage de pouvoir être suivie aussi bien en milieu urbain – tirage au sort des îlots et plan de cheminement dans les concessions ou immeubles – qu'en zone rurale – tirage au sort des villages et points de peuplement[52].

■ 3.4. L'échantillon en grappes

La méthode aréolaire peut être considérée comme un cas particulier de la méthode d'*échantillonnage en grappes* (*cluster sampling*), dite aussi «par grappes», «par groupes» ou «par faisceaux». Elle consiste à *tirer au hasard des groupes d'individus et non des individus, au moins dans un premier temps, puis à soumettre à l'analyse soit l'ensemble de ces grappes, soit une partie (un échantillon) des individus qui les composent* (on parlera alors d'échantillonnage au deuxième degré). Il n'est pas rare, en fait, que le processus d'échantillonnage se poursuive au-delà du second degré: on parlera alors d'échantillonnage à plusieurs degrés ou multiphasique (*multistage sampling*). La technique consiste, comme le montre C. Fourgeaud, à faire des tirages «en cascade», tout d'abord parmi les unités primaires (*primary sampling units*), par exemple des régions, dont «l'ensemble forme

---

52. Michel HOFFMAN, «Les sondages d'opinion et les études de marché en Afrique», dans Raymond BOUDON *et al.*, *Science et théorie de l'opinion publique: hommage à Jean Stoetzel*, Paris, Retz, 1981, p. 303-304.

la population totale[53]», puis parmi les unités secondaires (*secondary sampling units*) définies à partir des unités primaires choisies, par exemple des villes; ensuite, parmi les unités tertiaires définies à partir des unités secondaires choisies, par exemple des quartiers; enfin, parmi les unités de base (*ultimate sampling units*), par exemple des immeubles. Les avantages d'une telle façon de procéder sont essentiellement de deux ordres. Tout d'abord, cette technique ne réclame qu'une connaissance relativement limitée de la population globale: il n'est point besoin d'avoir une liste complète des individus qui la composent. De plus, il s'agit d'un procédé économique, en ce sens que les grappes sont, d'une façon générale, géographiquement concentrées: il n'est point besoin de parcourir l'ensemble du territoire pour fins d'enquête; les déplacements sont alors limités, les coûts occasionnés, réduits.

Il faut cependant insister sur les limites de la méthode: quoique probabiliste, chaque tirage se faisant selon les techniques aléatoire simple ou systématique, la technique d'échantillonnage par groupes conduit généralement à des erreurs d'échantillonnage plus importantes que ne le fait la technique aléatoire simple. En effet, il s'agit souvent, comme nous l'avons fait remarquer, d'une technique d'échantillonnage à plusieurs degrés: les possibilités d'erreurs s'en trouvent ainsi multipliées. Notons également que les combinaisons possibles de n éléments de base, les seuls qui en définitive nous intéressent (le groupement, le multiphasage n'étant que des procédés destinés à réduire les coûts, à pallier l'absence de liste), n'ont pas alors une probabilité égale de constituer l'échantillon final. Ajoutons que, dans le but de réduire la taille de l'échantillon, on cherchera à construire des grappes constituées d'éléments hétérogènes de telle façon que chacune soit aussi représentative que possible de la population globale, mais que généralement la confection même de ces grappes (sur une base de proximité) conduit à une homogénéité interne, des individus «géographiquement» proches ayant malheureusement une certaine tendance à se ressembler. Terminons en disant que cet inconvénient peut parfois se transformer en avantage, l'échantillonnage en grappes pouvant mener à un sondage de type contextuel.

---

53. C. FOURGEAUD, *Statistique, licence ès sciences économiques deuxième année*, Paris, Librairie Dey, 1969, p. 154.

▓ 3.5. L'échantillon stratifié

Reste la technique la plus raffinée : celle de l'*échantillon stratifié* (*stratified random sample*). Elle consiste à *diviser la population à étudier en sous-populations appelées strates puis à tirer aléatoirement un échantillon dans chacune des strates, l'ensemble des échantillons ainsi choisis constituant l'échantillon final qui sera soumis à l'analyse.*

On stratifie, comme le montrent Loether et McTavish[54], pour deux types de raisons : des raisons d'ordre théorique et des raisons d'ordre pratique. On peut d'abord stratifier tout simplement dans le but de comparer diverses sous-populations. Notons que la stratification peut alors aussi bien se faire avant (*a priori*), qu'après l'enquête (*a posteriori*). Si l'on stratifie avant, toutefois, c'est en partie pour être sûr de disposer, lors du processus de généralisation, d'un nombre suffisant d'individus dans chaque sous-population. Les groupes faiblement représentés dans la population totale (les Amérindiens au Québec ou au Canada, par exemple) pourront être surreprésentés dans l'échantillon : on parlera alors d'un échantillon stratifié non proportionnel. On peut surtout stratifier afin de réduire l'erreur d'échantillonnage ou la taille de l'échantillon (et donc les coûts) ou les deux. Comme le précisent Loether et McTavish,

> Un échantillon aléatoire stratifié constitué adéquatement, c'est-à-dire où les variations intrastrates sont faibles, produira une erreur d'échantillonnage moindre qu'un échantillon aléatoire simple de même taille ; ou, autrement dit, un échantillon aléatoire stratifié plus petit qu'un échantillon aléatoire simple mais bien constitué sera caractérisé par une erreur d'échantillonnage équivalente à celle du plus grand échantillon aléatoire simple[55].

Cette relation entre le choix de la technique et l'erreur d'échantillonnage se comprend presque intuitivement : point n'est besoin de faire le détour par la statistique. Rappelons d'abord une banalité, à savoir qu'on échantillonne essentiellement afin de confirmer ou d'infirmer au moindre coût une hypothèse. Ce qui nous intéresse donc, ce sont les variables qui sont en relation avec l'objet de notre recherche. S'il est possible de découper la population à étudier, ou plus exactement l'échantillon qui en sera tiré, selon les variables (âge, classe sociale, sexe, scolarité, par exemple) que l'on pense être en relation avec l'objet de la recherche (l'intention de vote, par exemple), on peut espérer obtenir des sous-groupes, des strates, plus homogènes que la population totale, relativement à ces variables (indépendantes et dépendantes). Or, l'erreur d'échantillonnage dépend de l'homogénéité de la population globale : si en fait tous les individus composant une

---

54. *Op. cit.*, p. 418.
55. *Ibid.* ; notre traduction.

population étaient identiques, il suffirait de tirer un seul élément pour la bien connaître. Stratifier selon la variable la plus «puissante», c'est donc rechercher l'homogénéité maximale *à l'intérieur* de chacune des strates et, conséquemment, une plus grande précision. L'échantillon stratifié étant en fait la somme des échantillons tirés à l'intérieur des strates, l'erreur totale d'échantillonnage sera liée aux erreurs d'échantillonnage de chaque strate et, donc, à leur homogénéité.

CONCLUSION

La distinction entre échantillons probabilistes et échantillons non probabilistes est satisfaisante au plan théorique. Le critère qui permet d'allouer telle ou telle pratique à l'un ou l'autre des types d'échantillons est apparemment simple. Mais il existe toute une zone grise d'usages qu'il est difficile de classer avec facilité. Ainsi, la tendance qui se répand à utiliser Internet pour faire des sondages et la possibilité de procéder à des tirages de type aléatoire conduisent à des échantillons qui peuvent tenir des deux modes : le fait qu'une fraction seulement des individus possèdent un branchement Internet interdit toute étude d'une population générale ou alors l'échantillon constitué sur la base d'abonnés à Internet ne sera somme toute qu'un échantillon «accidentel» de cette population générale ; le fait qu'il soit possible aujourd'hui de tirer aléatoirement des internautes (par l'ouverture de «fenêtres de texte») et même de veiller à ce qu'ils ne répondent pas plus d'une fois assimile la technique à l'échantillonnage probabiliste, pourvu bien sûr que l'univers de l'enquête soit restreint à l'ensemble des visiteurs d'un site donné !

À la question «Quelle technique est la meilleure?», la seule réponse que l'on peut donner est «Cela dépend !».

– Cela dépend des contraintes de temps, des ressources financières et humaines : on sait, par exemple, que les techniques non probabilistes sont généralement peu coûteuses, rapides et faciles à utiliser.

– Cela dépend des objectifs qu'on se fixe : généralisation de mesures, généralisation de relations, analyse de sous-populations, recherche d'hypothèses.

– Cela dépend de la précision souhaitée : on sait, par exemple, que la précision augmente lorsqu'on passe de l'échantillonnage en grappes à l'échantillonnage aléatoire simple, puis à l'échantillonnage stratifié proportionnel, enfin, à certaines formes d'échantillonnage stratifié non proportionnel.

– Cela dépend de la population à échantillonner : Possède-t-on une liste de cette population ? Peut-on facilement la subdiviser ? Est-elle dispersée ? Est-elle plutôt homogène ou hétérogène ? etc.

– Cela dépend de ce qu'on se propose de faire avec l'échantillon tiré : lui soumettre un questionnaire ? lui faire subir des tests ? etc.

En fait, le choix d'une technique d'échantillonnage dépend d'une multitude de facteurs. Il n'y a donc pas de technique, de procédé tout usage. Au contraire, tout ou presque est à recommencer chaque fois (à moins bien sûr que l'on fasse régulièrement la même enquête auprès de la même population).

À la question « Quelle taille l'échantillon doit-il avoir ? », la seule réponse que l'on peut apporter est « Cela dépend ! ».

– Cela dépend du degré d'homogénéité de la population à analyser : plus la population est homogène, plus l'échantillon, pour une précision constante, peut être de taille réduite. Le seul problème, c'est que généralement nous ne connaissons pas ce degré d'homogénéité.

– Cela dépend de la technique choisie.

– Cela dépend aussi de la précision souhaitée : en fait, à homogénéité constante, plus l'échantillon est de taille importante, plus l'erreur d'échantillonnage diminue. Taille de l'échantillon et erreur d'échantillonnage varient en fait inversement.

Rappelons cependant que tous ces principes sont valables pour les échantillons tirés selon un procédé aléatoire, et que pour les échantillons non probabilistes, il n'existe pas à proprement parler de règles : ce n'est pas, par exemple, en augmentant la taille d'un échantillon « accidentel » que l'on augmente vraiment sa qualité. Toutefois, pour certains procédés, tels que ceux de l'échantillon par quotas ou de l'échantillon systématique non aléatoire, on peut sans trop de problème adopter certains des principes exposés plus haut.

On considère en fait que pour pouvoir généraliser les mesures effectuées sur un échantillon ou toute partie de celui-ci, il faut généralement un minimum de cent cas dans l'échantillon ou le sous-échantillon considéré[56]. Il s'agit, bien sûr, d'une règle pratique qu'il convient d'utiliser avec prudence et qui est valable pour les échantillons probabilistes.

---

56. Même si, statistiquement, le théorème central limite commence à s'appliquer à partir de trente cas. Pour ce qui est des petits échantillons, on pourra consulter Bruno MARIEN et Jean-Pierre BEAUD, *Guide pratique pour l'utilisation de la statistique en recherche : le cas des*

Notons également que si la taille de l'échantillon et l'erreur d'échantillonnage varient en sens inverse, à une augmentation de la taille de l'échantillon ne correspond qu'une diminution beaucoup plus faible de l'erreur d'échantillonnage[57]. Très vite, tout gain quant à la précision se paie très cher : c'est pourquoi il est rare que l'on construise un échantillon dépassant les 2 000 individus, à moins de vouloir représenter adéquatement quelques strates de la population. Comme la précision dépend essentiellement de la taille de l'échantillon et non, dans la plupart des cas, de la taille de la population, il n'est pas étonnant que les spécialistes des sondages s'en tiennent aux États-Unis, au Canada, au Québec, malgré des populations de tailles très différentes, à des échantillons de 1 000 à 2 000 individus.

Reste enfin la délicate question de l'estimation, que nous ne ferons d'ailleurs qu'effleurer ici. Peut-on, à partir des mesures effectuées auprès d'un échantillon (statistiques), connaître exactement les valeurs de la population (paramètres) ? La réponse est non. Ou, plus exactement, il se peut que les mesures ainsi faites correspondent aux valeurs recherchées ; cependant, nous ne pourrions le savoir qu'en procédant à un recensement et en supposant qu'alors il n'y ait pas d'erreurs de mesure. De la même façon, on ne pourra calculer l'écart exact entre la valeur trouvée et la valeur recherchée, à moins que cette dernière valeur ne nous soit connue. Par contre, ce qu'on peut faire lorsqu'on a procédé à un tirage probabiliste, c'est estimer à partir de ces statistiques les paramètres de la population. L'estimation pourra être ponctuelle, l'intention de vote pour le Parti québécois dans l'ensemble de l'électorat québécois étant estimée par l'intention de vote pour le Parti québécois dans l'échantillon. C'est à une « estimation » de ce type que procèdent certains médias lorsqu'ils rapportent les résultats d'enquêtes par sondage. Notons que, malheureusement, ce passage de l'échantillon à la population totale n'est pas toujours établi comme ayant relevé d'une estimation ponctuelle. L'estimation pourra être faite également par intervalle de confiance et consistera à déterminer un intervalle tel que si nous tirions un nombre important d'échantillons de même taille et provenant de la même population, 95 % (ou 99 %) des intervalles de confiance incluraient le paramètre. Ainsi pour le sondage téléphonique réalisé auprès d'un « échantillon représentatif de 2017 Canadiens (âgés de 18 ans et plus) » du 17 au 26 mai 2002 par Décima sur la confiance des Canadiens envers l'économie, il est précisé qu'un « échantillon de cette taille produira des

---

petits échantillons, Québec, Réseau sociolinguistique et dynamique des langues, Agence universitaire de la Francophonie, mai 2003.

57. On pourra se reporter au tableau 1, « Intervalle de confiance lorsqu'une proportion est de 0,5 (50 p. 100), selon la taille de l'échantillon », du dossier sur Sondages politiques et politiques des sondages au Québec, Montréal, SCSP-ACSALF, 1979, p. 21.

résultats précis à plus ou moins 2,2 pour cent, 19 fois sur 20[58]». De la
même façon, pour le sondage réalisé par Ekos du 14 au 16 janvier 2003
pour CBC News auprès d'un échantillon aléatoire de 1001 personnes, il
est indiqué que les résultats pour l'ensemble du Canada sont valables avec
une marge d'erreur de plus ou moins 3,1 pour cent, 19 fois sur 20, que
cette marge, pour le Québec, est de plus ou moins 6,3 pour cent, 19 fois
sur vingt, qu'elle s'accroît lorsque les résultats sont subdivisés, et que le
taux de refus et les autres erreurs de mesure peuvent aussi faire augmenter
la marge d'erreur[59].

Cela permet, d'ailleurs, de rappeler un principe méthodologique
fondamental, à savoir qu'une partie de l'erreur totale de toute enquête
par sondage provient des mesures effectuées. Il est donc impératif de
travailler également à la diminution des erreurs qui leur sont liées; mais
ces problèmes ne relèvent plus strictement de l'échantillonnage.

BIBLIOGRAPHIE ANNOTÉE

ARDILLY, Pascal, *Les techniques de sondage*, Paris, Éditions Technip, 1994.

Présentation claire, simplifiée (selon l'auteur), mais malgré tout assez
détaillée et peu mathématisée des théories et techniques d'échantillonnage, des problèmes d'estimation et de mesure des erreurs par
un administrateur de l'Institut national de la statistique et des études
économiques (France). On y apprendra, par exemple, ce que sont les
méthodes d'estimation appelées «*bootstrap*» et «*jackknife*».

BLALOCK, Hubert M., *Social Statistics*, 2e éd., New York, McGraw-Hill,
1972.

Ce livre constitue en quelque sorte la bible de la statistique utilisée
par les spécialistes des sciences sociales depuis trente-cinq ans. On
y trouvera une discussion relativement simple du concept d'échantillon et des conséquences de l'opération d'échantillonnage.

DESABIE, Jean, *Théorie et pratique des sondages*, Paris, Dunod, 1966.

Si ce texte commence à vieillir, les considérations qu'il propose à
la réflexion de son lecteur sont loin d'être devenues obsolètes. Cet
auteur est plus sensible que les auteurs américains à l'utilité des
échantillons non probabilistes.

---

58. Informations disponibles sur le site de Décima: <http://www.decima.ca>.
59. Informations disponibles à l'adresse suivante: <http://www.ekos.com/admin/articles/
CBCSundayNews12_2.pdf>.

Javeau, Claude, *L'enquête par questionnaire: manuel à l'usage du praticien*, 3ᵉ éd., Paris, Éditions d'Organisation, 1982.

Ce livre survole la méthodologie du sondage et s'arrête entre autres aux problèmes de l'échantillonnage au chapitre 9. Comme l'auteur est européen, la présentation des échantillons non probabilistes prend une place plus grande dans cet exposé que dans les textes nord-américains.

Henry, Gary T., *Practical Sampling*, Newbury Park, Sage, 1990.

Court ouvrage qui a l'avantage d'aborder la question de l'échantillonnage en la replaçant dans la séquence décisionnelle qui culmine avec la présentation des informations relatives à la marge d'erreur.

Kish, Leslie, *Survey Sampling*, New York, Wiley, 1965.

Ce livre est définitivement le classique dans la présentation des techniques d'échantillonnage. On s'y référera avec profit lorsqu'on cherchera une discussion détaillée des problèmes entourant le tirage d'échantillons.

Lavoie, Réginald, *Statistique appliquée: autoapprentissage par objectifs*, Québec, Presses de l'Université du Québec, 1981.

Ce livre présente les bases statistiques de la théorie de l'échantillonnage. Le langage est simple et clair. Les concepts sont présentés de telle façon que les plus complexes soient compris sans l'aide d'un tuteur. À recommander.

Scheaffer, Richard L., William Mendenhall et Lyman Ott, *Elementary Survey Sampling*, North Scituate, Duxbury Press, 1979.

On y présente brièvement des concepts clés liés à l'échantillonnage et une discussion technique des différentes statistiques accompagne chaque méthode d'échantillonnage. Les méthodes non probabilistes y sont complètement ignorées.

Statistique Canada, *Ressources éducatives. Les statistiques: le pouvoir des données! Méthodes d'échantillonnage*, <http://www.statcan.ca/francais/edu/power/ch13/first13_f.htm>, site consulté pour la dernière fois le 3 mars 2008.

Présentation particulièrement simple et claire des méthodes d'échantillonnage par le bureau de statistiques que bien des statisticiens de par le monde considèrent comme un des plus professionnels.

L'ÉTHIQUE
EN RECHERCHE SOCIALE

Jean CRÊTE

L'homme est le seul être connu de nous
qui puisse avoir une responsabilité. En pouvant l'avoir, il l'a.

Hans JONAS

Si les débats sur ce qui constitue une véritable connaissance scientifique dans le domaine des relations sociales tendent à s'atténuer, les controverses sur le jeu des valeurs dans l'enquête scientifique et sur les considérations éthiques qui influencent ou devraient influencer le chercheur se sont accentuées, ces dernières décennies. Bower et De Gasparis relient ce phénomène à la montée des mouvements pour les droits de la personne et à la croissance de l'activité gouvernementale dans le domaine de la recherche depuis la Deuxième Guerre mondiale[1].

Ces préoccupations proviennent d'abord de l'expérimentation dans les sciences biomédicales, notamment en réponse aux atrocités commises au nom de la science durant l'intervalle nazi en Allemagne. Les normes développées pour les sciences biomédicales ont progressivement été revues

---

1. Robert T. BOWER et Priscilla DE GASPARIS, *Ethics in Social Research*, New York, Praeger Publishers, 1978, p. 3.

et appliquées aux sciences du comportement. Les associations professionnelles (anthropologues, politologues, psychologues, évaluateurs, etc.) ont
peu à peu adopté des règles de conduite professionnelles.

En outre, les administrations dispensant des fonds publics pour
la recherche ont également établi des règles éthiques que les chercheurs
doivent s'engager à suivre pour avoir accès à ces fonds[2]. De plus, un certain
nombre de lois, à portée générale comme les lois sur les droits et libertés des
personnes, sont venues étayer ces préoccupations. Dans ce chapitre, nous
étudierons quelques problèmes qui surviennent lorsque nous essayons de
préciser les obligations et responsabilités du chercheur envers *la société,
la communauté scientifique et les participants* aux recherches. Notons dès
le départ qu'il n'y a pas de solution simple ou factuelle aux problèmes
abordés ici. Il n'y a pas de formule décrivant strictement ce que doit être
la conduite du chercheur dans chaque situation[3]. Il existe, par ailleurs, un
ensemble de principes que l'on s'attend de voir respectés par le chercheur
en action.

L'objectif des scientifiques c'est, ou du moins ce devrait être, de *contribuer au développement des connaissances scientifiques.* La poursuite de cet
objectif passe par un travail ardu et frustrant, et c'est le défi de la découverte
ou la satisfaction de résoudre un problème qui stimule toute cette activité.
Étant donné la formation du scientifique, on ne doit pas s'étonner que la
société attende de ce dernier des recherches dont les résultats lui soient
bénéfiques. Le savant a donc le devoir d'analyser des phénomènes importants. Le chercheur est toutefois limité par les ressources tant intellectuelles
que matérielles dont il peut disposer. Envers la communauté scientifique,
le chercheur a des responsabilités précises : il doit notamment informer
ses collègues des procédures suivies pour en arriver aux résultats décrits.
Un autre principe éthique que le chercheur est censé suivre, c'est de ne pas
empiéter sur les droits des personnes participant aux recherches et de ne
pas affecter leur bien-être ; les *participants* ne doivent pas être maltraités
ou lésés en prenant part à une recherche. Le scientifique a au moins trois
bonnes raisons pour ne pas nuire aux participants[4] :

1) d'abord, notre société reconnaît aux individus des droits garantis
    par la loi et par ses valeurs morales ;

---

2. Les organismes publient leurs directives sur leur site Web. On trouvera celui du Fonds
    de recherche sur la société et la culture à <http://www.fqrsc.gouv.qc.ca/> et celui des
    fonds fédéraux canadiens à <http://www.nserc.ca/programs/ethicsfr.htm>.
3. B.L. SMITH *et al., Political Research Methods,* Boston, Houghton Mifflin, 1976, p. 67.
4. Edward DIENER et Rick GRANDALL, *Ethics in Social and Behavioural Research,* Chicago,
    Chicago Press, 1978, p. 17.

2) puis, l'un des buts de la science, c'est de servir l'humanité; une recherche qui fait du tort aux humains tendrait pour le moins à s'éloigner de cet objectif;

3) enfin, en faisant du tort aux participants, le scientifique suscite la méfiance à l'endroit des savants et de la science.

Au bien-être des participants se greffe le problème de la *distribution des coûts et des bénéfices de la recherche*[5]. C'est un problème que l'on traite généralement du point de vue de la justice distributive. C'est un aspect de l'éthique de la recherche qui a été relancé avec la publication du très fécond essai de Rawls sur la théorie de la justice[6]. L'analyse coûts-bénéfices d'un projet de recherche tente de prendre en considération et les bénéfices et toutes les pertes qui en résulteront. Une première interprétation de cette analyse met l'accent sur son caractère « social ». Si les bénéfices pour la société sont supérieurs aux coûts, le projet peut être entrepris. Une interprétation plus récente de l'analyse coûts-bénéfices commande de mesurer les bénéfices nets (c'est-à-dire les bénéfices moins les coûts) pour chaque participant au projet de recherche en plus des bénéfices nets pour la société entière. La deuxième interprétation est donc plus restrictive que la première : en plus de bénéficier à la société entière, il faudrait que le projet bénéficie aussi à chacun des participants. Dans le présent chapitre, nous nous en tiendrons à l'interprétation traditionnelle utilitariste, c'est-à-dire que *nous considérerons qu'un projet de recherche peut être entrepris si au total ou de façon agrégée les bénéfices résultant de la recherche sont supérieurs à ses coûts.*

Il faut bien reconnaître que les chercheurs sont presque forcément des gens très scolarisés et d'un niveau économique relativement élevé; aussi doit-on se demander s'ils ont tendance à étudier des gens pauvres, malades, délinquants ou des notables, des riches, des patrons ou autres catégories privilégiées de notre société[7]. Il faut convenir que c'est souvent commode d'étudier les gens désavantagés; ils sont peu mobiles, moins avares de leur temps et apprécient peut-être davantage le fait d'être l'objet de l'attention de gens savants. Ces sujets étudiés retirent-ils quelques bénéfices, au moins équivalents aux frais encourus[8]? Ce sont là des questions que le chercheur doit se poser tout en poursuivant ses objectifs scientifiques.

---

5. Paul DAVIDSON REYNOLDS, *Ethical Dilemmas and Social Science Research*, San Francisco, Jossey-Bass, 1979, p. 47-84.
6. J.A. RAWLS, *Théorie de la justice*, Paris, Seuil, 1993.
7. N. CAPLAN et S.D. WELSOLL, « Who's to Blame? », *Psychology Today*, vol. 8, 1974, p. 99-104; G. SJOBERG et P.J. MILLER, « Social Research on Bureaucracy: Limitations and Opportunities », *Social Problems*, vol. 21, 1973, p. 129-143.
8. B.S. VARGUE, « On Sociological Exploitation: Why the Guinea Pig Sometimes Bite? », *Social Problems*, vol. 19, 1971, p. 238-248.

1 LE CHOIX D'UN SUJET DE RECHERCHE
ET D'UNE PROBLÉMATIQUE

Lors de la première étape de la recherche – le choix d'un sujet –, une règle capitale de la démarche scientifique est de choisir comme objet d'investigation un phénomène important. Le rôle du chercheur est aussi de mettre en doute ce qu'on tient pour vrai. En poursuivant ces deux objectifs, le chercheur risque, toutefois, d'occasionner des bouleversements dans une société. Une société, à un certain moment donné, tend à limiter le champ ouvert à l'investigation, c'est-à-dire que certains phénomènes peuvent être hors d'atteinte pour le chercheur; la personne ou l'organisme qui s'aventure à explorer ces phénomènes s'expose à la critique. Si le chercheur traite d'un sujet socialement important et à propos duquel il y a déjà une «vérité admise et officielle», on remettra en question non seulement ses travaux mais aussi sa compétence professionnelle, voire ses motifs.

> C'est ainsi que Jensen, un auteur américain, fut, à la fin des années 1960, début des années 1970, le centre d'un débat fort houleux dans le monde anglo-saxon. Jensen avait publié une recension des écrits centrée sur la relation entre l'intelligence, la race et la classe sociale. Il s'ensuivit un débat au cours duquel certains opinèrent qu'un tel sujet n'aurait jamais dû être étudié; d'autres mirent en doute l'intégrité personnelle de l'auteur et sa compétence professionnelle[9]. En fait, Jensen avait suggéré qu'il y avait une différence innée dans la distribution de l'intelligence entre les races. Le débat s'étendit rapidement à l'Angleterre où le psychologue Eysenck publia également un ouvrage sur la question[10]. À Londres, il devint presque impossible aux auteurs de ces textes de faire des conférences sans que des groupes viennent protester. Ces auteurs furent accusés de racisme, de nazisme, d'imbécillité. Plus tard, une revue des arguments avancés par les tenants des différents points de vue conclut qu'il n'y avait pas de preuves suffisantes pour résoudre la question[11]. Le débat fut relancé de plus belle aux États-Unis par la publication de l'ouvrage *The Bell Curve*, un ouvrage qui porte sur la structure de classe et l'intelligence. Cet ouvrage a été recensé et commenté dans des centaines, voire des milliers, d'articles et livres[12].

---

9. A.R. JENSEN, «How Much Can Be Boast IQ and Scholastic Achievement?», *Harvard Educational Review*, hiver 1969, p. 1-123.
10. H.J. EYSENCK, *Intelligence and Education*, Londres, Temple Smith, 1971.
11. Martin SHIPMAN, *The Limitations of Social Research*, 2e éd., Londres, Longman, 1981, p. 35-36.
12. Richard J. HERRNSTEIN et Charles MURRAY, *The Bell Curve: Intelligence and Class Structure in American Life*, New York, The Free Press, 1994. Pour une critique informée voir Bernie

Le célèbre sociologue américain James S. Coleman amorça une autre controverse du même type lorsqu'en 1975 il affirma qu'il pouvait conclure de ses études récentes sur la déségrégation raciale dans les écoles qu'elle engendrait une «fuite des Blancs». On remit en question sa méthodologie, ses données, ses conclusions et ses motifs. Le débat se poursuivit dans des revues scientifiques, de vulgarisation et même dans des quotidiens[13].

En 2001, un jeune professeur de science politique, formé en analyse statistique, publia un ouvrage très remarqué sur l'environnement[14]. Sa thèse pose que les problèmes environnementaux, dans les pays industrialisés tout au moins, deviennent moins graves avec le temps et non pas plus alarmants et que certaines solutions proposées aux problèmes existants sont grandement inefficientes. La communauté des scientifiques militant dans le monde de l'environnement se sentit attaquée et c'est pourquoi le magazine de vulgarisation scientifique *Scientific American* répliqua avec une série d'articles sous le titre «La science se défend [...][15]». Et le premier article de cette série pose en fait la question: qui est ce Lomborg? Pour qui se prend-il? Une bonne partie des critiques d'abord diffusées ont porté sur l'intégrité du chercheur plutôt que de se concentrer sur les déficiences de sa recherche.

La controverse la plus persistante et qui couvre le plus de disciplines est sans doute celle qui se répandit à partir de la publication, en 1975, d'un ouvrage du biologiste E.O. Wilson qui faisait une synthèse des connaissances relatives aux animaux qui vivent en société[16]. L'un des chapitres portait sur *homo sapiens sapiens*. Le cœur de la controverse focalisait sur l'hypothèse de Wilson selon laquelle les comportements humains seraient en partie influencés par l'héritage biologique et en partie par la culture. L'idée même que les comportements humains soient contraints par la biologie était anathème, il s'ensuivit une série d'attaques contre Wilson l'accusant de défendre le racisme, le sexisme, le génocide, et ainsi de suite[17].

DEVLIN, Stephen E. FIENBERG, Daniel P. RESNICK *et al.* (dir.), *Intelligence, Genes, and Success: Scientists Respond to the Bell Curve*, New York, Copernicus, 1997.

13. Voir le débat entre Pettigrew et Green dans Marcia GUTTENTAG, *Evaluation Studies Review Annual*, vol. 2, Beverly Hills, Sage, 1977, p. 364-433, et David J. ARMOR, «White Flight and the Future of School Desegregation», dans H.E. FREEMAN et M.A. SOLOMON, *Evaluation Studies Review Annual*, vol. 6, Beverly Hills, Sage, 1981, p. 212-251.

14. Bjørn LOMBORG, *The Skeptical Environmentalist: Measuring the Real State of the World*, Cambridge, Cambridge University Press, 2001.

15. «Science Defends Itself Against The Skeptical Environmentalist», *Scientific American*, janvier 2002, p. 61-71.

16. Edward Osborne WILSON, *Sociobiology: The New Synthesis*, Cambridge, Belknap Press of Harvard University Press, 1975.

17. Pour un résumé de cette controverse ainsi que d'autres cas liés à l'adoption de la même théorie, voir Steven PINKER, *The Blank Slate: The Modern Denial of Human Nature*, New York, Viking, 2002.

Dans tous ces cas, ce qui est remarquable, ce n'est pas que le débat ait porté sur des questions de méthodes ou de techniques, mais bien plutôt qu'il ait porté sur la légitimité même de la recherche sociale appliquée à certains objets ou abordée selon des théories socialement révoltantes. Toute société a des sujets tabous qu'on n'aborde pas impunément, que l'on soit scientifique ou non. Le chercheur fait alors face à un premier dilemme : doit-on rechercher la vérité à tout prix ? Les découvertes possibles ou même seulement le débat autour des hypothèses de recherche peuvent mener à des bouleversements sociaux. Ces bouleversements ne sont pas nécessairement des progrès, comme l'a souvent fait remarquer le physicien nucléaire J. Robert Oppenheimer (le père de la bombe atomique)[18]. Dans nos sociétés capitalistes, la censure de la recherche libre ne s'exerce plus au nom de la religion, comme au Moyen Âge, ou au nom d'une idéologie comme en Union soviétique à une certaine époque, mais davantage au nom des droits et de l'éthique. Certains perçoivent même une croissance du nombre de sujets interdits par l'éthique depuis la Deuxième Guerre mondiale[19]. Le chercheur peut donc être appelé, sinon à choisir, du moins à composer avec les valeurs de la société – qui tend au maintien du *statu quo* – et celles de la science – qui incitent au savoir, à la remise en question des idées reçues.

 2 **STRATÉGIE D'ÉTUDE**

Une fois le sujet de recherche trouvé, le chercheur adopte une stratégie d'étude. Quelle que soit la stratégie retenue, le chercheur fera face à certaines questions relevant de l'éthique. Le choix même du devis de recherche influe directement sur le type de problèmes les plus susceptibles de se poser. Quel que soit le devis de recherche retenu, les effets négatifs sur les groupes et les catégories sociales retiennent de plus en plus l'attention. La catégorie « femme », par exemple, serait souvent mal utilisée avec des conséquences négatives pour la moitié du genre humain[20].

---

18. J. Robert Oppenheimer, *La science et le bon sens*, Paris, Gallimard, 1955.
19. Paul Kurtz, « The Ethics of Free Inquiry », dans Sidney Hook, Paul Kurtz et Miro Todorovitch, *The Ethics of Teaching and Scientific Research*, Buffalo, Prometheus Books, 1977, p. 203-207.
20. L. Code, M. Ford, K. Martindale, S. Sherwin *et al.*, *Is Feminist Ethics Possible ?*, Toronto, Canadian Research Institute for the Advancement of Women/Institut canadien de recherches sur les femmes, 1991.

■ 2.1. Le devis expérimental

La procédure la plus directe pour étudier les relations causales entre variables, c'est de créer une situation où une ou plusieurs variables indépendantes peuvent être contrôlées. Cependant, tout comme la procédure expérimentale permet d'avoir une grande confiance dans les résultats, elle tient également le chercheur pour responsable des effets attendus et inattendus de la recherche. En d'autres termes, l'avantage principal de la recherche expérimentale est également, du point de vue éthique, le problème crucial : la responsabilité du chercheur en ce qui a trait aux effets pour les participants[21]. Certains gardent encore l'impression que la méthode expérimentale est confinée aux sciences biologiques et physiques et qu'elle ne s'applique que très peu en sciences sociales. Comme on l'a vu dans le chapitre sur la structure de la preuve, le devis expérimental s'applique aussi en sciences sociales.

> L'une des expériences les plus fécondes dans le domaine du droit fut sans doute le Projet de cautionnement de Manhattan[22]. Le but de l'expérience était de voir si les personnes mises sous arrêt et qui avaient des racines dans la communauté locale viendraient subir leur procès même si l'on n'exigeait pas d'elles un cautionnement. Après étude des dossiers et après entrevues avec les accusés, les responsables de l'étude choisirent quelques milliers de cas jugés aptes à être recommandés pour libération sans cautionnement. Les personnes accusées d'homicides et d'autres crimes graves furent exclues de l'étude. Les chercheurs divisèrent au hasard les cas admissibles en deux groupes. Pour les individus du premier groupe, les chercheurs firent des recommandations positives au juge pour qu'il libère l'accusé sans cautionnement en attendant son procès. Pour l'autre groupe, le groupe témoin, les chercheurs ne firent aucune intervention auprès de la cour. La cour libéra 50% des individus du premier groupe sans cautionnement et 16% du groupe témoin. Seulement 0,7% des gens libérés sans cautionnement ne se présentèrent pas à leur procès. Les résultats de l'étude furent des plus probants. Cette étude apporta aussi des résultats supplémentaires quelque peu surprenants. Dans le groupe expérimental, 60% des personnes libérées sans caution furent acquittées ou leur cas fut renvoyé, contre seulement 23% dans le groupe témoin. Des personnes reconnues coupables dans le groupe expérimental, 16% furent jetées en prison contre 96% dans le groupe témoin.

---

21. REYNOLDS, *op. cit.*, p. 113.
22. John P. GILBERT, Richard J. LIGHT et Frederick MOSTELLER, « Assessing Social Innovations : An Empirical Base for Policy », dans Carl A. BENNETT et Arthur A. LUMSDAINE (dir.), *Evaluation and Experiments*, New York, Academic Press, 1975, p. 77-80 ; Henry W. RIECKEN et Robert F. BORUCH (dir.), *Social Experimentation*, New York, Academic Press, 1974, p. 291-293.

Effets pour la société

L'effet positif principal, du moins à plus long terme, de telles recherches se perçoit très bien dans le potentiel d'amélioration de nos institutions et pratiques judiciaires. Pour l'appareil judiciaire, l'amélioration potentielle peut se mesurer en allégement de la tâche, à cause des critères plus expéditifs d'évaluation des cas. L'effet majeur immédiat, quant à l'objectif, fut d'établir que les citoyens ayant des liens avec leur milieu et accusés de délits se présentaient à leur procès, même si l'on n'exigeait pas de cautionnement en garantie. Le projet permit également d'observer que le comportement de la cour lors du procès et les décisions ayant précédé le procès proprement dit étaient corrélatifs. Les citoyens relâchés sans cautionnement risquaient beaucoup moins de se retrouver condamnés et en prison que ceux qui avaient dû déposer une caution. Le principal effet négatif d'un tel projet pourrait être une baisse de confiance dans le système judiciaire.

Effets pour les participants

Dans le Projet de Manhattan, l'effet pour les participants dépend beaucoup de l'échantillonnage. Les sujets du groupe expérimental ont pu jouir dans une proportion beaucoup plus grande qu'à l'accoutumée de libérations temporaires sans caution, d'une part, et de libération tout court, lors du procès. Lorsqu'ils furent reconnus coupables, leurs sentences furent moins souvent la prison. L'effet négatif, c'est que les personnes membres du groupe témoin n'ont pu jouir des mêmes avantages quoiqu'elles eussent investi autant de temps dans l'expérience que les membres du groupe expérimental. Tous ces sujets avaient dû participer aux entrevues avec les chercheurs, ce qui, dans ce contexte judiciaire, avait causé sans doute un certain stress. Les bienfaits immédiats de la recherche ne furent donc pas répartis également entre les participants.

D'un point de vue plus large, les bénéficiaires potentiels des résultats de ces recherches furent les citoyens qui, accusés un jour d'un crime quelconque, pourront profiter d'un système judiciaire moins compliqué et plus susceptible de leur rendre justice. La catégorie sociale participant à l'expérience est, en somme, la même qui est susceptible de profiter des résultats de la recherche. Les juges par ailleurs subissent, comme catégorie sociale, un certain préjudice. En effet, la recherche, montrant que les verdicts des juges étaient en bonne partie reliés au traitement que l'inculpé avait subi avant son procès, laisse croire que les juges sont peut-être beaucoup moins impartiaux qu'on le prétend.

La fréquence d'utilisation du devis expérimental en sciences sociales a beaucoup augmenté depuis les années 1970 sous l'impulsion des professionnels de l'évaluation de programmes sociaux. Que ce soit dans le domaine judiciaire, comme dans l'exemple ci-dessus, dans le domaine des affaires sociales, des assurances, du revenu minimum, de la santé, de la gestion de personnel, ou autres, ce sont toujours les mêmes problèmes éthiques qui se posent. Ces questions ne surgissent pas lorsqu'il faut choisir entre le bien et le mal, mais plutôt lorsque le choix doit s'opérer entre deux formes de bien.

2.2. Les études descriptives

La plupart des études en sciences sociales n'utilisent pas la méthode expérimentale proprement dite mais mettent plutôt l'accent sur la description de phénomènes naturels. Étant donné que c'est le phénomène lui-même qui est la cause principale des effets positifs ou négatifs sentis par les sujets, la responsabilité du chercheur au regard du bien-être des sujets est très réduite[23]. Sur les autres aspects de la recherche, les problèmes éthiques sont tout aussi nombreux et variés que dans les études utilisant le devis expérimental. Parmi les types d'études descriptives, nous ne retiendrons ici que les études extensives ou études de cas multiples.

Les sondages d'opinion sont probablement les plus connus des études extensives. On réalise plusieurs milliers d'études de ce type chaque année dans nos sociétés occidentales. Ces études sont si nombreuses et leurs objets si variés qu'on ne peut donner que des indications très générales sur les problèmes éthiques qu'elles soulèvent.

Effets pour la société et la communauté scientifique

Les effets de ces études pour la société varient selon les domaines de recherche. Bon nombre de ces études ont une utilisation sociale immédiate ; par exemple, des ministères, des administrations, des fabricants de produits de consommation ou autres fournisseurs de biens ou services peuvent ainsi s'interroger sur le degré de satisfaction de la clientèle. Quelques études ont un intérêt scientifique certain lorsque, par exemple, des chercheurs tentent de falsifier une hypothèse en vérifiant leur théorie. Dans tous ces cas, il y a toujours un thème commun : *le financement de telles études.* Est-ce que l'information recueillie en vaut le prix ? Évidemment, c'est une question qui se pose pour toute recherche ; dans le cas des études

---

23. REYNOLDS, *op. cit.*, p. 159.

extensives, l'enjeu est mieux défini parce que les coûts peuvent être connus à l'avance avec une grande précision de même que la nature et la quantité des informations à recueillir. On peut alors évaluer le coût des informations. Il ne faut donc pas s'étonner que les organismes subventionnaires, du moins, dans le cas des études scientifiques proprement dites, obligent le plus souvent les chercheurs à rendre accessibles à d'autres chercheurs, qui voudraient procéder à des études secondaires, les données recueillies lors de leur enquête.

Les chercheurs n'ont pas toujours une obligation juridique de *partager leurs données*, mais dans la communauté scientifique, on considère qu'ils en ont l'obligation morale. Les chercheurs qui ont recueilli des informations procèdent à un nettoyage et à une mise en forme de ces informations pour le traitement, la plupart du temps informatisé. On attend des chercheurs consciencieux qu'ils transmettent aux autres scientifiques des données prêtes à être utilisées et accompagnées de toutes informations méthodologiques pertinentes. Le chercheur moins compétent ou aux principes moraux plus « élastiques » remettra peut-être des données brutes plus ou moins documentées et dans un état tel que l'utilisateur suivant se verra obligé de réinvestir des sommes souvent considérables pour pouvoir les utiliser.

Effets sur les participants

Pour les participants, les effets directs des enquêtes de ce type se limitent à l'expérience, le plus souvent intéressante, de participer à un sondage ou à une enquête quelconque. C'est une occasion de parler de soi, de satisfaire un besoin altruiste en aidant la science et, à l'occasion, de recevoir une petite récompense pour avoir participé à l'enquête. Dans certaines enquêtes reliées aux politiques de la santé, par exemple, les participants pourraient profiter d'un examen médical spécialisé ou, dans le cas de questions scolaires, d'un test d'aptitudes ou d'intelligence.

Les effets négatifs immédiats sont le temps qu'il faut consacrer à l'enquêteur et le stress qui peut résulter de l'entrevue. Ce stress ne se développe pas seulement à partir des questions portant sur des sujets très personnels, tabous ou socialement réprouvés[24]. L'interviewé peut facilement devenir très mal à l'aise, s'il est incapable de répondre à une question d'information que tout le monde est « censé » connaître. Même des questions anodines peuvent créer chez les participants un effet désagréable. On pourrait créer un effet négatif semblable en utilisant un vocabulaire non adapté au public étudié.

---

24. Norman M. BRADBURN, Seymour SUDMAN et al., *Improving Interview Method and Questionnaire Design*, San Francisco, Jossey-Bass Publishers, 1990, p. 64-134.

Un vocabulaire complexe peut inférioriser l'interviewé. Heureusement, ces aspects des questionnaires et entrevues susceptibles d'indisposer le participant sont également des aspects liés à l'efficacité de l'outil de recherche et, par conséquent, le chercheur compétent s'efforcera tout naturellement de l'améliorer. En améliorant techniquement le questionnaire ou le schéma d'entrevue, le chercheur évite du même coup des problèmes éthiques.

Les effets négatifs indirects sont vraisemblablement plus importants que les effets directs. Ils se regroupent sous trois thèmes : le droit à la vie privée, le consentement éclairé et la confidentialité[25].

La recherche par enquête est une intrusion dans la vie privée du citoyen qui a été choisi pour participer à l'enquête et pour répondre à certaines questions. Le *droit à la vie privée*, c'est le droit qu'a l'individu de définir lui-même quand et selon quelles conditions ses comportements, attitudes ou croyances peuvent être rendus publics[26]. Il découle de ce principe que l'individu peut révéler ce qu'il veut à son sujet, même des détails très personnels ou intimes. Il est bien possible que l'interviewé demande à ce que ses révélations ne soient pas communiquées à d'autres personnes, si ce n'est sous forme de données agrégées. Lorsque des informations sont révélées sous le sceau de la *confidentialité*, elles doivent demeurer confidentielles. De nos jours, on peut estimer que les informations fournies par un interviewé dans un sondage d'opinion sont protégées par la règle de la confidentialité. Le chercheur qui n'entend pas respecter cette règle générale a le devoir d'en avertir le sujet.

> Le simple fait d'être associés à un échantillon dans une recherche peut causer des problèmes sérieux aux participants. Imaginons que vous faites une recherche sur la délinquance et que vous réussissiez à établir, grâce à des informateurs ou autrement, une liste de délinquants à interviewer. Cette liste pourrait avoir un certain intérêt pour la police. Des chercheurs américains qui faisaient justement ce type de recherche se sont aperçus qu'à la suite de leur participation, ces délinquants avaient reçu une autre visite, celle de la police. Dans un autre cas, des chercheurs ont renoncé à poursuivre une étude portant sur les jeunes Américains qui s'étaient réfugiés au Canada pour éviter le service militaire dans leur pays[27].

Enfin, on entend par *consentement éclairé* l'idée que le sujet éventuel doit avoir assez d'information – sur ce qui lui sera demandé et à quelles fins cette information sera utilisée – pour en évaluer les conséquences[28]. La règle

---

25. Seymour SUDMAN et Norman M. BRADBURN, *Asking Questions*, San Francisco, Jossey-Bass Publishers, 1982, p. 7-11.
26. A. WESTIN, *Privacy and Freedom*, New York, Athenum, 1967, p. 373 ; SUDMAN et BRADBURN, *op. cit.*, p. 7-8.
27. REYNOLDS, *op. cit.*, p. 164.
28. SUDMAN et BRADBURN, *op. cit.*, p. 8.

générale, c'est de donner autant d'informations qu'il y a de risques pour la personne à interviewer. Dans la plupart des enquêtes, l'enquêté ne court pour ainsi dire aucun risque ; les chercheurs se limitent donc à décrire en quelques mots l'objectif de la recherche et le type d'information recherché. D'ailleurs, les participants à une recherche comprendront d'autant mieux ce dont il s'agit que l'explication sera concise et pertinente. Lorsqu'il s'agit de recherche auprès d'enfants ou d'adolescents, le chercheur devra obtenir le consentement des parents, instituteurs ou autres personnes responsables de la personne mineure.

De plus en plus, les chercheurs sont soumis à des contraintes relatives aux collectivités participantes. Si la recherche porte sur une collectivité et est susceptible de nuire à cette collectivité, le chercheur s'assurera que les avantages de sa recherche pour le développement des connaissances soit supérieur aux torts qu'il causera à la collectivité. Quel intérêt *scientifique* le chercheur aurait-il à montrer que telle communauté a un « problème d'alcoolisme », que telle nation est antisémite ou que telle autre est raciste ? Le chercheur, comme *citoyen*, peut avoir un point de vue *moral* sur ces situations, et c'est ce qui vraisemblablement l'amènerait à dénoncer des collectivités. L'éthique de la recherche ne le conduit jamais à un tel comportement.

3 L'OBSERVATION DISCRÈTE

Même l'observation discrète des phénomènes sociaux dans les endroits publics peut soulever des problèmes d'éthique, entre autres, sur des questions qui touchent à la vie privée[29].

> Par exemple, des chercheurs intéressés à analyser les comportements de consommation procédèrent à une étude des vidanges de différents îlots de maisons de la ville de Tucson, Arizona[30]. Ces chercheurs pensaient qu'en étudiant le contenu des sacs de déchets, ils pourraient découvrir ce que les gens achetaient et jetaient ainsi que ce qu'ils gaspillaient. De plus, en mettant en relation les caractéristiques démographiques des îlots avec les données sur les ordures, ils pourraient en arriver à certaines conclusions à propos de la consommation d'alcool, du gaspillage, etc.

---

29. DIENER et GRANDALL, *op. cit.*, p. 60-61 ; Lee SECHREST et Melinda PHILLIPS, « Unobtrusive Measures : An Overview », dans Lee SECHREST (dir.), *Unobtrusive Measurement Today : New Directions for Methodology of Behavioral Science*, San Francisco, Jossey-Bass, 1979, p. 12-15.
30. W.L. RATHYE et W.W. HUGHES, « The Garbage Project as a Non-reactive Approach : Garbage In Garbage Out », dans W.H. SINAIKO et L.A. BROEDLING (dir.), *Perspectives on Attitude Assessment : Surveys and their Alternatives*, Champaign, Pendleton Publications, 1976.

> Les sacs d'ordures n'étaient pas identifiés par foyer mais par îlots de maisons, si bien qu'on pouvait considérer que l'anonymat était respecté. On doit noter, cependant, que les documents jetés (enveloppes, lettres, etc.) pouvaient révéler l'identité des individus.

Le grand avantage méthodologique de ces procédures, c'est d'éviter les artefacts créés par l'intervention du chercheur avec le sujet, telles les réactions du sujet à l'égard de l'interviewer, les erreurs dues à l'autodescription, et ainsi de suite[31]. Ces procédures permettent aussi d'éliminer les risques associés à la collecte des données faite à découvert, comme la participation coercitive des sujets, les embarras et le stress causés par des questions délicates lors d'entrevues, l'accaparement du temps du sujet, etc. Les problèmes liés à la confidentialité sont le plus souvent évités également, puisqu'il s'agit en général d'utilisation de données publiques disponibles dans les archives, le *Who's Who*, des articles de journaux, etc.

Les objections principales aux études utilisant des procédures dites « discrètes » sont regroupées sous le titre de l'invasion de la vie privée[32]. Le droit fondamental ici, c'est encore celui de l'individu de dévoiler ce qu'il veut, à qui il veut et dans les circonstances où il le veut.

4 LA PUBLICATION

La principale caractéristique de la connaissance scientifique est sans nul doute le fait qu'elle repose sur l'observation et non seulement sur l'opinion du chercheur. C'est d'ailleurs la raison pour laquelle la communauté scientifique attache tant d'importance au rapport détaillé des observations. La complexité des phénomènes étudiés en sciences sociales est généralement telle qu'un seul scientifique a peu de chances d'aller bien loin s'il ne peut compter sur les recherches faites par les autres. La science est cumulative. Aussi, il existe une panoplie de revues où les scientifiques communiquent les principaux résultats de leurs recherches aux autres scientifiques. L'exposé de ces recherches se retrouve le plus souvent sous forme de rapports ou éventuellement de livres. Les problèmes éthiques liés à cette phase de la recherche concernent davantage la communauté scientifique et les participants.

---

31. SECHREST et PHILLIPS, *op. cit.*, p. 2-6.
32. BOWER et DE GASPARIS, *op. cit.*, p. 35

■ 4.1. La communauté scientifique

La structure de l'entreprise scientifique occidentale exerce sur le chercheur une pression pour qu'il publie des travaux originaux sur des sujets d'importance en accord avec le paradigme dominant[33]. Ce paradigme met l'accent sur certains phénomènes à élucider et les personnes qui peuvent expliquer ces phénomènes peuvent recevoir des récompenses telles qu'un emploi, surtout pour les chercheurs débutants, ou encore la notoriété, des prix, des décorations, etc. La nature humaine étant ce qu'elle est, il ne faut pas s'étonner qu'à l'occasion, pour obtenir ces récompenses, des chercheurs introduisent dans leurs publications certains biais.

Ces biais peuvent provenir de plusieurs sources. Un auteur peut ne citer que les références qui concordent avec son point de vue et ignorer les autres observations; on dira alors qu'il s'agit d'un travail mal fait, mais ce n'est pas nécessairement très dommageable pour la science. Les cas les plus graves sont plutôt ceux où un auteur rapporte des résultats d'expériences ou d'observations qui n'ont pas eu lieu. Des cas de fraude ont été détectés régulièrement en sciences physiques et biologiques. En sciences sociales, c'est surtout en psychologie que les cas semblent les mieux documentés.

> Le cas de Sir Cyril Burt est actuellement plutôt controversé[34]. Ce célèbre psychologue anglais a fait des recherches sur les caractéristiques innées de l'intelligence. Pour analyser cette question, il étudia des jumeaux identiques; il s'attacha surtout à étudier ceux qui avaient été séparés l'un de l'autre très tôt. Des jumeaux identiques élevés dans des contextes différents auraient-ils des scores semblables à des tests d'intelligence? Si oui, il faudrait alors penser que les caractéristiques innées sont déterminantes. C'est ce que Burt trouva et la communauté scientifique reconnut le mérite de ses travaux en lui conférant une grande notoriété. Sa réputation déborda très largement les cercles universitaires et il fut fait chevalier par la monarchie anglaise. Depuis sa mort, cependant, des chercheurs se sont mis à douter que Sir Burt ait effectivement observé ce qu'il rapporte dans ses articles. Après tout, il n'est pas si simple de dénicher quelques douzaines de paires de jumeaux identiques séparés en bas âge.

De tels cas de fraude réelle ou soupçonnée sont très rares, surtout si la recherche se fait en équipe. La falsification ne peut, en réalité, se pratiquer que sur une partie de la recherche. Les cas les plus fréquents semblent être ceux où des étudiants ou des assistants de recherche inventent des résultats pour éviter d'aller sur le terrain ou de faire les expériences.

---

33. Thomas S. KUHN, *La structure des révolutions scientifiques*, Paris, Flammarion, 1972.
34. Martin SHIPMAN, *The Limitations of Social Research*, Londres, Longman, 1981, p. 38; DIENER et GRANDALL, *op. cit.*, p. 154.

> Je me souviens d'un cas où des étudiants dans un cours devaient, à titre d'exercice, faire quelques entrevues auprès d'un échantillon d'électeurs. Chaque étudiant avait une liste de personnes à interviewer et devait remettre ses rapports d'entrevues une dizaine de jours plus tard. Une vérification de routine auprès des interviewés devait m'apprendre qu'un certain nombre de questionnaires avaient été complétés sans que la personne dont le nom apparaissait sur la liste d'échantillonnage ait été effectivement interviewée. Les étudiants-interviewers pris en faute avouèrent que le travail était trop exigeant pour eux et qu'ils avaient simplement rempli les questionnaires eux-mêmes.

La tricherie existe autant dans le monde de la recherche que partout ailleurs. Cependant, dans plusieurs cas, la fraude ou l'erreur de bonne foi peuvent être détectées par les autres chercheurs. Dans les cas d'expériences en laboratoires, si d'autres chercheurs, appliquant les mêmes techniques sont incapables de reproduire les résultats, ils se poseront des questions[35]. Souvent, cependant, en sciences sociales, les observations se font dans le monde réel, évanescent ; il n'est pas facile pour d'autres chercheurs d'observer plus tard les mêmes phénomènes.

Après avoir fait une série d'observations, un chercheur peut ne rapporter dans ses écrits que les cas qui confirment son point de vue. L'une des pratiques, peut-être assez commune en sciences sociales, consiste à procéder à de nombreux tests statistiques et à ne rapporter que ceux qui confirment une théorie en négligeant de mentionner les tests négatifs. Le chercheur est censé, faut-il le rappeler, rendre publiques toutes les données pertinentes à sa recherche. C'est ainsi que les autres chercheurs dans le domaine peuvent évaluer les arguments, les procédures, les données et tirer leurs propres conclusions. Dans le débat sur «la fuite des Blancs», les critiques ont reproché à Coleman d'avoir tiré des conclusions qui n'étaient pas soutenues par les données. Blais, en faisant une revue des écrits sur la relation entre le degré de transparence de la fiscalité et le niveau des dépenses gouvernementales, signale qu'un auteur, Wilensky, affirme qu'il y a relation entre les deux variables alors que les données réelles indiquent le contraire[36]. C'est parce que ces chercheurs avaient présenté toutes les données pertinentes que d'autres chercheurs purent remettre en question leur interprétation de ces données.

---

35. En 2002, le célèbre Bell Laboratories, la division de recherche de la société multinationale Lucent, annonçait qu'un de ses plus fameux chercheurs de la jeune génération, Jan Hendrick Schön, avait falsifié des rapports d'expériences. Ses 90 publications devinrent plus que suspectes.
36. André BLAIS, «Le Public Choice et la croissance de l'État», *Revue canadienne de science politique*, vol. 15, 1982, p. 797.

Les grandes revues de sciences sociales exigent de plus en plus que les sources des données utilisées dans les recherches décrites dans les articles soient rendues publiques. Une note infrapaginale indique au lecteur où trouver les données et au besoin les programmes informatiques qui ont servi à produire les analyses.

Qui est l'auteur[37] ?

Dans la communauté scientifique, c'est aux auteurs des recherches publiées qu'on décerne la reconnaissance. Un chercheur n'est reconnu comme tel que s'il publie des résultats de recherche, d'où l'importance de sa signature. Si un article est signé par un seul auteur, la question est résolue. Si l'article est signé par plusieurs personnes, celle dont le nom apparaît en premier reçoit généralement plus de crédits que les autres sauf si les noms apparaissent en ordre alphabétique. Dans ce dernier cas, cela signifie que les contributions sont équivalentes. Dans une équipe de chercheurs dont les contributions sont équivalentes, on procédera souvent à une rotation des noms de sorte que le nom de chaque chercheur vienne en tête de liste à tour de rôle ; au besoin, les divers auteurs indiquent dans une note infrapaginale la part qui doit être attribuée à chacun.

Le problème de la signature se pose rarement lorsque l'équipe de recherche ne compte que des chercheurs « seniors » ; lorsque l'équipe compte un ou des chercheurs « seniors » et des chercheurs « juniors », le problème est plus délicat. Cependant, quelle que soit la situation, le principe général est le même : la qualité d'auteur est attribuée aux individus selon l'ampleur de leur contribution à l'étude. La contribution scientifique détermine le contenu, l'étendue et l'interprétation de l'étude. Deux participations à une recherche méritent normalement le crédit d'auteur, soit la conceptualisation – ce qui inclut la préparation du devis – et la préparation du rapport. Chacune de ces participations détermine le contenu et le caractère de l'étude et de sa publication. Par ailleurs, divers travaux nécessaires à la recherche peuvent être accomplis par d'autres personnes sans qualifier ces personnes d'auteures. Par exemple, la saisie d'un texte ou la préparation de graphiques n'entraînent pas la qualité d'auteur, non plus que le travail de programmation sur ordinateur ou de collecte des données.

Dans le contexte universitaire, la tradition dans les sciences physiques et biologiques veut que ce soit le professeur qui détermine l'ordre des signatures lorsque des étudiants-chercheurs sont engagés dans une recherche. Dans le domaine des sciences sociales, le travail en équipe est

---

37. Les idées développées dans cette section sont inspirées de DIENER et GRANDALL, *op. cit.*

moins fréquent qu'en sciences physiques ou biologiques, mais dans la mesure où il existe – et c'est une situation de plus en plus fréquente – les mêmes problèmes se posent. Que le chercheur «junior» reçoive des crédits scolaires ou soit payé pour faire le travail a peu d'importance; ce qui compte, c'est sa contribution scientifique. S'il a participé de façon importante à conceptualiser l'étude et à écrire le rapport final, il devrait normalement signer la publication. La situation inverse existe également, mais on tend à la passer sous silence. En effet, il arrive fréquemment que l'idée principale d'un mémoire de maîtrise ou d'une thèse de doctorat soit celle du directeur de thèse; l'étudiant peut même être payé pour réaliser les travaux prévus au devis de recherche. Après discussion entre l'étudiant-chercheur et le directeur de thèse, l'étudiant rédige un brouillon qui sera bonifié par les corrections et les ajouts du directeur de thèse. Au total, la contribution scientifique du directeur de thèse peut être fort substantielle, pourtant seul l'étudiant sera reconnu comme auteur de la thèse. Il y a une raison bien pratique à cela: par la thèse, l'étudiant doit démontrer qu'il est capable de faire un travail autonome. Si le professeur était également reconnu comme auteur, il y aurait présomption que l'étudiant-chercheur n'a pas été autonome.

Relations avec les directeurs de publication

En plus de la propriété intellectuelle du rapport de recherche, il y a bien d'autres questions d'éthique reliées à sa publication. Par exemple, on considère comme contraire à l'éthique professionnelle le fait de soumettre le même manuscrit à plusieurs revues en même temps. Les raisons pour lesquelles les auteurs peuvent être tentés de procéder à des soumissions parallèles sont évidentes: les chances qu'un manuscrit soit accepté par une revue prestigieuse sont relativement minces et, lorsque le manuscrit est accepté, il s'écoule plusieurs mois, sinon un an, avant que l'article soit finalement publié. L'auteur peut donc être tenté de soumettre son texte à plusieurs endroits simultanément de sorte que les évaluations se fassent en parallèle plutôt que d'attendre la réponse d'une première revue pour éventuellement s'adresser à une autre. Les raisons pour lesquelles la communauté scientifique tend à imposer des règles de soumission des articles sont aussi d'ordre pratique. Le temps et les coûts d'évaluation des manuscrits sont relativement grands. En effet, chaque manuscrit est généralement évalué bénévolement par plusieurs chercheurs et par les directeurs de revue. De plus, si l'article est publié dans plus d'une revue, la communauté scientifique n'y gagnera rien sur le contenu et se verra privée des résultats des recherches qui autrement auraient pu être publiés dans le même espace.

■ 4.2. Les participants

La garantie d'anonymat va de soi en recherche sociale; c'est maintenant un postulat largement admis qu'en sciences sociales, comme en médecine ou en droit, les gens s'exprimeront plus franchement et seront moins inhibés dans leur comportement s'ils croient que ce qu'ils vont dire ou faire sera traité en toute confidentialité. Cette rationalité alliée au principe du respect de la vie privée des citoyens a créé un consensus chez les chercheurs, à savoir que la confidentialité doit être préservée par tous les moyens possibles.

Ainsi, lorsqu'on arrive à la publication des résultats, les sujets s'attendent à ce que la confidentialité de leur participation à l'enquête soit préservée. Les auteurs changent souvent les noms des personnes et des lieux à cet effet. Il arrive, par contre, que les modifications des noms des personnes et des lieux ne suffisent pas à protéger l'anonymat.

> Le cas de la monographie de Vidich et Bensman intitulée *Small Town in Mass Society* est devenu célèbre dans les annales[38]. Les auteurs firent une étude du pouvoir, notamment par l'observation directe, dans une petite municipalité américaine qu'ils surnommèrent Springdale. Les acteurs dont on décrit les comportements dans l'ouvrage portent également des noms fictifs. Malgré cette précaution, les participants se reconnurent et réagirent à cette publication en organisant, lors de la fête nationale, une parade quelque peu spéciale. Voici d'ailleurs comment le journal local décrivit cette parade[39] :
>
> Vint d'abord une réplique exacte mais à grande échelle de la jaquette du livre *Small Town in Mass Society*. À la suite du livre vinrent des résidents de « Springdale » masqués et à bord d'automobiles portant les noms fictifs donnés par les auteurs. Le clou du spectacle, cependant, c'était le dernier char allégorique – un épandeur à fumier bien rempli de ce riche fertilisant et au-dessus duquel se penchait l'effigie de « L'auteur ».
>
> De toute évidence, les résidents de « Springdale » n'avaient pas apprécié la façon dont les auteurs les avaient traités dans cet ouvrage.

Dans d'autres cas, l'identité des informateurs sera donnée sans que cela ne pose problème.

---

38. On lira dans les numéros 17, 18 et 19 de la revue *Human Organization* (1958-1960) une série d'articles portant sur les problèmes éthiques liés à cette recherche.
39. F.W. WHITE, « Freedom and Responsibility in Research : The Springdale Case », *Human Organization*, vol. 17, 1958, p. 1-2.

> C'est le cas des élites politiques dans le livre d'Andrew, Blais et
> Desrosiers, *Les élites politiques, les bas-salariés et la politique du loge-*
> *ment à Hull*[40]. Il eût été très difficile aux auteurs de cacher le fait qu'il
> s'agissait de la ville de Hull. Une fois la ville connue, l'identité du maire,
> des conseillers municipaux et autres personnages importants ne peut
> plus être cachée. Les auteurs n'avaient pas garanti la confidentialité à
> ces informateurs. Ils l'avaient cependant garantie à d'autres catégories
> d'informateurs, les bas-salariés, et seules les données agrégées ont été
> publiées dans le cas de ces dernières catégories d'informateurs. Cette
> étude illustre bien comment respecter les règles éthiques tout en dévoilant
> les données pertinentes.

Dans une publication de type scientifique, on s'attend à ce que les
sujets de l'étude soient traités avec respect. Dans la monographie sur
« Springdale », les auteurs employaient à l'occasion un ton condescendant
à l'endroit des gens observés et leur attribuaient des motifs douteux. En
anthropologie, on retrouve de multiples exemples où les groupes étudiés
sont présentés dans des termes peu élogieux[41] ou font l'objet d'une fausse
représentation[42].

CONCLUSION

Tout au long de ce chapitre, nous avons attiré l'attention du lecteur sur des
lieux et questions où la recherche peut empiéter sur les droits et affecter
le bien-être de la société, des participants à la recherche ou encore de la
communauté scientifique. Nous n'avons en fait mentionné que quelques-
uns des problèmes les plus fréquents. Nous avons omis plusieurs étapes
du processus de recherche – demandes de subventions, financement de la
recherche, relations entre chercheur et employeur, techniques de collecte
et d'analyse des données, etc. – et nous n'avons pas fait le tour complet
des questions abordées. Au seul chapitre des usages douteux qui mettent
en cause les sujets de la recherche, Cook signale dix catégories de cas[43].

40. Caroline ANDREW, André BLAIS et Rachel DESROSIERS, *Les élites politiques, les bas-salariés et la politique du logement à Hull*, Ottawa, Éditions de l'Université d'Ottawa, 1976.
41. Voir par exemple les premières pages de l'ouvrage de Napoléon A. Chagnon, *Ynomanö: The Fierce People*, New York, Rinehart and Winston, 1968.
42. Voir par exemple Derek FREEMAN, *Margaret Mead and Samoa: The Making and Unmaking of an Anthropological Myth*, Boston, Harvard University Press, 1983.
43. Engager les gens dans la recherche à leur insu et sans leur consentement; forcer les gens à participer à la recherche; cacher au sujet la vraie nature de la recherche; tromper le sujet; amener les sujets à commettre des actes préjudiciables au respect qu'ils se portent à eux-mêmes; violer leur droit à l'autodétermination; exposer le sujet à un stress physique ou mental; violer l'intimité du sujet; priver les sujets de groupes témoins de certains avantages; traiter les sujets de la recherche de façon déloyale et leur manquer de déférence

En fait, le nombre de problèmes soulevés par l'éthique ne cesse de croître au fur et à mesure que les sciences sociales se veulent respectables. Les professions – que ce soit en anthropologie, en psychologie, en sociologie, etc. – s'organisent et imposent à leurs membres des règles de conduite propres à maintenir leur bonne réputation.

L'éthique, telle qu'on la comprend de nos jours, cherche à garantir à tout le monde droits et bien-être. Ce faisant, elle peut empêcher le développement de la science. L'histoire, on le sait, raconte les efforts incessants pour censurer la pensée libre. Les noms de Galilée ou de Darwin viennent rapidement à l'esprit lorsqu'on évoque la censure des idées nouvelles. Il s'agit pourtant de chercheurs qui ont vaincu les résistances de leur époque. Combien d'autres chercheurs ont été perdus aux mains de l'idéologie de leur temps ? Il ne faudrait pas croire que seule la religion a été un obstacle au développement de la science. La censure dans ce domaine s'est aussi exercée au nom de la politique, de l'économique ou d'une idéologie. De nos jours, la censure s'exerce aussi surtout au nom de l'éthique[44] que cette éthique soit le produit de la sélection naturelle ou de la civilisation[45].

Ces dernières années, c'est l'idée même de la science qui est remise en question. On tient la science responsable des malheurs de l'humanité. La physique mène à la catastrophe nucléaire, la biologie et la chimie à la guerre bactériologique, la recherche médicale au clonage des êtres humains et autres mammifères, sans parler des pluies acides et autres désastres écologiques. La vie devient mécanique, sans chaleur humaine ; tout est technique. Les sciences sociales détruisent la poésie : un chercheur propose même d'aller voir ce qui se cache derrière la liberté et la dignité. Certains courants parmi les tenants de l'idéologie féministe soutiennent que l'approche scientifique est une vision mâle du monde qui, en bout de compte, opprime les femmes[46]. Des mouvements sociaux qui remettent en question les fondements de notre organisation sociale, ce qui va bien au-delà de la simple recherche scientifique, sont susceptibles de s'opposer fortement aux modèles scientifiques du développement des connaissances.

---

et de respect. Stuart W. COOK, « Problèmes d'éthique se rapportant à la recherche sur les relations sociales », dans Claire SELLTIZ et al., Les méthodes de recherche en sciences sociales, New York, HRW, 1976, p. 197-246.

44. Paul KURTZ, « The Ethics of Free Inquiry », dans S. HOOK, P. KURTZ et M. TODOROVITCH, The Ethics of Teaching and Scientific Research, Buffalo, Prometheus Books, 1977, p. 203-207.

45. Frans DE WAAL, Primates and Philosophers, Princeton, Princeton University Press, 2006, et Richard Joyce, The Evolution of Morality, Cambridge, MIT Press Book, 2006.

46. Les adeptes des recherches féministes présentent toute une gamme d'opinions sur les heurs et malheurs de la méthode scientifique. Kathleen Okruhlik présente clairement le débat dans « Feminist Accounts of Science », W.H. NEWTON-SMITH (dir.), A Companion to the Philosophy of Science, Oxford, Blackwell, 2000, p. 134-142.

En opposition à la science s'est aussi développée une culture opposée aux méthodes logicodéductives. La recherche selon les standards rigoureux de la preuve limiterait l'imagination. Le temps est à la fiction, au spiritisme, à l'exorcisme. Il y a longtemps que les astrologues n'avaient eu aussi bonne presse. Tout ce courant culturel tend à contrer le développement de la science notamment en favorisant la codification des comportements admis chez les scientifiques.

Sans être opposées à la science, certaines personnes vont s'opposer à des activités spécifiques pour des raisons d'ordre culturel. Par exemple, en juillet 1996, on a découvert dans l'État américain de Washington les restes d'un squelette, l'homme de Kennewick, datant d'environ 9 500 ans. Immédiatement une querelle s'ensuivit entre, d'une part, les citoyens, qui jugeaient que ces os devaient être remis aux tribus amérindiennes pour qu'elles puissent procéder à un enterrement respectueux des ancêtres, et, d'autre part, les scientifiques, qui réclamaient ce spécimen unique afin d'en étudier les caractéristiques génétiques et autres. Il s'agissait en fait d'une lutte entre un groupe de citoyens et la communauté scientifique[47] et en sourdine un conflit entre religion et science.

Si les scientifiques, comme les autres citoyens, ont le devoir de protéger les participants à la recherche, ils ont d'abord l'obligation comme chercheur de *faire progresser la connaissance.* On pourrait comparer le scientifique à un fidéicommis, c'est-à-dire quelqu'un à qui la société confie la connaissance déjà acquise et lui demande de la conserver et de la faire fructifier. On évalue le scientifique par son apport à la connaissance. Le scientifique est aussi un citoyen et on évalue le citoyen par son comportement – la conformité aux valeurs morales de son milieu.

BIBLIOGRAPHIE ANNOTÉE

ETCHEGOYEN, A., *La valse des éthiques*, Paris, Éditions François Bourin, 1991, 245 p.

Etchegoyen distingue morale et éthique. Il rappelle au lecteur que c'est la morale qui pose des questions sur le bien et le mal, que la morale est catégorique. L'éthique, par ailleurs, peut être plurielle. Chaque groupe ou chaque corporation a son éthique. C'est la loi du

---

47. L'archéologue David Hurst Thomas raconte cette histoire et la replace dans le cadre du développement des études archéologiques aux États-Unis dans son ouvrage, *Skull Wars: Kennewick Man, Archaeology, and the Battle for Native American Identity* (New York, Basic Books, 2000).

milieu. L'efficacité de l'éthique est utilitariste et s'appuie volontiers sur le juridisme. La morale est tout autre chose que la mode de l'éthique.

Gagnon, É., *Les comités d'éthique: la recherche médicale à l'épreuve*, Québec, Les Presses de l'Université Laval, 1996, 255 p.

Cet ouvrage est une étude de quatre comités d'éthique dans leur fonctionnement. Bien que ces comités d'éthique ne s'intéressent qu'à des questions médicales, l'auteur fait ressortir les nœuds, les enjeux qui organisent la réflexion sur la pratique professionnelle du chercheur. Il examine la manière dont on discute et évalue les projets de recherche dans ces comités.

Jonas, Hans, *Pour une éthique du futur*, trad. Sabine Cornille et Philippe Ivernel, Paris, Payot et Rivages, 1998, 115 p.

Dans ce petit livre, le philosophe Hans Jonas présente une argumentation qui fonde l'éthique sur la liberté humaine. C'est le fardeau de la liberté propre à un sujet actif: je suis responsable de mon acte en tant que tel (de même que de son omission), et peu importe en l'occurrence qu'il y ait là quelqu'un pour me demander d'en répondre maintenant ou plus tard. Cette éthique commande de maximaliser la *connaissance* des conséquences de notre agir, dans la mesure où elles peuvent déterminer et mettre en péril la future destinée de l'homme. Cette éthique promeut la science.

Joyce, R., *The Evolution of Morality*, Cambridge, MIT Press, 2006, 271 p.

Richard Joyce explore les fondements de nos jugements moraux. Il se demande si notre moralité et notre éthique sont le produit de la pression d'un environnement millénaire qui a sélectionné cette caractéristique dans le développement de l'espèce humaine ou si au contraire moralité et éthique sont purement le fruit de la civilisation. L'ouvrage de Joyce permet au lecteur et à la lectrice de faire le lien entre la philosophie classique et la science actuelle pour tenter de répondre à ces questions.

Moulin, M. (dir.), *Contrôler la science? La question des comités d'éthique*, Bruxelles, DeBoeck-Université (coll. «Sciences-éthiques-sociétés»), 1990, 250 p.

Cet ouvrage est un recueil de textes de sociologues, philosophes, politologues, juristes et autres spécialistes qui, selon les dires mêmes de la directrice de la publication, traite d'un bout à l'autre, sous des angles divers, des limites et de la nécessité d'une régulation sociale de la recherche scientifique et de ses applications.

Web La plupart des associations professionnelles, les organismes subven-
     tionnaires, les universités et autres institutions où se réalise de la
     recherche diffusent des informations sur l'éthique dans la recherche.
     Il suffit de visiter leur vitrine électronique (Web) pour retrouver
     des codes, des références, des exemples et identifier des lieux de
     discussion.

LA FORMATION
DE L'INFORMATION

L'OBSERVATION DIRECTE

Anne LAPERRIÈRE

*Revois deux fois pour voir juste;
ne revois qu'une pour voir beau.*

AMIEL

LE DÉVELOPPEMENT DE LA MÉTHODE D'OBSERVATION DIRECTE ET SES DÉFINITIONS

1.1. Historique

Historiquement, la méthode de l'observation directe pour l'étude des situations sociales a été développée par l'anthropologie. Elle avait pour but de déchiffrer la culture et les routines sociales de communautés sur lesquelles on ne possédait pas de connaissances systématiques. À la fin du XIXe siècle, les sociologues reprendront cette approche pour l'appliquer, cette fois-ci, non plus à l'étude de communautés lointaines et étrangères, mais à l'observation de communautés rurales, puis à celle des modes de vie et de l'organisation sociale qui avaient émergé dans les villes à la faveur de la révolution industrielle. Les recherches de l'école de Chicago et les grandes monographies qui marqueront par la suite la sociologie américaine[1] s'inscriront dans le sillage des œuvres fondatrices de Booth[2] sur la pauvreté à Londres et de Le Play[3] sur les communautés rurales en France. Elles regroupent, sous le vocable général d'«observation», un ensemble de démarches impliquant la confrontation de données issues tant de l'observation directe que de l'entrevue ou de l'analyse statistique, appliquées à l'étude d'une situation délimitée. L'observation se voulait alors une approche «complète» du réel, alliant à l'analyse objective des structures et de la dynamique des situations sociales étudiées, l'appréhension intersubjective (*Verstehen*) des acteurs sociaux qui y étaient impliqués. Les chercheurs s'intégraient, pour quelques mois ou quelques années, dans des milieux divers (quartiers ethniques, milieu des *hobos*, salles de danse, etc.) et y observaient le déroulement de la vie sociale afin d'en extraire la signification à travers leurs échanges avec les acteurs sociaux concernés, leur participation à la vie de la communauté et une recherche documentaire fouillée. Leurs monographies présentaient une analyse à la fois minutieuse et dense des milieux observés, visant à mettre au jour l'interaction entre les processus sociaux à l'œuvre et les perspectives des acteurs sociaux.

La montée de l'empirisme quantitatif en sociologie et les critiques incisives qu'elle provoqua au sujet de la validité des données recueillies à l'aide d'approches peu systématisées, largement tributaires de l'appréciation subjective du chercheur et ne s'appliquant qu'à des ensembles restreints, contribuèrent à la mise au rancart de la subjectivité du chercheur et des observés, pour les quelques décennies glorieuses où l'on crut pouvoir parvenir à une science sociale **objective**. Dans cette perspective, l'observation directe, devenue «scientifique», avait pour seul but de décrire, de façon exhaustive et neutre, les composantes objectives d'une situation sociale donnée (lieux, structures, objets, instruments, personnes, groupes, actes, événements, séquences, etc.) pour ensuite en extraire des typologies. La familiarité du chercheur avec la situation sociale à l'étude n'était nécessaire

---

1. August B. HOLLINGSHEAD, *Elmtown's Youth*, New York, Wiley and Sons, 1949; Robert S. LYND et Helen M. LYND, *Middletown: A Study in Contemporary American Culture*, New York, Harcourt, Brace, and Co., 1929; Lloyd W. WARNER, *Yankee City*, 5 volumes, 1941-1957; *The Social Life of a Modern Community*, 1941; *The Status System of a Modern Community*, 1942; *The Social Systems of American Ethnic Groups*, 1945; *The Social System of a Modern Factory*, 1947; *The Living and the Dead: A Study in the Symbolic Life of Americans*, 1959; William F. WHITE, *Street Corner Society: The Social Structure of an Italian Slum*, Chicago, University of Chicago Press, 1993 [1943].
2. Charles BOOTH, *Life and Labour of the People of Londres*, Londres, Macmillan, 9 vol., 1892-1897.
3. F. LE PLAY, *Les ouvriers européens: Étude sur les travaux, la vie domestique et la condition morale des populations ouvrières de l'Europe, précédées d'un exposé sur la méthode d'observation*, Paris, Imprimerie impériale, 1855.

que pour rendre sa présence sur le terrain la plus discrète possible, afin d'empêcher qu'elle n'altère le déroulement des actions observées. Le mode privilégié d'appréhension du réel est alors la **distanciation**.

Ce n'est qu'à à la fin des années 1950 que la sociologie reprit sa réflexion sur l'apport de l'observation directe aux modes d'appréhension du réel. Ce retour émergea, aux États-Unis, du manque criant d'instruments conceptuels appropriés, assez riches et collés à la réalité pour en permettre une lecture substantive et significative. La sociologie empirique quantitative dominante avait en effet donné lieu à l'accumulation d'un ensemble de données ponctuelles, décontextualisées et privées du sens que lui donnaient les acteurs sociaux. Les tenants des méthodologies qualitatives prônèrent alors un « retour aux sources » pour alimenter la réflexion sur le social et l'ajout de l'intersubjectivité à la distanciation, comme instrument d'appréhension « scientifique » du réel. Si les acteurs sociaux étaient des êtres pensants, il fallait en effet en tenir compte dans l'analyse de leurs actes[4]. Des analyses, centrées non plus sur la description objective de communautés ou de cultures, mais sur la construction, par les acteurs sociaux, d'interactions, de sous-cultures, de situations et de problématiques sociales ont alors surgi sous la plume de sociologues tels que H.S. Becker, A.L. Strauss, A.V. Cicourel, E. Goffman[5], etc. Désormais, le sens donné aux actions occupait l'avant-scène dans les rapports d'observation. Parallèlement à ces études empiriques, plusieurs articles et volumes parurent, tentant de rendre compte de la démarche méthodologique employée et de la systématiser davantage[6].

Parallèlement au souci de préciser les techniques de l'observation, une importante réflexion épistémologique sur le statut et la portée des données d'observation s'est alors développée. En quelques décennies à peine, on passera progressivement d'une réflexion centrée sur les qualités de l'objet observé à une centration sur l'attitude de l'observateur, puis

---

4. Ils s'inspiraient en cela de l'interactionisme de G.H. MEAD, *Mind, Self and Society*, Chicago, Chicago University Press, 1934, traduit en français sous le titre de *L'esprit, le soi et la société*, Paris, Presses universitaires de France, 1965.

5. Voir les œuvres phares de H.S. BECKER, *Outsiders*, New York, The Free Press,1963, traduit en français sous le titre de *Outsiders. Études de sociologie de la déviance*, Paris, Métailié, 1985; A.L. STRAUSS et B.G. GLASER, *Awareness of Dying*, Chicago, Aldine, 1965; E. GOFFMAN, *Interaction Ritual*, New York, Doubleday, 1967, traduit sous le titre de *Les rites d'interaction de la vie quotidienne*; A.V. CICOUREL, *The Social Organization of Juvenile Justice*, New York, Wiley, 1968.

6. Voir, entre autres, l'article souvent cité de H.S. BECKER, « Problems of Inference and Proof in Participant Observation », *American Sociological Review*, décembre 1958, p. 652-660; A.V. CICOUREL, *Method and Measurement in Sociology*, New York, Free Press of Glencoe, 1964; et, enfin, le livre de B.G. GLASER et A.L. STRAUSS, *The Discovery of Grounded Theory*, Chicago, Aldine, 1967, qui contextualise bien la place de l'observation dans l'ensemble d'une recherche qualitative.

sur l'interaction entre l'observateur et les acteurs de la situation à l'étude (Jaccoud et Mayer, 1997). Devant l'impossibilité d'arriver à une neutralité complète de l'observateur ou de faire sens des actions observées sans tenir compte de l'intentionnalité des acteurs sociaux, on cherchera à cerner les bénéfices d'une plongée dans la subjectivité des acteurs, à la faveur d'une insertion de l'observateur dans la situation sociale à l'étude. On privilégiera dès lors non plus la mise à distance de l'objet, mais, au contraire, l'imprégnation de celui-ci sur l'observateur. L'observation sera désormais désignée comme « participante ».

Dans sa version **minimaliste**, ce concept place la participation de la chercheure au centre du processus d'observation : on ne peut bien décrire l'action sociale que si l'on comprend, de l'intérieur, les motivations des acteurs. L'influence du contexte social et de déterminants objectifs sur l'action des observés n'est pas niée, mais le rôle de la subjectivité, qui donne sens aux actions à la suite d'un processus d'interprétation ne tenant pas toujours compte de l'ensemble des déterminants objectifs en jeu, est perçu comme central[7]. La chercheure doit donc pénétrer dans la subjectivité des observés, et le meilleur moyen d'y parvenir est de s'impliquer dans la situation étudiée, de la vivre en même temps que les observés. Par ailleurs, on souligne que la neutralité de l'observatrice est un mythe : nul ne peut s'extirper complètement de sa culture, qu'elle soit ethnique, de classe, de genre, professionnelle ou autre : tout au plus, peut-on en prendre conscience et être attentif aux biais qu'elle risque d'imprimer à l'observation. En fait, la neutralité longtemps prônée pour assurer la scientificité de l'observation voile les caractéristiques culturelles de la chercheure, qui jouent inévitablement dans son travail d'observation, et crée une hiérarchie entre l'observatrice et les observés, qui fausse au départ leur relation et crée d'importants problèmes éthiques : la recherche devient alors une entreprise de domination, la chercheure déclamant sa vérité, souvent sous les protestations des observés, renvoyés à leur « fausse conscience ».

Dans sa version **maximaliste**, l'observation participante tentera de répondre au dilemme éthique des chercheurs confrontés à des situations sociales jugées inacceptables (exploitation, marginalité), et qui veulent contribuer à changer celles-ci plutôt que d'en rester les témoins impuissants. Cette tendance était déjà forte dans l'école de Chicago, notons-le, qui comptait nombre de réformateurs sociaux. Dans les années 1960, elle amènera les chercheurs à développer la recherche-action, dont l'observation

---

7. Comme le soulignait déjà l'école de Chicago, les acteurs sociaux agissent en fonction de l'interprétation qu'ils donnent à leur situation, que celle-ci soit vraie ou fausse. Cependant, notons-le bien, les conséquences de leur action peuvent fort bien infirmer leurs interprétations, lorsqu'elles sont non fondées.

participante sera la cheville ouvrière : on n'apprend jamais mieux sur une situation que lorsqu'on essaie de la changer, que lorsqu'on en déstabilise les déterminants[8], mettant ainsi au jour sa structure. La familiarité que doit développer la chercheure par rapport à la situation étudiée dépasse de beaucoup, dans ce contexte, le seul avantage négatif de minimisation d'un biais possible : elle doit pénétrer dans la subjectivité des observés en partageant leur vécu et en dialoguant avec eux sur les interprétations qu'ils en font. Ici, les significations que les acteurs sociaux attribuent à leurs actes deviennent un élément essentiel du compte rendu de recherche, axé sur le dévoilement des motivations des acteurs sociaux, mises en lien avec les actions observées et avec une diversité de déterminants sociaux objectifs, d'ordre interactionnel aussi bien que structurel ou historique. Le mode privilégié d'appréhension du réel est ici la **participation**.

La perspective de l'imprégnation et de l'observation participante débouchera éventuellement sur une approche franchement **interactioniste** de l'activité d'observation : on estimera que l'interférence/l'interaction entre observatrice et observés est non seulement inévitable, mais indispensable dans le processus de production de données valides sur une situation sociale délimitée. L'observatrice, affirme-t-on, ne peut parler scientifiquement que de cette interaction entre elle et les autres, entre sa culture et celle des autres, sa venue bouleversant d'entrée de jeu le monde des observés. Les comptes rendus d'observation prendront alors la forme de récits de terrain, écrits à la première personne. Cette « nouvelle ethnographie » se réclamant de Geertz[9], Rabinow[10], Clifford et Marcus[11], veut « dépolariser » le rapport entre la chercheure et l'objet, effacer toute démarcation entre eux. Le travail de terrain est vu comme une activité culturelle, un processus dialectique d'explicitation des cultures en présence passant par les efforts mutuels des chercheurs et des observés de se comprendre. Ce patient travail de dialogue mènera éventuellement à « l'ébauche d'un objet, d'un produit hybride, transculturel », présenté dans le rapport de recherche (Rabinow, 1988, p. 47 et 137). Dans cette approche, les rôles de l'observatrice et de l'observé deviennent interchangeables, et le travail de terrain en devient

---

8. L'article de Robert MAYER et Francine OUELLET, « La diversité des approches dans la recherche qualitative au Québec depuis 1970 : le cas du champ des services de santé et des services sociaux », dans J. POUPART, L.-G. GROULX, R. Mayer, J.-P. DESLAURIER, A. LAPERRIÈRE et A. PIRES, *La recherche qualitative. Diversité des champs et des pratiques au Québec*, Montréal, Gaëtan Morin, 1997, p. 173-237, traite largement de la recherche participative et de la recherche-action au Québec.
9. C. GEERTZ, *The Interpretation of Cultures*, New York, Basic Books, 1973.
10. P. RABINOW, *Reflections on a Fieldwork in Morocco*, Berkeley, University of California Press, 1977, traduit sous le titre de *Un ethnologue au Maroc. Réflexions sur une enquête de terrain*, Paris, Hachette, 1988.
11. J. CLIFFORD et G.E. MARCUS (dir.), *Writing Culture : The Poetics and Politics of Ethnography*, Berkeley, University of California Press, 1986.

un « d'explicitation des rapports objectifs et subjectifs qui lient l'observateur à l'objet étudié » (Jaccoud et Mayer, 1997, p. 220). Cette approche, tout comme l'approche participative, peut très bien s'accommoder d'une confrontation aux données objectives de la situation, mais l'accent est mis sur le processus de traduction culturelle qui prend cours entre l'observatrice et les observés. Le compte rendu de recherche relate les divers épisodes de la mise en forme graduelle de cette traduction, et est souvent cosigné par la chercheure et ses interlocuteurs.

▓ 1.2. Les définitions et usages de l'observation directe

Les définitions de l'observation directe que nous retrouvons dans la littérature sur le sujet sont souvent assez larges. Lofland, par exemple, la définit ainsi : « être là, pour fins d'analyse[12] ». D'autres auteurs insistent davantage sur l'une ou l'autre des dimensions objective, subjective ou interactive de l'observation. Friedrichs et Ludtke, par exemple, la définissent comme « l'enregistrement des actions perceptibles dans leur contexte naturel[13] ». Pour Peretz, « l'observation directe consiste à être le témoin des comportements sociaux d'individus ou de groupes dans les lieux mêmes de leurs activités ou de leurs résidences, sans en modifier le déroulement ordinaire[14] ». Spradley insiste davantage sur le versant subjectif de l'observation, dont le but serait « la description d'une culture du point de vue de ses participants[15] ». La nouvelle ethnographie définit enfin l'observation comme un processus d'interaction culturelle, dont le produit est une traduction culturelle rendant sa culture intelligible à l'autre.

Lorsque l'on consulte divers ouvrages contemporains sur l'observation ou des recherches qui l'utilisent, on se rend compte que ces trois types d'approche sont encore largement utilisés, de façon complémentaire ou exclusive, pour des raisons tout aussi bien d'ordre pratique qu'épistémologique. En effet, il existe des situations où l'utilisation de l'une ou l'autre des approches est impossible. Par exemple, les interactions de la

---

12. Voici sa définition : « *being in or around an ongoing social setting for the purpose of making a qualitative analysis of that setting* ». John LOFLAND, *Analyzing Social Settings*, Belmont, Wadsworth, 1971, p. 93.
13. Traduction libre de « *Participant observation registers perceptible actions in natural situations* », dans J. FRIEDRICHS et H. LUDTKE, *Participant Observation : Theory and Practice*, Lexington, Lexington Books, 1980, p. 3.
14. H. PERETZ, *Les méthodes en sociologie. L'observation*, Paris, La Découverte (coll. « Repères »), 1998.
15. Traduction libre de « *describing a culture, from a native's point of view* », dans J.P. SPRADLEY, *Participant Observation*, New York, Holt, 1980, p. 3.

vie quotidienne s'observent d'autant mieux à distance qu'elles utilisent un savoir social rendu souvent inconscient par l'usage, comme l'a bien démontré E. Goffman[16], alors que les situations conflictuelles ne peuvent être comprises sans passer par le point de vue des acteurs. L'observation participante est aussi utilisée lorsque la situation (souvent déviante) exige une approche dissimulée : par exemple, lorsqu'Anne Tristan a voulu observer le Front national en France[17], elle s'y est inscrite (participation) car c'était la seule façon de connaître les motivations de ses membres, mais elle a opté pour une observation dissimulée et y a tenu un rôle très discret, étant donné ses convictions idéologiques : elle était donc à la fois participante et distanciée. Enfin, le décryptage de cultures ou sous-cultures éloignées de celle de l'observatrice exige un dialogue continu entre les membres de cette culture et celle-ci, et s'accommoderait mal d'une posture neutre et distanciée ou d'une participation directe, toutes deux difficilement praticables en de tels contextes.

Dans la section qui suit, nous présenterons les différentes étapes d'un travail d'observation, en ne différenciant ces trois approches que là où elles exigent des stratégies différentes.

2 LES ÉTAPES ET LES INSTRUMENTS DE L'OBSERVATION DIRECTE

▓ 2.1. L'entrée sur le terrain

Le choix de la situation à étudier

Nous l'avons déjà souligné, l'observation directe, comme instrument de collecte de données, est utilisée pour cerner des situations sociales dont la dynamique, les processus et les composantes sont à découvrir. Le choix de la situation à étudier, comme celui de n'importe quel autre objet d'étude, doit évidemment d'abord se faire en fonction de sa *pertinence sociale et théorique*[18]. L'observation directe qualitative s'appliquant à des situations

---

16. E. GOFFMAN, *Interaction Ritual. Essays on Face to Face Behavior*, New York, Doubleday, 1967. Traduit en français sou le titre de *Les rites d'interaction*, Paris, Minuit, 1974.

17. A. TRISTAN, *Au front*, Paris, Gallimard, 1987.

18. C'est ce que Glaser et Strauss (*op. cit.*, 1967) désignent sous le terme d'« échantillonnage théorique » (qualitatif), par opposition à l'échantillonnage « statistique » (quantitatif), les deux référant à des modes de représentativité différents.

limitées, et vu l'énorme investissement de temps et de ressources personnelles qu'elle exige, la situation choisie doit l'être avec d'autant plus de
soin, en termes de signification potentielle dans la problématique qui
intéresse la chercheure.

> Si nous considérons, par exemple, que la construction de relations inter-
> ethniques harmonieuses constitue un enjeu théorique et social important,
> en termes d'intégration sociale (au sens durkheimien), nous devons iden-
> tifier des terrains où l'on retrouve en nombre significatif des membres de
> la majorité aussi bien que des minorités ethniques, en vue d'étudier leurs
> interactions. Par ailleurs, ces terrains doivent aussi être socialement signi-
> ficatifs, constituer des espaces importants de participation sociale pour
> les immigrants comme pour la majorité : les écoles, les lieux de travail,
> les organismes citoyens de tous genres en sont des exemples, pourvu,
> bien sûr, qu'ils soient multiethniques. La plupart des études faites sur les
> relations interethniques au Québec, ces vingt-cinq dernières années, ont
> choisi l'école comme lieu d'observation, étant donné que c'est la seule
> institution sociale où il y a fréquentation obligatoire de la majorité et
> des minorités, que ses règles, strictement égalitaires, encouragent les
> échanges entre groupes et que l'une de ses vocations est l'éducation des
> jeunes à la citoyenneté.

Par ailleurs, la situation à l'étude doit être *clairement délimitable*,
en ce qui a trait à l'espace physique et social. Évidemment, les situations
sociales existantes sont rarement, sinon jamais, étanches. En ce sens, on peut
parler d'une situation délimitée lorsqu'elle forme un système dynamique
portant sa propre signification, ce qui n'empêche pas son rattachement à
d'autres systèmes, qui influencent, eux aussi, les significations centrales
de la situation étudiée. Si le découpage d'une situation d'étude ne peut
jamais être absolu, il n'en doit pas moins circonscrire un ensemble de
lieux, d'événements et de personnes groupés autour d'une sous-culture,
d'une action ou d'un objectif communs. Ces situations peuvent être de
complexité très diverse, et comprendre un ensemble plus ou moins grand de
sous-situations. Mais toujours, elles doivent former une unité significative
d'acteurs, de lieux et d'actes.

> Poursuivons notre exemple. Le choix d'une école, et lorsque les nombres
> l'exigent, de classes spécifiques à l'intérieur de cette école, circonscrit
> suffisamment le champ d'observation des relations interethniques entre
> jeunes. L'école forme en effet un ensemble institutionnel relativement
> autosuffisant, avec des objectifs et des règles spécifiques. De plus, elle
> regroupe une population stable d'élèves et d'enseignants qui se fréquen-
> teront pendant un nombre assez long d'années pour développer des
> relations sociales significatives. Elle offre à l'observation des relations
> interethniques des sous-situations à la fois formelles et informelles : la
> salle de classe, qui est au cœur de l'activité scolaire et où les perfor-
> mances des minorités et les relations qu'elles ont avec leurs pairs et

> les enseignants peuvent être ethniquement marquées. Puis, toutes les
> activités « libres », plus ou moins organisées, où les jeunes se rencontrent
> en fonction de leurs intérêts et de leurs affinités : activités parascolaires,
> divers comités étudiants, dîners à la cafétéria, etc.

La délimitation de la situation à l'étude n'implique cependant pas que
l'observatrice doive travailler en vase clos. Elle doit minimalement connaître
le contexte plus large dans lequel s'inscrit la situation qu'elle étudie et les
liens qu'elle entretient avec d'autres systèmes sociaux.

> D'une part, l'école s'inscrit dans un univers social et culturel déjà
> constitué, celui du quartier, où les jeunes se retrouvent. Il n'y a pas de
> rupture entre ces deux univers, qui regroupent les mêmes populations.
> En conséquence, les chercheurs travaillant auprès des jeunes à l'école
> ont souvent eu recours à une observation plus lâche des interrelations
> des jeunes dans le quartier, en vue de mettre en perspective ce qui se
> passait à l'école. Quelques études sur les relations interethniques des
> jeunes ont aussi inclus une incursion du côté des familles, étant donné
> leur influence indéniable sur les jeunes. D'autre part, l'école subit aussi
> des influences en amont, tant institutionnelles (ministère de l'Éducation et
> commissions scolaires) que proprement politiques et idéologiques (débats
> de société entourant l'immigration et la gestion du pluralisme ethnique
> et groupes de pression organisés autour de ces débats). La chercheure
> doit connaître minimalement ces données contextuelles (topologiques)
> avant d'entrer sur son terrain.

Enfin, les situations observées doivent être *récurrentes*, de préférence,
afin de permettre à la chercheure un approfondissement de ses observations,
d'une fois à l'autre.

La délimitation de la situation à étudier peut **évoluer** dans le temps,
au fur et à mesure que la chercheure comprend mieux son terrain et devient
plus en mesure d'en dégager les sous-situations clés. Ainsi, après quelques
mois de terrain dans une école multiethnique de Montréal, Laperrière
et al.[19] ont donné momentanément priorité à l'observation des autobus
qui ramenaient les jeunes chez eux en fin de journée et des lieux de danse
qu'ils désignaient comme des hauts lieux de conflits interethniques.

À ces critères « théoriques » de sélection d'une situation vient s'ajouter
une série de critères d'ordre pratique[20]. La situation choisie doit être
accessible, ouverte à la présence d'une observatrice (ou d'une nouvelle

---

19. A. LAPERRIÈRE *et al.*, *La construction sociale des relations interethniques et de l'identité culturelle chez des jeunes de deux écoles montréalaises*, Québec, Institut québécois de recherche sur la culture, 1991-1993, 9 vol. Les exemples donnés dans cet article s'inspirent de cette recherche, mais aussi d'autres recherches semblables. Certains sont par ailleurs purement fictifs.
20. L'énumération de ces critères s'inspire de SPRADLEY, *op. cit.*, p. 39 et ss.

participante, si l'observation est dissimulée) ; l'observatrice doit pouvoir s'y *déplacer avec aisance* et sa présence ne doit pas perturber, à moyen terme du moins, le déroulement « normal » des activités (à moins qu'on n'ait opté pour une recherche-action). Évidemment, l'accessibilité d'une situation n'est jamais absolue, et elle peut grandement varier en fonction des enjeux sociaux que soulève le sujet de recherche aussi bien au plan macrosocial (débats autour du rôle de l'école dans l'intégration des immigrants) que microsocial (caractéristiques sociales et ethnoculturelles de la population scolaire, dynamique interne et débats dans l'école autour de cette question, etc.). La perception qu'ont les acteurs sociaux de la recherche et de la chercheure jouera aussi sur leur degré d'ouverture (nous y reviendrons). Finalement, c'est à la chercheure d'évaluer si le degré de liberté dont elle jouira sera suffisant pour couvrir adéquatement son terrain et échanger significativement avec les participants

Le rôle de l'observatrice

Une fois choisie sa situation d'étude, la chercheure doit définir le rôle qu'elle y jouera. Le meilleur rôle sera celui qui lui permettra d'observer les sous-situations les plus significatives de la façon la plus exhaustive, la plus fiable et la plus conforme à l'éthique possible.

Une première décision à prendre concerne *l'ouverture ou la dissimulation de la recherche*. Lofland synthétise bien les avantages et limitations de l'une ou l'autre option. Les objections qu'il voit à l'observation dissimulée se ramènent à quatre types de problèmes : 1) des problèmes d'éthique, les acteurs de la situation n'étant pas informés que tout ce qu'ils font ou disent est systématiquement relevé à des fins de recherche ; 2) des problèmes de contraintes structurelles, liées aux limites spatiales et sociales du rôle choisi ; 3) des problèmes d'enregistrement, sur place, des données et, enfin, 4) des problèmes affectifs liés à une implication difficilement évitable dans la situation à l'étude. Par contre, l'observation dissimulée amène une information plus riche sur le rôle choisi par l'observatrice, ainsi qu'un partage et une compréhension plus intenses du vécu des participants observés. Enfin, en certaines circonstances, comme dans le cas d'Anne Tristan infiltrée dans le Front national, c'est le seul type d'observation possible.

À l'inverse, les avantages de l'observation ouverte sont la minimisation des tensions éthiques, la plus grande mobilité physique et sociale, et le questionnement plus systématique et exhaustif qu'elle permet à la chercheure. Cela amène cependant une série d'autres désavantages, notamment quant à la fiabilité des informations obtenues – les acteurs sociaux observés ayant des intérêts à défendre, aux yeux de « l'extérieur » – et quant à l'implication de la chercheure, qui doit s'efforcer de rester « neutre » dans le jeu des intérêts et des factions en présence.

Si certaines situations s'accommodent d'emblée d'une observation ouverte (par exemple, toutes les situations publiques) et si d'autres y sont d'emblée très fermées (par exemple, les situations «intimes», déviantes ou particulièrement délicates, politiquement), la grande majorité des situations se trouvent entre ces deux extrêmes. Dans ces cas, l'observatrice doit rechercher le meilleur dosage entre les critères de significativité, d'exhaustivité, de fiabilité et d'éthique mentionnés plus haut.

> Les possibilités d'observation cachée, dans les écoles, sont assez restreintes, vu l'organisation institutionnelle de celle-ci, l'âge des jeunes, et le rôle d'encadrement qu'y jouent pratiquement tous les adultes, dont font partie les chercheurs. Certains chercheurs ont parfois fait de l'observation participante comme surveillants, comme aides aux enseignants ou comme animateurs d'activités parascolaires. Mais chacun de ces rôles n'ouvre que peu d'espace à l'observation, et ils sont tous plus ou moins marqués d'un rapport d'autorité aux jeunes. L'observation ouverte se révèle la plupart des cas la meilleure option, car elle garantit davantage la neutralité des chercheurs aux yeux des élèves (surtout si les observateurs sont eux-mêmes étudiants à de plus hauts niveaux!). Auprès des enseignants, qui travaillent dans l'intimité de leur salle de classe, l'observation ouverte est pratiquement la seule possible.
>
> En sus de la salle de classe, généralement fermée aux observateurs autres que pédagogiques, l'école présente un ensemble de sous-situations publiques ou semi-publiques d'un intérêt certain pour l'étude des relations interethniques et facilement accessibles à l'observation (ouverte ou dissimulée): réunions générales d'école, soirées disco, cafétéria, comités scolaires ou parascolaires de toutes sortes auxquels participent à la fois des membres du personnel scolaire, des parents ou des élèves.
>
> Enfin, notons que pour l'observation des soirées disco à l'école et dans le quartier, nous avons envoyé des adolescents (que nous avons rapidement formés) pour faire les observations, la présence d'adultes, même jeunes, pouvant être intimidantes. L'observation a alors été dissimulée, mais sans conséquences négatives, vu qu'il s'agissait d'un événement public.

La négociation de l'entrée sur le terrain

Une fois sa situation d'étude délimitée et son rôle défini à l'intérieur de cette situation, la chercheure qui a opté pour l'observation ouverte doit négocier son entrée sur le terrain. Ici, la collecte de **données topologiques** concerne l'historique de la situation à l'étude, sa structure formelle et informelle (organigramme, sous-groupes en présence et acteurs clés), les orientations ou débats idéologiques qui la marquent, etc. Ces données peuvent être obtenues par le biais d'entrevues avec des personnes clés ou par une recherche documentaire préalablement au terrain ou, encore, directement avec ses interlocuteurs en début de terrain. Elles lui seront d'un grand secours pour identifier les acteurs ou les groupes clés qu'elle doit rallier à ses objectifs de recherche et pour présenter sa recherche d'une façon qui « parlera » aux principaux protagonistes de la situation à l'étude.

> Pour étudier les relations interethniques dans une école, il faut connaître, autant que possible, la répartition des différents groupes ethniques à l'école et dans le quartier, leurs caractéristiques propres (moment de l'immigration, classe sociale, succès scolaire, rapport à la langue française, etc.), l'historique de leurs interrelations, la composition ethnique du conseil d'école et des divers regroupements étudiants ; l'idéologie de l'école concernant les relations interethniques et les factions à l'intérieur de l'école et du quartier (quels sous-groupes prônent l'ouverture ou le regroupement ethnique, par exemple). On peut élargir cette recherche au quartier, et y relever les leaders et les gangs, les organismes communautaires ou publics préoccupés par la question ethnique et les activités qu'ils offrent aux jeunes, etc.

Un bon contact entre la chercheure et les personnes ou groupes clés dans la situation à l'étude minimisera les réactions d'évitement par rapport à la chercheure et les biais qu'elles pourraient imprimer à la conduite des observés. De plus, le repérage de personnes clés et de sous-groupes diversifiés dans la situation à l'étude permettra à l'observatrice de décrire avec plus de justesse les dynamiques sous-jacentes à cette situation. Enfin, notons que la durée de l'observation permet d'accroître la familiarité entre observatrice et observés et l'invisibilisation de celle-ci.

La présentation de la recherche aux observés doit comprendre *ses objectifs, son organisation, ses étapes et sa durée prévue, ses commanditaires, les sous-groupes qu'elle touche et la disponibilité qu'elle exigera des répondants.* Cette présentation doit être à la fois *exhaustive, claire, véridique et neutre* ; de plus, elle doit montrer comment la recherche servira les *intérêts des observés* et leur garantira l'*anonymat.* Exhaustive, c'est-à-dire qu'elle ne doit cacher aucun des objectifs *généraux* ou des volets de la recherche, la confiance mutuelle étant, dans toute entreprise de recherche, essentielle à la minimisation des biais. Claire, c'est-à-dire que la recherche doit être présentée de façon brève et dans un langage accessible aux répondants. Neutre, c'est-à-dire qu'elle doit garantir que toutes les parties en présence pourront s'exprimer et seront représentées dans le rapport de recherche. Soucieuse des intérêts des répondants, c'est-à-dire que la chercheure doit exliquer en quoi la recherche peut être utile aux répondants, et leur offrir des garanties que les résultats de la recherche ne répandront pas des interprétations fausses de leur vécu ou de leur situation, ni ne nuiront à leurs intérêts ou à leur réputation ; cela, tout en répondant aux exigences d'une description exhaustive de la situation et des intérêts et points de vue qui s'y affrontent.

Les relations entre observatrice et observé

Quels que soient ses connaissances ou ses diplômes, la chercheure est au départ une apprentie, à la recherche d'informations et d'explications sur une situation connue des observés : elle est donc « en demande » et doit se présenter comme telle. Toutefois, cette position doit en être une d'« incompétence acceptable[21] » ; les observés doivent pouvoir découvrir en la chercheure une « étudiante » à la fois ouverte et documentée, réaliste et nuancée.

> Dans notre exemple, il ne suffit pas à l'observatrice d'être attentive aux diverses sous-situations concernant les relations interethniques : encore faut-il qu'elle montre qu'elle est sensible à la diversité des perspectives qu'elle rencontre, qu'elle les explore sans les juger, et qu'elle est capable de les contextualiser et de les relativiser.

La chercheure doit par ailleurs se montrer à la fois neutre et sympathique : aussi, doit-elle éviter de prendre parti, tout en faisant sentir aux participants qu'elle est touchée par leur vécu et leur point de vue. Évidemment, les déchirements et les failles sont ici inévitables : il s'agit de trouver le meilleur équilibre possible entre l'observation et la participation[22]. Pour arriver à être sensible à l'univers des autres, la chercheure doit enfin relativiser son propre positionnement psychologique et social et développer une conscience aiguë de sa culture spécifique (familiale, ethnique, professionnelle, etc.), mais aussi de son style personnel, de ses forces et de ses failles, ainsi que de ses sentiments, positifs et négatifs, à l'endroit des divers acteurs et idéologies qu'elle découvre. Dans ce but, les chercheures engagées dans l'observation directe tiennent un journal de bord, où elles consignent systématiquement leurs réactions et impressions subjectives tout au long de la recherche, pour fins de distanciation.

---

21. L'expression est de J. Lofland.
22. Loïc Wacquant va même jusqu'à affirmer que « l'amitié est une condition sociale de possibilité de la production de données qui ne soient pas totalement artefactuelles ». Loïc WACQUANT, « Un mariage dans le ghetto », *Actes de la recherche en sciences sociales*, n° 113, 1996, p. 64-65. Cité par A.-M. ARBORIO et P. FOURNIER, *L'enquête et ses méthodes. L'observation directe*, 2e éd., Paris, Armand Colin, 2005.

Cette ouverture ne doit toutefois pas faire oublier à la chercheure que l'intérêt des enquêtés ne correspond pas nécessairement à celui de la science, et que même dans une situation d'observation participante, il y aura des tensions inévitables entre les interprétations de la chercheure dérivées de sa formation spécifique et celles, plus terre à terre, des observés.

▓ 2.2. La collecte des données

Une démarche générale, où la collecte et l'analyse des données se font en parallèle

La grande majorité des recherches utilisant l'observation sont inductives et visent la construction d'une théorie sur la situation à l'étude, que l'on juge peu connue. Les observations, qui sont au départ très larges, se concentreront progressivement sur les acteurs, les situations ou les processus les plus cruciaux dans la situation à l'étude. Un processus d'observation efficace, qui ne veut pas rester en superficie, doit s'accompagner dès le départ d'une analyse des données, qui en oriente la collecte ultérieure. Arborio et Fournier parlent de «cohérence par fragments», au départ, aboutissant à une ligne narrative épurée en fin de parcours.

De l'observation générale à l'observation centrée et sélective[23]

La première étape sur le terrain consiste, pour l'observatrice, à faire ce que Spradley appelle un «grand tour» de la situation à l'étude: *elle en relève alors systématiquement les grands traits*, relativement aux lieux et aux objets, aux événements, actions, activités et à leur durée. Puis, elle décrit les acteurs, leurs attitudes, leurs gestes et leurs conversations. Ces grands traits sont notés en termes strictement descriptifs et dans leur ordre d'apparition (comme dans un scénario); en début de recherche, cette description doit être la plus large et la plus exhaustive possible.

> Les lieux où se jouent les relations interethniques à l'école sont les abords de l'école, la cour, les vestiaires, les corridors, les salles de classe, la cafétéria, les lieux d'activités parascolaires. Les acteurs sont les jeunes, de différents groupes ethniques, âges, sexes et classes sociales, et le personnel scolaire, où l'on distingue direction, enseignants, professionnels et animateurs de la vie étudiante.

---

23. Cette section s'inspire principalement de J. SPRADLEY, *op. cit.*, p. 73-130.

Voici la brève description d'une scène, en début de terrain :

C'est le matin, 8 h 15. L'autobus de la ville déverse pêle-mêle, sur le trottoir face à l'école, des groupes compacts de jeunes qui s'interpellent de façon joyeuse et bruyante : on compte une vingtaine d'individus de tous âges (12 à 17 ans) ; les plus jeunes ayant tendance à se regrouper par sexe. À côté des « blancs » (une douzaine, qui parlent, en ordre décroissant, le français, l'anglais ou l'italien), on retrouve une minorité de « noirs » (une demi-douzaine d'Haïtiens, créolophones ou francophones) et de « bruns » (deux Latinos hispanophones). Les francophones ont un habillement relativement conventionnel : jeans serrés, t-shirts ou cotons ouatés, espadrilles énormes, autant que possible délacées ; ils se déplacent dans l'entrée de l'école en groupes de deux ou trois, en échangeant joyeusement sur des sujets anodins (qu'est-ce que t'a fait hier soir ? As-tu fini ton devoir ? Wow, c'est beau ta coiffure, etc.). Trois garçons lancent leurs sacs à dos à terre, à la jonction du trottoir et de l'entrée de l'école, et campent sur cette position stratégique, les mains dans les poches, balayant du regard le trottoir, sans doute dans l'attente d'amis ; ils ne tiennent pas en place et semblent assez nerveux.

Lorsque les éléments à décrire dans une situation sont nombreux et complexes, on les regroupe en types, ce qui facilite la manipulation des données. Ces types doivent présenter des caractéristiques distinctives. Dans un premier temps, l'observatrice cherche à caractériser le plus objectivement possible les sous-groupes d'acteurs et d'actions et se positionne en situation d'extériorité pour se distancier de ses propres précatégories mentales. Dans un deuxième temps, elle entre dans l'univers des observés, en écoutant leurs conversations ou en les interviewant brièvement pour cerner la sens qu'ils donnent à leurs actions. L'exploration du *lexique indigène* des enquêtés (le vocabulaire particulier qu'ils emploient pour désigner/catégoriser leurs groupes ou leurs actions) constitue une porte d'entrée privilégiée à leur univers social.

Ainsi, distingue-t-on rapidement, chez les jeunes, des groupes d'amis ethniquement homogènes ou ethniquement mixtes, qu'il faut chercher à caractériser d'abord le plus objectivement possible (âge, sexe, origine ethnique, habillement, attitudes, comportements, activités et intérêts particuliers). Ensuite, leur identification peut exiger d'écouter leurs conversations, ou de les interviewer brièvement. Rapidement, nous noterons que certains de ces regroupements sont marqués par l'un ou l'autre des styles particuliers qu'affectionnent les adolescents et transcendent les identifications ethniques : on retrouve des groupes de style autant chez des groupes ethniquement homogènes que chez des groupes mixtes – *nerds* (sages et intellos), *preppies* (aux vêtements griffés), *gothiques* (aux tenues sombres et bijoux acérés, etc.). Certains styles considérés comme spécifiquement « ethniques » se glissent parmi ceux-ci (tels les pantalons à fourche basse pour les Haïtiens, ou le style *glamour* des filles italiennes (que les chercheurs rapprochent du style *glamour* américain, un rapprochement que ne font cependant pas les jeunes).

La plongée dans la subjectivité des observés peut amener la chercheure à remanier ses catégories d'analyse. Toutefois, il se peut que les acteurs sociaux soient plus ou moins conscients de certains aspects de leur vécu, d'où l'importance de la première étape d'observation «objective».

Rapidement, il nous est apparu que les jeunes Italiens de première année du secondaire masquaient leur italianité en françisant leur nom et en insistant pour présenter leur mode de vie comme similaire en tous points à celui des Québécois français, alors que dans les faits, il n'en était rien. Nous avons alors orienté nos observations vers le débusquage des caractéristiques ethniques qui étaient plus ou moins consciemment cachées aux autres (et donc «honteuses»: cuisine traditionnelle, parents sévères, humiliations liées à la pauvreté et au racisme, etc.) et de celles qui étaient, au contraire, montrées aux autres («glorieuses»: parler anglais, avoir de la parenté aux États-Unis, être branchés musicalement sur l'Amérique du Nord, etc.), faisant ainsi franchir un important saut analytique à notre recherche.

Une fois relevées les caractéristiques générales d'une situation, la chercheure se concentre sur *les interrelations entre ses diverses dimensions*, répondant à des questions comme: «Quels types d'acteurs jouent quel rôle dans quels types d'événements?» C'est ce que Spradley désigne sous le terme de «mini-tours» d'une situation.

Par exemple, lorsqu'une bataille éclate à la sortie de l'école, quelles sont les caractéristiques des individus ou des groupes qui ouvrent les hostilités? Comment réagissent les autres groupes ou individus? En contraste, quelles sont les caractéristiques des individus ou des groupes qui participent à divers comités d'école, et en particulier, à ceux traitant des relations interethniques? Quelle position y tiennent-ils? Comment réagissent-ils aux positions des autres? Comment se comportent-ils lorsqu'ils sont acteurs ou témoins d'une bataille?

Ces mini-tours de situations multiples nous permettent ensuite de les confronter entre elles et d'aborder l'*analyse comparative systématique des données*, d'où émergent des hypothèses qui serviront à l'interprétation de la situation d'ensemble.

En comparant les caractéristiques ethniques montrées aux autres à celles qui leur sont cachées, on a pu réussir à établir ce qui était prestigieux aux yeux des jeunes des divers groupes ethniques. Notons que ces caractéristiques varient d'une classe à l'autre, au fur et à mesure que les jeunes vieillissent. Ainsi, en troisième année du secondaire, les Québécois francophones, majoritaires, mettent de l'avant l'individualisme, la

> liberté, la démocratie, l'histoire et la langue qui les caractérisent; pour les Italiens, ce sont le dur labeur et la moralité de leurs familles, puis le trilinguisme qui tiennent l'avant-scène, et chez les Haïtiens, la solidarité, la compassion, la lutte antiraciste et leur attachement à l'égalité de tous. On voit comment ces éléments positionnent chaque groupe différemment, mais favorablement dans le paysage idéologique national : modernité et individualisme, moralité et multiculturalisme, solidarité et antiracisme.

Ces hypothèses conditionnent par la suite la *définition de situations et d'éléments spécifiques à observer*, en vue de les étayer et de les vérifier : c'est ce qu'on désigne par « observation sélective ».

> Il s'agit alors de raffiner l'analyse en notant quel type d'acteurs, dans quels types de situations met en scène ces caractéristiques contrastées des groupes, et avec quelles conséquences. À l'inverse, on peut aussi vérifier quels sont les acteurs sociaux qui n'utilisent pas ce genre de caractérisation des groupes (par exemple, les groupes d'amis mixtes ethniquement) et identifier les autres éléments par lesquels ils se caractérisent (par exemple, par des traits psychologiques ou des intérêts communs).

À partir de ces observations sélectives, la chercheure modifie et *raffine ses hypothèses jusqu'à saturation*, c'est-à-dire jusqu'à ce qu'aucune observation nouvelle ne vienne les infirmer.

L'enregistrement des observations

■ Les notes descriptives

L'enregistrement des observations sur le terrain se fait en plusieurs étapes. Une première série de notes est strictement *descriptive* et va du repérage sur le vif au compte rendu exhaustif de la situation observée. La langue dans laquelle est écrit ce premier type de compte rendu doit être *concrète, descriptive et neutre* : la chercheure doit faire voir la situation et entendre les acteurs observés. Les propos de ces derniers sont rapportés, autant que possible, textuellement et entre guillemets. Lorsque la chercheure ne se souvient pas de façon précise de certains éléments de la situation ou, encore, qu'ils ne lui sont pas apparus clairement, elle les note entre parenthèses suivies d'un point d'interrogation – par exemple : (entrée de C ?) (découragement, colère ?). Les omissions dans l'enregistrement des données doivent être relevées, de même que les événements non enregistrés parce que considérés non pertinents pour l'étude. Ces éléments sont cités de façon télégraphique et entre crochets (par exemple : [une querelle a débuté avant notre arrivée] [discussion sur les horaires des activités parascolaires]). Enfin, notons que chacun des comptes rendus descriptifs doit porter, en en-tête, la date, le lieu et la durée de l'observation, le nom de l'observatrice et l'énumération des acteurs et des activités observés. Ces comptes rendus doivent être faits dans les plus brefs délais et en cumulant le moins de séances d'observations possible, la mémoire devenant facilement sélective. (On peut enregistrer les observations sur bande audio lorsqu'on manque de temps pour les consigner par écrit.)

Généralement, les comptes rendus de terrain s'écrivent en trois temps.

- *Les notes cursives.* Ces notes sont prises sur le vif et parfois à la dérobée lorsqu'elles risquent d'indisposer les participants; elles sont en conséquence nécessairement brèves et ne comprennent que des mots ou des phrases clés, qui servent de repères aux notes plus élaborées qui suivront. Par exemple : 26/04/06. Comité loisir : anim, 3QF (discrets), 3H (organisés), 2I (timides) Danse, chant-guimauve, humour animateur, ralliement, bouderie.

- *Le compte rendu synthétique.* Les quelques notes précédentes sont complétées, dès que la chercheure trouve un moment libre. Par exemple :

  > Mardi 26/04/06. Réunion du comité étudiant des loisirs, sec. V, 16 h00 – 16 h 30, avec l'animateur à la vie étudiante, 3 étudiants québécois français (1G, 3F), 3 étudiants d'origine haïtienne (2G, 1F) et 2 étudiantes d'origine italienne. Observatrice A.

  > Proposition des H. pour danse (ils se parlent souvent entre eux, les autres sont passifs). Proposition de chansons par les filles d'origine italienne à laquelle tous réagissent « surtout pas de guimauve ! » avant de se rallier. Animateur détourne conflit émergent par humour. Italiennes boudent (se sentent isolées ?).

- *Le compte rendu extensif.* Ce compte rendu détaillé de la situation doit être fait le plus tôt possible après l'observation et doit décrire le plus fidèlement possible la situation observée dans toutes ses dimensions; même si ces notes peuvent sembler insignifiantes et répétitives à première vue, elles se révèlent, à l'analyse, une source indispensable d'interprétation juste et de compréhension exhaustive de la réalité et servent de garde-fous aux biais de la perception et de la mémoire et aux hypothèses partielles. Au fur et à mesure qu'avance le terrain, ces comptes rendus extensifs se font sur des situations de plus en plus ciblées, les événements plus périphériques pouvant n'être consignés que de façon synthétique.

Mardi 26/04/06. [même événement que ci-dessus].

L'observatrice A. et l'animateur sont arrivés les premiers dans la salle, suivis, cinq minutes plus tard, de deux des trois filles QF (des copines bavardant sur événements de l'après-midi) et des deux filles d'origine italienne (parlant bas). Les jeunes Haïtiens sont ensuite arrivés ensemble, discutant avec animation du recrutement de participants pour leur bout de spectacle, puis, le garçon et l'autre fille, des Québécois français. L'animateur demande sur un ton enjoué : « Avez-vous pensé à ce que vous vouliez faire pour le spectacle de fin d'année ? » Après une minute de silence (les jeunes se regardent tous pour savoir qui va commencer), les Haïtiens, se lancent, l'un et l'autre se passant continuellement la parole [de toute évidence, ils s'étaient déjà concertés sur leur idée] : « on a eu l'idée d'une danse, avec plusieurs styles, hip-hop, mais aussi d'autres choses ; on pourrait le faire ensemble, avec des amis ». L'animateur (voix neutre mais intéressée) : « C'est des amis juste haïtiens, ou vous mêlez ça ? » La réponse, tout de suite : « N'importe qui que ça intéresse peut venir pratiquer avec nous ; jusqu'ici, on est une gang d'Haïtiens, avec Flora, Juan et Camille [des Latinos américains et une Qf se tenant avec eux] ». [...]

Le compte rendu extensif peut s'accompagner d'un plan des lieux et de la situation spatiale des acteurs concernés, ou de tout autre document éclairant (par exemple, sur l'organisation de la fête de fin d'année).

– *Le compte rendu signalétique.* Pour fins de repérage rapide, chaque compte rendu descriptif extensif sera précédé d'une fiche signalétique mentionnant, outre la date et la durée de l'événement, le nom de l'observatrice ainsi que la liste des principaux acteurs, thèmes ou événements s'y rapportant, auxquels on peut ajouter des qualificatifs pour mieux les caractériser.

■ *Les notes analytiques*

Les comptes rendus descriptifs s'accompagnent, de façon systématique, de *comptes rendus analytiques portant sur le cheminement théorique de l'observatrice*. Ces comptes rendus peuvent être insérés dans les comptes rendus descriptifs, mais de façon bien distincte et entre crochets, ou bien produits dans un document séparé, avec indication des notes descriptives auxquelles ils se rapportent.

– *Les mémos.* Ils sont le pendant analytique des « notes cursives » et sont constitués d'*intuitions* ou de *réflexions analytiques* transcrites sur le vif. Il est très important pour la chercheure de noter ses intuitions et réflexions au fur et à mesure qu'elles émergent, la mémoire étant ce qu'elle est. Les mémos sont d'inspiration très diverses : on peut aussi bien citer une conversation avec un copain qu'un film, un livre, un autre événement (analogue ou contrasté) ou une théorie (sociologique ou autre) pour réfléchir sur ce qu'on vient d'observer.

– *Les notes théoriques*[24]. Ces notes visent essentiellement la construction d'une **interprétation théorique de la situation à l'étude**, qui soit systématiquement fondée sur les observations. C'est ici que la chercheure note ses remarques sur les liens observés entre divers éléments de la situation et leurs variations, et compare systématiquement ses observations récentes avec les données précédentes. C'est ici également que la chercheure définit des pistes nouvelles d'observation et d'analyse, émettant des hypothèses et interprétations potentiellement fructueuses concernant la situation à l'étude. La chercheure peut aussi faire des rapprochements avec des observations ou analyses faites dans d'autres situations sociales, semblables ou contrastées. Les notes analytiques relèvent donc de deux démarches complémentaires, l'une de *découverte* d'hypothèses et d'interprétations plausibles concernant la situation à l'étude et l'autre de *vérification* systématique des hypothèses et interprétations avancées.

> C'est dans ces notes, par exemple, que l'on relève puis que l'on compare les différences ethniques qui sont montrées ou cachées aux autres par les jeunes, pour s'interroger ensuite sur le sens à donner à ce jeu social : ces différences sont-elles définies uniquement en fonction des valeurs internes de la communauté ethnique ou aussi en rapport avec le regard des autres sur le groupe ethnique ? Recherche-t-on d'abord la solidarisation interne du groupe en mettant de l'avant ses différences, ou veut-on établir, dans l'espace public, sa supériorité sur les autres groupes ethniques en faisant ressortir leurs failles ? Que trouve-t-on dans la littérature scientifique sur la compétition entre les groupes ethniques et les formes qu'elle prend ?

– *Les notes de planification*[25]. Faisant suite aux notes théoriques, ces notes consistent en un relevé, par la chercheure, des **observations, lectures et réorientations à faire** (en termes d'échantillonnage ou d'orientations théoriques) pour la suite de la recherche.

---

24. Nous empruntons cette expression à L. SCHATZMAN et A.L. STRAUSS, *Field Research : Strategies for a Natural Sociology*, Englewood Cliffs, Prentice-Hall, 1973, p. 99.
25. Cette catégorie correspond à celle que SCHATZMAN et STRAUSS désignent sous le terme de « notes méthodologiques », *op. cit.*, p. 99.

(De l'exemple précédent.) 1) Vérifier la position des parents concernant les caractéristiques ethniques du groupe, telles qu'elles sont définies par leurs enfants. 2) Peut-être organiser une discussion entre jeunes de différents groupes ethniques sur ce en quoi ils se ressemblent ou ils divergent. 3) Consulter la littérature scientifique sur l'évolution de l'identité ethnique, et vérifier si ces définitions opposées des caractéristiques culturelles des groupes ne tiennent pas plus à cette phase « oppositionnelle » de l'adolescence qu'à un positionnement social communautaire.

– *Le journal de bord.* Le journal de bord contient les *réflexions personnelles* de la chercheure sur le déroulement quotidien de sa recherche, son intégration sociale dans le milieu observé, ses expériences et ses impressions, ses peurs, ses « bons coups », ses erreurs et ses confusions, ses relations et ses réactions, positives ou négatives, aux participants, à leurs idéologies, etc. Ces notes ont pour but d'aider la chercheure à prendre conscience de ses sentiments et de ses biais, et ne constituent pas un luxe dans une recherche par observation directe qui requiert d'elle, avant même une compétence théorique ou méthodologique, une compétence sur les plans psychologique et social.

Au départ, j'avais de fort doutes sur le caractère « racial » qu'on attribue à toutes les querelles entre jeunes de groupes ethniques différents : les causes peuvent être tout autres. (Évidemment, cette position peut être une position typique de blanche, ignorant l'expérience du racisme.) J'ai été vite confortée dans cette première hypothèse par plusieurs observations : 1) nous observions peu de querelles proprement « raciales » dans l'école ; 2) les jeunes Québécois français de première secondaire admiraient en tous points les Haïtiens de leur classe ; et 3) les Haïtiens de troisième secondaire disaient ne pas vivre de racisme à l'école. Cependant, le fait que les jeunes de première secondaire observaient que les groupes ethniques devenaient plus tard ennemis, de même que nos propres observations sur la séparation des groupes ethniques à la cafétéria et à la sortie de l'école nous posaient problème. De plus, l'assistant-directeur de troisième secondaire, très aimé des jeunes Haïtiens qui affirmaient être protégés du racisme à l'école, soulignait de son côté que le racisme était fort à l'école. Ce n'est qu'à la suite des petites remarques de jeunes « noirs » sur leurs réactions au racisme (fuir la situation) ou à l'ouverture des blancs (soulagement) que j'ai compris que le racisme était d'abord vécu par ces jeunes comme une honte, et qu'il était tu en raison de cela. Le militantisme antiraciste avait soudé le groupe, mais ne suffisait pas à asseoir solidement la confiance en soi des individus, en tant que noirs. Par ailleurs, c'est à cause de la reconnaissance et de la condamnation active du racisme par l'assistant-directeur que les jeunes Haïtiens en étaient protégés.

■ 2.3. Les sources d'information autres que l'observation et la rédaction du rapport d'observation[26]

Cet exposé s'en est tenu, dans son développement, à la stricte définition de l'observation directe comme *instrument de collecte de données*.
Cependant, nous l'avons vu, ce mode de collecte s'inscrit, dans la grande
majorité des cas, dans une approche beaucoup plus large désignée sous le
nom d'ethnographie. Dans cette approche, l'observation directe comme
mode de collecte des données est utilisée en conjonction avec d'autres
instruments : échanges informels, entrevues plus ou moins structurées,
sources secondaires (rapports officiels, journaux, Internet etc.), ces autres
sources de données permettant d'approfondir la signification psychologique et sociale des faits observés et de les contextualiser. Ces éléments
sont d'emblée incorporés au rapport de recherche, quelle que soit l'orientation épistémologique de l'observatrice.

Les rapports de recherche varient cependant de forme selon les choix
épistémologiques des auteurs. Lorsque l'observation a été faite dans une
perspective *objectiviste*, le rapport de recherche décrit le déroulement des
faits ou la situation à l'étude dans des termes neutres et distanciés. En
voici un exemple :

> L'école étudiée est située dans un quartier périphérique de Montréal,
> généralement de classe moyenne mais où subsistent d'importants îlots
> de pauvreté. L'école publique est assez représentative de l'ensemble des
> groupes du quartier, en termes de classe sociale et d'ethnicité. [...]
>
> Lorsqu'on observe les jeunes dans les lieux « informels » de l'école (hors
> les classes), force est de constater leur regroupement ethnique, malgré
> tout ce qu'ils en disent : les tables de la cafétéria, par exemple, sont
> typiquement occupées par des groupes ethniques distincts, et les mino-
> rités y parlent, le plus souvent, leur propre langue (italien ou anglais,
> créole, espagnol), repoussant ainsi passivement les audacieux des autres
> groupes ethniques qui voudraient se mêler à eux.

Lorsque l'observation est faite dans une perspective plutôt *subjectiviste*,
le rapport emprunte un autre style :

---

26. Voir, à ce sujet, l'excellent livre de J. VAN MAANEN, *Tales of the Field : On Writing Ethnography*,
Chicago, University of Chicago Press, 1988, que nous ne suivons cependant pas systématiquement ici.

> L'école est un lieu de socialisation et de rencontres pour les jeunes, et elle a, à ce titre, un double visage pour les minorités qui la fréquentent. D'une part, elle est un haut lieu d'identification ethnique, car elle leur permet de rencontrer d'autres jeunes de leur propre groupe, dispersés dans le quartier. D'autre part, elle est un lieu étranger, car les minorités y sont confrontées massivement non seulement aux autres groupes ethniques, majoritaires, mais aussi à la culture de l'école, nettement marquée par la perspective et les valeurs québécoises-françaises.

Enfin, le rapport peut aussi être construit autour de la description des *interactions* et échanges entre l'observatrice et les observés ;

> Au premier jour de notre observation de cette école, tout nous paraissait harmonieux : jeunes échangeant entre eux dans la bonne humeur le matin et un peu plus ralentis le soir au sortir de l'école. Dans l'école même, on n'observait que quelques accrochages, et très peu d'éclats entre les jeunes. Seule note discordante – mais en était-ce une vraiment ? –, les jeunes ne semblaient guère se mêler à la cafétéria. Nous avions été prévenus par plusieurs membres du personnel scolaire de l'importance du racisme à l'école. Et pourtant, rien de cela ne transpirait dans nos observations, ou même dans nos entrevues : les jeunes semblaient vouloir paraître sous leur meilleur jour, ou peut-être nous ménager.

3 LA VALIDITÉ DES DONNÉES RECUEILLIES PAR OBSERVATION DIRECTE[27]

Comme toutes les méthodes de collecte de données, l'observation directe a ses écueils et ses limites propres, dont il est important d'être conscient, en vue de les minimiser.

L'écueil le plus souvent mentionné, dans la littérature sur la question, est sans aucun doute celui de l'*ethnocentrisme* et de la *subjectivité* de la chercheure, qui risque d'orienter son choix des situations à observer, sa perception de ces situations et, en conséquence, ses analyses.

---

27. Cette section s'inspire principalement de A. LAPERRIÈRE, « Les critères de scientificité des méthodes qualitatives », dans J. POUPART *et al.*, *La recherche qualitative. Enjeux épistémologiques et méthodologiques*, Boucherville, Gaëtan Morin, 1997, p. 365-391 ; puis de M. JACCOUD et R. MAYER, « L'observation en situation et la recherche qualitative », dans J. POUPART *et al.*, *La recherche qualitative. Enjeux épistémologiques et méthodologiques*, Boucherville, Gaëtan Morin, 1997, p. 211-251 ; et enfin, des remarques de FRIEDRICHS et LUDTKE, *op. cit.* et de LOFLAND, *op. cit.*, sur le sujet.

En réponse à ce problème, les chercheurs ont développé des modes d'approche visant à minimiser ces biais possibles et à maximiser, en conséquence, la validité des données présentées. Nous allons décrire brièvement, dans cette dernière section, les modes d'emploi de la méthode particulièrement importants à cet égard.

Au départ, la collecte de données topologiques sur la situation étudiée permet à la chercheure de faire les meilleurs choix d'observation (quoi et qui observer, où et comment) et de contextualiser ses données, pour en faire des interprétations plus justes. Ensuite, la chercheure doit indiquer clairement les *sources* de ses données empiriques et analytiques, c'est-à-dire ce sur quoi elle base ses analyses. Ces indications, qui se font tout au long du terrain, doivent aussi se retrouver (évidemment beaucoup moins en détail) dans le rapport de recherche, afin de permettre aux éventuels lecteurs de relativiser ses données et analyses de recherche.

La chercheure doit ensuite faire face à l'inévitable *interdépendance entre l'observatrice et les observés*, dont les perceptions, positions, réactions et attentes mutuelles interagissent et évoluent tout au long du terrain. Pour minimiser les biais qui pourraient découler de cette interaction, Friedrichs et Ludtke proposent le choix d'un rôle «neutre», qui soit sujet à peu d'attentes dans la situation à l'étude, et qui soit applicable à une multiplicité de sous-situations (par exemple, le rôle d'étudiant); puis, l'immersion complète dans la situation, qui tend à rendre la présence de la chercheure imperceptible (elle fait partie du décor); enfin, la tenue systématique du journal de bord est fortement encouragée pour rendre l'observatrice la plus consciente possible de ces effets.

La *sélectivité des perceptions* constitue un autre problème de taille dont la chercheure doit tenir compte. Pour contrer celle-ci, la chercheure doit d'abord développer une «attitude égalitaire» et «accorder le même intérêt humain et scientifique[28]» à tous les acteurs de la situation étudiée. Ensuite, elle doit s'attacher à faire des descriptions concrètes et précises des caractéristiques des acteurs, du déroulement des événements, etc., *avant* d'en développer des interprétations. Ces descriptions doivent aussi être exhaustives, du moins aux premières étapes de sa recherche, où elle n'a pas relevé les éléments cruciaux de la situation. La technique de prise de notes rapide et exhaustive développée par les praticiens de l'observation directe a pour but d'appuyer cette démarche.

Dans ses notes analytiques, la chercheure doit *relier systématiquement ses hypothèses et interprétations aux faits observés*; les interprétations devront être modifiées jusqu'à ce qu'aucune donnée nouvelle ne vienne

---

28. J. FRIEDRICHS et H. LUDTKE, *op. cit.*, p. 25.

les contredire : il s'agit ici du principe de «*saturation théorique*». Enfin, la présentation, par la chercheure, de ses analyses aux acteurs de la situation, pour complétion et commentaires, peut être aussi un bon antidote à sa sélectivité ou à son ethnocentrisme, quoiqu'il ne faille pas perdre de vue ici que les observés sont, eux aussi, sélectifs et ethnocentriques.

Outre ces garde-fous méthodologiques, certains critères généraux se rapportant aux données d'observation peuvent servir à leur garantir la meilleure validité possible. Tout d'abord, le *critère de proximité des sources*, physiquement et socialement parlant ; une observation «de proche» et «de première main» vaut toujours mieux ; une observation de seconde main doit tenir compte des intérêts, des idéologies et de la personnalité de celui qui la transmet. Un autre critère souvent cité est celui de l'inter- et de l'intrasubjectivité : lorsque plusieurs observateurs s'accordent pour décrire une situation dans les mêmes termes (intersubjectivité), les chances de validité de cette description s'accroissent. Même chose lorsque les perspectives des divers acteurs d'une situation convergent ou se complètent (intrasubjectivité).

En bref, pas plus que les autres méthodes de collecte de données en sciences humaines, la méthode de l'observation directe ne présente de garanties absolues de scientificité. Tout au plus peut-on en limiter (sérieusement) les biais et donner au lecteur les éléments nécessaires pour les situer, en lui présentant clairement les instruments et les étapes de la démarche.

BIBLIOGRAPHIE ANNOTÉE

ARBORIO, Anne-Marie et Pierre FOURNIER, *L'enquête et ses méthodes. L'observation directe*, 2ᵉ éd., Paris, Armand Colin, 2005.

Une excellente introduction à l'observation directe, sur les plans théorique et pratique.

JACCOUD, Mylène et Robert MAYER, « L'observation en situation et la recherche qualitative », dans J. POUPART, J.-P. DESLAURIERS, L.-H. GROULX, A. LAPERRIÈRE, R. MAYER et A.P. PIRES, *La recherche qualitative. Enjeux épistémologiques et méthodologiques*, Montréal, Gaëtan Morin, 1997, p. 211-250.

Un article très complet sur la question, couvrant aussi bien les aspects historiques, épistémologiques et éthiques de l'observation que ses aspects techniques et ses applications au Québec. La partie épistémologique est particulièrement éclairante.

LOFLAND, John, *Analysing Social Settings: A Guide to Qualitative Observation and Analysis*, Belmont, Wadworth, 1971.

Ancien, mais rien n'y manque concernant les bases de la pratique de l'observation. Ce livre sait être bref et concret, tout en restant nuancé.

MASSONNAT, J., «Observer», dans A. BLANCHET, R. GHIGLIONE, J. MASSONNAT et A. TROGNON (dir.), *Les techniques d'enquête en sciences sociales: observer, interviewer, questionner*, Paris, Dunod, 1987, p. 17-79.

Ce livre est un classique en la matière.

PERETZ, Henri, *Les méthodes en sociologie: l'observation*, 2ᵉ éd., Paris, La Découverte et Syros (coll. «Repères»), 2006.

Il s'agit d'un excellent petit manuel d'introduction à l'observation, truffé d'exemples fort éclairants tirés de recherches tant nord-américaines que françaises.

SCHATZMAN, Leonard et Anselm L. STRAUSS, *Field Research: Strategies for a Natural Sociology*, Englewood Cliffs, Prentice-Hall, 1973.

Ce livre présente les mêmes qualités que le précédent. Il insiste cependant plus sur l'approche analytique que sur l'approche technique et il est particulièrement agréable à lire.

SPRADLEY, James P., *Participant Observation*, New York, Holt, 1980.

Ce livre, qui traite exclusivement de l'observation participante, est extrêmement bien construit pédagogiquement. Dans une perspective d'objectifs précis à atteindre, il présente les diverses étapes de cette méthodologie d'appréhension du réel et les illustre abondamment à l'aide de textes tirés d'excellentes recherches.

L'ENTREVUE SEMI-DIRIGÉE

Lorraine SAVOIE-ZAJC

*C'est la plus radicale manière d'anéantir tout discours que
d'isoler chaque chose de tout le reste : car c'est par la mutuelle
combinaison des formes que le discours nous est né.*

PLATON

L'entrevue est un type d'interaction verbale qui s'exerce dans divers contextes : on pense notamment à l'entrevue d'embauche, à l'entrevue thérapeutique ou à l'entrevue de recherche pour ne nommer que ces quelques formes. C'est à cette dernière que nous consacrerons ce chapitre, car cette technique de collecte de données est centrale dans une perspective *interprétative et constructiviste* de la recherche, point de vue que nous adopterons. Une telle posture épistémologique vise une compréhension riche d'un phénomène, ancrée dans le point de vue et le sens que les acteurs sociaux donnent à leur réalité. Une dynamique de coconstruction de sens s'établit donc entre les interlocuteurs : chercheur et participants, les uns apprenant des autres et stimule l'émergence d'un nouveau discours et d'une nouvelle compréhension, à propos du phénomène étudié.

Quoi de plus simple, croyons-nous, que de questionner des personnes à propos de leurs représentations, de leurs sentiments, de leurs expériences et de leurs expertises ! Mais est-ce si facile ? Est-ce si évident d'amener des personnes à partager leurs opinions, leurs émotions ? Quelles relations s'établissent entre un chercheur et un participant à la recherche ? Comment un chercheur peut-il mieux préparer l'entrevue et s'assurer que les données recueillies soient crédibles ? Comment soutenir ce processus de coconstruction de sens tout au long de l'entrevue ?

Le présent chapitre vise à explorer certaines des caractéristiques de l'entrevue semi-dirigée. Nous offrirons donc quelques réponses aux questions précédentes afin, nous l'espérons, d'aider le chercheur dans la pratique d'une telle collecte de données.

L'entrevue et l'entrevue semi-dirigée seront d'abord définies et une attention particulière sera accordée aux postulats de l'entrevue semi-dirigée ainsi qu'à ses buts. La relation sociale particulière sur laquelle repose et se dynamise l'entrevue semi-dirigée sera caractérisée en tenant compte notamment des types d'interlocuteurs impliqués. Les étapes de préparation seront ensuite décrites et des considérations à propos de sa conduite seront apportées. La question de la transcription des données en vue d'une analyse ultérieure sera évoquée et le chapitre se terminera par une brève discussion sur les forces et limites de cette stratégie de collecte de données.

 1 **L'ENTREVUE ET L'ENTREVUE SEMI-DIRIGÉE**

▓ 1.1. Quelques définitions

À quoi se réfère-t-on lorsqu'on utilise les expressions « entrevue » et « entrevue semi-dirigée » ? Plusieurs définitions ont cours dans la littérature. La plus fréquente est celle qui considère l'entrevue comme une interaction verbale, une conversation entre un interviewer, nommé ci-après « chercheur » et un interviewé[1]. Certaines de ces définitions traduisent une vision *béhavioriste* de la relation alors que le chercheur est vu comme celui qui émet un stimulus, en général sous la forme d'une question, à l'interviewé qui y réagit en retour par la production d'un nouveau

---

1. A. BLANCHET, « Interviewer », dans A. BLANCHET, R. GHIGLIONE, J. MASSONNAT et A. TROGNON, *Les techniques d'enquête en sciences sociales*, Paris, Dunod, 2000, p. 81-126 ; J.P. DAUNAIS, « L'entretien non directif », dans B. GAUTHIER, *Recherche sociale : De la problématique à la collecte de données*, Québec, Presses de l'Université du Québec, 1992 ; D.A. ERLANDSON *et al.*, *Doing Naturalistic Inquiry : A Guide to Methods*, Newbury Park, Sage, 1993 ; S. KVALE, *Interviews : An Introduction to Qualitative Research Interviewing*, Thousand Oaks, Sage, 1996 ; E.G. MISHLER, *Research Interviewing : Context and Narrative*, Cambridge, Harvard University Press, 1986 ; M.Q. PATTON, *Qualitative Evaluation and Research Methods*, Newbury Park, Sage, 1990.

stimulus[2]. D'autres définitions mettent plutôt l'accent sur l'aspect *construit* de l'entrevue alors que chercheur et participant construisent un « texte », une « narration » constitués d'histoires, empreintes des connotations personnelles, interpersonnelles, sociales et culturelles des individus en présence[3]. Kvale[4] propose d'ailleurs deux métaphores pour illustrer ces positions épistémologiques. Le chercheur est vu soit comme un mineur, soit comme un voyageur. Le savoir peut en effet être comparé à un trésor enfoui. Le rôle du chercheur sera d'en révéler la nature, la richesse, car ce savoir existe en soi. Cette image du mineur illustre la position béhavioriste. Dans la métaphore du voyageur, par contre, le chercheur s'engage dans une démarche d'exploration au cours de laquelle des conversations seront menées avec les personnes rencontrées. À son retour de voyage, le chercheur aura une ou des histoires à raconter, fruits des conversations qu'il aura eues et des influences auxquelles il aura été soumis pendant son séjour. Le savoir est ici vu comme une construction interpersonnelle, un produit de la rencontre des personnes engagées dans la relation. Prenant une perspective différente pour définir l'entrevue, Limerick *et al.*[5] la voient comme un cadeau en temps, en texte et en compréhension que l'interviewé offre au chercheur. Cette dernière définition suppose une relation de pouvoir entre le chercheur et l'interviewé car ce dernier possède un savoir que le chercheur tente de mieux comprendre. C'est toutefois le chercheur qui initie la démarche d'étude et qui applique un certain degré de contrôle (questions, structure, etc.) au cours de l'entrevue. Cet aspect sera approfondi plus loin dans le texte.

Nous opterons dans ce chapitre pour la perspective de l'entrevue considérée comme un échange verbal contribuant à la production d'un savoir socialement construit. Ainsi, nous proposons de considérer l'entrevue comme *une interaction verbale entre des personnes qui s'engagent volontairement dans pareille relation afin de partager un savoir d'expertise, et ce, pour mieux dégager conjointement une compréhension d'un phénomène d'intérêt pour les personnes en présence.*

Le savoir d'expertise est différent pour chacun des interlocuteurs : c'est celui du processus de recherche dans le cas du chercheur alors que c'est souvent le bagage d'expériences de vie pertinentes à l'objet de l'étude, dans le cas de l'interviewé. Cette définition implique également que chacune des parties en cause trouvent un intérêt particulier à contribuer

---

2. Labov et Faushel cités par Blanchet, *op. cit.* ; Patton, *op. cit.*
3. Erlandson *et al.*, *op. cit.* ; H.J. Rubin et I.S. Rubin, *Qualitative Interviewing : The Art of Hearing Data*, Thousand Oaks, Sage, 1995.
4. Kvale, *op. cit.*
5. B. Limerick *et al.*, « The Politics of Interviewing : Power Relations and Accepting the Gift », *International Journal of Qualitative Studies in Education*, vol. 9, n° 4, 1996, p. 449-460.

à cette construction de sens. On pense à la motivation de l'interviewé à communiquer son expérience et à réfléchir au sens de celle-ci, à son désir de partager ses savoirs, à sa curiosité de prendre part à une recherche, à son intérêt pour les résultats de la recherche et ses retombées éventuelles. De son côté, le chercheur poursuit la plupart du temps des buts professionnels ; il développe de nouvelles sensibilités et une compréhension nuancée et approfondie d'un phénomène étudié.

Il est possible de caractériser les entrevues de recherche selon le degré de préparation et de contrôle du chercheur, selon le nombre de personnes impliquées dans un même espace-temps ou selon les buts recherchés[6]. C'est l'entrevue semi-dirigée qui fera l'objet du propos de ce chapitre. En voici une définition de travail.

L'entrevue semi-dirigée consiste en une interaction verbale animée de façon souple par le chercheur. Celui-ci se laissera guider par le rythme et le contenu unique de l'échange dans le but d'aborder, sur un mode qui ressemble à celui de la conversation, les thèmes généraux qu'il souhaite explorer avec le participant à la recherche. Grâce à cette interaction, une compréhension riche du phénomène à l'étude sera construite conjointement avec l'interviewé.

Ce chapitre exclut conséquemment les formes d'entrevues très structurées où l'interaction verbale est produite dans les limites d'un questionnaire administré oralement. Il ne traitera pas non plus des entrevues téléphoniques ou des entrevues virtuelles par des forums de discussions ou tout autre type d'échange électronique, ni des formes très structurées d'entrevues de groupe : groupe nominal, groupes de discussion. Ce chapitre n'abordera pas non plus la question des entrevues non dirigées à l'intérieur desquelles le chercheur suggère un thème général et laisse l'interviewé libre de prendre l'orientation voulue pour en traiter. Ce genre d'entrevue est pratiqué notamment dans la constitution des récits de vie et dans ce que Fontana et Frey[7] nomment des entrevues créatives, c'est-à-dire qu'elles sont ouvertes. L'entrevue semi-dirigée se situe donc à mi-chemin entre l'entrevue dirigée (nommée aussi standardisée, structurée) et non dirigée (ou non structurée).

Les entrevues semi-dirigées reposent sur des postulats spécifiques par rapport au type de situation ou aux modes de production de savoir et elles poursuivent des buts distincts. C'est ce que nous verrons maintenant.

---

6. G. BOUTIN, *L'entretien de recherche qualitatif*, Québec, Presses de l'Université du Québec, 2000.

7. A. FONTANA et J.H. FREY, « Interviewing : The Art of Science », dans N.K. DENZIN et Y.S. LINCOLN, *Handbook of Qualitative Research*, Thousand Oaks, Sage, 1994, p. 361-376.

▨ 1.2. Les postulats de l'entrevue semi-dirigée

Plusieurs postulats sont sous-jacents au choix de l'entrevue semi-dirigée comme mode de collecte de données. Ces postulats sont traversés par des courants épistémologiques et philosophiques qui ont évolué au cours des dernières décennies. Ainsi la vigueur des paradigmes interprétatif et constructiviste a entraîné le recadrage de la notion même de l'entrevue semi-dirigée. Plusieurs auteurs la considèrent aujourd'hui comme étant un événement linguistique, qui s'insère dans un contexte normatif très dense et qui est teinté par les choix sémantiques et syntaxiques des interlocuteurs. Ils sont en outre révélateurs de la trame culturelle des individus en présence[8]. Mishler applaudit d'ailleurs ce passage du postulat de l'entrevue conceptualisée comme un événement typiquement béhavioriste où le couple question-réponse constituait une unité isolée, fragmentée, au postulat de l'entrevue envisagée comme une narration, *une unité de sens*, où les différentes sections doivent être considérées en relation les unes avec les autres pour finalement constituer une «histoire» cohérente, logique, unique.

Un deuxième postulat repose sur l'idée que *la perspective de l'autre a du sens*. Il est possible de la connaître et de la rendre explicite. Ce postulat n'est pas sans rappeler la théorie de l'interactionnisme symbolique qui voit l'être humain comme un organisme actif, c'est-à-dire qu'il peut s'engager dans une activité car il possède un «soi» qui lui permet de traiter l'information reçue de son environnement et d'y répondre: c'est le sens induit qui stimule l'action[9].

Un troisième postulat porte sur *la nature de la réalité*, image d'un monde en perpétuel changement: ce qui a été entendu au cours de l'entrevue dépend du moment où la question a été posée et de l'état d'esprit de l'interviewé. L'interaction verbale et sociale de l'entrevue est alors hautement situationnelle et conditionnelle[10], «toujours singulière et jamais reproductible[11]». Ce dernier postulat se greffe d'ailleurs au courant de la pensée postmoderne, caractérisée par son scepticisme à propos des «grandes» vérités et sa position critique face aux discours de légitimation des produits de la recherche[12]. Le postmodernisme accorde, entre autres, une attention soutenue aux perspectives et aux sentiments des participants

---

8. BLANCHET, *op. cit.*; KVALE, *op. cit.*; MISHLER, *op. cit.*

9. H. BLUMER, *Symbolic Interactionism. Perspective and Method*, Englewood Cliffs, Prentice-Hall, 1969.

10. RUBIN et RUBIN, *op. cit.*

11. BLANCHET, *op. cit.*, p. 88.

12. KVALE, *op. cit.*; J.F. GUBRIUM et J.A. HOLSTEIN (dir.), *Postmodern Interviewing*, Thousand Oaks, Sage, 2003.

à la recherche, sensibles à la relation particulière interviewer-interviewé. Ainsi, les caractéristiques mêmes des personnes en présence – le groupe d'âge, le sexe, l'ethnie, le statut perçu, etc. – seront des facteurs importants qui teinteront la relation interviewer-interviewé[13].

L'identification de ces trois postulats nous permettra de mieux circonscrire les buts poursuivis par l'entrevue semi-dirigée.

▉ 1.3. Les buts de l'entrevue semi-dirigée

Pourquoi choisir l'entrevue semi-dirigée parmi d'autres modes de collecte de données ? Avant tout, il conviendra de tenir compte des caractéristiques de la recherche poursuivie. Ainsi, *la thématique, l'objet et les finalités de l'étude* seront des facteurs à prendre en compte. Traite-t-on de sujets intimes, complexes ? Cherche-t-on à comprendre le sens que les individus donnent à une expérience particulière, à un phénomène donné ? Des réponses positives à ces questions justifieront le choix de l'entrevue semi-dirigée. Les caractéristiques des interlocuteurs constituent d'autres facteurs supportant ce choix. Par exemple, si l'objet d'étude touche l'expertise de personnes dont le rapport à l'écriture est problématique pour des raisons diverses (l'âge, le niveau d'instruction, la situation sociale, etc.), le chercheur se tournera vers un mode de collecte de données qui privilégiera le discours oral[14]. Un autre facteur à considérer dans le choix de l'entrevue semi-dirigée est lié à la conception qu'a le chercheur de son propre rôle. C'est grâce au contact étroit et à la qualité de la relation établie avec chacun des interviewés que le chercheur sera en mesure de développer une riche compréhension du phénomène.

L'entrevue semi-dirigée poursuit divers buts : l'explicitation, la compréhension, l'apprentissage et l'émancipation.

D'abord, l'entrevue semi-dirigée permet de *rendre explicite l'univers de l'autre*[15]. Un chercheur privilégiera ce type d'entrevue s'il souhaite entrer en contact direct et personnel avec un interlocuteur[16]. En effet, dans le cadre d'une pareille interaction humaine et sociale, le participant à la recherche est en mesure de décrire, de façon détaillée et nuancée, son expérience, son savoir, son expertise. Chercheur et interviewé agissent tour à tour sur

---

13. Fontana et Frey, *op. cit.*; D.M. Keats, *Interviewing: A Practical Guide for Students and Professionals*, Buckingham, Open University Press, 2000; Kvale, *op. cit.*
14. Keats, *op. cit.*
15. Voir entre autres les travaux de P. Vermesch (*L'entretien d'explicitation*, Issy-les-Moulineaux, ESF, 2003) qui décrivent les dynamiques de l'explicitation, sa séquence et son usage en recherche.
16. Daunais, *op. cit.*; Keats, *op. cit.*

l'orientation de l'interaction développée. La situation de l'entrevue permet de clarifier ce que l'autre pense et qui ne peut être observé : des sentiments, des pensées, des intentions, des motifs, des craintes, des espoirs ; elle rend aussi possible l'identification de liens entre des comportements antérieurs et le présent tout en donnant accès à des expériences de vie autrement réservées (participation à des associations, des cultes, des cérémonials réservés à des initiés par exemple)[17]. En somme, l'entrevue donne un accès privilégié à l'expérience humaine.

Deuxièmement, l'entrevue semi-dirigée vise *la compréhension du monde de l'autre*. Rappelant les ouvrages de Malinowski et de Spradley, Fontana et Frey[18] indiquent que l'entrevue donne accès à la compréhension de comportements complexes et à la trame culturelle sous-jacente aux actions. Ceci se fait sans imposer une catégorisation préalable qui limiterait de fait la compréhension du phénomène. Kvale[19] rappelle que l'entrevue permet de mettre en lumière les perspectives individuelles à propos d'un phénomène donné et ainsi enrichir la compréhension de cet objet d'étude. L'entrevue révèle finalement les tensions, les contradictions qui animent un individu à propos du phénomène étudié. La compréhension produite, le sens nouveau de l'expérience étudiée sont donc intimement rattachés au jeu de forces et de références traversant la vie des individus.

Troisièmement l'entrevue semi-dirigée permet *d'apprendre*, à propos du monde de l'autre, et aux interlocuteurs, *d'organiser, de structurer leur pensée*. Ils sont ainsi en mesure de produire un savoir en situation, une coconstruction grâce à l'interaction vécue. Les perspectives de l'un influencent la compréhension de l'autre qui formule à son tour une nouvelle explication et la propose à l'interlocuteur. Un réel échange s'engage entre les personnes : l'une tentant d'exprimer sa pensée, l'autre voulant mieux la comprendre.

Quatrièmement, ce type d'entrevue a une *fonction émancipatrice* car, selon Kvale[20], les questions abordées avec l'interviewé permettent d'approfondir certains thèmes. Elles enclenchent ainsi une réflexion et peuvent stimuler des prises de conscience et des transformations de la part des interlocuteurs en présence.

Dans cette section nous avons défini l'entrevue et l'entrevue semi-dirigée. Nous avons relevé les postulats sous-jacents au choix et à la conduite de l'entrevue semi-dirigée. Nous avons finalement décrit les buts attribués

---

17. PATTON, *op. cit.*
18. FONTANA et FREY, *op. cit.*
19. KVALE, *op. cit.*
20. KVALE, *op. cit.*

à ce mode de collecte de données. Voyons maintenant les caractéristiques de cette relation sociale en explorant le rôle des individus en présence ainsi que les habiletés et les compétences susceptibles de susciter et d'encourager cette relation particulière.

2 LA RELATION HUMAINE ET SOCIALE MISE EN PLACE LORS DE L'ENTREVUE SEMI-DIRIGÉE

L'entrevue semi-dirigée se déroule à l'intérieur d'une relation avant tout humaine et sociale. Les interlocuteurs sont toutefois placés dans une situation de communication qui dépasse la simple conversation. En effet, les thèmes des entretiens sont prédéterminés ; ils sont délimités selon une certaine structure et se produisent à l'intérieur d'un espace temps. Chacun parle à tour de rôle mais l'interviewé s'exprime davantage et plus longuement que le chercheur ; ce dernier manifeste aussi plus de curiosité que dans une situation de conversation « normale », encourageant la répétition, l'explication, la description détaillée[21].

La relation humaine et sociale de l'entrevue semi-dirigée sera traitée selon deux aspects : son aspect sociopolitique et son aspect technique.

L'aspect sociopolitique de l'entrevue semi-dirigée s'intéresse à la relation de pouvoir qui s'établit entre le chercheur et l'interviewé ainsi qu'à la négociation à propos du contrôle de cette relation. Au départ, le chercheur est légèrement avantagé car il est celui qui prend l'initiative de la relation. Il cherche aussi à mettre la personne en confiance afin qu'elle puisse s'exprimer aisément. Cependant, cette démarche de mise en confiance implique que le chercheur accorde du pouvoir aux participants à la recherche en leur laissant notamment le choix du lieu et du moment de la rencontre[22].

L'idée de relation de pouvoir sous-jacente à l'entrevue semi-dirigée est partagée par Mishler[23] qui qualifie la relation d'asymétrique. Le sens qu'il lui attribue prend toutefois une connotation plus constructiviste, l'objet de la relation de pouvoir s'incarnant dans la qualité du savoir construit par les interlocuteurs. L'augmentation du pouvoir de l'interviewé au cours de l'entrevue est liée à la volonté du chercheur de l'impliquer activement dans la construction de sens, but premier, selon lui, de la situation de l'entrevue.

21. J.P. SPRADLEY, *The Ethnographic Interview*, New York, Holt, Rinehart & Winston, 1979.
22. LIMERICK *et al.*, *op. cit*
23. MISHLER, *op. cit.*

Dans l'analyse de la nature de la relation sociale entre le chercheur et le participant à la recherche, il ne faut pas négliger les caractéristiques du groupe auquel l'interviewé appartient. Ainsi, des entrevues avec des enfants, des adolescents, des personnes âgées, des personnes ayant une déficience, des personnes provenant d'une culture différente de celle du chercheur, des personnes fragilisées (interviewer des femmes victimes de violence par exemple) ou marginalisées (interviewer des sans-abri) exigeront de la part du chercheur des précautions tant dans leur préparation que dans leur conduite[24].

La relation sociale particulière à l'entrevue semi-dirigée peut aussi être envisagée sous son aspect technique. En effet, pour Gorden[25] la situation de l'entrevue s'organise autour de trois pôles : l'interviewer-chercheur, l'interviewé, les questions. Pour Gorden, la réussite de l'entrevue dépendra de l'habileté du chercheur à prévoir les blocages éventuels de la communication. Celui-ci adoptera un comportement stratégique en ayant recours à des questions qui tenteront d'atténuer ces blocages. L'art de l'entrevue consistera donc à aider les participants à la recherche à vaincre leurs inhibitions et leurs craintes. Un bon interviewer-chercheur possédera un ensemble de savoir-faire et de savoir-être qui lui permettront de mettre les participants à l'aise et les disposeront à partager, le plus ouvertement possible, leur expérience unique.

Les rôles perçus pour chacun des interlocuteurs seront conséquemment intimement liés à l'idée que l'on se fait de la relation sociale établie dans le cours de l'entretien.

2.1. Les rôles des interlocuteurs

Si l'on voit l'entrevue comme une occasion de construire conjointement du sens, les interlocuteurs se verront comme des *collaborateurs*. Une participation et une collaboration entières se développeront alors entre les personnes, et ce, pour toutes les phases de l'étude. Une autre façon de concevoir les rôles fait appel à l'image du «*journaliste-informant*» dans le sens ethnographique du terme. Le *chercheur-journaliste* sera intéressé par les contextes personnels et culturels de l'*interlocuteur-informant*. C'est ce dernier qui enseignera sa culture, son savoir au chercheur. Une troisième façon de percevoir les rôles retient l'image du «*lobbyiste-acteur*». Le *chercheur-lobbyiste* sert les intérêts de l'*interviewé-acteur*. La vision sous-jacente à ce dernier type de rôles est celui d'un monde où les êtres humains

---

24. KEATS, *op. cit.*
25. R.L. GORDEN, *Interviewing : Strategy, Techniques and Tactics*, Homewood, Dorsey Press, 1980.

poursuivent des intérêts divergents. Le chercheur se fait le promoteur de quelques-unes de ces visions de la réalité car, par sa recherche, certaines perspectives sont mises en évidence et clarifiées au détriment de celles d'autres groupes dont les voix ne se font pas entendre[26].

Lorsque l'entrevue est vue sous un angle technique, le chercheur tiendra un rôle d'*expert*. Il saura manier l'art de l'entrevue dans la mesure où il pourra : obtenir des informations pertinentes, être sensible aux blocages de communication, savoir établir une relation interpersonnelle appropriée, savoir maintenir l'intérêt de l'interviewé à continuer de participer et à investir du temps et de l'énergie dans cet échange. Le rôle de l'interviewé sera celui d'un participant actif qui évolue dans ses réflexions avec le soutien du *chercheur-expert*[27].

Quel que soit le rôle retenu, diverses compétences sont préalables à la réussite d'une entrevue.

■ 2.2. Les compétences nécessaires pour réaliser une entrevue semi-dirigée

Les compétences répertoriées dans la littérature à propos de l'entrevue semi-dirigée peuvent être regroupées sous trois catégories : les compétences affectives, les compétences professionnelles et les compétences techniques.

Les *compétences affectives* correspondent aux habiletés du chercheur à établir une relation humaine satisfaisante pour les interlocuteurs : on parle de compréhension empathique, d'écoute active, de sensibilité, de respect de l'autre, de chaleur, de patience, d'authenticité, de simplicité, de capacité d'accueil[28].

Les *compétences professionnelles* désignent les habiletés du chercheur à structurer l'entrevue en lien avec la recherche en cours. Le chercheur planifiera alors l'entrevue en clarifiant ce qu'il désire savoir, en posant des questions appropriées, en fournissant de la rétroaction, en gérant bien le temps imparti. Il saura aussi guider l'interviewé dans la clarification de ses réflexions, il saura faire des liens, effectuer des transitions pendant le déroulement de l'entrevue. Il démontrera finalement des habiletés à prévoir les problèmes de communication, à adapter le rythme de l'entrevue en fonction des réponses de la personne[29].

---

26. MISHLER, *op. cit.*
27. GORDEN, *op. cit.*
28. DAUNAIS, *op. cit.*; KVALE, *op. cit.*
29. GORDEN, *op. cit.*; KVALE, *op. cit.*; PATTON, *op. cit.*

Les **compétences techniques** regroupent les habiletés de communication nécessaires pour que l'échange verbal soit le plus clair et le plus explicite possible. On pense alors aux techniques qui favorisent l'écoute, l'attention au langage non verbal, à la formulation des questions, aux techniques de sondes, de reformulation, de reflet, de rétroaction[30].

Un tel éventail de compétences complémentaires et interreliées mériterait un traitement plus approfondi. Cependant, l'espace étant limité, nous ne discuterons subséquemment que de certaines des compétences d'ordre professionnel et technique. Nous nous attarderons plus précisément à la notion de schéma d'entrevue, à sa structure ainsi qu'à la formulation de questions.

 3. LA PRÉPARATION DE L'ENTREVUE SEMI-DIRIGÉE

Comment préparer une entrevue semi-dirigée ? Trois types de considérations seront pris en compte : des considérations d'ordre conceptuel, d'ordre relationnel et d'ordre matériel.

■ 3.1. Considérations d'ordre conceptuel

La planification de l'entrevue de recherche s'effectue d'abord et avant tout à partir de la question de recherche. Le chercheur aura alors au moins deux préoccupations en tête : la planification d'un schéma d'entrevue et le choix de participants à la recherche susceptibles de posséder une expertise en lien avec l'objet d'étude.

Un schéma d'entrevue est un guide qui permet au chercheur de structurer l'entrevue autour des thèmes et des sous-thèmes centraux de sa recherche ; ceux-ci se traduisent en questions. La mise à plat des thèmes et des sous-thèmes découle de la structure théorique de la recherche.

 Ainsi, dans une étude sur la problématique de l'abandon scolaire (Savoie-Zajc et Lanaris[31]), le guide d'entrevue préparé pour chacun des six groupes d'acteurs (élèves, enseignants, membres de la direction, parents, décrocheurs, membres de la communauté) était structuré à

30. H. ARKSEY et P. KNIGHT, *Interviewing for Social Scientists*, Londres, Sage, 1999 ; S. BEAUD et F. WEBER, *Guide de l'enquête de terrain*, Paris, Éditions La Découverte, 1998 ; DAUNAIS, *op. cit.* ; GORDEN, *op. cit.*

31. L. SAVOIE-ZAJC et C. LANARIS, « Regards et réflexions d'une communauté face au problème de l'abandon scolaire : le cas d'une recherche dans une école secondaire de l'Outaouais », *Revue des sciences de l'éducation*, vol. XXXI, n° 2, 2005, p. 297-316.

partir du modèle de l'évaluation répondante (Guba et Lincoln[32]) dont les paramètres étaient : les problèmes (le est), les revendications (le devrait) et les enjeux (le comment et le pourquoi) perçus par les personnes touchées par la problématique de l'abandon scolaire. À partir de cette structure théorique, des thèmes principaux ont été dégagés et subdivisés en sous-thèmes. Le premier thème proposait à la personne de définir sa vision des buts de l'école et de prendre position sur la question de l'abandon scolaire. C'est le discours de chacun des acteurs sur la question de l'abandon scolaire et sur sa vision de l'école, selon son groupe d'appartenance, qui était recherché. Le deuxième thème visait à établir les revendications des personnes ; les sous-thèmes reliés exploraient les causes perçues comme menant à une telle situation et ce qui devrait être fait pour changer/améliorer la situation. Le troisième thème clarifiait les enjeux liés à l'abandon scolaire et jusqu'à quel point chaque individu se sent personnellement concerné par la situation. Les sous-thèmes amenaient chacun à se compromettre sur les mesures d'aide et d'appui qui pourraient être envisageables. Finalement, le dernier thème proposait aux participants de décrire l'école idéale et les mesures à prendre pour y parvenir.

Une deuxième considération d'ordre conceptuel concerne le choix des participants à la recherche. Qui ? Combien ? La recherche appartenant au paradigme interprétatif privilégie les échantillons de type intentionnel, non probabiliste. Les personnes sont choisies en fonction de leur expertise, pertinente par rapport à l'objet d'étude et parce qu'elles acceptent de verbaliser celle-ci. Le chercheur devra préalablement clarifier ses critères de choix des interlocuteurs afin de fixer les paramètres théoriques de son échantillon.

Par exemple, une étude sur les perceptions d'immigrants à propos de la culture du travail au Québec pourra retenir comme critère d'échantillonnage : le nombre d'années d'expérience de travail dans le pays d'accueil, le nombre d'emplois occupés dans le pays d'accueil, la diversité d'emplois occupés dans le pays d'accueil. Les critères sous-jacents à l'échantillonnage sont, bien sûr, liés au cadre conceptuel de l'étude et il est important de les clarifier car ils permettent de repérer des participants potentiels et de s'assurer qu'ils partagent certaines caractéristiques communes. Celles-ci fourniront un cadre contextuel général lors de l'interprétation des résultats.

---

32. E.G. Guba et Y.S. Lincoln, *Fourth Generation Evaluation*, Newbury Park, Sage, 1989.

Quelques auteurs se sont penchés sur cette épineuse question de l'échantillon dans une recherche de type interprétatif, notamment Cresswell[33], Lecompte et Preissle[34] et Pirès[35].

Outre l'attention portée aux caractéristiques des personnes, la question de leur nombre se pose aussi. Kvale (1996) avance le nombre de 10 à 15 personnes, ce chiffre faisant davantage référence à un ordre de grandeur habituel que l'on rencontre dans la pratique de ce genre de recherche qu'à un nombre établi en conclusion à une argumentation bien développée. Un critère souvent utilisé dans pareille forme de recherche est celui de la *saturation théorique*[36], c'est-à-dire que les nouvelles données issues d'entrevues additionnelles n'ajoutent plus à la compréhension que l'on a d'un phénomène. Il y a conséquemment contradiction entre l'identification *a priori* d'un nombre de participants à la recherche et le respect du critère de saturation. Le chercheur peut toutefois observer une règle intermédiaire : un nombre initial et la saturation théorique. Un nombre initial de participants est d'abord établi, lequel est modifié (augmentation, réduction) en cours de recherche, selon le degré de saturation atteint.

La conception d'un schéma d'entrevue et l'identification des critères d'échantillonnage sont préalables à la conduite d'une entrevue. Ensuite, il conviendra d'entrer en communication avec des personnes qui possèdent les caractéristiques recherchées afin de leur faire connaître les buts de la recherche et d'obtenir leur assentiment à y participer. C'est ce que nous appelons des considérations d'ordre relationnel.

▓ 3.2. Considérations d'ordre relationnel

Les contacts préliminaires avec un interlocuteur potentiel sont importants car ils permettent au chercheur de présenter non seulement la recherche et ses buts mais aussi de clarifier les raisons qui l'ont amené à le choisir comme participant éventuel à la recherche. Ces premiers contacts fournissent également l'occasion de communiquer les thèmes qui seront abordés

---

33. J.W. CRESSWELL, *Qualitative Inquiry and Research Design : Choosing Among Five Traditions*, Thousand Oaks, Sage, 1998.

34. M.D. LECOMPTE et J. PREISSLE, *Ethnography and Qualitative Design in Educational Research*, San Diego, Academic Press, 1993.

35. A. PIRÈS, « De quelques enjeux épistémologiques d'une méthodologie générale pour les sciences sociales », dans J. POUPART *et al.*, *La recherche qualitative : Enjeux épistémologiques et méthodologiques*, Boucherville, Gaëtan Morin Éditeur, 1997, p. 3-54.

36. B.G. GLASER et A.L. STRAUSS, *The Discovery of Grounded Theory*, New York, Aldine Publications, 1967 ; L. SAVOIE-ZAJC, « La saturation », dans A. MUCCHIELLI, *Dictionnaire des méthodes qualitatives en sciences humaines et sociales*, Paris, Armand Colin, 1996 ; L. SAVOIE-ZAJC, « La recherche qualitative/ interprétative », dans T. KARSENTI et L. SAVOIE-ZAJC, *La recherche en éducation : ses étapes, ses approches*, Sherbrooke, Éditions du CRP, 2004, p. 123-150.

en entrevue et de renseigner le chercheur sur l'existence d'une terminologie particulière pour traiter des sujets d'intérêt. Il sera ainsi possible d'adapter le niveau de vocabulaire utilisé dans le schéma d'entrevue. Les contacts préliminaires permettent enfin au chercheur d'obtenir des informations factuelles et contextuelles à propos du participant et de son milieu de vie et/ou de travail. Une fois l'assentiment obtenu, les interlocuteurs pourront s'entendre sur le moment, la durée et le lieu de l'entrevue semi-dirigée. Les deux personnes pourront aussi convenir, éventuellement, de l'envoi préalable du schéma d'entrevue. L'interviewé qui le souhaite aura alors la possibilité de mieux se préparer, en rassemblant ses idées, ses opinions, ses sentiments à propos de l'objet de l'entrevue.

▓ 3.3. Considérations d'ordre matériel

Les considérations d'ordre matériel ont trait aux aspects techniques, environnementaux et temporels qui devront être pris en compte lors de l'entrevue. Ces trois aspects sont intimement liés comme nous le verrons par la suite.

Les aspects techniques touchent à l'enregistrement des propos tenus lors de l'entrevue semi-dirigée. Il est nécessaire de se procurer un magnétophone fiable, des cassettes en nombre suffisant et un microphone. Le chercheur devra se familiariser avec l'usage de l'appareil en faisant des essais d'enregistrement préalable, se munir de cordes d'extension électrique ou vérifier l'état des batteries. Ces préoccupations techniques feront toute la différence entre un enregistrement clair et audible et un autre déficient ou tout simplement absent.

Les aspects environnementaux concernent d'abord le lieu de la rencontre. Est-ce un lieu calme, privé, bien aéré, suffisamment éclairé? Le chercheur laisse, lorsque c'est approprié, à l'interviewé le choix d'un endroit à sa convenance. Il faut toutefois retenir que ce n'est pas une bonne idée de planifier une entrevue dans un endroit ouvert, public, où un va-et-vient et des sources de dérangements multiples sont à prévoir. Un autre élément à prendre en considération est l'aménagement du lieu. Comment se positionneront les interlocuteurs: face à face, séparés par une table; en coin, le magnétophone entre les deux? Cette deuxième position est préférable: d'une part, il y a une proximité physique un peu plus grande entre les individus et, d'autre part, les personnes seront moins intimidées si la situation en face à face les gêne. La tenue vestimentaire et l'apparence générale du chercheur ont aussi leur importance: il serait aussi peu approprié de se présenter à une entrevue avec des adolescents, habillé de façon très formelle que de rencontrer des personnages haut placés en tenue sport. La sobriété vestimentaire est donc conseillée.

L'aspect temporel constitue un dernier élément à prendre en considération dans la préparation de l'entrevue semi-dirigée. Combien de temps durera l'entrevue? Il est bon de le prévoir afin d'en informer les personnes et de pouvoir disposer d'un temps de rencontre suffisant et compatible avec leur emploi du temps. En outre, la durée des entrevues variera selon l'âge et la condition physique et psychologique des interviewés. Il ne faut pas oublier que la situation de l'entrevue semi-dirigée requiert beaucoup de concentration de la part des interlocuteurs en présence. Il vaut mieux prévoir un certain nombre d'entrevues plutôt que de tenir des sessions trop longues où la qualité des données peut diminuer si la fatigue devient trop grande.

 ## 4 LA CONDUITE DE L'ENTREVUE SEMI-DIRIGÉE

Nous avons insisté jusqu'à maintenant sur le caractère humain, social et hautement interactif de l'entrevue semi-dirigée. Elle met en présence au moins deux interlocuteurs qui ne se connaissent généralement pas et qui ont accepté de se rencontrer. La relation est souvent dominée au départ par le chercheur qui guide l'entrevue avec des questions ouvertes. Une négociation subtile de pouvoir et de contrôle de l'entrevue peut toutefois s'établir ensuite entre les interlocuteurs. Le chercheur tente d'établir un climat propice pour stimuler la description riche de l'expérience de l'interviewé. C'est par son attitude d'écoute et de compréhension empathique et aussi par son habileté à poser des questions pertinentes qu'il réalisera une entrevue plus ou moins réussie.

La conduite de l'entrevue comporte trois moments: l'ouverture, l'entrevue proprement dite et la clôture.

4.1. L'ouverture

Avant de démarrer l'entrevue proprement dite, il est bon de prévoir une période d'ouverture à l'entrevue. Comment briser la glace, comment établir cette relation de confiance avec l'interviewé? Le chercheur peut souligner, dès le début, que l'information qu'il s'apprête à recueillir est importante et en expliquer sa valeur. Pareille préoccupation de rappeler les buts de l'entrevue constitue certainement une marque de respect pour la personne. Le chercheur assure ensuite l'interviewé de la confidentialité des propos et l'informe des mesures prises pour la garantir. Il s'enquiert également de l'expérience de la personne à participer à une entrevue et lui demande la permission d'être enregistré. Ces précautions témoignent du souci éthique du chercheur pour le bien-être et le confort de celui ou de celle qui a consenti à le recevoir, à lui donner de son temps et à lui communiquer son savoir. Quelques questions d'ordre général sont ensuite posées afin de mettre l'interviewé à l'aise. Les informations recueillies lors du contact préliminaire pourront aussi être utiles à la contextualisation des questions de l'entrevue proprement dite : type d'entreprise, structure de l'organisation, contexte familial et autres.

▓ 4.2. L'entrevue proprement dite

Le schéma d'entrevue préparé préalablement doit être vu comme un outil souple et flexible. C'est un aide-mémoire que le chercheur utilise afin de s'assurer que les thèmes prévus sont abordés. Les questions formulées vont s'y greffer et auront pour but d'aider l'interviewé à organiser son discours. Les formes de questions ainsi que leur emploi diversifié constituent les instruments par lesquels le chercheur pourra accéder à l'expérience de l'interlocuteur.

Les questions

La littérature est riche en typologies de questions d'entrevue. Nommons par exemple celles de Gorden, de Kvale, de Patton et de Spradley[37] pour n'en citer que quelques-unes. Au-delà des qualificatifs spécifiques que chacun attribue aux formes de questions, celles-ci possèdent des caractéristiques communes : elles sont ouvertes, courtes, neutres, pertinentes.

Nous avons rappelé plus tôt que l'entretien semi-dirigé permet à l'interviewé d'effectuer une description riche de son expérience. Il est en mesure de clarifier ses opinions, ses sentiments, ses croyances à propos d'un objet d'étude quelconque. Les questions devront donc être formulées de façon à permettre une telle expression. Les questions fermées où la réponse est un « oui/non » ou encore les questions dichotomiques « est-ce ceci ou cela » établissent un rythme à l'entrevue qui se rapproche plutôt de celui de l'interrogatoire que de celui de la conversation. Ce genre de questions devrait être évité. Les questions dites ouvertes sont, elles, susceptibles d'amener l'interviewé à décrire son expérience car elles lui fournissent un stimulus

---

37. GORDEN, *op. cit.* ; KVALE, *op. cit.* ; PATTON, *op. cit.* ; SPRADLEY, *op. cit.*

général pour démarrer l'échange. Une question du genre «Qu'est-ce qu'un retour aux études après une absence de dix ans signifie pour vous?» sera préférable à «Trouvez-vous difficile le retour aux études après une absence de 10 ans?».

Les questions posées devront aussi être courtes. Il est nécessaire de rappeler que l'interviewer écoute plus qu'il ne parle durant cette rencontre. Les questions seront, de plus, formulées de la façon la plus simple et la plus claire possible, en ne contenant qu'une idée. L'interviewé, il ne faut pas l'oublier, se trouve dans une situation où il doit organiser sa pensée. Il est aussi placé dans une situation de désirabilité sociale où il veut bien paraître. Il faut donc éviter de poser des questions d'un niveau de complexité tel qu'il a du mal à comprendre le sens de ce qui est demandé.

Les questions doivent être neutres. Le chercheur devra éviter de poser des questions qui reflètent son jugement ou ses opinions. La situation de l'entrevue semi-dirigée n'est pas un débat sur une question donnée mais bien une tentative de l'un d'en arriver à comprendre la perspective de l'autre. Le langage non verbal communique aussi un message approbateur ou réprobateur: des sourires, une intonation enthousiaste ou, dans le cas contraire, un hochement de tête, un froncement de sourcils, une intonation incrédule peuvent en dire autant que des mots du genre: «Ah oui! vous pensez cela!» Le chercheur devrait donc être attentif aux réactions spontanées en cours d'entrevue, provenant de l'un ou de l'autre des interlocuteurs.

Les questions doivent être pertinentes. Ainsi des questions de clarification de sens seront formulées tout comme des questions de vérification de la compréhension ou des reformulations. Ces techniques montrent à l'interviewé que le chercheur est attentif à son message et qu'il a un souci de bien comprendre ce qui est dit. C'est une marque de respect de plus pour cette personne qui accorde son temps et manifeste sa volonté de participer à une étude. Le chercheur devra aussi prévoir des transitions d'un thème à l'autre dans l'entrevue: faire une synthèse des propos tenus, en lien avec le thème discuté, et présenter le thème suivant. Cette stratégie a pour fonction d'indiquer à l'interviewé que ses propos ont de la valeur, qu'ils ajoutent à la compréhension poursuivie et qu'ils s'inscrivent dans une logique, une structure qui encadre le discours.

L'ordre des questions

L'ordre des questions est également important. Une entrevue devrait démarrer par des questions plus générales, de type descriptif, par exemple: «Comment se déroule une journée typique de travail dans cette usine?» La description d'expérience peut ainsi mener à des réflexions à propos des sentiments de la personne à l'égard de cet environnement, de son travail, ou de ses collègues de travail. Ainsi, les questions de clarification de sentiments sont introduites en prolongement aux questions de description d'expérience. Les sujets les plus intimes seront réservés pour le milieu de l'entrevue lorsque le rapport de confiance est établi et que l'interviewé a remis en mémoire un ensemble de facteurs lui permettant de faire des liens, des critiques, des synthèses au regard d'une expérience de vie ou de travail particulière. Les questions visant à obtenir des informations sociodémographiques, beaucoup plus factuelles, devraient être posées à la fin de l'entrevue quand l'un et l'autre des interlocuteurs ont largement puisé dans leur potentiel de concentration. L'arrangement chronologique des questions devrait aussi être considéré. L'accès au passé est facilité par la description riche d'un contexte actuel. De même, les projections dans le futur reposeront sur une description du présent et une remise en mémoire du passé.

La prise de notes

Même si l'interviewé a permis l'enregistrement des propos, il est conseillé au chercheur de prendre des notes pendant l'entrevue. Cela lui permet de retenir les idées importantes avancées, de noter des propos que l'on voudra clarifier, de mettre en évidence des éléments nouveaux de compréhension qui émergent. Toutes ces notes aideront aussi le chercheur à formuler des transitions d'un thème à l'autre pendant l'entrevue. Elles lui permettront de rester attentif et, en cas de pépins techniques, l'entrevue ne sera pas complètement perdue...

▓ 4.3. La clôture

L'entrevue arrivant à son terme, le chercheur envisagera une clôture. Comment terminer, sans brusquer, un entretien au cours duquel l'interviewé a livré ses pensées, ses opinions parfois les plus intimes. Il est donc approprié pour le chercheur de susciter les réactions de la personne, de voir où elle en est dans ses réflexions ainsi que de vérifier le niveau émotif atteint au cours de l'entrevue, selon les thèmes abordés. Le chercheur rappellera les éléments importants qui ont été discutés et pourra proposer une suite, un suivi à cette entrevue si cela s'avère nécessaire ou si cela a été convenu à l'avance. Il remerciera finalement la personne pour sa peine et sa confiance et l'informera des suites de l'étude en cours et de son échéancier.

■ 4.4. Synthèse

En guise de synthèse, il est possible de formuler quatre attributs, gages d'une « bonne » entrevue semi-dirigée. Elle est d'abord *ciblée*, car elle est centrée sur une thématique précise autour de laquelle l'échange verbal est orienté. Elle est ensuite *fouillée* ; comme c'est une dynamique de coconstruction de sens qui prévaut, le chercheur doit être en mesure de dépasser les questions déjà formulées au schéma d'entrevue et de vérifier, auprès de l'interviewé, si la compréhension émergente des expériences partagées est adéquate. Elle est aussi *liée* : les thèmes s'enchaînent les uns avec les autres, c'est un échange qui se fait en continu et le chercheur est capable de faire des liens avec des propos communiqués au début de l'entrevue, de les rappeler, de les offrir de nouveau à l'interviewé pour qu'il les commente davantage à la lumière de la réflexion qui se fait dans l'ici et maintenant de l'échange verbal. Elle est finalement *diversifiée* : les questions posées sont variées et permettent à l'interviewé de considérer les divers volets de l'expérience qu'il a accepté de partager dans le cadre de la recherche.

5 La transcription des données en vue de leur analyse

L'entrevue semi-dirigée génère des données de formes verbale et non verbale. Il est nécessaire, une fois celle-ci terminée, de revoir le plus rapidement possible les notes prises en cours d'entrevue et de consigner les réflexions suscitées : l'attitude de l'interviewé, le niveau de confiance perçue, les prises de conscience et les apprentissages réalisés en cours d'entrevue. Il faut aussi penser à la transcription des données enregistrées.

Idéalement, le chercheur effectuera une transcription « verbatim » de l'entrevue (mot à mot). Cette méthode est préférée car le chercheur rassemble tout le matériel verbal sans faire aucun tri. Les données pourront ensuite être analysées plus finement car l'information transcrite ressemble le plus à l'entrevue. La transcription littérale est cependant très fastidieuse. Il est nécessaire de prévoir de cinq à sept heures de transcription pour une heure d'enregistrement. De plus, le texte transcrit n'est pas l'entrevue. Que faire des messages non verbaux tels que l'intonation, le débit de parole, l'attitude générale, le mouvement des mains, la posture du corps, pour n'en nommer que quelques-uns et qui sont aussi porteurs de message ? Les notes du chercheur prises en cours d'entrevue et complétées immédiatement après vont pallier l'absence de ce « texte » dans la transcription[38]. Il ne faut toutefois pas oublier que les transcriptions reflètent des conversations décontextualisées[39]. Selon ces auteurs, il n'est pas possible d'effectuer une transcription exacte, car le passage du langage oral au langage écrit constitue une barrière importante qui ne peut qu'être imparfaitement surmontée grâce à l'ajout du plus grand nombre de notes de contexte possible.

Le chercheur peut aussi opter pour une transcription partielle lors de laquelle il va épurer le texte des redondances, éliminer les digressions ou les parties qui n'ont pas de rattachement évident avec la recherche. Ce texte sera ensuite organisé pour constituer un récit qui sera analysé selon sa structure et/ou ses thématiques. Le chercheur peut difficilement confier une pareille tâche de transcription partielle à une autre personne. C'est lui seul qui pourra décider du matériel à trier, choix qui affectera directement la qualité et la finesse de l'analyse subséquente.

 ## **6** LES FORCES ET LES LIMITES DE L'ENTREVUE SEMI-DIRIGÉE

Il est nécessaire de ventiler, avant de clore ce chapitre, les forces et les limites de l'entrevue semi-dirigée. L'une de ses forces principales est qu'elle donne un accès direct à l'expérience des individus. Les données produites sont riches en détails et en descriptions. Le sens de l'entrevue est de plus négocié entre les interlocuteurs alors que le chercheur tente de bien comprendre la perspective de l'autre grâce à la relation interpersonnelle établie. Le chercheur est aussi en mesure d'adapter son schéma d'entrevue pendant son déroulement afin de tenir compte du discours de l'interviewé et de bien comprendre sa perspective au regard du phénomène à l'étude.

L'entrevue semi-dirigée comporte aussi des limites. La première touche au statut épistémologique des données recueillies et, par extension, du savoir produit. Comme le rappelle Blanchet[40], l'entrevue prend place dans un espace-temps spécifique alors que chercheur et interviewé sont dans leur « ici et maintenant » comme individus et comme dyade, cette dernière étant limitée dans le temps et dans ses objectifs. Le chercheur doit alors considérer les propos que la personne tient comme une manifestation unique et irrévocable. Autrement dit, l'expérience de la personne dépasse largement son discours sur celle-ci. Il faut donc se garder de réifier les idées et de camper

---

38. Voir à ce sujet le chapitre 16 portant sur l'analyse de contenu.
39. KVALE, *op. cit.* ; MISHLER, *op. cit.*
40. BLANCHET, *op. cit.*

de façon définitive l'interlocuteur dans le portrait qu'il a donné de sa réalité au cours de l'entrevue. L'intérêt de recourir aux diverses formes de triangulation comme nous le verrons plus loin est donc grand. En corollaire avec l'idée précédente se pose la question de l'appréciation de la crédibilité des informations divulguées lors des entretiens. L'interviewé peut être mû par un désir de rendre service ou d'être bien vu par le chercheur, limitant ainsi la crédibilité des messages communiqués. Il peut aussi exister des blocages de communication ou des sujets tabous pour les personnes, faisant en sorte que le chercheur ne réussit pas à engager un véritable dialogue avec celles-ci. Une autre limite concerne l'attitude de calcul du chercheur qui souhaite établir un rapport de confiance avec l'interviewé afin d'arriver à ses fins, c'est-à-dire mener l'entrevue comme planifiée. Cette façon de faire est perçue comme un problème éthique alors que le chercheur feint des comportements dans une logique dite « d'accommodation[41] ».

Le constat de ces quelques forces et limites à l'entrevue semi-dirigée nous conduit à nous questionner en terminant sur sa rigueur comme mode de collecte de données.

 7 ET LA RIGUEUR...

Organiser une recherche en choisissant l'entrevue semi-dirigée comme mode de collecte de données indique une intention claire de la part du chercheur de se situer dans un paradigme de recherche qui privilégie le sens donné à l'expérience. On y voit le monde comme étant constitué de réalités que chacun des acteurs construit à partir des interactions établies avec ses semblables. Des critères de validation propres à ce genre de recherche sont d'ailleurs disponibles dans la littérature[42]. Nous ne rappellerons brièvement que deux d'entre eux : la crédibilité et la transférabilité[43].

---

41. J.M. JOHNSON, *Doing Field Research*, New York, The Free Press, 1978.
42. L. SAVOIE-ZAJC, « Validation des méthodes qualitatives », dans A. MUCCHIELLI, *Dictionnaire des méthodes qualitatives en sciences humaines et sociales*, Paris, Armand Colin, 1996 ; L. SAVOIE-ZAJC, *La recherche qualitative/interprétative*, dans T. KARSENTI et L. SAVOIE-ZAJC, *La recherche en éducation : ses étapes, ses approches*, Sherbrooke, Éditions du CRP, 2004, p. 123-150.
43. Y.S. LINCOLN et E.G. GUBA, *Naturalistic Inquiry*, Beverly Hills, Sage, 1985 ; L. SAVOIE-ZAJC, *Les critères de rigueur de la recherche qualitative*, Rouyn, Actes du colloque de la SORÉAT, 1990, p. 49-66 ; L. SAVOIE-ZAJC, « Acceptation interne », dans A. MUCCHIELLI, *Dictionnaire des méthodes qualitatives en sciences humaines et sociales*, Paris, Armand Colin, 1996 ; SAVOIE-ZAJC, 2000, *op. cit.*

La crédibilité du savoir produit est fonction des tentatives d'objectivation des éléments de compréhension que le chercheur construit petit à petit, au cours de sa recherche. C'est, entre autres, par cette négociation de sens subtile qui s'établit entre le chercheur et les personnes interviewées qu'une telle compréhension riche et crédible prend forme. Pareille négociation se poursuivra lors de l'analyse et l'interprétation des données d'entrevue, le chercheur enrichissant sa compréhension par, notamment, la confrontation à d'autres sources de données. Nommées techniques de triangulation, ces stratégies de recherche aideront le chercheur à dégager un savoir crédible des données recueillies[44]. La question sous-jacente à l'établissement de la crédibilité du savoir produit sera la suivante : est-ce que cette construction de sens est plausible considérant l'expérience et la connaissance que j'ai de ce phénomène, la question s'adressant aussi bien aux perspectives du participant à la recherche qu'à celles du chercheur ?

La qualité du savoir produit s'évalue aussi à sa transférabilité, c'est-à-dire : en quoi est-ce que ce savoir produit auprès de cet échantillon de personnes peut-il aider à comprendre la dynamique d'une autre situation qui possède des caractéristiques similaires ? La question porte alors sur les transferts possibles qui peuvent être faits d'un endroit à l'autre, d'un contexte à l'autre. Cette question ne peut toutefois trouver réponse que chez l'utilisateur de la recherche. L'effort de transférabilité appartient en effet à la personne qui veut mieux comprendre et intervenir dans son propre environnement. Le chercheur devra toutefois fournir le plus d'informations contextuelles concernant, entre autres, les caractéristiques des participants à la recherche et celles de leurs environnements de vie, de travail spécifiques.

En terminant, nous souhaitons réaffirmer que l'entrevue semi-dirigée constitue un mode de collecte de données exigeant mais enrichissant pour les personnes qui y prennent part. Bien menée, elle devrait constituer une expérience d'apprentissage stimulante autant pour le chercheur que pour le participant à la recherche.

---

44. N.K. DENZIN, *The Research Act : A Theoretical Introduction to Sociological Methods*, New York, McGraw-Hill, 1978 ; L. SAVOIE-ZAJC, « La triangulation », dans A. MUCCHIELLI, *Dictionnaire des méthodes qualitatives en sciences humaines et sociales*, Paris, Armand Colin, 1996 ; L. SAVOIE-ZAJC, *La recherche qualitative/interprétative*, dans T. KARSENTI et L. SAVOIE-ZAJC, *La recherche en éducation : ses étapes, ses approches*, Sherbrooke, Éditions du CRP, 2004, p. 123-150.

BIBLIOGRAPHIE ANNOTÉE

BLANCHET, A. « Interviewer », dans A. BLANCHET, R. GHIGLIONE, J. MASSONNAT et A. TROGNON, *Les techniques d'enquête en sciences sociales*, Paris, Dunod, 2000, p. 81-126.

Blanchet développe une position critique par rapport au statut épistémologique des données de l'entrevue et met en doute sa rigueur scientifique. Il fait la revue des principaux arguments pour et contre la valeur de l'entrevue en recherche et il propose des façons de faire, notamment au plan de l'analyse, pour contrer les faiblesses.

GORDEN, R.L., *Interviewing: Strategy, Techniques and Tactics*, Homewood, Dorsey Press, 1980, 554 pages.

Manuel très complet sur les techniques de l'entrevue. L'auteur fait une revue des blocages à la communication et offre au lecteur des stratégies pour les surmonter. Les exemples sont nombreux et l'ouvrage se lit bien. Il s'agit d'un bon ouvrage de référence, fruit d'une époque où l'entrevue était davantage considérée comme un ensemble de savoir-faire que comme une expérience de construction de sens. Cela demeure un texte de base important dans la mesure où le savoir-faire introduit est toujours approprié.

KEATS, D.M., *Interviewing: A Practical Guide for Students and Professionals*, Buckingham, Open University Press, 2000.

Bien que non centré sur l'entrevue de recherche, ce livre offre des suggestions fort pertinentes dans le cas d'entrevues auprès de groupes aux caractéristiques spécifiques. Il s'intéresse notamment aux entrevues menées auprès d'enfants, d'adolescents, de personnes âgées, de personnes avec des déficiences, de personnes de cultures différentes, de populations fragilisées et marginalisées.

KVALE, S., *Interviews: An Introduction to Qualitative Research Interviewing*, Thousand Oaks, Sage, 1996, 325 pages.

L'auteur greffe l'entrevue aux courants épistémologiques contemporains et en clarifie les répercussions sur la planification de la recherche, la conduite d'entrevue et l'analyse subséquente des données. Cet ouvrage fournit beaucoup plus que des conseils sur la façon de mener des entrevues mais il reprend l'ensemble des étapes de planification d'une recherche qui intégrerait l'entrevue comme mode de collecte de données. Des tableaux synthèses fort utiles complètent les chapitres.

MISHLER, E.G., *Research Interviewing: Context and Narrative*, Cambridge, Harvard University Press, 1986, 189 pages.

Précurseur du courant qui voit plus dans l'entrevue qu'une description de comportement et un ensemble d'habiletés pour l'interviewer, Mishler a attiré l'attention sur les autres facettes de l'entrevue. Il la situe entre autres comme un événement linguistique. Il développe une argumentation étoffée pour amener les chercheurs à voir l'entrevue comme un récit autonome, chacune constituant une histoire à elle seule dont le sens se construit avec la collaboration du chercheur et de l'interviewé. Il fait aussi la revue des formes d'analyse structurale du texte.

PATTON, M.Q., *Qualitative Evaluation and Research Methods*, Newbury Park, Sage, 1990, 530 pages.

L'ensemble de l'ouvrage de Patton est très bien documenté, enrichi de nombreux exemples et de quelques illustrations. Il s'agit d'un bon texte pour qui s'intéresse à l'évaluation qualitative. Les pages à propos de l'entrevue sont à l'image de l'ouvrage, écrites dans un style direct, clair, dans lesquelles le lecteur trouve des conseils et des façons de faire appropriées.

SPRADLEY, J.P., *The Ethnographic Interview*, New York, Holt, Rinehart & Winston, 1979, 247 pages.

Un classique dans son genre, où Spradley décrit son approche très personnelle qui consiste à mener une recherche ethnographique basée sur la tenue d'entrevues. On comprend la culture de l'informant en prêtant attention aux mots qu'il utilise. Le langage est la fenêtre qui nous permet d'accéder à l'univers culturel de l'autre. L'approche originale développée et la quantité d'exemples tirés des recherches de l'auteur en font un livre captivant.

L'APPROCHE BIOGRAPHIQUE

Danielle DESMARAIS

Pour que l'événement le plus banal devienne une aventure,
il faut et il suffit qu'on se mette à le raconter.

Jean-Paul SARTRE

L'approche biographique constitue une approche autonome de recherche participant d'une méthodologie propre aux sciences humaines et sociales. Son développement a pour origine l'utilisation du récit de vie en tant que technique de collecte de données créée par les anthropologues sur le terrain. L'approche biographique véhicule certains des grands enjeux des sciences humaines et sociales. Le premier apparaît d'emblée : les récits de vie mettent en rapport dialectique le sujet-acteur (qui se raconte) avec le ou les collectifs auxquels il appartient. Un deuxième enjeu a surgi plus récemment : les récits de vie donnent la parole aux sujets-acteurs eux-mêmes et, dans la mesure où ces derniers se l'approprient, la démarche liée à la narration de soi a un effet émancipateur, en particulier lorsque la démarche est liée à une visée de mise en forme de soi (formation).

Dans ce qui suit, nous présenterons quelques facettes de l'approche biographique. Au plan épistémologique, nous introduirons les deux para-digmes dans lesquels il nous semble judicieux d'inscrire la production de connaissances par l'approche biographique : l'herméneutique et la dialec-tique. Nous verrons par la suite comment l'approche biographique nous permet de poser un regard nouveau sur la réalité sociale ; nous verrons de

plus sa polyvalence au regard des finalités de la recherche. Nous présenterons ensuite quelques aspects liés aux différentes étapes du processus
de recherche, notamment la production du récit, à l'oral ou à l'écrit, ainsi
que des considérations sur l'analyse du matériau (auto)biographique.
Mais, auparavant, nous retracerons brièvement le développement de cette
approche à partir du récit de vie.

1 BREF HISTORIQUE DU DÉVELOPPEMENT D'UNE APPROCHE BIOGRAPHIQUE À PARTIR DU RÉCIT DE VIE

Traiter de l'historique de l'approche biographique s'avère une tâche gigantesque non seulement parce qu'on peut retracer l'utilisation des récits de
vie en sciences humaines et sociales sur plus de cent ans, mais aussi parce
que, dans la période actuelle, l'approche biographique est utilisée dans
plusieurs disciplines des sciences humaines et sociales. On parle même de
mode. Les publications de vulgarisation scientifique et autres publications
grand public qui foisonnent depuis quelques années en témoignent. Leurs
auteurs utilisent le pouvoir expressif des récits de vie pour illustrer divers
phénomènes sociaux.

Plusieurs auteurs ont établi un rapport entre la popularité de l'approche biographique et la réalité sociale et idéologique dans laquelle elle
s'insère. D'une part, l'industrialisation croissante des sociétés occidentales et l'individualisation qui en découle encouragent les chercheurs des
sciences humaines à adopter des méthodes de recherche qui s'appuient
sur les sujets individuels. D'autre part, il existe une tendance mondiale des
sciences humaines et sociales à l'occidentalisation – et, conséquemment,
à l'affirmation ou à l'émergence du sujet individuel. Le récit de vie agit
ainsi comme une technique de renforcement de l'idéologie du sujet selon
laquelle chaque être humain est unique, irremplaçable.

Pour retracer, quoique brièvement, le développement de l'approche
biographique, nous suivrons le fil conducteur de ses principales *finalités* : la
production de connaissance, l'intervention ou la formation. Nous mettrons
de plus en relief deux principaux *types de sujets-acteurs* protagonistes d'une
approche biographique : d'une part, les personnes qui se racontent, regroupées selon trois catégories (les sujets-acteurs individuels, les petits groupes
et les collectivités) et, d'autre part, les récipiendaires ou interlocuteurs que
sont les chercheurs, formateurs et intervenants travaillant avec les récits de
vie. Enfin, en nous appuyant sur les caractéristiques du matériau propre au
récit de vie, nous adopterons *un point de vue multidisciplinaire.*

Nous pouvons distinguer trois grandes périodes dans l'utilisation des récits de vie en sciences humaines et sociales : les *débuts de la recherche empirique*, la *phase psychoculturelle*, qui s'étend sur les décennies 1930 et 1940 et se formalise surtout autour de l'école Culture et personnalité, et, enfin, la *période actuelle*, qui débute avec la décennie 1970 et est surtout marquée par des interrogations de type théorique et épistémologique. Nous nous attarderons sur la période actuelle, car c'est durant cette période qu'apparaissent les pratiques québécoises des récits de vie. À ce propos, si l'on peut dire avec Pineau et Le Grand que l'autobiographie remonte aux sources mêmes de la civilisation occidentale, dans l'Antiquité grecque, les deux autobiographies écrites par une fondatrice de la Nouvelle-France constituent d'emblée un précédent historique pour le Québec. Marie Guyart dite de l'Incarnation, née en 1599, rédige une première autobiographie chez les Ursulines de Tours. Arrivée en Nouvelle-France en 1639, elle fonde les Ursulines de Québec et, à la demande de son fils, elle rédige une deuxième autobiographie en 1654, vers l'âge de 55 ans.

Durant la *première période*, on utilise d'abord les récits de vie pour éclairer la vie collective. Dès le début du XXe siècle, les anthropologues ont utilisé le récit de vie en tant que technique privilégiée de collecte de données sur le terrain tout en y adjoignant d'autres types d'informations. Les témoignages personnels se fondaient dans l'ensemble des catégories culturelles de la monographie classique qui ne comportait jamais de références à des personnes en particulier. Par contre, on utilisait déjà largement leur pouvoir d'illustration des situations sociales. Mais c'est durant cette période qu'on voit apparaître une nouvelle utilisation du récit de vie en tant qu'outil principal d'information sur une culture, sous la plume de l'anthropologue Radin.

Cette initiative est précédée en sociologie par l'école de Chicago naissante qui inscrira d'emblée son utilisation de l'approche biographique dans la dialectique de la singularité et de l'universalité, avec la publication du célèbre ouvrage *The Polish Peasant in Europe and America*, une œuvre gigantesque de 2000 pages, dont le premier tome paraît en 1918, sous la plume conjointe de W.I. Thomas et de Florian Znaniecki.

Avec l'école Culture et personnalité, qui s'est développée durant les décennies 1930 et 1940, commence la *deuxième phase* de développement de l'approche biographique. Cette période a eu un impact significatif sur la conception et l'utilisation des récits de vie. Les anthropologues culturels qui se sont associés à cette école ont introduit une perspective et certains concepts psychologiques, dont le concept de personnalité et la dimension affective. Ces nouveaux concepts ont été appréhendés en tant qu'outils d'adaptation de l'individu à son environnement, tant physique que social, dans l'ensemble du cycle de vie. Pour la première fois, un chercheur, Simmons, s'interroge sur sa relation avec l'informateur. C'est aussi durant cette période qu'un autre anthropologue, Kardiner, souligne l'importance de la collecte, pour des fins de comparaison, de nombreux récits de vie, à l'intérieur d'une même culture et entre cultures différentes.

Enfin, c'est durant cette période, et ce, à travers tout le champ des sciences humaines et sociales, que pointe une préoccupation pour l'élaboration d'une méthodologie scientifique et notamment pour la portée scientifique des matériaux subjectifs qu'on appelait à l'époque «les documents personnels». L'évaluation que l'on y fait des récits de vie (entre autres) est portée par un vent de néopositivisme. Ainsi, les anthropologues et leurs pairs confondent scientificité et méthodes quantitatives, sans s'interroger sur la spécificité des sciences humaines par rapport aux sciences de la nature et aux sciences pures. Ils sont restés insensibles aux philosophes qui, notamment en Allemagne, avaient déjà commencé depuis longtemps[1] une réflexion épistémologique sur les sciences humaines et leurs méthodes propres.

L'histoire du développement de l'approche biographique en sciences humaines et sociales connaît une éclipse durant les années 1950 et 1960, l'âge d'or de la sociologie néopositiviste! Or, durant cette même période, un anthropologue, Oscar Lewis, a travaillé sur le terrain avec les récits de vie. En 1961, il publie *The Children of Sanchez*, une œuvre unique en son genre. L'œuvre est écrite à la première personne du singulier. Sous la plume du chercheur qui a reconstruit les propos, chaque membre de la famille retrace la vie familiale à travers sa propre histoire; ainsi, un même événement peut être raconté différemment par le père et l'un ou l'autre de ses quatre enfants.

Dans une introduction à cet ouvrage, Margaret Mead, qui considère cet ouvrage comme un chef-d'œuvre, énumère les aspects originaux de l'œuvre de Lewis: sa mise au point d'une méthode qui permet de comprendre la culture à travers les yeux de ses membres; sa sensibilité aux difficultés vécues par le peuple mexicain; sa préoccupation pour la pauvreté que l'industrialisation répand partout dans le monde; et, enfin, sa magnifique écriture évocatrice[2] (Mead, 1959, p. VII). «Les instruments les plus efficaces

---

1. Dilthey, pour ne citer que lui, avait déjà publié en 1910 une œuvre où il interrogeait les prémisses épistémologiques de la méthode biographique, affirmant entre autres que cette dernière constituait la méthode la plus adéquate aux sciences humaines et sociales ainsi qu'à leur objet. Nous devons cependant préciser que cette œuvre écrite en allemand ne fut traduite que beaucoup plus tard.
2. La traduction est de l'auteure. Voir M. MEAD, «Introduction», *Five Families. Mexican Case Studies in the Culture of Poverty*, New York, Basic Books, 1959.

de l'anthropologue sont la sympathie et la compassion envers les gens qu'il étudie», affirme Lewis[3]. Bref, pour Lewis, la compréhension de la vie dans les bidonvilles de Mexico passe par une connaissance approfondie de ses individus considérés dans toute leur singularité qui, du point de vue méthodologique, s'est concrétisée par une longue et patiente observation participante de la famille Sanchez, en plus des centaines d'heures consacrées aux entretiens biographiques.

La période actuelle. Les événements de Mai 68 en France et tous les mouvements américains de contestation de l'ordre établi ont paradoxalement ranimé l'intérêt des chercheurs pour les méthodes qualitatives et, partant, pour l'approche biographique. Influencés par l'herméneutique et la phénoménologie entre autres, les praticiens du récit de vie formulent un certain nombre de questions d'ordre épistémologique et méthodologique : *l'explication* versus *la compréhension*, *l'individu* versus *le collectif*, *l'informateur* versus *le chercheur*[4]. On verra encore une fois poindre toute une série de nouveaux concepts reliés à l'expérience individuelle et à la subjectivité. Les chercheurs qui utilisent l'approche biographique dans cette période ont mis de l'avant l'importance de la réflexivité chez le chercheur, c'est-à-dire l'explicitation de ses prémisses épistémologiques, de sa vision du monde, car elles participent à l'analyse et à l'interprétation du récit de vie.

Au début des années 1970, le monde scientifique québécois connaît quelques initiatives d'importance dans le développement de l'approche biographique. À l'Université Laval, une équipe de sociologues, sous la coordination de Fernand Dumont, créateur de l'Institut supérieur des sciences humaines, utilise les récits de vie de manière soutenue et systématique pour établir les mutations culturelles qui marquent le passage de la société québécoise traditionnelle à une société moderne. L'entreprise a consisté dans la formation – par mode de concours populaire – d'un corpus de récits de vie de vieilles personnes qui racontaient leurs souvenirs personnels[5]. À l'Université du Québec à Rimouski, une équipe de chercheurs et d'intervenants en développement régional, coordonnée par le chercheur français Henri Desroche[6], entreprend une démarche autobiographique dans une

---

3. O. LEWIS, *Les enfants de Sanchez. Autobiographie d'une famille mexicaine* (1961, 1re éd. en anglais), Paris, Gallimard, 683 p., 1963.
4. À titre d'exemple, l'anthropologue Crapanzano a publié en 1980 le récit d'un travailleur marocain, *Tuhami*, où il affirme que c'est en analysant la dynamique de la *rencontre ethnographique* entre le chercheur et l'informateur que le chercheur peut rendre compte de la culture du groupe qu'il étudie.
5. G. LACHANCE, *Mémoire d'une époque. Un fonds d'archives orales au Québec*, Québec, Institut québécois de recherche sur la culture, 1987.
6. On peut sans aucun doute considérer le chercheur français Henri Desroche comme un pionnier des histoires de vie collective. Ce dernier a été le fondateur du Collège coopératif à Paris et s'est engagé dans l'éducation populaire et le

perspective de recherche-action-formation. Enfin, de son côté, un chercheur de Montréal[7] ouvre un nouveau chantier d'utilisation de l'autobiographie pour explorer les processus d'autoformation. Dans cette foulée, plusieurs chercheurs et formateurs d'adultes développeront à leur tour des initiatives dans l'utilisation de l'autobiographie à des fins éducatives, notamment pour la reconnaissance des acquis de l'expérience.

La décennie 1990 est marquée par une augmentation du nombre de recherches sociales réalisées avec l'approche biographique et par un foisonnement de pratiques au carrefour de la recherche, de la formation et de l'intervention. En 1994, des universitaires et des formateurs d'adultes intéressés à l'articulation des multiples visées de l'approche biographique organisent un premier symposium qui donnera lieu à la création du Réseau québécois pour la pratique des histoires de vie[8]. Ce nouvel espace d'échange tant des pratiques de recherche que d'intervention se structure à partir d'un intérêt partagé pour l'*auto-* et la *coformation* par l'*autobiographie*. Cette approche de «recherche-action-formation» s'inspire du travail de pionniers réalisé en Europe francophone par les Pineau, Dominicé et de Villers notamment.

L'approche biographique collective connaît un développement dans les années 1990 notamment dans le mouvement de résistance des habitants d'un village du Bas-Saint-Laurent et animée par deux sociologues de l'UQAR[9]. Construire une histoire de vie collective amène parfois à confronter l'Histoire officielle, à réaliser des «actes de résistance face à des dominations culturelles et idéologiques[10]». Par ailleurs, une initiative fort originale de croisement des paroles d'universitaires et d'un organisme communautaire voué aux personnes très défavorisées, ATD-Quart-Monde, a pris appui sur l'approche biographique collective pour produire des connaissances à partir du dialogue de ces deux types d'acteurs sociaux réunis

---

développement local, notamment en Afrique, par le biais de la recherche-action et des histoires de vie. Henri Desroche (1914-1994) était sociologue, philosophe et théologien.

7. Voir G. PINEAU, *Éducation ou aliénation permanente: repères mythiques et politiques*, Paris/Montréal, Dunod/Sciences et cultures, 1977.

8. <http://www.rqphv.org>.

9. H. DIONNE, «Récit collectif d'une pratique de résistance: recherche-intervention dans un village québécois», dans D. DESMARAIS et J.-M. PILON (coord.), *Pratiques des histoires de vie. Au carrefour de la formation, de la recherche et de l'intervention*, Paris et Montréal, L'Harmattan, 204 p., 1996; R. BEAUDRY et H. Dionne, *En quête d'une communauté locale. Une mobilisation territoriale villageoise. Le conflit postal de Saint-Clément*, Trois-Pistoles, Éditions Trois-Pistoles/GRIDEQ, 1998.

10. L. TATEM et N. FASSEUR, «Avant-propos», dans N. FASSEUR (dir.), *Mémoire, territoire et perspectives d'éducation populaire*, Paris, Éditions Le Manuscrit, 2008.

en collectif[11]. En outre, au début du nouveau millénaire, une initiative communautaire d'insertion socioéconomique pour les jeunes, qui a essaimé vers un réseau d'espaces collectifs à fonctions multiples, a permis de prendre toute la mesure de l'originalité de l'initiative d'une communauté religieuse en faveur des jeunes en difficulté ainsi que du potentiel d'un dispositif croisé d'histoires de vie individuelles et de leur aboutissement dans une histoire collective[12]. Enfin, un organisme communautaire d'alphabétisation populaire a mené une recherche-action-formation en étroite collaboration avec des chercheurs universitaires et a renouvelé sa pratique à partir de l'approche biographique [13].

2 DES FONDEMENTS ÉPISTÉMOLOGIQUES ET UN REGARD ORIGINAL SUR LA RÉALITÉ SOCIALE

L'approche biographique s'inscrit dans une appréhension globale du phénomène étudié. Le terme anglais équivalent, *comprehensive research*, traduit par «recherche compréhensive», désigne de plus un type de recherche qui adopte le point de vue des acteurs sociaux. L'approche biographique a, dans cette foulée, acquis une vocation politique car certains chercheurs l'utilisent pour donner une voix aux sans-parole de diverses sociétés. C'est ainsi que l'approche biographique est volontiers utilisée dans des recherches non traditionnelles, telles la recherche-action ou la recherche féministe.

La perspective développée ici propose de considérer le *narrateur (auteur)* du récit de vie comme le protagoniste d'un processus de recherche basé sur l'approche biographique. Par exemple, dans une démarche autobiographique, ce protagoniste devient lui-même producteur de connaissance. La démarche autobiographique comporte trois caractéristiques indissociables[14]. Premièrement, il s'agit d'une *narration*, à l'oral ou à l'écrit, sur sa propre vie ou sur un volet de celle-ci. Un récit de vie est l'expression individuelle d'une certaine portion de la réalité socioculturelle, à partir

---

11. A. VIDRICAIRE et P. BRUN, *Le croisement des savoirs. Quand le Quart-Monde et l'université pensent ensemble*, Paris, Éditions de l'atelier/Éditions Quart-Monde, 1999.
12. D. AUDETTE *et al.*, *D-Trois-Pierres, Quand les agirs parlent plus fort que les dires*, Montréal, Éditions Fides, 2005.
13. D. DESMARAIS (avec la collab. de L. AUDET, S. DANEAU, M. DUPONT et F. LEFEBVRE), *L'alphabétisation en question*, Outremont, Éditions Quebecor, 2003.
14. D. DESMARAIS, I. FORTIER, L. BOURDAGES et C. YELLE, «La démarche autobiographique, un projet clinique au cœur d'enjeux sociaux», dans L. MERCIER et J. RHÉAUME (dir.), *Récits de vie et sociologie clinique*, Québec, PUL/IQRC, 2007.

de la conscience qu'en a un sujet-acteur. Pour qu'il y ait récit de vie, il faut qu'il y ait expérience. La démarche autobiographique permet que s'exprime au mieux l'expérience, dans toute sa texture individuelle, selon l'expression de Watson et Watson-Francke. Tout autre support technique, tel le questionnaire, ne permettra qu'une expression fort limitée de la singularité de l'expérience. Deuxièmement, cette narration prend forme à travers une *temporalité biographique*, c'est-à-dire le temps de la vie humaine. Troisièmement, ce récit donne lieu à une *recherche de sens* par le narrateur et les autres acteurs de la démarche. Notons que la démarche autobiographique peut être menée individuellement, en petit groupe ou en collectif plus large.

Nous présenterons dans ce qui suit quelques éléments d'un corpus théorique en construction, produit original de la perspective (auto) biographique sur la réalité sociale. Auparavant, nous exposerons brièvement notre vision d'une approche biographique qui se construit sur les fondements épistémologiques que sont la *dialectique* et l'*herméneutique* et, dans ce dernier cas, nous nous attarderons aux trois étapes de la méthode herméneutique de Dilthey.

◼ 2.1. L'approche biographique, une méthodologie dialectique de production de sens

La *dialectique* fait référence à tout processus qui se déroule à travers des oppositions que l'on vise à dépasser. L'*herméneutique*, pour sa part, se préoccupe de « l'ensemble des problèmes que posent l'interprétation et la critique, et donc la compréhension, d'abord de toute œuvre écrite, ensuite de toutes les formes d'expression humaine, écrites ou non[15] ». L'herméneutique offre l'avantage de présenter à la fois une théorie et une méthode pour produire du sens et du savoir à partir de cette vie que l'on vit.

Tous les protagonistes d'une approche biographique sont engagés dans un travail de mise en mots et en sens d'expériences humaines. Dans cette démarche scientifique, le sujet-acteur narrateur ainsi que son ou ses accompagnateurs occupent des positions différentes, voire opposées qui seront appelées à bouger au cours de la démarche. L'approche biographique amène en effet chaque protagoniste à s'inscrire dans un mouvement de va-et-vient entre l'individualisation et la collectivisation, la singularité et l'universalité, la subjectivité et l'objectivité, l'implication et la distancia-

---

15. G. THINÈS et A. LEMPEREUR, *Dictionnaire général des sciences humaines*, Louvainla-Neuve, CIACO éditeur, 1984.

tion, l'aliénation et l'émancipation, à chaque étape de la démarche. Le fil conducteur de ces mouvements demeure la recherche de significations des expériences vécues.

Dilthey a développé une méthodologie qui comprend trois étapes reliées entre elles par des liens dialectiques et formant une boucle: *l'expérience*, *l'expression* et *la compréhension*. En d'autres mots, la démarche herméneutique propose une production de connaissance qui se construit par un processus de recherche de l'expression (c'est-à-dire la mise en mots, ici, la narration, à l'oral ou à l'écrit) de ce qui nous rattache à la vie, soit l'expérience. Ce processus conduit à une certaine compréhension de la réalité sociale que Dilthey a identifiée comme la vie (individuelle), triangulée par l'histoire et la société. Cette compréhension n'est toujours que partielle et nous ramène de nouveau vers une nouvelle boucle de démarche herméneutique. Soulignons que certains chercheurs discernent une homologie entre l'expérience vécue et la connaissance scientifique où «la compréhension herméneutique n'est que la forme élaborée et méthodique de la réflexivité commune ou de la demi-transparence dans laquelle se réalise la vie des hommes communiquant et interagissant préscientifiquement dans la société[16]».

Première étape du processus herméneutique: l'expérience

L'expérience est globale. Le concept d'expérience est vraisemblablement d'inspiration romantique; il représente «le contact immédiat et préréflexif avec la vie», selon l'expression de Bruner, dans le sens où «le sujet et l'objet ne sont pas encore distincts: c'est l'unité de l'expérience[17]». Du point de vue anthropologique, l'expérience renvoie à la culture; c'est par la culture que les événements prennent forme dans la conscience, comme le rappelle l'anthropologue Bruner.

L'expérience est singulière. C'est à travers le singulier que se concrétise la part d'universel que porte chaque sujet-acteur, telle qu'elle se vit et se manifeste dans la complexité de l'action. La psychanalyse affirme même: «La clinique (psychanalytique) prend le pari du sujet parlant comme unique source de savoir[18].» Le sujet-acteur parle; sa parole vaut, selon l'expression du sociologue Houle. Les chercheurs qui utilisent l'approche

---

16. J. HABERMAS, 1984, traduit et cité par C. DELORY-MOMBERGER, *Les histoires de vie. De l'invention de soi au projet de formation*, Paris, Anthropos, 289 p., 2000.
17. Et cela renvoie, du point de vue de la méthodologie des récits de vie, au fait que le récit de vie est une activité de synthèse: le sujet-acteur témoigne de la globalité de son expérience.
18. G. de VILLERS, «L'histoire de vie comme méthode clinique», dans J.M. BAUDOIN et C. JOSSO, *Penser la formation. Contributions épistémologiques de l'éducation des*

biographique affirment à cet égard que le sujet-acteur producteur du récit et de sens est apte à produire lui-même des connaissances originales[19] qui sont le propre de son regard sur son expérience et qui lui sont uniques, ce regard ayant néanmoins été façonné par son histoire.

L'expérience donne sens au monde. De plus, pour plusieurs auteurs et théoriciens de la formation des adultes, l'expérience est source de forma-tion· À travers l'expérience, l'acteur découvre sa subjectivité, notion capitale pour appréhender l'individu dans son rapport au monde réel. « L'expérience est à la fois une émotion, un sentiment qui fait découvrir à l'acteur une subjectivité personnelle et une activité cognitive, une expérimentation du réel par l'acteur[20]. » Le rapport du sujet-acteur au monde réel passe par sa subjectivité, ou plutôt par l'expérience qu'il fait de ce monde, et c'est cette subjectivité qui contribuera à donner sens au monde. « Il n'y a pas un sens déjà là mais l'homme l'élabore et arrache ainsi sa subjectivité au chaos sans répit et sans achèvement[21]. » La subjectivité est l'attribut naturel du sujet, mais comme le rappellent Ardoino et Barus-Michel, elle ne l'épuise pas; ce sont des états de conscience, un «vécu» où les affects et l'imaginaire sont largement prépondérants, aux dépens de l'objectivité, ce qui la rend suspecte aux rationalistes tout en intéressant de plus en plus ceux qui veulent compter avec le «facteur humain[22]».

Deuxième étape du processus herméneutique : l'expression

Pour arriver à la compréhension de ses actions, le sujet-acteur doit opérer une forme «d'objectivation de l'expérience sous la forme d'idées, d'actions[23]», de mise en mots. C'est le moment de l'expression. Comme l'a mis en exergue Dilthey lui-même, la relation entre l'expérience et ses multiples expressions demeure problématique. En premier lieu, «la transposition même de l'expérience en son expression est complexe: ses

---

adultes, Genève, Université de Genève, Faculté de psychologie et des sciences de l'éducation, p. 135-155, 1993.

19. Voir A. VIDRICAIRE, «Histoire de vie comme moyen d'intervention», dans D. DESMARAIS et J.-M. PILON, *Pratiques des histoires de vie. Au carrefour de la formation, de la recherche et de l'intervention*, Paris et Montréal, L'Harmattan, 1996.

20. F. DUBET, *Sociologie de l'expérience*, Paris, Éditions du Seuil (coll. «La couleur des idées»), 273 p., 1994.

21. A. CAMUS, 1943, dans J. ARDOINO et J. BARUS-MICHEL, «Sujet», dans J. BARUS-MICHEL, E. ENRIQUEZ et A. LÉVY, *Vocabulaire de psychosociologie. Références et positions* (1re éd., 2002), Paris, Éditions Érès, 590 p., 2003.

22. J. ARDOINO et J. BARUS-MICHEL, *op. cit.*, 2003.

23. M. FINGER *Biographie et herméneutique. Les aspects épistémologiques et méthodolo-giques de la méthode biographique*. Montréal, miméo, 1983.

supports sont multiples; elle suppose une série de médiations, dont celle du langage à titre d'exemple. On sait que le langage n'est pas limpide; il y a au contraire une opacité du langage dont on devra tenir compte dans l'interprétation des récits de vie[24]».

Apparaît ici clairement le caractère dialectique des liens entre expérience et expression car, comme le note Bruner, l'expérience structure son expression, parce que le sujet-acteur garde une marque affectivo-culturelle et cognitive de l'expérience vécue, comme nous venons de le souligner, mais aussi parce que l'acte de narration en tant que tel est imposition arbitraire de sens sur le flot de la mémoire: «Nous créons les unités d'expérience et de sens à partir de la continuité de la vie. Chaque narration est une imposition arbitraire de sens sur le flot de la mémoire en ce que nous mettons en lumière certaines causes et en discartons d'autres; bref, chaque narration est interprétative[25].» Par ailleurs, l'expression structure aussi l'expérience, notamment dans la démarche autobiographique en petit groupe (DAPG) qui prend appui sur ses différentes formes (orale et écrite) pour produire des significations et un horizon de possibles au niveau de l'action. Enfin, c'est par l'expression que le sujet-acteur peut communiquer avec l'expérience d'autrui.

Troisième étape du processus herméneutique: la compréhension

Dilthey a été le premier à saisir la distinction fondamentale entre *comprendre* et *expliquer*, qui relève d'après lui de deux manières différentes, voire opposées d'appréhender le monde. La proposition «comprendre» renvoie à une vision signifiante du monde ou plutôt à une réalité sociale et psychologique dont la caractéristique principale est l'existence d'un sens. La proposition «expliquer», par contre, renvoie à une vision mécaniste du monde. La compréhension deviendra dans le projet de Dilthey une méthode propre aux sciences humaines qui doivent, d'après Finger, tenir compte de la totalité, de l'historicité, du sens et de la profondeur d'une expérience de vie.

Dans la pensée de Dilthey, la compréhension devient la dernière étape d'un processus épistémologique qui inclut l'expérience et l'expression. Cette étape de la compréhension est, dans l'esprit de Dilthey, beaucoup plus qu'une activité cognitive; c'est pourquoi elle correspond bien à la totalité de l'expérience. Ajoutons que la compréhension des autres passe par la compréhension de soi, et la distance réflexive en est une clé. À la suite de

---

24. V.W. TURNER et E.M. BRUNER (dir.), *The Anthropology of Experience*, Urbana, University of Illinois Press, 1986.
25. E.M. BRUNER, *op. cit.* 1986.

Dilthey, plusieurs autres herméneutes vont, durant le XXe siècle et jusqu'à ce jour, poursuivre le développement de la démarche herméneutique en tant que méthodologie spécifique des sciences humaines, notamment Gadamer, Habermas et Ricoeur.

Pour Dilthey, l'expérience et son expression s'inscrivent dans le temps, de même que la compréhension. L'expérience est profondément temporelle. Autrement dit, nous ne pouvons comprendre le présent que dans les catégories du passé et du futur. Bruner reprend Dilthey qui dit : « Au moment même où le futur devient le présent, il est déjà en train de s'enfoncer dans le passé. »

La place essentielle d'autrui dans le processus de production de connaissance

Le processus de production de connaissance en sciences humaines pose à son niveau la question de la place de l'Autre, en particulier du chercheur, dans la démarche autobiographique et, plus généralement, de l'accompagnateur, voire des coparticipants à la démarche.

La *singularité*, pour constituer une voie d'accès à la connaissance, doit se définir en référence à une *universalité*. Pour exister dans sa singularité, le *sujet-acteur* doit être reconnu par l'*Autre*. Au regard du processus de production de connaissance, cela signifie que le sujet-acteur narrateur doit s'adjoindre un autrui dans la production, voire la reconnaissance de cette connaissance, sa validation. Les chercheurs qui adoptent l'herméneutique tendent à éviter les polarisations entre la contribution du sujet-acteur et celle de l'accompagnateur, qu'il soit chercheur, formateur ou intervenant. Plusieurs praticiens de l'autobiographie adhèrent à une posture (politique) clinique de partage des connaissances avec la personne qui se raconte. Nous sommes ici devant un indispensable dialogue, une *inter-locution* selon Pineau, pour atteindre un objectif de production de connaissance qui fasse sens pour l'auteur-narrateur. Toutefois, comme le soulignent Ardoino et Barus-Michel, l'intersubjectivité reste conflictuelle et contradictoire. « L'autre représente à la fois le semblable, le partenaire, alter ego avec lequel on peut partager dans la complicité, mais qui reste l'adversaire potentiel ou le rival[26]. » Enfin, un certain nombre de chercheurs prônent le développement d'une solidarité avec autrui[27] dans le travail de compréhension qui n'est pas sans lien avec l'émancipation liée à l'herméneutique habermassienne. On ne peut pour autant ignorer d'autres positions, telle celle du sociologue

---

26. J. ARDOINO et J. BARUS-MICHEL, *op. cit.*, 2003.
27. Ces postulats relèvent de ce que Mayer *et al.* (2000) appellent la recherche dite « alternative ».

Gilles Houle qui pose la connaissance de sens commun et la connaissance de sens savant comme deux moments indispensables mais distincts et successifs du processus de production de connaissance, sans pour autant les hiérarchiser formellement[28].

Bref, la démarche autobiographique se caractérise par une double nécessité d'implication et de réciprocité dans la fabrication de la connaissance.

■ 2.2. Une compréhension originale de la réalité sociale

L'approche biographique a progressivement amené les chercheurs utilisant les récits de vie à développer une compréhension originale de la réalité sociale. Un certain nombre de concepts clés permettent de camper ce regard spécifique sur les polarités, en particulier sur l'individu/le collectif. Il s'agit des notions de *sujet-acteur*, de *pratique sociale* et de *représentation sociale*, de *parcours de vie*, d'*événement*. Ces jalons théoriques appellent toutefois d'autres développements du côté collectif (mésosocial et macro-social) de la polarité.

La réalité sociale est complexe. Le social inclut d'emblée l'économique, le politique et l'idéologique[29]. Les chercheurs en sciences humaines et sociales ont progressivement défini, durant tout le XXe siècle, des objets disciplinaires, puis ils ont construit des objets multidisciplinaires, voire interdisciplinaires pour comprendre cette complexité du social. L'approche biographique soutient la production de connaissances avec différents regards disciplinaires articulés dans une multidisciplinarité.

L'être humain naît aujourd'hui dans des sociétés qui, toutes, sont en profonde transformation. Notre vision de la société, vue comme un système intégré, composé d'individus, et longtemps identifié à la moder-nité, à l'État-nation et à une division du travail élaborée et rationnelle, ne tient plus[30]. D'une part, un fossé se creuse entre la société moderne et

---

28. Voir G. HOULE, «Histoires et récits de vie: la redécouverte obligée du sens commun», dans D. DESMARAIS et P. GRELL (dir.), *Les récits de vie: théorie, méthode et trajectoires types*, Montréal, Éditions Saint-Martin, 180 p., 1986; G. HOULE, «L'histoire de vie ou le récit de pratique», dans B. GAUTHIER (dir.), *Recherche sociale. De la problématique à la collecte des données*, Québec, Presses de l'Université du Québec, 2004.

29. S. KARSZ, *Pourquoi le travail social? Définition, figures, clinique*, Paris, Dunod, 2004.

30. F. DUBET, *Sociologie de l'expérience*, Paris, Éditions du Seuil (coll. «La couleur des idées», 273 p., 1994.

industrielle et la société postindustrielle d'aujourd'hui[31] qui, comme l'a affirmé Touraine il y a maintenant plus de deux décennies, ne peut plus s'appréhender de manière globale. D'autre part, les acteurs et les institutions ne peuvent plus être réduits à une logique unique, les conflits et les mouvements sociaux ne suffisent plus à définir *ce* système. Pour penser un nouveau vivre-ensemble et son corollaire, un nouveau vivre soi-même en tant que sujet-acteur autonome et responsable, le point d'entrée que privilégie un nombre grandissant de chercheurs et de théoriciens, c'est *l'acteur social*. Avec la sociologie, il nous apparaît d'entrée de jeu essentiel de poser l'individu comme un acteur social, engagé dans une série d'actions que diverses théories nous aident à cerner. L'action de l'acteur social est interaction, langage et connaissance[32]. D'après Dubet, la notion d'*expérience* rallie la diversité, voire l'éclatement des théories de l'action.

Les *pratiques sociales*, à l'instar de l'expérience sociale, s'inscrivent dans des registres multiples et mettent en relief plusieurs logiques d'action du sujet-acteur[33]. Bertaux définit les pratiques comme la mise en actes, la trace concrète dans la vie quotidienne, de la place objective occupée par les acteurs sociaux dans le système socioculturel[34]. Chaque acteur social met en œuvre une multitude de pratiques à travers de multiples interactions avec des sujets-acteurs appartenant à divers espaces sociaux, au cours de ses étapes de vie. Ainsi, à titre d'exemple, en est-il des activités de lecture et d'écriture qui mettront plus spécifiquement en lumière le parcours biographique des sujets-acteurs dans l'univers de l'écrit[35]. Les pratiques sociales des sujets-acteurs s'accompagnent de plus de *représentations sociales* multiples inscrites dans les divers espaces que fréquente le sujet-acteur et où ses pratiques se développent.

L'être humain est un *sujet* socio-historique en devenir. Il se construit dans une articulation singulière d'une pluralité de dimensions : biophysiologique, affective, cognitive et sociorelationnelle, notamment en développant la capacité d'apprendre, la capacité de produire du sens et en développant la langue parlée et, concurremment, en construisant des représentations de soi[36]. Une articulation toujours à construire, qui peine

---

31. U. BECK, *La société du risque. Sur la voie d'une autre modernité*, Paris, Aubier, 2001.
32. F. DUBET, *op. cit.*, 1994.
33. *Ibid.*
34. D. BERTAUX, *Histoires de vie ou récits de pratique ? Méthodologie de l'approche biographique en sociologie*, Paris, CORDES, 228 p., 1976.
35. D. DESMARAIS, « Parcours biographiques dans l'univers de l'écrit », dans R. BÉLISLE et S. BOURDON (dir.), *Pratiques et apprentissage de l'écrit dans les sociétés éducatives*, Québec, Les Presses de l'Université Laval, 2006.
36. D. DESMARAIS (avec la collab. de) L. AUDET, S. DANEAU, M. DUPONT et F. LEFEBVRE, *L'alphabétisation en question*, Outremont, Éditions Quebecor, 2003.

à se dire. Le sujet, à travers sa subjectivité, recherche son identité ; il poursuit, dans les termes d'Ardoino et Barus-Michel, « continûment son unité singulière »... entendue comme une « tension désirante[37] ». C'est dans la recherche d'une cohérence dans ses logiques d'action ainsi que dans la distance qu'il crée avec ses rôles sociaux que se fonde ce que Dubet appelle l'autonomie du sujet. « Le sujet naît et se constitue progressivement dans la conscience que l'acteur développe du monde et de lui-même[38]. » Dubet parle du « devenir sujet » ou de la subjectivation comme d'un engagement de l'acteur, engagement « vécu comme un inachèvement, comme une "passion" impossible et désirée permettant de se percevoir comme l'auteur de sa propre vie, ne serait-ce que dans la souffrance créée par l'impossibilité de réaliser pleinement ce projet[39] ».

L'individu est donc à la fois sujet et acteur, *sujet-acteur*, engagé dans sa vie, voire dans une démarche de recherche de sens à propos de son parcours. La notion de *parcours de vie* renvoie aux différents univers – ce qui, pour Bertaux, correspond aux « mondes sociaux » – dans lesquels s'inscrivent les expériences individuelles des sujets-acteurs, contribuant à ce qu'on appelle « le social ». Comme le souligne Bertaux, le récit d'une histoire vécue renvoie d'emblée à « la réalité historico-empirique » qui comprend non seulement « la succession des situations objectives du sujet, mais aussi la manière dont il les a vécues, c'est-à-dire perçues, évaluées et agies sur le moment ; de même pour les événements de son parcours[40] ».

L'*événement*[41], c'est « ce qui advient en un temps et en un lieu donnés[42] ». On peut opérer une première classification des événements en deux grandes catégories : d'une part, ceux qui sont extérieurs au sujet-acteur, c'est la perspective objectiviste et, d'autre part, ceux qui sont en quelque sorte créés par le sujet-acteur, d'une importance toute particulière dans les parcours de vie, en fonction de la charge signifiante qu'ils portent pour ce dernier. La définition de l'événement proposée par Pineau est illustrative de la première catégorie : « Il s'agit de l'action exercée par l'environnement sur l'être et de nature plus ou moins prévisible[43]. » Appartiennent à cette

---

37. J. Ardoino et J. Barus-Michel, *op. cit.*, 2003.
38. F. Dubet, *op. cit.*, 1994.
39. *Ibid.*
40. D. Bertaux, *Les récits de vie* (1re éd., 1997), Paris, Nathan Université (coll. « 128 »), 2005.
41. Cette élaboration sur la notion d'événement est reprise de : D. Desmarais, « Autobiographie et mémoire. Contribution de la mémoire à la réflexivité du sujet-acteur », *Revue québécoise de psychologie*, vol. 27, n° 3, p. 123-138, 2006.
42. M. Legrand, *L'approche biographique. Théorie, clinique*, Marseille et Paris, Desclée de Brouwer, 1993.
43. G. Pineau, *Produire sa vie, autoformation et autobiographie*, Paris et Montréal, Édilig et Éditions Saint-Martin, 419 p., 1983.

première catégorie des événements marquants qui structurent le parcours biographique. Ils constituent du point de vue de Bertaux « le noyau commun de toutes les formes possibles de mise en intrigue de l'histoire [des sujets-acteurs][44] ». À cette première catégorie d'événements se rattachent trois des quatre types d'événements distingués par Brim et Ryff : les événements biologiques, les événements sociaux et, enfin, les événements liés au monde physique[45]. Comme le souligne Legrand, l'intérêt du récit autobiographique, c'est de mettre en relief comment le sujet-acteur transforme l'aléa dans la poursuite de son trajet.

L'événement est appelé à se construire, à se déconstruire et à se reconstruire avec le récit. La frontière entre l'événementiel et le non-événementiel ne peut donc jamais être tracée de manière absolue. C'est ainsi que divers auteurs ont formulé des concepts comme le « quasi-événement » (Ricoeur) intervenant dans une « quasi-intrigue ». Les quasi-événements ou non-événements sont des composants de la vie quotidienne qui ont un effet structurant sur un temps (biographique) long. C'est à cette deuxième grande catégorie d'événements que l'on peut rattacher les « événements psychologiques[46] ». Comme l'a souligné Goubier-Boula, l'événement est « l'un des piliers constructeurs et un facteur de l'organisation psychoaffective et relationnelle[47] ».

Bref, outre l'évaluation subjective de l'événement par le sujet-acteur, le parcours de vie dépendra notamment : « [...] de la qualité et de la spécificité de l'intensité des événements, de la répétition de ces événements et du moment particulier de ces événements dans l'histoire du sujet-acteur[48] », auxquels il faut ajouter la rétroaction des événements sur le cycle de vie[49]. Les *événements* ordonnent le parcours par leur succession dans le temps. Il y a un « avant » et un « après » l'événement qui modifient le parcours biographique. En effet, chaque sujet-acteur réagit aux événements et réorganise sa vie en transformant ses pratiques et, concurremment, ses représentations.

Outre les événements marquants dans les différents espaces sociaux investis par le sujet-acteur, les conditions de vie des sujets-acteurs structurent le parcours biographique.

44. D. BERTAUX, *op. cit.*, 2005.
45. O.G. BRIM et C.D. RYFF, « On the properties of Life Events », dans P.B. BALTES et O.G. BRIM Jr. (dir.), *Life-Span Development and Behavior, Vol. 3*, New York, Academic Press, p. 368-388, 1980.
46. O.G. BRIM et C.D. RYFF, *op. cit.*, 1980.
47. M.-C. GOUBIER-BOULA, *Vie familiale et événements*, Lausanne, Éditions LEP (coll. « Loisirs et pédagogie »), 1994.
48. *Ibid.*
49. R. HOUDE, *Les temps de la vie. Le développement psychosocial de l'adulte*, Montréal, Gaétan Morin éditeur, 1999.

En résumé, l'objet d'une recherche peut avantageusement être appréhendé sous l'angle biographique dans la mesure où l'on peut y cerner ce qui relève à la fois de la singularité du sujet-acteur et des espaces socioculturels qui le façonnent.

3 L'APPROCHE BIOGRAPHIQUE, AU SERVICE DE NOMBREUSES FINALITÉS

Le récit de vie trouve son origine dans deux sources principales : ou bien il est suscité par autrui, habituellement par un chercheur ou un intervenant, ou bien il provient d'un sujet-acteur qui se place en position de recherche sur lui-même, qui s'y engage d'emblée pour produire de l'information sur sa vie, sur lui-même, pour créer une mémoire[50], pour se former. Dans l'un et l'autre cas, le travail méthodologique et le récit en tant que produit, ainsi que les retombées escomptées varieront considérablement selon la ou les visées dans lesquelles s'inscrit cette narration. Il existe trois principales finalités de l'approche biographique en sciences humaines et sociales : la *production de connaissance (recherche)*, la *mise en forme de soi (formation)* ou, encore, la *transformation du réel (l'intervention)*[51]. Nous retenons ici les démarches où la recherche constitue la finalité unique ainsi qu'un ensemble de démarches où se combinent une deuxième, voire une troisième finalité à la finalité de production de connaissance : il s'agit à titre d'exemple de l'utilisation de l'approche biographique en recherche-formation ou en recherche-action ou, encore, en recherche-action-formation.

On parlera de *recherche-action* lorsqu'une production de connaissance est associée à une action sur le réel, une action de transformation du réel. Ce peut être par exemple lorsqu'une action sur le réel exige une compréhension accrue d'une partie de ce réel, d'une situation ou, le plus souvent, d'un problème social. Une recherche-action produit *in fine* des connaissances sensibles et une pratique d'intervention nouvelle ou renouvelée ; ces produits s'accompagnent d'une vision renouvelée (représentations) du réel ou d'une partie de celui-ci, par les protagonistes de la recherche-action.

---

50. Dans le sens de mémoire collective.
51. Bien que dans toutes les visées liées aux sciences humaines et sociales, une visée d'esthétique ou de maîtrise de l'écriture, par exemple, puissent croiser les autres visées, il n'en sera pas question ici. Nous ne traiterons pas des débats ou avancées des littéraires – par ailleurs importants et foisonnants eux aussi – autour du récit de soi ou de l'*autofiction*.

Dans le cas d'une *recherche-action-formation*, la finalité de mise en forme des protagonistes de la recherche s'ajoute aux deux autres visées.

> Ainsi, dans le cas d'une recherche-action-formation sur le renouvelle-ment de pratiques d'alphabétisation dans un organisme communautaire d'éducation populaire, une triple utilisation de l'approche biographique a amené les apprenants, les formatrices ainsi que les chercheures à entreprendre une démarche autobiographique sur l'appropriation de la lecture et de l'écriture. Les différents groupes d'acteurs ont des posi-tions différentes, asymétriques, eu égard à chacune des finalités d'une recherche-action-formation[52].

Par ailleurs, la *recherche-formation* se caractérise par une double visée de production de connaissance et de formation. Elle met habituellement en scène deux groupes de sujets-acteurs, les chercheures-formatrices et les apprenants et apprenantes à partir d'une thématique qui se construit progressivement en objet et à propos duquel on escompte des effets de connaissance, de vérité et de changement[53] personnels et collectifs. Ce type de démarche autobiographique s'est développé du côté des sciences de l'éducation et, plus particulièrement, en formation des adultes.

> À titre d'exemple, à l'occasion d'une recherche-formation avec des gestionnaires-étudiants à l'Université et des chercheures-formatrices[54], ces deux groupes de sujets-acteurs ont exploré ensemble la thématique du leadership à partir du récit de leurs expériences sur ce thème. La combinaison de la recherche et de la formation peut aider les gestion-naires à nommer le modèle qui les anime au moment de l'exercice de leur leadership, à le remettre en question, à reconnaître leurs pratiques effectives, à questionner notamment certaines de leurs représentations et, par conséquent, à transformer leur pratique professionnelle ainsi que leurs référents théoriques.

---

52. Voir D. DESMARAIS, , M. BOYER et M. DUPONT, « À propos d'une recherche-action-formation en alphabétisation populaire. Dynamique des finalités et des positions des acteurs », *Revue des sciences de l'éducation*, Numéro spécial sur « Médiation entre recherche et pratique en éducation », vol. XXXI, n° 2, 2005. En ligne : <www.erudit.org/revue/rse/2005/v31/no2/index.html>.
53. M. LEGRAND, *op. cit.*, 1993.
54. Voir L. SIMON et D. DESMARAIS, avec la collab. de L. AUDET, « Leadership et auto-biographie : une pratique innovante de recherche-formation », dans Françoise CROS (dir.), *L'agir innovationnel*, Bruxelles, De Boeck, 2007.

4 PRODUCTION ORALE DU RÉCIT, PRODUCTION ÉCRITE

La section qui suit s'avère particulièrement utile d'une part à un sujet-acteur qui s'engage dans une démarche autobiographique et se révélera d'autre part essentielle au jeune chercheur dans sa compréhension de ce qui, chez l'informateur, est à l'œuvre dans la construction du récit de soi et, conséquemment, des outils nécessaires à sa collecte et/ou son accompagnement. Il est certain que la production du récit – ainsi que le rôle du chercheur ou de l'accompagnateur – varieront grandement selon qu'il s'agit d'un récit produit à l'oral ou à l'écrit, voire de la succession de ces deux supports au récit dans la même démarche. Les récits de vie produits à l'oral répondent habituellement à une invitation d'un chercheur, alors qu'un récit produit à l'écrit se retrouve habituellement dans une situation de formation.

La mise en récit de son histoire comprend deux volets[55]: l'*énoncé* et l'*énonciation*, le premier volet renvoie au contenu exprimé, c'est-à-dire aux expériences racontées, et le deuxième volet, à la manière de construire le récit. Deux types de matériaux sont constitutifs du récit: d'abord, des **matériaux descriptifs des faits vécus**, des actions concrètes menées par l'auteur du récit ainsi que des sentiments, affects et productions mentales les concernant, et ensuite, des **éléments réflexifs sur ces expériences**, reflétant ce que Geertz appelle des états de conscience, à distinguer selon leurs temporalités: au moment même de l'expérience ou plus tardivement, notamment au moment de la production du récit.

Le récit ne peut éviter une description rigoureuse des faits. «L'histoire de vie ne serait bien entendu rien sans les faits vécus eux-mêmes, elle résulte d'une trajectoire objective[56].» L'objectivité dont il est ici question doit être entendue de notre point de vue comme la nécessité de produire des données qui comportent des repères temporels et spaciaux concrets, incluant par exemple les événements, bref, des données qui sortent de la subjectivité du narrateur, une réalité à l'extérieur de soi, pour éviter le piège d'un «subjectivisme absolu[57]». Nous encourageons pour notre part

---

55. Les quelques paragraphes qui suivent sont repris de: D. DESMARAIS, «Autobiographie et mémoire. Contribution de la mémoire à la réflexivité du sujet-acteur», *Revue québécoise de psychologie*, vol. 27, n° 3, p. 123-138, 2006.
56. J.-C. KAUFMANN, *L'invention de soi. Une théorie de l'identité*, Paris, Armand Colin, 2004.
57. J.P. FAYE (1972), dans A. LÉVY, «Les récits de vie: entre histoire et mémoire», dans V. de GAULEJAC et A. LÉVY, *Récits de vie et histoire sociale*, Paris, Éditions Eska, 2000.

les auteurs-narrateurs à faire une *description dense* de leurs expériences, selon l'expression de Geertz. Les apprenants deviennent en quelque sorte les ethnographes de leur vie.

Les étapes de mise en récit de son histoire

L'informateur qui devient narrateur, voire auteur de son histoire, est invité à revisiter toutes les étapes de sa vie pour y rassembler les expériences liées à la thématique de recherche. Le *travail de remémoration* est mis en branle et facilité de différentes manières, en particulier dans le cadre d'une démarche autobiographique de petit groupe. En plus des traces concrètes que l'auteur-narrateur peut rechercher dans son environnement matériel et des échanges qu'il peut susciter avec des protagonistes et témoins de ses expériences, le travail de la mémoire peut être facilité par une description écrite des expériences, soutenu par des techniques qui favorisent la rigueur.

> Voici le compte rendu d'un sous-groupe de sujets-acteurs sur les stratégies mises en place dans le travail de remémoration dans une démarche autobiographique de petit groupe intitulée « Une démarche autobiographique en petit groupe dans l'univers de l'écrit ».
>
> *Nous nous sommes questionnées en premier sur la mise en œuvre de stratégies. Il nous semblait que nous n'avions pas été très stratégiques, que nous n'avions pas développé de manière consciente une organisation, mais que nous avions plutôt vagabondé ici et là, tâtonné, fonctionné à l'intuition, inventant chacune des supports à remémoration.*
>
> *La première stratégie qui semble avoir éveillé notre mémoire a été le travail en triade. Le partage et l'échange nous ont remémoré des lectures, des habitudes et des rituels communs.*
>
> *Le sentiment d'être en immersion complète nous a habitée tout au long de ce travail, nous préoccupant nuit et jour. Chaque mot entendu ramène à un souvenir, à un livre. Tout rapporte à cela. On peut parler de sensibilisation au quotidien avec parfois l'impression de ne pas être intéressées par les gens qui ne portaient pas cet intérêt.*
>
> *Différents objets nous ont permis d'aller chercher matière à remémoration :*
>
> *– les écrits, agendas ;*
>
> *– les photos ;*
>
> *– les lectures, partage avec d'autres auteurs sur leur rapport à la lecture et à l'écriture, par exemple Sartre dans* Les mots, *le périodique* Courrier international, *etc. ;*
>
> *– un appel aux images mentales : sons, odeurs ;*

- *le cinéma avec le film* Le temps des porte-plumes ;
- *les personnes, parents, grands-parents, frères, sœurs, amis dans un partage de souvenirs et de vécus communs ;*
- *les émissions de radio ;*
- *le retour sur des lieux, ville, quartiers, maisons ;*
- *la recherche de noms sur Internet, par exemple pour des professeurs ou instituteurs ;*
- *la relecture de livres lus dans le passé.*

Nous avons noté que le centrage sur le passé nous a fait être plus absentes à notre présent.

Certaines expériences racontées sont liées à des charges affectives particulières. Elles peuvent créer le besoin de s'y plonger impérativement pour les décrire dans leurs différents volets. Déjà là apparaît d'emblée la complexité des expériences, puisqu'en plus des aspects observables, voire mesurables des comportements, surgissent les *états émotionnels* qui colorent subjectivement ces expériences vécues. Le poids relatif de l'observable et des états émotionnels varie selon les narrateurs et entraînera des descriptions différenciées. Le cas échéant, la première écriture de ces expériences et sa couleur sont à mettre au compte d'un *ensemble de conditions* marquant dans l'ici et maintenant la production du récit, tant à l'oral qu'à l'écrit : temps dont dispose l'apprenante ou l'apprenant, familiarité avec ce type de travail réflexif, état global du sujet-acteur au moment même où il produit son récit, stimulations diverses de l'environnement tant physique que relationnel dans le processus de remémoration.

Si l'auteur du récit adhère au postulat sous-tendant la démarche autobiographique selon lequel c'est l'ensemble des expériences dans un domaine donné qui ont contribué à construire ses connaissances, il consentira plus facilement à investir l'effort qui accompagne inévitablement la narration des expériences significatives qui marquent son parcours.

La narration doit circonscrire l'expérience de façon à donner à l'*interlocuteur* une prise suffisante pour lui permettre de relancer l'auteur dans son cheminement réflexif. Plus l'auteur du récit aura réussi à fournir une description claire, synthétique de ce qu'il a vécu, comment il l'a vécu, avec qui, dans quelles perspectives, etc., plus l'interlocuteur pourra le relancer, en plus d'y trouver son compte à titre d'auteur, en l'occurrence dans un petit groupe.

L'ANALYSE DES RÉCITS DE VIE

L'analyse qualitative d'un récit de vie, voire d'un corpus complet de récits de vie, constitue une étape névralgique de la recherche. De très nombreuses propositions existent. Plusieurs chercheurs-formateurs, praticiens des histoires de vie, adoptent la théorie ancrée mise de l'avant par la nouvelle école de Chicago. Ils travaillent d'une manière inductive, accordant une large place à l'analyse des matériaux empiriques, démarche qui s'apparente à la recherche heuristique. Partant de l'expérience des sujets-acteurs, cette démarche de recherche progresse vers une formalisation avec un passage obligé par une théorisation substantive. Pour notre part, nous avons construit au fil des ans une stratégie large qui combine les techniques de la théorie ancrée de l'école de Chicago et les propositions de Bertaux qui concernent plus spécifiquement le matériau (auto)biographique.

Voici les principales étapes d'une analyse qui s'inscrit dans la poursuite d'une épistémologie dialectique où le rapport entre la théorie et l'empirie est présent dans l'analyse des matériaux empiriques. Il nous semble capital d'analyser *chaque récit individuellement*, dans sa globalité. Il s'agit de retracer la trame de la narration, sans catégories préétablies. Cette première lecture *tabula rasa* s'inscrit d'emblée dans l'esprit de l'approche biographique. La logique, plutôt les différentes logiques de l'informateur guident en effet le choix des catégories d'analyse dans la constitution d'un modèle concret de connaissance de l'objet. Rappelons que dans la mesure où, lors du recueil d'un entretien biographique, le centre de gravité s'est déplacé du chercheur-accompagnateur vers l'informateur, le récit s'est construit différemment pour chaque informateur, bien que prenant appui sur le schéma d'entretien. Notons au passage qu'une analyse rigoureuse du matériau (auto)biographique exige une transcription au *verbatim* de chaque entretien.

Une fois opéré le choix d'une analyse qui débute après la fin des entretiens, l'analyse variera selon le type de démarche de recherche entreprise. Dans ce qui suit, nous présentons les principaux repères d'analyse pour une démarche de recherche classique où le chercheur est le chef d'orchestre, pour ainsi dire, de l'ensemble de la démarche, et, par la suite, nous développons les repères d'une analyse de récits produits dans le cadre d'une démarche de recherche-formation.

▓ 5.1. L'analyse d'un corpus de récits dans un processus de recherche classique

Dans le corpus de récits recueillis, le chercheur choisit celui qui semble le plus riche, où l'informateur s'est engagé à fond dans la narration et a répondu à sa demande du point de vue des thématiques à explorer, car cette analyse d'un premier récit trace la voie à l'analyse des suivants. En effet, le premier récit deviendra souvent un prototype pour la suite de l'analyse. Voici les étapes préalables de codification (déconstruction) et de reconstruction du récit.

1. Colliger les données recueillies dans une deuxième partie de l'entretien biographique; ces données servent à dresser le profil sociodémographique de l'informateur et offrent certaines clés de la compréhension du récit.

   Exemple de fiche à remplir pour établir le profil sociodémographique de l'informateur dans une recherche portant sur les pratiques d'accompagnement au raccrochage scolaire des 16-20 ans

   – sexe
   – âge
   – structure familiale
   – place de l'informateur dans la structure familiale
   – scolarité initiale
   – départ de l'école : date, etc.
   – parcours à l'éducation des adultes
   – conditions actuelles d'habitation
   – emploi
   – réseau social
   – scolarité du père et de la mère
   – revenu familial

2. Lire et relire plusieurs fois le texte du récit. On fait souvent référence à cette étape préliminaire en termes de «lectures flottantes», pour se laisser pénétrer par les propos de l'informateur.

3. À cette étape, il peut sembler futile de dire qu'une relecture du travail de balisage théorique effectué préalablement au terrain peut s'avérer fort utile; pourtant, ça l'est!

4. Découper le texte en unités de sens chapeautées par un thème, chaque thème constituant une fiche.

5. Créer des catégories substantives pour réunir les fiches-thèmes; ces catégories sont près des propos des informateurs.

6. Pour créer des méga-catégories, retourner aux principales composantes théoriques de l'objet repérées précédemment et établir des
ponts catégoriels.

7. Reconstruire les propos de l'informateur en rédigeant un
texte qui articule les fiches regroupées par catégorie et méga-
catégorie tout en complétant avec les données du profil
sociodémographique.

8. Relever notamment les contradictions dans la narration, les
omissions, etc., qui permettent de circonscrire la spécificité de
la contribution du récit à la construction de l'objet.

Émerge progressivement une logique biographique qui se structure
autour de deux axes majeurs : un *axe diachronique*, essentiellement organisé
autour du parcours de vie de l'informateur eu égard à l'objet. Cet axe permet
d'identifier notamment les événements marquants qui ont influencé le
parcours du sujet-acteur. Dans le deuxième *axe, synchronique*, se déploient
les pratiques et les représentations du sujet-acteur dans ses différents espaces
de vie ainsi que ses logiques d'action. L'analyste – et dans une recherche-
formation, l'auteur du récit s'avère le premier analyste – interroge la cohérence entre les différents espaces sociaux investis par le sujet-acteur dans
son expérience sociale et les différents trajets (étapes du parcours).

L'analyse comparative des récits du corpus permet de faire apparaître
des récurrences, des logiques d'action semblables, comme l'a mis en valeur
la proposition de Bertaux[58]. L'analyste en vient à distinguer des parcours
présentant des traits communs, classifiés en différents types pour lesquels
il faut démontrer une cohérence interne.

Ce type d'analyse polyvalente et ouverte permet ultérieurement de
mettre en relief différents enjeux qui traversent la production de connaissance sur un objet donné avec le matériau (auto)biographique et sert de
manière plus polyvalente les visées diverses de l'approche biographique.

---

58. D. BERTAUX, *op. cit.*, (1997) 2005.

■ 5.2. L'analyse d'un corpus de récits dans un processus de recherche-formation[59]

Le dispositif de recherche-formation appelé démarche autobiographique de petit groupe (DAPG) dont sont tirés les extraits suivants concernant l'analyse des récits comprend cinq modules. *Le premier module* constitue une introduction générale au contenu de la démarche (étapes, exigences, règles éthiques, initiation théorique et méthodologique, contrat collectif, intentionnalité de chaque participante ou participant) et à la dynamique du groupe. *Le deuxième module* permet de mettre en place les repères théoriques et méthodologiques sur lesquels s'appuie la construction collective de l'objet. *Le troisième module* permet de présenter oralement son récit autobiographique au groupe et de poursuivre sa construction dans le passage à l'écriture, après les échanges dans le groupe, chacun occupant alternativement et à plusieurs reprises la position de locutrice ou de locuteur et d'interlocutrice ou d'interlocuteur. *Le quatrième module* est consacré essentiellement à l'analyse du corpus de récits écrits du groupe. La visée première de ce module est de nourrir la réflexivité des participants et participantes et de les amener ainsi vers des prises de conscience à propos de l'objet de la démarche, dans le but ultime de transformer ou de redynamiser cette thématique dans leur vie. *Le cinquième et dernier module* constitue un moment de synthèse des acquis, de retour évaluatif sur l'ensemble de la démarche et d'ouverture sur l'avenir.

> Nous reprenons dans ce qui suit l'essentiel de l'analyse des récits en deux étapes, lors de la production orale et après l'écriture du récit.
>
> **Production orale et écrite du récit (module 3)**
> – Dans le dispositif mis en place, le partage d'un récit oral, en équipe, est suivi d'un moment de collectivisation. Cette écoute du récit des autres enrichit, approfondit la précompréhension du chercheur. S'ajoute à cette voie de construction de l'objet un cheminement formatif de chaque membre du groupe, car la collectivisation produit un effet de rétroaction sur chaque sujet-acteur (informateur). Cet effet élargit les champs d'exploration de son propre vécu et la diversité des formes langagières d'expression de ces possibles eu égard au travail d'équipe, tant au moment du récit oral que dans le récit écrit subséquent.

---

59. Voir D. DESMARAIS et L. SIMON, « La démarche autobiographique et son objet : enjeux de production de connaissance et de formation », dans Pierre PAILLÉ, Alex MUCCHIELLI et Chantal ROYER (dir.), *Recherches qualitatives. Bilan et prospectives de la méthodologie qualitative en sciences humaines et sociales*, Hors série n° 3. En ligne : <www.recherche-qualitative.qc.ca/revue.html>, 2006.

La spécificité du récit autobiographique en tant qu'outil de collecte de données qualitatives appelle un travail d'analyse sur la globalité de chaque récit individuel et fera ainsi émerger toute la singularité du rapport que chaque sujet-acteur auteur entretient avec l'objet. C'est donc au premier chef le point de vue de chaque auteur sur son récit qui prévaut dans l'analyse.

Chaque récit développe de nombreuses pistes thématiques eu égard à l'objet. En se racontant à l'oral, le sujet-acteur déploie un horizon de possibles. De plus, une analyse sommaire collective des récits révèle à ce moment que chaque récit s'organise autour d'une thématique principale eu égard à l'objet. Le narrateur en est à notre avis plus ou moins conscient. L'expression de cette thématique – par les membres de l'équipe – permettra ultérieurement au narrateur de réfléchir au sens – à sa pertinence, à son importance dans ce qu'il tente de cerner de ses expériences. Le récit écrit lui permettra de poursuivre une exploration sémantique plus large ou d'approfondir cette « découverte » de sens.

Il s'agit d'emblée d'une dialectique individuel/collectif. Des bribes de récit de chaque locuteur font écho, résonance pour les interlocuteurs, et opèrent un effet de rétroaction chez le locuteur par l'espace d'interlocution créé. La collectivisation agit comme catalyseur, à chaque étape, dans chacun des modules du dispositif. Elle permet d'approfondir l'expression (et plus tard, dans l'analyse) des expériences individuelles en les reflétant, en les précisant, en les complétant, etc. Émergent déjà des éléments transversaux qui nourrissent la visée de production de connaissance, à titre d'hypothèses de travail. Dans l'esprit de la visée formative des récits de vie, il demeure toutefois capital que les échanges qui ont lieu à ce moment nourrissent la réflexion de chaque sujet-acteur informateur et lui permettent de se recentrer sur sa propre histoire dans le passage névralgique qu'il s'apprête à faire de l'oral à l'écrit dans la production de son récit du travail en équipe. Le travail d'analyse transversale permettra dans un second temps d'amorcer un mouvement de la singularité portée par chaque sujet-acteur vers la part d'universalité de l'objet.

L'analyse des récits écrits (module 4)

Comme ce fut le cas pour les récits oraux, chaque récit écrit fait d'abord l'objet d'une analyse globale par le groupe, pour en faire ressortir les principales caractéristiques et lignes de force, à la lumière de la subjectivité de chaque lectrice et lecteur. Les réflexions qui émanent constituent, d'une part, une étape importante de collectivisation eu égard à la construction de l'objet et, d'autre part, marquent une distanciation pour chaque auteur face à son propre récit.

Un travail systématique d'analyse est ensuite entrepris dont les étapes varient en fonction du temps imparti à l'ensemble de la démarche. Si la production de chaque récit écrit s'étend sur plusieurs semaines, chaque auteur conservant la responsabilité d'organiser son temps de manière à produire un récit qui le satisfasse eu égard à ses questions et à ses réflexions, l'étape de l'analyse des récits se révèle tout aussi exigeante, mais ses modalités sont à la charge de l'accompagnatrice qui doit créer les outils permettant à chaque auteur – et au groupe – de faite émerger des significations nouvelles. Les outils et techniques habituelles d'analyse de contenu fournis par les acquis de la recherche sociale se révèlent ici trop lourds et dépourvus d'effets formatifs *per se*.

Les différentes étapes d'analyse comprennent des tâches individuelles et collectives et soutiennent la poursuite de la réflexion sur l'objet. Ce double volet facilite la distanciation avec sa propre histoire et permet de faire ressortir les éléments communs au groupe et les différences entre les personnes. Cette dynamique crée un portrait collectif de l'objet qui fournit à chaque auteur, homme ou femme, l'occasion de relire son histoire personnelle en lui attribuant des significations nouvelles et qui entraîne un processus d'intersubjectivité permettant de la relier à celles des autres.

CONCLUSION

Le consensus est aujourd'hui plus large autour de la contribution de l'approche biographique à une méthodologie propre aux sciences humaines, malgré une conscience accrue de l'écueil que peut représenter cette approche eu égard au renforcement de l'idéologie du sujet. Déjà au début du XXᵉ siècle, les pionniers des récits de vie en recherche sociale avaient campé la spécificité des connaissances produites avec les récits de vie dans la multidisciplinarité et, du point de vue épistémologique, dans la dialectique singulier/universel. Certains théoriciens ont même soutenu que le récit de vie constituait un matériau parfait, voire qu'il s'élevait au rang des méthodes. En herméneutique, Dilthey affirmait pour sa part que cette «méthode» biographique constituait la méthode la plus adéquate pour les sciences historico-herméneutiques ainsi que pour son objet.

Si l'on ne peut ignorer l'exigence que représente l'approche biographique pour le chercheur, on doit souligner que plus d'un siècle plus tard, les chercheurs poursuivent avec l'approche biographique un travail novateur au plan théorique, épistémologique et méthodologique. Elle est largement utilisée aujourd'hui. Certes, les conditions de production de la recherche sociale ont changé; l'utilisation de l'approche biographique, de même. Mais le projet anthropologique de fonder la connaissance de l'universel dans le singulier peut rallier aujourd'hui des chercheurs de toutes disciplines, voire les orienter vers des voies nouvelles de compréhension de l'humain.

BIBLIOGRAPHIE ANNOTÉE

BERTAUX, D. *Les récits de vie* (1re éd., 1997), Paris, Nathan Université (coll. «128»), 2005.

> Cet ouvrage constitue une synthèse remarquable de l'approche biographique en recherche classique. L'auteur, un sociologue, y développe ce qu'il appelle une perspective ethnosociologique; il est préoccupé de resituer les récits des informateurs dans la place objective occupée par ces acteurs sociaux dans le système socioculturel.

BOURDAGES, L., S. LAPOINTE et J. RHÉAUME, *Le «je» et le «nous» en histoire de vie*, Paris, L'Harmattan (coll. «Histoire de vie et formation»), 1998.

> Cet ouvrage présente les actes du troisième symposium du Réseau québécois pour la pratique des histoires de vie (RQPHV) et y développe de manière centrale la problématique des rapports entre l'individu et le social à partir de récits de vie. S'y ajoutent des textes qui introduisent l'environnement (physique), l'écologie, comme tiers médiateur entre les deux termes précédents. Cet ouvrage s'adresse à tous les chercheurs et praticiens intéressés par la singularité et la complexité des rapports humains.

CHAPUT, M., P.-A. GIGUÈRE et A. VIDRICAIRE, *Le pouvoir transformateur du récit de vie. Acteur, auteur et lecteur de sa vie*, Paris, L'Harmattan (coll. «Histoire de vie et formation»), 1999.

> Cet ouvrage présente les actes du deuxième symposium du Réseau québécois pour la pratique des histoires de vie (RQPHV). Les auteurs y présentent des questions et réflexions d'ordre historique, théorique et épistémologique concernant la pratique de l'approche biographique lorsqu'une visée de formation est associée à une visée de production de connaissance ou d'intervention.

DESMARAIS, D. et J.-M. Pilon (coord.), *Pratiques des histoires de vie. Au carrefour de la formation, de la recherche et de l'intervention*, Paris et Montréal, L'Harmattan, 204 p., 1996.

> Cet ouvrage constitue le premier d'une série d'ouvrages publiés par des praticiens des histoires de vie membres du Réseau québécois pour la pratique des histoires de vie (RQPHV). Le sous-titre est d'ailleurs

indicatif de la spécificité des pratiques que chapeaute ce Réseau et qui a donné lieu à sa fondation, en 1994. Il s'agit d'un ouvrage collectif qui présente des textes sur des pratiques de formation universitaire avec l'approche biographique, des pratiques de recherche-formation et des pratiques de recherche-intervention avec les histoires de vie en milieu communautaire.

LEAHEY, J. et C. YELLE, *Histoires de liens, histoires de vie. Lier, délier, relier*, Paris, L'Harmattan (coll. « Histoire de vie et formation »), 2003.

Cet ouvrage présente les actes du quatrième symposium du Réseau québécois pour la pratique des histoires de vie (RQPHV). Les textes de cet ouvrage collectif explorent la complexité des liens qui marquent le développement des individus et des collectivités, à travers la richesse des récits et des histoires de vie.

Les quatre ouvrages précédents constituent une bonne introduction sous un mode appliqué à l'approche biographique. Ils font partie d'une collection d'ouvrages consacrés aux histoires de vie chez le même éditeur qui compte en 2008 plus de 40 titres.

PINEAU, G. et J.-L. LE GRAND, *Les histoires de vie* (1re éd. 1993), Paris, Presses universitaires de France (coll. « Que sais-je ? », n° 2760), 2002.

Cet autre ouvrage de synthèse sur les histoires de vie adopte un point de vue original dit bio-épistémologique où les auteurs tentent de proposer les éléments d'une production de connaissance avec les histoires de vie.

LE GROUPE DE DISCUSSION

Paul GEOFFRION

*La conversation de gens d'esprit est plus logique
que le livre d'aucun d'eux, parce que chacun est
entraîné par tous les autres, que chacun est
sans cesse ramené à ce qui excite la curiosité de
tous, que chacun est appelé à produire ce qu'il
sait plutôt que ce qu'il veut montrer.*

SISMONDI

Le groupe de discussion est une *technique d'entrevue qui réunit de six à douze participants et un animateur, dans le cadre d'une discussion structurée, sur un sujet particulier.*

Le perfectionnement des techniques d'animation de groupe et les nombreux avantages qu'offre le groupe de discussion ont fait de cette méthode de recherche l'une des plus populaires en sciences sociales et en marketing. En fait, le groupe de discussion se prête à l'analyse d'une vaste gamme de problèmes. Il est aujourd'hui utilisé dans l'étude des comportements, des propensions à l'achat de produits, de concepts publicitaires, de l'image d'une organisation ou d'une entreprise, de politiques commerciales et sociales, etc. Dans le domaine de la politique, les groupes de discussion peuvent faire la différence entre une victoire et une défaite.

ÉVALUATION DU GROUPE DE DISCUSSION

1.1. Les avantages du groupe de discussion

Le groupe de discussion facilite la compréhension du comportement et des attitudes d'un groupe cible. Son efficacité résulte de ses nombreux avantages par rapport aux techniques de recherche quantitatives (tels les sondages) ou aux autres techniques de recherche qualitatives (telles les entrevues non directives). Les paragraphes suivants traitent de ces avantages, puis présentent quelques inconvénients de cette méthode de recherche.

Au chapitre des avantages, notons d'abord que *les questions sont ouvertes*. Le rôle de l'animateur est de présenter les sujets de discussion et les questions. Les participants sont ensuite entièrement libres de formuler leurs réponses et commentaires à leur gré. Ils ne sont pas limités à des catégories précises de réponses ou à des échelles progressives qui parfois conviennent mal à leur point de vue. Les participants peuvent donc prendre le temps nécessaire pour nuancer leurs réponses, énoncer les conditions d'un « oui » ou d'un « non », ou expliquer le pourquoi d'un « peut-être ». Ils peuvent présenter de nouveaux sujets et lancer la discussion sur une nouvelle voie. Cette flexibilité, contrôlée par l'animateur, génère une richesse de données qu'il est difficile d'obtenir par l'utilisation d'autres techniques.

Autre avantage : dans une discussion de groupe, l'animateur peut *vérifier si les participants ont une compréhension commune de la question posée*. L'animateur peut donc corriger le tir en reformulant la question. Dans un sondage, l'interviewer n'est souvent pas en mesure de juger du bien-fondé d'une réponse. Cette possibilité est encore plus forte lorsque les choix de réponses sont fournis au répondant.

Le groupe de discussion permet une *compréhension plus approfondie des réponses* fournies. Il est souvent plus important, en recherche, de comprendre les motifs d'une réponse que d'obtenir la réponse elle-même. C'est la différence entre savoir qu'un problème existe et comprendre pourquoi il existe. La solution doit nécessairement passer par ce deuxième niveau. Le groupe de discussion permet à l'animateur de sonder le pourquoi des réponses. Il peut ainsi obtenir des explications au sujet des réponses fournies, relever les expériences vécues qui ont contribué à former les opinions, élucider les émotions et les sentiments sous-jacents à certains énoncés.

Par une *interaction contrôlée entre les participants*, le groupe de discussion recrée un milieu social, c'est-à-dire un milieu où des individus interagissent. Ce contexte crée une dynamique de groupe où les énoncés formulés par un individu peuvent engendrer des réactions et entraîner dans la discussion d'autres participants. Les arguments présentés pour ou contre un point de vue peuvent aider certains participants à se former une opinion sur un sujet pour lequel ils n'avaient peut-être que peu d'intérêt auparavant. Tout comme dans la société, les participants changent parfois d'opinion en entendant les propos tenus par d'autres participants. Une bonne technique d'animation permet de déterminer les causes de changement d'opinions. Dans la même veine, un animateur peut juger du degré de conviction des participants par rapport aux opinions exprimées. Le groupe donne un sentiment de sécurité aux participants. L'ouverture démontrée par les uns invite la participation des autres. Il serait parfois impossible d'obtenir les mêmes confidences dans une entrevue face à face.

Cette méthode requiert habituellement un *nombre réduit de collaborateurs*. Il est fréquent que la même personne planifie le projet de groupe de discussion, anime les groupes, analyse les discussions, prépare le rapport et en fasse la présentation. La personne capable de réaliser toutes ces étapes possède habituellement une vaste expérience. Cette expérience et le rôle de la même personne dans toutes les phases de la recherche assurent un contrôle, une harmonie de pensée et, par conséquent, une qualité égale à toutes les étapes. Un sondage typique, par contre, exige la participation d'un chef de projet, d'un recherchiste, d'un responsable de terrain, des interviewers et d'un programmeur qui jouent divers rôles à diverses étapes de la recherche. Cette organisation crée nécessairement une distance entre les répondants et l'animateur. De plus, le maintien de normes de qualité élevées dans un sondage exige de grands efforts de coordination.

Dans le cas d'une recherche commanditée, la technique du groupe de discussion facilite la *participation du commanditaire* aux diverses étapes de la recherche. Le commanditaire est habituellement plus en mesure de comprendre et d'évaluer un guide de discussion qu'un questionnaire élaboré pour un sondage quantitatif. Il peut observer les discussions de groupes, écouter les propos des participants et mieux comprendre les conclusions de l'animateur. De même, il saisira souvent plus facilement l'essence du rapport de style descriptif du groupe de discussion que la présentation des résultats d'un sondage où abondent les colonnes de chiffres, les pourcentages et les mesures statistiques diverses.

Le groupe de discussion représente également une *méthode dont la flexibilité se manifeste à plusieurs niveaux*. La méthode d'entrevue est souple, et l'animateur peut à son gré étendre ou restreindre le cadre des discussions. Il peut spontanément changer l'ordre des sujets à discuter de façon à exploiter une nouvelle idée qui surgit spontanément. Il peut modifier son approche selon les caractéristiques du groupe. Le groupe de discussion permet aussi d'exploiter des situations spéciales. Par exemple, on peut fournir des explications sur un nouveau produit ou présenter un film. Certains sujets délicats tels des problèmes de santé ou de sexualité sont difficilement abordables en entrevue individuelle ou par sondage téléphonique, mais le groupe de discussion permet de traiter de ces sujets parce qu'on peut graduellement établir une atmosphère favorable à ce genre de discussion. Finalement, le groupe de discussion permet d'étudier certains individus que d'autres techniques ne peuvent rejoindre. C'est le cas des personnes illettrées et des enfants. Le groupe de discussion est une des rares techniques qui permettent d'étudier ces individus.

Finalement, cette méthode permet d'*obtenir des résultats rapidement*. Lorsqu'une situation urgente se présente, les groupes de discussion peuvent s'avérer la seule méthodologie pratique à employer.

▓ 1.2. Les désavantages du groupe de discussion

Comme toute méthode de recherche, les groupes de discussion comportent aussi certains désavantages.

La force de la recherche quantitative est que l'on peut extrapoler les résultats de l'échantillon à l'ensemble d'une population. Cette extrapolation est possible grâce au respect des principes d'échantillonnage aléatoire et à la mise en place d'une structure d'entrevue systématisée. Les groupes de discussion ne sont habituellement pas soumis aux mêmes principes en ce qui concerne le recrutement des participants et l'échantillonnage aléatoire. De plus, les groupes ne comptent qu'un nombre restreint de participants soumis à des entrevues foncièrement différentes. Par ailleurs, il est impossible dans une discussion de groupe de demander l'opinion de tous les participants sur toutes les questions posées. Il serait donc risqué de tirer des conclusions à partir de quelques commentaires non représentatifs de l'opinion de la majorité des participants. *Donc, les participants ne sont pas statistiquement représentatifs de l'ensemble de la population étudiée et le chercheur ne peut extrapoler les résultats à cette population.*

Un animateur peut involontairement influencer les résultats des groupes de discussion par ses opinions personnelles. L'animateur a le loisir de poser les questions selon son propre style et dans un ordre qui peut varier d'un groupe à l'autre. La façon de poser les questions et l'ordre de celles-ci peuvent influencer les réponses des participants. Les préjugés personnels de l'animateur peuvent aussi avoir un impact sur l'analyse et sur la rédaction du rapport. Un animateur peut, par exemple, donner plus de poids aux opinions qui correspondent à ses propres vues et minimiser l'importance des opinions contraires.

La *dynamique de groupe* peut avoir des effets négatifs. Certains participants peuvent être réticents à exprimer ce qu'ils pensent vraiment, surtout si les sujets traités sont délicats. Un participant pourra, volontairement ou non, donner un point de vue qui le valorisera aux yeux des autres participants plutôt que de communiquer sa véritable pensée. Certains participants auront tendance à se rallier à la majorité. Des individus qui ont plus de facilité à s'exprimer peuvent influencer les opinions du groupe de façon indue, s'ils ne sont pas bien contrôlés par l'animateur.

Nous sommes tous influencés par les gens que nous côtoyons. Le groupe de discussion tente de recréer un milieu social mais *ce milieu n'en demeure pas moins artificiel* (comme d'ailleurs la plupart des environnements de recherche quelle que soit la méthodologie). En effet, les participants ne se connaissent habituellement pas et ils sont soumis à un protocole formel. La composition du milieu social recréé ne correspond pas à celle des milieux naturels, ce qui soumet les participants à des influences qu'ils n'auraient pas subies en temps normal. Le groupe de discussion place aussi le participant dans un milieu centré sur une seule question alors que, dans l'environnement naturel, les stimuli sont nombreux.

Finalement, les résultats du groupe de discussion sont davantage ouverts à *l'influence du commanditaire*. Il est facile pour certains commanditaires peu expérimentés en recherche d'attacher une importance exagérée aux résultats de groupe, et cela risque de se produire encore plus fréquemment quand les résultats des groupes coïncident avec l'opinion initiale du commanditaire. On peut en effet trouver, dans les groupes de discussion, matière à soutenir plusieurs points de vue. Sans un soutien quantitatif, des décisions importantes risquent d'être prises à partir de données qui sont moins complètes ou moins représentatives.

▓ 1.3. La validité des résultats du groupe de discussion

Comme pour toute technique de recherche, la fiabilité des résultats du groupe de discussion peut être remise en question par une foule de facteurs, mais deux aspects sont particulièrement importants : 1) l'opportunité d'utiliser cette technique pour un problème particulier et 2) la rigueur démontrée dans la réalisation de l'étude.

Il existe une règle fondamentale : *les recherches qualitatives donnent des directions tandis que les recherches quantitatives donnent des dimensions*. La méthode de recherche employée doit donc être adaptée au sujet d'étude. Les groupes de discussion permettent de comprendre les sentiments des participants, leur façon de penser et d'agir, et comment ils perçoivent un problème, l'analysent, en discutent. Les méthodes quantitatives, quant à elles, fournissent un portrait statistiquement représentatif des « quantités » caractéristiques d'une population, mais non le « sens » qu'on pourrait leur donner.

Selon la nature et l'importance de l'information recherchée, il peut être essentiel de contre-vérifier et de quantifier les résultats de groupes de discussion par une étude quantitative. La coïncidence des résultats des deux études diminuera substantiellement la probabilité d'erreur.

■ 1.4. Quand utiliser les groupes de discussion?

Les groupes de discussion se prêtent bien à certains genres d'études et moins bien à d'autres. En général, on utilisera les groupes de discussion dans les situations où il est important de comprendre le « pourquoi » des choses. Voyons quelques domaines où le groupe de discussion est susceptible de bien répondre aux exigences de la recherche.

Toute la gamme des *comportements sociaux* peut être soumise à l'analyse par groupe de discussion : les comportements économiques, les attitudes par rapport à la famille, au travail, à l'implantation de complexes industriels, à certaines mesures de contrôle de la consommation d'un produit, etc. Les attitudes et les comportements par rapport à des sujets délicats tels que le racisme, les agressions sexuelles, l'alcoolisme ou la violence au foyer peuvent faire l'objet de groupes de discussion. L'exemple de certains participants plus loquaces incite les plus taciturnes à parler de leurs propres expériences et à émettre leurs points de vue. Il est plus difficile de créer ce climat de confiance dans des entrevues individuelles.

Les *prétests de publicité ou de campagnes de promotion* regroupent les prétests de messages imprimés, télévisés et radiodiffusés ; les affiches, les feuillets et les prétests d'emballage et d'étiquetage. Le groupe de discussion est très souvent utilisé pour étudier la réaction des consommateurs face à des concepts de nouveaux messages publicitaires, particulièrement au début de l'élaboration d'une campagne lorsqu'on désire explorer diverses possibilités. Le groupe de discussion offre la possibilité d'observer les émotions des participants face aux messages présentés. Les groupes se prêtent bien à l'analyse détaillée de tous les aspects des messages, soit la présentation visuelle, le message compris par les participants, les slogans, les signatures, la typographie, de même que l'impact du message sur l'image de l'entreprise, etc.

Les méthodes quantitatives seraient recommandées au stade où, après avoir effectué une étude par groupe de discussion, on désire établir un choix précis entre plusieurs approches retenues. Le sondage peut alors permettre de déterminer, sur une base statistiquement fiable, l'approche qui servira le mieux la stratégie de marketing.

Les groupes se prêtent également bien à l'*analyse de documents techniques* tels que les guides d'impôts ou des brochures décrivant des services financiers. On y évalue le niveau de compréhension du document, la facilité de lecture, l'à-propos des exemples, les lacunes ayant trait à l'information, la mise en pages, etc. On peut même procéder à une analyse détaillée de chaque section de la brochure.

Le groupe de discussion peut être fort utile à diverses étapes dans l'*évaluation de produits*. Il est recommandé de prétester un concept de nouveau produit au stade initial afin d'en relever immédiatement certaines failles soit au niveau de caractéristiques particulières ou de l'appréciation générale. Les informations obtenues peuvent ainsi servir à réorienter les activités de développement ou carrément les stopper. Après le lancement d'un produit, on peut analyser le processus de décision ayant mené à l'achat, le degré de satisfaction des utilisateurs, les problèmes rencontrés, la façon d'utiliser le produit, les facteurs qui motiveraient des achats subséquents, etc. On peut aussi utiliser les groupes pour déceler les causes des écarts entre les prévisions de ventes et les ventes réelles. Il est à remarquer que les produits évalués par des groupes peuvent être intangibles, comme des programmes éducatifs, des services financiers, des soins médicaux, etc.

La gamme complète des *relations entre une organisation et sa clientèle* peut être étudiée par l'entremise du groupe de discussion. On pense ici aux entreprises commerciales, aux gouvernements, aux syndicats, aux entreprises à but non lucratif, etc. Leur «clientèle» peut comprendre les acheteurs de leurs produits et services, leurs employés, leurs fournisseurs, leurs actionnaires, etc. Les groupes de discussion peuvent aider à mettre au jour des problèmes d'image, de qualité du service offert, de satisfaction par rapport aux politiques existantes ou potentielles, etc.

Le groupe de discussion est utile pour *approfondir une question avant une étude quantitative* et pour comprendre la façon de penser ou de parler par rapport à un sujet. On utilise souvent le groupe de discussion avant un sondage pour saisir la dynamique dans laquelle se placent les sujets d'enquête et les principales hypothèses à vérifier. Le groupe permet de déterminer certaines questions importantes à poser de même que le langage à utiliser pour poser ces questions. On utilise parfois le groupe de discussion pour prétester des questionnaires. Le groupe peut servir à raffiner la définition d'une attitude et contribuer à améliorer une échelle de mesure d'attitude.

À la suite d'une étude quantitative, le groupe de discussion permet d'établir les causes ou les sentiments sous-jacents à certaines des réponses obtenues ou, carrément, d'expliquer certains résultats.

 ## 2 LA PLANIFICATION DES GROUPES DE DISCUSSION

Il est important de planifier soigneusement tout projet de recherche. Le groupe de discussion n'échappe pas à cette règle. Une bonne planification aide le commanditaire et l'animateur à préciser et à harmoniser leur pensée sur les objectifs de la recherche, les sujets à étudier, le genre de résultats désirés et l'utilisation des résultats. Le tableau 15.1 présente les principaux éléments du plan de recherche.

Dans la planification du groupe de discussion, quatre thèmes retiennent l'attention : 1) le nombre de groupes, 2) la structure des groupes, 3) le lieu physique et 4) le guide de discussion.

▓ 2.1. Le nombre de groupes de discussion

Théoriquement, il serait souhaitable de tenir des groupes de discussion tant que ceux-ci apportent de nouveaux renseignements. En pratique, le nombre de groupes de discussion sera déterminé par divers facteurs.

Plus l'*impact économique* de l'information recherchée est grand, plus on voudra minimiser le risque d'erreur. Conséquemment, on aura tendance à augmenter le nombre de groupes et à en vérifier les résultats par d'autres méthodes de recherche comme les sondages.

De la même façon, l'*impact social* d'une décision influe sur le niveau acceptable d'incertitude et le nombre de groupes requis. Un gouvernement qui instaure un programme devra s'assurer de le concevoir de façon à ce qu'il réponde bien aux besoins des citoyens.

Si le *niveau actuel de connaissances* est faible, plus d'efforts devront être investis pour obtenir un résultat également sûr.

TABLEAU 15.1
Éléments du plan de recherche

La mise en situation	Un aperçu du contexte dans lequel se situe le projet de recherche.
Les objectifs	Les raisons qui motivent la réalisation du programme de recherche.
Le contenu de la recherche	Une liste préliminaire des sujets qui seront abordés au cours de la recherche de même que de la population étudiée.
La méthodologie	La technique de recherche recommandée, la population à recruter, la structure des groupes, la stratégie de recrutement, une liste préliminaire des sujets discutés et, éventuellement, un aperçu du genre de rapport qui sera élaboré.
L'équipe	La liste des personnes qui participeront à ce projet et les responsabilités de chacune d'entre elles.
L'échéancier	L'établissement de chacune des étapes du projet et la date prévue de leur réalisation.
Le budget	Les coûts du projet.

Il est habituellement problématique de regrouper des populations dont les caractéristiques ou les comportements sont très divergents. Cela implique que le nombre de groupes requis augmentera en fonction du *nombre de sous-populations pertinentes à la recherche*. Parmi les facteurs qui devraient commander des groupes distincts, mentionnons 1) le profil socioéconomique (des participants ayant un faible revenu ou peu d'instruction seront peut-être mal à l'aise dans un groupe de personnes plus instruites ou mieux nanties); 2) l'âge (les jeunes seront moins enclins à exprimer une opinion contraire à celles de leurs aînés sur certains sujets); 3) le sexe, parfois (certains sujets se prêtent mal aux groupes réunissant hommes et femmes tels que la prévention de maladies transmises sexuellement et les besoins en services d'aide); 4) les liens d'autorité (il faut éviter de former des groupes comprenant des personnes de divers niveaux hiérarchiques lorsque, par exemple, on veut étudier le comportement des membres d'une organisation); 5) le territoire géographique (les mentalités peuvent varier d'une région à l'autre); 6) la langue.

Le *budget* est une contrainte incontournable. Aucun individu ni aucune organisation ne possède des budgets illimités. Il est important de se concentrer sur les segments qui sont susceptibles de fournir les renseignements les plus pertinents.

▓ 2.2. La structure du groupe

Trois questions retiennent l'attention en ce qui a trait à la structure du groupe de discussion : le recrutement des participants, le nombre de participants et le choix des participants.

Le *recrutement des participants* est l'une des tâches du processus de mise en place du groupe de discussion. Au cours de cette étape, le responsable du groupe s'assure du concours d'individus pertinents au thème de la recherche. L'animateur du groupe est responsable de bien établir avec le commanditaire les critères de sélection des participants. Il est bon de choisir les participants dans la plus vaste population possible pour assurer une grande diversité d'opinions et d'expériences, tout en maintenant une certaine homogénéité dans le groupe. De plus, il faut s'assurer que les participants aient la capacité de discuter du sujet visé à l'intérieur des paramètres désirés. Ils doivent donc avoir l'expérience, les connaissances ou, tout simplement, la capacité intellectuelle ou physique pour bien comprendre les questions, manipuler les produits et participer aux discussions.

La question du *nombre optimal de participants* est très importante. Un grand groupe requiert plus d'intervention de la part de l'animateur tout en offrant moins de latitude aux participants pour s'exprimer. Frustrés de ne pouvoir émettre leur opinion, ils auront tendance à discuter avec leur voisin. Cela nuit évidemment à la synergie du groupe et fait perdre des renseignements importants. Par contre, avec peu de participants, les opinions sont moins diversifiées. Si quelques-uns des participants sont peu loquaces, la discussion sera lente et pénible. L'animateur risque d'être placé dans une situation où il doit continuellement poser de nouvelles questions afin de stimuler la discussion. L'équilibre entre ces facteurs semble être atteint dans les groupes composés de sept à neuf participants. Pour s'assurer de ce nombre, on recrute habituellement de dix à douze personnes par groupe. On s'attend, en effet, à ce qu'environ 20 % des individus recrutés se désistent au dernier moment. Certaines situations militent en faveur de groupes plus petits : par exemple, lorsqu'on réunit des spécialistes pour étudier un document technique, un groupe de cinq ou six participants permet à chacun de s'exprimer sur toutes les sections du document.

Certains types d'*individus doivent être exclus*. Les *personnes qui se connaissent* causent des problèmes particuliers : leurs opinions sont plus homogènes ; leurs liens peuvent les inciter à modifier leurs propos de façon à épater un ami ou à ne pas contredire ; un sujet délicat peut les indisposer davantage que s'ils avaient affaire à des étrangers. Pour ces mêmes raisons, on évite également de recruter des personnes connues de l'animateur. Les *participants uniquement attirés par les cachets* offerts ont tendance à répondre en fonction de ce qu'ils croient que l'animateur désire entendre. Ils peuvent aussi vouloir jouer à l'animateur, ce qui cause des pertes de temps et crée des inconvénients. Le questionnaire de recrutement et les mesures de contrôle doivent voir à les exclure. Les *professionnels* travaillant dans des maisons de recherche, dans des agences de publicité ou dans un domaine connexe à celui étudié sont exclus du groupe de discussion, à moins que les besoins du projet nécessitent leur participation.

▓ 2.3. Le lieu physique

Les salles prévues pour la conduite des groupes de discussion offrent plusieurs avantages. Elles sont dotées d'un miroir à double sens qui permet au commanditaire de voir la discussion sans gêner les participants ou l'animateur. Ces salles sont équipées d'un bon système d'enregistrement qui facilite l'écoute des bandes durant la phase d'analyse, d'aires de réception et d'attente pour les participants, d'hôtesses, etc. Les bonnes salles de groupes présentent certaines caractéristiques supplémentaires. Le décor est sobre et offre peu d'éléments qui pourraient distraire les participants. La salle comporte des supports audiovisuels pour fins de présentation. Le système acoustique isole des bruits provenant de l'extérieur de la salle.

La plupart des animateurs préfèrent regrouper les participants autour d'une table de conférence, ce qui offre plusieurs avantages : 1) les participants sont tous à la même hauteur ; 2) la table fournit une certaine protection psychologique ; 3) du côté pratique, la table fournit un espace où déposer jus et café. Elle offre de plus une surface de travail lorsque les participants ont à manipuler des questionnaires individuels ou d'autres documents.

Lorsqu'une salle spécialisée n'est pas disponible, il est bon de limiter le nombre d'observateurs à deux ou trois. Ceux-ci seront assis à une petite table mise en retrait à l'arrière de la salle, à l'opposé de l'animateur. Les participants seront moins intimidés puisque la conversation sera plutôt dirigée du côté de l'animateur que de celui des observateurs. On peut aussi louer deux salles adjacentes. Les observateurs peuvent suivre la discussion au moyen d'une caméra vidéo et d'un écran de télévision.

▓ 2.4. Le guide de discussion

Le guide de discussion est très différent du questionnaire de sondage. Ce dernier comporte des questions précises et ordonnées à réponses brèves et catégorisées. Le guide de discussion résume les principaux thèmes de discussion – plutôt que de faire la liste complète de tous les sujets qui pourraient être abordés – et indique l'ordre provisoire et la durée approximative de la discussion sur chaque sujet. Le guide sert de repère général afin d'éviter que des sujets importants ne soient omis lors de la discussion, mais il ne doit pas inhiber la spontanéité des répondants ou limiter la flexibilité de l'animateur. Celui-ci doit être prêt à réagir à de nouvelles situations en posant des questions qui permettront, par exemple, d'explorer un sujet intéressant mais imprévu. Comme la durée d'un groupe de discussion est habituellement de une heure et demie à deux heures, il faut bien évaluer le nombre de sujets qui pourront être discutés au cours de cette période. Il n'est pas efficace d'écourter la discussion sur un sujet important à cause d'un plan trop chargé.

Le groupe de discussion est normalement structuré en trois temps. La **phase d'introduction** sert à briser la glace. L'animateur souhaite la bienvenue et explique aux participants le déroulement du groupe de discussion. Il explique aux participants la raison de l'enregistrement (audio ou vidéo) de même que la présence des observateurs. Il fait remarquer que dans un groupe de discussion, il n'y a pas de bonnes ni de mauvaises réponses, et que toutes les opinions l'intéressent. Il est bon d'amorcer la discussion en demandant aux participants de fournir quelques renseignements sur eux-mêmes tels que le genre de poste qu'ils occupent et le milieu familial dans lequel ils vivent.

Lors de la discussion, on nommera les participants par leur prénom. Une bonne technique à utiliser est de placer un carton de 5 sur 8 pouces plié en forme de tente devant chaque participant. Ils y inscrivent leur prénom au crayon feutre des deux côtés. Ces cartons sont toujours visibles (contrairement aux épinglettes) et l'animateur n'a pas à consulter une liste (inévitablement égarée) pour inviter une personne à répondre. En outre, ces cartons facilitent les discussions des participants entre eux.

Le premier sujet abordé dans la **phase de discussion** vise à « réchauffer l'atmosphère » et à diminuer les tensions, normales entre des étrangers mais improductives. On choisira donc un sujet relativement facile qui pourra n'avoir qu'un lien très indirect avec les buts de la recherche. La période de « réchauffement » dure environ dix minutes. On passe ensuite des sujets généraux aux sujets plus précis ou plus délicats. Par exemple, lors d'une étude sur les chèques de voyage, on peut commencer la discussion par l'utilisation de ce produit, puis discuter des différentes marques de chèques pour en arriver à une discussion sur une marque précise.

> L'animateur aura avantage à aborder les sujets liés aux émotions et aux sentiments avant les sujets plus objectifs tels les comportements d'achat. En effet, les participants aux groupes prennent rapidement l'habitude de répondre de façon « logique » à toute question. Il peut alors devenir difficile de leur faire révéler leurs liens émotifs par rapport à une situation ou un produit.

En guise de *conclusion*, on réserve une période de dix minutes à la fin du groupe pour consulter le commanditaire et vérifier s'il a des questions supplémentaires. Il ne reste plus qu'à remercier les participants pour leur contribution au groupe.

Comme il a été mentionné plus tôt, le guide ne peut contenir toutes les questions qui pourraient être posées aux participants. Cependant, il est bon de préparer une liste de questions organisées en une séquence naturelle et logique. Cela est particulièrement important lorsque le sujet est délicat ou lorsque l'animateur a moins d'expérience avec un sujet. L'animateur mémorisera ces questions et pourra les utiliser durant la discussion. Il mémorisera aussi les principales composantes de son guide de discussion. Cette approche lui donnera une plus grande aisance dans l'orchestration du groupe et le rendra plus apte à saisir les occasions offertes tout au long de la discussion.

3 L'ANIMATION

L'animateur du groupe de discussion a une tâche d'autant plus exigeante qu'il est le pivot du déroulement de la rencontre. Il est donc nécessaire de s'étendre sur l'animation du groupe de discussion, ses principes et ses techniques. Nous traiterons du rôle de l'animateur, des différents styles d'animation, des types de questions et des techniques d'animation.

■ 3.1. Le rôle de l'animateur

L'atmosphère la plus productive pour un groupe de discussion est caractérisée par l'ouverture, la participation, l'échange et la recherche de la réussite dans l'effort de groupe. Cependant, la société conditionne les individus à dissimuler leurs sentiments, surtout devant des inconnus. Une trop grande ouverture est vue comme une intrusion, particulièrement lorsqu'on pense qu'on s'attend à la réciprocité. Dans les relations interpersonnelles, une trop grande honnêteté risque d'offenser et a plus souvent des conséquences négatives que positives. L'animateur doit chercher à atténuer ces conditionnements pour permettre aux participants de dévoiler certaines de leurs émotions et attitudes. L'animateur doit créer un environnement permissif et confortable, où des interdépendances se créent et où chacun désire contribuer à la discussion.

Certaines approches favorisent l'atteinte de ce but. L'animateur doit faire preuve d'une *attention soutenue* et exprimer subtilement son *désir de comprendre*. Dans le cas contraire, les participants reconnaîtront rapidement une certaine nonchalance et concluront à l'artifice du groupe. Les participants doivent sentir que leurs *propos sont appréciés*. L'animateur doit faire sentir aux participants qu'il a besoin de leur point de vue. Les participants seront alors plus enclins à exprimer leur propre opinion. Les participants doivent avoir pleinement confiance en la *neutralité de l'animateur*. Ils doivent sentir qu'ils peuvent exprimer leur opinion, même si elle est contraire à celle précédemment exprimée. Pour arriver à ce résultat, l'animateur clarifiera sa position de stricte neutralité dès le début de la rencontre; il invitera les opinions contraires tout au long de la discussion; et il n'influencera pas la discussion en démontrant même subtilement ses préférences personnelles ou en émettant des signes d'approbation ou de désapprobation.

La relation entre l'animateur et les participants influence considérablement la productivité de l'atmosphère du groupe. Par sa position officielle dans le groupe, l'animateur est automatiquement placé dans une position d'autorité qui lui permet de décider du déroulement des discussions et même de contrôler certains des participants qui peuvent poser des problèmes. Un certain doigté est cependant nécessaire. L'exercice de cette autorité doit être souple, agréable et subtil. Il est préférable de guider doucement les participants plutôt que d'exercer une autorité imposante.

Le but de l'animateur n'est pas de développer des liens d'amitié avec les participants. Cette situation risquerait d'inciter les participants à n'exposer que les points de vue qu'ils perçoivent comme désirés de l'animateur. L'atmosphère du groupe risquerait de plus d'être trop joviale, nuisant ainsi au sérieux nécessaire à une discussion fructueuse.

▓ 3.2. Les styles d'animation

Comme Harpagon a été rendu de diverses façons par des acteurs différents, le rôle d'animateur peut être joué de bien des manières. Le style d'animation est un aspect très personnel du travail de l'animateur.

Il existe deux principales catégories de styles d'animation: le style directif et le style non directif. Un animateur de *style directif* aura tendance à intervenir de façon plus constante dans le processus de groupe. Il posera un grand nombre de questions et contrôlera la discussion pour qu'elle ne dévie pas du sujet. Les sujets sont présentés selon un ordre prédéterminé. Ce style favorise la discussion sur les questions importantes de la recherche. Un animateur de *style non directif* présente les sujets, s'assure que la conversation ne dévie pas trop des objectifs de la recherche et laisse le maximum de latitude aux participants dans l'orientation des discussions. Ce style favorise la discussion sur les questions importantes pour les participants.

Quel style adopter ? Le meilleur style est celui qui correspond le mieux à la personnalité de l'animateur. Cependant, un bon animateur fera preuve de souplesse et saura modifier son approche selon les circonstances. Le style directif est plus efficace quand il y a un grand nombre de sujets à traiter ou lorsqu'on doit explorer plusieurs composantes d'un même sujet. Ce style devient nécessaire, par exemple, dans l'analyse d'un document assez élaboré ou lorsqu'on désire analyser de nombreux problèmes avec un programme. Le style non directif est plus approprié dans le cas d'une recherche exploratoire, lorsqu'on désire établir de nouvelles hypothèses, des idées ou des bases stratégiques. Il est aussi recommandé lorsqu'on traite de sujets émotifs. On peut même à l'intérieur du même groupe varier les styles. On peut commencer la discussion de façon non directive afin d'explorer les attitudes et les expériences passées par rapport au sujet, pour ensuite devenir directif dans l'analyse de problèmes particuliers.

L'animateur doit toujours garder en tête que la recherche a un but précis. Il doit contrôler les conversations, jusqu'à un certain point, pour s'assurer d'obtenir les renseignements nécessaires à la réalisation des objectifs de la recherche à l'intérieur de la courte période allouée à un groupe de discussion. Par contre, l'animateur doit exercer ce contrôle sans limiter l'expression d'idées productives par les participants.

3.3. Les questions

L'animateur cherche habituellement à comprendre ce qui motive les participants. Il doit déceler comment les émotions influencent le comportement. S'il ne s'agissait que de mesurer le comportement, il procéderait par sondage. Cependant, les gens analysent rarement leurs propres sentiments par rapport à un produit, un message ou une situation. Dans un groupe de discussion, ils auront donc tendance à répondre aux questions de façon logique plutôt qu'émotive. Inciter les gens à révéler leurs émotions exige beaucoup de doigté dans la façon de formuler les questions et de les poser.

La première règle à respecter dans la formulation des questions est la *simplicité* : il est crucial que les questions soient comprises des participants. L'animateur choisira donc son langage en fonction de son auditoire. Il faut aussi ne poser qu'une seule question à la fois et s'assurer que celle-ci ne couvre qu'un aspect du sujet. L'animateur doit être prêt à reformuler une question s'il réalise que les participants n'en comprennent pas le sens.

Les *questions ouvertes* laissent au participant la plus grande latitude possible pour répondre selon sa propre expérience. Les questions très larges permettent de révéler et d'explorer certains aspects inattendus d'un sujet. L'animateur n'utilisera pas de questions fermées ou précatégorisées, plus appropriées dans le cadre du sondage.

Pour prévenir les réponses monosyllabiques («oui» ou «non»), les questions doivent *inviter au développement*. Cela évite d'avoir à relancer le participant pour obtenir les raisons motivant sa réponse et favorise la participation des autres membres du groupe.

Il faut éviter de créer des tensions dans le groupe en posant des *questions accusatrices* qui risquent de mettre les participants sur la défensive ou de les rendre agressifs. Les réponses pourraient en être faussées, ce que l'animateur ne sera pas toujours capable de déceler.

Il est souvent nécessaire d'inciter les participants à *aller au-delà de la réponse initiale*. On a avantage à relancer l'ensemble des participants plutôt que celui qui a émis l'énoncé. Explorer tous les aspects d'un sujet signifie inviter les participants qui pourraient avoir des opinions contraires à les exprimer sans créer de tensions ou de conflits entre les participants.

Les *questionnaires de type sondage* ne doivent pas être utilisés durant les groupes de discussion pour quantifier des résultats. Comme nous l'avons mentionné dans la première partie de ce chapitre, il est impossible de tirer des inférences statistiques à partir de groupes de discussion, peu importe le nombre de groupes. Par contre, le questionnaire peut servir au début de la rencontre pour obtenir l'opinion des participants avant qu'ils ne soient influencés par le groupe. Une fois leur position émise par écrit, les participants auront moins tendance à exprimer une opinion contraire ; l'animateur peut juger du degré de résistance de l'opinion et analyser les arguments qui contribuent à changer l'opinion initiale. Le questionnaire aide aussi les participants à se rappeler leurs expériences passées, à se concentrer sur le sujet et à réfléchir aux différents aspects qui seront abordés. La discussion en sera enrichie et la période de réchauffement raccourcie.

L'utilisation de questionnaires dans un groupe comporte, cependant, des inconvénients. Utilisé en cours de rencontre, même si cette pause peut être utile pour réorienter la discussion, le questionnaire brise la synergie qui aurait pu s'installer dans le groupe. De nombreux questionnaires risquent d'ennuyer les participants. Il est bon dans certains cas d'expédier des documents aux participants avant la rencontre, tels que des documents assez volumineux ou un questionnaire à remplir avant la réunion.

La technique du *tour de table* est utile pour établir les caractéristiques de chaque participant de façon à diriger les questions vers les plus concernés. On l'emploie aussi lorsqu'il est nécessaire d'obtenir l'opinion de tous les participants sur un sujet important. Les participants peuvent alors prendre position avant qu'ils ne soient influencés par la discussion ouverte et l'animateur peut alors questionner en premier ceux qui sont pour puis ceux qui sont contre. La discussion de groupe ne doit pas se transformer en une série d'entrevues individuelles. Il n'est pas recommandé de prendre des votes par rapport à des options dans le but de compiler des indices de préférence, sauf dans les cas où l'on désire simplement obtenir la force relative de diverses options ou constater s'il y a changement d'opinion. Notons encore une fois que les résultats obtenus par ces votes ne sont pas indicatifs des résultats qui seraient obtenus de l'ensemble de la population.

▓ 3.4. Les techniques d'animation

Il existe un certain nombre de techniques d'animation qui sont utilisées dans le cadre des groupes de discussion. Elles concernent l'interaction avec les participants, la gestion de certains types de participants et la gestion du temps. Fondamentalement, l'animateur doit garder la plus stricte neutralité. Il doit constamment surveiller ses techniques d'animation pour ne pas enfreindre ce principe.

Un animateur peut respecter le principe de neutralité dans la formulation de ses questions, mais le trahir inconsciemment par son langage corporel. Il pourrait, par exemple, balancer la tête de haut en bas comme signe d'approbation, récompenser une certaine réponse d'un sourire ou présenter un regard perplexe ou indifférent devant des propos discordants, démontrer des signes d'impatience (en tambourinant des doigts, par exemple) devant des propos discordants, etc.

Techniques inappropriées d'influence des réponses

Émettre des mots d'encouragement tels que « c'est bien », « excellente idée », etc. Il est préférable d'utiliser des mots à consonance neutre tels que : « hom, hom ! », « oui... oui », etc.

Démontrer une certaine impatience devant les points de vue qui déplaisent.

Étendre la discussion sur les points de vue concordant avec l'opinion de l'animateur et l'écourter sur les points de vue discordants.

Solliciter des opinions contraires lorsqu'un participant présente un point de vue discordant et éviter de le faire pour les opinions concordantes.

Demander aux participants les plus susceptibles d'avoir une opinion concordante de parler en premier afin de lancer le débat à partir d'un point de vue apprécié.

Reporter à plus tard les discussions sur les sujets qui plaisent moins à l'animateur ou couper la parole à un participant qui exprime de tels propos.

Le contrôle des participants

Certains types de personnes peuvent nuire au bon déroulement du groupe de discussion. Afin d'éviter de compromettre le processus de recherche, on doit maîtriser ces situations rapidement, mais avec tact.

Par exemple, un participant peut devenir un *expert* parce qu'il est plus instruit que les autres participants, en raison de sa situation sociale, de son expérience professionnelle ou d'un passe-temps relié au sujet discuté. La présence de cet expert aura tendance à inhiber les autres participants. On contrôle « l'expert » qui insiste pour démontrer ses connaissances en offrant la parole à quelqu'un d'autre, en demandant une opinion contraire après un énoncé de l'expert, en suggérant de discuter une opinion contraire, en indiquant aux participants qu'ils sont tous des experts et que l'opinion de chacun compte, etc.

Un *parleur* est une personne qui saute sur toutes les occasions pour prendre la parole et qui empêche les autres participants d'exprimer leur opinion. On le contrôle en évitant le contact avec ses yeux, en posant les questions aux autres participants, en répétant que l'opinion de chacun compte et que l'équité commande que tous aient le droit de parole.

Un bon recruteur devrait s'abstenir d'inviter à un groupe des personnes susceptibles d'avoir de la difficulté à s'exprimer devant des étrangers, des *timides*. S'ils échappent à ce contrôle, on devra tenter d'accroître leur participation en leur demandant de répondre à l'occasion, en maximisant le contact visuel, en leur demandant gentiment d'expliquer certaines de leurs réponses ou en faisant quelques tours de table au début de la réunion lorsqu'on s'aperçoit que deux ou trois participants sont timides.

Il semble parfois impossible de provoquer une discussion dépassant les réponses monosyllabiques : on parle alors de *groupe léthargique*. On peut alors poser des questions dramatiques ou aborder des sujets très controversés, même s'ils n'ont pas de lien direct avec les buts de la recherche, prendre une pause et laisser les participants discuter entre eux quelques minutes, leur demander carrément pourquoi ils semblent ne pas vouloir émettre d'opinion sur le sujet, etc. Dans certains cas, on réalisera que les participants ne sont pas en mesure de discuter du sujet. Il faudra dans ce cas tout simplement annuler le groupe.

Certaines techniques

Il est souvent utile d'employer certaines techniques pour aider les participants à exprimer leur opinion sur des sujets abstraits. Les techniques de base sont décrites dans le prochain tableau. Certains animateurs aiment employer des techniques plus élaborées telles que les techniques projectives qui incluent l'interprétation de taches d'encre, des bandes dessinées dont le participant doit compléter les textes, les jeux de créativité, les jeux de rôles, etc. L'emploi de ces techniques demande une formation spécialisée. De plus, certaines d'entre elles sont controversées. L'interprétation des résultats en est complexe et sujette à erreur. Le commanditaire a habituellement plus de difficulté à suivre et à comprendre le processus. C'est pourquoi elles sont peu utilisées dans les groupes de discussion.

La gestion du temps

Les groupes de discussion durent en moyenne de une heure et demie à deux heures, pour des raisons pratiques. Au-delà de cette limite, la fatigue des participants rend plus difficile l'animation du groupe. De plus longues séances rendent aussi le recrutement des participants plus difficile. Donc, l'animateur doit bien gérer le temps dont il dispose.

TABLEAU 15.2
Techniques d'animation

La personnification	On demande aux participants d'imaginer qu'une organisation ou un produit est un être humain ou un animal, puis de le décrire. Par exemple, pour une institution financière, on comprendra vite la différence entre un mouton et un lion.
Le regroupement de marques	On présente aux participants divers produits de catégories différentes et on leur demande de les regrouper. Par exemple, un parfum que l'on classe avec les Jaguar et les BMW a certainement une image différente d'un parfum placé avec les Toyota et les Honda.
Les associations de portrait	On demande aux participants de choisir des photos qui représentent le mieux la clientèle d'un établissement.
Le mapping	Grâce à un bref questionnaire que l'on soumettra à un traitement informatique spécialisé, on peut établir et présenter visuellement le positionnement de certains produits ou services par rapport à des qualificatifs.

Il faut, dans la mesure du possible, éviter les coq-à-l'âne. Lorsqu'un sujet de grand intérêt est en discussion et qu'un des participants en aborde spontanément un nouveau, l'animateur doit intervenir. L'animateur doit juger quand un sujet est épuisé ; il passe alors à un nouveau sujet. Quand le programme est chargé, il est utile d'indiquer le temps approximatif accordé pour chaque sujet sur le guide d'entrevue afin que l'animateur ait spontanément certains repères.

 **L'ANALYSE**

▓ 4.1. Les niveaux d'analyse

On peut faire l'analyse des résultats de groupes de discussion à quatre niveaux différents. Plus un animateur effectue son analyse de façon méthodique à chacun de ces niveaux, plus grands seront les bénéfices. On distingue : ce que les participants ont dit ; ce que cela veut vraiment dire ; l'impact sur le sujet d'analyse ; les options de stratégie.

Il n'y a que trois façons d'obtenir un exposé détaillé de tous les *propos tenus par les participants* durant les réunions : demander à une personne, située dans la salle d'observation, de noter les propos des participants, obtenir une transcription des bandes sonores ou réécouter les bandes. La prise de notes et la transcription offrent l'avantage d'économiser le temps de l'animateur. La réécoute des bandes permet à l'animateur de saisir les subtilités des discussions telles que l'enthousiasme dans la formulation des opinions et parfois, de mieux situer qui a pris quelle position. Malheureusement, certains animateurs en restent à ce premier niveau d'analyse. Le rapport qui en résulte n'est guère plus qu'une transcription organisée des conversations. C'est le niveau primaire.

Il peut y avoir des écarts considérables, ou du moins des nuances importantes, entre ce que les participants ont dit et la *signification réelle de leurs propos*. Un bon animateur va au-delà des paroles pour comprendre les réactions et leurs causes. Une foule de facteurs sont à considérer dans l'analyse des résultats.

– *Les causes des réactions.* Les participants fournissent de multiples réponses aux questions posées. Une bonne analyse explique pourquoi les participants répondent de cette façon ; quelles émotions ils ressentent par rapport à la situation proposée, pourquoi ils ressentent ces émotions et quelles expériences vécues peuvent expliquer ces réponses.

- *Les changements d'opinion.* Il arrive, au cours d'une discussion, que les participants changent d'opinion ou émettent une opinion différente de celle énoncée dans un questionnaire individuel. Un rapport complet établit les causes de ces revirements.

- *Les opinions minoritaires.* Comprendre les objections formulées par un ou deux participants peut permettre de modifier une stratégie pour tenir compte de ces freins ou de clarifier les réactions de minorités actives.

- *La déduction.* Les intentions déclarées de comportement sont rarement des indicateurs fiables. Il est souvent préférable de vérifier le degré d'intérêt, l'enthousiasme et le degré de conviction.

- *L'émotif versus le rationnel.* Les décisions réelles se prennent souvent de façon impulsive. En conséquence, les réponses fournies spontanément ont une valeur différente de celles résultant d'une série de questions posées par l'animateur. L'intensité des émotions vécues par les participants est une donnée importante. Les participants discutent-ils d'un sujet aisément ou en sont-ils embarrassés ? Une question provoque-t-elle des réactions d'anxiété, de colère, d'indifférence, d'excitation, d'ennui ?

- *Le niveau d'expérience du participant.* Les opinions émises n'ont pas toutes la même valeur. L'animateur privilégiera les rapports d'expériences directes aux affirmations générales qui ne sont pas enracinées dans le vécu des participants.

- *Le degré d'importance.* Il est difficile de déterminer l'importance de divers facteurs dans une décision individuelle. À l'intérieur d'un groupe de discussion, cette évaluation n'est pas plus aisée. Plutôt que de se centrer sur les opinions directement émises, l'animateur peut parfois déceler l'importance d'un sujet en écoutant le genre de questions posées par les participants.

- *Le langage non verbal.* Les réactions physiques des participants sont indicatives de leur attitude envers les propos des autres participants. Sourire, balancement de tête, mouvement de chaise, bâillement, regards distraits, conversations parallèles : un bon animateur porte une attention constante à ces signes et sait les interpréter.

Faire le lien entre les propos tenus par les participants, les observations de l'animateur et les *objectifs de la recherche* demande un esprit analytique et logique, une évaluation systématique et objective de toutes les données, et beaucoup de réflexion. L'animateur se pose constamment la question suivante : « Quel est l'implication de cet énoncé en fonction des objectifs de la recherche ? » Il doit donc établir les risques associés à certaines options, les forces et les faiblesses des possibilités étudiées, le degré de réceptivité des participants aux arguments présentés, etc.

La formulation de *recommandations stratégiques fermes* est une tâche délicate, car l'animateur possède rarement toutes les données nécessaires pour le faire. C'est pourquoi on parle plutôt d'options de stratégies qui pourront être étudiées en détail par le commanditaire. Mais le fait d'ouvrir la piste donne une valeur accrue au rapport. Évidemment, ces considérations sont moins importantes dans le cas d'une recherche théorique uniquement centrée sur l'acquisition de connaissances.

Habituellement, l'animateur devra se fier à deux sources pour établir des options de stratégie : les résultats des groupes et son expérience personnelle. Certaines idées nouvelles peuvent être émises. Il faut porter une attention constante durant les rencontres et durant l'écoute des bandes d'enregistrement pour repérer les bonnes idées. L'attention portée pendant plusieurs jours aux sujets des groupes de discussion permettra parfois à l'animateur, grâce à son imagination et à sa créativité, de concevoir des options de stratégie. L'expérience de l'animateur pourra lui suggérer des analogies, mais le sujet devra tout de même être traité en fonction de sa valeur propre.

▓ 4.2. Une technique exhaustive d'analyse

Une analyse complète et détaillée des groupes de discussion requiert cinq étapes. D'abord, on note rapidement après chaque groupe certaines *réactions initiales*, certains points clés de la discussion, particulièrement ceux qui ne pourront pas être repris en écoutant les bandes d'enregistrement tels que les réactions non verbales à certains propos, le degré d'émotivité ressenti ou l'aisance des participants. L'animateur *écoute ensuite les bandes* d'enregistrement. Il regroupe par sujet les commentaires pertinents et ses observations. Il note aussi les énoncés représentatifs de l'opinion des participants afin de les présenter dans son rapport. L'animateur *compare et analyse*, pour chacun des sujets, les observations obtenues de chaque groupe de discussion, note les tendances principales, les différences entre les groupes, les opinions minoritaires, etc. Il est alors en mesure de rédiger son rapport sur ce sujet. Après la rédaction du premier jet de son rapport, l'animateur se donne une *période de recul* de trois ou quatre jours. Cette période lui permet souvent de découvrir de nouvelles tangentes relativement aux résultats présentés. Après quoi, l'animateur peut procéder à la *rédaction finale* de son rapport.

CONCLUSION

On a pu constater à la lecture de ce chapitre que l'animation et l'analyse des groupes de discussion est un processus complexe. Les bons animateurs ont une formation solide et possèdent plusieurs années d'expérience. Les bons animateurs possèdent *un bon jugement* pour aiguiller la discussion en cours de rencontre selon le déroulement des conversations, *une grande sensibilité* pour comprendre les émotions, saisir l'ambiance et interpréter les signes non verbaux, *une flexibilité hors de l'ordinaire* et une faculté d'adaptation instantanée aux circonstances, *une excellente capacité d'écoute* pour être en mesure de capter les messages des participants et de profiter des occasions offertes, *une connaissance infaillible du sujet* pour soupeser la valeur des arguments et mieux contrôler la situation, *un bon sens de l'humour* pour réduire les tensions et *une filiation avec le caméléon* pour nuancer langage et style selon les participants.

BIBLIOGRAPHIE ANNOTÉE

GLASS, L., *I Know What You're Thinking*, New York, John Wiley & Sons, 2002.

> Livre qui explique la signification des diverses façons dont les gens communiquent leurs vraies pensées: le langage verbal, le timbre de la voix, les gestes corporels et les expressions faciales.

GREENBAUNM, T.L., *Moderating Focus Groups: A Practical Guide for Group Facilitation*, Thousand Oaks, Sage, 2000.

> Volume très complet sur tous les aspects des groupes de discussion. Un chapitre traite en détail des diverses techniques de projection.

HOLSTEIN, J.A. et GUBRIUM, J.F., *Inside Interviewing, New Lenses, New Concerns*, Thousand Oaks, Sage, 2003.

> Intéressants chapitres sur le processus d'entrevues avec divers groupes tels que les enfants, les femmes, les hommes, les personnes âgées, les membres de groupes ethniques.

KRUEGER, R.A., *Focus Groups: A Practical Guide for Applied Research*, Thousand Oaks, Sage, 2000.

> Ce livre très détaillé contient un chapitre particulièrement intéressant sur la rédaction d'un rapport de groupes de discussion et les diverses formes de présentation des résultats.

LITOSSELITI, L., *Using Focus Groups in Research*, Londres, Continuum, 2003.

Livre qui offre une bonne synthèse de la méthodologie des groupes de discussion.

PUCHTA, C. et J. POTTER, *Focus Group Practice*, Thousand Oaks, Sage, 2004.

Livre qui explique bien les conversations entre personnes et les signes verbaux qui permettent d'aller au-delà des mots pour préciser le sens réel de ce qui est dit.

L'ANALYSE DE CONTENU

Paul SABOURIN

Les faits sociaux sont pourvus de sens.

M. CANTO-KLEIN et N. RAMOGNINO

L'ANALYSE DE CONTENU : UN ÉLÉMENT CENTRAL DE LA PROBLÉMATIQUE MÉTHODOLOGIQUE DE LA RECHERCHE SOCIALE

▨ 1.1. La place de l'activité symbolique dans la vie sociale

La question du sens dans l'étude des comportements sociaux est une question centrale de la recherche sociale. Le symbolique n'est pas au-dessus ou subséquent à l'action sociale. L'activité symbolique de la pensée humaine ne se résume pas à sa seule forme réflexive, mais aussi *compose* les activités sociales. L'être humain moderne agit en mobilisant des catégories mentales que l'on peut désigner comme des «thèmes» : il travaille, il a des loisirs, il s'engage dans la vie spirituelle, dans l'économie, etc. Comment pourrait-il réaliser ces activités sans mettre en œuvre des connaissances pratiques ? Cette dimension symbolique de l'activité sociale apparaît dans toutes ses implications aujourd'hui. Elle s'est matérialisée, par exemple, dans le domaine du travail sous la forme des ordinateurs devenus instruments du quotidien pour nous assister dans notre traitement d'un ensemble toujours plus grand d'information, partie prenante de la réalisation de nos tâches.

L'analyse de contenu a pour but de connaître la vie sociale à partir de cette dimension symbolique des comportements humains. Elle procède de traces mortes, de documents de toutes sortes, pour observer des processus vivants : la pensée humaine dans sa dimension sociale. Cette pensée peut être appréhendée à l'échelle individuelle ou collective et conceptualisée, notamment, dans une théorie des idéologies[1] ou, encore, dans une théorie des représentations sociales[2].

Si nous insistons sur le fait symbolique, c'est que *la connaissance des caractéristiques propres à l'activité symbolique humaine est un préalable à la maîtrise de l'analyse de contenu.* Faire une analyse de contenu, c'est produire du langage (le discours savant d'interprétation des documents) à partir du langage (les documents analysés résultant d'une interprétation du monde).

■ 1.2. De la nécessité de connaître les opérations d'analyse de contenu dans la recherche sociale

Au sens général, toute démarche de connaissance du social requiert des opérations d'analyse du contenu. Il s'agit d'un passage obligé[3]. C'est pourquoi la recherche sociale est traversée par la problématique de l'analyse de contenu que nous allons exposer ici. Celle-ci sera abordée dans ce chapitre dans son sens plus strict d'*un ensemble de démarches méthodologiques recourant à des méthodes et des techniques utilisées en vue d'interpréter des documents dans le but de connaître la vie sociale.*

---

1. Voir à ce sujet Fernand DUMONT, Jean-Paul MONTMINY et Jean HAMELIN, *Les Idéologies au Canada français*, Québec, Presses de l'Université Laval, 1971-, 6 t. en 4 v., et pour un bilan de ces recherches, Fernand DUMONT, *Genèse de la société québécoise*, Montréal, Boréal, 1993.

2. Denise JODELET (dir.), *Les représentations sociales*, Paris, Presses universitaires de France, 1989.

3. Par exemple, même pour élaborer un questionnaire, il faut procéder d'une connaissance du contenu des discours sociaux. Dans le cas des questions fermées à choix multiples, la formulation de la question comme le choix de réponse supposent une appréhension méthodique du contenu des discours sociaux sur le thème concernant cette question afin d'établir tant la formulation adéquate de la question que les choix de réponses pertinents à inscrire sur le questionnaire.

Par conséquent, les enjeux méthodologiques de l'analyse de contenu devraient intéresser toutes les personnes qui veulent réaliser une recherche sociale, quel que soit le type de démarche.

▓ 1.3. De la première méthode d'analyse de contenu à la multiplicité des approches méthodologiques contemporaines

Afin d'aborder ce domaine complexe le plus simplement possible, nous allons amorcer cet exposé des démarches de recherche en traitant de l'analyse thématique aussi désignée sous le terme d'analyse de contenu « classique[4] ». Bien que cette démarche de recherche soit encore pratiquée, elle demeure très limitée dans ses capacités à produire d'une manière explicite des résultats satisfaisants. Par contre, il s'avère nécessaire de bien la connaître pour comprendre ses usages possibles et en quoi les méthodes contemporaines tentent de répondre d'une façon plus satisfaisante aux dilemmes qu'elle pose.

C'est à partir d'un bilan des acquis et des limites de ces premières expériences d'analyse de contenu systématique, conçues dans le cadre d'une visée d'objectivité scientifique, que les chercheurs vont échafauder depuis les années 1960 différentes « solutions » aux problèmes rencontrés. Ces résolutions vont prendre deux directions, soit celle de prolonger les visées scientistes, ou celle encore, d'une redéfinition de la forme du savoir des sciences sociales[5]. Ces voies marquent encore aujourd'hui les perspectives contemporaines de l'analyse de contenu. Vu la variété et la complexité des démarches contemporaines, il a fallu se restreindre à exposer dans leurs principes et dans leurs principales opérations ces méthodes d'analyse du discours, en référant le lecteur aux ouvrages plus spécialisés de méthodologie et à des travaux d'analyse de discours exemplaires.

Avant de commencer l'exposé des démarches, il est utile de fournir les grands repères du domaine pour que le lecteur puisse s'y retrouver dans la vaste littérature traitant de l'analyse de contenu.

---

4. Laurence BARDIN, *L'analyse de contenu*, 7ᵉ éd. corrigée, Paris, Presses universitaires de France, 1993.
5. Pour apprécier ces deux directions du savoir, on peut consulter Clifford GEERTZ, *Savoir local, savoir global, les lieux du savoir*, Paris, Presses universitaires de France, 1986, ou bien Jean-Claude GARDIN, *Le calcul et la raison. Essai sur la formalisation du discours savant*, Paris, École des Hautes Études en sciences sociales, 1991.

2 **LE DOMAINE DE L'ANALYSE DE CONTENU**

Nous allons situer le domaine de l'analyse de contenu par rapport à deux autres expressions connexes utilisées dans la recherche sociale : l'analyse des comportements verbaux et l'analyse du discours.

L'analyse de contenu regroupe l'ensemble des démarches visant l'étude des formes d'expression humaine de nature esthétique :

- Productions visuelles et auditives (affiches, peintures, films, chansons, etc.)[6] ;

- Productions langagières,

  • discours oraux (entrevues, allocutions, etc.) ;

  • discours écrits (journaux, discours politiques, écrits administratifs, journaux intimes, autobiographie, etc.).

L'analyse des comportements verbaux, en tant que sous-domaine de l'analyse de contenu, privilégie l'observation en situation sociale des performances langagières orales (p. ex., discussions de groupes) et écrites (p. ex., les procédures d'établissement d'un dossier médical dans un service hospitalier). *L'analyse de discours* étudie la production textuelle orale ou écrite dans le cadre d'une analyse interne des documents. Elle envisage l'écriture et la lecture comme le lieu privilégié d'observation de l'élaboration du sens social.

Des frontières fluctuantes aujourd'hui du domaine de l'analyse de contenu

Ces divisions traditionnelles du travail d'analyse de contenu sont aujourd'hui en mutation. On peut penser que le terme analyse de contenu, moins usité pendant longtemps, va connaître un regain de popularité du fait des possibilités de numérisation de l'image, du son et de la vidéo qu'offrent les techniques informatiques permettant ainsi d'envisager plus facilement l'analyse des documents esthétiques[7]. L'analyse des compor-

---

6. Sous l'appellation de sociologie visuelle ou d'anthropologie visuelle se trouve aujourd'hui un ensemble de chercheurs des sciences sociales qui tentent d'intégrer et de systématiser l'usage de documents esthétiques dans la recherche sociale.

7. Nous pensons à des logiciels d'analyse de contenu tels ATLAS/TI et QSR NVIVO qui permettent la segmentation de tous les types de documents numérisés. Il devient possible, par exemple, de segmenter directement sur la bande sonore numérisée dans un ordinateur des entrevues et de procéder ainsi à l'analyse de leur contenu. Pour l'étude d'un type de document esthétique, l'affiche politique, voir Alain GUILLEMIN, Cristina LECHUGA-PANELLA,

tements verbaux en situation sociale relève de la démarche d'observation directe. Elle peut se faire aussi dans le cadre de l'expérimentation en psychosociologie. Nous n'en traiterons pas ici parce qu'elle s'appuie essentiellement sur d'autres sources d'information pour donner sens aux paroles et aux textes.

Par ailleurs, les méthodes contemporaines d'analyses du discours n'ont pas comme clôture un document. Elles doivent pour rendre celui-ci intelligible situer le texte parmi les textes (l'intertextualité des discours sociaux[8]) et envisager l'écrit comme un moment particulier d'un comportement social spécifique : une relation sociale de communication[9]. Qu'il s'agisse d'une relation de communication entre interviewés et interviewers ou bien d'une lettre de lecteur dans un journal qui se rapporte à une suite d'écrits traitant de la même question.

L'usage aujourd'hui plus fréquent du terme analyse de discours plutôt que celui d'analyse de contenu indique donc que :

1) l'analyse de documents textuels, parmi l'ensemble des documents possibles, est la plus utilisée comme modes d'accès à l'étude de la vie sociale ;

2) dans l'état de développement de l'analyse de contenu, on préfère utiliser les documents textuels parce ceux-ci s'avèrent relativement plus « simples » à interpréter.

Dans le cas des documents textuels, l'itinéraire de lecture est déterminé linéairement, selon les langues, de gauche à droite et de haut en bas ou à l'inverse. Pour les autres formes esthétiques, dès le départ de l'interprétation, se pose le problème de l'absence de linéarité dans la « lecture » dans le cas de plusieurs types d'œuvre esthétique multipliant ainsi les possibilités de signification des documents[10]. Ces conditions ont fait que, en analyse de contenu, les travaux d'analyse du discours sont plus nombreux et mieux explicités. Pour ces raisons, dans ce chapitre introductif à l'analyse de contenu, nous concentrerons notre attention sur la méthodologie de l'analyse du discours.

Bruno LEYDET, Nicole RAMOGNINO, Pierrette VERGÈS, Pierre VERGÈS et Robert VION, *La politique s'affiche. Les affiches du politique*, Aix-en-Provence, Didier Érudition/Presses de l'Université de Provence, 1991.

8. Voir à ce sujet Marc ANGENOT, « Le discours social : problématique d'ensemble », *Cahiers de recherches sociologiques*, vol. 2, n° 1, 1984, p. 19-44.

9. Vincent ROSS, « La structure idéologique des manuels de pédagogie québécois », dans *Recherches sociographiques*, vol.10, n°s 2-3, 1969, p. 171-196.

10. A. GUILLEMIN *et al.*, *op. cit.*, 1991.

LA MÉTHODE D'ANALYSE DE CONTENU
« CLASSIQUE » OU THÉMATIQUE SITUÉE
DANS L'HISTOIRE DE L'INTERPRÉTATION SAVANTE

Dans les années 1950, Berleson et Lazarsfeld furent les premiers chercheurs à produire un discours visant à expliciter et à systématiser
l'ensemble de la démarche d'analyse de contenu. Mais bien avant eux,
l'analyse de contenu dans le monde occidental a donné lieu, au-delà de
l'interprétation constante du monde que tous les êtres humains doivent
effectuer pour vivre, à des activités sociales spécifiques montrant l'importance de sa fonction sociale.

Dieu, l'État et l'analyse de contenu

L'exégèse religieuse fut la première forme d'analyse de contenu[11]. Elle
consiste en l'analyse des textes sacrés et vise à expliciter les rapports
entre les symboles religieux. Pourquoi Dieu dans le christianisme est-il
représenté par trois personnes (Dieu le père, Dieu le fils et Dieu le Saint-
esprit)? Quel est le rapport entre ces trois symboles religieux?

Au XIXe siècle, l'analyse de contenu devient une activité laïque. Elle
est le fait des littéraires tel Gustave Lanson qui va formuler des règles de
l'herméneutique (l'interprétation savante des textes à des fins laïques). C'est
à partir de ce moment que l'on considère les textes à analyser non plus
comme une simple expression transparente d'une volonté extérieure au
texte (Dieu), mais comme un objet du monde humain et dont la fabrication
concrète (p. ex., les ratures de l'auteur et de l'éditeur dans les différentes
versions) permet d'observer l'élaboration du sens dont est expressif le
document. Dans cette interprétation des textes, l'annotation des textes sous
forme d'édition critique des œuvres, avec commentaires et notes en bas de
pages, aura pour but d'aider le lecteur dans sa compréhension du sens.

Au début du XXe siècle, l'analyse de contenu connaît un nouveau départ
orienté cette fois par la nécessité de gérer la vie sociale. Le phénomène de
la propagande, de la diffusion de masse des écrits, tels les pamphlets et les
journaux, moyens alors perçus comme permettant le contrôle des esprits,
va susciter un nouveau développement du domaine de l'analyse de contenu
à des fins étatiques et militaires. On mesure la dimension des titres et des
textes, on répertorie les thèmes favorables aux ennemis dans des journaux
soupçonnés de pencher en faveur des thèses adverses, etc. La Deuxième

---

11. Jean MOLINO, « Pour une histoire de l'interprétation : les étapes de l'herméneutique »,
    Philosophiques, printemps 1985, vol. 12, n° 1, p. 75-103, vol. 12, n° 2, p. 281-314.

Guerre mondiale sera un second moment particulièrement prolifique en subventions militaires pour assurer le développement des méthodes et des techniques d'analyse de contenu quantitative.

Encore aujourd'hui, les services de renseignements recourent à des méthodes et des techniques d'analyse de contenu de plus en plus sophistiquées.

> **L'analyse de contenu à la frontière de la légalité : l'espionnage électronique**
>
> Le réseau Échelon, issu de la guerre froide et constitué par les États de cinq pays industrialisés, a pour objectif d'intercepter et d'analyser les communications électroniques dans le monde entier. Pour parvenir à traiter une telle masse d'information sont mis à contribution des outils informatiques et un personnel très nombreux. L'incapacité de ces services à renseigner sur les attentats du 11 septembre 2001 ont mis en doute leurs méthodes. Un autre exemple des domaines d'application de la recherche en ce qui a trait aux méthodes d'analyse de contenu est l'informatique documentaire qui, sous sa forme la plus connue (p. ex., les moteurs de recherche sur l'Internet), joue une part de plus en plus importante dans l'organisation de la connaissance dans nos sociétés.

Même si ces dispositifs informatisés sont très sophistiqués, ils n'intègrent pas les capacités humaines de représentation de la réalité et de production du sens, bien que, quelquefois, ils savent nous surprendre en simulant ses capacités[12].

■ 3.1. La démarche d'analyse de contenu thématique

Pour comprendre la démarche d'analyse de contenu thématique, il faut en saisir l'idée maîtresse. *La conception de cette méthode envisage de considérer les textes comme des objets qui peuvent être saisis et analysés essentiellement comme s'ils avaient les mêmes caractéristiques que les objets matériels.* Voici une analogie à un déménagement qui permettra rapidement de saisir les grandes lignes de cette démarche de recherche.

>
> **L'analyse de contenu en action : un déménagement rondement mené !**
>
> Vous avez décidé de déménager d'appartement. Vous voulez minimiser vos efforts. Pour ce faire, vous avez décidé de constituer des boîtes de déménagement dans lesquelles vous classerez systématiquement vos

---

12. On pense aux débats entourant les possibilités d'une intelligence artificielle qui ont montré la complexité de la pensée humaine la plus élémentaire. Voir à ce sujet Jean DE MUNCK, *L'institution sociale de l'esprit*, Paris, Presses universitaires de France, chap. 2, « Connexion ou compréhension ? ».

objets selon certaines de leurs caractéristiques afin de pouvoir les transporter dans la bonne pièce et au bon endroit de la pièce, c'est-à-dire au plus près de leur utilisation future. Afin d'être efficace, chacune de vos boîtes doit permettre de classer des objets selon des **critères explicites et homogènes** (p. ex., la boîte des instruments de cuisine).

Votre série de boîtes doit être **exhaustive** : il ne faut pas que vous fassiez de « boîte diverse », car vous devrez ouvrir toutes les boîtes diverses pour retrouver certains objets plutôt qu'une seule boîte. De plus, les critères définissant vos boîtes devront être **exclusifs** : il ne faut pas qu'un objet puisse être classé dans deux boîtes différentes, sinon, il faudrait ouvrir les deux boîtes pour le retrouver. Il faut donc définir d'une façon plus détaillée les critères caractérisant chacune des boîtes pour éviter cette situation.

Vous voulez vous faire aider dans votre déménagement ? Chaque personne qui vous aidera devra classer de la même façon les objets, afin que quelle que soit la personne qui classe, on puisse retrouver les objets pour les disposer dans le nouvel appartement.

Enfin, vous ne devez pas faire l'erreur de prendre des boîtes trop grandes. Il faut que celles-ci soient **adéquates**, que leur description « colle » à la fois aux principes généraux de disposition de vos objets dans votre appartement qui pourrait être une fonction par pièce et à la fois aux particularités des objets déménagés. Par exemple, si vous faites une boîte définie seulement par le critère cuisine, en plus d'être énorme, elle contiendra des objets très différents (livres de cuisine, ustensiles, vaisselle, aliments, petits électroménagers pour la cuisine).

Peut-on transposer la saisie des objets matériels au domaine des objets symboliques ? Peut-on classer les extraits d'un discours sous des thèmes comme on classerait des objets dans une boîte selon les critères énoncés : homogénéité, exhaustivité, exclusivité, adéquation à l'objet d'étude et aux particularités du discours analysé ? Les textes sont bien des objets matériels (des inscriptions à l'encre sur du papier), mais ces objets ont-ils des particularités spécifiques que l'on doit considérer dans notre démarche d'analyse ? Il faut nécessairement adapter ces règles aux caractéristiques du symbolique afin de les rendre applicables dans l'analyse de discours.

L'étude des représentations sociales a montré que l'on ne pouvait transposer toutes les propriétés matérielles des objets au symbolique. *Ce qu'on appelle thème dans l'analyse classique ou représentation sociale dans la terminologie d'aujourd'hui ne peut être délimité suivant un contour précis, comme le seraient des objets matériels, mais par un noyau central de notions*[13].

---

13. Pierre VERGÈS, « Une possible méthodologie pour l'approche des représentations économiques », *Communication-information*, vol. 6, nᵒˢ 2-3, 1984, p. 375-396.

De plus, le langage, contrairement aux objets matériels, nous permet d'évoquer des choses sans qu'elles soient présentes. Si, dans une classe, je dis aux étudiants «pensez au stade olympique!», personne ne s'attend à voir apparaître le stade olympique dans la classe. Pourtant, il sera présent sous forme de représentation dans les esprits des étudiants. Cette capacité de représenter ce qui n'est pas présent devant nous est fondamentale dans la constitution du social. Ce que l'on appelle les régularités sociales des comportements humains ne sont pas autre chose qu'une connaissance nous assurant une représentation stabilisée du monde dans lequel nous agissons[14]. Il en va de même de la représentation d'un groupe, d'un milieu, voire d'une société, c'est-à-dire les représentations qui se sont développées au cours de notre socialisation.

Afin de statuer sur ces questions des propriétés propres à l'activité symbolique, tout en exposant les éléments, les opérations et la démarche d'analyse thématique, nous formulerons des commentaires sur les limites de son application.

■ 3.2. La définition des éléments et des opérations de l'analyse thématique

Dans la méthode thématique, l'analyse de contenu est définie comme *une technique de recherche objective, systématique et quantitative de description du contenu manifeste de la communication*. Approfondissons cette première définition formulée par le méthodologue Berelson.

Le sens manifeste d'un texte postule que l'on peut considérer un niveau de lecture prédominant comme le faisait la vieille distinction entre le sens propre (une tasse de thé) et le sens figuré d'un mot (avoir sa tasse pleine pour dire que l'on est excédé par quelque chose)[15].

Peut-on dire qu'il y a un sens prédominant à la lecture d'un texte? Est-il jugé prédominant en raison du type de discours social, ou du point de vue de la majorité des lecteurs ou de quelque autre critère de l'analyste? Comme nous allons le voir un peu plus loin, les réponses données à ces questions démarquent les méthodologies de l'analyse de contenu d'aujourd'hui.

---

14. Peter L. BERGER et Thomas LUCKMANN, *La construction sociale de la réalité*, 2e éd., Paris, Armand Colin, 1996.
15. Cette distinction est encore utilisée aujourd'hui dans les définitions des mots des dictionnaires. Signalons qu'en plus de cette définition, les dictionnaires donnent pour faire comprendre les mots des extraits littéraires, c'est-à-dire diverses phrases dans la littérature où apparaît le mot.

La saisie objective du texte signifie que la démarche doit correspondre aux canons de la science : opérations explicites de lecture, réplication par différents chercheurs arrivant aux mêmes résultats, etc.

La réalisation d'expériences d'analyse de contenu thématique a montré que, malgré des efforts de rigueur dans la définition des catégories thématiques et dans les règles de classification des extraits[16], les analystes d'un même texte ne segmentent pas et ne classifient pas les extraits d'une façon identique ou s'en rapprochant, bien qu'il puisse y avoir des recoupements entre les lectures[17]. De ce fait, on ne peut soutenir par cette méthode la possibilité de réplication de l'expérience. Est-ce à dire que les lectures d'un même texte par différentes personnes sont totalement aléatoires ? Il va sans dire que non. Chaque lecture est spécifique, tout en procédant de notions communes relatives à la trajectoire sociale des personnes lectrices[18]. Alors, dans ces conditions, comment établir d'une façon méthodique l'analyse de discours ?

■ 3.3. Bilan de l'analyse thématique

Les expériences d'analyse de contenu thématique ont aussi montré que *l'analyse de discours ne peut se résumer à une question d'application d'une technique, si précise soit-elle.* Celle-ci demande, pour gagner en cohérence, de considérer l'ensemble des moments et des composantes de la démarche méthodologique comme le tentent les démarches contemporaines d'analyse du discours ; de considérer, par exemple, l'étude de la construction sociale des discours comme préalable au moment d'analyse dans la recherche sociale. Selon les types de discours sociaux, la fréquence d'apparition d'un thème n'a pas la même signification. Dans une entrevue, une personne interviewée peut parler une seule fois d'un thème, en baissant la voix, voulant signifier par là qu'elle révèle une information qu'elle ne veut pas divulguer à un grand nombre de personnes. Dans cette situation d'élocution, une fréquence d'apparition faible peut ne pas signifier une importance faible d'un thème dans un discours.

---

16. Il s'agit des règles d'homogénéité des catégories, d'exhaustivité des contenus, d'exclusivité entre les catégories (Laurence BARDIN, *op. cit.*, 1993). Voir aussi le chapitre 9 « La mesure » et l'exemple du déménagement ci-dessus pour avoir un aperçu de ces règles.

17. Il s'agit du caractère polysémique du sens commun, ce qui signifie que les mêmes mots et les mêmes phrases peuvent évoquer des significations très différentes. Nous y reviendrons un peu plus loin dans ce chapitre lors de l'exposé de l'analyse de discours sémantique structurale.

18. Denise JODELET, *op. cit.*, 1989.

L'analyse thématique est utilisée aujourd'hui le plus souvent dans le cadre de recherche portant sur des problèmes sociaux en sciences sociales appliquées (travail social, nutrition, démographie, communication, etc.) où les chercheurs visent plus à connaître la vie sociale du point de vue d'un diagnostic et à évaluer la présence des attitudes pour les résoudre qu'à connaître d'une façon approfondie les différenciations sociales composant les situations étudiées. On peut recourir aux logiciels de l'informatique qualitative pour assister cette démarche, car la plupart ont été développés en fonction de ce type d'analyse de discours[19].

4 LES TROIS GRANDES VOIES CONTEMPORAINES DU DÉVELOPPEMENT DE L'ANALYSE DE DISCOURS DANS LA RECHERCHE SOCIALE

Afin de répondre aux objections à propos de la pertinence de l'analyse thématique en sciences sociales, nous allons mettre en évidence trois grandes familles de démarches méthodologiques d'analyse de contenu[20]. Ces perspectives se différencient selon le regard qu'elles portent sur les discours et les éléments sur lesquels elles se basent pour établir une interprétation des documents textuels.

Une première perspective méthodologique s'appuie sur les fondements linguistiques du langage pour établir son interprétation. Il s'agit de se fonder sur la science du langage que constitue la discipline bien établie de la linguistique dans les sciences humaines pour développer une perspective d'analyse selon une vision objective des discours sociaux. Cette perspective donne lieu aux développements de techniques quantitatives de traitement des discours sociaux.

Une deuxième perspective se situe dans le prolongement de l'analyse thématique et *vise à saisir les régularités sociales dans les contenus textuels.* Cette approche peut être qualifiée de pragmatique. L'une des perspectives bien connue de ce genre est la théorie ancrée (*grounded theory*). L'interprétation dans ce cas se fonde sur le recours aux méthodes pratiques de l'analyse documentaire : fabrication de résumé des documents, de répertoire

19. Eben A. WEITZMAN et Matthew B. MILES, *Computer Programs for Qualitative Data Analysis : A Software Sourcebook*, Thousand Oaks, Sage, 1995, 371 p.

20. Reneta Tesch a élaboré un arbre de classification détaillé des types de démarches méthodologiques en sciences sociales à partir d'un relevé de plus d'une cinquantaine d'énoncés méthodologiques, soit dans des traités de méthodologie ou dans des travaux de recherche des sciences sociales. Voir Renata TESCH, *Qualitative Research. Analysis Types and Software Tools*, New York, The Falmer Press, 1990, 330 p.

(p. ex., mots clés) indexant la documentation à propos d'un groupe social, de schématisation des catégories thématiques de classification des contenus documentaires, etc. Dans cette perspective, les discours sociaux sont généralement analysés pour leur contenu informatif plutôt qu'étudiés en tant que lieu d'élaboration sociale du sens. L'étude des activités sociales d'un groupe ou d'un milieu, réalisée simultanément par le chercheur à son travail d'analyse de discours, vient surdéterminer l'interprétation faite des documents relatifs à l'objet d'étude[21]. Cette famille de démarches méthodologiques relève du sens plus général des méthodologies qualitatives plutôt que strictement de l'analyse de discours telle qu'elle est délimitée dans la conception de ce chapitre. Les tenants de l'analyse du discours critiquent ces approches de méthodologies qualitatives parce qu'elles présupposent un accès transparent aux documents faisant ainsi l'économie d'envisager les discours comme construction sociale et moment de l'élaboration de la vie sociale[22].

Une troisième perspective postule qu'un document n'est pas uniquement trace de contenu, mais aussi d'une organisation de ces contenus traduisant, ainsi, le fait que les dires et les écrits font état d'un rapport de connaissance du monde, une organisation sociocognitive, plutôt que de simplement contenir des informations à propos du monde vécu. Il faut mettre au jour cette organisation des discours pour être à même de saisir adéquatement le « contenu » de ce qui est dit ou écrit par une personne ou un groupe social. Le statut donné aux personnes et aux groupes n'est plus celui d'un réceptacle passif de contenu, mais d'êtres actifs organisant, à travers leurs activités de connaissance, leur rapport au monde.

Nous aborderons plus loin cette perspective à partir de la démarche de la sémantique structurale qui se démarque des autres approches qualitatives de ce type par sa volonté de se poser explicitement dans l'horizon d'un savoir scientifique[23].

Dans cette perspective, on considère que le sens attribué à un texte relève à la fois des propriétés du discours social mais aussi de l'activité cognitive d'un lecteur : ici, le chercheur coconstruit le sens du discours analysé. Il n'est pas hors du monde social, mais situé en lui et il procède

---

21. Rodolphe GHIGLIONE et Alain BLANCHET, *Analyse de contenu et contenus d'analyses*, Paris, Dunod, 1991, 151 p.
22. Gilles BOURQUE et Jules DUCHASTEL, *Restons traditionnels et progressifs. Pour une nouvelle analyse du discours politique. Le cas du régime Duplessis au Québec*, Montréal, Boréal, 1988, 399 p. Voir chapitre 2.
23. Gilles HOULE, « Le sens commun comme forme de connaissance : de l'analyse clinique en sociologie », *Sociologie et sociétés*, octobre 1987, vol. 19, p. 77-86.

lui aussi d'un langage localisé socialement[24]. Sa formation et son expérience de recherche sociale devront lui permettre de développer un langage plus général, notamment à travers un travail de mise à l'épreuve de l'impératif de la description que constitue la démarche d'analyse de discours, laquelle oblige à appréhender systématiquement des savoirs socialement différenciés de ceux de sa socialisation.

Afin de rendre compréhensibles les deux perspectives retenues d'analyse du discours – qualitative et quantitative –, nous devons exposer certaines connaissances de base de la linguistique qui sous-tendent leur élaboration.

■ 4.1. Analyse de contenu, linguistique et langage

Brièvement formulée, la linguistique étudie les outils qu'il nous faut manipuler pour parler et écrire. Elle n'étudie pas le sens effectif d'une phrase particulière, mais comment cette phrase particulière met en œuvre des outils communs à toutes les langues[25]. Pour cette raison, la linguistique s'est développée d'abord comme l'étude de la langue plutôt que de la parole entendue comme la performance que l'on réalise quand on parle ou on écrit pour exprimer un sens particulier. Cette discipline a identifié des éléments de la constitution de toutes langues.

Pour parler, nous émettons des sons – des phonèmes – que nous combinons ensemble pour formuler des mots-expressions qui vont prendre différentes morphologies (acquis, acquérir, acquisition, etc.) et former ainsi le *lexique* de la langue. Pour constituer des raisonnements, nous créons des phrases qui font état d'une *syntaxe* qui articule les éléments – mots ou expressions – dans des propositions. Il s'agit du *niveau morphosyntaxique* de la langue. Nous utilisons ces outils linguistiques pour nous exprimer sur le monde et lui donner un sens : la *sémantique* vise à considérer comment en utilisant les outils de la langue nous pouvons constituer du sens. La *pragmatique* étudie comment on peut former avec les outils de la langue un contexte d'énonciation. On se rapproche de la recherche sociale sans par ailleurs poser la même question fondamentale. Pour faire bref, nous dirons que la linguistique étudie les outils universels du langage, mais pas leurs résultats : le sens, entendu comme étant les idéologies particulières dans une société, par exemple l'idéologie du Parti vert au Québec.

---

24. Paul SABOURIN (dir.), «La mémoire sociale», *Sociologie et sociétés*, automne 1997, vol. 30, n° 2, 1997. Voir notamment l'article «Perspective sur la mémoire sociale de Maurice Halbwachs», p. 139-161.
25. Georges MOUNIN, *Clefs pour la linguistique*, Paris, Seghers, 1971.

Peut-on utiliser cette science du langage pour rendre scientifique l'analyse du discours dans la recherche sociale? Répondre oui ou non à cette question marque un point important de bifurcation dans le développement des démarches contemporaines d'analyses du discours.

▓ 4.2. Exposé des étapes de l'analyse de discours et comparaisons de l'approche quantitative et qualitative

Voici un schéma qui contraste un traitement de l'information fondée sur une objectivation linguistique et quantitative des documents et une objectivation fondée sur l'espace documentaire propre à l'analyse qualitative de type structurale[26] des documents.

Regardons une à une ces étapes de l'élaboration de l'analyse de discours.

Explorations, choix et reconstitutions des discours.

Une fois déterminé un objet d'étude, il faut trouver les discours sociaux à analyser. Bien qu'il existe une multitude de formes de discours dans les sociétés contemporaines, contrairement à ce que l'on pourrait penser de prime abord, tout ne se dit pas et tout ne s'écrit pas[27]. Il faut explorer les différents types de discours sociaux qui peuvent être pertinents à notre objet d'étude, puis en sélectionner certains qui, d'une façon stratégique et économique, sont l'expression de l'activité idéologique qui nous intéresse, et ce, de manière à établir la représentativité de notre étude. Enfin, il faut reconstituer ces documents (p. ex., est-ce que la version que nous avons est complète?) et les mettre en série en fonction d'une lecture comparative qui peut être synchronique (de différents milieux d'une époque) ou diachronique (d'époques différentes pour un même groupe social producteur de discours).

---

26. Brièvement défini, le terme structure signifie que l'organisation du sens du discours social peut être conceptualisé comme fait d'éléments fondamentaux (des catégories de connaissance). Par les relations qu'ils ont entre eux, ces éléments forment ce qu'on appelle une structure.
27. Marc ANGENOT, *op. cit.*

Les étapes et opérations de mise en forme des documents dans l'analyse de contenu quantitative et qualitative

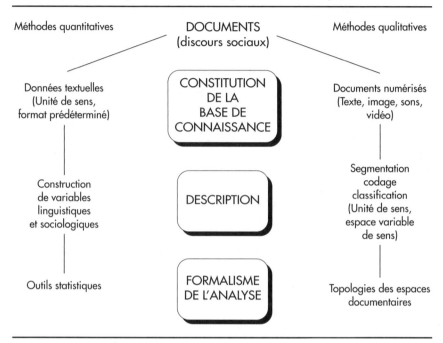

Méthodes quantitatives	DOCUMENTS (discours sociaux)	Méthodes qualitatives
Données textuelles (Unité de sens, format prédéterminé)	CONSTITUTION DE LA BASE DE CONNAISSANCE	Documents numérisés (Texte, image, sons, vidéo)
Construction de variables linguistiques et sociologiques	DESCRIPTION	Segmentation codage classification (Unité de sens, espace variable de sens)
Outils statistiques	FORMALISME DE L'ANALYSE	Topologies des espaces documentaires

Tandis que l'approche quantitative tend à privilégier les discours institutionnalisés (énoncé politique, discours journalistique, question ouverte du questionnaire, etc.), en somme l'étude de discours dans un contexte d'élocution standardisée, la perspective d'analyse de discours qualitative tend à considérer une plus grande variété, mais en quantité beaucoup plus restreinte. Ces discours sociaux, individuels et collectifs, sont abordés comme faisant état des différentes formes de connaissance dans une société : du journal intime à la correspondance, de l'entrevue au récit de vie, etc. Dans le cadre de la perspective sémantique, la mise au jour de la forme du discours (son énonciateur, ses destinataires, les particularités de son écriture[28]) est conçue comme expressive d'une relation sociale de communication qui est déterminante de l'activité de connaissance.

Le choix d'un type de représentativité statistique ou sociologique[29] qui va présider à la sélection des documents dépend notamment de la conception de l'activité idéologique qu'a le chercheur et des particularités

---

28. Vincent Ross, *op. cit.*
29. Paul Sabourin, « La régionalisation du social : une approche de l'étude de cas », *Sociologie et sociétés*, vol. 25, n° 2, 1993, p. 69-92.

qu'il attribue à son objet de recherche. Pour contraster ces approches, nous pourrions poser la question suivante : Est-ce que l'activité idéologique est un processus d'inculcation des idées par répétition et de diffusion médiatique de celles-ci (on pense à la publicité) ? Si l'on répond par l'affirmative, un échantillonnage statistique d'une masse de documents institutionnels apparaît plus compatible avec cette représentation de l'activité de connaissance. Par contre, une réponse négative à cette question implique une autre conception de l'activité de connaissance sociale et appelle un autre type de sélection des discours. L'activité de connaissance est alors conçue comme un processus cognitif, un « apprentissage », c'est-à-dire une démarche spécifique aux personnes et aux groupes qui, dans le cours de leurs activités sociales quotidiennes, élaborent des idées et entrent en contact avec les idées des autres, transformant le sens, voire modifiant la langue dans certains cas[30]. Dans cette démarche, les documents (voir le chapitre 14 sur l'approche biographique) sont considérés comme des produits relationnels qui nous permettent d'observer à partir d'un seul cas (ou d'une série de cas stratégiquement choisis), d'un point de vue particulier, l'idéologie comme étant une activité sociale d'un groupe, voire d'une société dans son ensemble.

Inculcation ou apprentissage ?
Le cas de la violence et des médias

Pour bien comprendre ces enjeux dans la conception de l'activité symbolique, nous pouvons nous référer à un débat social récurrent sur les médias : est-ce que la télévision inculque des idées et contrôle les pensées ? En quoi celle-ci détermine-t-elle les représentations des téléspectateurs ? Est-ce que les émissions violentes créent les comportements violents ? Est-ce que les jeux vidéo violents font de même ? Un message peut-il prendre plusieurs sens du fait que l'activité de lecture (p. ex., le contexte de l'imaginaire d'un jeu) va venir selon les personnes et les groupes sociaux coconstruire le sens du message ? Les représentations violentes d'un *Rambo* peuvent-elles être lues comme appelant le ridicule ou le machisme ou encore être appréhendées sous l'angle des effets techniques et cinématographiques plutôt que sous celui de la glorification de la violence ? Et doit-on plutôt voir la télévision et les jeux vidéo comme des véhicules d'apprentissages ?

Ces conceptions relatives à l'activité de connaissance sociale vont induire aussi des choix dans l'ensemble du traitement des documents.

---

30. On pense au langage qui peut nous apparaître ésotérique des jeunes « taggeurs » de la rue ou encore du joual des quartiers populaires tel qu'en font état les écrits littéraires de Michel Tremblay.

La mise en forme du document pour l'analyse de contenu

L'approche quantitative réduit les documents à des données textuelles. Cela se fait selon différents procédés partiellement ou complètement informatisés. Les premières techniques identifiaient la nature grammaticale des expressions et pouvaient ainsi éliminer systématiquement du document les éléments – mots-expressions – jugés non significatifs, tels les articles ou les prépositions. Le résultat en était une réécriture du texte sans ces éléments sous forme de données.

Aujourd'hui, les logiciels intègrent des analyseurs lexicographiques et morphosyntaxiques similaires à ceux retrouvés dans les correcteurs grammaticaux informatisés[31]. Cela permet de relever la nature des mots-expressions, mais aussi les relations entre des mots qui structurent des propositions et même l'articulation de plusieurs propositions qui élabore des phrases complexes. En s'appuyant sur cette première description du texte, les différentes méthodologies quantitatives d'analyse du discours développeront un second type de lecture, celle du sens social du texte, plus ou moins automatisée selon les procédés utilisés. Cette lecture va être produite par la mise en équivalence de mots-expressions et de relations linguistiques contribuant au sens social attribué par le chercheur au document.

La vie politique en automatique!

Prenons un exemple élémentaire: les mots-expressions (analyse du lexique du texte) élection, programme, parti politique, et les relations syntaxiques entre ces mots-expressions vont être repérés dans le texte. Dans un second temps, ces formes discursives vont être classées en partie selon des procédés automatiques, et en partie par l'intervention du chercheur lorsque les règles de classement formalisées (forme *a* = sens *x*) sont absentes ou ambiguës dans l'univers sémantique de la politique (les distinctions et les raisonnements dans les documents en ce qui a trait à la politique).

L'approche quantitative décompose donc le document en éléments premiers (nature des mots-expressions et relations entre ceux-ci dans des propositions et des phrases). Elle propose de reconstruire le sens d'un texte des parties vers la globalité du texte tandis que l'approche qualitative tient à pouvoir découper des globalités du texte (des grandes parties du texte pour situer des extraits plus restreints du texte). Ainsi, dans la démarche qualitative, les documents seront conservés le plus possible dans leurs

---

31.   Dans des logiciels tels Antidote ou Correcteur 101, la correction orthographique s'appuie sur un type d'analyse lexicographique tandis que la correction grammaticale se fonde sur un type d'analyseur morphosyntaxique qu'il est possible d'observer en actionnant les fonctions appropriées dans chacun de ces logiciels.

états originaux[32] et seront présents pendant tout le travail de description et d'analyse. Dans cette démarche, les unités de sens dans le document ne seront pas délimitées à partir d'une lecture linguistique du texte, mais d'abord au niveau sémantique selon des critères qui relèvent de l'organisation sociale de la connaissance[33].

On appelle segmentation l'opération de lecture du document qui extrait une partie du document comme étant significative pour le chercheur. L'étendue des extraits peut varier selon le jugement du chercheur qui vise à saisir une distinction de sens dans sa lecture du document à propos de son objet de recherche (qu'est-ce que la maladie pour la personne interviewée?). Lors de l'extraction de la partie du texte, on note le document et l'endroit dans le document où apparaît l'extrait et on le classe dans une catégorie où l'on rassemble tous les extraits traitant d'une distinction de sens (p. ex., la maladie).

Le formalisme quantitatif et qualitatif en analyse de contenu

Formaliser consiste à décrire systématiquement les régularités dans un contenu. L'approche statistique fait usage de différents types de mesures des plus élémentaires (fréquences) aux plus complexes (analyse de correspondance, analyse des similitudes, etc.) afin de caractériser la connaissance sociale dont est trace un corpus documentaire. Ces mesures peuvent être exprimées sous forme de représentations graphiques des univers sociaux de sens proposant une schématisation des réseaux de notions apparentées et éloignées.

L'analyse qualitative se développe grâce à une rétroaction constante entre le document, les extraits, les définitions des catégories dans lesquelles les extraits sont rassemblés et les relations entre les catégories qui constituent la classification en arbre ou en réseaux des catégories. La formalisation de la description du texte se fonde sur la topologie[34] de l'espace des extraits dans l'ensemble du document.

---

32. Les logiciels d'analyse qualitative permettent aujourd'hui de conserver à la fois le texte et la mise en pages du texte, qui induit aussi le sens qui peut être lu à partir du document.
33. Maurice HALBWACHS, préface de Gérard Namer, *Les cadres sociaux de la mémoire*, Paris, Albin Michel, 1994, 367 p. Voir aussi Gilles HOULE, *op. cit.*, 1978.
34. Le mot topologie signifie logique des espaces. Il s'agit de la même topologie que nous apprenions en mathématiques au secondaire et qui est utilisée dans les logiciels de recherches documentaires avec des opérateurs booléens que l'on retrouve dans les modules de recherches avancés sur Internet et dans les répertoires informatisés des bibliothèques.

Des P.-D.G. et des familles

Par exemple, vous avez segmenté tous les extraits relatifs à la conception de l'entreprise dans le discours d'un gestionnaire et vous avez fait de même avec les extraits relatifs à sa conception de la famille. Vous croisez les espaces extraits sur l'entreprise et la famille.

Si vous trouvez que les contenus relatifs à la famille apparaissent à l'intérieur des extraits relatifs à l'entreprise, ce découpage est compatible avec l'expression d'une vision familiale de l'entreprise.

Si, au contraire, aucun des extraits traitant de la famille n'apparaît dans les extraits au sujet de l'entreprise, il est possible de conclure que des distinctions différentes traitent de ses réalités.

En somme, ces topologies des extraits dans le texte expriment une relation entre la représentation de la vie familiale et de l'entreprise, des raisonnements différents alliant la conception de vie familiale et de l'entreprise chez un gestionnaire.

Ce qui caractérise donc les démarches d'analyse de contenu contemporaines, c'est d'établir différents niveaux de lecture des documents et de les mettre en relation comme autant de postures qu'adopte le chercheur pour décrire et analyser le document.

Pour terminer, nous allons faire état de deux courants méthodologiques contemporains en analyse de discours : un premier, quantitatif, l'analyse automatique du discours, et un second, qualitatif, la sémantique structurale.

4.3. L'analyse automatique du discours et ses développements

Les premières analyses quantitatives des textes se posaient comme des démarches hypothéticodéductives qui, du travail théorique à la formulation d'hypothèses, servaient à élaborer une grille de lecture, laquelle était appliquée au document. De plus, les critères employés pour relever le sens des textes reposaient seulement sur l'occurrence de mots et des segments répétés. Le moment de l'analyse se résumait à déployer des outils statistiques pour relever les régularités de ces occurrences.

L'analyse automatique du discours va dépasser largement ce type de construction. Il s'agit d'une perspective attribuée à M. Pêcheux dont les travaux théoriques et empiriques visaient à expliciter le rapport entre le langage et la société. Dans ce courant, les analyses de discours en sont venues à allier une description du texte de nature linguistique à plusieurs niveaux et l'établissement du sens de la phrase : une interprétation.

L'idéologie duplessiste : traditionnelle ou progressite ?

Voici un exemple dont les auteurs ont particulièrement bien explicité l'articulation entre les deux types de description. Dans leurs recherches, « Restons traditionnels et progressifs. Pour une nouvelle analyse du discours politique. Le cas du régime Duplessis », Bourque et Duchastel exposent une décomposition de la phrase en plusieurs types de catégories linguistiques et sociologiques[35]. Cette décomposition est orientée en fonction de l'analyse du thème : « le thème est ce qui est posé au point de départ de la phrase et correspond à la raison d'être de cette phrase. Le propos est le développement de la phrase entourant le thème[36] ». Cette description est aussi orientée vers la détermination nominale qui assigne « aux êtres et aux mondes un ensemble des qualités particulières ». Ces catégorisations des relations entre les éléments de la phrase vont être au fondement d'une analyse des valeurs dans les discours duplessistes (chap. 7) et d'autres analyses, comme celles des relations de dépendance entre les éléments de la phrase articulés par la conjonction « et ». Le relevé de ce marqueur linguistique vise à appuyer l'interprétation de la « pratique unificatrice » de l'idéologie duplessiste[37] en étudiant les éléments assimilés les uns aux autres par l'usage du « et ».

À travers ces procédures, l'opération centrale du travail de description quantitative consiste à établir des *paraphrases*[38], c'est-à-dire, pour simplifier, à établir un sens existant dans le discours qui s'exprime à travers diverses variantes d'écriture :

- Des termes jugés équivalents pour désigner par exemple la politique dans une société. À cette fin, cette opération peut être automatisée par le recours à un lexique (analogue au dictionnaire d'un correcteur grammatical).

- Diverses variantes de relations entre des termes jugés équivalents du point de vue du sens. Le sujet d'une phrase par rapport au verbe.

À partir de cette description linguistique des textes, les chercheurs vont selon les cas déduire d'une façon plus ou moins déterminante la classification sémantique des éléments retenus pour les classer dans des catégories de l'ordre du social : par exemple, ce qui appartient à l'univers social de l'économie, du politique, de l'écologie, de la tradition, de la

---

35. Nous n'expliciterons pas la nature des catégories linguistiques développées parce que cela nécessiterait un plus long exposé des fondements linguistiques du langage.
36. G. BOURQUE et J. DUCHASTEL, *op. cit.*, 1988, p. 81.
37. *Ibid.*, p. 275.
38. C. FUCHS, « Paraphrase et énonciation », *Orphrys*, 1994, p. 58-67. Michel PÊCHEUX, « Analyse du discours, langue et idéologies », *Langages*, vol. 37, mars 1975.

modernité, ce qui relève d'un raisonnement artisanal ou industriel, etc.[39].
L'étude des relations entre les éléments de la phrase visera à relever dans
le discours des types de raisonnement qui peuvent être interprétés dans le
cadre de l'analyse d'une idéologie comme les modalités d'un processus de
transmission des valeurs.

Par conséquent, à la différence des anciennes démarches quantitatives, les dispositifs informatiques actuels permettent l'intervention des
chercheurs à chacune des étapes du travail de description de manière à
explorer les paraphrases possibles et à modifier celles-ci, pour ajuster la
description aux particularités du langage du document original[40].

Le résultat final de ces opérations est donc la constitution d'un résumé
du texte à travers ces différentes réécritures où l'établissement du sens sera
généralement exploré et déterminé par la constitution linguistique du texte.
Cette approche s'applique à un corpus souvent imposant de documents et
permet d'effectuer une comparaison systématique des discours. D'autres
modes d'étude des articulations des éléments de la phrase se posent comme
étant de nature sémantique relevant d'une logique de nature sociale plutôt
que strictement linguistique[41].

La deuxième grande perspective d'analyse de discours propose la
relation inverse entre la langue et le sens : le niveau sémantique venant
déterminer les autres niveaux de la langue selon les différents contextes
sociaux d'énonciation dans le discours. Le discours dans cette perspective
n'est plus considéré comme une entité homogène, socialement parlant,
comme un tout cohérent, mais fait état de plusieurs cohérences sociales
et de leur mise en rapport.

---

39. Plutôt que s'appuyer sur la seule déconstruction linguistique des textes, d'autres
démarches vont fonder leur description sur la logique naturelle au sens de la logique de
la pensée ordinaire (J.-B. GRIZE, *Logique et langage*, Paris, Ophrys, 1990 ; VERGÈS, *op. cit.*,
1984).

40. Gilles BOURQUE et Jules DUSCHASTEL, *op. cit.*, 1988 ; I. TIMIMI, « L'analyse de discours
assistée par ordinateur Version 3AD95 », <www.ach.org/abstracts/1997/a2002.html>,
2002.

41. Jean-Blaise GRIZE, *Logique et langage*, Paris, Ophrys, 1990, 153 p. Pour une étude empirique, voir Jean-Blaise GRIZE, Pierre VERGÈS et Ahmed SILEM, *Salariés face aux nouvelles
technologies. Vers une approche sociologique des représentations sociales*, Paris, Éditions CNRS,
1987, 221 p.

▓ 4.4. L'analyse sémantique structurale des idéologies

Au Québec, l'analyse de discours «sémantique structurale» s'est développée à partir des expérimentations de l'École d'analyse des idéologies de l'Université Laval dont le fondateur est Fernand Dumont[42]. D'abord entrepris à partir des discours journalistiques et de l'histoire, d'autres travaux ont par la suite été effectués à partir de divers types de documents, notamment des récits de vie de Québécois. Nous retiendrons ici la formulation développée par Gilles Houle de l'analyse de discours des idéologies comme mode de connaissance[43].

Plusieurs arguments sont avancés pour soutenir le point de vue d'une analyse du discours qui se pose d'abord au plan sémantique:

1) *Les caractéristiques linguistiques d'une phrase ne permettent pas d'induire le sens élaboré*[44]. La même désignation linguistique, par exemple: «L'atmosphère est lourde ce soir», peut désigner des domaines tout à fait différents si cette proposition est énoncée dans le contexte d'une rencontre entre amis ou d'une observation de la nature. Par conséquent, on ne peut établir le sens sans tenir compte de l'organisation globale du document en termes de situations sociales d'énonciation.

2) *Le sens d'un document n'est pas uniquement déterminé par les outils de la langue, mais aussi par l'usage social de la langue.* Des analyses du discours portant sur les représentations sociales ont montré que, selon la nature de l'expérience sociale des personnes et des groupes, ceux-ci s'approprient les éléments de la langue, voire en modifient le sens ou, encore, en viennent même à créer de nouveaux mots. Les travaux classiques de Maurice Halbwachs sur le langage et la mémoire sociale ont mis en lumière un tel phénomène de multiplicité du sens des discours sociaux selon les personnes et les groupes.

---

42. Plusieurs chercheurs ont été associés à *L'histoire des idéologies au Québec* et ils ont produit par la suite d'autres travaux d'analyse de discours. Mentionnons Bruno Jean, Nicole Gagnon, Vincent Ross, Gilles Houle, etc.
43. Gilles Houle, *op. cit.*, 1978.
44. Il y a une exception cependant: le langage scientifique ou la morphosyntaxique d'une expression telle que 2 + 2 = 4 détermine le sens des contenus d'une façon univoque.

Nous ne sommes plus tout à fait ce que nous avons été.

Maurice Halbwachs propose plusieurs expériences pour illustrer la constitution des cadres sociaux de la mémoire notamment à partir de l'écriture et de la lecture. En voici une : prenez un document que vous avez écrit quand vous étiez beaucoup plus jeune et relisez-le. Vous constaterez qu'il ne produit pas la même impression sur vous. Vous trouvez probablement qu'il y a des phrases que vous ne comprenez plus très bien. Peut-être faisiez-vous allusion à des êtres et des choses qui ne sont plus aujourd'hui présents à votre mémoire. Vous constaterez ainsi que le sens n'est pas dans le texte, mais bien dans la rencontre entre le lecteur et le texte. Or, ce lecteur que vous êtes aujourd'hui n'est plus un enfant, il vit une autre vie sociale, appartient à de nouveaux groupes sociaux, a développé, depuis, sa connaissance de la langue et de ses usages selon d'autres contextes sociaux. En somme, vous êtes devenu une autre personne que cet enfant, voilà pourquoi vous donnez un sens différent à vos écrits d'enfance.

Du point de vue d'une analyse qui se pose d'abord comme sémantique, le sens n'est pas dans le texte, mais dans la relation entre le producteur d'un texte, le texte et un récepteur, c'est-à-dire un lecteur. Dans le cas de l'analyse de discours, le chercheur est ce lecteur. Or, toutes personnes productrices et lectrices sont localisées socialement à travers leur socialisation, laquelle est composée de différentes expériences sociales (famille, école, travail, etc.). Le lecteur a développé une appropriation de la langue qui le particularise[45] et cette appropriation est issue de ses activités sociales.

Dans cette démarche, pour mettre au jour le sens social à partir d'un document en analyse du discours, *il faut mettre au jour le modèle concret de connaissance dont le document est trace et tenir compte de notre propre modèle de connaissance* en tant qu'analyste du discours. En somme, l'objet de l'analyse du discours n'est plus seulement de mettre au jour des distinctions de sens, il s'agit aussi d'expliciter le ou les points de vue qui produisent les distinctions constatées. Le chercheur n'est pas extérieur à ce processus, il met en œuvre des distinctions pour appréhender les contenus textuels. L'objectivation méthodologique de sa démarche de connaissance procédera de la mise à l'épreuve de son propre schème de connaissance, guidée en cela par les règles méthodologiques.

---

45. Jean PIAGET, le psychologue qui a mené de nombreuses études sur l'apprentissage, le caractérisait comme étant fait de deux processus : l'assimilation des informations dans notre connaissance et l'accommodation, qui est une réorganisation de la connaissance nécessaire lorsque celle-ci n'est plus compatible avec notre entendement du monde, notamment lorsqu'on découvre quelque chose de nouveau. Pour sa part, Maurice Halbwachs décrivait ce processus comme étant une assimilation et une réadaptation continuelle de la mémoire.

Voici concrètement les principales étapes caractéristiques d'une telle démarche qui peut être réalisée avec l'assistance de logiciels tels ATLAS/TI et NVIVO de QSR :

1) La description du document comme forme spécifique de discours social et relations sociales de communication.

2) Une démarche heuristique s'élabore à travers un processus rétroactif de description des contenus relatifs à l'objet d'étude à partir de trois pôles : la segmentation des extraits, la définition des catégories descriptives et leur schématisation dans une classification de ces catégories.

Tenant compte de la définition de l'objet d'étude de la recherche sociale et des caractéristiques de la forme du document, il devient possible dans un premier temps de trouver progressivement dans les documents où l'« on parle » de notre objet de recherche. En fait, l'usage des logiciels permet trois lectures différentes qui se constituent en rétroaction. Les contenus sont décrits par les segments extraits, par l'explicitation des catégories de sens attribuées aux extraits et un sens est attribué à ces catégories en fonction de leurs places dans une classification selon les relations établies avec les autres catégories. Le travail de rétroaction consiste à la confrontation de ces visions des distinctions de sens du texte. Est-ce que les catégories rendent compte des distinctions de tous les extraits qu'elles rassemblent ? Ou à l'inverse, est-ce que les définitions telles qu'elles sont explicitées amènent à retirer des extraits, à en ajouter d'autres, à modifier la segmentation de ceux existants, etc.

Des étudiants et des économies

Prenons un exemple. Nous avons soumis des étudiants de baccalauréat à l'analyse des mémoires de jeunesse d'un homme d'affaires québécois francophone, cette analyse étant assistée du logiciel ATLAS/TI. Nous leur avons proposé de décrire leur conception de l'économie en leur donnant la définition de l'objet d'étude suivante : l'économie consiste en la production et la circulation des biens sociaux (objets et monnaies). L'usage du logiciel nous permet de conserver des traces du travail de segmentation, de définition des distinctions à propos de l'économie que les étudiants attribuent à l'auteur du texte et des traces de l'élaboration de leur classification, en somme, des indications sur leur démarche d'appropriation du texte.

Nous avons sélectionné ces mémoires comme documents à analyser parce qu'ils faisaient état à la fois du langage de l'économie de subsistance agricole francophone du début du siècle, laquelle est éloignée de la vie sociale en général des étudiants, et de l'économie marchande contemporaine. Cette première forme de connaissance de l'économie se différencie nettement des notions de l'économie de marché dans laquelle vivent ces derniers.

Or, les analyses du discours produites par les étudiants montrent qu'une très grande majorité de ceux-ci surévaluent l'importance des notions relatives au marché, du langage de l'économie dans laquelle ils vivent quotidiennement (argent, salaire, etc.), et qu'ils sous-évaluent les distinctions relatives à l'économie familiale agricole (entraide, don, épargne dans la consommation, etc.). Font exception, les étudiants qui ont une expérience socialement différenciée, qui, par exemple, ont été socialisés dans l'économie rurale d'un pays « en voie de développement ».

Plus intéressant encore, à de rares exceptions près, les étudiants ont malgré tout découpé des extraits relatifs au langage de l'économie qui leur est le plus éloigné socialement. Dans leur définition, ils explicitent essentiellement par la forme négative ces distinctions anciennes, montrant ainsi des difficultés à les nommer positivement : il y a du travail rémunéré et non rémunéré, l'entraide est du travail non payé. Par l'usage d'une conjonction de type et/ou dans la description des notions d'économie, ils montrent la double nature sociale des distinctions qu'ils visent à cerner et qu'ils rapportent au langage de l'économie d'aujourd'hui. Leur classification fait état aussi des difficultés à relier les notions étrangères aux notions de l'économie marchande. Or, si leur connaissance de l'économie était complètement étrangère au monde du début du siècle, ces étudiants n'arriveraient même pas à relever dans leurs opérations de segmentation d'extraits ces éléments trop éloignés de leur vie sociale actuelle. Or, ce n'est pas le cas ; leur connaissance s'est élaborée comme une réactualisation de la mémoire sociale québécoise qui cumule et intègre encore des distinctions anciennes à propos de l'économie.

Dans le cadre du travail de description, l'analyse de discours doit cerner et expliciter les problèmes de cohérence entre les diverses lectures du texte. Le chercheur doit être attentif aux difficultés à décrire certaines distinctions par rapport à d'autres. Tout cela vise à repérer les formes sociales de connaissance constitutives de l'activité idéologique dont est expressif le document : un clivage social de la connaissance définissant des univers de sens propres à des groupes sociaux, des milieux et des époques dont fait état le discours.

Le chercheur, en fonction d'atteindre une complétude de sa description, doit donc reformuler et ajouter des catégories afin de rendre compte de l'ensemble des distinctions constatées dans les discours analysés concernant son objet de recherche. Ces transformations au cours du travail de description peuvent être importantes, particulièrement pour les discours qui, par leur forme et leurs contenus, sont socialement éloignés de la connaissance du chercheur et qui, par voie de conséquence, s'avèrent plus difficiles à décrire. Il faut donc à cette étape se demander si des passages des documents dont on doute de la compréhension ou de la pertinence ne sont pas en fait une autre manière de se représenter la « réalité » qui nous intéresse (notre objet de recherche). La comparaison des expressions, des raisonnements de discours de différentes provenances sociales peut aiguillonner et permettre de mieux définir les catégories de sens qui marquent l'appréhension du monde d'une personne et d'un groupe social. Par ailleurs, il ne faut pas oublier de considérer d'une façon interne chacun des discours puisque ceux-ci ne sont pas socialement homogènes. Les discours individuels comme collectifs dans les sociétés contemporaines résultent de plusieurs appartenances sociales à travers lesquelles une personne comme un groupe apprennent à penser et à s'exprimer[46]. On peut donc guider la description en s'interrogeant sur les référents qu'un discours élabore en relation aux expériences sociales du producteur du discours. Cette approche est beaucoup plus précise que celle consistant à induire seulement par une catégorie sociale (le sexe, l'âge, l'ethnicité, etc.) une différenciation des discours.

Dans ce travail de description, l'usage approprié des logiciels permet de conserver des traces utiles de ce processus et ainsi de permettre plus facilement d'objectiver l'ensemble de son cheminement d'analyse du discours pour en dénoter la progression, c'est-à-dire la capacité de définir les distinctions pertinentes à notre objet d'étude dans les documents.

L'analyse : la mise au jour des règles implicites qui élaborent le sens décrit à partir du discours

L'analyse a pour but de mettre au jour ce qui structure, ce qui organise et produit la diversité des distinctions de sens qu'aura relevée la phase heuristique[47] de la description du document. Au terme d'une rétroaction entre description et analyse, les constats de l'analyse permettront de réorganiser la description afin de rendre compte des contenus à partir des distinctions fondamentales qui organisent le ou les discours.

Dans un discours, tel un récit de vie ou de pratique sociale, ces règles implicites forment un modèle concret de connaissance qui relève de l'expérience sociale des personnes puisque la connaissance est posée comme étant ce qui permet de se retrouver dans le monde et d'y agir. Dans le cas d'un discours de culture savante, d'un travail professionnalisé du discours,

---

46. On consultera avec intérêt le livre de Jean DE MUNCK, *L'institution sociale de l'esprit*, où l'auteur explique bien comment de nombreux travaux sur la connaissance humaine aujourd'hui en viennent à invalider la conception mentaliste du savoir situé « dans la tête des personnes », pour montrer que la pensée n'existe qu'à travers les relations aux autres sous la forme de savoirs distribués socialement.
47. Le mot heuristique signifie ici travail de découverte. La méthodologie est ici conçue comme étant l'explicitation des opérations réalisées pour comprendre le texte et son organisation.

la mise en forme de l'expérience procède en plus d'un travail de langage spécialisé qui médiatise le rapport au monde[48]. Pour mettre en évidence ce travail idéologique, il faut nécessairement identifier les procédés propres aux discours professionnels dont il s'agit. Par exemple, comment est mise en forme une nouvelle dans un journal ? Est-ce que la forme varie selon les journaux ? Comment cela modifie-t-il le sens de la nouvelle d'actualité ?

Voilà un ensemble de questions qui orientent l'analyse selon l'hypothèse générale de cette perspective méthodologique qui consiste à concevoir l'organisation sociale du discours comme étant issue de l'organisation même de l'expérience du producteur du discours. Quels sont les espaces sociaux de l'expérience dans le discours ? Quelles sont les distinctions de temporalités sociales que l'on peut observer dans les contenus extraits du document traitant de notre objet de recherche ? Comment parle-t-on de la vie sociale et quelles différenciations sociales fait-on dans le discours à propos de notre objet d'étude ?

La réussite de ce type d'analyse se manifeste dans la capacité à identifier les distinctions fondamentales dont fait état le discours et qui génère l'ensemble des distinctions formant une vision de votre objet de recherche que vous avez mis au jour dans ce discours. Ces distinctions sont relatives à une époque, un milieu, des groupes auxquels appartient le producteur du discours. Lorsque Fernand Dumont affirme dans son étude de la « Structure d'une idéologie religieuse[49] » au Québec que la famille est la distinction à partir de laquelle on appréhende la société, il veut dire que la conception des relations familiales va servir de modèle pour se représenter l'ensemble des activités sociales chez les Canadiens français à une époque donnée de l'histoire du Québec.

Ce type d'analyse sémantique apparaît donc particulièrement approprié à l'étude de groupes sociaux qui ont des modes d'existence très différenciés de la norme dominante comme les populations défavorisées. Dans une recherche récente sur les usagers de l'aide alimentaire (soupe populaire, distribution de colis de nourriture, cuisine collective) au Québec, nous avons eu recours à ce type d'analyse pour mettre au jour le point de vue propre aux usagers de cette aide, la modification de ces points de vue au cours de leur trajectoire d'aide alimentaire dans différents milieux sociaux au Québec[50].

---

48. Gilles HOULE, *op. cit.*, 1978.
49. Fernand DUMONT, « Structure d'une idéologie religieuse », *Recherches sociographiques*, vol. 2, n° 1, avril-juin 1960, p. 162-187.
50. Paul SABOURIN, Roch HURTUBISE et Josée LACOURSE, *Citoyens, bénéficiaires et exclus : usages sociaux et modes de distribution de l'aide alimentaire dans deux régions du Québec : la Mauricie et l'Estrie*, Conseil québécois de la recherche sociale (CQRS), 2000, 368 p.

CONCLUSION

Nous avons exposé ici dans leurs grands principes les démarches d'analyse du discours les plus fréquemment réalisées en recherche sociale. Pour parvenir à la maîtrise de l'analyse du discours, nous conseillons une étude minutieuse des démarches d'analyses exemplaires que vous trouverez en notes de bas de page et dans la bibliographie présentée ci-après. Selon les perspectives théoriques adoptées dans ces travaux, vous pourrez observer différentes formes de segmentation, de classification dans une catégorisation et de schématisation du sens. Ces analyses du discours proposent divers types de description et d'analyse de la signification des documents. Au fondement du repérage et de la sélection des traces les plus signifiantes des discours, de leurs regroupements pour établir le sens, se trouve l'adoption par les auteurs de perspectives de conceptualisations de la connaissance sociale en lien avec le développement de catégories empiriques opérant une classification souvent à plusieurs niveaux de lectures des textes. Il faut donc saisir ces liens de la théorie à l'empirie impliqués dans la réalisation de ces analyses de contenu pour être à même d'effectuer une de ces démarches dans un mouvement qui va d'une phase heuristique de découverte du sens du texte à son objectivation en lien avec les dimensions et propriétés de la connaissance sociale que définit une perspective théorique. Autre conseil pour faciliter l'apprentissage : faire des expérimentations sur une partie restreinte du corpus des documents, permettra de simplifier l'apprentissage en plus d'éviter des erreurs très coûteuses en temps lorsqu'elles sont faites sur un corpus d'envergure.

BIBLIOGRAPHIE ANNOTÉE

BARDIN, Laurence, *L'analyse de contenu*, 7ᵉ éd. corrigée, Paris, Presses universitaires de France, 1993, 291 pages.

> Il s'agit d'une référence classique exposant l'analyse de contenu thématique en sciences sociales.

BOURQUE, Gilles et Jules DUCHASTEL, *Restons traditionnels et progressifs. Pour une nouvelle analyse du discours politique : le cas du régime Duplessis au Québec*, Montréal, Boréal, 1988, 399 pages.

> Exposé de l'analyse de contenu assistée par ordinateur recourant à des méthodes de quantification suivi de plusieurs chapitres d'analyse des discours idéologiques duplessistes.

BOLTANSKI, Luc et Ève CHIAPELLO, *Le nouvel esprit du capitalisme*, Paris, Gallimard, 1999, 843 pages.

Le chapitre 2 consiste en une analyse des discours administratifs à partir d'une catégorisation ayant pour base la perspective de l'économie des grandeurs sociales se définissant comme une sémantique de l'action.

CHAMBON, Adrienne, «Les stratégies narratives du récit et de la parole. Comment progresse et s'échafaude une méthode d'analyse», *Sociologie et sociétés*, vol. 25, n° 2, automne 1993, p. 125-135.

DUBAR, Claude, *La crise des identités. L'interprétation d'une mutation*, Paris, Presses universitaires de France, 2000.

DUBAR, Claude, *La socialisation : construction des identités sociales et professionnelles*, 2e éd., Paris, Armand Colin, 1996, 276 pages.

Travaux utilisant l'analyse de discours produits dans le cadre d'entrevues.

DUMONT, Fernand, Jean-Paul MONTMINY et Jean HAMELIN, *Les idéologies au Canada français*, Québec, Presses de l'Université Laval, 1971, 6 t. en 4 v.

Travaux sur le développement des idéologies au Québec étudiées à partir des journaux et des revues.

GARDIN, J.C., *Le calcul et la raison. Essai sur la formalisation du discours savant*, Paris, École des Hautes Études en sciences sociales, 1991, 296 pages.

Bilan de trente ans de recherche sur l'approche linguistique, paralinguistique et logiciste de l'analyse de contenu

GRENIER, Line, *Communautés ethniques, connaissance et idéologie : analyse des discours du journal* Le Devoir *(1977)*, mémoire, Université de Montréal, 1982, 171 pages.

HOULE, Gilles et Roch HURTUBISE, «Parler de faire des enfants», *Recherches sociographiques*, vol. 32, n° 3, 1991.

Un exemple d'analyse sémantique à partir de différents types de discours, notamment de la correspondance.

JODELET, Denise (dir.), *Les représentations sociales*, Paris, Presses universitaires de France, 1989, 424 pages.

Premier d'une série de livres de l'auteure sur l'étude des représentations sociales, livres qui ont été alimentés par de nombreux colloques sur la question. Voir la bibliographie sur le sujet à l'adresse suivante : <http://www.mshs.univ-poitiers.fr/BiblioRechBiblioColRep.htm>.

MOLGAT, MARC, «Capital social et ambivalence intergénérationnelle : le soutien parental aux jeunes qui ont quitté les études secondaires sans diplôme», *Enfances, Familles, Générations*, n° 7, 2007.

Exemple d'analyse thématique à partir de catégorisation selon les principes de Strauss et Corbin.

MOLINO, Jean, «Pour une histoire de l'interprétation : les étapes de l'herméneutique», *Philosophiques*, printemps 1985, vol. 12, n° 1, p. 75-103, vol. 12, n° 2, p. 281-314.

Excellents articles pour aborder la complexité des problèmes méthodologiques de l'analyse de contenu.

ROBIN, Monique, «Perception de l'espace résidentiel des mères de jeunes enfants : analyse textuelle du discours», *Recherches féministes*, vol. 16, n° 1, 2003, p. 97-119.

Un exemple d'analyse lexicométrique recourant au logiciel Alceste. Site Internet des logiciels ATLAS/TI et QSR NUDIST :

- ATLAS/TI : <http://www.atlasti.de/>
- QSR NUDIST et NVIVO : <http://www.qsr.com.au/home/home. asp>

Site Internet sur la sociologie visuelle : <http://www.visualsociology. org/>.

LE SONDAGE

André BLAIS et Claire DURAND

If you want an answer, ask a question.

Martin SHIPMAN

Le terme « sondage[1] » peut avoir plusieurs connotations. Il évoque d'abord l'idée d'exploration. On pense en particulier au forage du sol, dans le but de trouver des nappes d'eau ou des gîtes minéraux. Le sondage est donc un instrument de mesure destiné à recueillir des informations relatives à un questionnement, à une problématique de départ. Y est aussi associée l'idée de prélèvement d'un échantillon. La sonde va extraire seulement une fraction du sol pour fins d'analyse. Elle extrait cette fraction de façon systématique pour ainsi « représenter » le mieux possible la composition du sol.

Ces deux dimensions se retrouvent dans la conception usuelle du terme *sondage* en sciences sociales. La pratique a cependant ajouté un autre élément qui a pour effet de lui donner un sens encore plus étroit. On en est venu à réserver le terme de sondage aux enquêtes effectuées à l'aide d'un questionnaire. Nous respecterons cette tradition et définirons donc

---

1. Le terme sondage a été proposé comme traduction du terme anglais *survey* par Jean Stoetzel, fondateur de l'Institut français d'opinion publique (IFOP) en 1938.

le sondage comme étant un instrument de collecte et de mise en forme de l'information, fondé sur l'observation de réponses à un ensemble de questions posées à un échantillon d'une population.

Le début de la définition éclaire la fonction du sondage. Le sondage est un instrument de **mesure**. Il a pour mission d'opérationnaliser les concepts élaborés au moment où est posée la question de recherche et où sont élaborées les hypothèses qui lui sont reliées. L'ensemble des opérations effectuées amène à la constitution d'indicateurs des différents concepts ; ce sont les signes concrets qui permettent de classer les objets dans des catégories.

Ce qui caractérise ensuite le sondage, c'est le recours à des **questions**. Contrairement à l'observation directe ou à l'analyse de contenu, ce ne sont pas des gestes ni des documents qui sont enregistrés, mais des réponses fournies par des informateurs à une série de questions posées. Contrairement à l'entrevue semi-dirigée, les questions sont dites «standardisées», en ce sens que la formulation est fixée et doit être la même pour tous les répondants.

Le dernier élément de la définition, qui fait référence à la présence d'un *échantillon*, sert à différencier le sondage du *recensement*, qui, lui, porte sur l'ensemble d'une population[2]. Cette population est définie par le chercheur et elle est délimitée par l'univers auquel se rapporte son hypothèse. Cet *univers* ou *population* peut comprendre, par exemple, les résidents du Québec, ou ceux de Montréal, mais aussi les assistés sociaux de Laval ou les parents d'enfants de 3 à 5 ans, ou bien encore l'ensemble des étudiants universitaires de premier cycle au Québec. Dans tous les cas, on parlera d'un sondage si un questionnaire standardisé est administré auprès d'un échantillon, soit une fraction d'une population donnée.

1 Portée et limites

Le sondage est aussi appelé enquête sur échantillon. Les deux notions, celle du recours à un questionnaire et celle de l'utilisation d'un échantillon, le caractérisent. La procédure d'échantillonnage comporte ses possibilités et aussi ses difficultés ; cet aspect est couvert dans le chapitre 10 de ce livre. Ce chapitre traite du questionnaire lui-même et de son administration.

---

2. Voir le chapitre 10 sur l'échantillonnage.

Réfléchissons d'abord quelques instants à la nature même du sondage. Prenons un exemple bien connu, le sondage électoral. Pour mesurer le comportement électoral, on a recours à une question, comme celle-ci, posée par l'Institute for Social Research de l'University York tout de suite après l'élection canadienne de 2005-2006 : « Pour quel parti avez-vous voté : le Parti libéral, le Parti conservateur, le NPD, le Bloc Québécois, ou un autre parti ? » L'interviewer inscrit dans l'ordinateur (ce sont des entrevues téléphoniques assistées par ordinateur) la réponse qu'il obtient et le chercheur induit le comportement électoral à partir de la réponse qu'il observe. Cette réponse, obtenue à la suite d'un certain nombre d'opérations, constitue une mesure du concept « comportement électoral ». Dans ce cas, le chercheur a recours au questionnaire, faute de mieux. Le vote étant secret, il est impossible d'observer directement le comportement de l'électeur. Le chercheur utilise un substitut *et tente de reconstituer* le vote **à l'aide d'une réponse à une question**.

▓ 1.1. Les avantages

Cet exemple illustre le principal avantage du sondage : sa grande flexibilité. Le mécanisme est simple. Il s'agit de formuler un certain nombre de questions et de consigner les réponses. On peut ainsi obtenir rapidement de l'information sur les concepts qu'on veut étudier. Supposons que l'on veuille mesurer le degré d'intérêt des étudiants dans leurs cours. Si l'on procède par observation directe de comportements que l'on interprète comme des signes d'intérêt (présence au cours, fréquence des questions, etc.), on devra assister à un certain nombre de cours et inscrire sur une grille d'analyse toute une série d'observations. Le processus est plus rapide si l'on procède par sondage puisqu'on n'aura qu'à administrer un questionnaire à un échantillon donné. Le questionnaire constitue, en somme, un raccourci commode permettant d'épargner des énergies, tout au moins si on le compare à l'observation directe.

La *flexibilité* du sondage entraîne une grande polyvalence. On peut y recourir pour saisir toutes sortes de phénomènes. Dans plusieurs domaines, le sondage est à peu près le seul instrument dont dispose le chercheur. C'est le cas en particulier des comportements privés – le vote, l'emploi du temps, la consommation, la sexualité – qui ne peuvent généralement être appréhendés par observation directe. Qui plus est, un même sondage peut servir à mesurer un grand nombre de variables. Les sondages électoraux, par exemple, en plus de contenir des questions sur le vote, peuvent porter sur la perception des partis et des leaders, sur le degré d'intérêt pour la politique et le niveau d'information, sur certaines attitudes sociales et politiques, sur les opinions sur un certain nombre d'enjeux, ainsi que sur un certain nombre de caractéristiques sociodémographiques pertinentes.

Ces avantages expliquent la popularité du sondage dans la recherche sociale. Dans une majorité de disciplines des sciences sociales, il est actuellement l'instrument de mesure le plus utilisé. S'il est vrai que les recensements existent depuis des temps immémoriaux et que les enquêtes par questionnaire, en particulier sur les conditions sanitaires des quartiers pauvres, apparaissent dès le milieu du XIXe siècle, il est clair que le perfectionnement des techniques d'échantillonnage dans la première moitié du XXe siècle a permis une multiplication prodigieuse d'études fondées sur le sondage. De plus, l'apparition du téléphone, puis son expansion à l'ensemble de la population et, plus récemment, la progression rapide de l'accès à l'informatique pour administrer les questionnaires et pour traiter les données ont contribué à ce que le sondage devienne l'instrument privilégié de mise en forme de l'information. Cet état de fait découle directement de sa grande souplesse et de ses coûts d'opération relativement faibles (en argent et encore plus en temps), par comparaison avec l'observation directe.

Cette situation n'est pas sans susciter des débats. D'aucuns estiment en effet qu'une trop grande importance a été accordée au critère de commodité et qu'on ne tient pas suffisamment compte des limites inhérentes au sondage. Ces auteurs concluent que le sondage, même s'il demeure un instrument valable de mise en forme de l'information, présente des inconvénients majeurs, qui sont trop souvent ignorés. Ils affirment en conséquence que le sondage est surexploité en sciences sociales et qu'il importe que les chercheurs diversifient leur démarche, en ayant davantage recours, en particulier, à l'observation directe.

Les questionnaires étant généralement administrés à des individus, on peut s'interroger sur la pertinence de cette méthodologie pour l'analyse des phénomènes sociaux qui sont essentiellement des phénomènes collectifs. La perspective n'est-elle pas tronquée dès le départ? Nous ne le croyons pas. En effet, même si les informations sont recueillies auprès d'individus, l'analyse peut procéder à d'autres niveaux. C'est ainsi qu'on peut comparer la mobilité professionnelle dans différentes zones résidentielles, à partir des résultats d'un sondage[3]. On peut aussi compléter les résultats d'un sondage avec des données institutionnelles de façon à déterminer si l'effet se produit

---

3. Marie LAVIGNE et Jean RENAUD, *Étude comparative de quatre zones résidentielles du bas de la ville de Montréal: tome 1. Caractéristiques sociales et mobilité professionnelle*, Montréal, Presses de l'Université du Québec, 1974.

sur le plan individuel ou collectif[4]. Il faut donc distinguer l'unité utilisée pour la collecte de l'information de l'unité d'analyse[5].

L'orientation individualiste du sondage n'est donc pas un «vice» inhérent à l'instrument. Rien n'empêche, en effet, d'intégrer certains aspects de l'environnement social dans la conception même de l'enquête[6]. Il est possible, à l'intérieur d'une même étude, de combiner des données de sondage et des données agrégées. On peut également situer les données individuelles dans leur contexte, que celui-ci soit le ménage dont l'individu fait partie, la classe ou l'école de l'élève, l'équipe de travail de l'employé, etc. L'intérêt récent accordé à l'analyse multiniveau dans le traitement des données d'enquête apparaît à cet égard particulièrement fécond. Ce type d'analyse permet d'examiner si les effets se produisent plutôt au niveau individuel ou au niveau des regroupements dont les individus font partie.

▓ 1.2. Les conditions de validité

Pour que la procédure de collecte d'information au moyen d'un questionnaire de sondage soit valide, quatre conditions doivent être satisfaites:

1) La disponibilité des informateurs. Il importe que les personnes membres de l'échantillon cible *soient disponibles* et coopératives, c'est-à-dire qu'elles puissent être jointes et qu'elles acceptent de répondre au questionnaire.

2) La capacité de répondre. Il faut que les répondants *soient en mesure* de répondre au questionnaire, c'est-à-dire qu'ils puissent saisir le sens des questions (la compréhension) et qu'ils possèdent l'information qui leur est demandée (la pertinence).

3) La transmission fidèle de l'information. Les gens doivent vouloir et pouvoir *communiquer sans distorsion* l'information.

4) L'enregistrement fidèle de l'information. L'information doit être *enregistrée correctement* par le chercheur ou son équipe.

---

4. C. DURAND, «L'aspiration à la mobilité et la répartition régionale des ressources et des fonctions organisationnelles», dans SIMARD *et al.*, *À l'aube du XXIᵉ siècle: des enjeux pour les sciences de la gestion*, Montréal, Guérin, 1996, p. 63-92.

5. A. SATIN et W. SHASTRY, *L'échantillonnage, un guide non mathématique*, Ottawa, Statistique Canada, 1983, p. 9. Voir la distinction faite entre unité d'échantillonnage, unité déclarante, unité de référence et unité d'analyse.

6. C'est souvent le cas, par exemple, pour les études faites auprès d'élèves. On aura recours, tant pour l'échantillonnage que pour les analyses, aux données portant sur les écoles, sur les caractéristiques du milieu qu'elles desservent ainsi que sur les caractéristiques de leur population (proportion d'élèves d'origine ethnique différente, taux de réussite moyens de l'école, etc.).

La disponibilité des informateurs

L'objectif visé lorsqu'on a recours à un questionnaire est d'obtenir des réponses. Il faut donc que les personnes faisant partie de l'échantillon cible soient contactées et collaborent. Dans les sociétés sédentaires, le contact pose relativement peu de problèmes. Les gens peuvent être joints à leur résidence (par une visite, par téléphone ou par courrier) ou dans des lieux de rassemblement (une classe, un lieu de travail, par exemple).

Une fois jointes, les personnes doivent accepter de répondre au questionnaire. Dans le sondage, la collaboration est en effet une condition absolue. D'où l'importance que les sondeurs attachent au taux de réponse, c'est-à-dire à la proportion d'un échantillon cible qui a été jointe et qui a accepté de répondre au questionnaire. Ce taux varie selon les modes d'administration, le sujet de l'enquête, la crédibilité du commanditaire, le type de population et le nombre de contacts qui ont été nécessaires pour joindre l'échantillon[7].

> En Amérique du Nord, le taux habituel pour les sondages téléphoniques se situait autour de 80% dans les années 1960 mais est tombé à environ 60% à la fin des années 1970. Il semble se maintenir autour de 55 à 65% et même moins depuis les années 1980. Les taux de réponse pour les sondages téléphoniques faits par des firmes commerciales dans les années 2000 semblent atteindre difficilement 50%[8]. Ils sont toutefois nettement plus élevés pour ceux réalisés par des organisations gouvernementales (Statistique Canada, Institut de la statistique du Québec). Dans les cas de sondages postaux ou par Internet auprès de populations spécifiques (membres d'une organisation, d'une association), on peut atteindre des taux de réponse d'environ 50% avec des efforts soutenus (nombreux rappels postaux, ou téléphoniques si possible, renvoi de deuxième questionnaire, etc.). Enfin, traditionnellement, les entrevues sur place, du moins en Amérique du Nord, obtiennent les meilleurs taux (80 à 85% et même plus). Les non-réponses comprennent les refus (du ménage ou de la personne sélectionnée) mais aussi les personnes que l'on n'a pas réussi à joindre (habituellement entre 5 et 10%) ou celles qui ne peuvent être jointes pendant la durée de l'enquête. Les personnes incapables de répondre pour cause de maladie (2 à 3%) ou ne comprenant pas la langue de l'entrevue (2 à 5% selon le type de sondage et la population cible) peuvent être considérées comme ne faisant pas partie de l'échantillon selon la définition de la population retenue.

---

7. John Goyder, *The Silent Minority. Nonrespondents in Sample Surveys*, Boulder, Colorado, Westview Press, 1987, p. 56.
8. Plusieurs facteurs expliquent cette situation dont la forte présence du télémarketing, l'utilisation de répondeurs téléphoniques et d'afficheurs pour filtrer les appels, les modes de vie, entre autres, en milieu urbain.

La résistance au sondage n'est pas négligeable. Elle est plus forte en milieu urbain, dans les ménages plus fortunés ou plus âgés, dans les milieux où les gens sont généralement plus méfiants. Certains s'y objectent par principe. Un sondage sur les attitudes et comportements face à la non-réponse effectué dans la région de Waterloo en Ontario montre que 4% sont fortement d'accord et 19% plutôt d'accord avec l'assertion suivante : « Les sondages d'opinion sont une intrusion dans la vie privée[9]. » Par ailleurs, questionnées sur l'importance d'un certain nombre de facteurs dans leur décision d'accepter de répondre à un sondage, 38% des personnes interrogées ont jugé que ce qu'elles faisaient au moment où ils ont été jointes était un facteur extrêmement important, les autres facteurs jugés les plus importants étant la persistance de l'interviewer (19%) et le sujet de l'enquête (17%). Dans cette même étude, le revenu et la sexualité apparaissent comme les sujets sur lesquels les personnes interviewées sont les plus réticentes à être questionnées.

Puisque les personnes non jointes et celles qui refusent de participer au sondage représentent habituellement plus du tiers d'un échantillon cible, elles constituent l'un des problèmes les plus sérieux de tout sondage. Elles introduisent un biais possible dans les résultats, dans la mesure où elles se distinguent des participants, puisque toute l'information dont dispose le chercheur provient de ces derniers. Les nombreuses études qui ont été consacrées à cette question, dont une conférence internationale[10], ne permettent pas de tirer des conclusions fermes, le biais apparaissant parfois important, parfois minime. Ce biais est généralement estimé à partir des caractéristiques des participants qui avaient d'abord refusé de répondre et qui ont changé d'idée par la suite, ce qu'on appelle les « refus récupérés », qui ne représentent pas un échantillon totalement représentatif des personnes qui refusent. Une étude réalisée par Durand et ses collègues dans le cadre de l'élection québécoise de novembre 1998[11] montre, à titre d'exemple, que les participants aux sondages préélectoraux et postélectoral qui avaient initialement refusé de répondre et qui s'étaient ravisés par la suite étaient plus susceptibles de voter pour le Parti libéral du Québec que ceux qui n'avaient jamais refusé. Des procédures de pondération et de redressement peuvent être utilisées pour corriger certains biais, mais ces procédures sont elles-mêmes fondées sur d'autres postulats. Il s'agit

---

9. John GOYDER, *The Silent Minority*, *op. cit.*, p. 142.
10. International Conference on Survey Nonresponse, Portland Oregon, octobre 1999. Un livre a été publié réunissant les principales recherches présentées à cette conférence : Robert. M. GROVES, Don D. DILLMAN, John L. ELTINGE et J.A. Roderick LITTLE, *Survey Nonresponse*, New York, Wiley, 2002.
11. C. DURAND, A. BLAIS et S. VACHON, « Accounting for Biases in Election Surveys : The Case of the 1998 Quebec Election », *Journal of Official Statistics*, vol. 18, n° 1, 2002, p. 25-44.

là, en somme, d'une des limites du sondage, à propos de laquelle très peu de données sûres existent. Réduire le taux de refus devient ainsi l'une des grandes préoccupations des sondeurs.

Il s'ensuit que les possibilités qu'offre le sondage varient dans le temps et dans l'espace. Tout dépend, en effet, de l'image du sondage dans le public. Or, cette image n'est pas une création spontanée. Il y a un risque, par exemple, que la publication de sondages de qualité douteuse jette le discrédit sur cet instrument de recherche. Les chercheurs ont donc intérêt à hausser la qualité des sondages en général, s'ils veulent maintenir la légitimité de cet outil indispensable en sciences sociales. Au Canada, alors que divers organismes du milieu des sondages avaient pendant longtemps fixé des cibles quant aux taux de réponse visés, de telles normes semblent avoir plus ou moins disparu pour ce qui est des sondages effectués par des firmes privées. Toutefois, la nécessité de bien préciser la métho-dologie utilisée et parfois d'estimer les biais possibles de non-réponse demeure, à tout le moins pour les sondages effectués pour des organismes gouvernementaux[12].

La capacité de répondre

Non seulement faut-il que les informateurs soient disponibles, mais il importe également qu'ils soient en mesure de répondre aux questions qui leur sont posées. Cela suppose essentiellement deux choses. Premiè-rement, les gens doivent *comprendre les questions*, et deuxièmement, ils doivent *posséder l'information* qui leur est demandée. Le critère de compréhension exige qu'on accorde un soin tout particulier à la formu-lation des questions. Nous reviendrons sur ce point dans la section 4.2., mais on peut observer tout de suite que le recours au questionnaire n'est possible que si le chercheur et l'ensemble des informateurs partagent une langue commune, c'est-à-dire si les mots et leur agencement ont un sens uniforme. Cette exigence ne peut être parfaitement satisfaite. Même les mots les plus simples se prêtent à des nuances différentes selon les régions, les classes sociales et les générations. On peut toutefois supposer que dans la plupart des cas les variations sont suffisamment réduites pour ne pas entraîner de distorsion sérieuse. Le problème prend, par contre, plus d'ampleur dans les enquêtes comparatives, où un même questionnaire doit être administré à des populations de langues différentes. Toute traduction

---

12. Voir à ce sujet les normes adoptées par le gouvernement du Canada sur <http://www. tpsgc-pwgsc.gc.ca/rop/text/ccap4-f.html>.

étant nécessairement imparfaite, il devient difficile de déterminer si les variations observées correspondent à des différences «réelles» ou si elles dépendent plutôt de la formulation même des questions.

La capacité de répondre renvoie également à la possession de l'information demandée. On suppose que les informateurs ont un certain niveau de conscience de ce qu'ils sont (variables d'état), de ce qu'ils font (variables de comportement) et de ce qu'ils pensent (variables de pensée ou d'attitude). Le postulat apparaît plausible dans plusieurs cas, mais pas dans tous. Les variables d'état sont de ce point de vue les moins problématiques. Les gens connaissent habituellement leur sexe, leur âge et leur occupation. Il en est à peu près de même pour les variables de comportement, même si la marge d'erreur est plus grande. Les gens savent «assez bien» le nombre d'heures qu'ils dorment ou travaillent, ce qu'ils mangent, les sports qu'ils pratiquent, les émissions de télévision qu'ils regardent. La question est plus difficile à trancher en ce qui concerne les variables d'attitude, qui sont les plus complexes à mesurer. Tout indique que le niveau de conscience est assez élevé sur les sujets qui touchent le quotidien. La plupart des gens savent très bien qui ils aiment plus et qui ils aiment moins, ce qu'ils aiment faire et ce qu'ils n'aiment pas faire. Sur d'autres sujets, sur des questions hypothétiques ou des intentions de comportement, sur des questions auxquelles la personne n'avait pas réfléchi préalablement, le niveau de conscience est plus aléatoire.

> Ce point a été illustré par LaPiere en 1934[13]. Il a fait une expérience dans laquelle il a, d'une part, observé systématiquement l'accueil réservé à un couple chinois (avec qui il voyageait) dans 44 hôtels et 184 restaurants disséminés à travers les États-Unis et, d'autre part, envoyé (six mois plus tard) un questionnaire aux propriétaires de ces hôtels et restaurants, questionnaire comprenant, entre autres, une question demandant s'ils accepteraient des Chinois dans leur établissement. Les résultats furent, pour le moins, spectaculaires. Le couple fut accepté dans tous les établissements, sauf un. Pourtant, plus de 90% des propriétaires répondirent qu'ils n'accepteraient pas de Chinois. Dans ce cas, le questionnaire ne s'est pas révélé un instrument approprié pour estimer le comportement. Cet exemple est souvent donné pour illustrer le fait que le lien entre les attitudes affichées – entre autres au moyen de réponses à des questions – et les comportements peut être faible dans certaines situations.

Cet exemple illustre une des limites du questionnaire. Il est moins fiable lorsqu'il s'agit de saisir des opinions ou des attitudes sur des objets qui n'ont pas de répercussion concrète pour l'individu ou auxquels il n'a accordé que peu d'attention. Cette limite peut être corrigée en partie en

---

13. Richard T. LaPiere, «Attitudes vs Actions», *Social Forces*, vol. 13, 1934, p. 230-237.

situant les objets dans l'univers mental des personnes interrogées («si une élection provinciale avait lieu aujourd'hui...»), en mesurant le niveau d'information sur un sujet avant d'aborder les opinions et en complétant par des questions sur des comportements qui peuvent être associés.

On peut aussi s'interroger sur le niveau de conscience des gens à propos d'états, de comportements ou de pensées du passé. Quelles sont les possibilités et les limites de la mémoire? Là encore, la situation varie selon le type de variables. Les variables de pensée soulèvent les difficultés les plus grandes. Les risques de distorsion apparaissent tellement élevés qu'on conclut généralement à l'impossibilité d'une pareille tâche, sauf dans des cas particuliers et par le biais d'un cheminement assez complexe[14]. Dans le cas des comportements, les possibilités apparaissent plus intéressantes, mais les obstacles ne manquent pas[15]. Les mêmes considérations prévalent lorsqu'il s'agit de mesurer des variables d'état. Il semble, par exemple, que les gens ont tendance à surestimer leur revenu passé. La règle à retenir est que plus un événement est marquant (mariage, naissance d'un enfant, etc.), plus il est possible d'obtenir des renseignements fiables remontant loin dans le temps; moins l'événement est marquant, plus il est banal (consommation de boissons gazeuses, visionnement d'un film à la télé, etc.), plus l'intervalle de temps sur lequel porte la question doit être court.

Dans la même veine, on peut se demander s'il est possible d'obtenir des renseignements à propos de personnes autres que l'informateur, sur les comportements du conjoint, par exemple. Les études semblent indiquer que la fidélité des réponses est de 10 à 20% inférieure[16].

La transmission fidèle de l'information

La troisième condition de validité d'un questionnaire est que les gens transmettent l'information qu'ils possèdent sans distorsion. Cette condition renvoie à la sincérité des réponses et aux effets possibles de contamination du questionnaire. Un certain nombre d'observations peuvent être faites à ce propos. Premièrement, il semble bien que les tentatives délibérées et systématiques de distorsion sont rares. Ceux qui acceptent de répondre à un questionnaire le font généralement dans un esprit de collaboration qui s'exprime par un effort de sincérité. De même, les

---

14. Voir le chapitre 14 sur l'approche biographique.
15. Prenons le comportement électoral. La distorsion la plus importante est la sous-estimation du changement, les électeurs ayant changé de parti se rappelant moins bien leur comportement passé et ayant tendance à l'aligner sur leur comportement récent selon divers auteurs.
16. Seymour SUDMAN et Norman M. BRADBURN, *Asking Questions*, San Francisco, Jossey-Bass, 1987, p. 51.

sondeurs portent une attention particulière à la formulation et à l'ordre des questions de façon à ne pas orienter les réponses. Ils procèdent au besoin à la rotation des questions ou des choix de réponses de façon à répartir au hasard l'effet possible de l'ordre de présentation. La procédure consiste, par exemple, à présenter les choix de réponse à une question sur l'intention de vote dans un ordre différent d'une entrevue à l'autre, cet ordre étant choisi au hasard.

Par contre, les informateurs ont aussi d'autres motivations lorsqu'ils répondent à un questionnaire. Ghiglione et Matalon[17] distinguent trois motivations principales : maintenir de bons rapports avec l'enquêteur, donner de soi une image favorable et donner de soi une image « conforme », « normale ». Dans un grand nombre de cas, ces motivations ne constituent pas des sources importantes de distorsion. C'est le cas des sujets « neutres » pour lesquels il n'existe pas de norme sociale approuvée par à peu près tout le monde. Il existe, en revanche, un certain nombre de faits, comportements ou opinions qui sont considérés comme répréhensibles par la société – consommation d'alcool ou de drogues, racisme, comportements marginaux – et qui sont beaucoup moins avoués dans les questionnaires. Ce problème peut être corrigé en partie en formulant des questions faisant apparaître tous les comportements ou opinions comme acceptables et en entraînant les interviewers de façon à ce qu'ils les présentent comme tels. Cela permet sans doute de réduire le biais mais non de l'éliminer complètement.

Cette difficulté se présente même pour la mesure des variables sociodémographiques. Ainsi, il semblerait que des effets de plancher et de plafond se manifestent dans les réponses sur le revenu, les plus riches ayant tendance à minimiser leurs revenus et les plus pauvres à les exagérer. Ces effets reflètent probablement la tendance à donner de soi une image « normale ». De même, peu de gens sont enclins à admettre qu'ils n'ont pas d'opinion sur une question donnée. C'est ce qui a amené Converse à soutenir, dans un article[18] qui a fait l'objet de toute une controverse à l'époque, qu'un certain nombre de participants, qui n'ont aucune opinion sur un sujet, répondent tout simplement au hasard. S'il est à peu près impossible d'estimer la fréquence de ce type de réponse, son existence peut difficilement être niée. Dans nos sociétés, un individu respectable est censé être informé et avoir une opinion. Là aussi, il est possible d'apporter des correctifs, en posant des questions préliminaires sur le niveau d'information ou en présentant l'absence d'opinion comme légitime.

---

17. Rodolphe GHIGLIONE et Benjamin MATALON, *Les enquêtes sociologiques : théories et pratique*, Paris, Armand Colin, 1978, p. 149.
18. Philip CONVERSE, « The Nature of Belief Systems in Mass Publics », dans David APTER (dir.), *Ideology and Discontent*, New York, The Free Press, 1964.

Globalement, la stratégie la plus efficace consiste à identifier les risques de distorsion et à adopter des stratégies qui minimisent ces risques.

L'enregistrement fidèle de l'information

Les risques d'erreur ne proviennent pas exclusivement de l'informateur. Dans les questionnaires qu'il administre, l'interviewer peut ne pas inscrire correctement la réponse qui lui est donnée. Il existe des méthodes qui permettent de détecter et de corriger de telles erreurs. On peut procéder à la vérification d'un certain nombre de questionnaires ainsi que de l'ensemble de la codification[19]. Les normes de l'AIRMS (Association pour la recherche marketing et sociale) demandent une validation de 10 % des questionnaires. L'informatisation de la collecte des données dans les enquêtes téléphoniques a facilité grandement la vérification et la validation au moyen de l'écoute (communément appelé le mouchard). Toutefois, la codification et sa vérification peuvent être rendues plus difficiles, surtout lorsqu'on tente de faire une codification simultanée (pendant l'entrevue). Les réponses aux questions ouvertes doivent être enregistrées le plus fidèlement et le plus complètement possible pour permettre une codification ultérieure valide et vérifiable. Finalement, le plus grand soin doit être porté à la présentation et à la mise en pages des questionnaires de façon à minimiser les sources d'erreur.

Cette brève discussion a permis de discuter des principaux avantages et limites du sondage comme instrument de recherche. Deux conclusions principales semblent se dégager.

– Premièrement, le sondage a le grand avantage d'être flexible, mais se fonde sur la verbalisation, avec les risques d'erreur qui s'ensuivent. Ces avantages et limites doivent être comparés à ceux des autres instruments.

– Deuxièmement, lorsqu'un chercheur a recours au sondage, il est, dès le départ, confronté à un certain nombre de questions. Il doit se demander si l'analyse devrait porter sur les individus ou sur d'autres unités, se préoccuper de l'accueil qui sera réservé à son questionnaire, s'assurer que les personnes interrogées comprennent et possèdent effectivement l'information qui leur est demandée, faciliter les réponses sincères et spontanées, et, finalement, vérifier l'enregistrement de ces réponses.

---

19. Earl P. BABBIE, *Survey Research Methods*, Belmont, Wadsworth, 1990, chap. 10.

C'est à partir de la question de recherche que l'on peut juger si le sondage est l'outil le plus approprié dans les circonstances. Cependant, une fois la décision prise de faire un sondage, des choix concrets doivent être faits au regard du devis de recherche et des modalités d'administration. Ces choix auront des conséquences sur l'élaboration du questionnaire – formulation et choix des questions, ordre, type de questions – et sur l'administration proprement dite.

 ## LE DEVIS DE RECHERCHE

Le premier choix qui se pose au chercheur a trait au nombre d'enquêtes qu'il doit mener. On distingue ainsi le sondage ponctuel, dit aussi «à coupe transversale», dans lequel le questionnaire n'est administré qu'une fois, du sondage longitudinal, dans lequel le questionnaire est administré à plusieurs reprises. Le sondage longitudinal peut être de tendance, si le questionnaire est administré à différents échantillons d'une même population à différents moments, ou de type panel, si le questionnaire est chaque fois administré au même échantillon.

Supposons qu'un chercheur s'intéresse au lien entre le revenu et le comportement électoral. Par un sondage ponctuel, il pourra vérifier l'existence d'un tel lien. En analysant des sondages effectués lors de différentes élections, il pourra déterminer si ce lien (ou l'absence de ce lien) change dans le temps, si un parti progresse (ou régresse) davantage chez les plus riches (ou les plus pauvres) et établir certaines associations entre ces changements et les politiques gouvernementales ou les stratégies des partis. Par un sondage panel, non seulement pourra-t-il procéder à une telle analyse, mais il pourra également déterminer si ce sont les individus dont le revenu a le plus augmenté (ou diminué) entre deux élections qui ont été les plus nombreux à modifier leur comportement électoral. La dynamique individuelle devient directement accessible, contrairement au sondage de tendance.

■ 2.1. Le sondage ponctuel

Le sondage ponctuel est le plus simple et certainement le plus fréquent. Il sert à décrire certaines caractéristiques d'une population ou à examiner les relations entre certaines variables à un moment donné. Il a le désavantage d'être statique, de ne pas permettre l'analyse du changement. Il est cependant beaucoup moins coûteux. On n'aura donc recours au sondage longitudinal que si cela s'avère indispensable. Tout dépend en fait de l'hypothèse de départ. *Le devis ponctuel est approprié lorsque l'ordre de causalité des variables ne pose pas problème ou n'est pas central pour répondre à la question de recherche.* Si l'on s'intéresse à la relation entre la scolarité et le vote, par exemple, on peut supposer que la première variable influence la seconde, et non l'inverse. Un sondage ponctuel ne permettrait pas, par contre, de déterminer si ce sont les opinions sur telle politique gouvernementale qui influencent l'évaluation de la compétence du premier ministre ou l'inverse.

▓ 2.2. Le sondage de tendance

Lorsqu'on peut répéter la même enquête à plusieurs reprises, les possibilités sont beaucoup plus riches. On peut alors observer l'évolution de certaines caractéristiques de la population ou encore de relations entre variables, dans le temps. Certaines firmes de sondage, par exemple, conduisent des enquêtes à intervalles fixes : on peut ainsi suivre, d'un mois à l'autre, la cote de popularité des partis politiques au Canada. On peut aussi s'intéresser aux changements dans les relations entre variables.

> On peut examiner l'impact de certains événements en comparant les tendances avant et après ces événements. C'est ainsi que Blais et ses collègues[20] ont pu démontrer que le récent déclin du taux de participation au vote au Canada était concentré dans les cohortes d'individus nés après 1960. De même, Durand a montré que l'évolution de l'intention de vote sur la souveraineté du Québec de 1995 à 2000 était due aux cohortes de francophones de moins de 55 ans, les seules pour lesquelles des changements pouvaient être observés[21].

Le sondage de tendance peut s'intéresser aux changements à court ou à long terme. À court terme, on peut avoir recours à une enquête « roulante » (*rolling cross-section*) qui peut s'échelonner sur quelques semaines ou mois, des mini-échantillons étant tirés chaque jour ou chaque semaine.

> C'est ainsi que procèdent maintenant les enquêtes universitaires sur les élections canadiennes. Chaque jour de la campagne électorale, on tire un mini-échantillon nouveau ; on interviewe ainsi un certain nombre de personnes – au moins 100 -- chaque jour, ce qui permet de suivre l'évolution des perceptions et des attitudes tout au long de la campagne. C'est en s'appuyant sur de telles données qu'on peut, en particulier, évaluer l'effet des débats télévisés sur la popularité des chefs de partis[22].

---

20. André Blais, Elisabeth Gidengil, Neil Nevitte et Richard Nadeau, « Where Does Turnout Decline Come From ? », *European Journal of Political Research*, vol. 43, 2004, p. 221-236.
21. Voir C. Durand, *The Evolution of Support for Sovereignty : Myths and Realities*, Working Paper n° 8, Institute for Intergovernmental Affairs, Queens University, 2001, 14 p.
22. Voir André Blais et Andrea Perrella, « Systemic Effects of Televised Debates », *International Journal of Press/Politics*, vol. 13, 2008, p. 451-464.

Lorsqu'elles s'intéressent aux changements à long terme, les études de tendance se fondent habituellement sur une analyse secondaire de sondages effectués par d'autres chercheurs ou des firmes de sondage. De telles études sont possibles dans la mesure où des questions identiques sont posées dans les différents sondages. Elles permettent d'aller plus loin qu'un sondage ponctuel. On peut ainsi vérifier si certaines relations sont stables ou non dans le temps, ou encore mesurer l'effet de l'environnement extérieur sur l'évolution des résultats. Le sondage de tendance ne permet cependant pas d'observer les changements sur le plan individuel. Un sondage panel est alors nécessaire.

■ 2.3. Le sondage panel

Dans le sondage panel, non seulement l'enquête est-elle répétée à plusieurs reprises, mais les mêmes personnes sont jointes chaque fois. Ce type de sondage doit être planifié dès le départ : on conserve les coordonnées des informateurs qui sont interrogés de nouveau après un certain intervalle de temps. La démarche est différente de l'étude de tendance, qui se fait souvent *a posteriori*, en comparant les données de sondages déjà effectués. Au point de vue théorique, le sondage panel ouvre également de nouveaux horizons : la dynamique du changement peut être examinée sur le plan individuel.

Le sondage panel présente donc un grand intérêt. Il comporte toutefois certains inconvénients. L'entreprise est beaucoup plus exigeante. Il faut répéter l'enquête, ce qui peut se révéler très coûteux, et la recherche doit s'étendre sur une plus longue période de temps. Il faudra par exemple attendre quatre ans (habituellement) si l'on veut analyser les changements entre deux élections.

Un deuxième problème concerne ce qu'on appelle la mortalité de l'échantillon. Cette mortalité découle du fait qu'un certain nombre de personnes ayant répondu au premier questionnaire ne répondent pas aux suivants, parce qu'elles ont déménagé et qu'on ne réussit pas à les retrouver, par lassitude ou pour d'autres raisons. Le taux de mortalité est d'autant plus élevé que le sujet est jugé peu important et peu intéressant, et que l'intervalle entre les enquêtes est grand.

Les grandes organisations statistiques gouvernementales utilisent de plus en plus les enquêtes longitudinales de type panel[23]. Le *Panel Study of Income Dynamics* a commencé en 1968 aux États-Unis auprès de plus de 5 000 personnes, réinterviewées chaque année. Le *British Household Panel Survey*, commencé en 1992, est sans doute la plus ambitieuse de ces enquêtes par la très grande variété des sujets couverts. Au Canada, plusieurs grandes enquêtes ont été complétées ou sont en cours. La première enquête sur la dynamique du travail et du revenu commencée en 1994 a duré 6 ans; un autre panel a commencé en 1997 pour se terminer en 2003; enfin, un autre a commencé en 2000 pour se terminer en 2006. L'enquête longitudinale nationale sur les enfants et les jeunes (ELNEJ) a aussi débuté en 1994 et s'est déroulée tous les deux ans depuis. Au Québec, l'Institut de la statistique du Québec mène l'Étude longitudinale du développement des enfants au Québec (ELDEQ) depuis 1998.

Une troisième difficulté a trait aux risques de contamination. Le seul fait de répondre à un questionnaire peut sensibiliser un individu à certaines questions et modifier ses comportements ou ses attitudes. On a ainsi remarqué que ceux qui répondent à des sondages électoraux ont plus tendance à aller voter[24]. Par conséquent, les changements qu'on observe entre les différentes vagues d'un panel peuvent avoir été créés artificiellement par l'instrument de recherche. Les risques sont plus prononcés lorsque le questionnaire est administré à de courts intervalles.

En somme, le sondage panel peut être mis à profit dans plusieurs cas, surtout lorsque les risques de contamination apparaissent faibles, que la population n'est pas trop mobile, que le thème de l'enquête suscite de l'intérêt et que les changements individuels sont au cœur de l'analyse. Le sondage de tendance suffit lorsqu'on veut se limiter aux changements collectifs. Le sondage ponctuel est tout à fait approprié lorsque la perspective est strictement statique, ou lorsqu'il apparaît possible de faire appel à la mémoire des informateurs pour mesurer des états, des comportements passés.

---

23. Voir M. WOODEN, « Design and Management of a Household Panel Survey: Lessons from the International Experience », 2001, <http://www.melbourneinstitute.com/hilda/hdps. html>.
24. Donald GRANBERG et Sorem HOLMBERG, « The Hawthorne Effect in Election Studies: The Impact of Survey Participation on Voting », *British Journal of Political Science*, vol. 22, 1992, p. 240-248.

3 LES MODES D'ADMINISTRATION

Une fois le devis de recherche arrêté, le chercheur doit déterminer de quelle façon les réponses aux questions seront recueillies. On peut d'abord distinguer deux grands **modes** d'administration : les **entrevues**, lorsque le questionnaire est administré par un interviewer, et les questionnaires *autoadministrés*, où l'informateur inscrit lui-même ses réponses[25]. On peut également tenir compte de la façon dont les personnes sont jointes. L'entrevue conduite par un interviewer peut se faire par téléphone ou en face à face. Le questionnaire autoadministré peut être envoyé par courrier ; on parle alors de *questionnaire postal*. En outre, il peut être *distribué* de main à main soit individuellement ou à des groupes de personnes. Un nouveau mode de distribution se répand avec le développement des nouvelles technologies de communication (Internet, courrier électronique) : les questionnaires peuvent maintenant être acheminés par voie électronique. Le plus souvent, le destinataire est dirigé vers un site Internet pour remplir le questionnaire. Les différents modes peuvent être combinés dans une même étude, en fonction des besoins[26].

> Ainsi, dans le cadre de l'étude KWAS (Kitchener Waterloo Area Study) de 2005, le questionnaire a été envoyé aux résidents par la poste mais les répondants pouvaient, s'ils le désiraient, remplir le questionnaire en ligne en se rendant sur un site Internet. D'autres enquêtes prévues pour être effectuées sur Internet incluent la possibilité pour le répondant d'imprimer le questionnaire et de le remplir sur papier. De même, un questionnaire envoyé par la poste peut être rempli par téléphone. Les combinaisons possibles sont nombreuses. Un autre exemple est celui d'une enquête menée par la Corporation des médecins du Québec, en 1988, auprès des femmes ménopausées. Le téléphone a été utilisé comme mode de recrutement d'un échantillon représentatif et a permis de recueillir les informations sur les coordonnées des personnes sélectionnées. Celles-ci recevaient dans les jours suivants un questionnaire postal accompagné d'une enveloppe réponse préaffranchie. Le suivi des opérations se faisait par la poste et par téléphone.

---

25. Le questionnaire lui-même peut être sur **support papier** – le questionnaire écrit – ou sur **support informatique**. Le type de support aura certaines conséquences sur le plan technique, sur la manière de remplir le questionnaire, sur la complexité possible du questionnaire et les possibilités de vérification, entre autres.

26. Voir sur cette question D.A. DILLMAN, *Internet, Mail and Mixed Mode Surveys : The Tailored Design Method*, 3ᵉ éd., New York, Wiley, 2008.

Dans toute recherche, on tente de choisir le mode le plus efficace, celui qui permettra de recueillir la meilleure qualité d'information au moindre coût en temps et en argent. Plusieurs critères, qui recoupent les conditions de validité présentées plus haut (section 1.2) président à ces choix. D'une part, l'objet d'étude demande parfois de recourir à des questions intimes et délicates, des questions qui demandent réflexion ou qui exigent des réponses élaborées. Dans ce cas, le mode autoadministré est le plus approprié pour assurer une transmission fidèle de l'information. De même, un sondage complexe ou demandant le recours à des aides visuelles commandera généralement de recourir à l'entrevue face à face. Le *type de question et la complexité du questionnaire* constituent donc un premier critère. D'autre part, les *caractéristiques de la population et de la base de sondage* disponible détermineront aussi les choix. Si la population à l'étude est déterminée par une aire géographique restreinte, le questionnaire postal ou distribué ou même l'entrevue face à face pourront être envisagés. Par contre, si l'aire géographique est étendue, dispersée, l'entrevue téléphonique ou le sondage postal deviennent privilégiés. Si seule une liste d'adresses est disponible, on tente habituellement d'utiliser un mode autoadministré ou sur place plutôt que de se lancer dans une recherche de numéros de téléphone. Enfin, s'il existe une liste d'adresses de courriel accessible pour la population d'intérêt et si l'ensemble de cette population possède une telle adresse (professeurs, étudiants d'une organisation, par exemple), le sondage Internet peut être un choix intéressant. Des *critères financiers* guident aussi les choix. Le questionnaire électronique s'avère probablement le moins cher, puisqu'on évite à la fois les coûts d'impression, les coûts de saisie des données et les coûts liés au travail des intervieweurs. Il faut cependant prévoir les coûts liés à l'accès sur un site Web et à l'utilisation d'un logiciel permettant un suivi sérieux des opérations. Dans les modes plus traditionnels, le questionnaire postal est habituellement le moins cher et l'entrevue face à face, la plus dispendieuse. Les *délais nécessaires pour recueillir les informations* constituent également un critère. Le sondage postal ou Internet demande de six à huit semaines si l'on veut obtenir un taux de réponse acceptable alors que le sondage téléphonique demande habituellement un minimum de cinq jours. Pour les sondages assistés par ordinateur toutefois, les données sont disponibles dès la fin de la collecte[27]. Enfin, le *taux de réponse* associé à chaque modalité et les efforts nécessaires pour atteindre un taux acceptable constituent un dernier critère. Le questionnaire postal ou par Internet, particulièrement s'il est utilisé pour des populations hétérogènes et potentiellement peu intéressées par le sujet de

---

27. En fait, dans les sondages réalisés par ordinateur, les données recueillies – non finales – sont disponibles tout au long de la collecte, ce qui peut permettre de suivre l'évolution des opérations et de la distribution des réponses aux principales questions.

l'enquête, donne généralement des taux de réponse plus bas. La distribution de main à main, particulièrement en groupe, et l'entrevue face à face donnent des taux généralement plus élevés.

🎞 3.1. L'entrevue par téléphone

Le sondage administré par téléphone est devenu le mode le plus populaire d'enquête en Amérique du Nord. Il est maintenant plus populaire que l'entrevue face à face, et ce, pour des considérations tant financières que pratiques. Le coût par entrevue téléphonique complétée est beaucoup moindre que celui de l'entrevue face à face. De plus, ce coût est demeuré presque stable depuis un certain nombre d'années grâce aux progrès techniques, à la réduction des frais d'appels interurbains, à l'informatisation et aux économies d'échelles réalisées avec la multiplication des sondages. Sur le plan pratique, la couverture de l'ensemble de la population est meilleure avec un sondage téléphonique puisque même les personnes résidant dans les endroits les plus isolés peuvent être jointes facilement. Le contrôle sur l'ensemble des opérations est aussi plus direct. Toutes les entrevues peuvent se faire à partir d'une même salle, de sorte qu'il est plus facile de superviser, de déceler les difficultés et de réagir rapidement, alors que, dans les sondages en face à face, les interviewers sont dispersés sur le territoire et les responsables ont un contact indirect (et avec des délais importants) avec le processus concret de collecte des données. L'opération s'effectue aussi plus rapidement par téléphone, et ce d'autant plus que presque toutes les firmes de sondage sont maintenant équipées pour faire les entrevues assistées par ordinateur. Les résultats de telles entrevues, si toutes les questions sont précodées, sont disponibles dans les heures qui suivent la fin des entrevues et les résultats partiels peuvent même être accessibles durant le déroulement du terrain. De plus, la plupart des logiciels utilisés permettent maintenant la programmation de questionnaires complexes et possèdent toutes les fonctionnalités nécessaires à la conduite des entrevues.

En Amérique du Nord, près de la totalité des ménages (98,8 % en 1996) possèdent au moins un téléphone. Toutefois, une partie de la population – entre autres les personnes âgées vivant en institution – n'a pas accès à un téléphone privé et ne peut être jointe. À cela, il faut ajouter qu'une proportion d'abonnés (évaluée en 1998 à 12 % au Québec et à 17 % à Montréal selon Durand et collègues[28]) n'est pas inscrite dans les annuaires téléphoniques, volontairement ou involontairement. Ces abonnés ont des caractéristiques marquées (personnes plus mobiles, plus jeunes mais aussi

---

28. Durand, Blais et Vachon, 2002, *op. cit.*

personnes plus riches, etc.). Leur numéro de téléphone peut cependant être inclus dans les échantillons si l'on a recours à la génération aléatoire des numéros de téléphone incluant les numéros non listés pour la confection de l'échantillon. Les sondages téléphoniques posent toutefois des problèmes encore plus importants avec le progrès technologique. Que l'on pense aux afficheurs et aux répondeurs branchés en permanence qui permettent de filtrer les appels, à la progression de l'usage du téléphone cellulaire, difficile à utiliser pour faire des sondages étant donné son mode et son coût d'utilisation et, enfin, au fait que de plus en plus de ménages ont plus d'un numéro de téléphone (et donc plus de chances d'être choisis).

L'entrevue téléphonique limite le recours aux questions ouvertes et aux questions demandant réflexion, les réponses étant habituellement plus spontanées et plus courtes. Tout comme l'entrevue face à face mais un peu moins que celle-ci, l'entrevue par téléphone est moins appropriée pour des sujets délicats, comme le comportement sexuel, les problèmes de santé, la consommation de drogues ou la perpétration d'actes illégaux. La présence d'un interviewer et la crainte que la confidentialité ne soit pas totalement respectée amènent les participants à cacher ou à modifier certaines informations.

En résumé, l'entrevue par téléphone est généralement la modalité d'administration la plus rapide, la plus souple, la plus facile à contrôler et celle qui permet une meilleure couverture de la population; elle est la modalité la plus utilisée en Amérique du Nord, à tout le moins pour les sondages auprès de l'ensemble de la population. Elle est toutefois peu recommandée lorsqu'on veut faire une utilisation systématique de questions ouvertes, de questions très délicates ou lorsque le questionnaire envisagé est particulièrement long. Le questionnaire administré par téléphone peut difficilement dépasser trente minutes.

▓ 3.2. L'entrevue en face à face

La plus grande qualité de l'entrevue face à face est sa polyvalence. Le questionnaire peut être passablement long. La présence d'un interviewer fait en sorte que les gens acceptent généralement de prendre une heure ou même plus pour répondre au questionnaire. Les formes de question peuvent être variées. On peut faire une utilisation moins restreinte des questions ouvertes et d'aides visuelles (voir la section 4.2). Ces considérations font en sorte que l'entrevue face à face est considérée comme la « crème » des modes d'administration de sondages. L'entrevue face à face n'est pas sans désavantage toutefois. Le plus important est évidemment son coût, auquel s'ajoute un moins grand contrôle sur le déroulement de l'enquête, les superviseurs de terrain et les interviewers étant dispersés sur le territoire. De plus, les lieux isolés sont moins bien couverts puisque l'on doit habituellement recourir à un échantillon aréolaire[29]. Enfin, l'entrevue face à face est la plus susceptible d'entraîner des biais de « désirabilité sociale », car comme l'interviewer est sur les lieux, la personne interviewée aura encore plus tendance à vouloir donner une bonne image d'elle-même.

Les agences gouvernementales (Institut de la statistique du Québec, Statistique Canada) utilisent souvent l'entrevue face à face pour les grandes enquêtes périodiques. L'entrevue est aussi particulièrement appropriée lorsque la base de sondage est déterminée par des aires géographiques restreintes et lorsqu'il est nécessaire de compléter l'entrevue par des observations sur l'environnement ou le milieu de vie des participants.

▓ 3.3. Le questionnaire postal

Les principaux avantages du questionnaire par courrier[30] concernent la *couverture* et le *coût*. À peu près tous les citoyens ont une adresse et peuvent être joints par le courrier. Les coûts sont relativement peu élevés. La situation varie considérablement d'une enquête à l'autre mais, en moyenne, le sondage par la poste coûte nettement moins cher que l'entrevue téléphonique et surtout que l'entrevue face à face. Il n'est praticable, toutefois, que si une liste d'adresses des personnes faisant partie de la population existe ou peut être constituée.

Il est aussi plus approprié lorsqu'on doit poser des questions sensibles, auxquelles la personne sélectionnée préférera répondre dans la plus stricte intimité. L'absence de contact avec un interviewer fait de cette modalité *la moins susceptible d'entraîner des biais de désirabilité sociale (de conformité)*. Le participant aura tendance à avouer plus facilement sa consommation réelle d'alcool ou de drogues, ses problèmes de santé mentale ou physique, ses difficultés relationnelles, etc.

Son principal désavantage a trait au *taux de réponse*. Le format est impersonnel. L'individu qui reçoit un questionnaire par le courrier peut beaucoup plus facilement ne pas y répondre que lorsqu'il est directement sollicité par un interviewer. En fait, le taux de réponse est la bête noire des sondages par la poste. Il varie énormément d'une étude à l'autre. Il

---

29. Voir le chapitre 10 sur l'échantillonnage.
30. On inclut dans le terme courrier, la poste ordinaire mais aussi le courrier interne des organisations et le courrier électronique qui constitue déjà un mode d'enquête pour des sondages s'adressant précisément à une population d'utilisateurs.

est toutefois fortement dépendant de l'importance des moyens pris pour le contrôler. Plusieurs moyens sont à la disposition du chercheur pour accroître le taux de réponse[31]. La lettre d'introduction, présentant l'étude et justifiant son intérêt, peut s'avérer cruciale puisqu'elle constitue le lien de communication privilégié entre le chercheur et les informateurs. Lorsque cela est possible, l'appui d'une organisation connue et appréciée par les répondants potentiels peut grandement aider. Un suivi serré des opérations est nécessaire, incluant des rappels postaux ou téléphoniques lorsque cela est possible et l'envoi d'un deuxième questionnaire aux personnes qui n'ont pas fait parvenir leur questionnaire rempli après un certain délai (environ un mois). Plusieurs chercheurs utilisent également des récompenses de divers types pour encourager la réponse. Ces moyens peuvent facilement faire doubler le taux de réponse. Enfin, les questionnaires postaux doivent être imprimés de préférence sur papier de couleur[32], ce qui facilite le repérage du questionnaire et toujours être accompagnés d'une enveloppe de retour préadressée et préaffranchie. *Le sondage par la poste est surtout approprié pour l'étude de populations spécifiques et homogènes.* Des taux de réponse satisfaisants peuvent être obtenus dans les enquêtes auprès des membres d'une organisation, en particulier si la direction de l'organisa-tion et le syndicat, le cas échéant, donnent leur appui. De plus, ce sont généralement les personnes les plus scolarisées qui collaborent le plus à ce type de sondage. Il est donc tout indiqué pour des populations dont le niveau d'instruction est élevé.

Le sondage par courrier présente également des difficultés à l'étape de l'élaboration du questionnaire. Celui-ci ne doit pas être trop long (pas plus de 15 pages) pour minimiser les non-réponses et il ne doit pas être trop complexe. On doit chercher par tous les moyens à alléger le fardeau de la personne sélectionnée par une présentation claire, aérée, agréable et par l'utilisation d'un format de type cahier. Les questions doivent être particulièrement précises, puisque l'informateur ne peut obtenir d'expli-cation s'il ne comprend pas un élément de la question. Finalement, le questionnaire étant autoadministré, chacun peut y répondre au moment où cela lui plaît et à sa façon. Pour certaines recherches, cette possibilité peut constituer un avantage. Les informateurs peuvent réfléchir davantage avant d'inscrire leurs réponses. La procédure est aussi utile lorsque les réponses ne peuvent toutes être données en même temps. C'est le cas des sondages qui mesurent la cote d'écoute des émissions de radio et de télévision, et

---

31. Voir sur cette question Don A. Dillman, *Structural Determinants of Mail Survey Response Rates Over a 12 Year Period, 1998-1999*, <http://survey.sesrc.wsu.edu/dillman/papers.htm>.
32. La couleur utilisée doit toutefois être suffisamment pâle pour ne pas entraîner de fatigue visuelle.

qui demandent aux gens d'inscrire les émissions que chaque personne du ménage regarde ou écoute pendant une semaine donnée[33]. Pour d'autres recherches, par contre, cette possibilité est un inconvénient. Les informateurs peuvent consulter l'ensemble du questionnaire avant d'y répondre, chercher à rendre leurs réponses le plus cohérentes possible, les «surorganiser», ce qui les rend moins spontanées. On ne peut pas utiliser une telle modalité pour des questions de connaissance où le participant aurait tout le loisir de chercher la réponse. Le questionnaire doit être formellement adressé à une personne. On n'aura, par ailleurs, aucune garantie que c'est cette personne qui le remplira effectivement.

En somme, la poste n'est pas un mode «idéal» pour les sondages auprès de populations hétérogènes, à cause du faible taux de réponse et de la nécessité d'avoir accès à une liste des membres de la population visée, ce qui n'est habituellement pas possible pour des sondages auprès de la population générale. En revanche, le questionnaire par la poste est tout indiqué pour l'étude de populations homogènes ou plus scolarisées, en particulier les membres d'une organisation, ou lorsque l'enquête demande que le participant puisse se sentir dans une situation de totale confidentialité.

▓ 3.4. Le questionnaire distribué

Ce format connaît plusieurs variantes. Le questionnaire peut être distribué à des groupes réunis en un endroit : l'exemple le plus connu est celui des étudiants répondant à un questionnaire lors d'un cours. Il peut l'être aussi à des individus partageant une même situation : ce serait le cas d'une étude menée auprès d'un échantillon de gens se présentant à la salle d'urgence d'un hôpital. Il peut même être distribué à la maison. Ce fut le cas de l'étude comparative sur l'emploi du temps, où un interviewer se rendait au domicile des personnes sélectionnées, expliquait comment utiliser les formulaires et revenait les chercher deux jours plus tard, procédant à certaines vérifications. Chaque variante a ses particularités, de sorte qu'il est difficile de dégager des caractéristiques générales.

Les questionnaires distribués à la maison constituent une espèce rare ; on a plutôt recours à l'entrevue en face à face. La procédure de distribution est préférée à celle de l'entrevue lorsque le chercheur estime que l'informateur a besoin de réflexion, de temps ou d'intimité pour répondre au

---

33. Cette méthode s'est révélée problématique à certains égards. On estime qu'elle surreprésente les téléphages et les personnes moins actives étant donné le fardeau que cela constitue pour les participants. Le taux de réponse est relativement bas. L'utilisation de l'audimètre, maintenant techniquement possible, vise à résoudre ce problème. Toutefois, elle comporte d'autres types de problèmes.

questionnaire. Ainsi, la grande enquête sociale et de santé de Santé Québec de 1998, par exemple, a procédé par entrevue en face à face auprès du responsable du ménage combinée à des questionnaires distribués à tous les membres du ménage de plus de 15 ans et plus. Pour ce qui est du questionnaire distribué à des groupes réunis dans un lieu, il est évidemment d'utilisation restreinte : il ne peut s'appliquer qu'à des populations spécifiques, tels les élèves dans les écoles, par exemple. Lorsqu'elle est possible, la formule est cependant fort intéressante. Les coûts sont minimes et les taux de réponse généralement élevés. Des explications peuvent être données si des ambiguïtés se présentent parce qu'il y a une personne – le chercheur lui-même ou son représentant – sur place. Par contre, le questionnaire doit demeurer court et simple et l'utilisation de ce mode demande la collaboration des personnes responsables des groupes visés.

▓ 3.5. Le questionnaire électronique

Le terme de questionnaire électronique englobe tous les sondages utilisant les nouvelles technologies de communication, que ce soit le courrier électronique, un site Web ou un fichier-questionnaire. Quand on y pense, il s'agit à la base de variantes du questionnaire postal ou distribué. Il est possible d'utiliser le courrier électronique pour poser quelques questions (très peu) à l'intérieur d'un message. Toutefois, il est plus fréquent soit de joindre un fichier-questionnaire au message, soit de renvoyer à un site Internet. Certains sondages sont également mis directement sur des sites Internet, sans sollicitation particulière, et avec la possibilité pour toute personne intéressée de remplir le questionnaire. Dans ce dernier cas, aucun échantillon scientifique n'est utilisé et toute personne intéressée peut remplir le questionnaire. Il ne s'agit donc pas de sondages scientifiques proprement dits. Enfin, plusieurs firmes de sondage font maintenant des sondages Internet sur différents sujets. Le principal problème de ces sondages est l'impossibilité de constituer un échantillon aléatoire puisqu'il n'existe pas de liste ou de base de sondages comprenant toutes les adresses électroniques de la population possédant une telle adresse[34]. Par ailleurs, nous ne sommes pas encore arrivés à une situation où la quasi-totalité de la population a accès à Internet.

---

34. Pour pallier ce problème, au moins une firme américaine utilise une méthode qui consiste à recruter des répondants potentiels par téléphone. Si les répondants n'ont pas accès à Internet, on leur installe gratuitement un système leur y donnant accès. Les répondants s'engagent à répondre à un certain nombre de sondages pendant une période de temps déterminée.

Dans le cas des sondages sur Internet ayant un but scientifique, le premier problème qui se pose est d'éviter que la personne sélectionnée puisse remplir le questionnaire plus d'une fois. La solution consiste habituellement à attribuer aux personnes membres de l'échantillon un code d'accès qui ne peut être utilisé qu'une seule fois. D'autres problèmes surviennent sur le plan technique. Il faut prévoir d'avance comment récupérer les données et redonner accès s'il y a coupure de communication au moment de répondre au questionnaire sur le site ou si le participant veut quitter momentanément et revenir remplir le questionnaire plus tard. Il faut également s'assurer qu'un nombre important d'accès simultanés est possible sinon il y a risque que les personnes incapables d'entrer sur le site décident de ne pas répondre. Il peut donc être judicieux de répartir dans le temps les invitations à remplir les questionnaires.

Au cours des dernières années, l'expertise relative à la conception des questionnaires électroniques s'est développée et de nombreuses compagnies de même que les services informatiques des grandes organisations peuvent maintenant offrir les services requis. Il est sans doute illusoire de penser mener une telle opération sans l'aide de personnes ayant l'expertise technique et ergonomique nécessaire à la conception de questionnaires électroniques.

Les sondages par voie électronique sont appelés à se multiplier ne serait-ce qu'en raison de l'augmentation de l'accès à Internet et des avantages sur le plan de la collecte des informations (rapidité, facilité d'accès, enregistrement instantané de l'information, etc.). Dans un premier temps, étant donné l'impossibilité de faire un échantillonnage de l'ensemble de la population, ils peuvent servir soit pour des populations spécifiques, ayant accès à Internet, soit comme mode complémentaire de collecte des données dans des enquêtes où l'on donne aux personnes sélectionnées le choix entre deux ou même plusieurs modes de collecte, selon leurs préférences.

 L'ÉLABORATION DU QUESTIONNAIRE

L'élaboration du questionnaire comprend quatre grandes étapes. Il faut d'abord décider des concepts à mesurer pour en arriver à déterminer les indicateurs nécessaires ; il faut ensuite passer à la rédaction ou à la sélection des questions correspondant aux indicateurs. Ces deux étapes sont abordées de façon plus détaillée dans le chapitre 9 de cet ouvrage portant sur la mesure. L'étape suivante consiste à déterminer l'ordre des questions dans le questionnaire. Enfin, la dernière étape est celle du prétest, de la vérification du questionnaire.

▓ 4.1. La sélection des concepts et indicateurs

Le chercheur utilise le questionnaire comme un instrument de mesure qui lui permettra éventuellement de confirmer ou d'infirmer une ou plusieurs *hypothèses de recherche*. Ces hypothèses portent sur des *concepts* qu'il faut définir de façon précise pour pouvoir les opérationnaliser et les mesurer. La toute première étape consiste donc à faire la liste des concepts à opérationnaliser, à les décomposer lorsque cela est pertinent et à choisir les indicateurs qui détermineront les questions à poser.

> Le concept large de « comportement culturel » doit, par exemple, être décomposé selon les types de comportements : fréquentation de cinémas, de théâtre, écoute de musique, lecture, etc. Chacun de ces comportements peut être décomposé plus avant. On peut parler de types de lecture – romans, bandes dessinées, essais – et chacun de ces types peut être détaillé plus avant de façon à obtenir des indicateurs de comportement : fréquence de lecture, moment privilégié pour lire, achats de livres, emprunts à une bibliothèque, etc. Ces indicateurs constituent des mesures d'un comportement culturel, c'est-à-dire la lecture, et d'un type précis de comportement de lecture, telle la lecture de romans.

On peut distinguer divers types de mesure selon ce qui est mesuré. On peut adopter une catégorisation qui distingue, d'une part, les mesures objectives des mesures subjectives. Les mesures objectives ont trait aux faits, aux caractéristiques des individus (le sexe, l'âge, le revenu), à leurs connaissances ainsi qu'à leurs comportements. Les mesures subjectives comprennent ce qu'on coiffe parfois du terme générique « attitudes ». Elles font référence à ce que les gens pensent et ressentent ainsi qu'aux jugements qu'ils portent. Elles comprennent les mesures d'opinion, de satisfaction, de perceptions, de valeurs – ce à quoi l'on accorde de l'importance – ainsi que les intentions de comportement.

▓ 4.2. La formulation des questions

Une fois qu'il a déterminé exactement ce qu'il veut mesurer, le chercheur peut procéder à l'élaboration proprement dite du questionnaire. La stratégie d'ensemble est relativement simple. À partir des indicateurs, le chercheur doit élaborer les questions ou choisir parmi des questions déjà utilisées par d'autres chercheurs. Il doit s'assurer que les participants comprennent bien la question, qu'ils sont capables de donner une réponse, qu'ils acceptent de la donner et que cette réponse est authentique (voir section 1.2). À ce stade, la préoccupation est de « se mettre dans la peau » de l'interlocuteur, de prévoir comment il peut réagir à ces stimuli que sont les questions et de concevoir les stimuli qui semblent les plus susceptibles de produire l'information désirée. Cela exige d'imaginer plusieurs formulations différentes, de les comparer et de retenir celle qui apparaît la plus satisfaisante. Le chercheur est ainsi amené à consulter d'autres questionnaires portant sur des thèmes similaires ou connexes. Il pourra ainsi profiter de l'expérience des autres et prendre connaissance de certaines formulations. Si possible, il aura intérêt à utiliser ces formulations sans les modifier, de façon à pouvoir comparer les résultats de son enquête à ceux d'études antérieures. Les grandes organisations statistiques gouvernementales (Statistique Canada, Institut de la statistique du Québec pour ce qui est du Québec) donnent accès à leurs questionnaires en français et en anglais ainsi qu'aux données qu'elles ont recueillies, et ce pour des fins de recherche et à certaines conditions. L'accès à ces informations est habituellement sous la responsabilité des diverses universités. Des Centres d'accès aux données sont maintenant mis en place dans plusieurs pays, ce qui facilite grandement le travail des chercheurs.

La validité d'un sondage dépend fortement de la qualité des questions qui sont posées. D'où l'importance qui doit être accordée à la formulation des questions. Trois principaux critères (voir chapitre 9) nous semblent devoir être respectés à cet égard. La *précision* assure la compréhension. Par ailleurs, la nécessité de ne pas contaminer les réponses demande d'assurer la *pertinence*, qui renvoie à la capacité des informateurs de répondre, et la *neutralité*, qui favorise des réponses authentiques. Une dernière considération est d'amener les informateurs à accepter de répondre et donc à *minimiser les refus*. Mais avant d'examiner chacun de ces critères, il convient de présenter les différents *types de question* auxquels le chercheur peut avoir recours, leurs avantages et leurs limites.

Les types de question

Au regard de la forme, on oppose habituellement la *question fermée*, dont la formulation comprend une liste préétablie de réponses possibles, et la *question ouverte*, à laquelle l'informateur répond comme il le désire, à partir de son propre vocabulaire. Il existe diverses raisons pour ouvrir les questions. Lebart[35] en distingue quatre principales : pour économiser le temps d'entrevue, pour expliciter des réponses à des questions fermées, pour évaluer la qualité de l'information et pour recueillir des propos spontanés.

---

35. Ludovic LEBART, «Traitement des questions ouvertes», dans D. GRANGÉ et L. LEBART (dir.), *Traitement statistique des enquêtes*, Paris, Dunod, 1993, chap. 10.

Le grand avantage de la question ouverte, lorsqu'elle est utilisée pour recueillir des informations qualitatives, est de laisser plus de liberté à l'informateur. Celui-ci peut s'exprimer en ses propres mots, faire des nuances et structurer lui-même sa réponse. Elle comporte, par contre, plusieurs désavantages. Elle demande plus d'effort de la part de l'informateur. Les réponses obtenues peuvent être vagues et difficiles à interpréter, et la qualité de l'information peut dépendre de la facilité à s'exprimer de l'informateur. Utilisée en entrevue, elle exige beaucoup de l'interviewer, qui doit inciter l'interviewé à donner le plus d'information possible et noter exactement la réponse. Finalement, le travail de codification, qui consiste à regrouper les réponses dans un certain nombre de catégories, peut se révéler difficile et fastidieux. Par ailleurs, l'insertion de quelques questions ouvertes dans un questionnaire peut aider à compléter l'information et à enrichir l'interprétation. Une technique particulièrement intéressante à cet égard est la *question ouverte aléatoire* (*random probe*): on demande à chaque interviewer de faire expliciter les réponses données à certaines questions fermées sélectionnées à l'intérieur du questionnaire (ces questions variant d'un questionnaire à l'autre), en demandant à l'interviewé pourquoi il a répondu de telle façon[36]. Il reste que la question ouverte est plus onéreuse et plus compliquée. C'est pourquoi les sondages se fondent généralement sur des questions fermées qui, lorsqu'elles sont formulées avec soin, apparaissent tout aussi – et même parfois plus – valables.

Les questions fermées ont aussi certains désavantages. Il y a en particulier le risque d'oublier certaines possibilités de réponse. Si les questions fermées possèdent des avantages évidents pour ce qui est de la standardisation des réponses, elles sont plus exigeantes pour le chercheur qui doit d'autant mieux connaître son sujet.

On peut aussi distinguer les questions strictement littéraires des questions utilisant des supports visuels. Cette distinction vaut pour l'entrevue face à face et le questionnaire autoadministré. À certains moments de l'entrevue, par exemple, l'interviewer peut remettre à la personne interrogée une feuille présentant les différentes réponses possibles. Cela s'avère particulièrement utile lorsque le nombre de réponses possibles est élevé et que l'informateur peut facilement en oublier. La technique de l'urne est également utilisée pour recueillir les réponses à des questions délicates ou sujettes aux biais de conformité sociale telle l'intention de vote. Il est aussi possible dans les questionnaires autoadministrés d'utiliser des cartes géographiques, des dessins représentant des activités, des visages dont les expressions varient, etc.

---

36. John R. Zaller, *The Nature and Origin of Mass Opinion*, Cambridge, Cambridge University Press, 1992, chap. 4.

> Dans une étude conduite en anthropologie par questionnaire distribué, on demandait aux participants d'indiquer sur une carte de l'île de Montréal, les secteurs qui leur apparaissaient majoritairement francophones, majoritairement anglophones ou ni l'un ni l'autre. Sur cette même carte, on leur demandait ensuite d'encercler ce qu'était Montréal pour eux. Ces mesures constituaient des indicateurs de la manière dont les participants se représentaient Montréal[37].

Ces supports visuels rendent les questions plus concrètes et brisent la routine. Ils contribuent à renouveler l'intérêt de l'informateur. Il faut cependant en faire un usage parcimonieux puisque les questions de ce type sont plus longues à administrer.

La formulation des questions : la précision

La première considération dans la formulation des questions concerne le vocabulaire. Celui-ci doit être simple. Le chercheur est en général très familier avec le thème de l'enquête. Il possède un vocabulaire technique qui peut être fort différent de celui du reste de la population. Il est important qu'il prenne conscience de ce « biais » et qu'il soit sensible au langage de la population qu'il veut étudier. Il doit également utiliser des termes qui ont le même sens dans les différents groupes sociaux. Les termes plus techniques, propres à des domaines précis, peuvent être utilisés uniquement lorsque le questionnaire s'adresse à une population pour qui ces termes sont d'usage courant.

Une question est également ambiguë si elle porte sur plus d'une dimension. Il convient donc de n'introduire qu'une seule idée à la fois. La question suivante serait de ce point de vue fautive : « Pensez-vous que le gouvernement devrait dépenser plus, moins, ou à peu près comme maintenant pour l'éducation et les services sociaux ? » La question demande un avis sur deux aspects : les dépenses reliées à l'éducation et celles reliées aux services sociaux. Une réponse en faveur du « plus » entraîne que le participant est soit favorable à une augmentation des dépenses dans les services sociaux, soit à une augmentation dans l'éducation, soit à une augmentation dans les deux domaines. Il faut donc décomposer la question et poser des questions séparées pour chacun des aspects.

La question doit être la plus courte possible, car plus la question est longue, plus les risques sont élevés que certains éléments aient été mal compris. Ce risque est d'autant plus important dans les entrevues, lorsque

---

37. Elke LAUR, *Perceptions linguistiques à Montréal*, thèse de doctorat, Département d'anthropologie, Université de Montréal, 2001, 601 p.

la personne interrogée doit mémoriser les divers aspects de la question et les catégories de réponse. La question «idéale» se limite à une ou deux lignes. Cet idéal ne peut évidemment pas être atteint dans tous les cas. Il faut alors accorder encore plus d'attention à la formulation de la question et vérifier s'il n'y aurait pas possibilité de la décomposer en des sous-questions plus courtes.

Pour les variables qui sont au cœur de la problématique, le chercheur vise un degré maximal de précision. Dans une enquête où le revenu est un concept central, par exemple, on aura recours à des questions précises sur les diverses sources de revenu, le salaire, les prestations d'assurance-chômage, d'aide sociale, les allocations familiales, les rentes, les intérêts, les dividendes, les gains de capitaux, les dons et héritages reçus, etc. Par contre, lorsque le revenu n'est pas considéré comme une variable cruciale, on se limitera à une ou deux questions portant sur le revenu global de l'individu lui-même et du ménage dont il fait partie. Enfin, le degré de précision de la question doit correspondre à la capacité de répondre de l'informateur. Pour ce qui est des rappels, un événement marquant ou peu fréquent, mariage, naissance d'un enfant, mort d'un être cher, viendra plus aisément à la mémoire. On peut aller jusqu'à demander la date précise où de tels événements sont survenus. Par contre, les participants seront généralement incapables de se rappeler de façon précise le nombre de verres d'eau qu'ils ont bus au cours de la dernière semaine ou même la veille. Il importe d'établir un ordre de priorité et d'accorder une plus grande attention aux variables jugées les plus importantes pour la vérification de l'hypothèse.

La précision s'applique aussi à la formulation des réponses. Dans la question fermée, c'est le chercheur qui établit au départ les réponses possibles. La formulation des réponses dépend donc étroitement de la formulation des questions.

- Sauf pour des cas évidents (lorsqu'il s'agit d'un «oui» ou d'un «non»), les réponses possibles doivent apparaître explicitement dans la question à tout le moins dans les sondages par entrevue. Il ne peut en être autrement si l'on veut que le répondant se situe par rapport à des catégories préétablies.

- Les catégories de réponse doivent être exhaustives et mutuellement exclusives. Il faut donc s'assurer que toutes les possibilités logiques de réponse aient été prévues et qu'elles ne se recoupent pas. Cela nécessite aussi de prévoir des codes de réponses pour les catégories «ne sais pas» et «refus de répondre», choix que l'on ne mentionne toutefois pas explicitement dans la question, sauf exception.

- Le choix le plus important a trait au nombre de catégories. Plus les catégories sont nombreuses, plus on peut obtenir de précision dans les réponses, mais plus le risque est grand, par contre, que certains choix soient mal compris ou oubliés, en particulier dans les sondages par téléphone. Par voie de compromis, la plupart des questions en arrivent à comporter trois, quatre ou cinq catégories de réponse (outre les « ne sais pas » et les « refus »). Plusieurs discussions et recherches ont été menées sur la pertinence d'adopter un nombre pair de catégories de réponse (sans point milieu) ou un nombre impair (avec point milieu)[38]. Chaque position a ses avantages et ses inconvénients. La pratique semble tendre vers un nombre pair de catégories qui force l'interviewé à se prononcer.

La formulation des questions : la pertinence

Une question n'est utile que si les gens possèdent effectivement l'information qui leur est demandée. Les conséquences générales de ce préalable ont été considérées dans la section 1.2. Trois remarques supplémentaires peuvent être faites par rapport à la formulation des questions.

En premier lieu, le problème de la pertinence se pose avec une acuité particulière dans le cas des *questions d'opinion*. L'expérience démontre que peu de gens avouent spontanément ne pas avoir d'opinion sur un sujet. Il y a donc parfois intérêt à introduire une question d'opinion par une ou plusieurs questions préliminaires. Ces questions préliminaires peuvent être des questions d'information. On mesure d'abord le niveau de connaissance et la question d'opinion n'est posée qu'à ceux qui ont une connaissance minimale du sujet. Une autre stratégie consiste à demander d'abord aux personnes interrogées si elles ont une opinion sur la question : le pourcentage de « sans opinion » augmente alors (de 20 % selon Schuman et Presser[39]), dont une partie toutefois pourrait être constituée de personnes discrètes ou « paresseuses ».

Le problème est encore plus complexe lorsqu'il s'agit de mesurer des intentions ou des *anticipations*, c'est-à-dire quand on cherche à prévoir les comportements des informateurs dans des situations non encore réalisées. Les gens achèteront-ils des maisons si les taux d'intérêt hypothécaire

---

38. Voir entre autres Norman M. BRADBURN, Seymour SUDMAN et Brian WANSINK, *Asking Questions : The Definitive Guide to Questionnaire Design*, éd. revue, San Francisco, Jossey-Bass, 2004.

39. Howard SCHUMAN et Stanley PRESSER, *Questions and Answers in Attitude Surveys*, New York, Academic Press, 1981, chap. 4.

diminuent ? Cela amène parfois à poser des questions du genre : « Que feriez vous si... ? » Les résultats sont souvent décevants et leur valeur de prédiction faible. Il est généralement préférable d'analyser de façon plus approfondie la situation présente, les informations obtenues étant plus fiables que les réactions à des situations hypothétiques.

Enfin, il faut éviter de poser une question qui ne s'applique pas à la personne interrogée. C'est dans cette perspective que l'on a recours à des *questions filtres*. Ainsi, on s'assurera que le participant a un conjoint avant de lui poser une série de questions sur le revenu, la scolarité ou l'occupation du conjoint. L'absence de respect de cette règle de pertinence a tendance à mettre la personne interrogée mal à l'aise et peut l'amener à douter de la compétence du chercheur et à mettre un terme à l'entrevue.

La formulation des questions : la neutralité

La question vise à mesurer ce que l'informateur est, fait ou pense et non ce que le chercheur aimerait qu'il soit, fasse ou pense. Le chercheur veille donc à contaminer le moins possible les réponses. La stratégie consiste à trouver une formulation qui n'oriente pas les réponses dans une direction donnée. Il s'agit de présenter toutes les options comme étant acceptables et « normales ». Une bonne façon, dans une question d'opinion, est de faire état de différentes positions et de demander à l'informateur de choisir celle qu'il préfère. La question suivante, en est un bon exemple :

> La MEILLEURE chose à faire avec les jeunes contrevenants qui commettent des crimes violents, c'est :
>
> UN : de leur imposer des peines plus sévères ou
>
> DEUX : de consacrer plus d'efforts pour les réhabiliter ?

Le désavantage de telles questions est évidemment leur longueur. Pour abréger, on fait parfois référence à une seule affirmation et on demande à l'informateur s'il est d'accord ou non. Cette pratique a cependant l'inconvénient d'orienter quelque peu les réponses dans le sens d'une opinion déjà exprimée. Il est important alors d'équilibrer les énoncés.

Le respect de la neutralité entraîne aussi des conséquences dans la formulation des réponses.

– Les catégories de réponse doivent être équilibrées. Lorsqu'on mesure le degré de satisfaction, un nombre égal de catégories doivent se situer du côté de la satisfaction et du côté de l'insatisfaction. Cet équilibre assure la neutralité de la question. Si

l'on soumettait trois catégories «positives» et deux «négatives»,
par exemple, on pourrait orienter les réponses dans le sens de la
satisfaction.

– On peut aussi se demander si l'ordre dans lequel les réponses sont
présentées peut influencer les résultats. Les expériences menées
par Schuman et Presser[40] à ce sujet sont déconcertantes. Dans la
plupart des cas, l'influence est apparue négligeable, mais ils ont
observé certaines exceptions importantes, exceptions qui ont
semblé avoir peu de caractéristiques communes. Il y a donc peu
d'enseignements à tirer pour ce qui est de la procédure optimale
de formulation des réponses, sauf qu'il peut y avoir intérêt, pour
des questions particulièrement importantes, à faire varier l'ordre
des réponses (dans des sous-échantillons similaires) de façon à
pouvoir détecter ou neutraliser des effets de ce type.

La nécessité de prévenir les refus

Si l'on pose une question à des individus, c'est dans l'intention d'obtenir
une réponse. On doit donc chercher à minimiser les refus. Les formulations seront «polies»: on aura recours au vouvoiement plutôt qu'au tutoie-
ment. On tentera aussi de rendre la question la plus attrayante possible.
Les difficultés les plus grandes surviennent à propos de questions qui sont
considérées comme personnelles, délicates et qui peuvent donc apparaître
menaçantes pour le répondant.

Diverses stratégies s'offrent alors au chercheur. Une première est de
se contenter d'une information approximative. Le revenu est un cas patent.
Certaines personnes s'objectent à révéler leur revenu personnel ou familial.
L'expérience a cependant démontré qu'on peut minimiser le nombre de
refus si l'on se limite à un ordre de grandeur. On demande à l'informateur
de se situer dans une *catégorie* de revenu. On réduit ainsi le pourcentage
de refus[41]. Pour obtenir l'âge des personnes, on peut demander l'année de
naissance, plus facile à «avouer». Certains sondeurs utilisent plutôt des
catégories d'âge, mais cette pratique a le grand désavantage d'empêcher de
suivre les cohortes dans les analyses de sondages de tendance.

---

40. SCHUMAN et PRESSER, *op. cit.*, chap. 2.
41. Plusieurs expériences de formulation des questions sur le revenu ont été faites, entre
autres par les grandes organisations statistiques avec, semble-t-il, peu de succès, les
personnes qui ne désirent pas révéler leur revenu se gardant de le faire, quelle que soit
la formulation de la question.

Une autre stratégie est celle du «contexte adoucissant». La question «délicate» est précédée de certaines questions qui la font apparaître plus «normale». Par exemple, avant de demander aux gens s'ils trichent dans leur déclaration d'impôt, on leur demandera s'ils ont l'impression que la fraude fiscale est fréquente, si elle est le fait de tous les groupes sociaux, s'ils connaissent des gens qui ne trichent jamais; puis, on abordera leur propre comportement.

Les trucs du genre sont cependant limités. Les gens ne sont pas dupes et ne révèlent pas, sauf de rares exceptions, l'information qu'ils ne veulent pas dévoiler. Le prétest est à cet égard précieux. S'il s'avère que les refus sont nombreux, il est parfois préférable de renoncer à certaines questions.

▓ 4.3. La mise en forme du questionnaire

Le questionnaire est un ensemble de questions dont la combinaison doit former un instrument de mesure valide, fidèle mais également cohérent, agréable à répondre. Il importe donc de considérer les questions les unes par rapport aux autres et aussi par rapport au tout. Trois aspects particuliers méritent d'être considérés: la *longueur du questionnaire*, l'*ordre des questions* et leur *orientation*.

Le principe général à respecter est celui relatif aux interactions sociales et plus particulièrement aux conversations. L'ordre des questions doit être celui d'une conversation suivie entre deux personnes. On ne change pas de sujet sans prévenir, on ne pose pas de questions non pertinentes, on suscite et on maintient l'intérêt. On respecte son interlocuteur.

La longueur

La longueur du questionnaire peut varier sensiblement selon le mode d'administration. Les questionnaires autoadministrés doivent être le plus courts possible. Par contre, les entrevues en face à face peuvent être passablement longues. Par ailleurs, et particulièrement dans le cas des entrevues en face à face, les coûts fixes sont considérables, de sorte que le fait d'allonger un questionnaire n'entraîne généralement que des coûts supplémentaires minimes. C'est là une incitation à exploiter toutes les possibilités d'un mode d'administration et à prévoir un questionnaire «assez» long, d'au moins quinze minutes par téléphone et trente minutes en face à face. Au-delà de ce seuil, il faut faire preuve de prudence et bien évaluer les risques de fatigue ou de lassitude chez les informateurs, surtout si le thème de l'enquête ne suscite pas beaucoup d'intérêt. On a remarqué, en effet, une tendance à donner davantage de réponses stéréotypées à la fin d'un long questionnaire, tendance qui affecte cependant peu les résultats d'ensemble[42].

L'ordre

Le questionnaire comporte généralement un certain nombre de sections correspondant chacune à une variable ou à un bloc de variables. L'ordre des sections est établi de façon à favoriser la collaboration des informateurs. On commence par les sections les plus intéressantes et les plus faciles. Une attention toute particulière est accordée aux premières questions, qui doivent être plus simples et plus attrayantes. Les sections les plus délicates sont placées vers la fin : elles ne seront ainsi abordées qu'une fois qu'un climat de sympathie aura été créé entre l'interviewer et l'interviewé (dans les entrevues). Pour le reste, l'ordre se voudra le plus « naturel » possible, les sections voisines étant celles qui apparaissent les plus liées sur un plan logique ou psychologique. Pour les questions demandant le rappel d'événements passés – le cheminement scolaire ou professionnel, par exemple –, on posera les questions en respectant l'ordre chronologique de façon à ne pas obliger la personne interrogée à faire des sauts dans le temps. Les passages d'une section à une autre sont marqués par une petite phrase de transition qui permet au répondant de comprendre l'orientation du questionnaire. Les questions sur les caractéristiques sociodémographiques de l'informateur sont généralement insérées à la toute fin.

Les mêmes préoccupations prévalent lorsqu'il s'agit de déterminer l'ordre des questions à l'intérieur de chaque section. Encore là, il faut choisir l'ordre qui facilitera la tâche de l'informateur. Lorsque cela est possible, il est conseillé de poser des questions générales d'abord, puis des questions plus spécifiques. On peut – et l'on doit dans certaines situations – aussi recourir à des questions filtres, dont les réponses déterminent les questions qui seront posées par la suite. Voici un exemple utilisé très fréquemment dans les enquêtes par sondage :

---

42. A. Regula HERZOG et Gerald G. BACHMAN, « Effects of Questionnaire Length on Response Quality », *Public Opinion Quarterly*, vol. 45, hiver 1981, p. 549-560.

5. Vivez-vous présentement avec un conjoint?

    oui 1

    non. . . . . 2 } Passez à Q8

6. Quelle est sa principale occupation?

    en emploi à temps plein 1

    en emploi à temps partiel 2

    aux études. . . . . 3 } Passez à Q8

    soins à la maison. 4

    à la retraite 5

    autre, précisez _____ 6   Passez à Q8

7. Quel type d'emploi fait-il (ou fait-elle)?

    INTERVIEWER: Faites préciser

La séquence des questions n'est pas alors uniforme pour tous les informateurs, certaines questions n'étant posées qu'à un groupe particulier (les personnes ayant un conjoint ou dont les conjoints ont un emploi). Les questions filtres sont très utiles: elles permettent d'adapter le questionnaire aux caractéristiques spécifiques de certains groupes. Lorsqu'on y a recours, il importe toutefois d'indiquer clairement la séquence – ou de bien la programmer dans le cas des entrevues assistées par ordinateur – pour éviter toute erreur lors de l'administration du questionnaire.

L'orientation, la neutralité

On doit également se soucier de l'orientation des questions chaque fois qu'on en pose plusieurs sur un même thème, en particulier lorsqu'on veut construire une échelle d'attitude[43]. Le problème provient de l'existence potentielle d'un «biais de positivité»: toutes choses étant égales d'ailleurs, les gens ont tendance à répondre «oui» plutôt que «non» et à être «d'accord» plutôt qu'en «désaccord». Deux stratégies permettent de minimiser les effets de ce biais:

– la première stratégie consiste à éviter les catégories de réponse qui se prêtent à ce type de biais et à faire directement référence, dans la question, à différentes positions. Au lieu de demander: «Pensez-vous que l'on devrait réduire le déficit?», on empruntera une formule qui donne explicitement les différentes options (réduire le déficit, rembourser la dette, investir plus dans la santé et l'éducation, etc.);

---

43. Voir le chapitre 9 sur la mesure.

– la deuxième stratégie consiste à équilibrer les énoncés favorables et défavorables, de façon à neutraliser le biais pour l'ensemble des questions.

▓ 4.4. Le prétest du questionnaire

Il importe finalement de vérifier empiriquement la qualité du questionnaire avant de procéder à l'enquête proprement dite. Une première version est ainsi soumise à un *prétest*. Le questionnaire est alors administré à un petit nombre de personnes. Ces personnes doivent faire partie de la population à l'étude mais ne doivent pas faire partie de l'échantillon lui-même. Lorsqu'il s'agit d'entrevues, les interviewers ont pour mission de noter des hésitations, des signes de non-compréhension de la part des informateurs, de façon à déceler certaines lacunes du questionnaire. Ils doivent aussi vérifier si l'ordre du questionnaire est approprié, si les filtres renvoient aux bonnes questions. Enfin, le minutage du questionnaire permet d'apprécier sa longueur. Dans le cas des questionnaires auto-administrés, le prétest est plus difficile à réaliser, surtout s'il s'agit d'un questionnaire postal ou s'il est nécessaire d'assurer une confidentialité totale. Seules les informations qui apparaîtront lors de la compilation des résultats du prétest seront alors accessibles. Le prétest vise aussi à vérifier que les questions sont « productives », c'est-à-dire qu'il y a une certaine variation dans les réponses.

Le prétest doit s'effectuer autant que possible dans les mêmes conditions d'administration que celles qui ont été choisies pour l'administration proprement dite. En d'autres termes, on ne préteste pas seulement les questions et le questionnaire mais l'ensemble de la situation de collecte de l'information.

Le prétest amène généralement à apporter des modifications au questionnaire initial. Dans certains cas, un second prétest s'avère nécessaire. Dans tous les cas, le prétest est une opération précieuse. C'est l'occasion ultime de perfectionner le questionnaire.

5 L'ADMINISTRATION DU QUESTIONNAIRE

L'une des grandes difficultés que soulève l'administration du questionnaire réside dans le fait qu'elle n'est généralement pas effectuée par ceux qui ont conçu la recherche. Il importe donc de *mettre le personnel de terrain – superviseurs, interviewers et codeurs – au courant des objectifs généraux*

de l'enquête, de la logique du questionnaire et de les sensibiliser aux difficultés liées à certaines questions. Ce premier principe préside aux autres.
Un personnel bien informé qui comprend les questions et pourquoi elles
sont posées sera en mesure de convaincre les personnes de collaborer,
de bien les renseigner et de bien enregistrer et coder les réponses. D'où
la nécessité d'une session d'information au cours de laquelle les chercheurs présentent l'ensemble du questionnaire, précisent ce que chaque
question est censée mesurer et relèvent les problèmes qui pourraient
surgir. La session d'information permet de prévoir la grande majorité des
problèmes et de leur apporter une solution qui soit à la fois uniforme et
conforme aux objectifs de l'enquête. Pour ce qui est des questionnaires
autoadministrés, les mêmes remarques s'appliquent aux personnes qui
feront la distribution ou le suivi téléphonique, le cas échéant. Enfin, les
personnes qui font la codification des questions ouvertes, quel que soit
le mode d'administration, devront aussi être informées des buts de la
recherche. Le chercheur a aussi avantage à mettre lui-même « la main à la
pâte » de façon à mieux contrôler le processus : écouter un certain nombre
d'entrevues pendant leur déroulement, participer à l'élaboration du plan
de codification et à la codification elle-même permettent de mieux saisir
comment les questions ont été comprises par les participants et le sens
que recouvrent les codes utilisés pour les questions ouvertes.

Le but du sondage est d'*obtenir des réponses valides* aux questions
posées. Il faut pour cela prendre tous les moyens pour obtenir la collaboration des membres de l'échantillon cible. Les facteurs qui facilitent
cette collaboration varient selon les modes d'administration. La situation
se présente de façon différente dans les entrevues et dans les questionnaires autoadministrés. Dans ce dernier cas, la présentation matérielle du
questionnaire est cruciale : celui-ci doit apparaître attrayant et intéressant,
relativement court, pas trop difficile, professionnel. Le format cahier sera
privilégié et la mise en pages sera aérée et de qualité professionnelle. De
plus, il est de mise que la première page introduise le questionnaire et
donne les coordonnées d'une personne à joindre pour vérifier la crédibilité
du chercheur ou simplement demander des informations. Enfin, lorsque le
questionnaire doit être retourné par la poste, il est essentiel d'inclure une
enveloppe préadressée et préaffranchie.

Dans les entrevues, la collaboration dépend de la création d'un climat
de sympathie et de coopération – mais non de trop grande familiarité –
entre l'interviewer et l'interviewé. Les premiers moments d'une entrevue
sont évidemment cruciaux : il s'agit d'obtenir la collaboration de l'informateur. La courtoisie est de rigueur, mais l'interviewer doit également faire
preuve d'une certaine assurance, de façon à faire sentir à l'informateur que
sa collaboration va plus ou moins de soi. L'interviewer présente brièvement

l'enquête. Si nécessaire, il explique à l'informateur comment son nom ou son numéro de téléphone a été tiré et précise que ses réponses demeurent confidentielles. On peut se demander si à cette étape l'interviewer peut révéler le nom du commanditaire de l'étude. En général, on estime que cette information ne doit pas être révélée avant que l'entrevue ne soit complétée de façon à éviter des biais de complaisance, l'interviewé tentant de plaire au commanditaire.

L'interviewé doit bien comprendre la question. Dans les questionnaires autoadministrés, les directives sur la façon de répondre doivent être précises et claires. Dans les entrevues, l'interviewer lit lentement et clairement chaque question, de façon à ce qu'elle soit parfaitement comprise. Ce principe peut paraître banal et évident. Il convient toutefois de le rappeler, une des fautes les plus souvent commises étant précisément de procéder trop rapidement. L'interviewer doit maîtriser parfaitement le questionnaire, de façon à le manier avec aise et à donner à l'entrevue l'allure d'une conversation. Chaque question doit être lue intégralement. Si nécessaire, elle peut être répétée. Les explications supplémentaires qui peuvent s'avérer nécessaires doivent être prévues par les responsables de la recherche et discutées au cours de la session d'information. Les questions doivent aussi être posées dans l'ordre où elles apparaissent dans le questionnaire. Finalement, toutes les questions prévues doivent être posées, sans exception. La stratégie est quelque peu différente lorsqu'il s'agit de questions ouvertes. L'interviewer doit alors se faire un peu plus actif, de façon à faire parler le plus possible sur le thème. Pour encourager l'informateur à préciser sa pensée, l'interviewer peut répéter sa réponse ou même garder le silence. Cela permet souvent à la personne interrogée de faire le point et de développer davantage une idée. L'interviewer peut aussi avoir recours à certaines expressions («autre chose?», «que voulez-vous dire exactement?») qui indiquent d'abord qu'il s'intéresse à la réponse et qu'il aimerait avoir des explications supplémentaires. L'intérêt manifesté par l'interviewer permettra d'obtenir des réponses plus riches et plus détaillées.

La troisième condition est la non-contamination des réponses. Le chercheur vise à obtenir des réponses authentiques, qui ne sont pas influencées par l'interviewer. En conséquence, l'interviewer adopte une position de neutralité. Il accueille toutes les réponses comme étant légitimes et ne témoigne pas de surprise ou de désapprobation. L'entrevue est une interaction sociale qui repose sur le principe que l'interviewé répond honnêtement aux questions «en échange» du fait que l'interviewer ne porte aucun jugement sur l'interviewé.

Le rôle de l'interviewer ne se limite pas à poser des questions. Il doit aussi inscrire les réponses. La tâche peut paraître simple, mais l'interviewer a aussi d'autres préoccupations. Il doit maintenir un bon climat d'entrevue et s'assurer que l'interviewé ne deviendra pas impatient. L'interviewer doit donc pouvoir se concentrer presque exclusivement sur l'entrevue de façon à bien enregistrer les réponses. Pour les questions ouvertes, la consigne est d'inscrire la réponse au complet, idéalement au mot à mot. Certains systèmes informatiques permettent maintenant l'enregistrement de ces réponses, ce qui est idéal mais coûteux en temps et en argent. On doit utiliser le vocabulaire même utilisé par la personne interviewée, pour conserver toute la saveur de la réponse. Étant donné le rôle de l'interviewer, il ne convient pas de lui demander de faire de la codification pendant le déroulement de l'entrevue. Cette pratique peut difficilement produire des réponses valides ou fidèles puisqu'on ne peut pas vérifier par la suite la qualité de la codification. On retiendra donc comme principe que la codification des réponses aux questions ouvertes doit être une opération séparée de l'enregistrement des réponses.

CONCLUSION

Tant que les gens accepteront de répondre à des questions posées par des étrangers, le sondage demeurera un outil précieux de mise en forme de l'information dans la recherche sociale. Certes, le sondage est un instrument limité. Il se fonde exclusivement sur la verbalisation. Les risques de distorsion sont parfois importants, mais l'expérience démontre que pour un grand nombre de sujets, l'information qu'on en tire est valide. Notre jugement se doit donc d'être nuancé. Autant ceux qui ne jurent que par les sondages que ceux qui les rejettent d'une façon absolue ne semblent pas avoir bien posé la question. Il faut tenter de déterminer dans quels contextes le sondage est plus approprié et dans quels contextes il l'est moins.

La plus grande qualité du sondage est sa flexibilité. Il y a un grand risque à l'utiliser comme raccourci commode dans une situation qui appellerait l'utilisation d'autres instruments de mise en forme de l'information. Autant reconnaître dès le départ que le questionnaire est un substitut imparfait, prendre conscience de ses imperfections et prendre les moyens de neutraliser ses principaux biais.

Finalement, les sondages gagneraient à être plus imaginatifs. Il y aurait lieu de tenir davantage compte du contexte social, soit en introduisant directement des questions à ce sujet, soit en faisant appel à d'autres données pour compléter l'analyse. On pourrait aussi s'intéresser davantage à la dynamique sociale et privilégier les sondages longitudinaux, qui permettent d'analyser les changements dans le temps.

BIBLIOGRAPHIE ANNOTÉE

BABBIE, Earl R., *Survey Research Methods*, Belmont, Wadsworth, 1990.

Un manuel général qui présente toutes les facettes du sondage, de l'échantillonnage à l'analyse des données.

BLONDIAUX, L., *La fabrique de l'opinion*, Paris, Seuil, 1998.

Pour ceux et celles qui s'intéressent à l'histoire sociopolitique des sondages particulièrement aux États-Unis et en France.

BRADBURN, Norman M., Seymour SUDMAN et Brian WANSINK, *Asking Questions: The Definitive Guide to Questionnaire Design*, éd. revue, San Francisco, Jossey-Bass, 2004.

Ce livre constitue un excellent guide pratique sur la rédaction des questions et l'élaboration du questionnaire. Il présente aussi les expériences qui ont été menées sur l'influence de la manière de rédiger les questions sur la répartition des réponses.

DILLMAN, Don A., Jolene D. SMYTH et M. Christian LEAH, *Internet, Mail and Mixed Mode Surveys: The Tailored Design Method*, 3e éd., New York, Wiley, 2008.

Un livre qui expose en détail les procédures disponibles pour exploiter au maximum les possibilités des sondages par la poste et par Internet.

FOWLER, Floyd J. Jr., *Survey Research Methods*, 4e éd., Newbury Park, Sage, 2008.

Couvre les aspects essentiels de la recherche par sondage : échantillonnage, non-réponse, méthodes de collecte, mesures et questions, techniques d'entrevue, préparation à l'analyse, questions éthiques, présentation des informations.

GRANGÉ, D. et L. LEBART (dir.), *Traitement statistique des enquêtes*, Paris, Dunod, 1994.

À voir particulièrement le chapitre 2 de Dussaix et Grosbras sur l'échantillonnage, le chapitre 3 de Lejeune sur la mise au point d'un questionnaire et le chapitre 10 de Lebart sur les questions ouvertes et leur traitement.

Groves, Robert M., Don D. Dillman, John L. Eltinge et Roderick J. A. Little, *Survey Nonresponse*, New York, Wiley, 2002.

Ce livre regroupe les principales présentations faites à la Conférence internationale sur la non-réponse aux sondages, tenue à Portland, Oregon, en 1999.

Groves, Robert M., Floyd J. Jr. Fowler, Mick P. Couper, James M. Lepkowski, Eleanor Singer et Roger Tourangeau, *Survey Methodology*, New York, Wiley, 2004.

Ce livre décrit les principes de base de l'élaboration d'un projet de sondage, en s'inspirant de la recherche conduite au cours des dernières années. Il combine théorie et pratique et chaque chapitre se termine par des exercices.

International Journal of Public Opinion Research

Un périodique qui présente des articles sur l'opinion publique et la méthodologie de sondages à travers le monde.

Javeau, Claude, *L'enquête par questionnaire*, Bruxelles, Éditions de l'Université de Bruxelles, 1992.

Ce livre donne l'essentiel de façon pertinente et succincte. Il couvre les aspects du questionnaire et de l'échantillonnage et présente de façon séquentielle les opérations à effectuer.

Lavrakas, Paul J., *Encyclopedia of Survey Research Methods*, Newbury Park, Sage, 2008.

Un livre qui couvre toutes les facettes de la méthodologie par sondage : les choix relatifs à l'échantillonnage, l'élaboration du questionnaire, la collecte des données, le codage des informations, les questions relatives à la pondération et à l'analyse, enfin, les questions éthiques.

Lepkowski, James, M. Clide, J. Tucker, Michael Brick, Edith D. de Leeuw, Lili Japec, Paul Lavrakas, Michael W. Link et Roberta L. Sangster, *Advances in Telephone Survey Methodology*, New York, Wiley, 2008.

Ce livre regroupe les principales présentations faites à la Deuxième conférence internationale sur la méthodologie des sondages téléphoniques tenue à Miami en janvier 2006. Il s'agit donc des derniers développements de la recherche sur ce type de sondages.
Public Opinion Quarterly

Un périodique qui présente de nombreux articles sur la méthodologie des sondages ainsi que des analyses fondées sur des enquêtes sondages.

SCHUMAN, Howard et Stanley PRESSER, *Questions and Answers in Attitude Surveys: Experiments on Question Form, Wording and Context*, New York, Academic Press, 1981.

Ce livre présente les résultats de nombreuses expériences qui ont été faites pour mesurer l'effet de différentes formulations de questions sur les réponses obtenues.

LES DONNÉES SECONDAIRES

Jean TURGEON et Jean BERNATCHEZ[1]

> *Recyclage: action de traiter une matière*
> *en vue de sa réutilisation.*
>
> Grand Larousse de la langue française

Jusqu'à maintenant, cette troisième partie du manuel, intitulée « La formation de l'information », s'est intéressée à l'information nouvelle recueillie expressément pour servir les fins de l'étude en cours. Le présent chapitre renverse la vapeur et propose une alternative moins coûteuse, moins exigeante, plus rapide et parfois plus rigoureuse : l'utilisation de données existantes.

Dans un esprit écologique, on peut « *récupérer* » *des données* dont on n'a pas extrait toute la valeur scientifique. Il est rare que l'agent chargé de la collecte des données primaires (université, ministère, compagnie) effectue une analyse exhaustive des données qu'il a en main. Le plus souvent, les données sont recueillies dans un but précis et l'analyse « primaire » s'en tient à cet objectif. Les mêmes données peuvent cependant livrer d'autres messages. C'est là l'intérêt de l'analyse secondaire. La récupération de

---

1. Le présent chapitre reprend en partie le contenu d'une précédente version à laquelle Benoît Gauthier avait collaboré.

données existantes, si elle était systématisée, pourrait aussi réduire le fardeau imposé au public, aux organismes gouvernementaux et aux compagnies privées au regard de la production d'information.

Les données initiales, ou primaires, peuvent donc servir de substrat à d'autres recherches. On nomme *données secondaires* les *éléments informatifs rassemblés pour des fins autres que celles pour lesquelles les données avaient été recueillies initialement.* Ce chapitre limite le concept de données secondaires aux regroupements de données primaires pour d'autres fins que celles pour lesquelles on a recueilli ces données à l'origine. Les sondages passés, des données sur le vote par circonscription, des rapports de dépenses d'organismes gouvernementaux, des listes de compagnies et de leur revenu annuel, des entrevues conservées dans des banques archivées, etc., représentent autant d'exemples de données secondaires. Le trait commun de ces données, c'est qu'elles n'ont pas été recueillies pour la recherche que vous vous proposez d'entreprendre. Nous excluons de la sorte de cette définition, dans le cadre de ce chapitre, les données existantes n'ayant pas servi de données primaires tels que les rapports de recherche eux-mêmes et les écrits scientifiques existants[2].

Pour sa part, l'*analyse secondaire* est réalisée sur les données (secondaires) que vous exploitez pour les fins de la nouvelle recherche[3]. La recherche fondée sur l'analyse secondaire se distingue de celle axée sur l'analyse primaire par le fait que l'analyste est entièrement dégagé de la responsabilité de la collecte des données (mais non de celle de s'assurer de sa validité et de sa fiabilité) pour se concentrer sur la conceptualisation et l'analyse.

---

2. Certains auteurs considèrent que les écrits scientifiques font partie des données secondaires et discutent, en conséquence, des techniques de méta-analyse qualitative dans le cadre de leur présentation de l'analyse secondaire. Il s'agit d'un segment complètement différent de l'analyse secondaire, tant du point de vue des considérations techniques que de celui des problèmes éthiques. Nous n'en ferons que brièvement mention dans notre présentation.

3. En Europe, l'analyse secondaire de données est répandue depuis longtemps dans le domaine des sciences sociales. Voir, par exemple, le site Internet du Centre Maurice-Halbwachs de France < http://www.cmh.ens.fr/hoprubrique.php?id_rub=5>, celui du German Social Science Infrastructure Services (GESIS) <http://www.social-science-gesis. de/en/index.htm >, ou encore celui du Service suisse d'information et d'archivage de données pour les sciences sociales (SIDOS) <http://www.sidos.ch/>.

DES DONNÉES SECONDAIRES MODÈLES
L'INFORMATION STATISTIQUE DE
LA RÉGIE DE L'ASSURANCE-MALADIE DU QUÉBEC (RAMQ)[4]

L'Information statistique, disponible uniquement sur le site Internet de la RAMQ, a pris la relève du document Statistiques annuelles de la RAMQ en 2005. Des travaux de modernisation ont permis une diffusion rapide et fréquente d'informations mieux adaptées aux besoins des utilisateurs, le nombre de « pages » d'un tableau n'étant plus une limite physique. C'est la plus importante source de données publiques et de renseignements sur les principaux programmes administrés par la Régie. L'information publiée se veut un outil permettant la compréhension de ces programmes et des coûts qu'ils engendrent. Huit grandes sections s'y retrouvent :

1. Les aides techniques

2. L'assurance-médicaments

3. Les bourses et autres mesures

4. La population inscrite et admissible

5. Les services dentaires

6. Les services médicaux

7. Les services optométriques

8. Le sommaire du coût des programmes

On retrouve dans ces sections une ou plusieurs des informations suivantes : une description de ces programmes, des notes explicatives, un texte analytique, des tableaux historiques couvrant une période de deux à cinq ans et, enfin, des tableaux plus détaillés pour la période couverte, trimestrielle ou annuelle. Les informations apparaissent sous forme de tableaux et la plupart font l'objet de textes analytiques.

1 AVANTAGES ET INCONVÉNIENTS DE L'UTILISATION DES DONNÉES SECONDAIRES

Les données secondaires présentent des avantages considérables par rapport à la collecte de données primaires. Cette section fera état des principaux avantages, mais signalera également les principaux inconvénients découlant de l'utilisation de ces données.

---

4. Les auteurs tiennent à remercier Mme Joanne Gaumond, directrice, Mme Danielle Labrie-Pelletier, analyste, et M. Benoît Lyrette, conseiller en gestion de l'information, tous de la Direction adjointe des services à la clientèle à la Régie de l'assurance-maladie du Québec, pour les informations relatives à la RAMQ. Toutefois, l'utilisation que nous faisons de cette information n'engage que notre responsabilité.

▓ 1.1. Avantages

Pour le chercheur qui aborde l'analyse d'un nouveau champ d'intérêt, il y a plusieurs avantages reliés à l'exploitation de données secondaires. En premier lieu, cela permet de se *familiariser avec ce nouveau champ* sans trop investir de ressources en collecte d'informations nouvelles.

Deuxièmement, l'analyse secondaire permet de *préciser certaines caractéristiques* importantes d'une éventuelle collecte de données primaires comme les enjeux à analyser, les questionnaires à utiliser, les populations à étudier, etc.

Troisièmement, l'un des principaux intérêts reliés à l'utilisation des données secondaires concerne *la logique même de l'accumulation du savoir scientifique*: la science se construit en remettant en question les théories reçues et en proposant de nouvelles explications, plus englobantes, de phénomènes connus. Dans ce cadre, une nouvelle théorie trouvera un terrain de démonstration fertile dans les données existantes qui auront été utilisées pour soutenir une théorie concurrente. Si la nouvelle théorie explique mieux ou plus complètement le comportement des données que l'ancienne, elle devra être considérée comme supérieure sur le plan scientifique. En fait, une démonstration de ce type effectuée sur les mêmes données que la preuve initiale de la théorie antécédente serait plus solide qu'une démonstration à partir de nouvelles données puisque, dans ce dernier cas, les variantes inévitables dans le processus de collecte des informations pourraient être utilisées comme justification de l'amélioration de l'explication par la nouvelle théorie. La réutilisation des données initiales élimine ce type de remise en question.

Par ailleurs, les données secondaires ont l'avantage de permettre la *vérification des conclusions d'autres chercheurs*. Cette vérification peut prendre plusieurs formes: respécification des modèles explicatifs légèrement différents; reproduction des résultats; retour sur ces résultats surprenants en évaluant la validité des données pour s'assurer que les conclusions ne sont pas un artefact de quelque erreur dans l'analyse; vérification de la crédibilité des données utilisées, etc. On note actuellement un intérêt renouvelé pour la méta-analyse quantitative, particulièrement mais non exclusivement dans le domaine de la santé. Ainsi, Lecomte[5] indique que la méta-analyse représente, pour l'American Psychiatric Association, l'une des catégories de modèle de recherche à la disposition des praticiens. Il cite toutefois Lesage

---

5. Yves LECOMTE, « Développer de meilleures pratiques », *Santé mentale au Québec*, vol. XXVIII, n° 1, 2003, 13 p. <http://rsmq.cam.org/smq/santementale/article. php3?id_article=224>.

et al.[6] pour qui la méta-analyse comporterait de nombreuses faiblesses comme l'effet d'éléments subjectifs, la non-publication de données qui résulte en une surestimation de l'effet de traitement, la «non-prise en considération de l'hétérogénéité ou des particularités des populations ou des produits étudiés[7]» et la qualité différente des études analysées. Malgré ces remarques concernant la méta-analyse, ce type de vérification contribue à limiter la fraude dans les milieux scientifiques.

Également, les données secondaires présentent l'immense avantage d'être accessibles à *peu (ou pas) de frais pour l'analyste*. Les données primaires peuvent être fournies sous forme imprimée; alors la majeure partie des frais seront engendrés par la saisie de cette information, en tout ou en partie, sur support informatique, coût généralement sans commune mesure avec la collecte initiale des données. Si elles sont conservées sur support informatique, leur accès en sera d'autant simplifié. Le chercheur peut alors se départir de tout le personnel de bureau et, du même coup, de tous les coûts de gestion afférents. Pour entreprendre des collectes de données primaires d'envergure, le chercheur devra probablement faire partie d'une organisation de grande taille; cette situation entraîne d'autres types de coûts qui sont évités lorsqu'il exploite plutôt des données déjà existantes auxquelles il peut avoir accès. C'est le cas particulièrement pour les grands projets comparatifs internationaux qui gagnent en importance dans la recherche actuelle[8]. Il peut arriver que l'analyste ait à assumer certains coûts pour constituer sa banque de données secondaires[9]; encore une fois, ces coûts sont minimes en comparaison de ceux engendrés par les collectes primaires. Dans toute période de rareté de ressources, ces considérations rendent l'utilisation des données secondaires très intéressante.

En plus des ressources financières, l'utilisation des données existantes minimise aussi *l'investissement en temps* pour le chercheur. Ces données sont souvent accessibles immédiatement ou presque, du moins si l'on peut en faire soi-même l'exploitation, ce qui n'est pas toujours possible dans le cas des données primaires où le processus de collecte de données engendre souvent de longs délais.

---

6. A.D. LESAGE, E. STIP et F. GRUNBERG, « "What's up, doc?" Le contexte, les limites et les enjeux de la médecine fondée sur des données probantes pour les cliniciens (Evidence-Based Medicine)», *Revue canadienne de psychiatrie*, vol. 46, 2001, p. 396-402.

7. *Ibid.*, p. 400.

8. Service suisse d'information et d'archivage de données pour les sciences sociales (SIDOS), <http://www.sidos.ch/>.

9. À titre d'exemple, Statistique Canada impose des coûts à l'utilisateur de ses données pour compenser les services rendus.

Pour le chercheur plus préoccupé des problèmes de recherche que des problèmes d'administration de la recherche, les données secondaires présentent l'avantage vital d'*éliminer les problèmes opérationnels* de collecte des données primaires. Cet avantage semble devenir de plus en plus important dans le contexte où, parmi ces problèmes, Hamelin-Brabant[10] fait état de l'inquiétude de chercheurs des sciences sociales et humaines de satisfaire aux exigences grandissantes des comités d'éthique de la recherche. L'exploitation de données secondaires contourne en partie cette difficulté, quoique d'autres questions éthiques soient propres à ce type d'exploitation, comme en témoigne la section 5 du présent chapitre. En somme, le chercheur peut, après s'être assuré du degré de fiabilité et de validité de « ses » données secondaires, se concentrer sur les aspects les plus productifs de sa tâche : la conceptualisation et l'analyse.

En ce qui a trait aux *structures de preuve* (voir chapitres 7 et 8), les données secondaires présentent certains avantages très intéressants :

– les données secondaires permettent de retourner dans le passé et d'analyser le changement à partir d'indicateurs prélevés en temps réel ; en comparaison, les données primaires sont restreintes à des retours en arrière qui font appel à la mémoire ou à des collectes de données qui s'étendent sur des périodes beaucoup trop longues pour la plupart des projets de recherche ;

– en fusionnant plusieurs sources de données, on peut constituer des banques de données de taille suffisante pour analyser des petits groupes rares ; Kiecolt et Nathan discutent des problèmes méthodologiques reliés à ce type d'utilisation des données secondaires[11] ;

– en utilisant plusieurs sources ou plusieurs publications d'une source, le chercheur peut reconstituer une série chronologique qui produira des éléments de preuve plus solides que des démonstrations isolées et synchroniques.

En préparation à une éventuelle collecte de données primaires, l'exploration de données secondaires permettra au chercheur de *préciser le problème de recherche et les options de recherches ouvertes*. Cette exploration pourra tenir compte des distributions obtenues lors de collectes primaires

---

10. Louise HAMELIN-BRABANT, « La recherche auprès des enfants : Institutionnalisation de l'éthique et nouvelles prescriptions normatives », *Recherche et formation*, Institut national de recherche pédagogique, Paris, n° 52, 2006, p. 79-89.

11. K. Jill KIECOLT et Laura E. NATHAN, *Secondary Analysis of Survey Data*, Newbury Park, Sage, 1985, p. 72-75.

antérieures, de la qualité des mesures utilisées, des relations découvertes entre les variables critiques, des hypothèses soulevées par les résultats antérieurs, etc.

Sur le plan des disciplines, l'utilisation de données secondaires reconnues présente l'avantage de permettre d'*effectuer une certaine normalisation de la discipline* : en utilisant la même source de données, les chercheurs en viennent à développer une compréhension commune d'un problème de recherche. Cette communauté facilite aussi la communication des résultats puisque les postulats de base de la source d'information sont connus des experts. Cette utilisation de données existantes pourrait aussi éventuellement améliorer la qualité moyenne des données utilisées dans une discipline en réduisant le nombre de petites collectes de données primaires plus ou moins bien contrôlées.

▓ 1.2. Inconvénients

Ce dernier avantage, sur le plan des disciplines, peut cependant être contrebalancé par un inconvénient majeur : ce recours à des sources de données normalisées risque d'*inhiber la créativité* des chercheurs et de faire régresser la qualité des recherches en général vers une moyenne inférieure à ce que l'on observe actuellement. En se référant toujours aux mêmes indicateurs et aux mêmes populations, le champ de la recherche pourrait s'appauvrir. Par ailleurs, toute source de données peut être marquée de certains biais, délibérés ou non ; ces biais peuvent se produire à plusieurs niveaux du processus de recherche. Limiter le nombre de sources de données utilisées pourrait *engendrer une certaine hégémonie idéologique* des responsables de ces sources.

On a aussi observé que la très grande disponibilité de données de toutes sortes, notamment sur Internet, avait tendance à *faire augmenter le nombre de recherches athéoriques* qui sont davantage des exercices de traitement de données que de création de nouvelles connaissances. Les données étant déjà disponibles, le chercheur peut être tenté d'utiliser sa méthode d'analyse préférée sans se préoccuper des considérations conceptuelles plus profondes nécessaires à la vraie recherche sociale.

Cette critique tient évidemment pour acquis que les données sont effectivement disponibles. Pourtant, le *manque de disponibilité de l'information* est un autre inconvénient de l'analyse secondaire. Avant de pouvoir entamer l'analyse secondaire, il faudra en effet localiser une source de données fiable et accessible. Dans les faits, des données n'existent pas nécessairement sur tous les sujets imaginables.

Ces inconvénients ne sont peut-être pas aussi évidents que ceux reliés à *l'écart entre les objectifs de la collecte primaire et les objectifs de l'analyse secondaire*. En effet, les données primaires n'ont pas été mises en forme en tenant compte des objectifs de l'analyse secondaire (par définition). Il peut donc arriver que certaines manipulations de données soient impossibles ; que certains indicateurs importants ne soient pas accessibles pour tous les concepts des modèles théoriques ; que des identificateurs uniques des individus sujets d'observation n'aient pas été conservés pour fins de mariage des bases de données ; que les catégories de mesure utilisées ne se conforment pas aux hypothèses à tester ; etc.

Pour la Régie de l'assurance-maladie du Québec, l'objectif de la collecte d'une partie très importante des données (primaires) est de rémunérer les dispensateurs puisqu'elle agit comme un tiers payant au nom du gouvernement du Québec.

Les objectifs de l'analyse secondaire que l'on trouve dans les Statistiques annuelles sont différents : permettre la compréhension des programmes de la RAMQ et des coûts qu'ils engendrent (voir encadré précédent) ; établir des portraits régionaux de la consommation de services médicaux ; montrer l'importance de la consommation de services médicaux par groupes d'âge ; etc.

Mentionnons quelques difficultés reliées au fait qu'initialement les données ne sont recueillies que pour rémunérer les dispensateurs.

1. La définition des services est soumise aux aléas du processus de négociations entre le ministre de la Santé et des Services sociaux et les associations professionnelles. Les ententes survenues entre le gouvernement et les professionnels peuvent modifier certaines variables des Statistiques annuelles, comme la catégorisation des services médicaux.

   Exemple : Un même service peut être inclus dans la définition d'un autre ou, au contraire, scindé en plusieurs pour des fins de paiement, pour faire suite à un renouvellement d'entente entre le gouvernement et un groupe de professionnels. Il faut donc être attentif aux définitions des services dans les études longitudinales.

   Exemple : Une demande de paiement pour un service rémunéré à salaire ne renseigne en aucune façon sur la nature du service rendu ou l'identité du bénéficiaire. Les données de la Régie ne permettent donc pas de connaître précisément les services rendus par les médecins salariés des centres locaux de services communautaires ni même les caractéristiques des clientèles servies.

Exemple : Les services médicaux rémunérés à l'acte et à l'unité dans le cadre de l'assurance-hospitalisation n'identifient pas les bénéficiaires. Corollairement, une étude par bénéficiaire du nombre total de radiographies reçues et de leur type est impossible à réaliser.

2. Les dispensateurs ne remplissent tout simplement pas certaines cases de la demande de paiement, sachant que le fait de ne pas les remplir ne les pénalisera pas : le paiement sera tout de même effectué.

Exemple : Le code de diagnostic (motif de la consultation) n'est pas systématiquement validé, les professionnels ne prenant pas toujours la peine de codifier cette section de la demande.

L'accompagnement offert dans le cadre du traitement de la demande par le personnel de la Régie contribue à cerner les limites des données en fonction de l'usage envisagé.

En outre, comme l'indique Scheuch[12], l'exploitation simultanée de plusieurs sources de données secondaires lors d'une recherche, par exemple de nature comparative impliquant des banques de données de différents pays, exige *des compétences méthodologiques poussées* – comme l'analyse croisée ou l'analyse des correspondances – qu'il faut acquérir préalablement.

Enfin, le *facteur temps* est aussi un inconvénient des données secondaires, à au moins deux égards :

– même s'il est souvent plus rapide d'avoir accès à des données déjà colligées que de compiler soi-même des données primaires, il peut arriver que le temps de recevoir les données du détenteur, le temps de se familiariser avec les détails des données et le temps de mettre les données en forme pour l'analyse dépassent le temps alloué à la recherche ;

– par définition, les données secondaires sont des données plus vieilles que les données primaires ; en effet, avant d'être rendues publiques, les données doivent être utilisées (dans le contexte de leur analyse primaire) par leur premier détenteur, puis distribuées ; ces délais peuvent réduire l'utilité des données.

---

12. Erwin K. SCHEUCH, « Les services de données en sciences sociales : historique et perspectives », *Revue internationale des sciences sociales*, vol. 3, n° 177, 2003, p. 445-446 (433-449).

TRAITEMENT DES REQUÊTES

À la RAMQ, plus de 70% des requêtes sont traitées dans un délai de moins de quinze jours. Lorsqu'une demande nécessite un avis favorable de la commission d'accès à l'information (CAI) et qu'elle est très complexe dans sa réalisation, il faut prévoir quelques semaines. De façon générale, l'assignation d'une priorité est fonction de plusieurs critères, comme l'identité du demandeur (demande urgente du ministre, d'une régie régionale de la santé et des services sociaux? d'universitaires? d'étudiants diplômés? etc.). Dans tous les cas, la demande doit être adressée par écrit pour qu'elle soit évaluée en termes de coût et de délai. Bien entendu, la diffusion des données se fait dans le cadre des lois et du respect de la confidentialité. Vous avez nettement avantage à planifier à l'avance votre demande de données.

DÉLAIS DE PRODUCTION DES STATISTIQUES ANNUELLES

Les délais nécessaires pour la production de la version officielle de l'*Information statistique* de la Régie donnent une idée du temps requis pour s'assurer à la fois d'une validation adéquate et d'une intégralité satisfaisante des données dans le cas du traitement de banques contenant plusieurs dizaines de millions d'enregistrements.

Depuis 2005, des «Données trimestrielles provisoires» sont disponibles rapidement: un mois après la fin d'un trimestre pour l'assurance-médicaments et trois mois pour les services médicaux, les services dentaires et les services optométriques. Le taux d'intégralité de ces données trimestrielles est très satisfaisant.

Le démarrage des travaux d'exploitation pour les données officielles d'une année ne peut se faire avant le 1er avril de l'année suivante en raison du délai de trois mois consenti aux médecins pour soumettre les demandes de paiement à la RAMQ et de la disponibilité des données territoriales fournies par le ministère de la Santé et des Services sociaux (MSSS). Dans les semaines qui suivent, les différents tableaux sont produits et analysés. Les tableaux annuels sont disponibles progressivement à partir du mois de mai.

L'*Information statistique* est disponible sur le site Web de la RAMQ à l'adresse <http://www.ramq.gouv.qc.ca> et en choisissant <Rapports d'études et statistiques/St@tRAMQ>.

Comme l'analyste n'a probablement pas participé à la collecte initiale des données, il ne sera pas au fait des détails des opérations de terrain, des décisions prises au moment de la mise en forme des données, des erreurs cléricales possibles, etc. Essentiellement, il sera difficile à l'analyste de *porter un jugement sur la fiabilité des données*. Cette difficulté s'ajoute au constat que la plupart des sources secondaires souffrent d'un manque chronique de documentation suffisante pour faire une utilisation intelligente des données. Ces observations nous amènent à présenter un cadre d'évaluation des sources de données secondaires. Auparavant, intéressons-nous dans la section suivante aux sources potentielles de données secondaires.

 ## 2 SUPPORTS ET SOURCES DE DONNÉES SECONDAIRES

Les données secondaires se retrouvent partout. L'observateur attentif découvrira que son milieu regorge de données déjà compilées dont il peut tirer profit pour ses recherches. Par exemple, plusieurs des classeurs de métal qui encombrent les locaux des organisations recèlent des trésors de données secondaires. Leur pertinence n'échappera pas à l'attention des chercheurs aguerris qui font de ces organisations le terrain de leurs recherches. Les bibliothèques proposent sur leurs rayons des recueils «papier» organisés selon le modèle de la base de données, ou encore des documents de formats multiples, qu'il est possible d'exploiter dans la perspective d'en extraire des données secondaires, qualitatives ou quantitatives. Jusqu'à tout récemment, ces lieux feutrés où s'alignent des kilomètres de rayonnages constituaient le principal dépôt de données secondaires. Maintenant, le support informatique tend à supplanter tous les autres.

2.1. Supports

Théoriquement, le support sur lequel repose une donnée ne devrait pas influer sur son intégrité. Prenons ce support séculaire qu'est le papier, il vieillit, certes, mais il résiste plutôt bien au temps et ne nécessite pas d'intermédiaires autres que nos sens et nos compétences pour pouvoir s'approprier son contenu (la vue et la maîtrise des langages qui permettent de décoder l'information). Ce n'est pas le cas des supports de types audio, vidéo et informatique, où une interface technique est essentielle pour faire le lien entre le chercheur et les données secondaires (magnétophone, téléviseur, ordinateur, etc.). Du côté de l'informatique, les supports ne sont pas éternels non plus: un disque dur d'ordinateur peut être effacé accidentellement; un CD-ROM s'use et se brise; une clé USB se perd ou s'endommage. De plus, les techniques évoluent, rendant rapidement caducs certains supports. Par exemple, qui peut maintenant avoir accès facilement aux données logées sur une disquette (*floppy disk*), avec ses formats qui ont varié considérablement (8 pouces, 5 pouces et quart, 3 pouces et demi)?

Ainsi, au plan du support des données secondaires, un chercheur devrait toujours s'assurer d'une solution de rechange au cas où serait inaccessible pour un temps ou de façon définitive le support principal qui loge les données. « Sauvegarde » est l'un des maîtres mots de la recherche sociale. Il fait référence à l'opération qui consiste à recopier des fichiers de données informatiques sur un support externe, afin d'en prévenir la perte. Le terme « sauvegarde » doit être compris surtout dans le sens générique de la propriété associée aux données secondaires qui, pendant leur traitement, leur conservation ou leur transport, ne devraient subir aucune altération, aucune destruction volontaire ou accidentelle[13].

L'utilisation massive de l'informatique a laissé croire un temps à une diminution possible du recours au support papier. Il n'en est rien, bien au contraire. Voyons les lieux de travail des chercheurs de métier : l'ordinateur personnel y fait presque figure d'objet de culte, mais le papier est omniprésent, des piles et des piles de papier. Le marché de l'impression s'est en effet démocratisé (diminution des coûts et augmentation de la qualité et du rendement des imprimantes personnelles), de telle sorte que le document qui ne commandait jadis qu'une seule impression est maintenant reproduit au rythme des analyses et des relectures.

Des études confirment d'ailleurs certaines contraintes de la lecture sur écran : ce support conduirait à une lecture en miettes dans la mesure où la totalité d'un document ne peut plus être appréhendée. La vitesse de lecture serait aussi inférieure dans le cas de l'utilisation de l'écran[14]. L'analyse est aussi souvent plus facile lorsque le papier supporte les données secondaires. Par exemple, le compte rendu intégral d'une entrevue enregistrée sur casette audio ou vidéo sert cette cause, en plus de permettre un double accès aux données.

---

13. Ces définitions, comme la plupart des définitions techniques de cette section, ont été construites à partir d'informations tirées du *Grand Dictionnaire terminologique*. On retrouve dans les fichiers de terminologie de ce dictionnaire l'équivalent de 3000 ouvrages termino-linguistiques. Il est produit au Québec et accessible via Internet sur le site de l'Office québécois de la langue française <http://www.oqlf.gouv.qc.ca>.

14. Muter *et al.* estimaient en 1982 que la vitesse de lecture était 28 % inférieure dans le cas de l'utilisation de l'écran. O'Hara et Sellen ont par ailleurs répertorié en 1997 les résultats de plusieurs autres études qui tendent à démontrer que la différence entre la lecture sur papier et celle sur écran ne serait plus aussi grande, considérant la qualité accrue des moniteurs. On peut postuler aussi que la jeune génération est plus à l'aise que ses aînés avec la lecture à l'écran et la logique hypermédiatique. P. Muter *et al.*, « Extended Reading of Continuous Text on Television Screens », dans *Human Factors*, 24, 1982, p. 501-508 ; Kenton O'Hara et Abigail Sellen, *A Comparison of Reading Paper and On-line Documents*, Technical Report EPC-1997-101, Cambridge, Xerox Research Centre Europe, 1997, 10 p.

Le support informatique ne remplace donc pas le support papier quant à la sauvegarde des données secondaires, pas plus que l'écrit n'a remplacé l'oral. Eisenstein[15] attribue en effet à l'écran une signification anthropologique comparable à celle qui a affecté la culture lorsqu'elle est passée de l'oralité à l'écriture. Chaque fois qu'un nouveau média est apparu, soutient-elle, il a intégré les médias antérieurs en créant une nouvelle interface. Il n'a pas supprimé les médias précédents; il a plutôt établi avec eux une relation de stratification, se superposant à eux tout en les modifiant. La forme la plus actuelle de cette intégration est l'hypermédia, cette extension de l'hypertexte à des données multimédias, permettant de lier entre eux des éléments textuels, visuels et sonores.

Au regard du support informatique, le concept de «virtualité» ne s'oppose pas à celui de «réalité». Le virtuel s'oppose plutôt à l'actuel, soutient Lévy[16]. Ainsi, l'informatique recèle un potentiel du point de vue des données secondaires, potentiel qu'il est possible d'actualiser (c'est-à-dire d'exploiter et d'adapter aux besoins spécifiques de la recherche, «ici et maintenant») par l'extraction de certaines données et leur analyse.

Le support informatique peut être relié à un système clos: un disque dur d'ordinateur, un CD-ROM ou encore un intranet. Cela est rassurant du point de vue de l'évaluation des données secondaires selon les paramètres qui seront précisés au point suivant: les données portent ainsi une signature claire. Une donnée de la RAMQ, peu importe son support, demeure une donnée de la RAMQ.

Le support informatique peut aussi être relié à un système ouvert comme le réseau Internet. Ce médium est le plus populaire pour l'accès aux données secondaires: il est économique pour le diffuseur puisque la reproduction et l'impression sont déconnectées du processus de diffusion; il est aussi économique pour l'utilisateur, qui n'a habituellement qu'à payer la location de la connexion Internet (l'accès à plusieurs bases de données disponibles sur le Web nécessite par contre des coûts pour le chercheur ou pour la bibliothèque universitaire qui assure le service).

Yott[17] ajoute ces avantages techniques à la diffusion des données via Internet: il intègre plusieurs protocoles (http, ftp); il résout le problème des plates-formes informatiques multiples (Windows, Linux, Mac OS X); il

---

15. Elizabeth EISENSTEIN, *The Printing Revolution in the Early Modern Europe*, Cambridge, Cambridge University Press, 1983, 297 p.
16. Pierre LÉVY, *Qu'est-ce que le virtuel?*, Paris, Éditions La Découverte, 1998, 154 p.
17. Patrick YOTT, «Enhancing Access to Government Information: Redistribution of Data via the World Wide Web», dans Joan F. CHEVERIE, *Government Informations Collections in the Networked Environment. New Issues and Models*, New York et Londres, The Haworth Press, 1998, p. 61-76.

permet un accès plus équitable et plus flexible aux données. Ajoutons que le Web supporte des données secondaires en de multiples formats, souvent intégrés de façon transparente aux pages Web. D'autres formats nécessitent plutôt l'utilisation de logiciels particuliers installés sur les ordinateurs des utilisateurs, logiciels qui entrent en fonction lors de l'activation de l'hyperlien : documents textuels (.doc, .pdf, .rtf) et images (.gif, .jpeg, .png) ; fichiers audio (.mp3, .wav, .au), vidéo (.avi, .mpeg, .qt) et statistiques (.ivt, .spss, .sas)[18].

Lorsque le support informatique est relié au réseau Internet, il faut faire preuve de prudence puisque les possibilités de distorsion et de falsification des données sont grandes. Cela s'explique par la confusion des genres qui règne sur le Web. Le « réseau savant » d'origine a été investi par un « réseau marchand » où des vendeurs de produits, d'idées et de rêves tendent à prendre toute la place. Le doute systématique est donc de rigueur pour l'évaluation des données secondaires qui y sont recueillies, quoiqu'il ne faille pas verser dans la paranoïa et bouder cette bibliothèque virtuelle qui, dans son esprit, rejoint l'utopie des grands encyclopédistes. Rassembler l'information, la classer puis en assurer l'accès sont les trois principes immuables de l'encyclopédisme. Internet est la plus grande encyclopédie qui soit.

On ne trouve pas tout sur Internet, mais on y trouve de tout, selon l'expression consacrée. La distinction entre le vrai et le faux n'y est pas toujours très claire. Avec les moyens techniques actuels, il est facile en effet de trafiquer la forme ou le contenu des données, par jeu, par défi ou pour servir les intérêts de l'éditeur ou desservir ceux de l'auteur. La recherche d'esthétisme pousse même certains diffuseurs à proposer les données quantitatives dans des formes graphiques séduisantes et achevées, qui rendent impossible tout traitement ultérieur. Aussi, la logique des hyperliens fait que le chercheur internaute peut quitter un site sûr pour un autre qui l'est moins, sans qu'il ne s'en aperçoive nécessairement[19].

L'application instinctive du modèle de Lasswell est utile pour évaluer l'intégrité des données secondaires que l'on retrouve sur le Web. Qui dit quoi à qui, par quel moyen et avec quel effet ? L'auteur de ces données est-il crédible (si l'on considère sa formation, son expérience et l'organisation à

---

18. Les formats sont innombrables. Voir à ce sujet le *Guide d'initiation à la recherche dans Internet* <http://www.bibl.ulaval.ca/vitrine/giri/index.htm>. Sous la responsabilité conjointe de toutes les universités québécoises, ce guide est mis à jour de façon régulière et constitue l'outil le mieux adapté aux besoins des chercheurs en formation au Québec.

19. Les sites gouvernementaux affichent de plus en plus souvent un message d'avertissement lorsqu'un hyperlien de leurs sites conduit à un site extérieur dont ils n'ont pas le contrôle du contenu.

laquelle il est associé) ? L'éditeur est-il légitime ? (A-t-il des intérêts autres que ceux de nature scientifique ?) Le contexte est-il adapté ? (Les données voisinent-elles avec d'autres informations qui n'ont rien à voir avec elles[20] ?) Par exemple, des données produites par le ministère de l'Éducation, du Loisir et du Sport du Québec (MELS) et éditées sur son propre site présentent de très bonnes garanties d'intégrité, d'autant plus que ces grandes organisations disposent maintenant de coupe-feu[21] efficaces. Ces mêmes données éditées par ailleurs sur un site personnel ne devraient pas être utilisées en recherche, à moins qu'elles ne soient vérifiées.

La recherche sociale exige en effet un haut degré d'éthique et de rigueur dont se soucient généralement peu les concepteurs et éditeurs de sites Web personnels ou privés. Ils cherchent habituellement à promouvoir leurs propres valeurs et intérêts ou ceux de leurs organisations, et effectuent partiellement la sélection des données qui logent sur leurs serveurs. La façon la plus sûre de faire une vérification est d'aller directement à la source, pour cet exemple le site du MELS ou tout autre support qui porte explicitement la signature du MELS.

▓ 2.2. Sources

Une recherche organisée de données secondaires n'est pas très différente d'une recherche documentaire. Il existe des index de données existantes et des fichiers sur les bases de données publiques, qui sont le plus souvent disponibles sur le Web. Cependant, pour simplifier, nous mentionnerons quelques-unes des sources les plus importantes.

Les organisations supra-gouvernementales

Le mouvement de globalisation a fait en sorte de consacrer le rôle des organisations supra-gouvernementales qui contribuent de plus en plus directement à réguler la vie des collectivités. Il peut s'agir d'organisations internationales comme l'Organisation des Nations Unies (ONU), d'organisations régionales comme l'Union européenne ou, encore, d'organisations territoriales comme, au Québec, les municipalités régionales de comté (MRC). Elles ont toutes la caractéristique de se situer structurellement

---

20. Pour une revue plus complète des critères d'évaluation de la qualité de l'information sur un site Web, voir Danielle BOISVERT, «Compétences informationnelles et accès à l'information» (chapitre 4).

21. Le «coupe-feu» (*firewall*) est un dispositif informatique qui permet le passage sélectif des flux d'information entre un réseau interne et un réseau public, ainsi que la neutralisation des tentatives de pénétration en provenance du réseau public (*Grand Dictionnaire terminologique*).

au-dessus des gouvernements constitués, ce qui ne veut pas dire pour autant qu'elles disposent de plus de pouvoir qu'eux. Souvent, leur rôle en est un de concertation, dans la perspective de mieux faire face aux défis communs qui se posent aux membres de ces regroupements.

Ces organisations édictent très souvent des normes, liées à leurs missions et objectifs particuliers. Pour élaborer des politiques ou pour évaluer le chemin parcouru, elles doivent disposer de données nombreuses et diversifiées, amarrées par exemple aux caractéristiques des populations et aux volumes de leurs ressources. Pour qu'il soit possible d'établir des comparaisons dans le temps, par rapport aux autres ou par rapport à des objectifs, ces données sont normalisées. Dans la perspective de leur utilisation comme données secondaires de la recherche sociale, il s'agit là d'un atout précieux.

L'Organisation des Nations Unies (ONU) et ses institutions spécialisées sont les mieux connues : l'Organisation des Nations Unies pour l'éducation, la science et la culture (UNESCO) ; l'Organisation mondiale de la santé (OMS) ; l'Organisation internationale du travail (OIT) ; etc. Les données qu'elles mettent à la disposition des chercheurs internautes sont généralement gratuites et d'excellente qualité.

L'Organisation de coopération et de développement économiques (OCDE) jouit aussi d'une popularité très grande en ce qui a trait aux données qu'elle rend disponibles aux chercheurs. Elle se situe toutefois dans une classe distincte de celle, par exemple, des organisations de l'ONU. L'OCDE est un institut de recherches qui œuvre comme forum de coordination des politiques. Elle regroupe un nombre limité de pays membres, tous attachés à l'économie de marché. Elle a comme mission d'aider les gouvernements à répondre aux défis posés par l'économie mondialisée. Ses données couvrent l'ensemble du champ économique et social et portent sur presque tous les pays. L'OCDE n'est donc pas neutre, d'un point de vue idéologique : elle cherche à servir les intérêts de ses membres[22]. Malgré le fait qu'une donnée secondaire puisse être factuelle, il est possible que les indicateurs privilégiés soient empreints de valeurs.

En fait, il est toujours utile de se questionner sur les raisons qui incitent une organisation à produire des données et à les rendre disponibles aux chercheurs, les transformant ainsi en données secondaires. En règle générale, ces raisons découlent de leurs missions. Les modes de gestion

---

22. Gélinas considère l'OCDE comme l'office de propagation de la foi néolibérale, ce que tend à confirmer à sa façon le secrétaire général de l'organisation lorsqu'il affirme que l'OCDE a pour mission de défendre toutes les entreprises de libéralisation de l'économie (*La Presse*, 8 février 1997). Voir Jacques B. GÉLINAS, *La globalisation du monde. Laisser faire ou faire ?*, Montréal, Les Éditions Écosociété, 2000, 340 p.

de l'organisation sont aussi garants de la qualité des données, si l'on tient compte notamment du devoir de transparence. L'Union européenne par exemple se fonde sur la règle de droit et la démocratie : toutes les décisions et procédures s'appuient sur les traités de base ratifiés par les parlements des États membres. Du coup, les données qu'elle rend disponibles sont plus crédibles que celles d'une organisation qui n'aurait de compte à rendre qu'à un nombre limité de personnes aux intérêts plus corporatistes.

Également, la prolifération des organisations supra-gouvernementales de petite taille, les organisations supra-municipales par exemple, commande de devoir s'interroger aussi sur les conditions de constitution des bases de données. Les grandes organisations disposent du personnel hautement qualifié requis mais est-ce que ses ressources et ses expertises permettent à telle ou telle organisation de petite taille de constituer une base de données qui soit conforme aux règles d'éthique et de rigueur qu'impose la recherche sociale ? A-t-on accès aux méthodologies qui permettent de constituer ces bases de données ?

Le Centre de documentation de l'Université du Michigan offre universellement le service d'un portail spécialisé sur les organisations internationales, pertinent au point de justifier qu'un demi-million de chercheurs internautes l'ont déjà visité[23].

Les gouvernements

Les gouvernements locaux et nationaux sont les plus importants producteurs de données secondaires. En fait, il s'agit là d'un des rôles de l'État : produire pour la collectivité des informations qui, autrement, n'auraient pu être rassemblées à cause des coûts prohibitifs que cela impliquerait pour un utilisateur unique.

Le recensement canadien en est un exemple : l'accès à des informations sur la population canadienne profite à un grand nombre d'individus et d'organisations et constitue un bien socialement utile. Personne d'autre que le gouvernement n'a les ressources pour alimenter une telle base de données. Les gouvernements disposent aussi d'instruments légaux en vertu desquels tous sont tenus de fournir certaines informations, ce qui n'est pas le cas des autres sources de données secondaires. Au Canada, par exemple, tous les citoyens sont légalement tenus de répondre aux questionnaires du recensement.

---

23. Portail des organisations internationales du Centre de documentation de l'Université du Michigan : <http://www.lib.umich.edu/govdocs/intl.html>.

Les informations réunies par les gouvernements sont souvent accessibles sous forme de microdonnées (par opposition à une forme agrégée où l'unité de mesure n'est plus l'individu, mais le groupe d'individus). Cela peut être très utile, dans la perspective de leur utilisation pour la recherche sociale.

En règle générale, les données produites par les gouvernements sont de bonne qualité. Il existe toutefois suffisamment d'exceptions à cette règle pour que le chercheur conserve un scepticisme de bon aloi. On comprendra d'abord qu'il n'est pas dans la culture des régimes autoritaires de rendre disponibles les données qu'ils produisent. Lorsqu'ils le font, il faut sérieusement considérer la possibilité que ces données aient pu être trafiquées. Les régimes démocratiques ne sont pas tenus non plus de rendre disponibles toutes données qu'ils produisent. Ainsi, les données liées plus ou moins directement aux questions de sécurité nationale ne sont pas diffusées auprès d'un large auditoire. Cette pratique trouve maintenant écho pour les questions de prospérité nationale, puisque le terrain de l'économie est souvent le lieu de différends entre les États. Un peu comme pour le cas des firmes privées, un État pourrait voir un avantage concurrentiel à diffuser telle donnée et à ne pas diffuser telle autre, même si théoriquement, l'une et l'autre auraient dû se retrouver dans une même base de données.

Il est aussi pertinent de vérifier le lien entretenu entre l'organisation publique qui diffuse l'information et le gouvernement. Les instituts nationaux de statistiques sont généralement indépendants du pouvoir politique et ont pour mission de fournir des données fiables et objectives. Par exemple, Statistique Canada et l'Institut de la statistique du Québec proposent des données détaillées sur pratiquement chaque aspect de la société et de l'économie[24]. Il se peut que certains de leurs indicateurs ne rendent pas compte adéquatement des réalités concernées, mais il n'en demeure pas moins que leurs données sont très fiables. Les ministères rendent aussi disponibles plusieurs de leurs données, mais ils ne sont pas tenus de toutes les rendre publiques. Les ministères jouent en effet un rôle important dans la mise en œuvre des politiques gouvernementales; il n'est pas exclu que certaines données puissent nuire aux objectifs de ces politiques, aussi seront-elles gérées avec discrétion (ce que ne pourraient faire les instituts nationaux de statistiques).

Les partis politiques, même ceux au pouvoir, sont par ailleurs des organismes partisans, aussi, le choix des données qu'ils rendent publiques est-il teinté des valeurs qu'ils véhiculent: ils interprètent souvent ces données dans le sens de leurs intérêts. C'est le cas également des instituts de

---

24. Portail de l'Institut de la statistique du Québec: <http://www.stat.gouv.qc.ca>. Portail de Statistique Canada: <http://www.statcan.ca>.

recherche sur les politiques (*think tanks*), par exemple l'Institut économique de Montréal associé à la droite politique ou le Centre canadien de politiques alternatives associé à la gauche, et des groupes d'intérêt qui constituent des forces politiques : organisations patronales, syndicales, mouvements de défense et de promotion de causes, valeurs et intérêts.

Il existe toutefois deux principaux problèmes avec les données recueillies par les gouvernements.

Le premier problème, c'est d'en *connaître l'existence*. Les administrations publiques sont de grandes organisations et il existe peu de dépôts de données secondaires constituées. Là où des répertoires existent, ils regroupent souvent les seules données administratives, à l'exclusion de celles recueillies pour des fins d'analyse de politiques, comme les sondages auprès des clients des programmes. La stratégie la plus efficace pour le chercheur sera de déterminer quels groupes à l'intérieur des fonctions publiques pourraient avoir intérêt à recueillir des informations pertinentes à son sujet de recherche, et les contacter directement. En règle générale, la collaboration des administrateurs publics avec les chercheurs est très bonne. Ainsi, graduellement, le chercheur devrait pouvoir établir une liste des données gouvernementales sur le sujet qui l'intéresse.

Le second problème a trait à la *confidentialité* entourant la diffusion de nombreuses données. Pensons ici aux données nominatives relatives à l'état de santé ou au revenu.

LA CONFIDENTIALITÉ

La Loi sur l'assurance-maladie stipule que tous les renseignements colligés dans le cadre du régime d'assurance-maladie sont confidentiels. La loi indique explicitement la nature des renseignements qui peuvent être diffusés et à qui ils peuvent l'être (bénéficiaire, professionnel, corporation, ordre professionnel, etc.).

Ainsi, en matière d'accès et de protection des renseignements personnels (PRP), la Régie doit se conformer à un régime plus restrictif que celui de la Loi sur l'accès aux documents des organismes publics et sur la protection des renseignements personnels. L'encadrement juridique des renseignements personnels n'est pas uniforme à l'égard de tous les renseignements sociosanitaires[25] et plusieurs règles juridiques gouvernent les renseignements de santé et se superposent toujours malgré les

---

25. Architecture globale « V1 » - Les grande orientations pour l'informatisation du réseau – Cahier 3 : Architecture technologique Sécurité – Volet échange, Service des architectures et des orientations technologiques, ministère de la Santé et des Services sociaux, Document de travail version 1.5, 22 juillet 2004, p. 14.

assouplissements apportés au régime d'accès en 2006[26]. Vous avez nettement avantage à vous informer des conditions d'accès auprès de la Régie.

Les portails des gouvernements canadien et québécois permettent un accès rapide aux données des ministères et autres organismes publics. Le site américain Portals of the World, géré par la Bibliothèque du Congrès américain, propose par ailleurs un répertoire des sites des pays du monde[27].

Les universités

Les universités et les universitaires constituent une autre bonne source de données secondaires. Certaines universités ont établi des dépôts de données – des lieux d'archivage «papier» ou électronique – où les chercheurs peuvent entreposer leurs bases de données. Cette approche favorise à la fois l'utilisateur éventuel qui n'a qu'un endroit à visiter pour connaître les données disponibles, et le propriétaire des données initiales, qui n'a plus à se préoccuper de leur distribution. Cette pratique de rendre disponibles les bases de données déjà constituées dans le cadre de la recherche sociale est généralement très appréciée des organismes subventionnaires de la recherche, qui l'encouragent ouvertement.

Ces dépôts n'ont généralement pas l'envergure des bases de données gouvernementales. Par contre, comme ces données ont été créées à des fins de recherche et de publication, il est possible que les indicateurs utilisés soient plus sensibles aux problèmes de mesure. Leur raison d'être initiale fait aussi en sorte que l'on peut se baser sur les écrits scientifiques existants pour déterminer ce que la discipline ou le champ d'études a déjà fait subir à ces données, et quelles questions n'ont pas encore été abordées. Les données universitaires sont peu coûteuses et généralement accessibles facilement.

Les mémoires et thèses électroniques gagnent également en popularité. Les premières années de l'expérience ont été marquées par la traduction des ouvrages «papier» conventionnels en formats électroniques divers:

---

26. Loi modifiant la Loi sur l'accès aux documents des organismes publics et sur la protection des renseignements personnels et d'autres dispositions législatives, Projet de loi n° 86 (2006, chapitre 22). Sanctionné le 14 juin 2006, Éditeur officiel du Québec, 2006.
27. Portail du gouvernement du Canada: <http://canada.gc.ca>. Portail du gouvernement du Québec: <http://www.gouv.qc.ca>. Répertoire des pays: <http://www.loc.gov/rr/international/portals.html>.

.sgml pour l'archivage ; .pdf, .html ou .xml pour leur diffusion via Internet[28]. De plus en plus, par contre, on retrouvera sur le Web des mémoires et des thèses adaptés aux possibilités de la télématique. Du point de vue des données secondaires, le plus intéressant développement est certes la possibilité nouvelle d'annexer au mémoire et à la thèse électroniques les bases de données afférentes, les rendant ainsi universellement accessibles (tout en respectant les contraintes de confidentialité, lorsque requis).

Cette possibilité vaut également pour les revues scientifiques, qui sont de plus en plus nombreuses à diffuser leurs articles dans Internet, de façon universelle ou par abonnement. L'inflation du nombre de revues a fait en sorte que plusieurs d'entre elles ont adopté une façon modulaire de proposer leurs articles sur le Web : une première recherche permet d'accéder aux mots clés et aux résumés des articles ; les chercheurs intéressés peuvent ensuite obtenir « en ligne » l'article complet. Un troisième niveau permettrait d'accéder aux annexes et aux autres pièces utiles à une meilleure compréhension de la recherche (notamment la méthodologie détaillée, le rapport complet de la recherche et, pourquoi pas, les données utilisées).

Les entreprises privées

Les entreprises privées produisent annuellement des masses de données pour informer leurs clients et actionnaires. La compilation de ces données peut permettre des analyses secondaires intéressantes. Il faut toutefois savoir qu'une entreprise privée ne diffusera pas sur Internet des données qui risquent de miner ses avantages concurrentiels. Bien souvent, c'est au prix de recherches soutenues et de recoupements nombreux que seront constituées les bases de données secondaires utiles à la recherche sociale.

Le prix de ces informations est souvent élevé, puisqu'il revient à l'analyste d'établir la base de données, à moins qu'il ne passe par un tiers qui fait peut-être déjà cette compilation. Comme il y a une demande pour des données secondaires et qu'en économie de marché, à toute demande suffisante correspond une offre (peut-être imparfaite, mais existante), il existe en effet un marché commercial des données secondaires. Le chercheur peut faire appel à des services professionnels de collecte et de mise en forme d'informations secondaires, ni plus ni moins que des courtiers en information.

---

28. Signalons, à titre d'exemple, l'expérience « Cyberthèses » pilotée conjointement par les Presses de l'Université de Montréal et l'Université Lumière de Lyon <http://www.cyber-theses.org>.

On peut relever deux types de fournisseurs. D'abord, il existe des compagnies qui reprennent des données déjà secondaires et les mettent en forme pour une utilisation particulière ou pour un accès plus facile. Par exemple, une firme de Vancouver reprend les données du recensement canadien, construit une base de données hautement performante et y ajoute un logiciel d'interrogation. Ce produit est destiné à quiconque veut dresser un profil sociodémographique de zones géographiques ou rechercher les endroits qui correspondent à un profil particulier.

Un autre type de service professionnel de courtage de données secondaires utilise plutôt des données primaires recueillies par la firme elle-même, qu'elle rend accessibles à ses clients. Par exemple, on peut faire appel à des services d'analyse des médias pour connaître la réponse à une annonce particulière. Le service d'analyse effectue, de façon routinière, une lecture de l'environnement-média et peut extraire de sa base de données corporative les informations qui concernent l'événement qui intéresse ce client.

Les revues spécialisées (professionnelles ou industrielles) offrent également des analyses documentées comportant des données qui peuvent être reprises par d'autres chercheurs. Les références contenues dans ces revues peuvent aussi servir de point de départ pour une recherche de données secondaires pertinentes.

 3   L'ÉVALUATION DES DONNÉES SECONDAIRES

Stewart[29] propose un cadre d'évaluation des sources de données secondaires en six points. Nous le reprenons ici. Notez qu'il est parfois difficile d'apporter des réponses aux six questions posées ; cette difficulté est un indicateur de la qualité de la source de données qui est considérée.

▓ 3.1. Quel était le but de la collecte primaire ?

Il faut d'abord déterminer quels étaient les buts et objectifs poursuivis par la collecte de données primaires. Deux raisons expliquent cette nécessité. D'abord, les intentions originales peuvent colorer les résultats obtenus lors de la collecte de données elle-même. Il vaut donc mieux connaître dès le départ les biais que peut renfermer une source de données particulière.

29.   David W. STEWART, *Secondary Research : Information Sources and Methods*, Newbury Park, Sage Publications, p. 23-33.

En outre, une détermination précise des objectifs de la collecte primaire permettra une évaluation plus juste de la pertinence des données pour les fins poursuivies par l'analyse secondaire : plus rapprochées seront les finalités originales et secondaires, meilleures seront les chances que la seconde recherche utilise fructueusement les données existantes.

▓ 3.2. Qui était responsable de la collecte ?

Le deuxième critère d'évaluation des sources de données est l'identité du responsable (individuel ou institutionnel) de la collecte des informations. Cette préoccupation vise évidemment en partie les biais possibles des sources de données très directement engagées dans l'action et ayant un parti pris par rapport à l'objet de recherche. Mais d'autres dimensions de l'identité de la source de l'information sont également importantes : la compétence technique du responsable de la collecte des données peut être prise en considération dans l'analyse de la crédibilité des informations ; les ressources ordinairement mises à la disposition de l'équipe de recherche ou de l'organisme de collecte de données constituent un autre critère significatif ; la qualité reconnue du travail des responsables, ou leur réputation, est un autre aspect relié à l'identité de la source des données secondaires et qui peut jouer un rôle dans l'évaluation de ces données.

LA RÉGIE DE L'ASSURANCE-MALADIE DU QUÉBEC : UNE GRANDE SOCIÉTÉ DE SERVICES

Comme indiqué précédemment, la Régie de l'assurance-maladie du Québec a été créée en 1969. Elle est une corporation au sens du Code civil. En plus des pouvoirs que lui confère ce statut, la Loi sur la Régie de l'assurance-maladie du Québec lui en attribue d'autres plus spécifiques.

Parmi les fonctions importantes de la Régie, mentionnons l'administration du régime d'assurance-maladie mis en place le 1er novembre 1970 par la Loi sur l'assurance-maladie et l'administration du régime général d'assurance-médicaments en vertu de la Loi sur l'assurance-médicaments depuis janvier 1997. La Régie agit comme un tiers payant : une partie importante de sa tâche consiste à payer, généralement sur réception d'une demande de paiement et à la suite d'un ensemble de validations, différents groupes de dispensateurs du domaine de la santé avec lesquels elle est liée dans le cadre des ententes ou des accords intervenus entre le gouvernement du Québec et ces groupes de professionnels.

Un deuxième volet de la mission de la Régie est de veiller à ce que toutes les personnes qui y ont droit puissent avoir accès aux services de santé et aux services sociaux offerts dans le cadre des régimes et des programmes qu'elle administre. Elle délivre la carte d'assurance-maladie et inscrit au régime public d'assurance-médicaments les personnes qui peuvent en bénéficier.

Elle rembourse aussi, selon les programmes qui lui sont confiés, le coût de services rendus à des personnes ayant une déficience physique, de même qu'en tout ou en partie les services assurés reçus à l'extérieur du Québec.

Parallèlement à cela, la Régie transige avec quelque 25 000 professionnels de la santé au Québec. Elle veille à les rémunérer pour les services rendus aux personnes assurées qui bénéficient des programmes qu'elle administre. Pour y arriver, elle établit l'admissibilité des professionnels aux divers modes de rémunération et gère l'ensemble de l'information pertinente au calcul de leur rémunération.

Outre l'imposante masse de données qui découle de cette administration, depuis 1999, la Régie gère des données pour le compte du ministère de la Santé et des Services sociaux conformément aux termes d'ententes soumises à la Commission d'accès à l'information (CAI). La Régie est également en charge de la diffusion de ces données en provenance du MSSS, de même que celles contenues dans ses banques. Le site Internet de la Régie permet de faire la part des choses à cet égard.

L'ensemble des données des diverses banques de données subissent une transformation à la faveur d'un entreposage normalisé[30] facilitant l'exploitation afin de satisfaire aux multiples besoins en matière d'information sociosanitaire, donnant ainsi suite au troisième volet important de la RAMQ qui est de mettre son actif informationnel à la disposition des chercheurs et des organismes du domaine de la santé et des services sociaux. Les modalités de diffusion sont établies en fonction des besoins exprimés dans le respect des lois et règles de protection des renseignements personnels et des ententes avec les dépositaires de banques de données.

■ 3.3. Quelle information a été recueillie?

Avant de s'attarder aux conclusions ultimes tirées par la source des données, sur quelles informations initiales les données secondaires sont-elles basées? En fait, quelles données primaires a-t-on effectivement réunies? Déterminer la nature des informations initiales, factuelles,

---

30. La RAMQ a fait un effort de normalisation des concepts et des données qui permet d'offrir aux utilisateurs un accès aux données sans pour autant qu'ils aient à connaître le système à partir duquel elles sont puisées. Il s'agit là d'un actif informationnel très fécond.
Source: Plan d'informatisation du réseau de la santé et des services sociaux – Présentation générale, ministère de la Santé et des Services sociaux, 2004, p. 9.

sur lesquelles sont basées les données secondaires est fondamental. On voudra aussi s'assurer de connaître les types de mesures utilisées et les indicateurs retenus par les agents chargés de la collecte des informations secondaires. Toutes ces informations sont nécessaires au jugement à porter sur la validité des données.

▓ 3.4. Quand l'information a-t-elle été recueillie?

Le temps a encore une fois ici un rôle central à jouer dans l'analyse. D'abord, le chercheur voudra préciser quand les données primaires ont été recueillies et à quelle période historique elles se rapportent. Pour certaines recherches, il sera essentiel de décrire le plus complètement possible le contexte socioéconomique et politique au moment de la collecte pour bien fixer le contexte de l'interprétation des données. L'analyste aura également soin d'acquérir des données suffisamment récentes pour que les indicateurs retenus soient représentatifs de la période visée: il est inutile d'utiliser les taux de chômage de 1985 pour décrire la situation de l'économie aujourd'hui. Ce jugement s'applique à rebours: si l'analyste veut discuter de la situation économique de 1985, il s'assurera d'adapter ses données secondaires en conséquence. Finalement, le passage du temps est aussi relié à l'évolution des normes sociales; si l'on suit l'état d'un concept – comme la disponibilité des équipements minimaux dans les logements – en utilisant les critères historiques – comme la présence d'eau courante, dans les années 1950 – sans s'adapter aux normes sociales, on risque l'anachronisme; aujourd'hui, l'absence d'eau courante est l'exception, ce critère ne signifie donc plus grand-chose.

▓ 3.5. Comment a-t-on obtenu l'information?

Tous les aspects techniques de la collecte des données primaires seront aussi passés en revue. L'évaluation de la source passera par l'analyse des paramètres reliés à l'utilisation d'échantillons: la population (effective) à l'étude, la base échantillonnale, le mode de tirage, la taille de l'échantillon, les biais d'échantillonnage possibles, le taux de réponse, etc. On s'intéressera aussi aux procédures de terrain: la formation des assistants de recherche, les modes de validation et d'analyse de la fiabilité intercodeur, la période de collecte, le caractère obligatoire ou facultatif de la participation, etc. Les instruments de mesure retiendront ensuite l'attention: les questionnaires, les formulaires, les guides d'entrevue, etc. Finalement, le chercheur voudra documenter les traitements que les données ont déjà subis: les analyses d'erreurs cléricales, le traitement des valeurs manquantes, les procédures d'imputation de valeurs, les vérifications par post-tests, etc. Tous ces éléments permettent d'établir le portrait réel de la collecte de données et de juger en conséquence de la valeur des informations.

L'ASSISE DU SYSTÈME D'INFORMATION DE LA RÉGIE : LA DEMANDE DE PAIEMENT ET LES FORMULAIRES D'INSCRIPTION

Pour la Régie, l'unité de base du système est le « service ». Par exemple, un service médical est défini par les quatre grandes composantes : l'ensemble des codes décrivant l'acte, le médecin, la personne ayant reçu le soin ou le service et les coordonnées spatiotemporelles (lieu, date).

Lorsqu'un dispensateur (professionnel, établissement ou laboratoire) fournit à une personne admissible des biens ou services assurés, il fait parvenir sa réclamation à la Régie à l'aide de la demande de paiement. Cette demande représente le véhicule de transmission de l'information du dispensateur vers la Régie. La demande fournit généralement de l'information datée sur quatre éléments fondamentaux : le dispensateur, l'acte posé, la personne admissible et l'établissement.

Les demandes de paiement sont traitées par le système d'information de façon à créer un *enregistrement* unique pour chacun des services payés. C'est donc dire que si plus d'un service apparaît sur une demande de paiement, il y aura pour cette demande autant d'enregistrements qu'il y a de services dispensés.

QUELQUES VÉRIFICATIONS ESSENTIELLES EFFECTUÉES SUR LES DEMANDES DE PAIEMENT

Au moment du traitement de la demande de paiement, certaines vérifications sont effectuées en vue de s'assurer de la conformité du service avec la loi, les règlements ou les ententes desquelles relève le professionnel ayant dispensé le service. Ces vérifications portent sur plusieurs aspects dont ceux-ci :

1. L'*identité du bénéficiaire* : nom, adresse, date de naissance, sexe.

   Les informations sur le bénéficiaire apparaissant sur la demande de paiement sont comparées pour validation avec celles contenues dans le fichier inscription des personnes assurées (FIPA).

2. L'*identité du professionnel* : nom, adresse, date de naissance, sexe, spécialité, mode de rémunération.

   Le numéro du professionnel qui apparaît sur la demande de paiement est validé grâce au fichier d'inscription des professionnels (FIP). Le FIP, tout comme le FIPA, sert de valideur à la Régie et peut être également utilisé à des fins de recherche.

3. La *conformité du service fourni en regard des programmes assurés*.

4. *Le dépassement des plafonds tarifaires* déterminés par entente.

Certaines catégories de professionnels sont limitées dans les montants qu'ils peuvent recevoir de la Régie annuellement ou trimestriellement. Un montant maximal est ainsi fixé par les parties négociantes, montant qui varie selon le statut du professionnel (omnipraticien, radiologiste, etc.).

Toutes ces vérifications sont effectuées afin de valider les données primaires : le but de l'exercice est ici de déterminer le bien-fondé de la demande de paiement.

▓ 3.6. L'information est-elle corroborée par d'autres sources ?

En dernier lieu, l'analyste cherchera à établir si d'autres sources d'informations traitant de la même question sont disponibles. Si tel est le cas, il pourra vérifier si les résultats obtenus grâce à sa source de données secondaires privilégiée sont corroborés par d'autres sources. Dans toute recherche sociale, l'utilisation de plusieurs sources de démonstration ou de preuve est plus convaincante que l'apport d'une seule. La découverte de résultats radicalement divergents devrait inciter le chercheur à approfondir son analyse des cinq premières questions d'évaluation posées ci-dessus.

Une large part de ces questions peut trouver réponse dans une bonne documentation de la source de données secondaires. Malheureusement, cette documentation est le plus souvent très insuffisante, sinon inexistante. David[31] propose un cadre très complet de documentation des bases de données. Il soutient que tout analyste secondaire devrait pouvoir répondre aisément à six questions à partir de la documentation existante ; les voici :

– L'utilisateur peut-il reproduire tous les résultats produits initialement par le propriétaire des données secondaires ?

– L'utilisateur peut-il calculer les mêmes estimations que ceux publiés initialement ?

– L'utilisateur peut-il comprendre le plan de recherche et le déroulement des travaux ?

---

31. Martin DAVID, « The Science of Data Sharing : Documentation », dans Joan SIEBER, *Sharing Social Science Data*, Newbury Park, Beverly Hills, 1991, p. 91-115, en particulier les pages 94 et 95. David propose en fait sept questions, mais deux d'entre elles peuvent être regroupées.

- L'utilisateur peut-il déterminer quelles vérifications ont été menées sur la consistance des données et quelles inconsistances ont été détectées? L'utilisateur peut-il connaître les évaluations de la validité des données?

- L'utilisateur peut-il interpréter les données sans ambiguïté?

- L'utilisateur peut-il utiliser les données dans son environnement informatique?

Donc, six questions à poser pour déterminer la valeur d'une source de données secondaires. Qu'en est-il maintenant de l'utilisation de ces données?

4 PROBLÈMES ET SOURCES D'ERREUR DANS L'UTILISATION DES DONNÉES SECONDAIRES

À la section 1, nous avons mentionné quelques inconvénients de l'analyse secondaire. Revenons ici sur quelques problèmes et sources d'erreur dans l'utilisation des données secondaires. Comme l'analyse secondaire diffère à plusieurs égards de l'analyse primaire, nous nous concentrerons sur les problèmes qui n'ont pas été soulevés dans les autres chapitres de cet ouvrage. Plusieurs aspects relevés ici visent la comparabilité des données provenant de plusieurs sources ou d'une même source à travers le temps. Cette insistance met en évidence l'importance de l'utilisation de sources nombreuses en analyse secondaire: le fait de pouvoir accumuler des données à travers le temps et l'espace est l'un des grands avantages de l'analyse secondaire, mais c'est aussi l'une des grandes sources de problèmes.

4.1. L'opérationnalisation difficile des variables

Le problème, peut-être le plus pernicieux de l'utilisation des données existantes, est que le chercheur n'a pas de contrôle sur les indicateurs disponibles. Il doit se contenter des questions posées au questionnaire ou des champs utilisés dans les formulaires. Dans ce contexte, le chercheur sera tenté de relâcher ses normes de traduction des concepts en variables et en indicateurs (voir le chapitre 9 sur la mesure) et d'accepter des opérationnalisations de moindre qualité.

Il existe pourtant d'autres stratégies. Dans tous les cas, cependant, le chercheur devra faire montre de plus de *créativité* que lorsqu'il établit lui-même ses propres données primaires. Par exemple, la combinaison de plusieurs variables peut permettre de définir des typologies. Il sera parfois nécessaire de faire une conversion double du langage conceptuel au langage des indicateurs, c'est-à-dire de développer un indicateur d'un second concept relié empiriquement au concept principal (qui intéresse l'analyse secondaire) plutôt que de mettre au point un indicateur direct du concept principal.

Souvent, *plusieurs éléments ou plusieurs variables* réunis dans une échelle additive (ou multiplicative) permettent de mieux représenter un concept en limitant les faiblesses individuelles de chacun des indicateurs. On emploiera alors des techniques numériques comme l'analyse factorielle, l'analyse alpha ou l'analyse des structures latentes pour construire un indicateur unique qui reflétera l'existence d'une dimension sous-jacente. Quoique peut-être intimidantes au départ, ces techniques deviennent rapidement les meilleurs outils de l'analyste secondaire.

Dans tous les cas, cependant, l'analyste doit conserver un *sens critique* aiguisé par rapport à sa propre recherche. Il importe que l'analyste clarifie les indicateurs employés pour représenter chacun des concepts utilisés dans l'étude et qu'il effectue lui-même une autocritique des forces et faiblesses des indicateurs proposés. C'est à ce prix qu'il conservera sa crédibilité.

▓ 4.2. La comparabilité des données

De nombreux écueils attendent l'analyste qui crée sa base d'information à partir de données primaires issues de diverses sources lorsqu'il s'aventurera dans le domaine de la comparaison et, dans une moindre mesure, dans l'analyse temporelle d'une même source. Le tableau 18.1 en relève quelques-uns.

La stratégie classique pour surmonter ces difficultés consiste à avoir recours au *plus petit dénominateur commun* des différentes sources utilisées. Le défaut de cette approche est évidemment de réduire la richesse des informations, mais le compromis vaut la peine d'être fait dans la mesure où les gains de la comparaison excèdent les pertes en richesse des données.

Tableau 18.1
Problèmes de comparabilité des données primaires

NOMBRE DE CATÉGORIES	D'une source de données à l'autre, le nombre de catégories de classification d'une variable peut changer. Par exemple, on utilise couramment des échelles à 4, 5, 7 ou 11 positions pour quantifier les attitudes; le niveau d'instruction peut être mesuré en années ou en diplôme reçu, etc.
ÉTIQUETAGE DES CATÉGORIES	L'étiquetage des catégories peut différer d'une source à l'autre. Pour décrire les types de partis politiques, on peut parler de partis de droite ou de gauche, conservateurs ou progressistes, socialistes ou libéraux, mais toutes ces étiquettes ne visent pas la même réalité.
CHEMINEMENTS	Les questionnaires, les formulaires, les entrevues ne suivent pas nécessairement des cheminements linéaires. Parfois, une réponse servira à déterminer les prochaines questions. Ces cheminements affectent les réponses fournies et peuvent différer d'une source à l'autre.
OPÉRATION-NALISATIONS	Pour mesurer le même concept, deux sources peuvent utiliser deux mesures différentes. Les compagnies de sondage ont chacune leur question d'intention de vote préférée et, en conséquence, leurs résultats ne sont pas tous comparables.
CONTEXTE ET SÉQUENCE	Le contexte et la séquence des questions dans une entrevue affectent les réponses. Ces différences de contexte doivent être analysées d'une source à l'autre.
VARIATION DE SIGNIFICATIONS	Des questions, des phrases ou des catégories peuvent être interprétés différemment à divers moments ou par des cultures différentes. Le concept de souveraineté ne représente pas la même réalité en 1980 et en 2002 au Québec.
FACTEURS CYCLIQUES	Dans la comparaison de sources de données, il faut prendre garde de confondre changement permanent et facteurs cycliques. Le taux de chômage présente des variations saisonnières très marquées. C'est pourquoi on a développé des facteurs de calcul qui éliminent la composante saisonnière de la série chronologique.

▓ 4.3. La comparabilité des échantillons

La plupart des sources primaires de données secondaires sont basées sur des échantillons. Certaines constituent des décomptes des populations entières, comme le recensement du Canada ou les statistiques sur les actes médicaux au Québec, mais elles sont l'exception. Qui dit échantillon dit problèmes de définition des paramètres de conception du sous-ensemble de la population. On devra donc porter une attention particulière :

- aux *définitions des populations* parce que les exclusions retenues peuvent varier d'une source à l'autre ;

- aux *limites géographiques* des zones retenues pour fins d'échantillonnage puisque ces zones ont tendance à être redessinées avec le passage du temps (les circonscriptions électorales sont un cas patent) ;

- aux *bases échantillonnales* qui sont les listes utilisées pour effectuer le tirage, et qui peuvent varier des listes officielles aux opinions d'experts ;

- aux *types d'échantillons* puisque certaines études utiliseront des échantillons stratifiés, d'autres des échantillons en grappes, certaines s'en tiendront à un échantillon simple, d'autres à des échantillons multiphasiques, etc. ;

- aux *procédures d'échantillonnage*, c'est-à-dire aux opérations pratiques de tirage de l'échantillon comme le sort réservé aux cas échantillonnés mais non joints, le type de randomisation des numéros de téléphone, etc. ;

- aux *filtres utilisés* dans la confection de l'échantillon, comme l'exclusion de certains sujets pour les fins d'un sondage.

Pour résoudre les problèmes de comparabilité des échantillons, il existe de nombreuses solutions qui doivent être adaptées à chaque situation particulière. L'analyste peut introduire des *pondérations* dans la base de données pour rétablir (artificiellement) la comparabilité des sources[32]. Il peut aussi introduire les variables présentant des biais significatifs comme *contrôles statistiques* dans ses modèles prédictifs. Il peut comparer les différentes sources de données après les avoir ramenées au *plus petit dénominateur commun* qui caractérise toutes les bases de données (en éliminant, par exemple, les cas qui ne sont pas retenus dans une autre source)[33]. L'analyste peut aussi ajuster le *traitement des erreurs types*, qui sont toujours traitées de façon très optimiste par les logiciels statistiques

---

32. L'analyste devra toutefois se rappeler que ces pondérations ne corrigent pas les différences relatives aux erreurs types d'une base de données à l'autre. Les pondérations ne rajustent que les distributions marginales des variables utilisées pour le calcul des poids ; l'analyste émet ensuite l'hypothèse que ces modifications améliorent la valeur descriptive des autres variables de la base de données.

33. Cette stratégie a le désavantage de diminuer le nombre de cas disponibles à l'analyse et de créer éventuellement un groupe analytique artificiel.

existants, en réduisant, par pondération, le nombre de cas disponibles pour l'analyse dans les bases de données utilisant les devis d'échantillonnage les plus faibles au regard de l'inférence statistique[34].

■ 4.4. La comparabilité des contextes

Le contexte des études peut affecter grandement les résultats de l'analyse. Le défi de l'analyse secondaire comparative est de distinguer ce qui, parmi les différences de résultats, correspond à des différences réelles de dynamique sociale d'un contexte à l'autre et ce qui est relié aux études, à la mesure et aux méthodes.

Par exemple, des *changements dans la composition* sociodémographique d'une population peuvent faire croire que des modifications importantes au regard des attitudes dans ce groupe ont eu lieu. Il est possible que ces modifications ne soient en fait que des reflets du poids accru d'un sous-groupe. Cette situation peut être corrigée en contrôlant statistiquement les variations démographiques à travers le temps.

Les *périodes de mesure* peuvent différer d'une source à l'autre, l'une fournissant, par exemple, une mesure sur douze mois alors que l'autre porte sur une période de deux ans. Ce problème est fréquent dans la comparaison des données nationales de plusieurs pays. L'analyste peut tenter d'interpoler les changements à l'intérieur de la période la plus longue pour créer artificiellement des périodes de mesure comparables. Il peut aussi reporter les mesures sur des graphes et simplifier l'analyse puisque ses données ne lui fournissent pas d'assises solides pour une analyse plus sophistiquée. L'analyse graphique présente l'avantage de ne pas donner trop de signification à de petites différences.

Comme les contextes évoluent indépendamment des méthodes de mesure et des études, *les concepts changent* aussi au rythme des sociétés. Le concept de « coût de la vie » est communément représenté par l'indice des prix à la consommation ; on utilise cette mesure comme base de calcul de l'évolution du coût de la vie dans le temps. Cependant, les habitudes de consommation changent avec le temps ; le consommateur type évolue lui aussi : la famille de deux parents et deux enfants n'est peut-être pas le

---

34. Les échantillons présentant les effets de plan d'échantillonnage les plus significatifs sont les échantillons par grappe et les échantillons par quota (voir le chapitre 10 sur l'échantillonnage).

meilleur indicateur du coût réel de la vie dans la société actuelle[35]. Comme le concept évolue, la mesure doit suivre, avec des impacts importants sur la comparabilité de l'indice dans le temps.

Les contextes de *collecte des données* peuvent aussi différer d'une source primaire à l'autre. Les collectes par téléphone induisent des biais différents des collectes par entrevue en personne ou par autoadministration ; les collectes volontaires diffèrent des collectes réglementaires ; etc. À ces variations correspondent des biais variables de non-réponse, de sélection, de rappel des événements passés, etc. Malheureusement, il est difficile de contrôler systématiquement ces biais au niveau de l'analyse et de les isoler des effets dus aux tendances de temps ou aux différences dans l'espace.

Finalement, la *composition des équipes de recherche et des équipes d'interviewers* compte aussi parmi les éléments du contexte. Les habitudes ou les pratiques des équipes ou des compagnies de recherche varient et peuvent influer sur les résultats des collectes de données. De même, on a démontré depuis longtemps que les caractéristiques des interviewers influencent les réponses des sujets d'un sondage : les relations de pouvoir et les préjugés jouent un rôle important dans ces relations humaines, comme ailleurs. Or, les compositions des équipes d'interviewers ont changé au cours des années : on recrute aujourd'hui plus de femmes et plus de personnes d'âge mûr. Ces changements pourraient avoir un impact sur la comparabilité des études dans le temps. Ici encore, l'analyste est impuissant devant cet état de choses, étant donné que les caractéristiques des interviewers ne sont pratiquement jamais consignées au dossier d'une entrevue. Dans la comparaison des données de différentes équipes de recherche, l'analyste pourrait toujours tenir compte des réputations et des différences systématiques relevées au cours d'une longue période.

▧ 4.5. L'insuffisance de la documentation

La dernière source de problèmes (mais non la moindre) dans l'utilisation des données primaires est l'insuffisance de la documentation qui les accompagne. Nous avons déjà mentionné que, lorsque le chercheur prend connaissance d'une base de données sans avoir participé à sa création, la documentation est tout ce qu'il a pour s'assurer qu'il interprète les informations correctement. Or, souvent, la documentation est inappropriée.

---

35. Herbert JACOB, *Using Published Data : Errors and Remedies*, Beverly Hills, Sage, 1984, p. 24.

Plusieurs erreurs, parmi les plus courantes dans l'utilisation des données secondaires, sont reliées à ce problème. Les erreurs d'*identification des variables* sont probablement les plus évidentes : devant une série chiffrée, l'analyste peut faire une erreur sur l'identité des données (s'agit-il de données annuelles, par habitant, etc. ?). Les *traitements subis par les variables* sont aussi sources de confusion ; par exemple, les valeurs aberrantes ont-elles été exclues des distributions ? Souvent, les analystes ne sauront que penser des manipulations effectuées sur les *valeurs manquantes* : lorsqu'une information n'était pas disponible pour un dossier, a-t-on laissé le champ en blanc. A-t-on attribué un code particulier ? A-t-on imputé une valeur valide ? Dans le cas de documentations vraiment lacunaires, il est possible que certaines *catégorisations* soient inconnues : on pourrait trouver un champ contenant des données, mais pour lequel la signification des codes n'a pas été documentée. Finalement, on a déjà rencontré des cas où les données étaient simplement *mal étiquetées* : la documentation pouvait signaler que tel groupe était représenté par un certain code alors que la réalité était autre.

Nous n'avons pas dressé une liste exhaustive des difficultés que peut poser l'analyse secondaire. Le lecteur aurait pu croire que les limites de ce type d'analyse en amenuisent l'intérêt. Il n'en est rien. L'analyse de données primaires soulève aussi des difficultés ; les faiblesses de l'analyse secondaire sont simplement différentes, sans être plus insurmontables.

 5 QUESTIONS ÉTHIQUES

L'utilisation de données secondaires soulève des questions éthiques particulières qui valent la peine d'être traitées en marge du chapitre 11 qui traite plus précisément des questions morales. Weil et Hollander[36] proposent de catégoriser les questions éthiques sous les sept en-têtes reprises ici. Pour sa part, Seiber[37] lance plusieurs questions très pertinentes que nous avons placées dans cette classification tout en en ajoutant quelques-unes de notre cru.

36. Vivian WEIL et Rachelle HOLLANDER, « Normative Issues in Data Sharing », dans Joan E. SIEBER, *op. cit.*, p. 151-156.
37. Joan E. SIEBER, « Social Scientists' Concerns About Sharing Data », dans Joan E. SIEBER, *op. cit.*, p. 141-150.

Les questions éthiques, dans le contexte de l'analyse secondaire, se posent tant du point de vue du propriétaire des données (qui, lui, les a recueillies en tant que données primaires) que de celui de l'utilisateur potentiel. Le tableau 18.2 résume les grandes questions qui se posent lors de ce type d'analyse.

TABLEAU 18.2
Questions éthiques soulevées lors de la réutilisation de données primaires

Dimension	Point de vue du propriétaire	Point de vue de l'utilisateur potentiel
Qualité	Comment soupeser les critères de qualité et de disponibilité lorsque les données ne sont pas sans faute?	Que faire lorsque des données publiques, couramment utilisées et obtenues en confiance se révèlent de piètre qualité?
Accès	Comment équilibrer l'accès public aux données avec le juste retour sur investissement pour le premier collecteur?	L'utilisateur peut-il donner accès aux données à son tour?
Droits de propriété	Le collecteur peut-il refuser la publication de ses données en clamant sa propriété dans un contexte où la transparence des démonstrations est la base de l'accumulation des connaissances?	Quelle forme de reconnaissance publique doit-on au collecteur des informations?
Entretien/ support	Quelles responsabilités le propriétaire a-t-il de documenter, entretenir et supporter sa base de données?	Doit-on utiliser des données insuffisamment documentées au risque d'utiliser des données erronées ou de ne pas vérifier des théories valables?
Confidentialité	Combien d'informations peut-on transmettre en confiance sans briser le lien de confidentialité?	Quelles normes de confidentialité doit-on utiliser lorsqu'on traite plusieurs sources d'information parallèlement?
Consentement éclairé	Comment peut-on obtenir le consentement éclairé des sujets si l'on ne connaît pas les utilisations futures des données?	Où se trouve la limite des utilisations secondaires acceptables des données?
Utilisation	Peut-on refuser l'accès aux données parce qu'elles n'ont pas été recueillies dans le but poursuivi par l'analyse secondaire?	Y a-t-il une limite à la variété des utilisations permises?

CONCLUSION

Les données secondaires présentent, à plusieurs points de vue, un très grand intérêt pour les chercheurs en sciences sociales. Elles sont « écologiques » puisqu'elles réutilisent les ressources informationnelles existantes tout en minimisant l'apport requis de nouvelles ressources pour produire une nouvelle connaissance ; elles sont dans le droit fil de l'accumulation de la connaissance par la remise en question des démonstrations passées ; elles facilitent l'analyse de plusieurs situations comparables et la prise en considération du passage du temps dans les dynamiques analysées ; etc.

Par contre, comme nous l'avons vu tout au cours de ce chapitre, la réutilisation, ou le recyclage, de données primaires soulève plusieurs problèmes sérieux d'analyse. Nous voudrions clore cette discussion en présentant quelques pistes de réflexion en ce qui concerne l'avenir réservé aux données secondaires.

D'abord, nous croyons que, compte tenu des restrictions financières de plus en plus contraignantes imposées aux collectes de données, les chercheurs qui recueilleront les données primaires (qui deviendront éventuellement des données secondaires) seront tenus de *considérer, dans leur planification de collecte de données, les besoins futurs des analyses secondaires les plus prévisibles.* Il n'est évidemment pas facile de prévoir les analyses qui seront menées et les besoins qu'elles présenteront ; néanmoins, plus on publiera sur les besoins des analyses secondaires et sur les écueils rencontrés, plus les analystes primaires seront à même d'agir en conséquence.

Aussi, la problématique de *l'intégration des bases de données afférentes aux ouvrages savants disponibles « en ligne »* sera très certainement à l'ordre du jour, au cours des prochaines années. Cela pose certains problèmes, d'un point de vue éthique notamment. Au plan des modalités par ailleurs, les universités et les revues scientifiques hésitent encore à prendre en charge et à gérer sur leurs serveurs la diffusion de ces pièces supplémentaires, aussi est-il probable que les chercheurs intéressés à rendre disponibles leurs données de recherche les logeront plutôt sur leurs propres serveurs, et elles seront liées à l'article par des hyperliens.

Enfin, dans le domaine de la recherche sociale, *la production de plus en plus importante de recherches qualitatives*[38], s'appuyant notamment sur la *grounded theory*, et, plus généralement, de données qualitatives (contenu

---

38. Plus spécifiquement à propos de l'analyse secondaire de données qualitatives, voir Janet HEATON, « Secondary Analysis of Qualitative Data », *Social Research Update*, University of Surrey, Angleterre, 1998, 6 p. Document en ligne : <http://www.soc.surrey.ac.uk/sru/SRU22.html>. Également Louise CORTI, « Progress and Problems of Preserving and

d'entrevues ouvertes, enregistrements audio et vidéo, images, etc.) *ne sera pas sans soulever plusieurs défis en termes d'archivage et d'accès à ces archives à des fins de recherche.*

Il faudra d'abord convaincre les chercheurs et les organismes subventionnaires de la nécessité de conserver et de rendre accessibles les données de leurs recherches. Plusieurs voient encore ces données comme leur propriété personnelle... Il faudra également s'assurer que les données sont accessibles à toute personne intéressée. Ce n'est pas simple, compte tenu des coûts souvent prohibitifs d'archivage de données qualitatives et à celui de leur diffusion. À ce chapitre, certains propriétaires, généralement gouvernementaux, possèdent les ressources humaines et financières pour faire parvenir gratuitement des CD ou des DVD aux demandeurs de données. Par contre, d'autres propriétaires n'ont tout simplement pas les moyens de gérer les demandes en provenance de l'extérieur. Il en va de même pour la qualité des données archivées : devrait-elle faire l'objet de protocoles de standardisation nationaux ? Des garanties devront également être apportées au moment de l'accès quant au respect de la confidentialité et à la préservation de l'anonymat des répondants. On saisit l'ampleur du défi dans le cas des enregistrements vidéo. On aura compris que dans un tel contexte, le support à l'utilisateur s'avère indispensable. En outre, ceux qui veulent donner une seconde vie aux données qualitatives doivent être prêts à livrer certains renseignements (leur nom, le but de la recherche, etc.), une information qui permet aux propriétaires de banques de données de garder des traces de l'utilisation de ces banques et de justifier, auprès de leur sponsor ou du gouvernement, les dépenses liées à la pérennité de leurs sites.

C'est, entre autres, pour résoudre ce genre de problèmes relatifs à l'archivage et à la diffusion des données qualitatives que des organismes comme Qualidata[39], en Grande-Bretagne, ont été créés. Ce type d'organisme, encore exceptionnel aujourd'hui, assure depuis quelques années la promotion de l'utilisation de données qualitatives, de leur archivage et de leur diffusion. Qualidata n'est pas dépositaire de l'ensemble des données qu'il rend disponibles. Dès lors, il faut travailler de concert avec les propriétaires des données et leurs sponsors pour établir éventuellement des protocoles concernant la qualité et l'accessibilité aux données. Pour

---

Providing Access to Qualitative Data for Social Research – The International Picture of an Emerging Culture », *Forum : Qualitative Social Research* (FQS), vol. 1, n° 3 – décembre 2000, 20 p., <http://qualitative-research.net/fqs/fqs-eng.htm>.

39. En Grande-Bretagne, Qualidata fournit un service national d'acquisition, de dissémination et de réutilisation des données de recherche qualitatives. Cette unité très spécialisée est logée au United Kingdom Data Archive (UKDA : <http://www.data-archive.ac.uk/>) à l'Université d'Essex. Voir le site : <http://www.qualidata.essex.ac.uk/>.

l'heure, ces partenariats restent à bâtir dans la plupart des pays du monde. Notons enfin que ces défis relatifs à l'archivage des données qualitatives sont exacerbés au plan international. C'est en écho à ces préoccupations qu'a été créé à Cologne, en octobre 2000, l'International Network for Qualitative Data (INQUADA). Les principaux objectifs de l'INQUADA sont les suivants[40] : procurer un forum pour les professionnels impliqués dans la préservation et la diffusion de données qualitatives ; promouvoir la préservation, la dissémination et la réutilisation de ces données ; soutenir l'échange de ces données et le travail en collaboration ; disséminer des guides des meilleures pratiques relatifs à la manière de préserver, de disséminer et de réutiliser les données qualitatives ; développer et raffiner des standards afin de documenter un vaste éventail de données qualitatives.

Si nous réussissons dans les prochaines années à relever ces nombreux défis, nous pouvons espérer, mieux qu'aujourd'hui, profiter pleinement des données existantes par leur judicieux recyclage.

BIBLIOGRAPHIE ANNOTÉE

DALE, Angela, Ed FIELDHOUSE et Clare HOLDSWORTH, *Analyzing Census Microdata*, University of Liverpool, G.-B., Arnold Publication, 2000, 256 pages.

Ce volume s'intéresse au fait que l'utilisation des données de recensement constitue une part importante de plusieurs activités de recherche dans des domaines aussi variés que la géographie, la démographie, la sociologie, l'économique, la politique et les statistiques. Une section du volume propose d'ailleurs de nombreux exemples d'analyse de données de recensement dans ces différents domaines. Les auteurs proposent des outils permettant de vérifier la qualité de l'information initialement recueillie, présentent des techniques statistiques utiles à l'exploitation de ces données et indiquent comment modéliser les données de manière à tirer des inférences à l'ensemble de la population[41].

JACOB, Herbert, *Using Published Data : Errors and Remedies*, Beverly Hills, Sage, 1984, 63 pages.

Ce livre traite principalement des problèmes que peut poser l'analyse secondaire : les problèmes d'échantillonnage, les erreurs de mesure et les questions de fiabilité des informations. Dans chaque cas, il

---

40. Louise CORTI, *op. cit.*, p. 17-18.
41. Adapté du résumé du site Internet <http://www.oup-usa.org/isbn/0340692286.html>.

présente une série de problèmes pratiques et explique clairement la nature de chacun d'eux et les solutions possibles. La lecture de ce petit livre fournira au chercheur un outillage essentiel pour mener ses analyses secondaires de façon critique.

KIECOLT, K. Jill et Laura E. NATHAN, *Secondary Analysis of Survey Data*, Newbury Park, Sage, 1985, 87 pages.

Après une brève discussion des avantages et inconvénients de l'utilisation des données secondaires, cet ouvrage traite longuement (eu égard à la taille du livre) des sources de telles données. Malheureusement, la présentation est essentiellement axée sur la situation américaine et n'est donc que partiellement transposable à notre contexte. Malgré tout, certaines suggestions d'avenues de recherche pourraient être fructueuses au Québec. Dans la dernière section, les auteurs s'attardent à différentes stratégies de recherche qui s'offrent à l'analyste secondaire.

SIEBER, Joan E., *Sharing Social Science Data: Advantages and Challenges*, Newbury Park, Sage, 1991, 168 pages.

Cet ouvrage réunit des articles extrêmement intéressants sur l'échange de données et, donc, sur l'utilisation des données secondaires. Une introduction générale établit les enjeux principaux reliés à l'analyse secondaire et à l'obtention de données secondaires. Des huit autres chapitres, trois présentent des expériences pratiques de partage de données dans les domaines de la démographie, de l'anthropologie et de la criminologie. Deux autres chapitres traitent de la question complexe de la documentation des données secondaires, condition *sine qua non* de l'utilisation intelligente de ces bases de données. Un autre chapitre décrit l'utilité des données secondaires dans l'enseignement de la méthodologie de la recherche et de la statistique alors que les deux derniers chapitres s'arrêtent aux questions éthiques reliées à l'utilisation des données secondaires. Bien qu'un peu décousu, ce livre comprend une série d'articles des plus utiles pour la compréhension des conditions pratiques d'utilisation des données secondaires.

STEWART, David W., *Secondary Research: Information Sources and Methods*, 2ᵉ éd., Newbury Park, Sage, 1993, 133 pages.

Conçu comme un traité sur l'utilisation des données secondaires, cet ouvrage n'atteint pas cet objectif. Il fournit cependant quantité d'informations utiles à l'analyste secondaire. Après un survol des avantages et inconvénients des données secondaires par rapport aux données primaires, l'auteur propose un cadre d'analyse des sources de données secondaires qui permet de porter un jugement sur l'utilité, la validité et la fiabilité de ces données. Suit une présentation des sources américaines de données existantes; comme mentionné ci-dessus, ce type de présentation est de peu d'utilité hors des frontières nationales. En revanche, deux chapitres, portant respectivement sur les données commerciales et les données disponibles par réseau informatique, innovent et éclairent un domaine généralement laissé dans l'ombre. Un bref chapitre de clôture introduit le thème de l'intégration des résultats de l'analyse secondaire de plusieurs sources et l'adjonction de données primaires.

4

LA CRITIQUE
DE LA MÉTHODOLOGIE

LA RECHERCHE-ACTION

André DOLBEC et Luc PRUD'HOMME

Si vous voulez comprendre un système, essayez de le changer.

Kurt LEWIN

Dans le monde de la recherche en sciences humaines, les chercheurs nourrissent souvent l'idée qu'une fois qu'ils ont trouvé la solution aux problèmes et qu'ils l'ont partagée avec les praticiens, ceux-ci n'ont alors qu'à l'appliquer pour changer la situation jugée problématique. Pourtant, l'expérience nous démontre qu'il existe toujours un fossé entre les chercheurs et ceux qui sont impliqués dans le feu de l'action. Devant ce constat, la recherche-action se propose depuis plus de cent ans comme une alternative à la recherche traditionnelle qui veut croire que le nouveau savoir engendré par la recherche est suffisant pour produire le changement social. Contrairement à d'autres formes de recherche dans lesquelles le chercheur vise, sinon l'objectivité, du moins la neutralité, ce type de recherche s'est donné comme objectif d'influencer directement le monde de la pratique. La recherche-action se veut ainsi une réponse à la critique dirigée contre les sciences sociales qui semblent incapables de fournir, par leurs recherches, des réponses aux nombreux problèmes sociaux qui persistent toujours : le racisme, la pauvreté, l'analphabétisme, la dégradation de l'environnement et les systèmes scolaires peu performants[1]. Par

1. Peter REASON et Hilary BRADBURY (dir.), *Handbook of Action Research : Participative Inquiry and Practice*, 2ᵉ éd., Londres, Sage, 2008, 752 pages.

son évolution, ses objets de recherche, ses démarches et les valeurs qui la portent, elle se propose toujours aujourd'hui comme une voie rigoureuse permettant aux chercheurs professionnels d'être des citoyens socialement engagés au sein de leur communauté. De plus, il semble qu'elle interpelle toute la communauté scientifique sur le rôle plutôt passif qu'ont pu jouer ses acteurs eu égard aux problématiques sociales contemporaines. Elle les invite à s'engager, maintenant et activement, pour contribuer à l'épanouissement de nos sociétés démocratiques.

La recherche-action n'est pas seulement utilisée dans les universités, on la retrouve partout : dans les Centres locaux de services communautaires (CLSC), les organisations non gouvernementales (ONG), les agences de développement international, dans les écoles et dans les entreprises. Qui plus est, de nombreux chercheurs, en provenance de différentes disciplines telles que l'éducation, le travail social, les communications, la gestion et le développement organisationnel, la sociologie, l'anthropologie et les sciences infirmières, la pratiquent. Son utilisation dans différentes communautés de recherche pourrait expliquer, selon Greenwood et Levin[2], pourquoi il est difficile d'avoir accès à ces résultats car les chercheurs ne partagent pas leurs connaissances en dehors de leurs communautés et ne lisent pas et n'écrivent pas dans les mêmes revues.

La recherche-action est parfois perçue comme un paradigme, une approche et une méthodologie de recherche. Mais qu'est-elle au juste ? Dans ce chapitre, nous essaierons de répondre à cette question en présentant, dans un premier temps, son évolution à travers le temps. Par la suite, nous étudierons l'influence des différents paradigmes sur la nature de la recherche-action et nous terminerons en brossant un tableau de ses principales caractéristiques et méthodologies.

---

2. Davydd J. GREENWOOD et Morten LEVIN, *Introduction to Action Research : Social Research for Social Change*, Thousand Oaks, Sage, 1998, 274 pages.

1 L'ÉVOLUTION DE LA RECHERCHE-ACTION À TRAVERS LE TEMPS

Plusieurs auteurs ont tenté de faire l'historique de la recherche-action. À titre d'exemple, citons Cunningham[3]; Dubost[4]; Goyette et Lessard-Hébert[5]; Grundy et Kemmis[6]; Hodgkinson[7]; Hult et Lennung[8]; Kemmis et McTaggart[9]; King et Lonnquist[10]; Lavoie, Marquis et Laurin[11]; McKernan[12]; McNiff[13]; Nodie Oja et Smulyan[14]; Noffke[15, 16]; Peters et Robinson[17]; Savoie-Zajc[18] et Liu[19].

---

3. J. Barton CUNNINGHAM, *Action Research and Organizational Development*, Westport, Conn., Praeger, 1993.

4. Jean DUBOST, « Une analyse comparative des pratiques dites de recherche-action », *Connexions*, vol. 43, 1984, p. 8-28.

5. Gabriel GOYETTE et Michelle LESSARD-HÉBERT, *La recherche-action : ses fonctions, ses fondements et son instrumentation*, Québec, Presses de l'Université du Québec, 1987.

6. S. GRUNDY et S. KEMMIS, « Educational Action Research in Australia : The State of the Art (An Overview) », dans S. KEMMIS et R. MCTAGGART (dir.), *The Action Research Reader*, Geelong, Australie, Deakin University Press, 1988, p. 321-335.

7. Harold L. HODGKINSON, « Action Research : A Critique », *Journal of Educational Sociology*, vol. 31, n° 4, 1957, p. 137-153.

8. M. HULT et S. LENNUNG, « Toward a Definition of Action Research : A Note and Bibliography », *Journal of Management Studies*, vol. 17, mai 1980, p. 241-250.

9. S. KEMMIS et R. MCTAGGART (dir.), *The Action Research Reader*, Geelong, Australie, Deakin University Press, 1988.

10. Jean A. KING et M. Peg LONNQUIST, *A Review of Action Research (1944-present)*. Center for Applied Research and Educational Improvement, College of Education, University of Minnesota. Article présenté à la réunion annuelle de l'American Educational Research Association (AERA), New York, 1996.

11. Louisette LAVOIE, Danielle MARQUIS et Paul LAURIN, *La recherche-action : théorie et pratique*, Québec, Presses de l'Université du Québec, 1996.

12. J. MCKERNAN, « The Countenance of Curriculum Action Research : Traditional, Collaborative, and Emancipatory-critical Conceptions », *Journal of Curriculum and Supervision*, vol. 3, 1988, p. 173-200.

13. Jean MCNIFF, *Action Research : Principles and Practice*, Londres, Macmillan, 1988.

14. Sharon NODIE OJA et Lisa SMULYAN, *Collaborative Action Research : A Developmental Approach*, Londres, Falmer Press, 1989.

15. Susan E. NOFFKE, « Action Research : Towards the Next Generation », *Educational Action Research*, vol. 2, 1994, p. 9-21.

16. Susan E. NOFFKE, « Professional, Personal and Political Dimensions of Action Research », dans Michael W. APPLE (dir.), *Review of Research in Education*, Washington, D.C., American Educational Research Association, 1997, p. 305-343.

17. M. PETERS et V. ROBINSON, « The Origins and Status of Action Research », *Journal of Applied Behavioral Science*, vol. 20, 1984, p. 113-124.

18. Lorraine SAVOIE-ZAJC, « La recherche-action en éducation : ses cadres épistémologiques, sa pertinence, ses limites », dans M. ANADON et M. L'HOSTIE (dir.), *Nouvelles dynamiques de recherche en éducation*, Québec, Presses de l'Université Laval, 2001, p. 15-49.

19. M. LIU, *Fondements et pratiques de la recherche-action*, Paris, L'Harmattan, 1997.

▓ 1.1. La recherche-action et le changement social

Même si elles ne sont pas souvent citées, les recherches menées par John Collier[20] ont eu un apport important sur la recherche-action. En effet, sa préoccupation pour travailler sur le terrain en collaboration avec les communautés de même que son désir de faire un lien entre l'action sociale et la recherche ont eu une influence marquée sur ses contemporains, soutient Noffke.

Kurt Lewin est souvent perçu comme celui qui est à l'origine de cette approche puisqu'il est le premier à avoir utilisé l'expression « *action research*[21] » pour caractériser les expérimentations qu'il menait dans l'action. Ayant quitté son Allemagne natale pour fuir le nazisme, il est facile de comprendre son intérêt et sa préoccupation pour l'étude des problèmes sociaux. Psychologue de formation, il est le pionnier des théories expliquant la dynamique des groupes et le changement social : il découvrit qu'en utilisant l'influence d'un groupe, il pouvait amener les gens à changer leurs attitudes et leurs comportements beaucoup plus rapidement que s'il s'adressait à eux sur une base individuelle. Il démontra que ceux qui participent à la prise de décision augmentent leur productivité et que la participation active est une meilleure stratégie de changement que la participation passive.

Ses travaux de recherche l'amenèrent à étudier le phénomène du changement. Il en décrivit les phases et les valida par des expérimentations dans l'action. C'est ainsi qu'il a créé un nouveau rôle pour le chercheur : il n'était plus un observateur distant, il commençait à s'impliquer dans la résolution de problèmes concrets. Sa méthodologie consistait à aller sur le terrain examiner, avec les gens, les problèmes réels auxquels ils étaient confrontés. Son objectif était de construire une théorie émanant de la recherche portant sur des problèmes pratiques. Il remit donc en cause le rôle traditionnel de la recherche sociale qui était jusqu'alors effectuée en dehors de l'action. Selon lui, la recherche devait plutôt aborder directement les problèmes sociaux et inclure les praticiens du milieu dans toutes ses phases afin que « […] l'action devienne de la recherche et la recherche de l'action[22] ».

---

20. John COLLIER, « United States Indian Administration as a Laboratory of Ethnic Relations », *Social Research*, vol. 12, 1945, p. 265-303.
21. Kurt LEWIN, « Action Research and Minority Problems », *Journal of Social Issues*, vol. 2, 1946, p. 34-46.
22. Alfred J. MARROW, *The Action Theorist*, New York, Teachers College Press, 1969, p. 193.

Il désirait donc produire des connaissances à partir d'une recherche qui aurait lieu dans l'action. Il voyait ses interventions comme étant la mise en œuvre simultanée de trois sous-processus : l'action, la recherche et la formation. Cette façon de concevoir son travail donna naissance à une approche globale puisqu'elle rassemblait trois pratiques différentes habituellement séparées : la pratique de la recherche effectuée par des chercheurs professionnels, la pratique de la formation effectuée par des formateurs, des enseignants ou des intervenants sociaux et toute autre pratique dans laquelle des acteurs sont engagés.

Dans ses débuts, sous l'influence de Collier et de Lewin, la recherche-action avait donc pour but d'amener des réformes (changer les préjugés et la discrimination raciale, développer l'agriculture ou améliorer les processus de production industrielle) et de développer des théories sur le changement. Dans leur rôle de planification sociale, les chercheurs de l'époque venaient de l'extérieur de la situation pour y mener des études qui permettaient aux acteurs de mieux atteindre leurs objectifs tout en essayant de comprendre le processus par lequel on pouvait amener le changement.

▮ 1.2. La recherche-action en éducation

Plusieurs citent les travaux de John Dewey comme précurseur de la recherche-action en éducation (Kemmis[23]; King et Lonnquist; Noffke). Celui-ci rêvait de créer une science de l'éducation où les enseignants participeraient activement à un nouveau processus de recherche alliant l'élaboration de théories utiles à une forme d'investigation enracinée dans la pratique. D'après Greenwood et Levin, ce qui caractérise le plus la pensée de Dewey est son refus de séparer la pensée de l'action. Selon ce dernier, la connaissance trouve sa source dans l'action et non dans la spéculation. C'est ce qui l'amena à vouloir transformer les écoles pour qu'elles deviennent des lieux permettant aux élèves d'apprendre en ayant à résoudre des problèmes au moyen des habiletés apprises de la science, de l'histoire et de l'art. Dans de telles écoles, les élèves ne sont plus des contenants qui se font remplir de connaissances ; ils sont, au contraire, invités à devenir des apprenants actifs.

Stephen Corey[24] fut le premier à écrire sur la recherche-action comme moyen d'améliorer l'enseignement dans les écoles. Il constata que la méthode scientifique n'avait pas d'importance pour les praticiens et que,

---

23. Stephen KEMMIS, « Improving Education Through Research », dans Ortrun ZUBER-SKERRITT, *Action Research for Change and Development*, Aldershot, Avebury, 1994, p. 57-75.
24. Stephen COREY, *Action Research to Improve Schools Practices*, New York, Teachers College Press, 1953.

de leur côté, la plupart des chercheurs en éducation en arrivaient à des généralisations qui étaient rarement investies dans le milieu scolaire. Pour Corey, la recherche devait être menée par les praticiens eux-mêmes à travers « l'étude scientifique de leurs propres problèmes dans le but de guider, de corriger et d'évaluer leurs décisions et leurs actions ». Il encouragea les enseignants à faire de la recherche sur leur propre pratique afin de la perfectionner. La recherche-action devenait une activité valable du fait qu'elle pouvait conduire à l'amélioration de la pratique et que les connaissances produites étaient réinvesties dans des contextes particuliers.

À l'instar de Lewin, Corey accentua la nécessité, pour les chercheurs et pour les enseignants, de travailler ensemble sur des préoccupations communes. La coopération entre les enseignants, d'une part, et entre les enseignants et les chercheurs, d'autre part, augmentait la probabilité que les participants à la recherche s'engagent dans un processus de changement à la suite des résultats obtenus. Plutôt que d'être les sujets d'une expérimentation pilotée de l'extérieur, les enseignants devenaient eux-mêmes les expérimentateurs.

En 1957, Hodgkinson[25] écrivit un article très critique de ce type de recherche devenu désormais populaire chez les enseignants. Selon lui, les praticiens manquaient de familiarité avec les techniques de recherche de base et la recherche n'avait pas de place pour les amateurs. Son argument était que la recherche-action menée par les enseignants n'était pas vraiment de la recherche parce qu'elle ne satisfaisait pas aux critères de la validité scientifique, c'est-à-dire les critères de la recherche positiviste. Parce qu'elle n'était plus perçue comme scientifique, les organismes subventionnaires commencèrent alors à la bouder.

On peut reconnaître, en effet, que cette dernière ne répondait pas aux critères de validité des méthodologies de la recherche positiviste de l'époque. Corey soutenait que d'autres critères devaient être utilisés pour la juger compte tenu de l'impact considérable qu'elle avait sur les enseignants. La recherche-action telle qu'elle était pratiquée par les enseignants commença à être perçue de plus en plus comme une stratégie de développement professionnel plutôt qu'une méthodologie qui conduisait à la production de connaissances. En même temps, les chercheurs universitaires commencèrent à changer de rôles : de collaborateurs qu'ils étaient devenus, ils revinrent au rôle d'experts externes qui détiennent les connaissances et qui facilitent le processus de perfectionnement des enseignants.

---

25. H.L. HODGKINSON, « Action Research : A Critique », *Journal of Educational Sociology*, vol. 31, n° 4, 1957, p. 137-153.

La recherche-action se présentait donc comme différente de la recherche sociale telle qu'elle était pratiquée puisqu'elle s'éloignait des méthodologies utilisées par les sciences exactes et l'ingénierie. Non seulement se proposait-elle comme un modèle de recherche centré sur les communautés et la pratique réflexive, mais elle critiquait aussi l'approche selon laquelle les chercheurs universitaires publiaient les résultats de leurs recherches pour qu'ils soient ensuite appliqués par les professionnels ou les techniciens du terrain. Toutefois, malgré ses tentatives pour changer le paradigme dominant de l'époque, Sanford[26] rapporte que l'intérêt pour la recherche-action se met à décliner à la fin des années 1950.

■ 1.3. La recherche-action comme instrument de développement personnel et professionnel

Au milieu des années 1970, les mentalités ayant commencé à changer, de nouvelles façons de concevoir la recherche-action apparaissent, d'abord, en Grande-Bretagne et, plus tard, aux États-Unis. L'applicabilité des méthodologies expérimentales et quantitatives par rapport aux contextes et aux problèmes sociaux est encore une fois remise en question. Dans leur historique de la recherche-action, Nodie Oja et Smulyan voient dans ce questionnement l'origine du nouvel élan pris par la recherche-action. Elles relèvent deux critiques qui étaient formulées par les chercheurs et les praticiens à l'égard des exigences méthodologiques des approches positivistes qui étaient toujours populaires dans les sciences humaines. La première concernait la méthode expérimentale qui exige que les conditions de recherche soient tenues constantes tout au long de l'expérimentation. La seconde critiquait la linéarité des méthodologies de recherche et soulignait leur incapacité à produire de l'information sur leur efficacité pendant leur déroulement plutôt qu'après qu'elles furent terminées. Ces exigences méthodologiques entraient en conflit avec le besoin des praticiens de modifier et d'améliorer leurs interventions pendant l'action et limitaient l'utilité de la recherche comme instrument de décision pour les praticiens. Le modèle de recherche positiviste est donc à nouveau remis en question ouvertement.

Lawrence Stenhouse[27] devait implanter, en Angleterre, un nouveau programme national d'envergure appelé le «Humanities Curriculum Project». Cherchant une stratégie de changement efficace, il s'inspire de

---

26. N. SANFORD, «Whatever Happened to Action Research?», *Journal of Social Issues*, vol. 26, n° 4, 1970, p. 3-23.
27. Lawrence STENHOUSE, *An Introduction to Curriculum Research and Development*, Londres, Heineman, 1975.

Corey et développe l'idée de l'enseignant chercheur (*teacher researcher*). Stenhouse décide de considérer l'enseignement comme une forme de recherche. Selon lui, la démarche empruntée par l'enseignant pour étudier sa pratique pédagogique, en vue de l'améliorer, est un moyen efficace pour modifier le curriculum et favoriser le développement professionnel des praticiens. C'est ainsi qu'il invite ces derniers à devenir des chercheurs réflexifs, des praticiens capables d'être critiques et systématiques dans l'analyse de leurs interventions éducatives. Il leur suggère de travailler en équipes pour interpréter les données recueillies par chacun.

Vers la même époque, un autre britannique, du nom de John Elliott[28], s'inspire des travaux de Stenhouse dans le but d'inciter les enseignants à utiliser la recherche pour s'améliorer. Il renforce l'idée selon laquelle les praticiens, s'ils veulent produire des changements fondamentaux dans leur enseignement, doivent devenir des participants conscients et engagés dans le développement des théories reliées à leurs préoccupations. D'après lui, c'est seulement en participant à la planification, à l'implantation et à l'évaluation des nouvelles pratiques que les enseignants vont accepter et utiliser les résultats de la recherche.

Dans les années 1970, certains chercheurs utilisent toujours le paradigme scientifique traditionnel pour mener des recherches sur le terrain dans le but de trouver des solutions généralisables aux malaises de la société alors que d'autres préfèrent utiliser des méthodes qualitatives pour interpréter les problématiques reliées à des situations réelles. Selon King et Lonnquist, les travaux des Britanniques permettent de voir émerger une nouvelle approche au regard de la recherche en éducation. Leurs façons de faire de la recherche-action se caractérisent toutes par une centration sur les besoins des praticiens. Les travaux de recherche effectués par Donald Schön[29, 30] viennent apporter de la validité à cette «deuxième génération» de la recherche-action. Dans cette approche, la dynamique du pouvoir entre les acteurs et les chercheurs change. Les praticiens ne sont plus des subordonnés vis-à-vis des chercheurs universitaires. Ils deviennent eux-mêmes des chercheurs préoccupés par la production d'un savoir qui leur est signifiant. La théorie engendrée par leur recherche est pratique et s'enracine dans le quotidien. Finalement, l'idée de collaboration évolue. Elle ne met plus en jeu des chercheurs universitaires et des enseignants, mais

---

28. John ELLIOTT, «Developing Hypotheses about Classrooms from Teachers' Practical Constructs: An Account of the Work of the Ford Teaching Project», *Interchange*, vol. 7, n° 2, 1977, p. 2-21.
29. Donald SCHÖN, *The Reflective Practitioner: How Professionals Think in Action*, New York, Basic Books, 1987.
30. Donald SCHÖN, *Educating the Reflective Practitioner: Toward a New Design for Teaching and Learning in the Professions*, San Francisco, Jossey-Bass, 1987.

s'effectue entre des enseignants qui aident des collègues à donner du sens à leur pratique. On voit donc la recherche quitter le monde universitaire pour être appropriée par les enseignants.

D'autres auteurs (Zuber-Skerritt[31], Bawden[32] et Nodie Oja) associent le processus de cette «deuxième génération» de la recherche-action au modèle d'apprentissage expérientiel de Kolb[33]. Selon ce dernier, les personnes peuvent apprendre et créer la connaissance 1) sur la base de leur expérience concrète, 2) par l'observation et la réflexion sur leur expérience, 3) en formant des concepts abstraits et des généralisations, et 4) en testant l'implication de ces concepts dans de nouvelles situations, ce qui conduit à une nouvelle expérience concrète et, par conséquent, à l'amorce d'un nouveau cycle. Soulignons au passage que ce modèle dérange les chercheurs professionnels et universitaires qui ont tendance à valoriser le travail de conceptualisation abstraite.

Selon Bawden, la démarche expérientielle mise de l'avant par Kolb peut se comprendre comme une recherche-action parce que quatre résultats se produisent dans le contexte d'une connaissance rendue publique et sujette à la critique:

1. La pratique du praticien est améliorée.

2. La compréhension de la pratique du praticien est améliorée.

3. La situation dans laquelle la pratique est pratiquée est améliorée.

4. La compréhension, de la part du praticien, de la situation dans laquelle la pratique est pratiquée est améliorée.

Cette démarche de recherche-action, effectuée en collaboration avec d'autres apprenants du milieu, fournit un environnement propice et informé, capable d'offrir la critique nécessaire pour valider les apprentissages du chercheur-praticien. Ce processus amène alors un changement dans la prise de conscience du chercheur qui peut, par la suite, articuler son savoir d'expérience, ce qui a éventuellement comme conséquence le changement du système dans lequel il intervient.

---

31. Ortrun ZUBER-SKERRITT, *Action Research for Change and Development*, Aldershot, Avebury, 1996, 266 pages.
32. Richard BAWDEN, «Toward Action Research Systems», dans Ortrun ZUBER-SKERRITT, *Action Research for Change and Development*, Aldershot, Avebury, 1994, p. 10-35.
33. David A. KOLB, *Experiential Learning*, Englewood Cliffs, Prentice Hall, 1984.

Dans les années 1990, une autre génération de chercheurs britanniques s'est donnée comme mission de poursuivre l'œuvre de Stenhouse. Pamela Lomax[34], à l'Université de Kingston, Jean McNiff[35, 36], en Irlande et Jack Whitehead[37], à l'Université de Bath mirent de l'avant des programmes de cycles supérieurs en éducation privilégiant la recherche-action. Ils veulent accompagner le praticien-chercheur à se poser la question : « Comment puis-je améliorer ma pratique ? » et l'aider à expliciter son savoir d'expérience, son savoir tacite. Selon eux, ce n'est qu'en devenant conscient de ses gestes et des raisons qui les sous-tendent que le chercheur peut saisir sa propre théorie d'action. La contribution spécifique de ces chercheurs a été d'intégrer l'étude de soi (*self-study*) et de ses pratiques, qu'elles soient de recherche, d'intervention et de formation, dans la méthodologie d'une recherche-action. Soulignons au passage que certains définissent le *self-study* comme une méthodologie en soi pouvant soutenir la quête de sens autour des problèmes reliés à l'éducation. Elle permet d'exercer un regard critique sur les deux rôles intégrés du praticien qui fait de la recherche et qui, dans ce contexte, est à la fois chercheur et formateur de maîtres.

> L'étude de soi est une méthodologie qui permet d'étudier les pratiques professionnelles. [...] Elle est initiée et dirigée par le chercheur, centrée sur ce dernier, dans le but ultime de faire mieux, elle est interactive, inclut des méthodes multiples et voit la validité comme étant un processus de validation basée sur l'intégrité et la véracité[38].

Parallèlement, aux États-Unis, des chercheurs universitaires commencèrent à utiliser la recherche-action parce qu'elle leur permettait d'étudier plus facilement les situations locales et les actions qui s'y déroulaient et qu'en même temps elle pouvait répondre aux besoins immédiats des praticiens. Ainsi, ils utilisent des méthodes de recherche plus qualitatives pour pouvoir décrire et interpréter ce qui se passe dans les milieux de pratique (Nodie Oja). Leur objectif est de créer des liens plus solides entre eux et les praticiens. Le mouvement de recherche collaborative qui se retrouve dans les « Interactive Research and Development Projects » permet de voir que la recherche-action commence alors à être perçue par certains comme

---

34. Pamela LOMAX, « Working Together for Educative Community Through Research », *British Educational Research Journal*, vol. 25, n° 1, 1999, p. 5-21.

35. Jean MCNIFF et Jack WHITEHEAD, *Action Research : Principles and Practice*, Londres, Sage, 2002, p. 163.

36. Jean MCNIFF, *Action Research in Organizations*, Londres, Sage, 2000, 331 pages.

37. Jack WHITEHEAD, « How do I improve My Practice ? Creating and Legitimating an Epistemology of Practice », *Reflective Practice*, vol. 1, n° 1, 2000, p. 91-104.

38. Vicky KUBLER LABOSKEY, « The Methodology of Self-study and its Theoretical Underpinnings », dans John LOUGHRAN *et al.*, *International Handbook of Self Study of Teaching and Teacher Education Pratice*, New York, Springer, 2007, p. 817 ; traduction libre.

une démarche qui permet de produire des connaissances au moyen de méthodologies plus interprétatives. Elle semble alors oublier ses objectifs traditionnels de changement social (Noffke).

■ 1.4. La recherche-action comme instrument de changement institutionnel et social

En réaction à la science positiviste dont les méthodologies conduisent le chercheur à contrôler son objet d'étude de l'extérieur, des Australiens décident de sauter dans l'action et de considérer leur recherche comme une sorte d'intervention sociale pour changer le système[39]. Influencés par la théorie critique de Habermas[40], selon laquelle la raison d'être de toute connaissance gravite autour de l'émancipation des individus qui peut être encouragée par l'autoréflexion critique sur la pratique, les chercheurs Carr et Kemmis[41] proposent une vision de la recherche qui n'est plus détachée des enjeux du terrain mais qui vise, en plus du développement personnel et professionnel des praticiens, un changement de tout le système par la transformation du langage, de l'organisation et de la pratique de l'éducation. Selon leur approche, la recherche-action devient l'étude de la «praxis», c'est-à-dire l'analyse des actions engagées. Pour le chercheur, il s'agit donc d'une recherche sur sa propre pratique puisqu'il est un participant engagé qui n'est pas extérieur à l'action. La recherche est alors perçue comme un engagement véritable dans le but de développer ou d'améliorer les pratiques des individus, leur compréhension de ce qui se passe et la situation dans laquelle ils évoluent. Le désir d'affranchir les acteurs sociaux de l'irrationalité, de l'injustice, de l'oppression et de la souffrance qui sont les leurs est affirmé par leur participation au processus de recherche.

Selon Kemmis[42], on ne peut pas changer les pratiques éducatives en ne cherchant qu'à remplacer les outils ou les stratégies utilisés par les enseignants comme s'il s'agissait d'un quelconque processus de production. Se basant sur des recherches portant sur la nature et le processus du changement, il prône l'idée que les enseignants doivent eux-mêmes changer en devenant critiques de leur propre pratique. Selon les chercheurs qui utilisent la théorie critique, l'éducation doit être perçue comme une activité

---

39. B. Fay, *Social Theory and Political Practice*, Londres, Allen and Unwin, 1975.
40. J. Habermas, *Théorie et pratique*, Paris, Payot, 1975.
41. Wilfred Carr et Stephen Kemmis, *Becoming Critical: Education, Knowledge and Action Research*, Londres, The Falmer Press, 1986.
42. Stephen Kemmis, «Improving Education Through Action Research», dans Ortrun Zuber-Skerritt (dir.), *Action Research for Change and Development*, Aldershot, Avebury, 1991, p. 57-75.

sociale et culturelle qui exige une forme de participation très active de la part des enseignants et des apprenants dont on doit considérer les intérêts et les intentions lorsqu'on examine tout geste éducatif. Selon les tenants de la théorie critique, l'éducation exige que les gens soient davantage des agents actifs impliqués dans le processus de recherche et non des sujets passifs ou des objets de l'intervention des autres. La recherche qui traite les acteurs sociaux comme des objets passifs peut certes nous renseigner sur leur manière de travailler, mais elle a peu de chances de les conduire à la décision d'analyser leurs actions pour les améliorer.

Pendant cette période de renaissance de la recherche-action, on retrouve en Amérique du Sud et aux Indes des chercheurs qui utilisent la recherche-action comme instrument de conscientisation des masses afin de les rendre aptes à changer le système dans lequel elles se retrouvent. Ainsi, Paulo Freire[43], Orlando Fals Bordas[44] et Rahje Tandon[45] pratiquent ce qu'ils appellent la recherche-action participative pour générer, au sein des communautés de base, les connaissances qui permettent à ceux qui sont souvent démunis de s'approprier le pouvoir nécessaire à leur prise en charge. La recherche devient alors véritablement politique. Le chercheur prend partie ouvertement contre le pouvoir de l'État et cherche à redonner aux pauvres et aux laissés-pour-compte de la société la capacité de s'unir dans l'action pour produire un changement dans l'ordre social existant.

Si la présentation historique que nous venons de faire démontre l'évolution de la recherche-action, elle permet aussi de saisir toute la complexité de sa nature véritable. En effet, la plupart des auteurs qui ont fait une recension des écrits sur le sujet s'entendent pour dire qu'elle est passée par plusieurs formes. La recherche-action est influencée par les paradigmes qui orientent ses finalités, ses méthodologies et la place qui est donnée aux acteurs dans le processus de recherche et de changement. Même s'ils ne sont pas toujours explicites par rapport aux raisons qui justifient leur pratique, les chercheurs abordent leur objet de recherche à partir d'un cadre de référence, conscient ou inconscient, qui reflète leurs valeurs, leurs croyances et leurs postulats à l'égard de la nature de la réalité sociale et de la manière par laquelle elle peut être étudiée et changée. D'ailleurs, dans cet ordre d'idées, Pratt met en évidence, par ses recherches empiriques en éducation, qu'une pratique est toujours influencée par les valeurs, les croyances et les intentions du praticien ; ces dernières précisent souvent, de manière inconsciente, la nature d'un engagement professionnel et orientent les

---

43. Paulo FREIRE, *Pédagogie des opprimés*, Paris, Maspéro, 1974.
44. Orlando FALS BORDAS, *Knowledge and People's Power: Lessons with Peasants in Nicaragua, Mexico and Columbia*, New Delhi, Indian Social Institute, 1985.
45. R. TANDON, « Participatory Research in the Empowerment of People », *Convergence*, vol. 14, n° 3, 1981, p. 20-29.

choix pour l'action. Les travaux de Pratt et de ses collaborateurs mettent le praticien, quelle que soit sa pratique, au défi d'entreprendre une démarche d'analyse réflexive pour se dévoiler « les cadres de référence invisibles avec lesquels nous construisons le sens dans notre monde[46] ». Il semble donc pertinent d'utiliser un tel cadre de référence pour comprendre les différentes orientations prises par les chercheurs et, plus particulièrement, par ceux qui font de la recherche-action.

 ## 2 UN CADRE DE RÉFÉRENCE DE LA RECHERCHE-ACTION

Le modèle de référence développé par Burrell et Morgan[47] et représenté dans la figure 19.1 peut nous permettre de comprendre, non seulement comment la recherche-action s'est distinguée de la recherche scientifique positiviste en sciences sociales, mais surtout d'en saisir le panorama complet.

La figure illustre quatre dimensions fondamentales concernant la nature des sciences sociales et de la société qui permettent de positionner quatre paradigmes pour comprendre les postulats des chercheurs et des intervenants qui font de la recherche. À l'horizontale, nous retrouvons les dimensions subjective et objective et, à la verticale, les dimensions du changement radical et de la régulation.

FIGURE 19.1
**Quatre paradigmes pour analyser la théorie sociale
(d'après Burrell et Morgan, p. 23)**

Changement radical

	Paradigme de l'humanisme radical	Paradigme du structuralisme radical	
Dimension subjective			Dimension objective
	Paradigme interprétatif	Paradigme fonctionnaliste	

Régulation (statu quo)

---

46. Dan D. PRATT, *Five Perspectives on Teaching in Adult and Higher Education*, Malabar, Krieger, 1998, p. 37. Traduction libre.
47. Gibson BURRELL et Gareth MORGAN, *Sociological Paradigms and Organizational Analysis*, Londres, Heineman, 1982.

■ 2.1. Les postulats relatifs à la nature des sciences sociales

Pour expliquer les postulats relatifs à la nature des sciences sociales et comprendre le positionnement des chercheurs par rapport aux dimensions objective et subjective, Burrell et Morgan retiennent quatre caractéristiques : l'ontologie, l'épistémologie, la nature humaine et les méthodes d'investigation.

Les *présupposés ontologiques* orientent notre façon de concevoir la nature de la réalité et du phénomène étudié. Le chercheur se demande si la réalité investiguée a une existence propre, indépendamment de celui qui l'observe (réalisme) ou si elle n'est pas plutôt le produit de sa prise de conscience (nominalisme). La réalité est-elle de nature objective, c'est-à-dire située en dehors de l'observateur, ou est-elle le fruit de la connaissance personnelle, c'est-à-dire une production de l'esprit ?

Les *présupposés de nature épistémologique* sont associés aux fondements de la connaissance, c'est-à-dire la forme qu'elle prend et la façon dont elle est transmise. Ils déterminent quelle sorte de savoir peut être obtenu, par quels moyens un individu peut connaître le monde et si sa connaissance est « vraie » ou « fausse ». Selon le positivisme, il est possible d'identifier et de communiquer une connaissance objective tirée de l'observation directe et qui, de ce fait, peut être transmise de façon explicite. L'antipositivisme, de son côté, rejette le concept d'observateur neutre en sciences et conçoit le monde social comme étant relatif aux différents points de vue des individus impliqués dans l'action. Selon cette position, la connaissance est d'une forme plus souple, plus subjective et spirituelle. Elle est basée sur l'expérience individuelle et, par le fait même, elle est essentiellement personnelle.

La troisième catégorie de *présupposés* a trait à la **nature humaine**, à la relation entre la personne et son environnement. Selon la perspective du déterminisme, les êtres humains répondent de façon mécanique ou prédéterminée aux situations qui se présentent à eux. Dans ce cas, les personnes et leurs expériences peuvent être vues comme les produits de leur environnement ou comme conditionnées par les circonstances extérieures. Cette perspective s'oppose aux postulats du volontarisme qui attribue aux êtres humains un rôle beaucoup plus créateur, fondé sur le libre arbitre. L'environnement est alors perçu comme le résultat des interactions entre les individus et non plus comme une cause déterminant leurs comportements.

On peut s'attendre à ce que les croyances articulées autour de ces trois catégories de présupposés aient une implication directe sur le choix des méthodologies de recherche. Chacune a des répercussions sur la manière d'investiguer la réalité et de produire des connaissances. D'une part, si un chercheur souscrit à l'idée que la réalité sociale est semblable à celle du monde naturel, qui est considéré réel et extérieur à l'individu qui l'observe, il aura tendance à analyser les relations et les régularités entre les différents éléments qui en font partie. Cette perspective s'exprime par la recherche de lois universelles qui peuvent expliquer et gouverner la réalité observée. Les méthodes quantitatives ou nomothétiques découlent de cette perspective. D'autre part, si un autre chercheur souscrit à une façon différente de concevoir la réalité, c'est-à-dire à une vision qui met l'accent sur l'expérience subjective des individus dans la création du monde social, son intérêt de recherche sera alors différent. Il cherchera à comprendre comment un individu crée, modifie et interprète le monde dans lequel il évolue. Dans les cas extrêmes, il cherchera à comprendre et à expliquer ce qui est unique et particulier à un individu plutôt que de rechercher ce qui est universel et général. Cette dernière approche est appelée «idéographique» et utilise des méthodes qualitatives pour tenir compte de la relativité de la réalité.

▓ 2.2. Les postulats relatifs à la nature de la société

Pour expliquer la nature de la société, Burrell et Morgan utilisent les dimensions du *changement radical* et de la *régulation*. La dimension de la régulation renvoie aux postulats qui caractérisent l'unité, l'ordre, l'équilibre, le consensus, l'intégration et la cohésion dans la société alors que la dimension du changement radical concerne les postulats ayant trait aux conflits, à la domination, aux contradictions et aux changements structurels profonds.

▓ 2.3. Les quatre paradigmes

Entre l'axe horizontal et l'axe vertical, qui représentent différentes façons de concevoir la nature des sciences sociales et de la société, nous pouvons relever quatre quadrants que Burrell et Morgan associent à des paradigmes : les paradigmes fonctionnaliste, interprétatif, de l'humanisme radical et du structuralisme radical.

Le *paradigme fonctionnaliste* s'enracine dans la dimension de la régulation quant à la nature de la société et subit l'influence de l'objectivisme quant à la nature de la science. Il s'attarde à des explications essentiellement rationnelles relatives à ce qui se passe dans la réalité. Cette perspective hautement pragmatique cherche à produire un savoir transmissible et est préoccupée par la recherche de solutions pratiques à des problèmes d'ordre pratique.

Le *paradigme interprétatif* essaie de comprendre le monde tel qu'il est au plan de l'expérience subjective. Il tend vers des explications ancrées dans la subjectivité et la prise de conscience individuelle à partir du cadre de référence d'un participant dans l'action plutôt que de celui d'un observateur détaché de l'action. Il s'enracine donc dans la dimension du subjectivisme et de la régulation. Le chercheur qui s'y situe voit la réalité sociale comme un processus émergent de l'intersubjectivité des individus concernés. Il s'intéresse au statu quo, à l'ordre social et à la cohésion des acteurs du système.

Le *paradigme de l'humanisme radical* est influencé par la dimension subjective et la dimension du changement radical. Il donne une place centrale à la prise de conscience des individus. Il vise le changement de la réalité sociale par une modification des modes d'appréhension de la réalité et le développement de la conscience des acteurs sociaux. En ce sens, il est à l'opposé du paradigme fonctionnaliste.

Le *paradigme du structuralisme radical* se situe au croisement de la dimension objective et du changement radical. Il prône le changement radical, l'émancipation des personnes et de leur potentiel en mettant l'accent sur les problèmes de structure, les modes de domination, la contradiction, ce qui l'oppose au paradigme interprétatif.

 L'INFLUENCE DES PARADIGMES SUR LA RECHERCHE

Le cadre de référence qui vient d'être présenté nous permet de mieux saisir les différentes postures pouvant être prises par ceux qui font de la recherche. Lorsque l'on compare la recherche-action aux autres types de recherche qui se définissent en fonction de l'axe objectif–subjectif, on peut observer les différences suivantes.

Les méthodes de recherche positivistes (quantitatives) cherchent à comprendre, à expliquer et à prédire les phénomènes. Leur objectif est de produire des connaissances qui pourront être généralisées et appliquées à d'autres contextes. Les méthodes de recherche interprétatives, par ailleurs, se situent dans l'antipositivisme et, bien qu'elles tentent, elles aussi, de comprendre les phénomènes, elles reconnaissent le caractère subjectif de l'observation. C'est pour cette raison qu'elles désirent valider les interprétations du chercheur par des méthodes diverses de triangulation des données. Elles acceptent que la compréhension produite soit locale et particulière à un contexte précis et à un temps particulier.

La recherche-action se distingue de ces approches par son association à l'action. En effet, dès qu'elle s'intègre à l'action, qu'elle le veuille ou non, elle devient associée aux finalités de cette action. La préoccupation de recherche ne peut alors être séparée des objectifs d'action. Le chercheur ne se considère pas comme un observateur neutre cherchant à comprendre la situation faisant l'objet de la recherche, il se considère plutôt comme un participant ou un collaborateur. Il a une perspective nominaliste qui lui permet de concevoir le monde social comme étant créé par l'esprit. Il s'associe donc aux autres pour mieux saisir la nature des situations problématiques. Parce qu'il considère l'environnement comme étant le résultat de l'interaction entre les individus, il a un point de vue volontariste sur la nature de ceux qui participent à la recherche.

Quel niveau de changement la recherche-action vise-t-elle ? Un changement social, un changement des pratiques professionnelles d'un groupe en particulier dans une institution sociale particulière ou un changement chez le praticien ? Quelles sortes de savoirs veut-elle engendrer ? Un savoir explicite et transférable ou un savoir expérientiel, personnel et contextualisé ? L'évolution des approches de la recherche-action démontre que ces trois dimensions du changement ainsi que la nature du savoir produit ont été perçues différemment selon les chercheurs et les époques. Parfois, elles sont toutes intégrées dans la même démarche de recherche, parfois, seules quelques dimensions apparaissent.

Ainsi, dans l'approche utilisée par Lewin, les individus d'une communauté participent au processus de recherche qui s'y déroule. Tout en partageant son pouvoir, le chercheur applique alors les méthodes de la recherche inspirée de l'objectivisme à des problèmes concrets dans le but de produire un savoir qui peut être généralisable tout en améliorant la situation où se déroule la recherche. Dans ce cas, on cherche à comprendre l'action afin de produire des théories. Cette démarche est souvent perçue comme étant fonctionnaliste. En effet, elle permet d'assurer la régulation du système en place en y apportant des correctifs à l'intérieur du statu quo. Les connaissances recherchées sont souvent théoriques et ne se distinguent pas de celles produites par d'autres modes de recherche.

La recherche-action peut aussi être perçue comme une approche centrée sur le praticien qui utilise la recherche pour améliorer son action et produire une théorie contextualisée et pratique. Les postulats derrière cette forme de recherche, née des travaux de Corey et reprise par les Britanniques, soutiennent que la réalité est construite et subjective, que la connaissance est unique et que les êtres humains agissent en fonction de leurs valeurs. Étant donné que ce courant admet que les individus sont volontaristes et qu'ils peuvent améliorer ce qu'ils font par un processus réflexif, le chercheur évite de se donner le pouvoir de résoudre les problèmes à leur place sachant fort bien qu'il produirait alors une résistance certaine qui empêcherait tout processus de changement. Le paradigme interprétatif caractérise la recherche-action alors perçue comme instrument de développement personnel et professionnel. Le passage du paradigme fonctionnaliste au paradigme interprétatif n'est pas propre à la recherche-action. Il s'est fait parallèlement aux changements qui ont eu lieu en éducation et en intervention sociale. À titre d'exemple, en contexte scolaire, alors qu'autrefois il y avait consensus autour de l'idée qu'éduquer était équivalent à transmettre des connaissances, aujourd'hui, plusieurs définissent la démarche éducative comme étant «un processus d'apprentissage qui permet aux individus de développer au maximum leurs aptitudes et de devenir progressivement des êtres éduqués par la recherche permanente du sens de leur existence et de leur environnement» (Legendre[48]). En contexte d'intervention sociale, alors que certains intervenants cherchent encore à se rendre responsables du processus de rééducation des clientèles auprès desquelles ils travaillent et cherchent à mettre en place «leurs» modèles de société, d'autres croient qu'il faut permettre aux acteurs de se prendre en charge et d'organiser leur milieu de vie selon leurs propres modèles.

Un troisième courant peut être situé dans le paradigme de l'humanisme radical. La recherche vise, dans ce cas-ci, à changer la société en favorisant la conscientisation et la prise en charge des individus. La recherche-action émancipatrice mise de l'avant par les Australiens qui utilisent la théorie critique pour «libérer» les acteurs se situe dans ce courant. Une orientation plus confrontante visant la critique du pouvoir en place en vue de produire un changement social structurel se situe à la frontière des deux courants radicaux: l'humanisme et le structuralisme. En travaillant avec les acteurs à résoudre des problèmes concrets, le chercheur se donne comme finalité de faciliter la prise en charge des communautés par leurs membres. Les travaux de Freire, de Fals Bordas et de Tandon sont représentatifs de ce courant appelé «recherche-action participative». C'est une recherche à caractère politique qui vise la conscientisation des opprimés en vue de produire un changement radical de l'ordre social existant.

---

48. Renald LEGENDRE, *Une éducation… à éduquer!*, Montréal, Éditions Ville-Marie, 1983, p. 312.

4 **LA NATURE DE LA RECHERCHE-ACTION**

Qui veut comprendre la nature de la recherche-action doit accepter d'examiner un phénomène complexe qui lui échappe en grande partie à cause de la diversité des travaux qui ont été réalisés depuis plus de soixante ans. À cet égard, Noffke souligne qu'entre 1966 et 1996 plus de mille textes portant sur la recherche-action ont été recensés dans ERIC et de nombreux autres dans Educational Index. Un compte rendu complet exigerait donc d'écouter les voix multiples qui peuvent informer celui qui veut savoir. Doit-on se limiter aux chercheurs universitaires qui diffusent leurs travaux par les moyens traditionnels mis à leur disposition tels que les conférences, les colloques et les articles publiés dans des revues savantes ? Ne doit-on pas également chercher à la comprendre à partir des voix des praticiens qui font de la recherche-action sur le terrain et qui sont peu enclins à utiliser ces modes traditionnels de diffusion des résultats ? Suffit-il de se limiter à décrire ce qui se fait en français au Québec ou ne doit-on pas aller consulter les travaux de recherche produits à l'extérieur : au Canada, aux États-Unis, en Angleterre, en Australie, en France, en Belgique et en Allemagne ? Ne faut-il pas inclure les points de vue de ceux qui utilisent d'autres vocables pour parler du même phénomène tels ceux-ci : la science-action, la recherche collaborative, la recherche-formation, la recherche participative, la recherche menée par le praticien (*practitioner research*) ?

Contrairement à celui qui peut définir la recherche positiviste avec un sentiment de certitude parce qu'il tire son autorité d'une longue tradition de pratique de recherche validée par une communauté scientifique plus homogène, celui qui veut comprendre la recherche-action fait face à la multiplicité des perspectives possibles. À l'instar de Noffke, nous croyons que la recherche-action est plus qu'un ensemble de pratiques, c'est un groupe d'idées qui émergent de contextes différents. Pour certains, ce type de recherche se résume à l'utilisation des étapes de la recherche traditionnelle pour résoudre des problèmes locaux. Pour d'autres, la recherche-action est un nouveau paradigme, un défi aux méthodes actuellement utilisées pour produire les connaissances et une nouvelle porte d'accès à la production du savoir. Enfin, certains la voient même comme une approche au développement professionnel, car elle souscrit aux principes de l'éducation des adultes.

Devant l'ampleur de la tâche, nous serions tentés de simplifier en évitant de rester ouverts à tout ce foisonnement d'idées mises de l'avant dans la « famille » de la recherche-action qui réunit les différentes orientations paradigmatiques. L'utilisation du cadre de référence de Burrell et

Morgan aide à mieux saisir les raisons à l'origine des différentes perceptions quant à la nature de la recherche-action. Les définitions suivantes en sont quelques exemples.

PARADIGME FONCTIONNALISTE. La recherche-action est l'application de la méthode scientifique pour rechercher et expérimenter sur des problèmes pratiques qui exigent d'être résolus et qui impliquent la collaboration et la coopération des scientistes, des praticiens et des profanes. Les résultats attendus de la recherche-action sont des solutions aux problèmes immédiats et une contribution à la connaissance scientifique et à la théorie[49].

PARADIGME INTERPRÉTATIF. La recherche-action est une forme d'enquête qui permet aux enseignants de réfléchir de façon critique sur leur expérience en salle de classe et de produire des comptes rendus personnels de leur expérience[50].

PARADIGME DE L'HUMANISME RADICAL. La recherche-action est une forme d'enquête autoréflexive mise en œuvre par les participants dans des situations sociales dans le but d'améliorer la rationalité, la justice, la cohérence et la satisfaction a) de leurs propres pratiques sociales, b) de leur compréhension de ces pratiques et, c) des institutions, des programmes et, ultimement, de la société dans lesquels ces pratiques se déroulent[51].

Nous avons commencé à comprendre la recherche-action comme étant un processus social, dans des termes qui ressemblent à la notion que Freire appelle « l'action culturelle pour la liberté ». Nous avons commencé à voir les chercheurs-acteurs comme un groupe de personnes qui participent systématiquement et délibérément aux processus de contestation et d'institutionnalisation toujours à l'œuvre dans la vie sociale et éducative, qui veulent aider à améliorer la vie sociale et éducative par des approches réflexives et autoréflexives dans lesquelles ils participent[52].

Par ailleurs, devant tant de complexité, certains auteurs ont tenté une synthèse qui regroupe les différentes facettes selon lesquelles on peut comprendre ce qu'est la recherche-action. Ainsi, Louisette Lavoie, Danielle Marquis et Paul Laurin proposent cette définition « parapluie » :

---

49. Wendell L. FRENCH et Cecil H. BELL, *Organization Development: Behavioral Science Interventions for Organization Development*, Englewood Cliffs, Prentice-Hall, 1978, p. 89-90.
50. Jack WHITEHEAD, « The Use of Personal Educational Theories in In-service Education », *British Journal of In-Service Education*, vol. 9, n° 3, 1983, p. 174-177.
51. Robin MCTAGGART, « Participatory Action Research: Issues in Theory and Practice », *Educational Action Research*, vol. 2, 1994, p. 313-337.
52. Stephen KEMMIS, « Improving Education Through Research », dans Ortrun ZUBER-SKERRITT, *Action Research for Change and Development*, Aldershot, Avebury, 1994, p. 57-75.

> La recherche-action est une approche de recherche, à caractère social, associée à une stratégie d'intervention et qui évolue dans un contexte dynamique. Elle est fondée sur la conviction que la recherche et l'action peuvent être réunies. Selon sa préoccupation, la recherche-action peut avoir comme buts le changement, la compréhension des pratiques, l'évaluation, la résolution des problèmes, la production de connaissances ou l'amélioration d'une situation donnée. La recherche-action doit : avoir pour origine des besoins sociaux réels, être menée en milieu naturel de vie, mettre à contribution tous les participants à tous les niveaux, être flexible (s'ajuster et progresser selon les événements), établir une communication systématique entre les participants et s'autoévaluer tout au long du processus. Elle est à caractère empirique et elle est en lien avec le vécu. Elle a un design novateur et une forme de gestion collective où le chercheur est aussi un acteur et où l'acteur est aussi chercheur[53].

Ces définitions démontrent comment les préoccupations des chercheurs quant aux finalités de leur recherche/intervention peuvent influencer leurs méthodologies, ce qui déterminera alors la nature de la recherche-action.

Selon Reason et Bradbury, on pourrait distinguer trois niveaux d'utilisation de la recherche-action : la recherche peut se faire au « je », au « nous » et au « ils ». Dans le premier cas, nous retrouvons les recherches effectuées pour soi. À titre d'exemple, mentionnons les études de type « *self study* » où le chercheur examine ses pratiques afin de devenir plus conscient de ses actions et de pouvoir en observer l'effet. Dans cette manière d'effectuer sa recherche, l'enseignant ou le professeur d'université n'examine pas la pratique des autres, à partir de l'extérieur, mais il cherche plutôt à examiner les actions qu'il pose au cours de sa vie quotidienne. La recherche-action devient, par exemple, une façon d'améliorer son enseignement ou sa recherche, d'étudier l'utilisation de stratégies d'interventions particulières ou de mettre en œuvre une nouvelle philosophie dans les programmes de formation des maîtres.

Le deuxième niveau consiste à travailler, « face à face », avec d'autres chercheurs qui partagent les mêmes préoccupations. Ce type de recherche commence par un dialogue et mène au développement de communautés de pratiques et aux organisations apprenantes. Elle se fait donc au niveau du « nous ». Finalement, le troisième niveau consiste à intervenir auprès de personnes dans un plus grand contexte. À ce niveau, les projets qui étaient menés à petite échelle s'étendent et peuvent devenir des événements politiques. Les stratégies utilisées créent une communauté de recherche

---

53. Louisette LAVOIE, Danielle MARQUIS et Paul LAURIN, *La recherche-action : théorie et pratique*, Québec, Presses de l'Université du Québec, 1996, p. 41.

plus large que la précédente de sorte qu'il est possible que les personnes impliquées ne se connaissent pas personnellement. Dans ce contexte, la diffusion, par des écrits, du processus de la recherche ainsi que ses résultats devient importante.

Selon les mêmes auteurs, la forme de recherche-action la plus productive utilisera les trois niveaux. Ceux qui veulent travailler en « je » s'entoureront d'amis ou de collègues qui leur offriront du soutien et leur poseront des défis. Un tel groupe pourra se transformer en groupe de recherche collaborative et constituer le « nous ». En outre, les recherches menées auprès des autres, les « ils », risquent d'être distorsionnées et biaisées rapidement si elles ne tiennent pas compte d'une recherche rigoureuse au niveau du « je » afin de bien comprendre les objectifs personnels qui poussent l'intervenant à vouloir aider les autres. En somme, Reason et Bradbury[54] nous offrent un point de vue plus global en définissant la recherche-action comme suit :

> [...] un processus participatif centré sur le développement de connaissances pratiques qui s'inscrivent dans la poursuite de finalités humaines jugées importantes et ancrées dans une vision du monde participative [...] Elle cherche à intégrer action et réflexion, théorie et pratique, en participant avec les autres à la recherche de solutions pratiques à des problèmes sociaux concrets et, plus globalement, à l'épanouissement des individus et de leur communauté.

Contrairement aux processus traditionnels de recherche qui ne se préoccupent pas de l'action ou aux démarches de résolution de problèmes qui ne cherchent pas à produire du savoir, la recherche-action comprend des sous-processus qui sont mis en branle simultanément et qui doivent être gérés de façon concomitante : la recherche, l'action et la formation. Ces trois sous-processus sont illustrés par un triangle recherche-action semblable à celui qui a été produit par Lewin. Il permet de considérer la recherche-action comme un système et de mieux en saisir la nature en le représentant comme un nouveau processus qui émerge d'une triple finalité.

Dans ce modèle, le pôle « *recherche* » s'exprime par la préoccupation de produire des connaissances qui permettront de mieux agir dans le but d'amener des changements. Il pourra aussi s'agir d'apprentissages effectués par les chercheurs qui veulent comprendre la situation et son contexte, le contenu de l'intervention et l'apport du processus de recherche-action lui-même vu comme une stratégie de changement. Ces savoirs pourront être de différents niveaux selon les postulats influençant les chercheurs. Il pourra s'agir de savoirs expérientiels et tacites, de savoirs subjectifs et interprétatifs, ou de savoirs considérés comme « objectifs » dans un paradigme

---

54. Peter REASON et Hilary BRADBURY (dir.), *Handbook of Action Research : Participative Inquiry and Practice*, Londres, Sage, 2008, p. 4 ; traduction libre.

plus positiviste. Le chercheur aura recours à une approche méthodologique rigoureuse pour guider, éclairer le processus de résolution de problèmes tout au long de son déroulement et en évaluer l'impact : collecte de données afin de cerner le problème, clarification du cadre théorique qui orientera l'action, observation et enregistrement systématique de l'action, analyse des données recueillies (réflexion), validation des données par différentes méthodes de triangulation et diffusion des connaissances pour les rendre publiques (objectivation). Le pôle « *action* » représente l'intervention choisie pour provoquer un changement au sein d'une situation concrète. Selon les différentes visions du monde adoptées par les praticiens-chercheurs, cette action peut viser différents types de changement : soit un changement dans sa prise de conscience ou dans celle des autres participants, soit l'amélioration de sa propre pratique ou de celle des autres, soit une modification ou une transformation de l'organisation où se déroule l'action ou la pratique, ou, enfin, un changement dans la société ambiante.

FIGURE 19.2
La triple finalité de la recherche-action

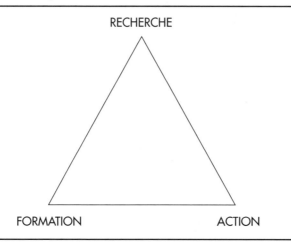

Le pôle « *formation* » représente la volonté des acteurs concernés d'apprendre au regard de leurs habiletés à contrôler leurs propres actions plus efficacement et à continuer d'améliorer leur capacité de le faire. Le chercheur professionnel devient alors un facilitateur auprès des membres de la communauté de pratique afin de les soutenir dans la création d'un espace leur permettant de communiquer et de construire ensemble une compréhension commune de la problématique qu'ils partagent, de la démarche qu'ils envisagent et des résultats qu'ils visent. Le chercheur veut aussi apprendre avec eux comment ils peuvent devenir efficaces dans le travail d'équipe. Selon Heron[55], le chercheur veut faire émerger un processus de prise de décision participatif et une collaboration authentique pour que la recherche devienne vraiment coopérative. Il cherche à créer un climat qui permette de prendre conscience des émotions de sorte que les tensions et le stress engendrés par le travail de groupe puissent être acceptés et traités et que la joie et le plaisir de travailler ensemble puissent être exprimés.

La famille de la recherche-action inclut donc tout un éventail d'approches et de pratiques, chacune étant enracinée dans une tradition ou dans des postulats philosophiques ou des engagements politiques différents. Cependant, ce qu'elles ont toutes en commun, c'est d'être participatives, ancrées dans l'expérience et orientées vers l'action.

On pourrait donc considérer la recherche-action comme étant *un système d'activités humaines qui vise à faire émerger un changement (dans sa pratique, dans son milieu et dans sa vie) par le biais d'un processus collaboratif favorisant l'éveil à soi, aux autres et à son environnement.* Selon la vision du monde de ses agents (leurs paradigmes, postulats et valeurs), la transformation souhaitée sera dirigée vers une ou plusieurs cibles : le « je », les « autres », le « nous » ou le « ils », c'est-à-dire l'organisation ou l'environnement dans lequel ils évoluent. Le changement se manifestera par des apprentissages effectués pendant ou après la mise en œuvre du processus au regard des différents savoirs : le savoir-être (prises de conscience personnelles et collectives, changements d'attitudes, etc.), le savoir-faire (rigueur dans l'observation, habiletés en résolution de problèmes, habiletés à travailler en collaboration, compétences professionnelles, etc.) et le savoir (savoir théorique et savoir pratique) au regard de la solution apportée au problème, au regard de la situation problématique elle-même et de l'environnement où se déroule l'intervention et au regard du processus de recherche lui-même.

 ## 5 CARACTÉRISTIQUES DE LA RECHERCHE-ACTION

1. La recherche-action est un processus de collaboration dans lequel les individus examinent un problème concret qui les préoccupe. Cette collaboration sur le terrain peut prendre plusieurs formes :

55. John HERON, *Cooperative Inquiry : Research into the Human Condition*, Londres, Sage, 1996, 225 pages.

- Un chercheur professionnel dirige le volet « recherche » et travaille avec des acteurs qui examinent leur action professionnelle.

- Un chercheur professionnel collabore avec les acteurs dans toutes les étapes du processus de recherche et ils examinent leurs pratiques respectives.

- Des acteurs deviennent chercheurs et travaillent ensemble durant toutes les étapes de la recherche.

- Des acteurs se mettent en recherche pour améliorer leur pratique et collaborent avec des collègues pour valider ensemble leurs démarches et leurs apprentissages.

- Des chercheurs professionnels travaillent ensemble afin d'améliorer leur pratique de recherche et/ou d'enseignement.

2. Même si elle produit des connaissances pratiques qui seront utiles aux personnes dans leur vie quotidienne, la recherche-action contribue, de façon plus large, au mieux-être économique, politique, psychologique et spirituel des personnes et de leur communauté ainsi qu'à des relations plus équitables et durables avec l'écologie planétaire dont nous faisons tous partie.

3. Elle ne se distingue pas des autres types de recherche par des techniques ou des méthodes spécifiques. Elle se caractérise plutôt par un effort constant de relier et de mener en même temps action et réflexion, de réfléchir sur son action en vue de l'améliorer et d'agir en s'observant dans le but de développer sa prise de conscience et son savoir. Elle repose donc sur un processus cyclique qui comprend des étapes de planification, d'action, d'observation et de réflexion.

4. Les actions visant à amener le changement se déroulent dans une situation concrète et les décisions sont prises en collaboration. La recherche-action n'est donc possible qu'avec, pour et par les personnes et leurs communautés et elle implique ceux qui sont préoccupés par un problème et sa compréhension.

5. Elle utilise un vaste répertoire de méthodes pour obtenir des données et améliorer la pratique, ce qui permet au chercheur de choisir comment maintenir l'équilibre nécessaire entre les coûts impliqués en termes d'efforts, de temps et de ressources et les résultats recherchés. Les méthodes sont adaptées pour permettre la recherche au cœur de la pratique sans la figer.

6. Le chercheur s'engage directement dans la résolution du problème ; il ne se perçoit pas comme neutre. La recherche est donc fondée sur des valeurs, des croyances et des intentions qui orientent les actions vers des buts et des idéaux.

7. Le problème de recherche, ses objectifs et les méthodes retenues émergent souvent du processus lui-même. Ils ne peuvent donc être définitifs puisque l'impact des actions posées ne peut être connu à l'avance.

8. La recherche veut faciliter un changement qui vient de l'intérieur, c'est l'antithèse du changement venu de l'extérieur. Cela explique l'insistance du chercheur à faire émerger la prise en charge individuelle et collective du problème retenu.

9. Elle repose sur une démarche à la fois structurée et flexible au regard des orientations, des directions et des pistes de travail possibles pour :

   – permettre une communication ouverte et fréquente entre les cochercheurs,

   – mettre de l'avant un leadership démocratique,

   – suivre un processus récursif illustré par des cycles en spirales,

   – établir des relations positives avec l'environnement dans lequel elle se déroule.

10. Elle offre un large éventail de possibilités qui réclament que l'on fasse consciemment des choix non seulement lors de la planification de la recherche mais aussi dans le feu de l'action et dans la diffusion des résultats[56]. Le caractère judicieux de ces choix s'inscrit dans la capacité du chercheur d'en être conscient, de les rendre explicites et transparents et de les justifier.

À l'instar de Reason et Bradbury, nous croyons que ces caractéristiques impliquent un *virage de pratique* chez ceux qui font de la recherche puisque ce virage propose de construire une nouvelle voie et de pousser plus loin le « virage du discours » sur la recherche qui est apparu au cours des dernières années. En effet, à l'époque du postmodernisme, nul ne doute du discours socioconstructiviste sur la connaissance qui est perçue, par de plus en plus de gens, comme une construction sociale. De surcroît, nul ne doute de la légitimité de la recherche interprétative en sciences sociales.

---

56. Peter REASON et Kate Louise MCARDLE, « Action Research and Organization Development », dans Peter G. CUMMINGS, *Handbook of Organisation Development*, Londres, Sage, 2007, chapitre 8.

Le *virage vers l'action*, propre à la recherche-action, non seulement accepte-t-il ces faits, mais il nous demande en outre d'examiner sérieusement comment nous pouvons agir de façon intelligente et informée dans ce monde qui se construit socialement.

6 LES MÉTHODOLOGIES DE RECHERCHE-ACTION

Les tenants de la recherche-action veillent à ne pas s'emprisonner dans un processus méthodologique trop rigide qui pourrait les empêcher de réagir aux imprévus rencontrés pendant son déroulement sur le terrain. Toutefois, étant donné qu'elle est directement concernée par le changement de situations concrètes et qu'elle est une pratique intentionnelle, son processus est planifié et organisé. La plupart des auteurs s'entendent pour dire qu'il comporte au moins les étapes suivantes : la formulation du problème de départ, la planification des sous-processus (recherche-action-formation), la mise en œuvre du plan d'action, l'observation des effets de l'action, la réflexion et la répétition du processus. Le tableau présenté à la page suivante met en comparaison différents modèles utilisés. On y retrouvera des variantes du même processus, chaque auteur s'attardant à expliciter davantage l'une ou l'autre de ses étapes.

Une représentation comparative des différentes méthodologies nous permet, certes, de voir les étapes du processus. Cependant, il s'en dégage une impression de linéarité qui traduit mal une démarche qui se veut récurrente, ouverte et dynamique. Afin de donner une image plus juste des cycles en spirale, plusieurs auteurs ont utilisé des modèles graphiques pour les illustrer. Les deux modèles suivants servent d'exemples représentatifs du processus récurrent. Le premier, développé par Elliott (figure 19.3), montre l'articulation de trois cycles de recherche. Le deuxième modèle, proposé par Jean McNiff (figure 19.4), ajoute à celui d'Elliott en ce sens qu'il illustre l'ouverture nécessaire pour expliquer la flexibilité dans le déroulement de la recherche. En effet, comme il ne mentionne pas d'étapes précises à l'intérieur des cycles, il offre au chercheur-acteur la possibilité de modifier sa démarche en tout temps pour l'adapter à la situation. Ce modèle laisse aussi place à l'apparition de nouveaux objets qu'il convient d'investiguer parallèlement au processus principal planifié initialement.

À travers les différentes étapes de la recherche, le chercheur peut recourir à un large éventail de techniques afin de rendre le processus rigoureux. Rappelons-nous que la recherche-action n'est pas simplement une intervention en vue de produire un changement. C'est aussi une recherche

TABLEAU 19.1

Tableau comparatif de diverses méthodologies de recherche-action

Étapes	Lewin (1946) États-Unis	Corey (1953) États-Unis	Elliott (1981) Royaume-Uni	Hopkins (1985) Royaume-Uni	Whitehead (1986) Royaume-Uni	Altricher (1993) Autriche	Carr et Kemmis (1986) Australie	Goyette et Lessard-Hébert (1987) Québec	Lavoie, Marquis et Laurin (1996) Québec
Formuler le problème	Idée générale.	Identifier le problème.	Identifier une idée initiale.	Idée générale, formulation du problème.	Je ressens un problème lorsque certaines de mes valeurs éducatives sont reniées dans ma pratique.	Identifier un point de départ : un intérêt, une difficulté ou une situation confuse.		Exploration et analyse de l'expérience.	Étape préalable (seul).
	Collecte d'informations.		Reconnaissance (Collecte d'informations et analyse).	Réflexion critique.		Clarifier la situation. (Collecte et analyse des données afin de cerner la situation).	Procéder à une réflexion initiale à la lumière d'une préoccupation.	Énoncé d'un problème de recherche.	Réflexion initiale (en groupe).
	Conceptualiser le problème.	Formuler des hypothèses.		Formuler des hypothèses.					Précision du problème et de son contexte (en groupe).
Planifier	Plan d'action général. Décider de la première étape d'action.		Créer un plan général comprenant des actions en étapes.	Choisir une méthodologie.	J'imagine une solution à mon problème.	Développer des stratégies d'action et...	Planifier.	Planification d'un projet.	Planification de l'action (en groupe).
Agir	Exécuter la première étape.		Implanter la première étape		J'implante la solution imaginée.	... les mettre en pratique.	Agir.	Réalisation du projet.	Action et...
Observer	Reconnaissance ou collecte d'informations.	Enregistrer les actions.	Surveiller ce qui se passe.	Recueillir des données.		Observer et documenter ce qui se passe.	Observer.	Présentation des résultats.	... observation (en groupe).
Réfléchir	Évaluation. Se refaire une idée, planifier la prochaine étape et modifier le plan.	Inférer des généralisations.	Reconnaissance.	Analyser les données.	J'évalue les résultats de mes actions et je cherche des évidences.	Apprendre de l'expérience. Rendre les connaissances produites publiques.	Réfléchir.	Analyse des résultats. Interprétation. Conclusion. Prise de décision.	Évaluation et prise de décision (en groupe).
Répéter le processus	Cycle en spirale de planification, exécution et de reconnaissance afin d'évaluer et de planifier la prochaine étape et peut-être modifier le plan.	Continuer à vérifier les généralisations dans l'action.	Réviser l'idée générale.	Continuer l'action. Rapporter la recherche. Réviser le processus.	Je reformule mon problème à la lumière de mon évaluation.	Nouveau stade de clarification de la situation qui conduit au développement et à l'implantation de nouvelles stratégies d'action.	Réviser le plan. Répéter le cycle.		Redéfinition du problème et planification d'autant de cycles d'action que jugés nécessaires pour résoudre le problème.

FIGURE 19.3
Modèle de recherche-action selon John Elliott

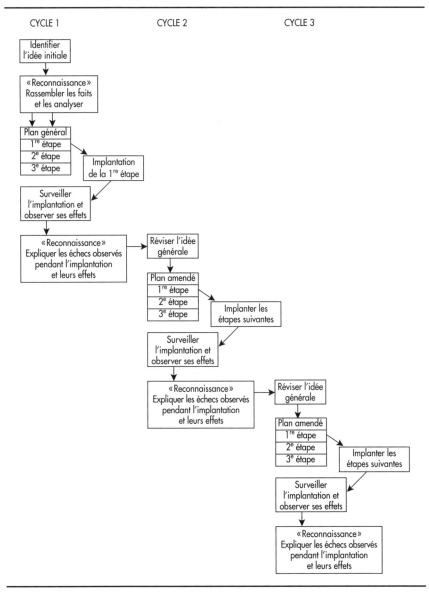

qui se sert d'outils méthodologiques, non seulement pour observer et documenter le déroulement de l'action, mais aussi pour aider les chercheurs et les acteurs à clarifier la problématique de la recherche, à développer les solutions pertinentes, à planifier les interventions qu'ils jugent nécessaires pour influencer la situation problématique et à produire des savoirs qui seront rendus éventuellement publics.

Dans le but de clarifier le sous-processus «recherche» du système recherche-action, reprenons brièvement les étapes en explicitant le déroulement concret de chacune d'elles.

Figure 19.4

**Modèle de recherche-action selon Jean McNiff,
Lomax et Whitehead**

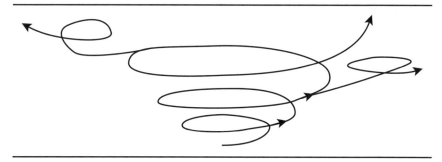

1ʳᵉ étape: Point de départ

Le chercheur, seul ou avec d'autres, relève une situation problématique qui suscite chez lui le désir d'amorcer une recherche, non seulement pour essayer de la comprendre, mais aussi pour agir sur celle-ci. Souvent, un groupe de recherche-action est formé à ce premier stade afin de créer un espace de dialogue. Les membres conviennent des règles de fonctionnement et des modalités inhérentes à leur engagement réciproque dans cette démarche. Plusieurs manières de procéder peuvent être observées. Par exemple, dans un premier cas, un chercheur peut inviter des praticiens intéressés à se joindre à lui dans le cadre d'une recherche qui porte sur une problématique assez large. Cela a pour avantage de permettre aux membres du groupe de travailler ensemble à la précision du problème de recherche. Le défi de ce chercheur est de soutenir la création d'une communauté de recherche qui partage certaines valeurs, sans toutefois imposer les siennes. Les participants se donnent alors comme objectif d'apprendre ensemble à résoudre un problème en collaboration. Dans un deuxième cas, le chercheur invite un groupe déjà constitué à se joindre à lui afin d'explorer une situation problématique qui les préoccupe. Dans un troisième cas, un groupe peut inviter un ou des chercheurs à l'accompagner dans une démarche de recherche. Finalement, on peut voir des cas ou un groupe se met lui-même en processus de recherche-action, comme c'est le cas lorsqu'une équipe-école s'arrête à étudier le problème du décrochage de ses élèves ou lorsqu'une faculté universitaire ou une assemblée départementale entreprend l'élaboration de son projet éducatif.

Cette première étape, qui peut paraître simple en soi, risque d'être escamotée. En effet, il est facile de présumer que des professionnels sauront collaborer à la résolution d'un problème si on les réunit. Pourtant, le travail d'équipe ne peut réussir sans accorder une attention particulière à la mise en place d'un espace de dialogue : la première action à entreprendre dans une démarche de recherche-action. Il s'agit d'un défi central qui comporte de nombreux enjeux ayant trait aux questions suivantes :

– *Quel est mon pouvoir ?* Chacun des participants est confronté aux questionnements suivants : Qui suis-je ? Quel est mon rôle ? Qui sont-ils ? Jusqu'où dois-je m'ouvrir pour me faire comprendre ? Comment gérer nos différences ? Simultanément, chaque individu cherche à clarifier le pouvoir qui peut émerger de sa participation à la recherche par rapport à son organisation.

– *Combien de temps ?* La mise en place de toute équipe de recherche est exigeante. Dans le cas d'une recherche-action, où chaque membre devient cochercheur, il convient donc de prendre du temps pour assurer la sécurité affective dont les participants ont besoin pour s'exprimer librement, pour entendre l'expression de l'autre et pour négocier la diversité des points de vue afin de se donner un contexte de travail vraiment collaboratif.

– *Jusqu'où m'investir ?* Chaque participant se fait une image de la situation problématique et évalue le degré d'investissement et d'engagement qu'il est prêt à consentir pour résoudre le problème avec les autres.

– *Quelle est le rôle du chercheur ?* Celui qui fait de la recherche-action est à la fois praticien de la recherche, formateur et facilitateur du travail collaboratif et un agent de changement. Il doit clarifier les attentes des participants à son égard et faire les choix les plus appropriés pour faciliter l'évolution du groupe.

Dès cette étape, la nature de ces questions invite le chercheur à réfléchir sur ses actions et à noter ses observations dans un journal de bord.

2ᵉ étape : Clarification de la situation et du problème

La situation problématique est examinée par ceux qui se trouvent dans la situation réelle. Une collecte d'information est alors entreprise pour mieux comprendre la situation et l'environnement ou le contexte dans lequel elle se situe. Plusieurs méthodes de collecte de données peuvent être utilisées : les conversations, les entrevues, les questionnaires, les études descriptives et l'étude de documents provenant soit de l'intérieur ou de l'extérieur de la situation (procès-verbaux, rapports, productions écrites des acteurs, etc.), etc. Idéalement, le chercheur voudra que tous les acteurs s'engagent dans la clarification de la situation problématique en participant, par les échanges et la réflexion, au travail d'analyse permettant une compréhension commune de la situation.

3ᵉ étape : Planification de l'action

Une fois la situation clarifiée, des objectifs de changement sont formulés. Des actions possibles sont ensuite suggérées et un plan d'action plus ou moins détaillé est articulé pour agir sur la situation. Parallèlement, le chercheur ou le groupe de recherche décidera des moyens qui seront mis en œuvre pour recueillir des données tout au long des actions.

4ᵉ étape : Action

Pendant l'implantation du processus planifié, des observations sont recueillies, et ce, de façon systématique, afin de pouvoir décrire ultérieurement ce qui s'est passé durant l'intervention, d'observer l'impact des actions sur la situation problématique et de modifier, si nécessaire, les actions subséquentes initialement prévues dans le plan. Les données peuvent être obtenues au moyen de documents produits dans l'action (ordres du jour, procès-verbaux, comptes rendus des dialogues et récits des actions ou tout autre document), par des questionnaires ou des entrevues, des observations provenant de témoins, des enregistrements sonores ou visuels, ou tout autre moyen jugé pertinent.

5ᵉ étape : Réflexion et analyse

Les données recueillies pendant l'intervention doivent être analysées et validées. Dans un premier temps, le chercheur peut travailler seul pour ensuite soumettre ses analyses à différentes formes de validation telles que le retour aux participants, le recours à un ami critique ou à une communauté d'apprentissage. En plus des méthodes d'analyse quantitatives et qualitatives traditionnelles, d'autres méthodes alternatives[57] peuvent soutenir la participation de tous les protagonistes à ce travail de coconstruction : les récits[58], l'analyse des construits[59], l'analyse d'images riches[60], les lettres[61], etc. La pertinence des outils qui seront utilisés constitue un critère de choix important. Le défi consiste à se rapprocher le plus possible d'une représentation partagée du sens en construction. Ainsi, par souci de cohérence, le chercheur tentera d'impliquer au maximum les acteurs concernés dans l'analyse des données recueillies.

6e étape : Partage du savoir généré

Comme dans toutes les recherches, les connaissances produites sont ensuite rendues publiques. Il peut s'agir d'apprentissages sur la situation problématique, sur l'intervention utilisée pour l'influencer ou sur le processus de recherche-action comme stratégie de changement. Il peut aussi s'agir d'un apprentissage personnel ou d'un savoir partagé par les cochercheurs. Ces savoirs sont rendus publics pour poursuivre le travail de validation, d'une part, et offrir des preuves concrètes du changement attribué à la démarche, d'autre part.

Différentes formes de rapport peuvent être utilisées, par exemple, une séance d'information ou la production d'un document écrit, visuel ou sonore. Les connaissances sont d'abord partagées avec la communauté dans laquelle s'est déroulée la recherche pour être ensuite véhiculées dans l'organisation. Elles peuvent aussi faire l'objet de conférences ou de publications à l'intention de la communauté élargie du praticien et du chercheur. Parfois, lorsque la recherche a lieu dans le cadre d'une formation universitaire, le chercheur devra produire un mémoire ou une thèse qui répondra aux exigences du programme de formation. Ces exigences peuvent varier considérablement compte tenu des croyances et des postulats épistémologiques des professeurs universitaires à l'égard de la recherche.

57. C. ELLIS et A.P. BOCHNER, *Composing Ethnography : Alternative Forms of Qualitative Writing*, Walnut Creek, Altamira Press, 1996.

58. Jean CLANDINI, *Narrative Inquiry : Experience and Story in Qualitative Research*, San Francisco, Jossey-Bass, 2000.

59. Michele BOURASSA, Ruth PHILION et Jacques CHEVALIER, « L'analyse de construits, une coconstruction de groupe », *Éducation et francophonie*, vol. 35, n° 2, 2007, p. 78-116.

60. Peter B. CHECKLAND, *System Thinking, System Practice*, New York, John Wiley, 1981.

61. Luc PRUD'HOMME, *La différenciation pédagogique : analyse du sens construit par des enseignantes et un chercheur formateur dans un contexte de recherche-action-formation*, Thèse de doctorat inédite, Université du Québec en Outaouais, 2007.

Le défi du chercheur dans la conduite du sous-processus « recherche »
est d'y arrimer ses interventions liées au sous-processus « formation ». Il
semble pertinent de puiser un maximum d'outils issus de la recherche sur
la pratique des participants afin d'alimenter l'intervention du chercheur-
formateur. Ainsi, la démarche de recherche devient un lieu d'action, d'expérimentation et de mise à l'essai des savoirs développés pour l'intervention.
À titre d'exemple, un chercheur en éducation pourra s'inspirer des fruits de
la recherche sur le travail de l'enseignant-médiateur pour mieux définir et
planifier son intervention liée au sous-processus de formation. Ou encore,
un chercheur clinicien tentera de modéliser une approche thérapeutique
non directive tout au long de la démarche de recherche.

Bref, au-delà de toute prescription méthodologique, il ressort que
le critère de rigueur le plus important lorsqu'on pratique une recherche-
action, et, oserions-nous ajouter, dans toute pratique confondue, est celui
de l'engagement envers la cohérence. Cohérence entre ce qu'on veut faire,
ce qu'on dit faire et ce que l'on fait effectivement, cohérence entre ses
attentes vis-à-vis des autres et ses attentes vis-à-vis de soi-même, cohérence
entre les théories que l'on dit épouser et les théories d'action, cohérence
dans la posture adoptée dans ses différents rôles sociaux. Il s'agit d'un
travail constant de recherche sur soi, qui réclame du chercheur d'accueillir
ses multiples voix, d'observer ses contradictions et de s'engager vers une
intégration plus harmonieuse ; cette poursuite de son actualisation et de
celle des autres est en réalité le travail d'une vie.

CONCLUSION

Dans ce chapitre, nous ne pouvons prétendre avoir réussi à clarifier, de
façon simple et univoque, la question de la définition de la recherche-
action. Face aux multiples points de vue, complémentaires ou contradictoires, concernant ses finalités et ses méthodes, il ne nous est pas apparu
essentiel d'alimenter un débat souvent stérile en prenant position pour
l'une ou l'autre des approches. Il peut être légitime de vouloir en arriver
à circonscrire la recherche-action dans une définition unique mais ceux
qui la pratiquent évitent souvent de le faire par crainte de la voir réduire
à une simple méthodologie.

L'expression « recherche-action » la distingue à la fois des pratiques
uniquement orientées sur la recherche et de celles qui se limitent à l'action. On peut la voir comme une recherche dans le monde réel en vue
de l'influencer immédiatement ou comme une professionnalisation des
pratiques. Il existera toujours, en son cœur même, une tension créée par la
relation entre la recherche et l'action, entre la théorie et la pratique, entre le

processus de recherche et l'engagement dans le monde réel, entre le rôle de chercheur et celui de praticien, entre les valeurs personnelles du chercheur, ses valeurs professionnelles et celles de sa communauté.

La recherche-action se différencie donc des autres modes de recherche par l'engagement personnel du chercheur-acteur qui oriente sa démarche selon sa vision particulière du changement souhaité. Elle exige de lui qu'il soit impliqué comme individu dans un processus dynamique de collaboration qui l'oblige à établir des relations interpersonnelles où il risquera d'être ébranlé dans ses valeurs profondes. Plutôt que de chercher sa sécurité dans des procédures spécifiques suivies de façon rigoureuse, il prend son ancrage dans la finalité qu'il poursuit, acceptant ainsi les risques inhérents au processus de création qu'il met en œuvre dans les décisions prises au fur et à mesure des imprévus qui apparaissent dans l'action. Sa préoccupation principale sera toujours le «*vers quoi allons-nous?*» et «*pourquoi faisons-nous cela?*» La question du «*comment ferons-nous*» devient alors secondaire parce que sa réponse est sujette à des négociations et à des adaptations continuelles pour tenir compte de l'action.

Même si, dans ce chapitre, nous avons tenté de l'expliquer par des mots et des idées, nous sommes conscients des limites imposées par cette démarche puisque, comme toute pratique, la recherche-action ne pourra véritablement être comprise que dans l'action.

BIBLIOGRAPHIE ANNOTÉE

ELLIOTT, John, *Action Research for Educational Change*, Milton Keynes, Open University Press, 1991, 163 pages.

Ce livre présente la recherche-action comme une forme de développement professionnel pour les enseignants. L'auteur y reprend son modèle en spirale développé une vingtaine d'années plus tôt et propose une démarche au praticien qui veut utiliser la recherche-action pour améliorer ses pratiques.

GOYETTE, Gabriel et Michelle LESSARD-HÉBERT, *La recherche-action : ses fonctions, ses fondements et son instrumentation*, Québec, Presses de l'Université du Québec, 1987, 204 pages.

Cet ouvrage découle d'une recherche où les auteurs ont effectué une analyse extensive d'écrits presque exclusivement francophones. La présentation des différents points de vue en rend parfois la lecture ardue pour le lecteur qui a de la difficulté à en arriver à une synthèse.

GREENWOOD, Davydd J. et Morten LEVIN, *Introduction to Action Research: Social Research for Social Change*, Thousand Oaks, Sage, 1998, 274 pages.

Ce livre est le résultat d'une brillante collaboration entre un chercheur américain (Greenwood) et un chercheur norvégien (Levin) qui ont mis en commun leurs connaissances sur ce mode de recherche. Sans vouloir réduire la complexité de la recherche-action à un modèle idéal, ces auteurs réussissent à transmettre toute sa complexité. Le lecteur appréciera les liens qu'ils font entre la recherche-action qui exige la participation de tous les acteurs et les changements qui en sont venus à être appliqués dans le monde du travail, telles la qualité totale ou la participation des travailleurs. Le lecteur appréciera leur vision de la recherche comme instrument démocratique de changement social. Après l'avoir définie et en avoir brossé l'historique, les auteurs en discutent la scientificité et présentent les diverses méthodes à sa disposition. Ils décrivent très bien le type de recherche-action menée par les chercheurs universitaires considérés comme des professionnels de la recherche qui collaborent avec les acteurs à la résolution de problèmes concrets. Le volume rapporte plusieurs études de cas qui permettent de bien saisir ses particularités.

HERON, John, *Cooperative Inquiry: Research into the Human Condition*, Londres, Sage, 1998, 225 pages.

Heron, un chercheur de réputation internationale, présente la recherche-action comme une démarche de coopération où les rôles de chercheur et de sujet sont intégrés. Il offre un livre de base pour ceux qui désirent savoir ce qu'est la recherche-action participative. L'auteur présente d'abord le cadre théorique de son approche et ensuite un guide pratique des méthodes qui peuvent être utilisées.

LAVOIE, Louisette, Danielle MARQUIS et Paul LAURIN, *La recherche-action: théorie et pratique*, Québec, Presses de l'Université du Québec, 1996, 229 pages.

Cet excellent ouvrage est présenté par ses auteurs comme un ouvrage didactique sur la recherche-action. Il fait le tour du concept et de l'application immédiate qui peut en être faite. Il propose une démarche où le lecteur chemine selon une formule d'autoformation à travers différents modules qui vont de la définition et des principes de la recherche-action à ses étapes de réalisation.

LOUGHRAN, John, Mary Lynn HAMILTON, Vicky KUBLER-LABOSKEY et Tom RUSSELL, *International Handbook of Self Study of Teaching and Teacher Education Practice*, 2ᵉ éd., New York, Springer, 2007, p. 817-887.

Ce manuel, consacré à l'étude de soi comme méthodologie de recherche en formation des enseignants, est le fruit d'une collaboration internationale. Le lecteur y trouvera de nombreuses illustrations de recherches menées au «je» où le chercheur est habité par la quête de cohérence dans ses pratiques de recherche et de formation.

MAYER, Robert et Francine OUELLET, *Méthodologie de recherche pour les intervenants sociaux*, Boucherville, Gaëtan Morin éditeur, 1991, 584 pages.

Cet ouvrage de base présente deux excellents chapitres sur la recherche-action et la recherche militante.

McNIFF, Jean, *Action Research: Principles and Practice*, 2ᵉ éd., Londres, Sage, 2002, 163 pages.

Jean McNiff expérimente le modèle du praticien-chercheur depuis plus de vingt ans dans la tradition de la recherche-action centrée sur le praticien. Ce livre rend compte de ce qu'elle a appris depuis la publication de sa première édition en 1988. Il présente les principes de la recherche-action, la méthodologie privilégiée et de nombreux cas illustrant la démarche.

McNIFF, Jean, Pamela LOMAX et Jack WHITEHEAD, *You and Your Action Research Project*, New York, Routledge, 1996, 157 pages.

Les auteurs, utilisant l'une des approches britanniques de recherche-action où le praticien est encouragé à devenir chercheur, ont voulu offrir un guide méthodologique simple à utiliser. Il s'adresse à ceux qui veulent apprendre à faire de la recherche-action et présente, de façon détaillée, les étapes et les techniques de recherche-action.

NODIE OJA, Sharon et Lisa SMULYAN, *Collaborative Action Research: A Developmental Approach*, Londres, Falmer Press, 1989, 232 pages.

Dans ce livre, on décrit la recherche-action comme une démarche collaborative qui permet aux enseignants d'améliorer leur milieu de travail. Après un premier chapitre qui situe ce type de recherche-action par rapport à d'autres démarches, les auteurs présentent plusieurs exemples de projets de recherche-action visant les changements qui ont été effectués dans des écoles américaines.

Reason, Peter et Hilary Bradbury (dir.), *Handbook of Action Research:
Participative Inquiry and Practice*, 2ᵉ éd., Londres, Sage, 2008,
720 pages.

Ce manuel, qui comprend 45 chapitres, a été rédigé par des experts
reconnus sur la scène mondiale; il constitue un ouvrage de base
pour ceux qui souhaitent approfondir la recherche-action. Divisé en
quatre parties, ce livre commence par la clarification de ses fondements intellectuels et politiques. Il présente ensuite une grande diversité d'approches dans une deuxième partie plus pratique. Signalons
que les auteurs sont d'avis que ce mode de recherche doit être perçu
beaucoup plus comme une vision du monde qu'une autre méthodologie. La troisième partie offre 15 exemples de recherches menées
aux quatre coins du monde, alors que la quatrième s'intéresse aux
habiletés requises pour mener de telles recherches.

Schön, Donald, *Le praticien réflexif*, Montréal, Les éditions Logiques, 1994,
418 pages.

Cette traduction française de l'ouvrage américain publié en 1983 est
un livre de référence indispensable pour celui qui veut approfondir
sa pratique professionnelle et devenir un chercheur qui réfléchit
aux actions qu'il pose ou qu'il a posées. Donald Schön y invite les
praticiens à explorer leur savoir professionnel au moyen de l'analyse
réflexive.

Stringer, Ernest T., *Action Research: A Handbook for Practitioners*, 3ᵉ éd.,
Thousand Oaks, Sage, 2007, 279 pages.

Les praticiens trouveront dans ce livre les principes qui soutiennent
la recherche-action communautaire. Le chercheur peut être lui-même
le chercheur ou intervenir comme facilitateur d'un processus qui
vise à établir des relations égalitaires, harmonieuses, sensibles et
coopératives qui s'appuient sur des communications vraies, sincères
et ouvertes en vue de permettre aux membres de la communauté
de participer activement au processus qui inclut tous les individus
et les groupes concernés par le problème étudié. L'auteur y présente
de façon claire comment la recherche peut être menée de façon
méthodique en préparant d'abord le terrain, en observant ensuite la
situation problématique afin d'en faire un portrait qui sera, par la
suite, interprété et expliqué. Ce livre est recommandé.

ZUBER-SKERRITT, Ortrun, *New Directions in Action Research*, Londres, Falmer Press, 1996, 266 pages.

Cet ouvrage est divisé en trois parties. Dans la première, l'auteur présente les modèles, principes et méthodologies de la recherche-action critique. La deuxième expose les problèmes qui se posent habituellement en recherche-action et offre une variété de solutions pour tenter de les résoudre. La troisième situe la recherche-action critique par rapport au postmodernisme et montre comment elle peut être utilisée dans un but d'émancipation dans le contexte du développement organisationnel et professionnel.

http://www.actionresearch.net

Ce site Internet contient les mémoires et les thèses de plusieurs chercheurs qui ont obtenu leur maîtrise et leur doctorat à l'Université de Bath (Angleterre). Il contient de nombreuses adresses Internet d'autres sites portant sur la recherche-action.

http://www.scu.edu.au/schools/gcm/ar

Ce site présente une foule de ressources sur la recherche-action à l'Université Southern Cross en Australie.

http://web.ku.edu/sstep/

Site du groupe d'intérêt de l'AERA portant sur le «*self-study*».

http://www.bath.ac.uk/carpp/

Site du Centre for Action Research in Professional Practice (CARPP). Il contient des thèses de doctorat ayant utilisé la recherche-action, de même que de nombreuses références sur la recherche-action.

UNE SCIENCE OBJECTIVE?

Koula MELLOS

Je ne vois que ce que je crois!

Philosophe de Mai 68

La philosophie empirico-analytique de la science est à la base de la conception du savoir scientifique qui prévaut dans le monde anglo-américain. Mais, à l'ère de la mondialisation, cette conception devient dominante à l'échelle même du monde; cette conception est aussi largement acceptée en Europe de l'Ouest. La philosophie de base n'est pas une nouveauté dans l'histoire de la pensée occidentale, mais on peut situer son développement le plus significatif à l'époque de la révolution industrielle, qu'elle a, du reste, marquée.

Au cours des quatre derniers siècles, et particulièrement depuis le début du XXᵉ siècle, l'approche empirico-analytique a subi plusieurs modifications importantes à divers niveaux de son épistémologie, modifications qui ont engendré un grand nombre d'écoles de pensée distinctes, telles que le positivisme logique et le rationalisme critique, à tel point que le terme de «philosophie empirico-analytique» peut créer de la confusion parce qu'il fait référence à des factions intellectuelles disparates.

Les chapitres de ce livre présentent diverses méthodologies, aujourd'hui utilisées dans la recherche d'explications valables de la réalité. Quoiqu'une certaine hétérogénéité théorique et pratique puisse y être observée, ces méthodologies peuvent être regroupées selon leur compatibilité épistémologique prenant racine dans des prémisses communes issues de la même approche empirico-analytique. Cette compatibilité provient de plusieurs postulats concernant la nature de la science et, en particulier, d'une proposition que nous aimerions faire ressortir à cause de ses profondes implications dans la théorie et dans la pratique : il s'agit de la *neutralité de la science*. Selon cette proposition, la science a pour objectif la connaissance du monde tel qu'il est, et non tel qu'il devrait être ; *les valeurs n'auraient donc pas de place dans le processus scientifique puisqu'elles ne peuvent produire qu'une vision contrefaite de l'état du monde.*

La thèse de la neutralité de la science est donc basée sur la prémisse selon laquelle il n'y a pas de continuité entre faits et valeurs, que les faits concernent le monde tel qu'il est et les valeurs, le monde tel qu'il devrait être. Cette dichotomie faits/valeurs remonte à David Hume qui soutenait qu'un fait ne peut pas être dérivé logiquement d'une valeur, ni une valeur d'un fait ; donc, si la science cherche à découvrir et à expliquer l'état et les processus du monde réel, c'est-à-dire les faits, elle doit éviter de lier faits et valeurs dans la logique de l'enquête. Les valeurs, puisqu'elles existent sous forme de préférences et de désirs chez les individus, peuvent aussi devenir des faits, par leur seule existence et évidemment à cause de leur place centrale dans l'orientation du comportement. Cela ne viole pas la prémisse de la discontinuité logique : en effet, une valeur n'est pas une valeur par son existence factuelle, pas plus qu'un fait n'est un fait parce qu'on lui accorde une valeur.

Le principal objectif de ce chapitre est d'analyser la thèse de la neutralité de la science pour préciser 1) si, oui ou non, on peut soutenir logiquement que la science peut exister indépendamment des valeurs, 2) les implications sociales d'une pratique scientifique supposée neutre, au moins au regard de sa logique, mais aussi, par voie de conséquence, au regard du type de résultats qu'elle produit.

 1 LA LOGIQUE DE LA NEUTRALITÉ DE LA SCIENCE

Le terme générique « science » est très significatif dans ce qui s'appelle la « philosophie » de la science puisqu'il renvoie à l'idée d'un mode commun d'enquête choisi à l'intérieur d'un large éventail d'objets possibles d'analyse. Ce mode d'enquête est constitué d'une méthodologie particulière et d'un ensemble de règles précises du discours scientifique. Cette méthode et ces règles[1] définissent la science en général ; une science en particulier diffère d'une autre science seulement par son objet d'analyse, et non par la méthode ou les règles de son discours. Ainsi, la physiologie s'intéresse aux cellules vivantes ; la sociologie, aux relations sociales ; la science politique, aux relations de pouvoir ; chacune se distingue des autres par ses objets d'analyse, mais la méthodologie et les règles de leur discours sont les mêmes.

On peut parler de « la science » dans un sens général puisque toutes les sciences particulières se regroupent dans cette unité de la méthode et de la structure des règles du discours. Évidemment, on ne peut nier que la structure ou le comportement spécifique de certains objets d'analyse peut provoquer, et a effectivement amené, le développement de techniques particulières d'enquête. En effet, plusieurs chapitres de ce livre mettent l'accent sur des techniques précises et démontrent la variabilité et la diversité des techniques scientifiques ; mais cette affirmation de l'unité de la méthode ne touche pas les techniques d'enquête : elle signifie plutôt que la même logique et les mêmes règles de syntaxe scientifique sont appliquées dans toute la science.

Toute la structure de la méthode et des règles du discours scientifique est entachée par l'axiome de la dichotomie faits/valeurs. Au moins trois aspects de cette structure mettent en évidence l'impact de la prémisse de neutralité : il s'agit de l'*observabilité*, de l'*intersubjectivité* et de la *reproductibilité*, chacune constituant une condition nécessaire à la solidité de la méthode scientifique.

▓ 1.1. L'observabilité

L'observabilité renvoie aux caractéristiques d'un objet d'analyse. Un objet particulier ne peut être retenu pour traitement scientifique que s'il peut s'adapter à la *vérification empirique*. Bien sûr, cela ne signifie pas que les propriétés de cet objet soient obligatoirement accessibles à l'observation des sens physiques ; l'observation indirecte par inférence peut suffire et, effectivement, est employée quand l'observation directe est impossible. On ne peut pas *voir* un atome, et encore moins ses composantes, les électrons, les protons et les neutrons, mais on peut utiliser différents tests indirects et des inférences pour arriver à considérer l'atome comme objet d'enquête

---

1. Pour une discussion générale des diverses étapes de la méthode scientifique, voir Arnold BRECHT, *Political Theory : The Foundations of Twentieth Century Political Thought*, Princeton, University Press, 1959, p. 27-113.

scientifique. Par contre, l'omnipotence de Dieu ne peut pas faire l'objet de tests empiriques directs ou indirects et ne peut donc être retenue comme objet d'analyse scientifique.

Les tests empiriques que nous mentionnons peuvent regrouper toute technique permettant de mesurer certaines caractéristiques d'un objet d'analyse. L'observabilité a donc trait aux propriétés du monde réel et concret qui peut être étudié empiriquement. Cette condition implique que l'objet d'observation soit public et observable par plus d'un observateur. Un objet d'analyse scientifique ne peut pas être l'apanage de la seule expérience d'un individu isolé; il doit être ouvert à l'observation publique, même s'il s'agit d'un événement unique dans l'histoire de la nature ou de la société.

■ 1.2. La reproductibilité

Le caractère public de l'observabilité se pose comme condition à l'intérieur des deux autres dimensions de la méthode, la reproductibilité et l'intersubjectivité. La reproductibilité concerne la méthode d'observation : la phase d'observation de l'objet doit pouvoir être répétée par d'autres analystes sur des objets comparables. Tout scientifique devrait, en principe, être en mesure de reprendre les tests empiriques pertinents sur le même objet ou sur des objets similaires appartenant à la même classe. La technique d'observation utilisée doit permettre cette reproduction de la vérification empirique.

Cette condition permet de distinguer une activité d'analyse publique de l'introspection individuelle, par exemple, qui, elle, est privée et particulière à un seul individu et qui ne respecte donc pas le critère de reproductibilité publique. L'introspection peut devenir reproductible comme objet d'analyse, mais elle doit pour cela s'ouvrir à l'examen public de sorte que l'analyse puisse être reprise par tout membre de la communauté scientifique. Cette dimension de reproductibilité définit donc ce qu'est un objet connaissable scientifiquement.

■ 1.3. L'intersubjectivité

L'intersubjectivité a trait à l'ensemble de la structure et de la syntaxe de la méthode, à partir des règles premières précisant la structure jusqu'au statut des résultats que cette structure engendre. L'intersubjectivité renvoie au mode de communication et de formation du consensus chez les scientifiques en ce qui concerne la méthode et les théories de la science.

Il ne serait pas exagéré de dire qu'en un sens la science est elle-même une *convention*. Et si la science est basée sur une convention et que chaque aspect de la science comporte des conventions, il est évident qu'on ne peut s'attendre à ce que la science produise des vérités ou des connaissances absolues et irréfutables. Les résultats dits « scientifiques » ne sont vrais que temporairement, jusqu'à ce qu'une autre recherche ne les démontre suffisamment faux pour que la communauté scientifique les rejette et les remplace par des résultats plus fiables.

La logique profonde de la science présuppose non seulement que sa vérité est une tentative plutôt qu'un absolu, mais aussi qu'elle produit des résultats qui ne peuvent avoir d'autre statut que celui d'essai. *On ne peut jamais démontrer la vérité absolue d'un résultat.* En effet, le caractère empirique (plutôt que logique) de la preuve requiert la vérification de tous les objets ou événements passés, présents et futurs relatifs à une certaine classe d'objets ou d'événements ; cette condition, qui ne peut évidemment jamais être remplie, ni logiquement, ni pratiquement, circonscrit cette impasse qu'on ne peut éviter que par la convention[2]. L'intersubjectivité s'insinue donc dans toute la structure de la méthode et du discours de la science. De la forme d'une hypothèse à son mode de vérification, du niveau d'acceptabilité de la preuve à la question du statut de la vérité, la science peut être vue comme un ensemble de conventions.

L'intersubjectivité peut prendre un autre sens qui est beaucoup plus proche de la signification de l'observabilité et de la reproductibilité. L'intersubjectivité suppose que toutes les étapes de la méthode puissent être traduites en termes publics de sorte que tous les tests puissent potentiellement être menés par au moins deux scientifiques. Le traitement intersubjectif des hypothèses exige donc que les critères d'observabilité et de reproductibilité soient satisfaits. L'intersubjectivité présuppose les deux autres dimensions ; en fait, c'est la notion d'intersubjectivité qui autorise diverses nuances quant à la signification de l'expérience contrôlée.

▧ 1.4. Ces trois aspects et la neutralité

Voyons maintenant comment l'observabilité, la reproductibilité et l'intersubjectivité de la méthode et du discours scientifiques sont reliées à la thèse de la neutralité de la science. Ces trois aspects de la méthode et du discours font référence à la conception traditionnelle de l'objectivité qui,

---

2. Dans le cheminement de la « falsification déductive » proposé par Karl Popper comme moyen de résoudre l'impasse logique de l'induction, la convention prend une place logique encore plus importante. Voir Karl POPPER, *La logique de la découverte scientifique*, Paris, Payot, 1973.

à son tour, se raccroche à celle de la neutralité par rapport aux valeurs. La méthode scientifique (l'expérimentation contrôlée) et les règles de la syntaxe (liens entre le discours et la vérification empirique en environnement contrôlé) constituent, d'après les philosophes de la science, les moyens de parvenir à l'objectivité. Dans ce contexte, l'objectivité est définie comme la qualité d'un mode d'analyse qui permet de préciser le caractère réel (ou objectif) d'un objet donné d'analyse. C'est une caractéristique essentielle d'une méthode qui se targue de déterminer ce qu'est réellement un objet. *L'objectivité de la méthode est la suppression de toute influence fallacieuse qui puisse altérer la validité de notre perception des caractéristiques réelles de l'objet d'analyse au cours de l'enquête.* L'objectivité caractérise une méthode et un discours qui éliminent l'effet des lubies, des préférences et des préjugés de l'analyste.

Seule cette logique peut permettre de préciser la structure réelle de comportement du monde tel qu'il existe, à compter du système solaire où le soleil se lève inexorablement tous les matins jusqu'au système social où l'éducation des enfants relève du système scolaire. Seuls cette méthode et ce discours peuvent nous amener à déterminer le caractère objectif de la réalité, ce qu'ils réussissent en éliminant le plus d'interférences possible par rapport à l'observation du monde réel.

Dans cet ordre d'idées, les sources les plus évidentes de distorsions des perceptions du monde réel seraient sans doute les valeurs. Ces valeurs dénatureraient nos observations et nous empêcheraient de produire des lois générales sur le comportement du monde. Selon cette philosophie, le chercheur scientifique *peut* connaître le vrai visage du monde environnant en réduisant l'influence de ses caractères sociopsychologiques à leur plus simple expression. On peut même dire que la méthode et le discours eux-mêmes sont rendus objectifs, comme moyens d'acquisition du savoir. L'objectivation de la méthode et du discours est parfois poussée assez loin pour que, par exemple, Karl Popper ait pu dire que l'objectivité et la connaissance objective peuvent exister sans sujet connaissant[3].

Cependant, c'est la notion d'objectivité par rapport à l'objet d'analyse et par rapport aux moyens de sa connaissance qui est la dimension la plus touchée par la thèse de la neutralité de la science. Quels que soient la nature, la constitution ou le comportement de l'objet d'analyse, la science cherche à l'enregistrer, à le décortiquer ou à l'expliquer, mais non à le condamner, à l'applaudir ou à le changer dans le cours de l'enquête. La science veut reconstruire fidèlement l'*état de l'objet d'analyse* et sa situation

---

3. Karl POPPER, «Epistemology Without a Knowing Subject», dans *Objective Knowledge*, Oxford, Oxford University Press, 1972, p. 106-152.

dans la réalité globale, et non pas l'altérer dans le sens de quelque valeur explicite ou implicite qui déterminerait *ce que la réalité doit être*. Dans le processus d'enquête, d'après cette logique, les valeurs ne sont que des éléments falsifiant la réalité. Elles ne peuvent que créer des distorsions dans la perception de l'objet et fournir des explications de son comportement qui seraient plus en accord avec les désirs de l'analyste qu'avec la réalité.

La méthode scientifique et les règles de syntaxe existent donc pour atteindre l'objectivité, c'est-à-dire pour construire un corpus de connaissances qui reflète le monde réel. En même temps, elles permettent de créer et de maintenir une séparation entre objectivité et subjectivité, cette dernière représentant la fragilité morale des praticiens de la méthode. Tenir la subjectivité à distance, ou l'éliminer de l'enquête scientifique, purifie l'objectivité ; c'est un exploit que la méthode scientifique et les règles de sa syntaxe, dans leur logique même, assurent pouvoir réaliser.

2 La thèse de la neutralité de la science

La section précédente n'est qu'une brève synthèse de la thèse de la neutralité de la science, mais elle marque tout de même les points saillants que nous devons analyser pour vérifier s'il est possible de soutenir qu'on peut éliminer l'influence des valeurs. Voici la question précise que nous devons nous poser : peut-on réellement soutenir que ni la méthode scientifique ni le discours scientifique ne sont basés sur certaines valeurs et que ces valeurs ne s'immiscent pas dans la conduite de la recherche ou les règles du discours ?

▓ 2.1. La vérité et la foi

Dans les prémisses de l'ensemble de l'entreprise scientifique, il existe une valeur dont peu de philosophes nieraient la présence : la *vérité*. En effet, la raison d'être première de la science est la recherche de la vérité ; dans ce contexte, la vérité est définie comme la *connaissance objective des lois naturelles qui gouvernent les processus naturels et sociaux systématiques*. Quelques philosophes admettent l'existence d'une autre valeur sur le plan des prémisses préscientifiques : la *foi dans la validité de la méthode* et du discours de la science, à tout le moins comme moyens d'écarter les erreurs, sinon comme outils de démonstration directe de la vérité.

Pour Karl Popper, la science ne peut fonctionner que sur la foi en sa capacité à produire des propositions non falsifiées. L'acte de foi ne fait pas lui-même partie de la rationalité de la science ; c'est plutôt un acte préscientifique nécessaire, se situant au niveau des valeurs mais néanmoins indispensable au déroulement du projet scientifique. En d'autres mots,

> [...] on doit adopter une attitude rationnelle pour rendre tout argument ou toute expérience efficace ; ce choix ne peut donc pas être basé sur un argument ou une expérience (et cette considération est tout à fait indépendante de la question de l'existence d'un argument rationnel militant en faveur d'une approche rationnelle). Il faut donc conclure qu'aucun argument rationnel n'aura d'effet rationnel sur une personne qui ne veut pas adopter une attitude rationnelle [...] Mais cela signifie aussi que quiconque adopte une attitude rationnelle le fait à partir d'une décision, d'une proposition, d'une croyance, d'un comportement ; une telle décision peut être traitée d'« irrationnelle ». Que cette décision soit temporaire ou qu'elle mène à une habitude ancrée, nous la décrivons comme une *foi irrationnelle dans la raison*[4].

Cependant, la présence de ces valeurs dans les prémisses préscientifiques n'affecte pas nécessairement la thèse de la neutralité de la science en elle-même, c'est-à-dire qu'elle n'a pas de conséquence épistémologique réelle puisqu'elle n'entache pas la logique interne de la méthode ou du discours scientifiques. Donc, pour vérifier si la thèse elle-même peut être soutenue, nous devons rechercher toute relation possible entre la logique de la science et les valeurs.

▓ 2.2. La démonstration de la validité

Lors de la discussion de l'intersubjectivité à la section 1.3., nous avons signalé que les règles de la méthode et du discours scientifiques sont basées sur des ententes au sein de la communauté des chercheurs. L'un des points fondamentaux de ce consensus intersubjectif est la relation entre les valeurs et la démonstration de la validité d'une hypothèse donnée.

De quelle « preuve de validité d'une hypothèse » parle-t-on ici, alors qu'on a montré plus haut l'impossibilité logique de la preuve absolue ? De quoi a-t-on besoin pour démontrer qu'une hypothèse donnée est vraie ou fausse ? Il est assez facile de démontrer qu'une hypothèse est fausse : seul suffit un test où les résultats observés ne correspondent pas aux résultats attendus. Mais si l'on applique la même notion empirique de vérité (une correspondance entre résultats réels et prédits) pour déterminer non

---

4. Karl POPPER, *The Open Society and Its Enemies*, vol. 2, Londres, Routledge and Kegan Paul, 1959, p. 230-231 (traduction libre). L'ouvrage a été traduit depuis sous le titre *La société ouverte et ses ennemis*, Paris, Éditions du Seuil, 1979.

seulement la fausseté, mais aussi le caractère véridique d'une hypothèse, on se heurte au problème de la méthode scientifique qui est incapable, à cause de sa logique et de sa pratique, de démontrer la véracité absolue de ses résultats. Cela est dû, comme nous l'avons dit, à la structure logique de l'induction qui requerrait l'analyse de tous les événements passés, présents et futurs, ce qui est impraticable.

On se contentera donc de divers *degrés de preuve*, à défaut de démonstration totale, pour soutenir la confirmation temporaire d'une hypothèse. La communauté scientifique fixe donc des critères statistiques pour définir l'acceptabilité des hypothèses. Dans ce sens, on n'a pas accepté qu'un niveau de probabilité juste supérieur à 50 % soit suffisant comme démonstration de la fiabilité d'un résultat ; la communauté scientifique a rejeté la proposition de Carnap[5] voulant que la probabilité majoritaire simple (50 %) constitue un seuil de démonstration suffisant. On justifie donc la détermination de niveaux statistiques de la preuve temporaire des hypothèses par l'utilisation d'une certaine valeur. C'est Rudner[6] qui a fait remarquer la relation déterminante existant entre une certaine valeur et le degré d'acceptabilité de la preuve : il a signalé que les conséquences reliées à une hypothèse, donc un jeu de valeurs, affectent le niveau de probabilité minimal d'acceptabilité des hypothèses que le chercheur voudra atteindre. Par exemple, la science médicale exige des niveaux de démonstration de la preuve supérieurs à ceux que d'autres sciences acceptent, parce que les conséquences de ses découvertes peuvent affecter des vies humaines. On voit clairement ici qu'une certaine valeur joue un rôle dans la présentation de la preuve, ce qui signifie que toutes les hypothèses sont sujettes à des tests requérant une certaine correspondance entre résultats observés et résultats prévus. Dans ce cas-ci, la valeur de préservation de la vie entraîne qu'on utilise un niveau de probabilité plus élevé pour démontrer la validité d'une hypothèse.

La vérification des hypothèses suppose une autre valeur : la valeur de l'efficacité dans la prévision. La vérification empirique des hypothèses est construite de telle façon que c'est la correspondance entre résultats observés et résultats prévus qui constitue la base de validation. La preuve de la véracité d'une hypothèse tient donc à son aptitude à prévoir des résultats. L'efficacité des tests d'une hypothèse dans la démonstration de cette

5. Rudolf CARNAP, *Logical Foundations of Probability*, Chicago, Chicago University Press, 1950.
6. Richard RUDNER, « The Scientist Qua Scientist Makes Value Judgments », *Philosophy of Science*, vol. 20, n° 1, 1953.

correspondance, sans compromettre rigueur et objectivité, est une mesure de sa validité et constitue la base sur laquelle la communauté scientifique en reconnaît la validité.

Dans ce cas, la valeur d'efficacité dans la prévision sous-tend la notion de vérité. Roberto Miguelez a signalé que la science ne trouve peut-être pas son compte dans cette équation «efficacité dans la prévision = vérité». Il soutient que, dans la logique de la preuve, l'efficacité dans la prévision peut tout au plus être vue comme un indice de véracité, mais pas comme une preuve de vérité. Si l'efficacité est reliée à la vérité, une erreur peut être retenue comme vérité. L'un des exemples qu'il suggère à ce sujet est la confirmation de la véracité d'une hypothèse effectivement fausse:

> Un phénomène bien connu en sciences sociales peut offrir une raison supplémentaire de cette impossibilité: c'est celui qu'on appelle la «prédiction créatrice». Il s'agit d'un phénomène caractérisé par le fait qu'une hypothèse fausse assumée comme vraie provoque, par cette assomption même, un comportement qui la confirme, c'est-à-dire qui rend vraie l'hypothèse fausse au départ. Un exemple typique d'un tel phénomène est la névrose de l'examen: convaincu qu'il échouera, l'étudiant inquiet passe plus de temps à se faire du mauvais sang qu'à travailler et, effectivement, il finit par échouer (ce qu'on appelle «prédiction destructrice» consiste, à l'inverse, dans une hypothèse dont la vérité initiale déclenche un comportement qui a pour effet la création d'une situation qui infirme l'hypothèse)[7].

Cela illustre très bien la difficulté qu'il y a à se baser sur l'efficacité dans la prévision pour passer à la revendication de la vérité.

▓ 2.3. La construction des hypothèses

Cependant, la question de l'existence de valeurs au sein même de la logique de la science ne peut trouver une réponse complète en s'en tenant à la seule logique de la démonstration des hypothèses, même si ce point est d'importance fondamentale. La question doit aussi se poser à l'étape de la construction même des hypothèses.

Avant de subir le test de l'empirie, les hypothèses doivent être formulées, articulées comme telles. Il est évident, pour quiconque a réfléchi à cette question, que les hypothèses ne surgissent pas fortuitement du néant: des hypothèses particulières découlent d'une certaine théorie suivant des règles précises de dérivation. Les valeurs ne semblent pas intervenir, à tout le moins immédiatement, dans ce lien entre théorie et hypothèses;

---

7. Roberto MIGUELEZ, *Essais sur la science, les valeurs et la rationalité*, Ottawa, Presses de l'Université d'Ottawa, 1984, p. 31.

elles sont cependant présentes par le fait qu'elles font partie d'une théorie donnée. Pour bien comprendre ce point, nous devons remonter brièvement jusqu'au moment de l'élaboration de la théorie.

Les théories, sources d'hypothèses spécifiques, prennent forme au cœur d'un paradigme conceptuel; celui-ci est le produit de toute une détermination historique. Qu'est-ce donc qu'un paradigme et qu'est-ce qui cause son émergence? C'est en cherchant réponse à cette double question que Kuhn a écrit *The Structure of Scientific Revolution*[8]. Dans ce texte, l'auteur propose une certaine approche de ce paradigme qui, malgré les critiques de nébulosité et d'inexactitude qui lui ont été servies, a réussi à capter un élément crucial de la sélectivité de l'approche théorique et de la pratique de la recherche, élément qui caractérise, selon lui, toute entreprise intellectuelle: ce qui semble servir de mécanisme sélectif, c'est une cohérence théorique qui permet de résoudre plusieurs problèmes divers, et de développer suffisamment de méthodes de recherche originales pour gagner l'adhésion d'une certaine communauté de scientifiques.

Les deux éléments importants sont les problèmes théoriques et les méthodes de recherche qui sont déterminés, même de façon imprécise et vague, par ce paradigme.

Plusieurs écrits subséquents ont tenté d'élucider cette notion[9] et, en empruntant à ces sources, nous pouvons définir un *paradigme* comme *une conception générale de la réalité qui détermine quelles questions sont à étudier, comment les approcher, comment les analyser et quelles significations les conséquences de l'analyse peuvent avoir pour la connaissance scientifique et son application*. Cette définition du paradigme se rapproche beaucoup de celle qu'Althusser[10] propose pour la «problématique théorique», soit une orientation théorique caractérisée par une structure interne qui précise les objets d'analyse, les règles de l'analyse et celles de l'interprétation.

Un paradigme, ou une problématique théorique, donne forme à la réalité à l'intérieur d'un cercle d'attention et détermine les questions intéressantes, ou les problèmes requérant une solution, à l'intérieur de ce cercle d'attention et à l'intérieur du cadre interprétatif des résultats.

---

8. Thomas KUHN, *The Structure of Scientific Revolution*, Chicago, University of Chicago Press, 1962, particulièrement les chap. 2 à 5, p. 10-51.

9. George RITZER, *Sociology: A Multiple Paradigm Science*, Boston, Allyn and Bacon, 1975; Roberto MIGUELEZ, *op. cit.*

10. Louis ALTHUSSER, «Du Capital à la philosophie de Marx», dans *Lire le Capital*, vol. 1, Paris, Maspero, p. 9-85.

Dans cette notion de paradigme, certains éléments de l'enquête sont associés les uns aux autres. Ils sont liés de sorte que la détermination de l'objet d'analyse, la formulation des questions et les solutions possibles sont interreliées et ne sont pas neutres par rapport à certaines valeurs. Les valeurs jouent le rôle de présupposés dans chaque aspect de la problématique théorique : elles permettent de décider de l'inclusion ou de l'exclusion de tel ou tel problème ou objet de recherche à l'intérieur du cercle théorique d'attention, et en même temps d'exclure certaines questions de ce cercle d'attention en les oubliant carrément ou en les traitant comme évidentes ou insignifiantes.

Par ailleurs, la relation entre la solution d'un problème et la science est peut-être la question la plus importante au sujet de la logique de la science et de ses relations avec certaines valeurs : en effet, toute solution à un problème présuppose un choix de valeurs. Mais, comme Roberto Miguelez le fait remarquer, le concept de structure interne articulée est à la base de la notion de paradigme et c'est ce fait même qui ébranle le plus la thèse neutraliste :

> Le postulat général de la compatibilité nécessaire entre processus et résultats scientifiques, entre activités et discours scientifiques, que la notion de paradigme permet de penser, s'avère donc être une condition absolue du traitement du problème du rapport entre science et valeur[11].

■ 2.4. L'unité de la méthode

L'unité de la méthode scientifique est un autre principe de la tradition empirico-analytique qui a des implications immédiates dans le champ des valeurs. Selon ce principe, une seule méthode et un seul ensemble de règles du discours prévalent dans toutes les sciences, de la physique à la sociologie, quel que soit l'objet d'analyse. Cela ne signifie pas que les mêmes techniques d'investigation sont appliquées à tous les sujets, mais qu'une même logique de méthode et de discours domine. Le but ultime est de découvrir les lois générales du comportement de la nature et de la société. Le principe de l'unité de la méthode ne pose pas comme condition une unité ou une continuité des lois naturelles et sociales ; il suggère simplement que ces lois soient saisissables par une même logique de méthode et de discours.

---

11.   Roberto Miguelez, *op. cit.*, p. 41.

Cet axiome a été contesté par plusieurs philosophes critiques de l'approche empirico-analytique[12]. L'un des nœuds du débat tient justement aux différences intrinsèques entre nature et société[13]. Le comportement des objets physiques est contrôlé par des relations de cause à effet de sorte que, dans des conditions données, des objets appartenant à une même classe se comportent de façon similaire ; les conditions constituent la cause, le comportement des objets, l'effet.

Cette proposition s'applique aussi aux processus de changement des objets de la nature : un comportement similaire provient de conditions équivalentes. Les lois de la nature sont donc immuables et le comportement de la nature est suffisamment systématique pour qu'on puisse établir des règles de prévision utilisables. Cela étant, disent les critiques, la méthode de l'expérimentation contrôlée basée sur une notion pragmatique de la vérité (vue comme la correspondance entre les résultats et la prévision) peut être considérée comme étant appropriée à l'analyse de la nature.

Les comportements sociaux, cependant, ne sont pas constitués de la même manière et sont contrôlés différemment ; ils ne devraient donc pas être étudiés de la même façon que les phénomènes naturels. Les membres d'une société adoptent certains comportements en fonction de normes sociales uniformes qui définissent la bienséance et sont soumis à la menace de sanctions s'ils ne s'y plient pas. Ces normes sont les dépositaires de ce qui doit et ne doit pas être fait, de ce que l'on permet et encourage et de ce qui est obligatoire et impensable. Leur action est à la fois explicite et implicite ; elles réduisent l'éventail des possibilités matérielles, tant sur le plan de la conscience des membres de la société, que sur celui des ressources nécessaires à la sélection de certains choix.

Les membres de la société se plient à ces normes dans la mesure où ils les trouvent légitimes ; ne plus reconnaître de légitimité à une règle, c'est aussi refuser de s'y soumettre. Les normes, donc, contrôlent

---

12. La plupart des écrits des membres de l'école de Francfort prennent la forme de critiques de la philosophie empirico-analytique en général et du principe de l'unité de la science en particulier. Voir par exemple, Theodor ADORNO, « Sociology and Empirical Research », dans Theodor ADORNO et al., *The Positivist Dispute in German Sociology*, Londres, Heinemann, 1976, p. 68-86 ; voir aussi Jürgen HABERMAS, « The Analytical Theory of Science and Dialectics », dans *ibid.*, p. 131-162 ; Max HORKHEIMER, « Traditional and Critical Theory », dans *Critical Theory*, New York, Seabury Press, 1972, p. 188-243 ; voir aussi sa *Critique of Instrumental Reason*, New York, Seabury Press, 1974.

13. C'est la position de Jürgen Habermas ; elle n'est pas nécessairement partagée par les autres théoriciens critiques, particulièrement au regard de ses implications pour une théorie générale de la connaissance. Voir Jurgen HABERMAS, *Knowledge and Human Interests*, Boston, Beacon Press, 1968.

le comportement manifeste des membres de la société à travers leur conscience. Si les normes donnent forme au comportement social, on peut dire que ce comportement a une base normative.

Pour la philosophie empirico-analytique de la science, affirmer que le comportement social a une base normative n'entraîne pas le rejet du principe de l'unité de la méthode, ni une dérivation de sa position de neutralité, puisqu'elle accorde simplement à ces normes le statut de faits. En fait, on peut dire la même chose des valeurs dans la mesure où elles sont une composante importante des normes. Elles sont considérées comme des parties objectives de la réalité pour lesquelles on peut, grâce à la méthode scientifique, à un niveau scientifiquement acceptable de probabilité, inférer qu'elles sont les déterminants du comportement dans une relation causale. Donc, le principe de l'unité de la méthode ne viole pas le principe de cette dualité faits/valeurs puisque l'application de la méthode scientifique permet de distinguer les valeurs comme valeurs, des valeurs comme faits.

Cette défense du principe de l'unité de la méthode, au regard de la thèse de neutralité, peut être détruite par un examen plus approfondi de la nature et de la constitution de ces normes sociales.

 ## LA RECHERCHE ET L'IDÉOLOGIE

Si les normes sont essentiellement des moyens de sélectionner ce qui est admissible dans le possible et de rejeter ce qui n'y a pas place, elles ne sont que l'effet d'une structure sous-jacente qui les conditionne. Par exemple, dans le mode de production capitaliste, la structure des relations sociales de production dans laquelle la plus-value est appropriée privément par les détenteurs des moyens de production est essentiellement une structure de pouvoir de classe, c'est-à-dire que c'est une structure faisant la promotion de la réalisation des intérêts de la classe capitaliste ; la classe capitaliste domine, grâce à la propriété des moyens de production, non seulement sur le plan des relations économiques, mais aussi sur celui des relations politiques et idéologiques. Les normes ne sont que des effets idéologiques particuliers d'une structure de relations économiques de production.

Dans une formation sociale à dominance capitaliste, les normes favorisent les intérêts de la classe capitaliste ; les comportements qu'elles préconisent ou inhibent sont consistants avec la domination de la classe capitaliste. Le pouvoir de la classe capitaliste s'exerce donc sur tous les plans des relations sociales et, quoique cette structure soit objective, elle n'est pas neutre à l'égard des relations de classes.

L'analyse des objets sociaux qui accorde un statut de neutralité à ces objets n'est pas neutre non plus[14]. En examinant ce qui existe et en éliminant ce qui devrait exister, cette analyse s'aligne sur les valeurs de la classe dominante et sa vision théorique se trouve déterminée par les structures de la classe dominante[15]. L'analyse de ce qui devrait être est rejetée puisque ce qui devrait être fait partie de ce qui est dans la perspective des structures de la classe dominante. Mais cet axiome idéologique n'élimine pas ce qui devrait être objet de l'analyse. Cette portion de la réalité est dissimulée derrière la correspondance idéologique entre ce qui est et ce qui devrait être.

Une analyse qui ignore cette unité de ce qui est et de ce qui devrait être oublie aussi la relation conflictuelle que ces possibles créent avec d'autres possibles, avec d'autres formes potentielles de relations sociales. Dans sa logique intrinsèque, elle appuie le statu quo et s'oppose au changement social structurel[16].

Ce rapide survol de la prétention de la philosophie empirico-analytique de la science à la neutralité a permis de signaler plusieurs niveaux où l'on peut concevoir la présence de certaines valeurs. On en a fait le constat au niveau des prémisses préscientifique, à divers niveaux de la logique interne de la méthode scientifique, y compris au niveau du paradigme ou de la problématique théorique, et au niveau de la preuve. Nous avons aussi démontré que les valeurs particulières d'une époque interviennent dans l'analyse sociale à travers le principe de l'unité de la méthode.

Que la science elle-même ne puisse être neutre dans sa logique nous ramène au fait que la réalité (et sa structure) ne peut pas être conçue comme neutre. Elle est déterminée par les rapports sociaux, par les contradictions et la lutte, et mue par les intérêts de classe où faits et valeurs forment une seule entité.

---

14. Le féminisme, dans à peu près toutes ses variantes, met en doute l'objectivité et la neutralité des sciences sociales et avance la thèse selon laquelle les sciences sociales sont marquées par le parti pris du patriarcat qui continue à justifier, par des moyens plutôt idéologiques que scientifiques, la place sociale subalterne accordée aux femmes à travers l'histoire de l'Occident. Voir en particulier, Valerie BRYSON, *Feminist Political Theory*, Londres, Macmillan Press, 1992.

15. Voir George LUKACS, *History and Class Consciousness*, Londres, Merlin Press, 1968, p. 110-148.

16. Voir, à cet égard, la démonstration convaincante que fait Max Horkheimer dans son article, «Théorie traditionnelle et théorie critique», dans *Théorie critique*, Paris, Payot, 1978, p. 15-90.

BIBLIOGRAPHIE ANNOTÉE

BRECHT, Arnold, *Political Theory: The Foundations of Twentieth Century Political Thought*, Princeton, Princeton University Press, 1959.

Ce livre traite de la notion empirico-analytique de science. Il s'arrête à une description de la méthode associée à la science empirico-analytique et examine où se situent plusieurs écoles contemporaines à l'intérieur de cette tradition par rapport à un certain nombre d'enjeux, incluant celui du relativisme scientifique.

FEYERABEND, Paul, *Against Method*, Londres, Atlantic Highlands Humanities Press, 1975.

Développant une critique de diverses écoles de méthodologie incluant le rationalisme critique, Feyerabend développe une argumentation contre la prééminence actuelle de la méthode scientifique en tant que mode d'acquisition de connaissances. Il soutient que, bien que les éléments irrationnels de la méthode scientifique soient indispensables au progrès scientifique, ils ne sont pas inclus dans les règles méthodologiques scientifiques comme celles prescrites par Popper. Pour Feyerabend, seul un « anarchisme théorique » dont la seule assertion normative est son désir de ne pas être conventionnel peut prétendre avoir une quelconque fonction heuristique. Malgré l'attitude extrêmement critique de l'auteur envers le rationalisme critique, il se contient à l'intérieur de sa rationalité en ne s'arrêtant pas aux termes et aux implications de la rationalité technique.

FOUCAULT, Michel, *Surveiller et punir*, Paris, Gallimard, 1975.

Avec la thèse selon laquelle le savoir est intégralement lié au pouvoir et le pouvoir au savoir, Foucault rejette le postulat de neutralité de la science. Dans son analyse des rapports sociaux du pouvoir, l'auteur cherche à démontrer comment, d'un côté, le savoir provenant des sciences sociales et de la psychanalyse est destiné à servir un appareil social du pouvoir ayant comme effet la discipline et comment, de l'autre côté, le comportement discipliné s'offre à la science comme standard sur lequel la science construit ses énoncés généraux. Ce sont ces mêmes énoncés, constate Foucault, qui réclament un statut de vérité neutre mais qui ne sont qu'imprégnés du pouvoir.

FRAISE, Geneviève, *La différence des sexes*, Paris, Presses universitaires de France, 1996.

L'auteure examine la pensée philosophique de l'Occident, depuis l'Antiquité jusqu'à nos jours, en vue de montrer comment la philosophie depuis Aristote jusqu'à Hegel est abordée d'un point de vue masculin même dans l'universalité de ses principes et de sa logique, et ainsi opère une dévalorisation des principes féminins – voire des femmes elles-mêmes. L'ouvrage remet en cause, ainsi, non seulement l'objectivité des sciences sociales mais celle de la philosophie même.

HABERMAS, Jürgen, *Connaissance et intérêt* (Traduction de Gérard Clemençon), Paris, Gallimard, 1976.

Par la critique et la synthèse reconstitutive de plusieurs traditions épistémologiques parmi les plus importantes (Kant, Hegel, Marx, les positivistes, les pragmatistes, Freud), Habermas développe sa théorie des trois types d'intérêts cognitifs ou de « constitution de la connaissance » : technique, pratique et émancipatoire ; chacun se développe en véhiculant des rationalités distinctes : instrumentale, pratique et critique, respectivement.

HORKHEIMER, Max, « Théorie traditionnelle et théorie critique », dans *Théorie critique*, Paris, Payot, 1978, p. 15-90.

Cet auteur fait un lien entre l'émergence de la « théorie tradition-nelle », inspirée de la manipulation technique de la nature, et le mode de production capitaliste. Il soutient que les découvertes technolo-giques de cette période sont inséparablement liées à cette fonction de la poursuite de la science. Cependant, réclamant une validité absolue et cherchant une justification a-historique, cette conception de la connaissance devient une idéologie. Horkheimer propose une théorie critique ou une critique de l'idéologie qui serait capable de s'autosuffire dans la justification de sa pertinence historique.

KUHN, T.S., *The Structure of Scientific Revolutions*, Chicago, University of Chicago Press, 1962.

Fondant sa thèse sur un exposé historique des découvertes scientifi-ques, Kuhn élabore une théorie de la croissance du savoir en termes de cycles récurrents d'émergence et de destruction de paradigmes. Ces changements de paradigmes illustrent la nature révolutionnaire du progrès scientifique et correspondent aux changements de visions dominantes du monde. Le processus de renversement d'un para-digme est mis en branle par l'accumulation de problèmes que les limites du paradigme dominant ne permettent pas de résoudre. Des essais répétés pour surmonter ces difficultés finissent par produire des découvertes scientifiques et, en conséquence, par proposer un nouveau paradigme. Contrairement à Popper, Kuhn n'interprète pas ce processus en termes de logique de la découverte, mais dans une optique de compréhension psychologique de la recherche scientifique.

NICHOLSON, Linda J. (dir.), *Feminist-Postmodernism*, New York, Routledge, 1990.

Quelques articles dans ce recueil constatent que le postulat de la neutralité de la science est faux. Ce postulat retranche de l'analyse scientifique les rapports de forces dans la société et, par le fait même, contribue à la perpétuation des rapports sociaux de subordination de la femme.

POPPER, Karl, *La logique de la découverte scientifique*, Paris, Payot, 1973.

Popper développe une critique de l'induction et de la vérification en démontrant l'impossibilité logique de généraliser une théorie construite par induction et aussi en démontrant la probabilité nulle de découvrir une théorie pouvant réclamer une «valeur de vérité» par vérification. Il propose un rationalisme critique comme solution aux problèmes inhérents à l'enquête scientifique. Il explore les avantages de la déduction, de la falsification et de la corroboration par consensus, qui caractérisent le rationalisme critique.

POPPER, Karl, *La société ouverte et ses ennemis*, Tomes 1 et 2 (Traduction de J. Bernard et P. Monod), Paris, Éditions du Seuil, 1979.

Popper utilise son rationalisme critique pour juger les plus importantes théories de l'histoire et de la société : celles de Platon, de Hegel et de Marx. Il découvre que toutes ces théories sont remplies de dogmes et ne peuvent donc être sujettes à la falsification utilisée par la méthode scientifique. En conséquence, il conclut que ces théories appartiennent à un champ d'enquête autre que celui de la science.

RADNITZKY, Gerard, *Contemporary Schools of Metascience 1 : Anglo-Saxon Schools of Metascience*, Göteborg (Suède), Akademiförlaget, 1968.

Il s'agit ici d'une présentation des enjeux existant au sein de plusieurs écoles de philosophie de la science, par exemple, le positivisme logique et le rationalisme critique.

RUDNER, Richard, *Philosophy of Social Sciences*, Englewood Cliffs, Prentice-Hall, 1966.

On trouvera dans ce texte une récapitulation de la signification de plusieurs concepts importants de la science empirico-analytique.

RYAN, Alan, *The Philosophy of the Social Sciences*, New York, Macmillan Press, 1970.

Cet auteur analyse la logique du principe de l'unité de la méthode dans les sciences naturelles et sociales pour déterminer si ce principe peut être défendu. Une comparaison de la logique de l'explication dans les sciences naturelles et dans les sciences sociales le porte à en rejeter la validité.

L'ÉVALUATION DE LA RECHERCHE PAR SONDAGE

Benoît GAUTHIER

*A deviation from the ideal may still be leagues ahead
of no effort to achieve an ideal.*

Robert C. SORENSEN

Ce livre présente des préceptes relatifs à l'acquisition de la connaissance sur un mode scientifique. Il morcelle nécessairement la matière en unités de savoir relativement étroites pour pouvoir organiser la présentation sous forme de chapitres constituant des unités d'apprentissage d'une longueur raisonnable. Cette contrainte limite cependant la portée de la discussion.

Le présent chapitre articule une vision plus large de la recherche sociale appliquée. Il intègre les enseignements de plusieurs chapitres sous la forme d'un cadre d'évaluation pour la recherche par sondage. Nous avons limité le sujet à la recherche par sondage pour présenter un message cohérent. Par ailleurs, nous avons retenu ce type de recherche sociale à cause de son importance dans la pratique de recherche sociale contemporaine.

Le cadre d'évaluation repose sur quatre principes fondamentaux: rigueur, neutralité, équilibre et transparence, d'où découlent un ensemble de critères d'évaluation. Il n'offre pas de recette pour l'attribution de notes à la qualité des travaux de recherche par sondage et n'expose pas non plus l'état des connaissances telles qu'elles sont révélées par les meilleures pratiques en la matière[1]; il fournit plutôt au chercheur une structure qui lui permettra de tirer le meilleur parti de son jugement professionnel.

1 L'ÉVALUATION DE LA RECHERCHE

L'évaluation de la recherche par sondage a toujours été davantage un art qu'une science. Chaque chercheur a recours à ses propres critères et met l'accent sur certains aspects de la recherche plutôt que d'autres. Pour reprendre les mots de Cohen et Shirley[2]:

> *Applied research professionals in the social scientific field are continually challenged by the difficulty involved in defining appropriate criteria for establishing and measuring the quality of their research. This lack of clarity regarding the definition of quality in social scientific applied research – along with the specific criteria by which quality is determined and measured – has resulted in considerable confusion regarding the appropriate objectives, scope, methodological guidelines and external applications for the discipline.*

Pareille confusion se manifeste lorsqu'un auteur se prononce sur le poids des conclusions de diverses recherches dans la confirmation ou l'infirmation de sa position. Les commanditaires de recherches en sont aussi la proie lorsqu'ils doivent évaluer les résultats d'une enquête qu'ils ont commandée ou qu'ils doivent utiliser, parmi d'autres sources d'information, pour étayer une décision. Elle se produit également quand le chercheur veut vérifier que son rapport de recherche renferme bien tous les éléments de preuve nécessaires.

L'examen des conclusions tirées de la recherche n'est toutefois jamais aussi approfondi que lorsqu'une recherche par sondage est utilisée dans un contexte judiciaire. Les parties ont alors toutes les raisons voulues pour accepter ou rejeter l'information offerte en preuve; elles ont toutes tendance à ne faire ressortir que les éléments qui renforcent leur position. Cependant,

---

1. KAASE et DIAMOND en présentent les conditions dans Max KAASE, *Quality Criteria for Survey Research*, Berlin, Akademie Verlag, 1999, et Shari Seidman DIAMOND, «Reference Guide on Survey Research», dans *Federal Judicial Center, Reference Manual on Scientific Evidence*, 2ᵉ éd., Londres, LexisNexis, 2000.
2. Michael COHEN et David SHIRLEY, «Intersubjectivity in Applied Social Scientific Research: Toward a Working Definition of Quality», *WAPOR Regional Seminar on Quality Criteria in Survey Research*, 25 au 27 juin 1998, Cadenabbia, Italie.

les tribunaux et les organismes quasi judiciaires doivent pouvoir s'appuyer sur une évaluation de la recherche par sondage pour décider du poids à attribuer à ses conclusions.

Le cadre d'évaluation présenté ici ne permet pas de déterminer si la recherche par sondage est la bonne approche pour l'étude de tel ou tel sujet. Il faudrait, pour poser ce jugement, examiner la pertinence de l'unité d'analyse et la cohérence avec laquelle la recherche en cause utilise cette unité d'analyse[3]. Ce serait aller au-delà des objectifs du présent travail.

 2 LES CRITÈRES D'UNE RECHERCHE DE QUALITÉ

La première question fondamentale est celle des critères qui définissent une recherche de qualité. Pour Kaase[4] :

> *A quality evaluation methodology for surveys [...] would require an overall approach. In practice, surveys comprise numerous steps integrated in a defined programme. The quality of results is an outcome of the overall process. [...] The first requirement is a concept for the overall description of a survey type. The term procedural model is proposed for this concept. A procedural model consists of various components or dimensions of the overall process. With regard to quality standards, it seems useful to distinguish the following six components: the master sample (coverage), missing data (nonresponse), interview mode (mode effects), data collection and processing (error possibilities/error avoidance), time requirement (rapidity), documentation (transparency).*

À notre avis, cette segmentation du travail d'enquête confond les **étapes** du processus avec les **valeurs fondamentales de la qualité**. Nous proposons de séparer ces deux concepts. Il y a, selon nous, quatre critères essentiels pour poser un jugement sur un travail particulier de recherche par sondage. Les voici :

- *La rigueur* : l'étude applique-t-elle systématiquement les méthodes de la recherche par sondage reconnues comme les meilleures ? La rigueur est, bien entendu, relative à la situation en cause. Certaines situations exigent de faire certains choix méthodologiques alors que d'autres nécessiteront une approche différente. Par son essence, la rigueur est ici le critère le plus technique ; néanmoins, les règles précises d'une évaluation sont susceptibles

---

3. Voir le chapitre 17 du présent livre et Varun GROVER, *A Tutorial on Survey Research : From Constructs to Theory*, <http://dmsweb.badm.sc.edu/grover/survey/MIS-SUVY.html>, en date du 16 juin 2003.
4. *Op. cit.*, p. 240.

d'évoluer au fil du temps à mesure que se préciseront les connaissances touchant les meilleures pratiques de sondage[5]. Il en va notamment ainsi des approches innovatrices comme celle de la recherche par sondage sur Internet[6].

- *La neutralité*: l'étude observe-t-elle les phénomènes en cause sans fausser les observations? La recherche vise à donner un reflet fidèle de la réalité; par conséquent, pour être solide, la recherche doit prendre certaines mesures propres à garantir la neutralité de ses résultats, de sorte que la réalité qui surgira des observations ait toutes les chances d'être représentative.

- *L'équilibre*: l'étude utilise-t-elle suffisamment de ressources pour démontrer adéquatement sa thèse, sans toutefois tomber dans la surabondance? L'équilibre exige une utilisation à la fois suffisante et parcimonieuse des ressources. Il réside dans la position qu'on adopte pour atteindre les objectifs souhaités avec un minimum de ressources, d'effort, de souci, etc. Le *Petit Larousse* définit entre autres l'équilibre en tant que «juste combinaison de forces, d'éléments; répartition harmonieuse» et donne, pour «équilibrer», cette définition: «mettre en équilibre, stabiliser». L'équilibre entre aussi en jeu lorsqu'il faut adapter la recherche à l'auditoire, aux objectifs de l'étude et à son contexte[7].

---

5. Citons, par exemple, Hirschi et Selvin: «Ainsi, la méthodologie, ce n'est pas la vérité révélée et éternelle. C'est un corps vivant d'idées, qui change avec le temps. Nombreuses sont les méthodes, et ce qui est correct et valable aujourd'hui peut être incorrect et inacceptable demain.» (Travis HIRSCHI et Hanan C. SELVIN, *Recherches en délinquances, principes de l'analyse quantitative*, Paris, Mouton, 1975).

6. À cet égard, Couper écrit: «[…] *tried and tested motivating tools used in mail surveys (e.g., advance letters, personalized signatures, letterhead, incentives, etc.) cannot be implemented in the same way in Web surveys, and functional equivalents are yet to be developed and tested. There is at present little experimental literature on what works and what does not, in terms of increasing response rates to Web surveys. Many of the techniques developed and tested over time to increase response rates in mail surveys may not work the same way in fully electronic Web surveys. Finding electronic equivalents of response-stimulating efforts is work that remains to be done.*» (Mick P. COUPER, «Web Surveys, A Review of Issues and Approaches», *Public Opinion Quarterly*, vol. 64, hiver 2000, p. 473.)

7. «[…] *because of the diverse range of constituencies for whom social scientific applied research is designed and implemented, researchers are often compelled to adjust their objectives, methodology and style of presentation to conform to the needs, expectations, and methodological and evaluative criteria of different audiences.* […] *In designing and implementing a particular research program, the applied social scientific researcher must continually balance the client's self-defined needs and objectives with the actual allocation of resources (financial, human, archival, time, etc.) toward the research process.*
By definition, the quality of each research study is determined, in large part, by the researcher's ability to creatively manage this tension between objectives and available resources in a way that most effectively serves the needs of the client.» (COHEN et SHIRLEY, *op. cit.*, p. 1 et 2).

- *La transparence* : l'étude fournit-elle tous les renseignements nécessaires à une évaluation éclairée ? La science repose sur la notion de reproductibilité : lorsqu'une même observation est obtenue à répétition, la conclusion qu'on en tire acquiert plus de force que des conclusions qui proviendraient d'observations idiosyncratiques. La reproductibilité nécessite le partage du savoir ou l'intersubjectivité[8]. L'exigence correspondante, qui est fondamentale, réside dans la divulgation complète de tous les éléments méthodologiques pouvant influer sur la qualité des observations et la robustesse des conclusions[9]. Cette « transparence » est de même nature que celle que les citoyens et les médias réclament des politiciens en ce qui concerne leurs prises de décisions. La transparence constitue aussi un principe de base en matière de gestion, selon l'Ordre des administrateurs agréés du Québec[10].

---

8. « *In saying that science is intersubjective, we mean that two scientists with different subjective orientations would arrive at the same conclusion if each conducted the same experiment.* [...] *If the earlier researchers had reported the design and execution of their studies in precise and specific details, however, and you were to replicate the study exactly, you should arrive at the same finding. This is what is meant by the intersubjectivity of science.* » (Earl BABBIE, *Survey Research Methods*, 2ᵉ éd., Belmont, Ca., Wadsworth Publishing Company, 1990, p. 16 et 17.) Voir aussi le chapitre 20 du présent livre.

9. « *Basic criteria for measuring the social scientific integrity of the research include the following : transparency of the research methodology (in design, implementation and presentation).* » (COHEN et SHIRLEY, *op. cit.*, p. 7.)

10. 2.2-1 : « Transparence » : Qualité de ce qui laisse paraître la réalité tout entière, sans qu'elle ne soit altérée ou biaisée. Il n'est d'autre principe plus vertueux que la transparence de l'acte administratif par l'administrateur qui exerce un pouvoir au nom de celui de qui origine le pouvoir. Celui qui est investi d'un pouvoir doit rendre compte de ses actes à son auteur.
2.2-2 : Essentiellement, on peut déterminer que l'administrateur doit rendre compte de son administration ; que ce soit au mandant ou à une personne ou un groupe désigné par celui-ci, par exemple : à un conseil d'administration, à un comité de surveillance ou à un vérificateur.
2.2-3 : Dans la mesure où le mandant le permet et qu'il n'en subit aucun préjudice, l'administrateur doit également agir de façon transparente envers les tiers ou les préposés pouvant être affectés par ses actes.
2.2-4 : Ainsi, la transparence implique de rendre l'information accessible aux tiers, incluant les membres de son organisation afin d'assurer la saine gestion.
2.2-5 : L'administrateur doit divulguer à son mandant tous ses intérêts propres, financiers ou personnels, de même que ceux de sa famille immédiate (telle que définie au paragraphe 4.4.13-5), qui puisse affecter son travail ou ses fonctions.
(Ordre des administrateurs agréés du Québec, Guide de l'administrateur agréé, Principes et normes de saine gestion, Publications CCH/FM, mises à jour régulières.)

Il s'agit sans doute du précepte le plus fondamental, sans lequel les autres critères n'ont aucun sens du point de vue de la communication des résultats de la recherche[11].

D'autres critères ont été employés pour évaluer la recherche par sondage mais ils sont, à notre avis, subsumés sous les quatre proposés ci-dessus. Mentionnons, entre autres :

- le respect des normes professionnelles et de la déontologie[12] ;
- la représentativité de l'échantillon[13] ;
- la validité des définitions opérationnelles des concepts[14] ;
- la logique de la méthode[15] ;
- la taille suffisante de l'échantillon[16] ;
- l'application contrôlée du stimulus que l'étude représente pour le répondant[17] ;
- la disponibilité des personnes faisant partie de l'échantillon[18] ;
- l'aptitude à réagir des individus (compréhension et information)[19] ;
- l'absence de biais dans les questions[20] ;
- la communication impartiale de l'information de la part du répondant[21] ;

---

11. « A common theme running through all my remarks is that, as professionals, survey researchers have the obligation to provide as much information as possible about the work they do–to their clients, to respondents and others whose interests may be affected by the research, and, especially but not only when the research is in the public domain, to the general public. From a practical point of view, private interests, including the researcher's, the client's, and even of the respondents, will always place limits on this principle of openness. Nonetheless, I have no doubt that over the long run, and often even in the short run, the quality of the work we do is enhanced by being as open as possible. » (Irving CRESPI, « Ethical Considerations when Establishing Survey Standards », dans International Journal of Public Opinion Research, printemps 1998, vol. 10, p. 75 et suivantes.)
12. William N. HÉBERT, « Cross-Examining Survey Experts », dans Civil Litigation Reporter, novembre 1999.
13. Paul C. STERN, Evaluating Social Science Research, New York, Oxford University Press, 1979, p. 32 et 77 ; Ruth M. CORBIN, A. KELLY GILL et R. SCOTT JOLIFFE, Trial by Survey : Survey Evidence and the Law, Toronto, Carswell, 2000, p. 16.
14. STERN, op. cit., p. 77 ; CORBIN et al., op. cit., p. 16.
15. BABBIE, op. cit., p. 41.
16. CORBIN, op. cit., p. 16.
17. STERN, op. cit., p. 80.
18. Voir le chapitre 17 de ce livre.
19. Voir le chapitre 17 de ce livre.
20. CORBIN, op. cit., p. 16.
21. Ibid. ; voir aussi le chapitre 17 de ce livre.

- l'enregistrement fidèle de l'information offerte par les répondants[22];
- la divulgation des directives données aux interviewers[23];
- l'emploi de principes statistiques reconnus[24];
- l'objectivité du processus[25];
- l'adhésion à un modèle procédural touchant la qualité[26].

3 LES COMPOSANTES DE BASE DE LA RECHERCHE PAR SONDAGE

Le cadre d'évaluation s'organise autour des six composantes de base de la recherche par sondage. Les voici, brièvement décrites:

- *Le questionnaire*: la mise au point des stimuli verbaux ou visuels destinés à obtenir des réponses de la part des répondants; il s'agit évidemment de l'instrument de base de la recherche par sondage.
- *L'échantillonnage*: la sélection d'un sous-ensemble de la population des sujets formant la cible de l'étude.
- *La collecte des données*: l'application du questionnaire aux éléments de l'échantillon.
- *La gestion des données*: le transfert dans un média électronique des réponses fournies par les participants ainsi que la mise en forme des données et la création de nouvelles données; ces opérations comprennent le choix des éléments de pondération.
- *L'analyse des données*: l'exploitation des données afin de répondre aux questions à l'étude; cela comprend le recours à la statistique de même, éventuellement, que l'utilisation de plans plus élaborés que les simples plans d'une recherche descriptive fondée sur un seul sondage.
- *Le rapport*: la présentation du processus de la recherche et de ses résultats, habituellement sous forme d'un rapport écrit ou d'un document graphique.

---

22. *Ibid.*; voir aussi le chapitre 17 de ce livre.
23. *Ibid.*
24. *Ibid.*
25. *Ibid.*
26. KAASE, *op. cit.*, p. 240.

4 COMBINAISON DES PRINCIPES ET DES COMPOSANTES DE BASE

Le présent cadre d'évaluation suppose qu'une «bonne» recherche par sondage témoigne des quatre principes de qualité à l'intérieur de chacune des six composantes de base. Il a la particularité de conjuguer les six composantes de base aux quatre principes de l'évaluation afin de produire une matrice de 24 zones (voir le tableau 21.1) qui doivent entrer en ligne de compte dans une étude sur la recherche par sondage[27].

Chaque zone renferme des critères d'évaluation précis. Nous allons maintenant analyser en quoi consistent les critères de ce cadre de travail. Les sections suivantes décrivent et justifient les critères qui sont résumés dans le tableau 21.1. La sélection de la plupart des critères reflète quant à leur importance un vaste consensus parmi les chercheurs ; l'auteur propose des critères additionnels qui méritent selon lui l'attention lorsqu'il s'agit d'évaluer la recherche par sondage.

■ 4.1. Le [q]uestionnaire

La qualité d'un questionnaire est une notion qui porte à controverse[28] malgré l'accord qui règne sur la nécessité d'un questionnaire de qualité[29]. Nous allons appliquer nos quatre principes à la conception du

---

27. Cette classification croisée des fonctions ou des phases avec les principes reflète celle dont se sert l'Ordre des administrateurs agréés du Québec pour établir ses normes d'une saine gestion : en l'occurrence, l'Ordre applique six principes (transparence, continuité, efficience, équilibre, équité, abnégation) à cinq fonctions de gestion (planification, organisation, orientation, contrôle, coordination) en vue de former la base des normes de gestion. L'idée d'une classification croisée des phases et des principes a été empruntée à cette source. Voir Bernard BREAULT, *Exercer la saine gestion : Théorie appliquée à l'audit de saine gestion*, 2e éd., Farnham (Québec), Publications CCH, 1999.

28. La notion de qualité a été longuement développée, mais la façon dont les organisations conceptualisent la qualité varie énormément. En qualifiant leur concept de «profil de la qualité», des organisations comme U.S. Survey of Income and Program Participation et National Center for Education montrent qu'aucun élément de la qualité n'est en soi péremptoire. Le concept de Statistique Canada dans ses «Lignes directrices touchant la qualité» comprend la documentation et la diffusion. Le document «Quality Measurement» du U.S. Bureau of Labour Statistics renferme un chapitre intitulé «Conceptualization». Le Bureau suédois de la statistique parle aussi de «contenu, temps et disponibilité», outre l'aspect traditionnel de «fiabilité». Eurostat a jugé utile d'inscrire «comparabilité, cohérence et intégralité» parmi les principaux éléments. (Hans AKKERBOOM et Håkan L. LINDSTRØM, «The Development of Quality Concepts for Questionnaire Testing and Evaluation», *WAPOR Regional Seminar on Quality Criteria in Survey Research*, 25 au 27 juin 1998, Cadenabbia, Italie.)

29. *«As a rule, neither sampling methods, interviewer organization nor analytical methods differentiate poor quality surveys from high quality survey research ; the determining factor, and thus the*

questionnaire. Même si les combinaisons ne produisent pas nécessairement tous les critères que d'autres auteurs ont établis, elles donnent lieu
à un ensemble cohérent de critères qui englobent les préoccupations
majeures des spécialistes.

* **[R]igueur du [q]uestionnaire**   combinaison Rq

   Rq1 *La validité de contenu*[30]

   La validité de contenu « *depends on the extent to which an empirical
   measurement reflects a specific domain of content*[31] ». Un questionnaire
   conçu de manière rigoureuse démontre une validité de contenu ;
   dans son rapport de recherche, l'auteur pourra se prononcer sur
   la validité de contenu.

   Rq2 *Les prétests*[32]

   Les prétests comprennent diverses activités faisant suite à la mise
   au point initiale du questionnaire et précédant son utilisation aux
   fins de la collecte définitive des données. Effectués avec soin, les
   prétests permettent d'établir les difficultés de compréhension de
   certaines questions, le déroulement du questionnaire, la durée
   de l'entrevue, les directives, etc.

---

decisive criterion for distinguishing quality, is the study concept and questionnaire development. »
(Thomas PETERSEN, « Three Aspects of Quality in Survey Research : Indirect Questions,
Field Experiments and the Need for Researchers to Test Questionnaires Themselves »,
WAPOR Regional Seminar on Quality Criteria in Survey Research, 25 au 27 juin 1998,
Cadenabbia, Italie.)

30. « *One must first ensure that the questionnaire domains and elements established for the survey
    or poll fully and adequately cover the topics of interest. Ideally, multiple rather than single
    indicators or questions should be included for all key constructs.* » (American Association for
    Public Opinion Research, Best Practices for Survey and Public Opinion Research, <http://
    www.aapor.org/pdfs/best_pra.pdf>, en date du 16 juin 2003.)

31. Edward G. CARMINES et Richard A. ZELLER, *Reliability and Validity Assessment*, Sage Univer-
    sity Papers on Quantitative Applications in the Social Sciences, Beverly Hills, Sage, 1979,
    p. 20.

32. « *Structured questionnaires should be pretested among eligible respondents prior to the start of
    the main field period to establish the clarity, flow, and appropriateness of questions.* » Council
    of American Survey Research Organizations, Guidelines for Survey Research Quality,
    <http://www.casro.org/guidelines.cfm>, en date du 16 juin 2003. « *All questions should be
    pretested to ensure that questions are understood by respondents, can be properly administered
    by interviewers, and do not adversely affect survey cooperation.* » (AAPOR, *op. cit.*) « *Texts on
    survey research generally recommend pretests as a way to increase the likelihood that questions
    are clear and unambiguous.* » (DIAMOND, *op. cit.*, p. 248.)

TABLEAU 21.1
Cadre d'évaluation d'un sondage

	Principes			
	[R]igueur	[N]eutralité	[É]quilibre	[T]ransparence
Composantes de base	application systématique des règles de l'art en matière de recherche par sondage	caractère de ce qui représente fidèlement la réalité	utilisation à la fois suffisante et parcimonieuse des ressources en vue d'étayer la démonstration	qualité de ce qui laisse la réalité paraître entièrement et sans altération
[q]uestionnaire	• Validité de contenu • Prétests • Échelles de réponse	• Fiabilité • Absence de biais	• Minimisation du fardeau de réponse	• Objectif de la recherche • Commanditaire • Reproduction intégrale du questionnaire
[é]chantillonnage	• Respect des règles de l'échantillonnage aléatoire • Justification d'un échantillonnage non aléatoire	• Population ciblée et population rejointe ; mode de filtrage • Cadre d'échantillonnage • Disposition de l'échantillon ; taux de réponse ; taux de refus ; mode de substitution • Marge d'erreur de l'échantillonnage	• Adéquation de la nature de l'échantillon avec les fins de la recherche • Taille de l'échantillon	• Définition de la population • Méthode d'échantillonnage • Taille de l'échantillon • Taux de réponse
[c]ollecte des données	• Formation des interviewers • Contrôle de la qualité, supervision • Processus de rappel	• Validité de critère (corroboration) • Non-contamination • Double insu	• Justification du type d'enquête • Consentement éclairé vs. client camouflé • Évitement de la stigmatisation • Confidentialité des données	• Mode de collecte des données • Identification du collecteur • Dates, lieux et périodes de la collecte • Événements sociaux significatifs ayant eu lieu au cours de la collecte

Principes				
	[R]igueur	**[N]eutralité**	**[É]quilibre**	**[T]ransparence**
[g]estion des données	• Bonne exécution des calculs et ajustements • Codage rigoureux des réponses	• Critères de pondération utilisés • Sources des données de population • Assurance que les ajustements ne favorisent pas indûment les hypothèses ou les intérêts du chercheur	• Évitement des excès de pondération • Effet des ajustements apportés	• Mode de calcul des poids • Variance de pondération (effet de plan) • Calculs et ajustements apportés
[a]nalyse des données	• Bonne utilisation technique des outils statistiques • Pour les questions ayant un lien de causalité, description adéquate du modèle de cause à effet	• Risque de contestation des résultats et des interprétations • Cohérence des conclusions et des résultats	• Adéquation des méthodes avec les fins de la recherche • Adéquation du plan de recherche avec les fins de la recherche	• Tailles brute et pondérée des échantillons dans les tableaux • Description des méthodes d'analyse utilisées
[r]apport	• Divulgation des faiblesses de l'étude et des biais possibles	• Présentation distincte des résultats objectifs et de leur interprétation • Désintéressement du chercheur	• Degré d'appui aux conclusions découlant des résultats de l'étude • Réserves éventuelles sur les validités interne et externe des résultats	• Caractère compréhensible de la présentation • Divulgation de tous les éléments d'information requis par les 24 cellules pour juger de la valeur des résultats

Rq3 *Les échelles de réponse*

Le questionnaire comporte évidemment des questions mais aussi diverses échelles de réponse. La mesure avec laquelle ces échelles permettent de saisir les nuances d'opinion ou d'attitude, ainsi que leur absence de biais sont d'importantes caractéristiques d'une recherche rigoureuse.

*   **[N]eutralité du [q]uestionnaire**   combinaison Nq

Nq1 *La fiabilité*[33]

« *Fundamentally, reliability concerns the extent to which an experiment, test, or any measuring procedure yields the same results on repeated trials. This tendency toward consistency found in repeated measurements of the same phenomenon is referred to as reliability. The more consistent the results given by repeated measurements, the higher the reliability of the measuring procedure; conversely the less consistent the results, the lower the reliability* […][34]. » Un questionnaire a un effet neutre si ses mesures reflètent avec stabilité le phénomène à l'étude.

Nq2 *L'absence de biais*[35]

Un questionnaire est neutre si le libellé des questions et des catégories de réponse de même que l'ordre des questions et des réponses ne prédéterminent pas, en partie ou en totalité, les réponses fournies par les participants de l'étude.

---

33.   « *Realistically however, existing (and preferably validated) scales should be adopted (or adapted) wherever possible in order to cultivate a cumulative tradition of research.* » (GROVER, *op. cit.*) Kaye cite plusieurs grandes questions à poser en vue d'établir la qualité des analyses statistiques. L'une d'elles est la suivante : « Le processus de mesure est-il fiable ? » (David KAYE, « Reference Guide on Statistics », dans *Federal Judicial Center, Reference Manual on Scientific Evidence*, 2000, p. 341.)

34.   CARMINES et ZELLER, *op. cit.*, p. 11 et 12.

35.   « *The questions and questioning procedures are unbiased. The wording of the interview questions does not predetermine the answers to the research questions. The questioning and analytical procedures allow responses over the entire range relevant to the research objectives.* » (CASRO, *op. cit.*) ; « *Concepts should be clearly defined and questions unambiguously phrased. Question wording should be carefully examined for special sensitivity or bias.* » (AAPOR, *op. cit.*) ; « *According to Manual on Complex Litigation §21.493 at 102* (3ᵉ edition, Federal Judicial Center 1995), *there are seven topics you need to address to assess whether a survey was properly done, i.e. : Were the questions framed in a clear, precise, and nonleading manner ?* » (HÉBERT, *op. cit.*) ; « *You might also need a survey expert to help you analyze the sequence of the questions in a questionnaire and whether the sequence is in itself leading and suggestive.* » (HÉBERT, *op. cit.*) ; « *Although it seems obvious that questions on a survey should be clear and precise, phrasing questions to reach that goal is often difficult. Even questions that appear clear can convey unexpected meanings and ambiguities to potential respondents.* » (DIAMOND, *op. cit.*, p. 248) ; « *The mode of questioning can influence the form that an order effect takes. In mail surveys, respondents are more likely to select the first choice offered (a primacy effect) ;*

- **[É]quilibre du [q]uestionnaire**   combinaison Éq

  Éq1   *La minimisation du fardeau de réponse*[36]

  L'équilibre du questionnaire est atteint par la minimisation du fardeau de réponse. La tâche exigée des participants devrait être proportionnelle aux objectifs de l'étude et aux avantages que les participants et la société pourront tirer de la recherche.

- **[T]ransparence du [q]uestionnaire**   combinaison Tq

  Tq1   *L'objectif de la recherche*[37]

  Pour qu'un questionnaire soit transparent, il faut que les objectifs de la recherche soient énoncés de manière à pouvoir apprécier la valeur des indicateurs en fonction des intentions initiales de la mesure.

---

in telephone surveys, respondents are more likely to choose the last choice offered (a recency effect). […] To control for order effects, the order of the questions and the order of the response choices in a survey should be rotated.» (DIAMOND, op. cit., p. 255.)

36. «The purpose of interviewing must be limited to the finding out of information or observation of reactions relevant to the research problem at hand.» (Professional Marketing Research Society (1), Rules of Conduct and Good Practice 2001, section II, <http://www.pmrs-aprm.com/What/Code.pdf> en date du 16 juin 2003); «Overly long questionnaires should be avoided at all costs.» (PMRS, op. cit., règle 2.13); «The types of information to be collected are driven by the information objectives of the research.» (CASRO, op. cit.); «The questions are relevant and appropriate to the research issues. Interview content focuses on the research objectives.» (CASRO, op. cit.); «The interview should recognize the value of the respondent's time and the respondent's right to privacy. Lengthy interviews can be a burden. Length of the interview should be weighed against the needs of the research objectives, with consideration to the burden on respondents, the quality of the responses obtained, and the availability of alternative methods of obtaining the data (split samples, other sources, etc.).» (CASRO, op. cit.); «[…] statisticians should collect only the data needed for the purpose of their inquiry.» (American Statistical Association, Ethical Guidelines for Statistical Practice, <http://www.amstat.org/profession/ethicalstatistics.html>, en date du 16 juin 2003.)

37. «For each survey, a practitioner must provide to the client […] information sufficient to replicate the study […]. If applicable, the following information is required: […]; iii) the specific objectives of the study […].» (PMRS, op. cit., règle 4.6); «The purpose of clearly stating the research objectives is to have complete agreement between the professional research firm and the client […].» (CASRO, op. cit.); «The objectives of a high quality survey or poll should be specific, clear-cut and unambiguous. Such surveys are carried out solely to develop statistical information about the subject, not to produce predetermined results […].» (AAPOR, op. cit.); «The first step in ensuring quality in applied qualitative research is the process through which the research team assists the client in clarifying and articulating the scope and objectives of the research.» (COHEN et SHIRLEY, op. cit., p. 7); «The report describing the results of a survey should include a statement describing the purpose or purposes of the survey.» (DIAMOND, op. cit., p. 236); «The completeness of the survey report is one indicator of the trustworthiness of the survey and the professionalism of the expert who is presenting the results of the survey. A survey report generally should provide in detail 1. the purpose of the survey; […].» (DIAMOND, op. cit., p. 270-271); «Critical in demonstrating adherence to standards of excellence and validity in defining the universe, designing the sample, learning what people think and do,

Tq2 *Le commanditaire*[38]

Le commanditaire de la recherche devrait être mentionné dans la partie du rapport portant sur la conception du questionnaire.

Tq3 *La reproduction intégrale du questionnaire*[39]

Pour être transparent, le rapport doit comprendre la reproduction intégrale du questionnaire. On sera ainsi mieux en mesure d'apprécier le libellé des questions et tout effet éventuel de l'ordre dans lequel elles sont posées. Dans le cas des enquêtes omnibus – où plusieurs clients commanditent certaines parties d'un questionnaire– le rapport doit faire état des sujets qui ont été abordés avant la section pertinente et mentionner la possibilité que les questions antérieures aient influencé les réponses suivantes.

▓ 4.2. L'[é]chantillonnage

- [R]igueur de l'[é]chantillonnage   combinaison Ré

  Ré1 *Le respect des règles de l'échantillonnage aléatoire*[40]

  Seul l'échantillonnage aléatoire permet de faire au sujet de la population des énoncés factuels fondés sur les statistiques. Puisque la plupart des travaux cherchent à produire une repré-

---

and reporting the findings are: (1) a clean and explicit statement of objectives; [...]» (Robert C. SORENSEN, «Survey Research Execution in Trademark Litigation: Does Practice Make Perfection», *The Trademark Reporter*, vol. 73, p. 352.)

38. «*For each survey, a practitioner must provide to the client [...] information sufficient to replicate the study [...]. If applicable, the following information is required: [...]; ii) the name of the organization for which the study was conducted [...].»* (PMRS, *op. cit.*, règle 4.6); «Standard for Minimal Disclosure: Who sponsored the survey» (American Association for Public Opinion Research, Code of Professional Ethics and Practices, <http://www.aapor.org/pdfs/ethics.pdf>, en date du 16 juin 2003, règle III.1).

39. «*For each survey, a practitioner must provide to the client [...] information sufficient to replicate the study [...]. If applicable, the following information is required: i) copy of the questionnaire [...].»* (PMRS, *op. cit.*, règle 4.6); «*Standard for Minimal Disclosure: The exact wording of questions asked, including the text of any preceding instruction or explanation to the interviewer or respondents that might reasonably be expected to affect the response»* (AAPOR, Code of Professional Ethics and Practices, *op. cit.*, règle III.2); «*The completeness of the survey report is one indicator of the trustworthiness of the survey and the professionalism of the expert who is presenting the results of the survey. A survey report generally should provide in detail 5. the exact wording of the questions used, including a copy of each version of the actual questionnaire, interviewer instructions, and visual exhibits; [...].»* (DIAMOND, *op. cit.*, p. 270-271).

40. «*Survey reporting guidelines: [...] Sample design, including method of selecting sample elements, qualifying / disqualifying criteria. Method of selection within household»* (CASRO, *op. cit.*); «*A survey's intent is not to describe the particular individuals who, by chance, are part of the sample, but rather to obtain a composite profile of the population. In a bona fide survey, the sample is not selected haphazardly or only from persons who volunteer to participate. It is scientifically chosen so that each person in the population will have a measurable chance of selection.*

sentation rigoureuse du sujet à l'étude, l'échantillonnage aléatoire devrait être la norme et toute recherche rigoureuse devrait en respecter les principes.

Ré2 *La justification d'un échantillonnage non aléatoire*[41]

Il y a des situations où un échantillonnage aléatoire est impossible à réaliser mais où l'objet de l'étude est suffisamment important pour qu'on puisse s'écarter du principe ci-dessus. Dans pareil cas, le recours à un échantillonnage non aléatoire est acceptable mais doit être justifié.

This way, the results can be reliably projected from the sample to the larger population with known levels of certainty/precision. » (AAPOR, Best Practices for Survey and Public Opinion Research, *op. cit.*) ; « *Virtually all surveys taken seriously by social scientists, policy makers, and the informed media use some form of random or probability sampling, the methods of which are well grounded in statistical theory and the theory of probability.* » (*idem*) ; « *According to Manual on Complex Litigation* §21.493 *at* 102 (3ᵉ éd Federal Judicial Center, 1995), *there are seven topics you need to address to assess whether a survey was properly done, i.e. : Did the expert select a representative sample of the universe to interview ?* » (HÉBERT, *op. cit.*) ; « *Probability sampling methods, in contrast, ideally are suited to avoid selection bias. Once the conceptual population is reduced to a tangible sampling frame, the units to be measured are selected by some kind of lottery that gives each unit in the sampling frame a known, nonzero probability of being chosen. Selection according to a table of random digits or the like leaves no room for selection bias.* » (KAYE, *op. cit.*, p. 345) ; « *The use of probability sampling techniques maximizes both the representativeness of the survey results and the ability to assess the accuracy of estimates obtained from the survey.* » (DIAMOND, *op. cit.*, p. 242) ; « *All opinion polls should be based on scientific and representative measurements of public opinion. Far too often the term opinion poll is misused to describe unscientific and unrepresentative measurements of public opinion. Representativeness means the obtaining of measurements which can be generalised to apply without any statistical bias to the whole population under consideration.* » ESOMAR, Guidelines to opinion pools, <http://www.esomar.org/main.php?a=2&p=76opolls.htm>, en date du 16 juin 2003.

41. « *[…] the suitability of a specific sampling method for the research purpose will always involve some judgment […].* » (CASRO, *op. cit.*) ; « *If a non-representative sample is to be used, possible implications and effects of the sampling method should be discussed.* » (CASRO, *op. cit.*) ; « *Survey reporting guidelines : […] Implications and limitations of non-representative sampling methods, if used.* » (*idem*) ; « *The irrelevance of performance standards to professional ethics is obvious with respect to surveys conducted in countries, or parts of countries, with limited or inadequate survey resources or with life style characteristics that, for example, may make for low completion rates. Under conditions that prevail in such cases, it may prove to be very costly (even perhaps impossible) to implement satisfactorily a probability sample in conformity with state-of-the-art standards that would apply in the USA or Western Europe. Insistence on conformity to performance standards in such cases could result in cancelling a study, whereas some flexibility in the application of such standards might make it possible to conduct a survey whose results might still be usable. For this reason, even though I unequivocally advocate the theoretical superiority of probability sampling, I also assume that its standards should be adjustable to meet the realities of specific times and places.* » (CRESPI, *op. cit.*)

- **[N]eutralité de l'[é]chantillonnage** combinaison Né

  Né1 *Population ciblée et population rejointe; mode de filtrage*[42]

  Si dans le cadre d'un litige « *the survey's universe must fit the facts of the case*[43] », il est évident que cette obligation tient aussi à l'extérieur des tribunaux. La population qui est ciblée en théorie doit correspondre à l'objet de l'étude[44]. La population jointe doit, à son tour, cadrer avec la population théorique visée. Le cas échéant, le filtrage effectué sur le terrain doit produire une correspondance empirique exacte entre les personnes sélectionnées aux fins de l'étude et les individus dont le comportement ou les attitudes ont de l'importance pour l'objet de l'étude.

---

42. « *For each survey, a practitioner must provide to the client* [...] *information sufficient to replicate the study* [...]. *If applicable, the following information is required: v) the universe covered (intended and actual)* [...]. » (PMRS, *op. cit.*, règle 4.6) ; « *A universe which is relevant to the problem being studied,* [is a] *vital requirement of high recherche de qualité.* » (CASRO, *op. cit.*) ; « *Survey reporting guidelines:* [...] *Definition of the universe which the survey is intended to represent* [...] *Respondent qualification requirements.* » (CASRO, *op. cit.*) ; « *Standard for Minimal Disclosure: A definition of the population under study.* » (AAPOR, *op. cit.*, règle III.3) ; « *Standard for Minimal Disclosure: information on eligibility criteria and screening procedures.* » (*idem*, règle III.5) ; « *According to Manual on Complex Litigation §21.493 at 102* (3e éd Federal Judicial Center, 1995), *there are seven topics you need to address to assess whether a survey was properly done, i.e.: Was the survey universe properly determined?* » (HÉBERT, *op. cit.*) ; « *The target population consists of all elements (i.e., objects, individuals, or other social units) whose characteristics or perceptions the survey is intended to represent.* [...] *The definition of the relevant population is crucial because there may be systematic differences in the responses of members of the population and nonmembers.* [...] *The universe must be defined carefully.* [...] *The survey report should contain a description of the target population, a description of the survey population actually sampled, a discussion of the difference between the two populations, and an evaluation of the likely consequences of that difference.* » (DIAMOND, *op. cit.*, p. 239-240) ; « *In a carefully executed survey, each potential respondent is questioned or measured on the attributes that determine his or her eligibility to participate in the survey.* [...] *The criteria for determining whether to include a potential respondent in the survey should be objective and clearly conveyed, preferably using written instructions addressed to those who administer the screening questions. These instructions and the completed screening questionnaire should be made available to the court and the opposing party along with the interview form for each respondent.* » (*idem*, p. 247-248) ; « *The completeness of the survey report is one indicator of the trustworthiness of the survey and the professionalism of the expert who is presenting the results of the survey. A survey report generally should provide in detail* [...] *3. a description of the sample design, including the method of selecting respondents, the method of interview, the number of callbacks, respondent eligibility or screening criteria, and other pertinent information;* [...]. » (*idem*, p. 270-271) ; « *If a survey is to be relevant, care must be taken in defining the universe — the population about whose behavior generalization will be made from survey results, which is, therefore, the group from whom individuals are selected for interview.* » (SORENSEN, *op. cit.*, p. 353.)

43. HÉBERT, *op. cit.*

44. « *To use a common example, in litigation involving plaintiff's claims that defendant's deceptive advertising destroyed the market for plaintiff's product, the universe consists of those consumers who intend to buy from the plaintiff or defendant in the future. The consumer who belongs to this universe should be the (1) potential purchaser; (2) potential decision maker; and (3) person to whom the advertising is addressed.* » (HÉBERT, *op. cit.*)

Né2 *Le cadre d'échantillonnage*[45]

Le cadre d'échantillonnage est la liste[46] d'où l'échantillon est tiré. La qualité du cadre d'échantillonnage est un facteur important de la neutralité du processus d'échantillonnage, étant donné qu'un cadre incomplet, mal ciblé ou faussé de quelque façon que ce soit réduirait l'aptitude à appliquer des résultats à la population cible.

Né3 *Disposition de l'échantillon;*
taux de réponse; taux de refus; mode de substitution[47]

La neutralité de l'échantillon peut être évaluée en partie par les résultats obtenus lorsqu'on tente de rejoindre des unités d'échantillonnage. Le taux de réponse et le taux de refus sont des

---

45. «[...] *a sample which adequately represents that universe, [is a] vital requirement of high recherche de qualité.*» (CASRO, *op. cit.*); «*The source of the sample (lists, on-line groups or services, randomly generated phone numbers, mall intercepts, etc.) should be revealed and the adequacy of the source given the study purpose should be discussed.*» *(idem)*; «*Survey reporting guidelines: [...] Definition of the sampling frame, i.e., sampling points actually used and the procedures used in selecting sampling points. If lists used, source and name of list.*» *(idem)*; «*Standard for Minimal Disclosure: a description of the sampling frame used to identify this population.*» (AAPOR, Code of Professional Ethics and Practices, *op. cit.*, règle III.3); «*Critical elements in an exemplary survey are: (a) to ensure that the right population is indeed being sampled (to address the questions of interest); and (b) to locate (or "cover") all members of the population being studied so they have a chance to be sampled. The quality of the list of such members (the «sampling frame») whether it is up-to-date and complete is probably the dominant feature for ensuring adequate coverage of the desired population to be surveyed.*» (AAPOR, Best Practices for Survey and Public Opinion Research, *op. cit.*); «*At the minimum, any IS survey research should describe and justify the sample frame. Estimation of possible frame error bias (or lack thereof) by a comparison estimation of the probability of the target population being included in or excluded from the sample frame is desirable.*» (GROVER, *op. cit.*)

46. Parfois il s'agit de la liste des grappes des unités d'échantillonnage définitives.

47. «*For each survey, a practitioner must provide to the client [...] information sufficient to replicate the study [...]. If applicable, the following information is required: vii) the contact record based on the last attempt to obtain an interview with the exception of mall surveys and quota samples where it is not appropriate [...].*» (PMRS, *op. cit.*, règle 4.6); «*Callback and replacement procedures, if used, should be described.*» (CASRO, *op. cit.*); «*The final disposition of the sample should be described in detail [...].*» *(idem)*; «*A low cooperation or response rate does more damage in rendering a survey's results questionable than a small sample, because there may be no valid way scientifically of inferring the characteristics of the population represented by the nonrespondents.*» (AAPOR, Best Practices for Survey and Public Opinion Research, *op. cit.*); «*When objects like receipts (for an audit) or vegetation (for a study of the ecology of a region) are sampled, all can be examined. Human beings are more troublesome. Some may refuse to respond, and the survey should report the nonresponse rate. A large nonresponse rate warns of bias, but it does not necessarily demonstrate bias.*» (KAYE, *op. cit.*, p. 345); DIAMOND (*op. cit.*, p. 245) rapporte une interprétation particulièrement contraignante des taux de réponse: «*One suggested formula for quantifying a tolerable level of nonresponse in a probability sample is based on the guidelines for statistical surveys issued by the former U.S. Office of Statistical Standards. According to these guidelines, response rates of 90% or*

indicateurs clés de la neutralité. Il importe d'évaluer attentivement le mode de substitution de l'échantillon afin de déceler tout risque de biais qui découlerait du rejet d'unités d'échantillonnage initiales et de l'ajout de nouvelles unités.

Né4 *La marge d'erreur due à l'échantillonnage*[48]

La neutralité de l'échantillon est représentée en partie par l'ampleur de la marge d'erreur due à l'échantillonnage. Une marge d'erreur trop forte peut indiquer un manque de neutralité de l'échantillon.

---

more are reliable and generally can be treated as random samples of the overall population. Response rates between 75 % and 90 % usually yield reliable results, but the researcher should conduct some check on the representativeness of the sample. Potential bias should receive greater scrutiny when the response rate drops below 75 %. If the response rate drops below 50 %, the survey should be regarded with significant caution as a basis for precise quantitative statements about the population from which the sample was drawn. » ; *« The completeness of the survey report is one indicator of the trustworthiness of the survey and the professionalism of the expert who is presenting the results of the survey. A survey report generally should provide in detail 4. a description of the results of sample implementation, including (a) the number of potential respondents contacted, (b) the number not reached, (c) the number of refusals, (d) the number of incomplete interviews or terminations, (e) the number of noneligibles, and (f) the number of completed interviews ; [...]. »* (DIAMOND, *op. cit.*, p. 270-271) ; *« Regardless of how the sample is drawn, it is good practice to disclose in easily comprehensible form how the sampling procedure has been implemented in the field. This includes the – albeit costly – best practice of providing a precise nonresponse account (number and description of contacts, reasons for nonresponse, etc.) as well as detailed information on the conduct of interviews (number of necessary contacts, date and time of day, difficulties in accessing target individuals, etc.). »* (KAASE, *op. cit.*, p. 183) ; *« When people increasingly refuse access to interviewers, costs rise accordingly and a decreasing interview completion rate poses a fundamental question of validity : what would those people not interviewed have said about their attitudes and perceptions if they had been interviewed, and would their answers have differed significantly from those of people who were interviewed ? »* (SORENSEN, *op. cit.*, p. 362.)

48.   *« Survey reporting guidelines : [...] If statements are made regarding the overall sampling error of the survey, it should be stated that total survey error includes both sampling error and response error. »* (CASRO, *op. cit.*) ; *« Standard for Minimal Disclosure : A discussion of the precision of the findings, including, if appropriate, estimates of sampling error »* (AAPOR, *op. cit.*, règle III.6) ; *« Sampling errors should be included for all statistics presented, rather than only the statistics themselves. »* (AAPOR, Best Practices for Survey and Public Opinion Research, *op. cit.*) ; *« The completeness of the survey report is one indicator of the trustworthiness of the survey and the professionalism of the expert who is presenting the results of the survey. A survey report generally should provide in detail 7. estimates of the sampling error, where appropriate (i.e., in probability samples) ; [...]. »* (DIAMOND, *op. cit.*, p. 270-271.)

- **[É]quilibre de l'[é]chantillonnage** combinaison Éé

  Éé1 *L'adéquation de la nature de l'échantillon avec les fins de la recherche*[49]

  Un échantillon est équilibré si la nature du mode d'échantillonnage concorde avec l'objectif de la recherche. Ainsi, les études descriptives devraient mettre en relief la représentativité de l'échantillon alors que les études comparatives ou corrélationnelles devraient se concentrer sur l'aptitude à comparer des groupes de façon valide (voir ci-dessous les notions de validité interne et externe).

  Éé2 *La taille de l'échantillon*[50]

  Toutes choses étant égales d'ailleurs, la taille de l'échantillon détermine l'aptitude de l'étude à faire ressortir, des sous-groupes qui le composent, des différences statistiquement significatives, et elle est l'un des déterminants de l'exactitude statistique des estimations produites. Par conséquent, l'échantillon doit être assez vaste pour soutenir les prétentions de l'étude mais non pas trop pour provoquer des erreurs de type I (ou le rejet erroné de l'hypothèse nulle). Chaque étude contribue aussi à l'ensemble de l'effort social représenté par la recherche par sondage ; par conséquent un sondage ne doit pas recueillir de données auprès d'un nombre de répondants sensiblement plus vaste qu'il n'est nécessaire.

- **[T]ransparence de l'[é]chantillonnage** combinaison Té

  Té1 *La définition de la population*[51]

  La transparence de l'échantillon exige qu'une définition claire et nette de la population soit fournie au rapport. Cette exigence en matière de transparence s'impose également si l'on veut évaluer la population ciblée et la population rejointe (voir Né – neutralité de l'échantillonnage).

---

49. « *Basic criteria for measuring the social scientific integrity of the research include the following* : [...] *the scale, balance and consistency of the research sample* » (COHEN et SHIRLEY, *op. cit.*, p. 7).

50. « *The sample size should also be specified, and there should be some discussion of its appropriateness, considering the purpose of the study.* » (CASRO, *op. cit.*) ; « *The sample must be large enough to allow the expert to extrapolate his or her findings to the universe. Experts will testify that, in general, the larger the sample size, the more reliable the survey results. On the other hand, a survey with a sample size of 5000 could have useless results if it uses improper questions or picks the wrong universe.* » (HÉBERT, *op. cit.*)

51. « *For each survey, a practitioner must provide to the client* [...] *information sufficient to replicate the study* [...]. *If applicable, the following information is required* : *v) the universe covered (intended and actual)* [...].» (PMRS, *Code of Professional Ethics and Practices, op. cit.*,

Té2   *La méthode d'échantillonnage*[52]

La méthode d'échantillonnage doit être exposée dans le rapport pour qu'il y ait transparence de l'échantillonnage. La chose est également nécessaire pour pouvoir juger de la pertinence du mode d'échantillonnage (voir Éé – équilibre de l'échantillonnage).

Té3   *La taille de l'échantillon*[53]

La taille de l'échantillon final, avant pondération, doit être indiquée dans le rapport. Il convient aussi d'indiquer clairement la taille de sous-échantillons importants ayant servi à l'analyse.

---

règle 4.6); «*The completeness of the survey report is one indicator of the trustworthiness of the survey and the professionalism of the expert who is presenting the results of the survey. A survey report generally should provide in detail* [...] *2. a definition of the target population and a description of the population that was actually sampled;* [...].» (DIAMOND, *op. cit.,* p. 270-271); «*The Client is entitled to the following information about any marketing research project to which he has subscribed:* [...] *(2) Sample – a description of the intended and actual universe covered* [...].» (ESOMAR, *op. cit.*.)

52.   «*For each survey, a practitioner must provide to the client* [...] *information sufficient to replicate the study* [...]. *If applicable, the following information is required: v)* [...] *details of the sampling method and selection procedures;* [...] *viii) the method of recruitment when prior recruitment of respondents is undertaken* [...].» (PMRS, *op. cit.,* règle 4.6); «*The following guidelines are* [...] *aimed at insuring that sample design and management are disclosed in sufficient detail to allow clear judgments of a sample's adequacy for the stated research purpose.*» (CASRO, *op. cit.*); «*The description of the sampling plan should include the criteria by which a given sample element (i.e., an individual consumer, household, business, etc.) is selected to be in the sample.*» (*idem*); «*Standard for Minimal Disclosure: A description of the sample selection procedure, giving a clear indication of the method by which the respondents were selected by the researcher, or whether the respondents were entirely self-selected.*» (AAPOR, Code of Professional Ethics and Practices, *op. cit.,* règle III.4); «*The completeness of the survey report is one indicator of the trustworthiness of the survey and the professionalism of the expert who is presenting the results of the survey. A survey report generally should provide in detail* [...] *3. a description of the sample design, including the method of selecting respondents, the method of interview, the number of callbacks, respondent eligibility or screening criteria, and other pertinent information;* [...].» (DIAMOND, *op. cit.,* p. 270-271); «*The Client is entitled to the following information about any marketing research project to which he has subscribed:* [...] *(2) Sample –* [...] *the size, nature and geographical distribution of the sample (both planned and achieved); and where relevant, the extent to which any of the data collected were obtained from only part of the sample –* [...].» (ESOMAR, *op. cit.*); «*Regardless of how the sample is drawn, it is good practice to disclose in easily comprehensible form how the sampling procedure has been implemented in the field.*» (KAASE, *op. cit.,* P. 183).

53.   «*For each survey, a practitioner must provide to the client* [...] *information sufficient to replicate the study* [...]. *If applicable, the following information is required: vi) the size and nature of the sample* [...].» (PMRS, *op. cit.,* règle 4.6); «*The sample size should also be specified* [...].» (*CASRO, op. cit.*); «*Survey reporting guidelines:* [...] *Sample size.*» (*idem*); «*Standard for Minimal Disclosure: Size of samples*» (AAPOR, Code of Professional Ethics and Practices, *op. cit.,* règle D.5); «*The completeness of the survey report is one indicator of the trustworthiness of the survey and the professionalism of the expert who is presenting the results of the survey. A survey report generally should provide in detail 4. a description of the results of sample implementation, including (a) the number of potential respondents contacted, (b) the number not reached, (c) the number of refusals, (d) the number of incomplete interviews*

Té4   *Le taux de réponse*[54]

Le taux de réponse sert lui-même d'indicateur de la neutralité de l'échantillon. Par souci de transparence, il importe de signaler clairement la valeur du taux de réponse dans tout rapport sur l'étude, et ce taux doit être calculé selon une formule établie[55].

---

or terminations, (e) the number of noneligibles, and (f) the number of completed interviews; [...].» (DIAMOND, *op. cit.*, p. 270-271); «*The Client is entitled to the following information about any marketing research project to which he has subscribed:* [...] *(2) Sample –* [...] *the size, nature and geographical distribution of the sample (both planned and achieved); and where relevant, the extent to which any of the data collected were obtained from only part of the sample –* [...].» (ESOMAR, *op. cit.*)

54.   «*For each survey, a practitioner must provide to the client* [...] *information sufficient to replicate the study* [...]. *If applicable, the following information is required:* [...] *xi) a statement of response rates, how they were calculated, and a discussion of possible bias due to non-response* [...].» (PMRS, *op. cit.*, règle 4.6); «*The final disposition of the sample should be described in detail, as should any completion rate or incidence rate calculations.*» (CASRO, *op. cit.*); «*Standard for Minimal Disclosure: if applicable, completion rates*» (AAPOR, Code of Professional Ethics and Practices, *op. cit.*, règle D.5); «*The completeness of the survey report is one indicator of the trustworthiness of the survey and the professionalism of the expert who is presenting the results of the survey. A survey report generally should provide in detail 4. a description of the results of sample implementation, including (a) the number of potential respondents contacted, (b) the number not reached, (c) the number of refusals, (d) the number of incomplete interviews or terminations, (e) the number of noneligibles, and (f) the number of completed interviews;* [...].» (DIAMOND, *op. cit.*, p. 270-271); «*The Client is entitled to the following information about any marketing research project to which he has subscribed:* [...] *(2) Sample –* [...] *where technically relevant, a statement of response rates and a discussion of any possible bias due to non-response.*» (ESOMAR, *op. cit.*); «*Regardless of how the sample is drawn, it is good practice to disclose in easily comprehensible form how the sampling procedure has been implemented in the field. This includes the – albeit costly – best practice of providing a precise nonresponse account (number and description of contacts, reasons for nonresponse, etc.) as well as detailed information on the conduct of interviews (number of necessary contacts, date and time of day, difficulties in accessing target individuals, etc.).*» (KAASE, *op. cit.*, p. 183.)

55.   Il existe plusieurs façons de mesurer le taux de réponse. Les organismes professionnels proposent diverses formules courantes. L'essentiel est de mentionner quelle formule on a utilisée et de respecter les règles de cette formule.

▓ 4.3. La [c]ollecte des données

* **[R]igueur de la [c]ollecte des données**   combinaison Rc

  Rc1   *La formation des interviewers*[56]

  Tout en reconnaissant l'importance des interviewers pour la réalisation d'un sondage, Kaase[57] minimise l'importance de l'uniformité dans ce domaine : « [...] *the recruiting and training of interviewers deserve particular attention from the quality point of view.* [...] *Although the literature fully recognizes the key role of the interviewer in the survey process* [...], *no scientifically grounded quality criteria can be identified that go beyond those mentioned in point 7*[58] *of the AAPOR code.* » Nous estimons quant à nous que pour une collecte des données rigoureuse, la formation de l'interviewer doit

---

56. « *For each survey, a practitioner must provide to the client* [...] *information sufficient to replicate the study* [...]. *If applicable, the following information is required : ix) the method of field briefing sessions* [...]. » (PMRS, *op. cit.*, règle 4.6) ; « *properly trained interviewer is one who has been instructed in general interviewing techniques and who has been briefed on the particular project.* » (CASRO, *op. cit.*) ; « *Train interviewers carefully on interviewing techniques and the subject matter of the survey.* » (AAPOR, Best Practices for Survey and Public Opinion Research, *op. cit.*) ; « *According to Manual on Complex Litigation §21.493 at 102* (3ᵉ éd Federal Judicial Center, 1995), *there are seven topics you need to address to assess whether a survey was properly done, i.e. : Did the interviewers use sound interview procedures and did they lack knowledge of the purpose of the survey ?* » (HÉBERT, *op. cit.*) ; « *Interviewers should be trained in delivering probes to maintain a professional and neutral relationship with the respondent (as they should during the rest of the interview), which minimizes any sense of passing judgment on the content of the answers offered. Moreover, interviewers should be given explicit instructions on when to probe, so that probes are administered consistently.* » (DIAMOND, *op. cit.*, p. 254) ; « *Properly trained interviewers receive detailed written instructions on everything they are to say to respondents, any stimulus materials they are to use in the survey, and how they are to complete the interview form. These instructions should be made available to the opposing party and to the trier of fact.* [...] *Interviewers require training to ensure that they are able to follow directions in administering the survey questions.* [...] *The more complicated the survey instrument is, the more training and experience the interviewers require.* » (DIAMOND, *op. cit.*, p. 264-265) ; « *The completeness of the survey report is one indicator of the trustworthiness of the survey and the professionalism of the expert who is presenting the results of the survey. A survey report generally should provide in detail 5. the exact wording of the questions used, including a copy of each version of the actual questionnaire, interviewer instructions, and visual exhibits ;* [...]. » (*idem*, p. 270-271) ; « *The completeness of the survey report is one indicator of the trustworthiness of the survey and the professionalism of the expert who is presenting the results of the survey. A survey report generally should provide in detail 9. copies of interviewer instructions, validation results, and code books* [...]. » (*idem*, p. 270-271) ; « *Interviewers, being human beings, require careful, programmed instructions for respondent selection and interview procedures.* » (SORENSEN, *op. cit.*, p. 359.)

57. KAASE, *op. cit.*, p. 195-196.

58. « *Good interviewer techniques should be stressed, such as how to make initial contacts, how to deal with reluctant respondents, how to conduct interviews in a professional manner, and how to avoid influencing or biasing responses.* »

être en corrélation avec la complexité de la tâche et que la preuve de la nature et de l'étendue de la formation de l'interviewer doit être un indicateur de qualité.

Rc2   *Contrôle de la qualité, supervision*[59]

Pour que la collecte des données soit rigoureuse, il faut des mécanismes de contrôle. La portée et la qualité de ces mécanismes déterminent la solidité du processus – comme le fait pour ainsi dire la norme ISO-9000. Si toutes les méthodes de collecte des données exigent un contrôle de la qualité, l'interview téléphonique est perçue, elle, comme le moyen d'obtenir des données «*under better controlled conditions*[60]». Cette assertion pourrait bientôt être révisée compte tenu du recours au mode d'entrevue assistée par ordinateur, aux bases de données partagées dans Internet et aux communications peu coûteuses sur large bande, tous ces moyens tendant à favoriser les bases de données centralisées auxquelles on peut avoir accès pour une interview téléphonique à partir de son domicile.

Rc3   *Le processus de rappel*[61]

Essentiel à l'atteinte d'un taux de réponse élevé, le processus de rappel permet d'entrer en communication avec des répondants potentiels à divers moments, à leur convenance.

---

59. «The *practitioner must automatically verify or monitor a minimum of 10% of each interviewer's completed interviews unless it is specifically made clear that this practice will not be followed.*» (PMRS, *op. cit.*, règle 4.5); «*For each survey, a practitioner must provide to the client* [...] *information sufficient to replicate the study* [...]. *If applicable, the following information is required:* [...] *xv) an adequate description of verification or monitoring procedures and results of the same* [...].» (*idem*, règle 4.6); «*Standard industry practice requires that the data collection agency validate 15% of the interviews, using validation questions supplied by the researcher.*» (CASRO, *op. cit.*); «*Controlling the quality of fieldwork is done by observing/monitoring, verifying and/or redoing a small sample of the interviews.*» (AAPOR, Best Practices for Survey and Public Opinion Research, *op. cit.*); «*Judging the adequacy of data collection may involve examining the process by which measurements are recorded and preserved.*» (KAYE, *op. cit.*, p. 342); «*Three methods are used to ensure that the survey instrument was implemented in an unbiased fashion and according to instructions. The first, monitoring the interviews as they occur, is done most easily when telephone surveys are used.* [...] *Second, validation of interviews occurs when respondents in a sample are recontacted to ask whether the initial interviews took place and to determine whether the respondents were qualified to participate in the survey.* [...] *A third way to verify that the interviews were conducted properly is to compare the work done by each individual interviewer.*» (DIAMOND, *op. cit.*, p. 267.)
60. KAASE, *op. cit.*, p. 157.
61. «*Callback and replacement procedures, if used, should be described.*» (CASRO, *op. cit.*); «*Survey reporting guidelines:* [...] *number of callbacks*» (*idem*); «*The completeness of the survey report is one indicator of the trustworthiness of the survey and the professionalism of the expert who is presenting the results of the survey. A survey report generally should provide in detail* [...] *3. a description of the sample design, including the method of selecting respondents, the method of*

- **[N]eutralité de la [c]ollecte des données**   combinaison Nc

  Nc1   *La validité de critère (corroboration)*[62]

  Selon Bohrnstedt[63], « *Criterion-related validity is defined as the correlation between a measure and some criterion variable of interest* ». Une démonstration fondée sur une seule étude n'est pas aussi robuste qu'une autre qui repose aussi sur des travaux antérieurs. En particulier, lorsque les données recueillies au cours d'une étude peuvent être corroborées par d'autres données tenues pour être représentatives de la réalité à l'étude, la preuve de la neutralité de la collecte des données se trouve renforcée.

  Nc2   *La non-contamination*

  Durand et Blais[64] définissent de la façon suivante la non-contamination : « L'interviewer et le questionnaire, l'observateur et la grille d'observation ne font pas partie de la vie quotidienne. Leur simple présence peut provoquer des effets précis qui sont tout à fait distincts de ceux que nous voulons mesurer. C'est ce qui s'appelle l'effet de contamination de l'instrument. Ce qui est alors observé est différent de ce qui se serait produit sans la présence de l'instrument – l'instrument ayant incité les sujets de l'étude à modifier leur comportement. » Un instrument ou un protocole de recherche qui contamine a donc pour effet de modifier la réalité de telle sorte que le principe de neutralité de la collecte des données n'est pas respecté.

---

interview, the number of callbacks, respondent eligibility or screening criteria, and other pertinent information; […]. » (DIAMOND, *op. cit.*, p. 270-271) ; « *The probability sample defeats itself if, in each household, one or more of the following things happens : […] (3) insufficient effort is made to call back and identify – or otherwise statistically compensate for – a respondent in an assigned household.* » (SORENSEN, *op. cit.*, p. 356.)

62. « *Criterion-related validity or predictive validity check must also be performed, and refers to the ability of the scale to predict (or at least relate to) one or more external variables.* » (GROVER, *op. cit.*) ; KAYE (*op. cit.*, p. 342) énumère des questions clés pour établir la qualité des analyses statistiques, dont la suivante : « *Is the measurement process valid ?* » Kaye poursuit : « *Reliability is necessary, but not sufficient to ensure accuracy. In addition, to reliability, validity is needed. […] When an independent and highly accurate way of measuring the variable of interest is available, it may be used to validate the measuring system in question.* »

63. George W. BOHRNSTEDT, « Measurement », dans Peter H. ROSSI, James D. WRIGHT et Andy B. ANDERSON, *Handbook of Survey Research*, New York, Academic Press, 1983, p. 97.

64. Dans ce livre, au chapitre 9.

Nc3 *Le double insu*[65]

Une collecte est dite à double insu quand ni les interviewers ni les répondants ne sont au courant de l'intérêt (voire de l'identité) du commanditaire de l'étude – et que, par conséquent, ils ne peuvent, consciemment ou non, adapter leur comportement en fonction de ce qu'ils croient être les réponses attendues. Ce critère de neutralité de la collecte des données porte à controverse. Bien que de nombreuses sources estiment le double insu obligatoire, il faut tenir compte de ses effets sur l'aptitude des interviewers à mener une entrevue intelligente et de la possibilité d'obtenir un refus de la part du répondant si le commanditaire lui est inconnu. Par ailleurs, il est parfois difficile de garantir le double insu car certaines questions ou précisions peuvent révéler l'identité du commanditaire. L'auteur se range parmi les chercheurs qui se montrent sceptiques à l'égard de ce critère qu'il inscrit néanmoins dans son cadre d'évaluation à cause de la fréquence avec laquelle la documentation en fait mention.

- [É]quilibre de la [c]ollecte des données combinaison Éc

Éc1 *La justification du type d'enquête*

Le type d'enquête doit concorder avec les objectifs de l'étude. Les sondages peuvent s'effectuer de diverses façons (en personne, au téléphone, par la poste, sur la Toile, etc.) et leur forme peut varier

---

65. « *The survey should be double-blind. The people who implement the survey should have no involvement in its design and the interviewers and their supervisors should not know the purpose of the survey. If they know who is sponsoring the survey, or what the survey is supposed to test, it is possible that they will unconsciously or consciously skew the results by the way they ask and record the questions. For the same reasons, the survey expert should not implement the survey, other than to ensure the accuracy of the data collection and to analyze the data.* » (HÉBERT, *op. cit.*) ; « [...] *any potential bias is minimized by having interviewers and respondents blind to the purpose and sponsorship of the survey and by excluding attorneys from any part in conducting interviews and tabulating results.* » (DIAMOND, *op. cit.*, p. 238) ; « *To ensure objectivity in the administration of the survey, it is standard interview practice to conduct double-blind research whenever possible : both the interviewer and the respondent are blind to the sponsor of the survey and its purpose.* [...] *Nonetheless, in some surveys (e.g., some government surveys), disclosure of the survey's sponsor to respondents (and thus to interviewers) is required. Such surveys call for an evaluation of the likely biases introduced by interviewer or respondent awareness of the survey's sponsorship. In evaluating the consequences of sponsorship awareness, it is important to consider (1) whether the sponsor has views and expectations that are apparent and (2) whether awareness is confined to the interviewers or involves the respondents.* » (*idem*, p. 266) ; « *The law and my professional judgment both come down in favor of the interviewers in the field being told absolutely nothing about the purpose of the interview, the identity of the client, or the fact that their interviews may be used in litigation.* » (SORENSEN, *op. cit.*, p. 361.)

(sondages uniques, chronologiques, corrélationnels, avec groupe témoin, etc.). Il est important que le type d'enquête réalisé apporte à l'analyse le soutien approprié.

Éc2   *Consentement éclairé vs. client mystère*[66]

Pour que la collecte des données soit équilibrée, il faut au préalable que les individus acceptent d'y participer en sachant quelle sera leur tâche et en étant raisonnablement rassurés quant à l'utilisation qui sera faite des renseignements qu'ils s'apprêtent à donner. Il existe une opposition entre cette exigence d'ordre éthique et l'effet que peut avoir la divulgation de l'information touchant le commanditaire ou l'objet de l'étude. La collecte des données doit faire preuve à cet égard d'un équilibre adéquat.

---

66. « *You will always be told the name of the person contacting you, the research company's name and the nature of the survey* » (Council for Marketing and Opinion Research, Respondent Bill of Rights, <http://www.cmor.org/what_is_research_rights.htm>, en date du 16 juin 2003). L'énoncé le plus important est le dernier selon lequel le participant doit comprendre la nature du sondage auquel il s'apprête à participer : « *Upon request interviewers will provide the Respondent with the name, address, and phone number of the head office of the organization on whose behalf the interviewer is conducting the survey research as well as the CSRC registration number and toll free telephone number.* » (Conseil canadien de la recherche par sondage, Declaration of principles, <http://www.csrc.ca/CSRC/whoweare/principles.php>, en date de 2003.06.16) ; « *IRBs should consider, in other words, the impact of informed consent procedures on the data collection objectives of the research. In the normal survey which presents minimal risk, detailed information about the objectives of the survey and the questions to be asked is apt to bias respondent participation without safeguarding respondent rights. In these surveys, the usual practice of a short introduction about the purpose of the study, the sponsor and the topics to be covered is sufficient. This statement should include the instruction that responses will be held in confidence and that questions the respondent does not want to answer can be skipped. More detailed methods of informing respondents may be considered when survey participation does pose substantial risk. The key here is to provide necessary information for informed choice without dramatic increases in nonresponse or response error, which can render survey efforts useless.* » (AAPOR, Statement to Institutional Review Boards) ; « *[...] statisticians should [...] inform each potential respondent about the general nature and sponsorship of the inquiry and the intended uses of the data.* » (ASA, *op. cit.*) ; « *We at the American Statistical Association recommend strongly that everyone cooperate with surveys, if those who sponsor them can : [...] provide you with information so that you can make an informed decision about whether or not to participate.* » (American Statistical Association, Surveys and Privacy) ; « *The screening segmentation questions must not reveal to the respondent the purpose of the survey or seem to convey some impression about the interview's concern.* » (SORENSEN, *op. cit.*, p. 357.)

Éc3 *L'évitement de la stigmatisation*[67]

Une collecte des données équilibrée pèche par prudence quant aux conséquences que pourrait avoir sur les participants le fait de prendre part à une étude. Il convient en particulier de s'en inquiéter dans les cas où les participants seraient amenés à déclarer un comportement illégal ou socialement inacceptable.

Éc4 *La confidentialité des données*[68]

À moins d'indication contraire, le chercheur et le participant sont liés par un contrat implicite selon lequel les réponses de ce dernier ne serviront qu'aux seules fins de la recherche et sans que ces réponses ne puissent être attribuées au participant. La collecte des données équilibrée doit honorer ce contrat.

---

67. « *No procedure or technique shall be used in which the respondent is put in such a position that he or she cannot exercise the right to withdraw or refuse to answer at any stage during or after the interview.* » (PMRS, *op. cit.*, règle 2.3) ; « *Questions or procedures that might put respondents "at risk", by asking confidential, disturbing, or threatening information should only be included where directly necessary to the research issues, and techniques should be used to minimize discomfort, concerns about security, apprehension, and/or misreporting.* » (CASRO, *op. cit.*) ; « *We shall strive to avoid the use of practices or methods that may harm, humiliate, or seriously mislead survey respondents.* » (AAPOR, Code of Professional Ethics and Practices, *op. cit.*, règle D.1) ; « *Survey participation can, however, put respondents at significant risk when, for example, the inquiry concerns stigmatizing or illegal activity and inadequate attention is paid to ensuring respondent anonymity and the confidentiality of responses.* » (AAPOR, Statement to Institutional Review Boards), ce document discute en détail des possibles effets de stigmatisation. « *To some degree, there is an element of self-interest in our obligations to respondents. For example, if we do not respect the privacy and confidentiality of what respondents tell us, eventually we will lose the public's cooperation. Beyond self-interest, this obligation also rests on the proposition that we do not have the right to trick anyone into acting against his or her self-interest.* » (CRESPI, *op. cit.*)

68. « *Confidentiality of respondent data will be maintained. Individual respondents' data will not be provided to clients or other third parties without the permission of the respondent.* » (Conseil canadien de la recherche par sondage, *op. cit.*) ; « *The identity of individual respondents must not be revealed by the practitioner to the client or anyone other than persons belonging to the organization of the practitioner concerned [...].* » (PMRS, *op. cit.*, règle 2.5), des exceptions sont énumérées ; « *At every stage in the design, development, execution, and reporting of the research, procedures should insure the confidentiality and security of data provided by respondents, or by clients.* » (CASRO, *op. cit.*) ; « *Unless the respondent waives confidentiality for specified uses, we shall hold as privileged and confidential all information that might identify a respondent with his or her responses. We shall also not disclose or use the names of respondents for non-research purposes unless the respondents grant us permission to do so.* » (AAPOR, Code of Professional Ethics and Practices, *op. cit.*, règle D.2) ; « *Exemplary survey research practice requires that one literally do "whatever is possible" to protect the privacy of research participants and to keep collected information they provide confidential or anonymous.* » (AAPOR, Best Practices for Survey and Public Opinion Research) ; « *[...] statisticians should [...] establish their intentions, where pertinent, to protect the confidentiality of information collected from respondents, strive to ensure that these intentions realistically reflect their ability to do so, and clearly state pledges of confidentiality and their limitations to the respondents ; ensure that the means are adequate to protect confidentiality to the extent pledged or intended, that processing and use*

- **[T]ransparence de la [c]ollecte des données**   combinaison Tc

  Tc1   *Le mode de collecte des données*[69]

  Pour la transparence de la phase de l'étude portant sur la collecte des données, il faut que le rapport fasse clairement état du mode de collecte des données qui a été employé.

  Tc2   *L'identification du collecteur des données*[70]

  Il se peut que l'évaluation de la recherche soit fondée en partie sur la réputation de l'entité chargée de recueillir les données. C'est pourquoi l'identité du collecteur des données doit être divulguée dans la partie du rapport touchant la collecte des données.

  Tc3   *Dates, lieux et périodes de la collecte des données*[71]

  Les exigences minimales en matière de rapport comprennent la mention du moment et du lieu de la collecte des données ainsi que, éventuellement, des étapes de cette collecte. Cette information contextuelle est importante afin d'établir la représentativité des données et leur possibilité de généralisation.

---

of data conform with the pledges made, that appropriate care is taken with directly identifying information (using such steps as destroying this type of information or removing it from the file when it is no longer needed for the inquiry), that appropriate techniques are applied to control statistical disclosure; ensure that, whenever data are transferred to other persons or organizations, this transfer conforms with the established confidentiality pledges, and require written assurance from the recipients of the data that the measures employed to protect confidentiality will be at least equal to those originally pledged. » (ASA, Ethical Guidelines for Statistical Practice, *op. cit.*)

69. « *For each survey, a practitioner must provide to the client* [...] *information sufficient to replicate the study* [...]. *If applicable, the following information is required:* [...] *xii) the method by which the information was collected (e.g., mall, intercept, telephone)* [...].» (PMRS, *op. cit.*, règle 4.6).

70. « *For each survey, a practitioner must provide to the client* [...] *information sufficient to replicate the study* [...]. *If applicable, the following information is required:* [...] *ii)* [...] *name of the organization conducting it, including sub-contractors* [...].» (PMRS, *op. cit.*, règle 4.6); « *Standard for Minimal Disclosure: Who sponsored the survey, and who conducted it.* » (AAPOR, Code of Professional Ethics and Practices, *op. cit.*, règle III.1.)

71. « *For each survey, a practitioner must provide to the client* [...] *information sufficient to replicate the study* [...]. *If applicable, the following information is required:* [...] *iv) the dates on or between which the fieldwork was done and the time periods of interviewing* [...].» (PMRS, *op. cit.*, règle 4.6); « *Survey reporting guidelines:* [...] *Where interviewing was conducted (localities, or national if national). Dates interviewing conducted.* » (CASRO, *op. cit.*); « *Standard for minimal disclosure: Method, location, and dates of data collection.* » (AAPOR, Code of Professional Ethics and Practices, *op. cit.*, règle III.8.)

Tc4 *Événements sociaux significatifs ayant eu lieu*
     lors de la collecte des données

Les études par sondage sont normalement censées être généralisables au-delà de la période au cours de laquelle la collecte
des données a eu lieu. Il importe pour cela qu'au moment de la
collecte, aucun événement social significatif[72] ne se soit produit
qui puisse influer profondément sur les réponses recueillies.
Pour plus de transparence, il convient de signaler dans le rapport
l'existence (ou l'absence) d'événements de cette nature.

▦ 4.4. La [g]estion des données

• [R]igueur de la [g]estion des données   combinaison Rg

Rg1 *La bonne exécution des calculs et ajustements*[73]

La gestion des données de sondage oblige souvent à effectuer
des calculs et à ajuster les données[74]. Ces calculs et ajustements
doivent être exécutés selon les meilleures méthodes alors en
vigueur.

---

72. Nous parlons ici d'un événement social, mais des événements d'autre nature (politique,
    économique, technologique, etc.) peuvent aussi influencer les résultats de la collecte des
    données.

73. «*Cleaning specifications should be written for all information collected, including information
    collected by computer assisted interviewing systems and on-line or inter-active interviews.*»
    (CASRO, *op. cit.*); «*Special codes should be provided for missing items, indicating why the
    data are not included. And, ideally, the "filling in" or imputation of these missing data items
    (based on rigorous and well validated statistical methods) should be undertaken to reduce any
    biases arising from their absence.*» (AAPOR, Best Practices for Survey and Public Opinion
    Research, *op. cit.* Roch.)

74. On trouve souvent dans la documentation l'expression «*data editing*» (mise en forme des
    données). Voir, entre autres, John G. KOVAR, «Canada: National Report», *Work Session on
    Statistical Data Editing*, Conference of European Statisticians, Statistical Commission and
    Economic Commission for Europe, Prague, 14 au 17 octobre 1997; Svein NORDBOTTEN,
    Evaluating Efficiency of Statistical Data Editing: General Framework, Geneva, United
    Nations Statistical Commission, 2000; Olivia BLUM, «Evaluation of data-editing using
    administrative records», *Work Session on Statistical Data Editing*, Conference of European
    Statisticians, Statistical Commission and Economic Commission for Europe, Prague,
    14 au 17 octobre 1997; Patricia WHITRIDGE et Julie BERNIER, «The impact of editing on
    data quality», *UC/ECE Work Session on Statistical Data Editing*, Conference of European
    Statisticians, Statistical Commission and Economic Commission for Europe, Rome, 2 au
    4 juin 1999; K-BASE, «The knowledge base on statistical data editing», <http://www3.
    sympatico.ca/guylaine.theoret/k-base/> en date du 16 juin 2003.

Rg2 *La rigueur dans le codage des réponses*[75]

Le codage est la délicate opération qualitative qui consiste à grouper les réponses aux questions ouvertes dans les catégories pertinentes. Pour un codage rigoureux, les catégories doivent refléter les données initiales avec exactitude (mais non intégralement, par définition) et le protocole employé doit être clair. Faire effectuer le codage du même matériel par deux personnes différentes est un moyen d'en garantir la rigueur.

* **[N]eutralité de la [g]estion des données**   combinaison Ng

  Ng1 *Les critères de pondération utilisés*[76]

  La recherche par sondage nécessite souvent le recours à une pondération *a posteriori* afin de compenser une stratification *a priori* ou des taux de participation inégaux. La détermination des variables sur lesquelles doit porter cette pondération constitue un aspect de la neutralité de la gestion des données puisque les poids ont pour but de mieux rapprocher les données de l'échantillon de la réalité de la population.

  Ng2 *Les sources des données de population*[77]

  Parallèlement, une recherche de qualité utilise pour le calcul des poids une source de données sur la population qui soit de qualité. Il est cependant admis que des données à la fois récentes

---

75. « *Coders should not individually and independently set codes. A senior person should review codes.* » (CASRO, *op. cit.*) ; « *Because the interviews might result in ambiguous responses, the expert should be able to show that he or she had a written system for categorizing responses. The expert should be able to show that he or she can rationally account for the ambiguous responses in the survey results, and how ; or that he or she threw out these responses, and why ; and how these responses affected the survey results.* » (HÉBERT, *op. cit.*) ; « *Coding of answers to open-ended questions requires a detailed set of instructions so that decision standards are clear and responses can be scored consistently and accurately. Two trained coders should independently score the same responses to check for the level of consistency in classifying responses.* » (DIAMOND, *op. cit.*, p. 268) ; « *The completeness of the survey report is one indicator of the trustworthiness of the survey and the professionalism of the expert who is presenting the results of the survey. A survey report generally should provide in detail 6. a description of any special scoring (e.g., grouping of verbatim responses into broader categories) ; […].* » (*idem*, p. 270-271).

76. « *For each survey, a practitioner must provide to the client […] information sufficient to replicate the study […]. If applicable, the following information is required : […] vi) […] details of any weighting methods used […].* » (PMRS, *op. cit.*, règle 4.6) ; « *If the sampling procedure requires that the resulting sample be weighted, the objectives of the weighting […] should be specified.* » (CASRO, *op. cit.*) ; « *Standard for Minimal Disclosure : description of any weighting or estimating procedures used.* » (AAPOR, Code of Professional Ethics and Practices, *op. cit.*, règle III.6.)

77. « *For each survey, a practitioner must provide to the client […] information sufficient to replicate the study […]. If applicable, the following information is required : […] xiv) list of sources of secondary research […].* » (PMRS, *op. cit.*, règle 4.6) ; « *The practitioner should provide to the client in the report, or in a supporting document, in addition to the items listed in 4.6, the*

et de qualité ne vont pas toujours de pair et que le chercheur doit parfois choisir entre des données anciennes mais solides (p. ex., des données de recensement) et des données récentes mais plus fragiles (p. ex., des projections tirées des données de recensement).

Ng3 *L'assurance que les ajustements ne favorisent pas indûment les hypothèses ou les intérêts du chercheur*[78]

Les divers ajustements découlant, entre autres, du contrôle et de la pondération ne doivent pas favoriser indûment les préférences du chercheur ou du commanditaire de l'étude; même s'ils peuvent sembler logiques, les ajustements excessifs qui viennent étayer la thèse du chercheur ou du commanditaire ne respecteraient pas le principe de neutralité de la gestion des données.

- **[É]quilibre de la [g]estion des données**   combinaison Ég

Ég1 *L'évitement des excès de pondération*

La pondération des données est une pratique normale de la recherche par sondage. Toutefois, pour une gestion équilibrée des données, il y a lieu d'écarter une pondération excessive[79] qui accorderait aux réponses de certains individus une valeur de beaucoup supérieure à celles d'autres individus. Il vaut mieux parfois exclure de la pondération certaines variables dans le but de réduire la variance due à la pondération, même au prix d'une représentation un peu moins fine de la population.

Ég2 *L'effet des ajustements apportés*

L'effet général des ajustements, de l'édition et de la pondération ne doit pas être assez puissant pour dénaturer les données recueillies.

---

following information: [...] ii) an assessment of the reliability of the sources used in secondary research [...].» (idem, règle 4.15); «If the sampling procedure requires that the resulting sample be weighted, [...] the sources of the weights should be specified.» (CASRO, op. cit.)

78. « If data are weighted, weights should be fairly and consistently applied. [...] Editing should be done before data are to be entered and should remove all illegible, incomplete and inconsistent interviewer errors. If correct responses are not obvious from the questionnaire, then responses should be coded as no answer or the questionnaires should either not be used or returned to data collection.» (CASRO, op. cit.)

79. À ce que nous sachions, il n'existe pas de seuil objectif au-delà duquel la pondération serait excessive. La décision doit se prendre au cas par cas.

- [T]ransparence de la [g]estion des données   combinaison Tg

  Tg1   *Le mode de calcul des poids*[80]

  Le rapport doit faire état du protocole employé pour calculer les facteurs de pondération.

  Tg2   *La variance de pondération*[81]

  La variance de pondération affecte la qualité de l'échantillon. Un échantillon aléatoire simple parfait n'a pas besoin d'être pondéré et il constitue la base de calcul des calculs statistiques. La variance de pondération donne une indication de l'ampleur de l'effet de plan dont il faudra tenir compte dans les statistiques de l'étude[82].

  Tg3   *Les calculs et ajustements*[83]

  Pour une gestion des données transparente, il faut que les calculs effectués et les ajustements apportés soient décrits de manière suffisamment détaillée pour que l'évaluateur puisse être persuadé de leur nécessité et de leur bonne exécution.

◼ 4.5. L'[a]nalyse des données

- [R]igueur de l'[a]nalyse des données   combinaison Ra

  Ra1   *La bonne utilisation technique des outils statistiques*[84]

  L'une des conditions d'une analyse des données rigoureuse réside évidemment dans la bonne utilisation des outils statistiques et dans le fait qu'il n'y a pas eu rupture trop grave de leurs postulats.

---

80. « *The Client is entitled to the following information about any marketing research project to which he has subscribed* : [...] *(2) Sample – [...] and any weighting methods used – where technically relevant, a statement of response rates and a discussion of any possible bias due to non-response.* » (ESOMAR, *op. cit.*)
81. « *The effect of the weighting on sampling error should be disclosed.* » (CASRO, *op. cit.*)
82. Bruce D. SPENCER, « Un effet de plan de sondage approximatif pour une pondération inégale en cas de corrélation possible entre les mesures et les probabilités de sélection », dans *Techniques d'enquête*, décembre 2000, vol. 26, n° 2, p. 137-138.
83. « *Force cleaning, which is done by having the computer change all answers meeting certain criteria, should only be used when changes are logical. It is advisable to make the client aware that force cleaning is being used and the specifications under which data are being changed.* [...] *Survey reporting guidelines* : [...] *If an index or some other constructed variable is used, show the method of calculation.* » (CASRO, *op. cit.*)
84. « *According to Manual on Complex Litigation §21.493 at 102* (3ᵉ éd Federal Judicial Center, 1995), *there are seven topics you need to address to assess whether a survey was properly done, i.e.* : *Was the data analyzed in accordance with accepted statistical principles ?* » (HÉBERT, *op. cit.*) ; « *Basic criteria for measuring the social scientific integrity of the research include*

Ra2 *Pour les questions traitant d'un lien de causalité,*
description adéquate du modèle de cause à effet[85]

Lorsque l'étude veut montrer l'existence d'un lien de causalité, la
recherche doit mettre au point un modèle de cause à effet qui identifie les principales influences exercées sur la variable dépendante.
L'analyse des données doit dans toute la mesure du possible être
conçue de manière à neutraliser les hypothèses concurrentes.

• **[N]eutralité de l'[a]nalyse des données**   combinaison Na

Na1 *Le risque de contestation des résultats*
et des interprétations[86]

Une analyse des données qui est neutre permet de tirer les mêmes
conclusions que celles que les analystes les plus éclairés obtien-
draient des mêmes données. Il s'agit de ne pas s'écarter de façon
excessive de l'information fournie par les données.

Na2 *La cohérence des conclusions et des résultats*[87]

Une analyse des données qui est neutre offre des conclusions et
des interprétations qui sont clairement conformes aux résultats
découlant de l'étude.

---

the following: [...] *conformity of quantitative data to standard disciplinary measurements for
statistical margin of error.*» (COHEN et SHIRLEY, *op. cit.*, p. 7); KAYE (*op. cit.*) et RUBINFELD
(*op. cit.*) fournissent des lignes directrices touchant les outils statistiques qui conviennent
à différentes situations.

85. KAYE (*op. cit.*, p. 348) énumère des questions clés en vue d'établir la qualité des analyses
statistiques, dont, s'il s'agit d'étayer une relation de cause à effet, les suivantes : « *What are
the independent and dependent variables?* » et « *What are the confounding variables?* »; « *Ideally,
a multiple regression analysis builds on a theory that describes the variables to be included in
the study.* [...] *Failure to develop the proper theory, failure to choose the appropriate variables,
and failure to choose the correct form of the model can bias substantially the statistical results,
that is, create a systematic tendency for an estimate of a model parameter to be too high or
too low.*» (Daniel L. RUBINFELD, «Reference Guide on Multiple Regression» in Federal
Judicial Center, Reference Manual on Scientific Evidence, 2000, p. 423, <http://www.
daubertexpert.com/link1.htm>, en date du 16 juin 2003).

86. «*Members must not provide or allow interpretations of the research which are inconsistent with
the data without protest*» (PMRS, *op. cit.*, règle 1.1ii).

87. « *We shall not knowingly make interpretations of research results, nor shall we be tacitly permit
interpretations that are inconsistent with the data available.*» (AAPOR, Code of Professional
Ethics and Practices, *op. cit.*, règle I.3); «[...] *great care should be taken to be sure that the
conclusions and the findings presented are consistent.*» (AAPOR, Best Practices for Survey
and Public Opinion Research, *op. cit.*)

- **[É]quilibre de l'[a]nalyse des données**   combinaison Éa

Éa1 *L'adéquation des méthodes avec les fins de la recherche*[88]

Les méthodes d'analyse des données doivent concorder avec les objectifs de la recherche. En général, les études descriptives équilibrées se fondent sur des statistiques descriptives tandis que les études causales équilibrées se fondent sur l'analyse bivariée, voire multivariée.

Éa2 *L'adéquation du plan de recherche avec les fins de la recherche*[89]

Il doit exister un équilibre entre l'objectif de la recherche et le plan de recherche. De façon générale, si les fins sont descriptives la recherche doit l'être aussi (et ne nécessitera pas, par exemple, de groupe témoin) tandis que si les fins sont comparatives le plan de recherche devra comporter des moyens de comparaison (p. ex., données chronologiques, groupes témoins, approches corrélationnelles).

- **[T]ransparence de l'[a]nalyse des données**   combinaison Ta

Ta1 *Les tailles brute et pondérée des échantillons dans les tableaux*[90]

En théorie et, dans une grande mesure, dans la pratique de la recherche par sondage, il existe un consensus sur la nécessité d'indiquer la taille brute (non pondérée) des échantillons de

88. « *Members must recommend those techniques and methodologies which are appropriate to the objectives of the research, avoiding those which they believe may give misleading results.* » (PMRS, *op. cit.*, règle 1.1i) ; « *A wide variety of methods are available to collect primary research data. The professional research organization selects the method that provides the most effective means of reliably and validly achieving the study's information objectives.* » (CASRO, *op. cit.*) ; « *We shall recommend and employ only those tools and methods of analysis which, in our professional judgement, are well suited to the research problem at hand.* » (AAPOR, Code of Professional Ethics and Practices, *op. cit.*, règle I.1) ; « *The following questions should be considered in evaluating the admissibility of statistical evidence. These considerations are motivated by two concerns* : [...] *(2) Are the methodological choices that the expert made reasonable, or are they arbitrary and unjustified ?* » (RUBINFELD, *op. cit.*, p. 441)
89. « *The structure of the questions is suitable for the statistical techniques that will be used in the analysis of the data.* » (CASRO, *op. cit.*) ; « *Controlled experiments are, far and away, the best vehicle for establishing a causal relationship.* » (KAYE, *op. cit.*, p. 347) ; « [...] *we must be guided by a commitment to serving the client's interests as if we were the client her- or himself. Thus, we are obligated to develop and implement survey designs that will meet client objectives at a reasonable cost.* [...] *In other words, I maintain that professional ethics require us to make clear to clients the implications of adopting a particular course of action but not necessarily to insist upon a rigid conformity to performance standards.* » (CRESPI, *op. cit.*)
90. « *For each survey, a practitioner must provide to the client* [...] *information sufficient to replicate the study* [...]. *If applicable, the following information is required* : [...] *x) weighted and unweighted bases for all conventional tables, clearly distinguished between the two* [...].»

tous les sous-groupes qui figurent dans le rapport. Plusieurs sources sont aussi d'avis qu'il faut indiquer la taille pondérée des échantillons, ce qui ne nous semble pas être une exigence absolue pour autant que les statistiques déductives sont calculées au moyen des fréquences brutes.

Ta2 *La description des méthodes d'analyse utilisées*[91]

Une analyse des données transparente se traduit par une description claire des procédés employés, de manière à faciliter la reproductibilité.

(PMRS, *op. cit.*, règle 4.6) ; «*All tables should clearly indicate the response base, whether it is total respondents, respondents meeting certain criteria, or any other base, such as total units or households.* [...] *Weighted data should carry a notation to that effect.*» (CASRO, *op. cit.*) ; «*Usually, the small-base problem is obvious if the presentation is reasonably complete. An expert who says that 50 % of the people interviewed had a certain opinion also should reveal how many individuals were contacted and how many expressed an opinion. Then we know whether the 50 % is 2 out of 4 or 500 out of 1,000.*» (KAYE, *op. cit.*, p. 355) ; «*The completeness of the survey report is one indicator of the trustworthiness of the survey and the professionalism of the expert who is presenting the results of the survey. A survey report generally should provide in detail 8. statistical tables clearly labeled and identified as to source of data, including the number of raw cases forming the base for each table, row, or column; [...].*» (DIAMOND, *op. cit.*, p. 270-271.)

91. «*For each survey, a practitioner must provide to the client* [...] *information sufficient to replicate the study* [...]. *If applicable, the following information is required:* [...] *xvi) the detail of any special statistical methods used in the analysis of the results* [...].» (PMRS, *op. cit.*, règle 4.6) ; «*Survey reporting guidelines:* [...] *If special scoring, data adjustment or indexing methods are used, these should be described.* [...] *Survey reporting guidelines:* [...] *If statistical significance is noted, there should be an indication of the test used, significance level, and number of tails.*» (CASRO, *op. cit.*) ; «*The following questions should be considered in evaluating the admissibility of statistical evidence. These considerations are motivated by two concerns: (1) Has the expert provided sufficient information to replicate the multiple regression analysis ?*» (RUBINFELD, *op. cit.*, p. 441) ; «*Critical in demonstrating adherence to standards of excellence and validity in defining the universe, designing the sample, learning what people think and do, and reporting the findings are:* [...] *(2) full documentation of raw data (particularly the completed questionnaires) which embody methods and results; and (3) step-by-step demonstration of how methods were used and how conclusions were reached.*» (SORENSEN, *op. cit.*, p. 352.)

▉ 4.6. Le [r]apport

* **[R]igueur du [r]apport** combinaison Rr

  Rr1 *La divulgation des faiblesses de l'étude et des biais possibles*[92]

  Un rapport rigoureux exige de divulguer en toute franchise les faiblesses et les biais éventuels de l'étude. Cette divulgation donne au chercheur l'occasion de soupeser l'importance de ces restrictions et d'en exposer le contexte.

* **[N]eutralité du [r]apport** combinaison Nr

  Nr1 *La présentation distincte des résultats objectifs et de leur interprétation*[93]

  Le rapport doit faire nettement la distinction entre l'énoncé des faits tels qu'ils découlent des données observées et leur interprétation en fonction des hypothèses ou des théories adoptées par le chercheur. Il n'est pas nécessaire pour cela que les rapports de

---

92. « *Survey reporting guidelines*: [...] *If the survey is a non-probability survey, it should be clearly stated that the results are not projectable to the entire universe.* [...] *In reports of qualitative research, a statement should be included to the effect that the research is based on a small, geographically limited sample and that, accordingly, the findings should be regarded as hypotheses subject to confirmation. The "tone" of the text reporting results should reflect this limitation.* [...] *In reports where a non-representative sample is used for the study, a statement should be included, either in the results or the technical appendix, discussing the implications and limitations of using a non-representative sample and the "tone" of the report should reflect these limitations.* » (CASRO, *op. cit.*) ; « [...] *statisticians should be prepared to document data sources used in an inquiry; known inaccuracies in the data; and steps taken to correct or to refine the data, statistical procedures applied to the data, and the assumptions required for their application.* » (ASA, Ethical Guidelines for Statistical Practice, *op. cit.*)

93. « *When reporting findings of a study in either written or oral form, the practitioner should make a clear distinction between the objective results and his or her own opinions and recommendations.* » (PMRS, *op. cit.*, règle 4.14) ; « *The practitioner should provide to the client in the report, or in a supporting document, in addition to the items listed in 4.6, the following information: i) a discussion of any aspects of the research which may bias the results; ii) an assessment of the reliability of the sources used in secondary research* [...]. » (PMRS, *op. cit.*, règle 4.15) ; « *Findings and interpretations should be presented honestly and objectively, with full reporting of all relevant findings, including any that may seem contradictory or unfavorable.* » (AAPOR, Best Practices for Survey and Public Opinion Research, *op. cit.*) ; « *Conclusions should be carefully distinguished from the factual findings* [...]. » (AAPOR, Best Practices for Survey and Public Opinion Research, *op. cit.*) ; « *According to Manual on Complex Litigation §21.493 at 102 (3ᵉ éd Federal Judicial Center, 1995), there are seven topics you need to address to assess whether a survey was properly done, i.e.: Was the data that was gathered accurately reported?* » (HÉBERT, *op. cit.*) ; « *When reporting on the results of a marketing research project the Researcher must make a clear distinction between the findings as such, the Researcher's interpretation of these and any recommendations based on them.* » (ESOMAR, *op. cit.*)

recherche consacrent une section à la description des observations et une autre à l'analyse de leurs incidences, mais le niveau de présentation doit être évident.

Nr2 *Le désintéressement du chercheur*[94]

Pour que transparaisse la neutralité du chercheur, le rapport doit faire état du degré de désintéressement de ce dernier. En particulier, l'absence d'un lien entre les résultats de l'étude et la rémunération peut être noté.

- **[É]quilibre du [r]apport**   combinaison Ér

  Ér1 *Le degré d'appui aux conclusions découlant des résultats de l'étude*[95]

  Un rapport équilibré fait ressortir la mesure avec laquelle l'étude vient étayer les conclusions qui en découlent. Entre autres, on ne peut offrir comme preuve de ses hypothèses une démonstration qui ne serait pas probante.

---

94. « *The practitioner should make known any current involvement in the same general subject area before accepting a project.* » (PMRS, *op. cit.*, règle 4.12) ; « *For these reasons, statisticians should* […] *disclose any financial or other interests that may affect, or appear to affect, their professional statements.* […] *statisticians should inform a client or employer of all factors that may affect or conflict with their impartiality and accept no contingency fee arrangements.* » (ASA, Ethical Guidelines for Statistical Practice, *op. cit.*) ; « *According to Manual on Complex Litigation §21.493 at 102* (3ᵉ éd Federal Judicial Center, 1995), *there are seven topics you need to address to assess whether a survey was properly done, i.e. : Was the objectivity of the entire process assured ?* » (HÉBERT, *op. cit.*) ; « *Ideally, experts who conduct research for litigants should proceed with the same objectivity as they would apply in other contexts. Thus, if experts testify or if their results are used in testimony by others, they should be free to do whatever analysis and have access to whatever data are required to address the problems the litigation poses in a professionally responsible fashion.* » (KAYE, *op. cit.*, p. 337-338) ; « *The validity and value of public opinion polls depend on three main considerations : i. the nature of the research techniques used and the efficiency with which they are applied, ii. the honesty and objectivity of the research organisation carrying out the study, iii. the way in which the findings are presented and the uses to which they are put.* » (ESOMAR, *op. cit.*)

95. « *Members must not present research results with greater confidence than the data warrant.* » (PMRS, *op. cit.*, règle 1.1iii) ; « *We shall not knowingly imply that interpretations should be accorded greater confidence than the data actually warrant.* » (AAPOR, Code of Professional Ethics and Practices, *op. cit.*, règle I.4) ; « *Researchers must not knowingly allow the dissemination of conclusions from a marketing research project which are not adequately supported by the data. They must always be prepared to make available the technical information necessary to assess the validity of any published findings.* » (ESOMAR, *op. cit.*)

Ér2   *Les réserves éventuelles sur les validités interne*
        et externe des résultats[96]

Le chercheur doit exprimer en toute franchise les réserves qui lui
semblent devoir être connues quant à la force de la démonstration
que permet la recherche et à la possibilité d'en généraliser les
conclusions.

* **[T]ransparence du [r]apport**   combinaison Tr

   Tr1   *Le caractère compréhensible de la présentation*[97]

   Pour être transparent, il faut que le rapport puisse être compris par
   ceux à qui il s'adresse. L'emploi d'un jargon inutile fait obstacle à
   la transparence pour un public non initié. Par contre, une présentation simplifiée à l'extrême peut priver les spécialistes de détails
   importants.

   Tr2   *La divulgation de tous les éléments d'information requis*
          par les 24 cellules pour juger de la valeur des résultats[98]

   Il existe une tension évidente entre, d'une part, l'efficacité et le
   coût et, d'autre part, la transparence du compte rendu, de sorte
   que certains commanditaires pourraient ne pas vouloir assumer le

---

96. « *Instead, as responsible professionals, members must point out the relevant limitations of the research.* » (PMRS, *op. cit.*, règle 1.1iii) ; « *The Client is entitled to the following information about any marketing research project to which he has subscribed :* [...] *(2) Sample –* [...] *and a discussion of any possible bias due to non-response.* » (ESOMAR, *op. cit.*) ; « *All experiments are conducted with a sample of a certain population, at a certain place, at a certain time, and with a limited number of treatments. With respect to the sample studied, the experiment may be persuasive. It may have succeeded in controlling all confounding variables and in finding an unequivocally large difference between the treatment and control groups. If so, its "internal validity" will not be disputed ; in the sample studied, the treatment has an effect. But an issue of "external validity" remains. To extrapolate from the limiting conditions of an experiment always raises questions. If juries react differently to competing instructions on the law of insanity in cases of housebreaking and of incest, would the difference persist if the charge were rape or murder ? Would the failure of ex-convicts to react to transitory payments after release hold if conditions in the employment market were to change radically ?* » (KAYE, *op. cit.*, p. 349) ; « *However, association is not causation, and the causal inferences that can be drawn from such analyses* [observational studies] *rest on a less secure foundation than that provided by a controlled randomized experiment.* » (KAYE, *op. cit.*, p. 351).

97. « *In order to have quality, research findings must be prepared and presented to the client in a manner that is both understandable and compelling.* » (COHEN et SHIRLEY, *op. cit.*, p. 8.)

98. « *Excellence in survey practice requires that survey methods be fully disclosed reported in suffi-cient detail to permit replication by another researcher and that all data (subject to appropriate safeguards to maintain privacy and confidentiality) be fully documented and made available for independent examination.* [...] *Exemplary practice in survey research goes beyond such standards for "minimal disclosure", promulgated by AAPOR and several other professional associations.* » (AAPOR, Best Practices for Survey and Public Opinion Research, *op. cit.*) ; « *At a minimum, both academic and commercial survey researchers are obliged to describe their research designs, and to present their results, as fully and openly as possible so that competent*

coût de la transparence. La chose n'est pas tellement préoccupante si la diffusion des résultats ne concerne que des particuliers et des organisations qui acceptent ce compromis. Toutefois, quand les résultats d'une étude doivent être diffusés à plus grande échelle, chercheur et commanditaire ont alors l'obligation de faire pencher la balance du côté de la transparence. Notre cadre de travail procure aux chercheurs et aux commanditaires une structure en vue de déterminer dans quelle mesure l'investissement dans la transparence sera rentable.

 ## 5 LA DÉONTOLOGIE

En se fondant sur la documentation traditionnelle en la matière, on peut s'étonner qu'il soit peu question ici de fiabilité, de validité et d'éthique. C'est que, à notre avis, le cadre de travail que nous proposons tient compte des préoccupations traditionnelles relatives à la qualité de la recherche et, jusqu'à un certain point, à son acceptabilité sociale ou à l'éthique; en même temps, il va encore plus loin en offrant aux étudiants, aux chercheurs, aux vérificateurs et aux évaluateurs une orientation plus normative.

Bien que le présent modèle ne reprenne pas les codes d'éthique ou les règles de pratique tels que nous en offrent l'AAPOR et la PMRS, il procure à l'analyste un cadre de travail solide et valable en vue de garantir une recherche empreinte de rigueur et d'équilibre. Le chercheur peut également recourir à cette même méthode pour vérifier son propre travail.

Notre cadre de travail ne constitue pas un code d'éthique. Une recherche inspirée des critères exposés dans ce texte et qui apporterait des faits probants d'une grande robustesse à l'égard de la question à l'étude pourrait néanmoins être jugée contraire à l'éthique sous d'autres aspects. Ainsi, le code d'éthique de l'AAPOR prévoit que si un chercheur constate l'apparition publique de graves distorsions de sa recherche, il doit « *publicly*

---

others can evaluate their projects. Unfortunately, there will be times when this obligation will conflict with the confidentiality of client interests, placing the researcher in a very difficult position. » (CRESPI, *op. cit.*) ; « *To make it possible for the court and the opposing party to closely scrutinize the survey so that its relevance, objectivity, and representativeness can be evaluated, the party proposing to offer the survey as evidence should describe in detail the design and execution of the survey.* » (DIAMOND, *op. cit.*, p. 232) ; « *Whatever information may be given in the published report of the survey, the publisher and/or the research organisation involved must be prepared on request to supply the other information about the survey methods described in the Notes on the application of Rule 25 of the International Code.* » (ESOMAR, *op. cit.*)

disclose what is required to correct these distortions, including, as appropriate, a statement to the public media, legislative body, regulatory agency, or other appropriate group, in or before which the distorted findings were presented[99] » ; une infraction à cette règle ne transformerait pas une bonne recherche en une mauvaise recherche.

Cependant, en ce qui concerne les exigences Éq (Équilibre du questionnaire) et Éc (Équilibre de la collecte des données), lorsque la recherche a une portée publique, ses critères, s'ils sont judicieux, renferment normalement certains aspects qui font d'habitude partie des codes d'éthique, notamment en ce qui a trait au fardeau de la réponse, au consentement éclairé et au caractère confidentiel des renseignements recueillis.

Nous n'avons pas tenté d'intégrer à notre cadre de travail toutes les dispositions détaillées contenues dans les codes d'éthique. Nous avons plutôt repris les principaux thèmes qui constituent la base d'un comportement responsable en matière de recherche. Le débat n'est toutefois pas clos quant à savoir si une recherche peut être « solide » (c'est-à-dire passer le test d'un cadre d'évaluation) sans intégrer tous les aspects des codes d'éthique établis.

6 PEUT-ON ATTRIBUER UNE NOTE À UN PROJET DE RECHERCHE ?

Lors de présentations préliminaires de ce travail, la question de savoir si ce cadre permettait de dégager un système de notation de la recherche par sondage a souvent été soulevée. Telle recherche qui aurait satisfait à 95 % des critères pourrait-elle se voir attribuer un A alors que telle autre, qui aurait échoué à 20 % des critères, mériterait la note D ?

Pas du tout. Le cadre d'évaluation ne doit pas être utilisé de façon mathématique. Il est concevable qu'un projet de recherche portant sur l'assimilation linguistique réponde à tous les critères établis sauf un, celui de la représentativité de l'échantillon, de sorte qu'il serait disqualifié en tant que description crédible du phénomène social en cause. Que cette recherche obtienne une note de 95 % n'y changerait rien. Par contre, on peut imaginer qu'une étude relative aux effets du format, de la forme et de la couleur sur la marque d'un produit, qui ne satisferait pas non plus au même critère de représentativité de l'échantillon pourrait être jugée adéquate pour ses fins.

---

99. AAPOR, *Code of Professional Ethics and Practices, op. cit.*

L'évaluation de la recherche par sondage exige d'appliquer son jugement professionnel à des situations particulières; il se peut que la satisfaction de tel critère n'ait que peu d'importance dans un certain contexte mais qu'elle soit cruciale dans une autre situation. Le cadre de travail ci-dessus ne constitue pas une échelle de notation toute faite mais plutôt un protocole systématique pour contribuer au processus d'évaluation.

CONCLUSION

Kaase suggère que la qualité de la recherche se révèle par des résultats exacts et des méthodes appropriées[100]. Comme indicateur de la qualité d'une recherche, il est rare que les résultats exacts soient à la disposition de l'étudiant, du chercheur, du client, de l'évaluateur et de la société. C'est pourquoi notre cadre d'évaluation est surtout concentré sur le caractère approprié des méthodes utilisées pour la recherche. Il vise à offrir un ensemble organisé de critères en vue d'effectuer une évaluation exhaustive, équitable et constructive de la recherche par sondage. Sans être conçu comme une simple liste de vérification qui permettrait de réaliser une évaluation globale sans qu'il soit nécessaire de faire appel à son expérience et à son jugement, son objectif est de servir de guide au chercheur expérimenté et d'outil heuristique à ceux et celles qui débutent dans le métier.

---

100. « *Survey research is a method for making generalisable statements about social facts with limited economic means. The core of this social science invention is constituted by two methods, representative sampling in conjunction with standardised interviewing. On this basis, the criteria for the quality of a survey are clear: the undistorted representation of a defined population by the sample, [and] the valid, reliable measurement of the parameters at issue by the interview. These are theoretical criteria that apply absolutely and always. The problem is to determine in any given case whether the criteria have been met, and if not why not. Two types of indicator estimate survey quality, the instrumental criteria, at it were: accurate results, [and] appropriate methods.* » (KAASE, *op. cit.*, p. 238.)

RECHERCHE ACADÉMIQUE ET RECHERCHE ORGANISATIONNELLE

Benoît GAUTHIER

La vérité, c'est toujours un pari sur l'incertitude.

Jérôme TOUZALIN

Ce livre traite de recherche sociale de nature académique. Il existe un autre univers de recherche, différent de la recherche académique: la recherche organisationnelle. On définira la *recherche organisationnelle* comme une démarche structurée, organisée et disciplinée d'acquisition de connaissance qui respecte les canons de la recherche sociale de type académique mais qui se situe à l'intérieur d'une organisation et qui sert les fins de cette organisation.

La recherche sociale organisationnelle diffère de la recherche sociale académique de plusieurs façons – du point de vue du contexte, évidemment, mais aussi dans divers aspects de la mise en œuvre de la démarche de recherche. Ce chapitre clarifie les différences entre la recherche sociale organisationnelle et la recherche sociale académique et décrit en quoi la recherche organisationnelle est un sujet d'étude à part entière.

1 LE GESTIONNAIRE ET LA CONNAISSANCE

Sauf peut-être en recherche action, l'acteur central de la recherche académique discutée dans ce livre est le chercheur lui-même. C'est le chercheur qui délimite le sujet de recherche; c'est encore lui qui choisit l'approche de recherche; c'est aussi lui qui juge de la valeur des résultats obtenus et de l'utilité de l'information recueillie dans l'obtention de la réponse à la question posée initialement (voir le chapitre 3).

En recherche organisationnelle, le chercheur est un acteur parmi d'autres. L'acteur central est le *gestionnaire qui a un problème à résoudre*, une décision à prendre. Pour prendre des décisions, le gestionnaire a d'abord besoin de savoir (le verbe); le gestionnaire a besoin d'une série de ressources pour régler un problème. Ces ressources se situent dans la hiérarchie suivante:

- des ressources informationnelles, d'abord; il s'agit de l'information et donc de la connaissance requise pour prendre la décision; c'est ici que la recherche organisationnelle joue son rôle;

- des ressources permettant de structurer la prise de décision ensuite; dans la mesure où cette démarche implique une recherche organisationnelle (toutes les décisions n'en exigent pas), le cheminement de la recherche scientifique fera partie de ce processus structurant;

- des ressources tangibles, enfin (temps, argent, ressources humaines, etc.).

> À Québec, le dossier de l'immigration est un fiasco dont plus personne ne se cache. La Ville peine autant à attirer les immigrants qu'à retenir ceux qui s'y installent. La belle capitale ne manque pourtant pas d'attraits, de services et de gens bien intentionnés. Pourquoi les immigrants la fuient-ils? La directrice du Centre multiethnique de Québec, Karine Verreault, ne se fait pas prier pour dénoncer la situation. «Pour une ville de 500 000 habitants, 1 500 immigrants par année, c'est ridicule. Et là-dessus, il faut tenir compte du fait que près de 40 % des nouveaux arrivants à Québec sont envoyés par le gouvernement en tant que réfugiés.» La jeune femme a de la difficulté à fournir des raisons précises, encore plus à trouver des solutions: «On sait qu'il y a un problème, c'est clair. Le problème, ce n'est pas qu'ils quittent la ville, c'est qu'ils ne viennent même pas. La grande question c'est: pourquoi ne viennent-ils pas? D'autant plus que Québec est une très belle ville[1].»

---

1. Isabelle PORTER, «La Vieille Capitale peine autant à attirer les immigrants qu'à retenir ceux qui s'y installent», *Le Devoir*, 27 mars 2005.

Ce déplacement du poids relatif des acteurs dans le processus de recherche est crucial : en recherche organisationnelle, le chercheur est un fournisseur, le gestionnaire, un client. Le chercheur est responsable de la démarche professionnelle de recherche (comme en recherche académique) mais il le fait dans un contexte où il doit répondre aux besoins du gestionnaire. Notons que cette relation de fournisseur à client est essentiellement la même que le chercheur-fournisseur se situe à l'intérieur de l'organisation ou qu'il soit un conseiller externe.

 ## **2** LES SOURCES DE CONNAISSANCES

La connaissance peut provenir d'une variété de sources (voir le chapitre 2). Dans l'organisation, les sources les plus courantes sont l'autorité, l'expérience, le raisonnement et la science.

L'acquisition de connaissance vise à réduire l'incertitude dans la sélection d'une solution à un problème organisationnel. Dans ce contexte, les sources de connaissances ne sont pas toutes également appropriées. Une source de connaissance sera préférée à une autre en fonction des critères suivants :

- le coût de production (toutes choses étant égales par ailleurs, on préfère le moindre coût) ;

- l'importance de la décision (une décision routinière, opérationnelle, administrative [de moindre impact] exigera une source de connaissance de moindre coût qu'une décision stratégique) ;

- la crédibilité de la source d'information dans l'organisation (cette crédibilité est fonction des expériences corporatives et de la culture d'entreprise).

Comme la plupart des décisions organisationnelles sont routinières et à faible incidence sur l'organisation, l'autorité et l'expérience seront les sources les plus fréquentes de connaissances dans l'organisation.

Parce qu'elle est coûteuse et exigeante, l'acquisition de connaissance par la démarche scientifique est réservée aux décisions stratégiques et aux contextes réceptifs à ce genre de preuve. La démarche de recherche organisationnelle relève d'une approche scientifique. Elle doit par contre concurrencer les autres sources de connaissances dans un terrain fertile : l'organisation est un contexte où l'autorité et l'expérience ont facilement préséance tant à cause du faible coût de production de telles connaissances qu'à cause de l'homogénéité de la culture particulière d'une organisation (qui est presque nécessairement moins diverse que la société dans laquelle l'organisation baigne).

> Tous les intervenants du milieu de l'immigration s'accordent pour dire que le manque d'emplois est au cœur du problème. D'aucuns, plus exaspérés, s'en prennent à la mentalité des gens de la capitale, qui serait plus conservatrice, plus frileuse. Or, bien téméraire celui ou celle qui saura tracer la ligne dans ce mélange de culpabilité et de frustration. Une chose est certaine, il n'est plus possible de fermer les yeux sur des chiffres alarmants[2].

3 LE PROBLÈME DE RECHERCHE

En recherche académique, le problème de recherche découle d'une préoccupation théorique du chercheur ou d'une situation inexpliquée qui provoque une saine curiosité (voir le chapitre 3).

En recherche organisationnelle, le *problème de recherche* (aussi appelé *problème de connaissance*) découle du problème organisationnel et n'existe qu'en fonction de celui-ci (c'est-à-dire que l'organisation ne s'intéresse au problème de connaissance et n'acceptera d'y investir temps et ressources que dans la mesure où le problème de connaissance contribue à résoudre un problème organisationnel).

Le *problème organisationnel* est un écart vécu par l'organisation entre un état présent et un état espéré (ou idéal). Le problème organisationnel est un construit et non une situation objective : une situation organisationnelle particulière peut être définie comme problématique par certains intervenants dans l'organisation mais non par d'autres et elle peut mener à la définition d'un problème X par un intervenant dans l'organisation et d'un autre problème Y par un autre intervenant. Dans le cheminement de recherche organisationnelle, le problème organisationnel doit donc être clairement décrit et sa présence doit être documentée (préférablement sur la base de faits vérifiables) ; le porteur du problème dans l'organisation (c.-à-d. le client de l'intervention) doit aussi être clairement identifié.

Le *problème de connaissance* est l'écart entre les connaissances actuelles et les connaissances nécessaires pour contribuer à résoudre le problème organisationnel. La démarche de recherche sociale organisationnelle a pour objet de régler le problème de connaissance, ou de combler l'écart

---

2. *Ibidem.*

de connaissance en question. Une fois le problème organisationnel cerné, le chercheur en milieu organisationnel est responsable de trouver le ou les problèmes de connaissance qui correspondent au problème organisationnel, qui permettent d'éclairer le problème organisationnel et de guider la prise de décision du gestionnaire.

Le problème organisationnel et sa solution appartiennent au gestionnaire porteur. La contribution de la démarche de recherche organisationnelle est de fournir la connaissance requise pour faire des choix éclairés en vue de régler le problème organisationnel. Le problème organisationnel doit donc être traduit en problème de connaissance : on se demandera quelles sont les connaissances (l'information) nécessaires à l'analyse du problème organisationnel dont le gestionnaire a besoin.

La pertinence organisationnelle du problème de connaissance se mesure selon la probabilité que la connaissance produite permette de réduire l'incertitude dans la prise de décision rendue nécessaire par le problème organisationnel. Notez la différence qui existe ici entre recherche académique et recherche organisationnelle : la pertinence du problème de recherche académique se mesure à l'aune de la connaissance acquise alors que la pertinence du problème en recherche organisationnelle découle de la contribution à la résolution d'un problème particulier dans une organisation donnée.

En recherche académique, on spécialisera souvent la question de recherche : on isolera un facteur et on en étudiera l'impact sur un autre facteur de façon à maximiser la validité interne de la recherche et la capacité à généraliser les résultats au-delà des situations observées. La recherche organisationnelle vise plutôt à découvrir les informations qui contribueront à résoudre le problème organisationnel. Or, au départ, on ne sait pas où se trouve cette solution ; il serait donc dangereux de limiter la recherche à un seul aspect de la dynamique à l'étude. La recherche organisationnelle n'utilise ni l'entonnoir de l'approche déductive (qui l'amènerait à des analyses partielles alors qu'elle a besoin d'un point de vue d'ensemble), ni l'éponge de la démarche inductive (qui est trop coûteuse). Elle se nourrit plutôt de toutes les influences théoriques pour constituer un modèle exhaustif des possibilités ; elle teste ensuite chacune de ces possibilités dans une situation particulière.

TABLEAU 22.1
Exemples de problèmes organisationnels
et de problèmes de connaissance

Problèmes organisationnels	Problèmes de connaissance[1]
Les clients sont insatisfaits du service.	Quelle proportion des clients est insatisfaite?
	Quelles sont les causes de cette insatisfaction?
Les efforts de recrutement de personnels sont vains.	Le personnel recherché est-il disponible?
	Quel est l'environnement concurrentiel dans lequel se trouve l'organisation sur le plan du recrutement du personnel?
Les opérations de l'entreprise ne sont pas rentables.	Quelles sont les principales catégories de coûts de production?
	Quelle est l'élasticité-prix de la clientèle? (Autrement dit, quelle augmentation de prix la clientèle accepterait-elle avant de déserter?)
Les priorités de l'organisation des services de santé sont floues.	Quels sont les principaux besoins perçus par la population ciblée?
	Quelles sont les principaux problèmes de santé de la population ciblée?
Le financement d'une activité n'est pas assuré.	L'activité en question atteint-elle ses objectifs? Est-elle efficace?
	L'activité en question produit-elle des effets secondaires imprévus positifs?
Les artistes veulent recevoir une juste compensation pour l'utilisation de leurs œuvres musicales par les stations de radio commerciales.	Quelle est l'importance de la musique dans la décision d'écouter la radio?
	Quelle est l'importance de la musique dans la décision d'écouter une station de radio particulière?
Le tribunal doit établir une redevance pour la copie privée d'œuvres musicales.	Combien de copies d'œuvres musicales sont effectuées par les particuliers au cours d'une période donnée?
	Quelles sont les sources des pistes musicales copiées par les particuliers?
Il faut implanter un changement dans l'organisation.	Quelles sont les principales sources de résistance au changement dans l'organisation?
	Quelles sont les raisons principales de résistance au changement?

[1] Il s'agit d'exemples; un problème organisationnel donné peut correspondre à plusieurs problèmes de connaissance différents, selon les paramètres de la situation.

> Un gestionnaire fait face à un grand nombre de plaintes par rapport à son service. Quelle recherche sera la plus utile pour lui ? Une recherche qui vise à établir l'impact du temps d'attente sur la satisfaction des clients ou une autre qui permet de quantifier les facteurs qui affectent la satisfaction de sa clientèle ? La première recherche propose une question étroite ne traitant que d'un facteur, le temps d'attente ; elle pourra probablement permettre d'apporter une réponse concluante (affichant une validité interne élevée [voir le chapitre 7]) mais cette réponse concluante ne sera pas utile si la situation particulière du gestionnaire ne présente pas de problème de délai d'attente. La seconde recherche, par contre, ouvre une question large où la validité interne sera plus difficile à assurer ; toutefois, cette question offre de meilleures probabilités de produire de l'information utile au gestionnaire.

En recherche organisationnelle, on a souvent intérêt à traiter le plus grand nombre possible de facteurs de façon concurrente pour assurer que la solution optimale au problème organisationnel n'échappe pas au processus de recherche. En ce sens, il est préférable, en recherche organisationnelle, de traiter moins profondément un plus grand nombre de facteurs pour maximiser la probabilité de trouver des pistes de solutions que de traiter profondément moins de facteurs pour maximiser la probabilité d'attribuer sans équivoque un effet à un facteur particulier.

À retenir : là où la recherche académique vise à contribuer au savoir universel (généralisable à toute situation similaire) sans nécessairement avoir un objectif de résultat à court terme, la recherche organisationnelle est ancrée dans un problème particulier d'une organisation spécifique. En conséquence, la recherche organisationnelle ne vise pas du tout la généralisation de la connaissance ; elle cherche à contribuer à une prise de décision particulière.

 **LA THÉORIE**

La théorie est le cadre général qui permet de structurer la réflexion sur le problème de connaissance. La théorie guide la démarche en mettant en relief les facteurs importants à prendre en considération dans l'étude du phénomène en question (voir le chapitre 5).

En recherche organisationnelle, la théorie est un outil de réduction des risques et des coûts :

TABLEAU 22.2
Théories utiles en recherche organisationnelle

Nom de la théorie	Référence[1]	Justification de l'utilité
Théorie du marketing	Denis PETTIGREW et Normand SURGEON, *Marketing*, 6e éd., Montréal, Chenelière/McGraw-Hill, 2008. Philip KOTLER, Pierre FILIATRAULT et Ronald E. TURNER, *Le management du marketing*, 2e édition, Boucherville, Gaëtan Morin, 2000.	La théorie du marketing met en exergue l'importance du produit, du prix, de la promotion et du lieu de prestation du service. De plus, elle amène l'analyste à tenir compte de l'environnement concurrentiel. Cette théorie générale est applicable dans beaucoup de situations d'offre de produits ou de services ; on peut même l'appliquer à des situations inattendues, comme dans le cas de l'offre d'un emploi.
Satisfaction de la clientèle	Valarie A. ZEITHAML, Mary Jo BITNER et Dwayne D. GREMLER, *Services Marketing*, Toronto, McGraw-Hill Ryerson Higher Education, 2007.	Le service à la clientèle est un enjeu de taille, tant dans les organisations publiques que dans le secteur privé. La théorie des fossés présentée dans *Services Marketing* est simple et provocante à la fois. Elle clarifie le rôle de chacun dans l'organisation eu égard au service à la clientèle et détruit le mythe selon lequel l'agent de première ligne fait ou défait l'image de l'organisation.
Théorie contingente de la structure optimale des organisations	Paul R. LAWRENCE et Jay W. LORSCH, *Organization and Environment*, Harvard Business School Press, 1986. André BRASSARD, *Conception des organisations et de la gestion*, Montréal, Éditions Nouvelles, 1996.	Les questions reliées à la structure optimale des organisations sont fréquentes et complexes. Plusieurs écoles approchent ces enjeux de différentes façons. La théorie contingente de Laurence et Lorsch met l'accent sur la prévisibilité de l'environnement de l'organisation, sur la sympathie de l'environnement envers l'organisation et dicte ensuite quels agencements de mécanismes de différenciation et d'intégration des fonctions de l'organisation sont les plus adaptés.
Théorie du changement organi-sationnel	Pierre COLLERETTE, Gilles DELISLE et Richard PERRON, *Le changement organisationnel*, Québec, Presses de l'Université du Québec, 1997. Pierre COLLERETTE et Robert Schneider, *Le pilotage du changement*, Québec, Presses de l'Université du Québec, 1996.	La théorie du changement organisationnel facilite la description des conditions internes de l'environnement des organisations qui se prêtent au changement, des éléments déclencheurs, des résistances, des différentes phases du changement, des stratégies d'intervention les plus appropriées, etc.

[1] Nous présentons un petit nombre de références clés. De nombreuses autres pourraient être citées.

- l'utilisation de la théorie permet de s'asseoir sur une connaissance existante pour établir la constellation des facteurs à prendre en considération ; elle réduit donc le risque de s'attarder à des facteurs de moindre importance et de ne pas inclure un facteur important dans l'analyse de la problématique organisationnelle ;

- l'utilisation de la connaissance existante réduit aussi les coûts en fournissant un point de départ à la réflexion et en évitant d'avoir à réinventer la roue dans chaque situation d'acquisition de connaissances.

Comme la recherche organisationnelle vise la production d'un savoir ponctuel afin d'alimenter la résolution d'un problème particulier, la réduction des risques et des coûts constitue un avantage indéniable de l'utilisation de la théorie dans la démarche.

Certaines théories sont particulièrement utiles en recherche organisationnelle parce qu'elles traitent de problèmes que l'on rencontre souvent dans les organisations et parce que leur utilisation répétée au cours des années a permis de démontrer leur valeur analytique et prédictive. Le tableau 22.2 dresse la liste de certaines de ces théories.

5 LA MODÉLISATION

Un modèle dynamique est une représentation simplifiée d'une réalité organisationnelle (voir le chapitre 6 et l'ouvrage de Peter Senge donné en bibliographie). Il prend la forme d'un schéma reliant causes et conséquences d'un phénomène. Il est généralement développé sur mesure pour une situation particulière. L'élaboration de modèles de la dynamique organisationnelle comporte des avantages et des inconvénients dans le contexte de la recherche organisationnelle.

Les modèles dynamiques permettent de :

- représenter finement une situation organisationnelle particulière ;

- refléter les perceptions des membres de l'organisation en ce qui concerne la dynamique problématique ;

- clarifier la dynamique à l'œuvre et mettre au jour des désaccords au sein de l'organisation ;

- agréger les résultats documentés dans la littérature ;

- simuler le comportement du système organisationnel (dans le cas d'un modèle mathématique);

- analyser la dynamique et peut-être trouver des facteurs contribuant au problème ou des leviers d'action.

Mais la conception et l'utilisation des modèles dynamiques comportent des inconvénients:

- ils sont coûteux à construire (à tout le moins, plus coûteux que l'utilisation d'une théorie adaptée disponible sur la tablette);

- le sens de chacune des relations identifiées entre les variables insérées dans le modèle doit être précisé (une augmentation du facteur «a» entraîne-t-elle une augmentation ou une diminution du facteur «b» auquel il est relié?) et le sens des relations est parfois ambigu;

- des modèles uniquement basés sur la connaissance résidant dans l'organisation risquent de reproduire les erreurs de perception ou d'analyse des membres de l'organisation;

- la simplification nécessaire à l'élaboration des modèles dynamiques risque de ne pas être crédible au sein d'une organisation plus habituée à la gestion des détails (comme bien des organisations de prestation de services de première ligne) qu'à l'analyse des grandes tendances (comme bien des groupes d'analyse de politique ou de support technostructure).

 6 LES STRUCTURES DE PREUVE

On pourrait penser que la logique de preuve (voir les chapitres 7 et 8 – l'étude de cas) serait la même en recherche académique et en recherche organisationnelle. Après tout, on cherche dans les deux cas à décrire une situation ou encore à déterminer le lien entre une cause et un effet.

Pourtant, les contextes particuliers de la recherche académique et de la recherche organisationnelle font en sorte que les structures de preuve préférées par l'une et l'autre diffèrent. Typiquement, en recherche académique, on veut établir sans conteste que le facteur A a un impact sur le facteur B (p. ex., que les communications d'une organisation influencent la satisfaction des clients de l'organisation). On visera donc à maximiser la validité interne de la structure de preuve quitte à ce que la conclusion tirée ne représente pas adéquatement la complexité du milieu dans lequel la relation existe.

En comparaison, en recherche organisationnelle, on veut comprendre la dynamique d'une situation problématique dans son ensemble et non une relation en particulier; on mettra donc l'accent sur la validité externe de la structure de preuve. Par exemple, il ne servirait à rien au chercheur organisationnel faisant face à une baisse de la satisfaction des clients de démontrer que les communications influencent la satisfaction des clients; ce chercheur veut plutôt identifier chacun des facteurs potentiellement explicatifs de la baisse de satisfaction et soupeser la contribution de chacun au problème vécu.

De plus, alors que la recherche académique cherche à produire un savoir généralisable à un ensemble de situations (p. ex., déterminer si les actions relatives à la prévention du crime permettent de réduire la criminalité), la recherche organisationnelle a un mandat beaucoup plus étroit: celui de servir les besoins d'un gestionnaire, d'une décision, d'une organisation et d'un moment particulier (p. ex., établir si un projet pilote implanté dans la ville ABC au cours de la dernière année a permis de réduire la criminalité). Encore une fois, la recherche organisationnelle ne vise pas la production de savoir généralisable; elle cherche à offrir une connaissance éclairante pour une situation spécifique. La structure de preuve appropriée pour une recherche organisationnelle est donc conditionnée par l'exigence d'inclure tous les phénomènes pertinents dans la démarche de recherche et par le fait que l'on n'a pas de visée de généralisation des résultats.

 **LA MESURE**

En recherche organisationnelle, on sera à l'affût des définitions opérationnelles existantes des concepts à l'étude (voir le chapitre 9). On voudra s'assurer de la pertinence des indicateurs dans le contexte organisationnel (p. ex., distinctions de contexte dans la mesure de la satisfaction de la clientèle entre une organisation axée sur le loisir comme Parcs Canada et une organisation de réglementation comme l'Agence du revenu du Canada) et de la comparabilité dans le temps et entre les organisations.

Cette préoccupation est présente en recherche académique, mais elle est plus critique encore en recherche organisationnelle où le coût de production de la connaissance est une considération cruciale pour justifier la démarche de recherche. Les définitions opérationnelles déjà validées et les mesures existantes sont moins coûteuses que le développement de nouvelles définitions et mesures; on les préférera donc. De plus, ces mesures préexistantes présentent peut-être l'avantage additionnel de permettre des comparaisons à des étalons extérieurs à l'organisation ouvrant la voie à des évaluations mieux informées des problèmes organisationnels.

> Le Mouvement québécois de la qualité[3] est un organisme sans but lucratif dont la mission est de contribuer à l'accroissement de la performance des organisations membres en facilitant l'évaluation et l'intégration des meilleures pratiques de gestion. Il met au service des entreprises le QUALImètre, le système de mesure de la performance des organisations. Plus qu'un simple instrument de mesure, le QUALImètre permet de dresser le portrait qualité d'une organisation et de comparer ce portrait à celui des organisations les plus performantes au Québec, au Canada et à l'étranger. Les résultats de l'organisation participante sont comparés aux résultats moyens obtenus par les entreprises lauréates de prix de qualité à travers les années. Cette comparaison est effectuée 1) selon le secteur d'activité (PME manufacturière ou de services, organisme à but non lucratif et association, grande entreprise manufacturière ou de services, organisme public) et 2) selon la catégorie de performance (leadership, planification stratégique, attention accordée aux clients et au marché, mesure, analyse et gestion de l'information, attention accordée aux ressources humaines, gestion des processus et résultats). Le QUALImètre est un instrument de mesure efficace pour l'organisation parce que 1) l'instrument existe déjà (l'organisation n'a pas à défrayer les coûts de développement) et 2), comme des mesures comparatives pertinentes existent, l'organisation peut mieux interpréter la signification des résultats (encore là, sans avoir à assumer le coût de production de ces informations comparatives).

8 L'ÉCHANTILLONNAGE

La recherche organisationnelle vise à appuyer la prise de décision dans l'organisation. En conséquence, on choisira le type et la taille de l'échantillon en fonction de ce qui est nécessaire à la prise de décision. Cela signifie souvent le recours aux échantillons probabilistes parce que la prise de décision nécessite une description précise et crédible de la situation (voir le chapitre 10).

Quant à la taille de l'échantillon, elle sera choisie de sorte que les limites inférieures et supérieures de l'intervalle de confiance de l'estimé le plus important produit par l'étude conduisent le gestionnaire à la même décision de gestion. En effet, la recherche organisationnelle vise à appuyer une prise de décision en vue de résoudre un problème organisationnel.

---

3. <http://www.qualite.qc.ca/>, visité le 2 septembre 2008.

Étant donné que toute estimation découlant d'un échantillon est associée à une marge d'erreur échantillonnale et à un intervalle de confiance, on se demandera à quel niveau de précision correspond une situation où la décision serait la même au bas et au haut de l'intervalle de confiance.

> Par exemple, si l'on découvrait que 50% des clients sont satisfaits d'un service mais que l'échantillon était si petit que l'intervalle de confiance s'étalait de 20% à 80% (un échantillon de 11 personnes dans une grande population), on pourrait croire que la décision du gestionnaire serait différente si la satisfaction s'établissait à 20% ou à 80%. Continuant l'exercice, on vérifierait si la décision différerait si la mesure se situait entre 30% et 70% (ce qui est probable), ce qui correspond à un échantillon de 24 personnes; de même avec un intervalle de confiance de 40% à 60% (échantillon de 96 personnes), ou de 45% à 55% (384 personnes) ou de 48% à 52% (2 401 personnes). L'important est que le niveau de certitude recherché est fonction des circonstances organisationnelles, de l'importance du problème organisationnel et des ressources disponibles; il n'y a pas de taille d'échantillon qui convient à toutes les circonstances. À titre d'exemple, un client de l'auteur a déterminé qu'il était nécessaire d'estimer la proportion des pièces de musique considérées canadiennes parmi celles diffusées à la radio commerciale à l'intérieur d'une plage de plus ou moins un demi-point de pourcentage. L'échantillon requis était très grand, mais sa taille représentait la position d'équilibre entre le coût de production de cette connaissance et le coût d'une marge d'erreur plus grande.

CONCLUSION: QUE CONTIENT UN DEVIS DE RECHERCHE ORGANISATIONNELLE?

Compte tenu des différences entre recherche académique et recherche organisationnelle décrites dans ce texte, on ne sera pas surpris que le *devis de recherche* organisationnelle (le plan initial de recherche qui organise la pensée du chercheur, structure sa démarche et justifie le financement d'une étude) comporte des différences importantes par rapport au devis de recherche académique.

Le tableau 22.3 synthétise le contenu d'un devis de recherche organisationnelle. Les principales différences entre le devis de recherche académique et le devis de recherche organisationnelle sont les suivantes:

- le devis de recherche organisationnelle est fondé sur un problème organisationnel qui est traduit en problème de connaissance; en comparaison, au chapitre 3 de ce livre, Jacques Chevrier décrit comment la recherche académique passe d'une question générale à une question spécifique;

- pour chaque aspect du devis de recherche (c.-à-d. chaque ligne du tableau 22.3), la recherche académique s'intéresse à la description du processus de recherche et à l'évaluation des options disponibles (p. ex., différents cadres conceptuels, différentes stratégies de preuve), soit les colonnes intitulées « Logique de recherche » au tableau 22.3 ; la recherche organisationnelle ne fait pas l'économie de cette réflexion, mais elle y ajoute la prise en considération de la logique organisationnelle qui est fondée sur les avantages et les inconvénients dans le contexte organisationnel de différentes décisions relatives à la planification de la recherche ainsi qu'aux risques et contraintes exercées par le milieu organisationnel sur les décisions relatives à la recherche à venir (colonnes de droite du tableau 22.3).

La recherche organisationnelle est une pratique rigoureuse de création reproductible de connaissances plongée dans les dynamiques organisationnelles et la logique propre à la gestion. Le praticien de la recherche organisationnelle aura avantage à comprendre les grands enjeux de la gestion et les problématiques de prise de décision. Les références données dans la bibliographie complémentaire à ce chapitre guident les pas du lecteur dans ce sens.

TABLEAU 22.3

Devis de recherche organisationnelle

Le contenu des cellules doit être considéré comme une série d'exemples plutôt que comme une liste exhaustive.

	Logique de recherche		Logique organisationnelle	
	Description	**Évaluation**	**Avantages et opportunités**	**Risques et contraintes**
Problème organisationnel	• Décrire la nature et l'étendue du problème organisationnel: quel est le problème? où se situe-t-il dans l'organisation? • Valider son existence: comment sait-on que ce problème existe? quelle est la fiabilité des informations le décrivant?	• Décrire la qualité du positionnement du problème de l'organisation: le problème organisationnel est-il clair, flagrant?	• Décrire l'importance du problème pour l'organisation: s'agit-il d'un problème mettant en jeu la survie de l'organisation ou d'un problème somme toute mineur n'affectant l'organisation que tangentiellement?	• Décrire le niveau de consensus sur la nature du problème: est-ce que tous sont d'accord avec la description faite du problème organisationnel? existe-t-il des factions dans l'organisation eu égard à ce problème? de telles factions risquent-elles de faire dérailler le processus d'acquisition de connaissance?
Problème de connaissance	• Décrire le problème de connaissance: quelle information faut-il produire pour contribuer à résoudre le problème organisationnel? • Justifier le lien entre le problème de connaissance et le problème organisationnel: en quoi résoudre le problème de connaissance permet-il de résoudre le problème organisationnel?	• Décrire la portée du problème de connaissance en regard du territoire du problème organisationnel: le problème de connaissance s'attaque-t-il à tout le champ représenté par le problème organisationnel? n'en représente-t-il qu'une partie? déborde-t-il du problème organisationnel?	• Déterminer la probabilité de résoudre le problème organisationnel en traitant le problème de connaissance: si l'on recueille l'information (ou si l'on produit la connaissance) envisagée dans la description du problème de connaissance, quelles chances y a-t-il que l'on puisse régler le problème organisationnel, ou au moins contribuer à le régler?	• Évaluer le coût d'option de l'investissement dans ce problème de connaissance au vu d'autres problèmes organisationnels et de connaissance: comme investir des ressources dans la résolution du problème de connaissance implique de ne pas les investir dans d'autres actions reliées au problème organisationnel, quelles sont les actions que l'organisation ne pourra pas entreprendre si elle choisit d'investir dans ce problème de connaissance?
Cadre conceptuel	• Décrire le cadre conceptuel. • Justifier le lien entre le cadre conceptuel et le problème de connaissances: en quoi ce cadre conceptuel éclaire-t-il l'analyse du problème de connaissance?	• Décrire la portée du cadre conceptuel en regard du territoire du problème de connaissance: le cadre conceptuel vise-t-il tout le champ représenté par le problème de connaissance? n'en représente-t-il qu'une partie? déborde-t-il du problème de connaissance?	• Décrire les avenues de questionnement offertes par le cadre conceptuel: quelles sont les classifications ou les explications offertes par le cadre conceptuel qui sont pertinentes au problème de connaissance? quelles voies ce cadre conceptuel ouvre-t-il au regard de la résolution du problème organisationnel?	• Indiquer les éléments du problème organisationnel et du problème de connaissance qui sont ignorés par le cadre conceptuel: quels aspects des problèmes organisationnel et de connaissance le cadre conceptuel ne permet-il pas d'analyser? • Préciser la crédibilité du cadre dans l'organisation: le cadre conceptuel compte-t-il des adeptes ou des détracteurs dans l'organisation?

TABLEAU 22.3 (suite)

Devis de recherche organisationnelle

Le contenu des cellules doit être considéré comme une série d'exemples plutôt que comme une liste exhaustive.

	Logique de recherche		Logique organisationnelle	
	Description	**Évaluation**	**Avantages et opportunités**	**Risques et contraintes**
Stratégie de preuve	• Décrire la stratégie de preuve.	• Évaluer la valeur de la stratégie de preuve : cette stratégie de preuve apportera-t-elle une réponse valide (sur le plan de la validité interne, de la validité externe) au problème de connaissance ?	• Déterminer la faisabilité de la stratégie de preuve dans l'organisation : existe-t-il des écueils à sa mise en œuvre ? • Analyser les aspects éthiques de la stratégie de preuve : cette stratégie soulève-t-elle des enjeux éthiques (compte tenu de la culture organisationnelle) qui la mettent en péril ?	• Déterminer la crédibilité de la stratégie de preuve dans l'organisation : cette stratégie de preuve est-elle susceptible de convaincre les acteurs importants de l'organisation dans le cadre de la prise de décision relative au problème organisationnel ?
Stratégie de mesure	• Décrire la stratégie de mesure.	• Évaluer la stratégie de mesure : la stratégie proposée produira-t-elle des mesures fiables, valides, précises et non contaminantes ?	• Établir les avantages de ces mesures pour l'organisation et de quelle manière elles s'intègrent dans la vie organisationnelle : existe-t-il d'autres mesures comparables dans l'organisation ou hors de l'organisation ? quels efforts l'organisation devra-t-elle déployer pour produire ces mesures ?	• Déterminer la crédibilité de la stratégie de mesure dans l'organisation : cette stratégie de mesure est-elle susceptible de convaincre les acteurs importants de l'organisation dans le cadre de la prise de décision relative au problème organisationnel ? existe-t-il d'autres stratégies de mesure concurrentes qui auraient la faveur de certaines factions de l'organisation ? • Analyser l'exhaustivité des mesures proposées : la stratégie de mesure produira-t-elle un portrait suffisamment complet de l'objet mesuré ?

	Logique de recherche		Logique organisationnelle	
	Description	**Évaluation**	**Avantages et opportunités**	**Risques et contraintes**
Stratégie d'échantillonnage	• Décrire de la stratégie d'échantillonnage.	• Évaluer la stratégie d'échantillonnage: l'échantillon proposé produira-t-il une représentativité appropriée (sur le plan quantitatif ou qualitatif, selon les circonstances)? la couverture de la population sera-t-elle suffisante? le cadre échantillonnal est-il neutre ou biaisé d'une quelconque manière? l'échantillon représente-t-il un équilibre acceptable entre la parcimonie et la suffisance?	• Déterminer la faisabilité de la stratégie d'échantillonnage dans l'organisation: existe-t-il des écueils à sa mise en œuvre? existe-t-il des listes à partir desquelles il est possible de tirer un échantillon?	• Déterminer la crédibilité de la stratégie d'échantillonnage dans l'organisation: cette stratégie d'échantillonnage est-elle susceptible de convaincre les acteurs importants de l'organisation dans le cadre de la prise de décision relative au problème organisationnel?
Collecte de données *Selon le niveau de détail souhaité, cette section peut être réservée au démarrage du projet et être exclue du devis de recherche.*	• Décrire la collecte de données envisagée: quelles méthodes de collecte de données seront utilisées? • Fournir les outils de collecte de données: les grilles d'observation ou d'analyse, les questionnaires ou guides, etc.	• Évaluer la rigueur, la neutralité, l'équilibre et la transparence des outils de collecte de données proposés. Voir les critères développés au chapitre 21 pour le sondage.	• Indiquer les avantages de ces méthodes de collecte de données pour l'organisation et de quelle manière elles s'intègrent dans la vie organisationnelle: est-ce que l'organisation procède déjà à des collectes de données qui pourraient servir de véhicules à la recherche envisagée? est-ce que les données recueillies dans le cadre de cette étude seront comparables à d'autres sources utilisées dans l'organisation?	• Quantifier les coûts que l'organisation encourra: quelles ressources (humaines, financières, autres) l'organisation devra-t-elle déployer pour mettre en œuvre cette collecte de données? l'organisation est-elle en mesure de compléter ces travaux? • Déterminer la crédibilité de la collecte de données dans l'organisation: cette collecte de données est-elle susceptible de convaincre les acteurs importants de l'organisation dans le cadre de la prise de décision relative au problème organisationnel?

BIBLIOGRAPHIE ANNOTÉE

BRAULT, Bernard, *Exercer la saine gestion*, Farnham, Publications CCH, 2002.

L'Ordre des administrateurs agréés du Québec a développé une série de «principes de saine gestion généralement reconnus» qui font pendant aux «principes comptables généralement reconnus» utilisés par les comptables. Le postulat utilisé par les auteurs est qu'il est possible de dégager, à partir des valeurs de base de transparence, continuité, efficience, équilibre, équité et abnégation, des principes que tous les gestionnaires devraient appliquer. Comprendre ces valeurs fondamentales et les principes de gestion qui leur sont associés permet de mieux saisir la place qu'occupe le conseiller en recherche auprès du gestionnaire.

CARLE, Paul, *Processus non linéaires d'intervention*, Québec, Presses de l'Université du Québec, 1998.

Les phénomènes organisationnels sont complexes et souvent inscrits dans des dynamiques non linéaires. Cet ouvrage offre une perspective novatrice ouvrant la voie à l'identification de pistes d'analyses inattendues.

KUBR, Milan, *Le conseil en management*, Genève, Bureau international du travail, 1998.

Cette source générale dresse un portrait international de la position du conseiller en gestion et du consultant organisationnel. Elle traite de la démarche de consultation (comme l'ouvrage de St-Arnaud, Lescarbeau et Payette) et ajoute une section détaillant la position du conseiller dans divers domaines de la gestion comme la gestion financière, le marketing ou la production.

MINTZBERG, Henry, Bruce AHLSTRAND et Joseph LAMPEL, *Safari en pays stratégie*, Paris, Village Mondial, 2005.

Les auteurs présentent dix approches à la compréhension du développement de la décision stratégique. Ils mettent en lumière l'importance de l'information appropriée au moment utile, mais font aussi ressortir l'insuffisance de l'acquisition de connaissance systématique.

SENGE, Peter, avec Alain GAUTHIER, *La cinquième discipline*, Paris, First, 1991.

La compréhension des phénomènes organisationnels exige de comprendre des dynamiques complexes où les boucles de rétroaction provoquent des conséquences contre-intuitives, qu'ils prennent la forme d'accélération des résultats ou de stagnation. Dans une série de livres débutée par celui-ci, Senge explique avec brio comment modéliser les problèmes organisationnels grâce à des outils simples mais extrêmement malléables.

ST-ARNAUD, Yves, Robert LESCARBEAU et Maurice PAYETTE, *Profession : consultant*, Montréal, Gaëtan Morin, 2003.

Ce livre de référence décrit la relation idéale entre le consultant et le client. Il s'intéresse aux différentes étapes du processus de consultation : l'entrée en matière, l'établissement du mandat, l'orientation dans l'organisation, la planification d'une intervention, sa réalisation et le départ.

BIBLIOGRAPHIE THÉMATIQUE

Claude-Anne GODBOUT-GAUTHIER

L'expérience instruit plus sûrement que le conseil.

André GIDE

Le présent chapitre contient une liste d'articles scientifiques à caractère empirique publiés en français dans des revues savantes canadiennes et québécoises entre 2002 et 2008. Cette liste contient un grand nombre d'illustrations des propos présentés dans *Recherche sociale*; de plus, elle constitue un état des lieux de la recherche sociale francophone au Québec et au Canada.

Les articles cités sont classés selon la table des matières de *Recherche sociale*. Ce classement reflète le fait que les articles abordent à des degrés divers les différents thèmes du manuel. Il est possible qu'un article apparaisse sous plus d'une entête.

À l'intérieur du classement par chapitre, les articles sont organisés sur une base disciplinaire. La discipline d'attache a été déterminée par l'esprit de la revue dans laquelle l'article a été publié. Certaines publications à caractère multidisciplinaire (comme la *Revue de l'Université de Moncton* ou *Francophonies d'Amérique*) ont dû subir une classification plutôt arbitraire, le lecteur nous en excusera.

Bien que nous ayons tenté de représenter l'ensemble du corpus, nous ne prétendons pas que la liste des articles est exhaustive. Il s'agit cependant d'un point de départ sérieux pour quiconque souhaiterait élargir sa compréhension du processus de recherche en sciences sociales.

Chapitre 2 – La sociologie de la connaissance

Sociologie

Baer, Douglas, James Curtis, Edward Grabb et Thomas Perks, « Estimation des tendances de l'engagement dans les associations volontaires au cours des dernières décennies au Québec et au Canada anglais », dans *Sociologie et sociétés*, vol. 35, n° 1, printemps 2003, Montréal : Presses de l'Université de Montréal.

Côté, Sylvana, Richard E. Tremblay et Frank Vitaro, « Le développement de l'agression physique au cours de l'enfance : différences entre les sexes et facteurs de risque familiaux », dans *Sociologie et société*, vol. 35, n° 1, printemps 2003, Montréal : Presses de l'Université de Montréal.

Wheaton, Blair, « Quand les méthodes font toute la différence », dans *Sociologie et sociétés*, vol. 35, n° 1, printemps 2003, Montréal : Presses de l'Université de Montréal.

Histoire

Robert, Mario, « Le livre et la lecture dans la noblesse canadienne, 1670-1764 », dans *Revue d'histoire de l'Amérique française*, vol. 56, n° 1, été 2002, Montréal : Institut d'histoire de l'Amérique française.

Éducation

Piron, Florence, « La tolérance culturelle et éthique du décrochage scolaire : un regard anthropologique », dans *Revue des sciences de l'éducation*, vol. 28, n° 1, 2002, Montréal : Association canadienne-française pour l'avancement des sciences.

Potvin, Patrice et Marcel Thouin, « Étude qualitative d'évolutions conceptuelles en contexte d'explorations libres en physique-mécanique au secondaire », dans *Revue des sciences de l'éducation*, vol. 29, n° 3, 2003, Montréal : Association canadienne-française pour l'avancement des sciences.

Relations industrielles, administration publique et évaluation de programmes

D'Arcimoles, Charles-Henri et Stéphane Trébucq, « L'actionnariat salarié au sein des entreprises familiales françaises : rôles et instrumentation », dans *Revue Gouvernance*, vol. 1, n° 1, printemps 2004, Ottawa.

Godard, Laurence et Alain Schatt, « Faut-il limiter le cumul des fonctions dans les conseils d'administration ? Le cas français », dans *Revue Gouvernance*, vol. 1, n° 1, printemps 2004, Ottawa.

Criminologie

Cernkovich, Stephen A., Peggy C. Giordano et Catherine E. Kaukinen, « Les types de délinquance : une étude longitudinale des causes et des conséquences », dans *Criminologie*, vol. 38, n° 1, printemps 2005, Montréal : Presses de l'Université de Montréal.

Chapitre 3 - La spécification de la problématique

Science politique, relations, études et développement international, mondialisation

Aznar, Olivier, Guérin, Marc et Philippe Jeanneaux, « La mise en œuvre de politiques environnementales par des acteurs locaux : étude sur une zone d'étude située en France », dans *Revue canadienne des sciences régionales*, vol. 29, n° 1, printemps 2006, Halifax : Institute of Public Affairs, Dalhousie University, 141-153.

Cadiou, Stéphane, « Les tentatives de coordination au sein de la "nouvelle gauche" : le cas des dirigeants du syndicat Sud-PPT », dans *Politique et sociétés*, vol. 23, n° 1, 2004, Montréal : Société québécoise de science politique.

Coffey, William J. et David Trépanier, « La redistribution intramétropolitaine de l'emploi des services supérieurs dans les 4 plus grandes métropoles canadiennes, 1981-1996 », dans *Revue canadienne des sciences régionales*, vol. 27, n° 1, printemps 2004, Halifax : Institute of Public Affairs, Dalhousie University, 27-47.

Dostie-Goulet, Eugénie, « Le mariage homosexuel et le vote au Canada » [note de recherche], dans *Politique et sociétés*, vol. 25, n° 1, 2006, Montréal : Société québécoise de science politique.

Patsias, Caroline et Sylvie Patsias, « Les comités de citoyens, une transformation "par le bas" du système démocratique ? L'exemple des groupes
québécois et marseillais », dans *Politique et sociétés*, vol. 25, n° 1, 2006,
Montréal : Société québécoise de science politique.

Sociologie

Aubin-Horth, Shanoussa, Collin, Johanne et Pierre Doray, « L'état et
l'émergence des "groupes professionnels" » [note de recherche], dans
Cahiers canadiens de sociologie, vol. 29, n° 1, hiver 2004, Edmonton :
Département de sociologie de l'Université d'Alberta, 83-110.

Bélanger, Paul R., Guy Cucumel, Pierre Langlois, Paul-André Lapointe
et Benoît Lévesque, « Nouveaux modèles de travail dans le secteur
manufacturier au Québec », dans *Recherches sociographiques*, vol. 44,
n° 2, mai-août 2003, Québec : Département de sociologie de l'Université Laval.

Beltramo, Jean-Paul, « La collaboration avec la recherche universitaire vue
de l'entreprise : Quelques résultats d'enquêtes dans les secteurs des
technologies optoélectroniques », dans *Cahiers de recherche sociologique*, n° 40, 2005, Montréal : Département de sociologie de l'UQAM,
112-169.

Bernard, Paul et Sébastien Saint-Arnaud, « Du pareil au même ? La position des quatre principales provinces canadiennes dans l'univers des
régimes providentiels », dans *Cahiers canadiens de sociologie*, vol. 29,
n° 2, printemps 2004, Edmonton : Département de sociologie de
l'Université d'Alberta, 209-239.

Brosseau, Marc et Anne Gilbert, « Le journal, acteur urbain ? *Le Droit* et
la vocation du centre-ville de Hull », dans *Recherches sociographiques*,
vol. 43, n° 3, septembre-décembre 2002, Québec : Département de
sociologie de l'Université Laval.

De Singly, François, « Intimité conjugale et intimité personnelle : à la
recherche d'un équilibre entre deux exigences dans les sociétés
modernes avancées », dans *Sociologie et sociétés*, vol. 35, n° 2,
automne 2003, Montréal : Presses de l'Université de Montréal.

Pelland, Marie-Andrée et Marie Robert, « Les différentes postures à l'égard
du travail salarié chez des jeunes vivant en situation de précarité :
subir, résister et expérimenter », dans *Nouvelles pratiques sociales*,
vol. 20, n° 1, 2007, [Québec] : Presses de l'Université du Québec,
80-93.

Quéniart, Anne, « Présence et affection : l'expérience de la paternité chez les jeunes », dans *Nouvelles pratiques sociales*, vol. 16, n° 1, 2003, [Québec] : Presses de l'Université du Québec.

Thériault, Marius, Catherine Trudelle et Paul Villeneuve, « Trois décennies de conflits urbains dans la région de Québec : visibilité de la participation des femmes entre 1965 et 2000 », dans *Recherches sociographiques*, vol. 47, n° 1, janvier-avril 2006, Québec : Département de sociologie de l'Université Laval.

Éducation

Arens, Sheila A., « L'étude du raisonnement dans les pratiques évaluatives », dans *Mesure et évaluation en éducation*, vol. 29, n° 3, 2006, Québec : Association des spécialistes de la mesure et de l'évaluation en éducation, 45-56.

Bélanger, Jean, « Évaluation de la mise en œuvre d'interventions à déploiement variable : exemple d'utilisation pratique de la théorie », dans *Mesure et évaluation en éducation*, vol. 29, n° 3, 2006, Québec : Association des spécialistes de la mesure et de l'évaluation en éducation, 75-96.

Bernier, Christiane et Simon Laflamme, « Discrimination sexuelle et discrimination linguistique : lecture des inégalités salariales au Canada et en Ontario », dans *Revue du Nouvel-Ontario*, n° 27, 2002, Sudbury : Institut franco-ontarien de l'Université Laurentienne, 63-91.

Bowen, François, Chouinard, Roch et Michel Janosz, « Modèles des déterminants des buts de maîtrise chez des élèves du primaire », dans *Revue des sciences de l'éducation*, vol. 30, n° 1, 2004, Montréal : Association canadienne-française pour l'avancement des sciences.

Piron, Florence, « La tolérance culturelle et éthique du décrochage scolaire : un regard anthropologique », dans *Revue des sciences de l'éducation*, vol. 28, n° 1, 2002, Montréal : Association canadienne-française pour l'avancement des sciences.

Service social et gérontologie

Andrew, Caroline et Anne Gilbert, « Les facteurs du bien-être de la population vieillissante : le point de vue des intervenants », dans *Revue canadienne de politique sociale*, n°s 49-50, 2002, Regina : Social Policy and Administration Network, 93-111.

Bernier, Christiane et Natalie Dupont, « Politiques contre le harcèlement sexuel : Comparaison et perception des agents et des plaignantes », dans *Revue ontaroise d'intervention sociale et communautaire*, vol. 9, n° 1, printemps 2003, Sudbury : Reflets.

Clément, Marie-Ève et Karine Côté, « Description et efficacité d'un programme d'éducation parentale offert à une communauté ethnique minoritaire de Montréal », dans *Intervention*, n° 120, juillet 2004, Montréal : Corporation professionnelle des travailleurs sociaux du Québec, 54-63.

Lévesque, Maurice et Deena White, « La mobilisation des réseaux sociaux pour la sortie de l'aide sociale », dans *Revue canadienne de politique sociale*, n°s 49-50, 2002, Regina : Social Policy and Administration Network, 139-154.

Relations industrielles, administration publique et évaluation de programmes

Queuille, Ludovic et Valérie Ridde, « Un outil d'évaluation de l'empower-ment : une tentative en Haïti », dans *Revue canadienne d'évaluation de programme*, vol. 21, n° 3, édition spéciale 2006, Toronto : Société canadienne d'évaluation.

Criminologie

Aubertin, Normand et Gilles Côté, « Psychopathie et lien avec la victime chez les agresseurs sexuels de femmes adultes », dans *Criminologie*, vol. 38, n° 1, printemps 2005, Montréal : Presses de l'Université de Montréal.

Charest, Mathieu, « Peut-on se fier aux délinquants pour estimer leurs gains criminels ? », dans *Criminologie*, vol. 37, n° 2, automne 2004, Montréal : Presses de l'Université de Montréal.

Dionne, Anne-Marie, Giasson, Jocelyne et Lise Saint-Laurent, « Caractéris-tiques et perception de la littératie chez les parents ayant de faibles compétences en lecture et en écriture », dans *Revue de l'Université de Moncton*, vol. 35, n° 2, 2004, Moncton : Université de Moncton.

Duquette, Georges, « Les différentes facettes identitaires des élèves âgés de 16 ans et plus inscrits dans les écoles de langue française de l'Ontario », dans *Francophonies d'Amérique*, n° 18, automne 2004, Ottawa : Presses de l'Université d'Ottawa.

Gravel, Hélène et Diane Pruneau, «Une étude de la réceptivité à l'environnement chez les adolescents», dans *Revue de l'Université de Moncton*, vol. 35, nº 1, 2004, Moncton: Université de Moncton.

Hagan, John et Bill McCarthy, «L'argent change tout: les revenus personnels des adolescents et leur penchant à la délinquance», dans *Criminologie*, vol. 37, nº 2, automne 2004, Montréal: Presses de l'Université de Montréal.

Lemonde, Lucie, «Note de recherche: les droits des jeunes en centre de réadaptation au Québec – bilan des enquêtes» [note de recherche], dans *Revue canadienne de droit et société*, vol. 19, nº 1, 2004, Calgary: University of Calgary Press.

Linteau, Véronique, «Les prêteurs sur gage dans le marché des biens volés à Montréal et leur impact sur la criminalité contre les biens», dans *Criminologie*, vol. 37, nº 1, printemps 2004, Montréal: Presses de l'Université de Montréal.

Lippel, Katherine, «Droit et statistiques: réflexions méthodologiques sur la discrimination systémique dans le domaine de l'indemnisation pour les lésions professionnelles», dans *Revue juridique La femme et le droit*, vol. 14, nº 2, 2002, Ottawa: National Association Women and the Law.

Nadasdi, Terry, Mougeon, Raymond et Katherine Rehner, «Expression de la notion de "véhicule automobile" dans le parler des adolescents de l'Ontario», dans *Francophonies d'Amérique*, nº 17, printemps 2004, Ottawa: Presses de l'Université d'Ottawa.

Robitaille, Clément, «À qui profite le crime? Les facteurs individuels de la réussite criminelle», dans *Criminologie*, vol. 37, nº 2, automne 2004, Montréal: Presses de l'Université de Montréal.

Chapitre 4 – Compétences informationnelles et accès à l'information

Science politique, relations, études et développement international, mondialisation

Aebischer, Aurélia et Stéphane La Brance, «Les espaces tiers dans les régimes internationaux: le cas du lac Léman», dans *Études internationales*, vol. 38, nº 2, juin 2007, Université Laval: Institut québécois des hautes études internationales, 189-207.

Lachapelle, Guy et Gilbert Gagné, «Intégration économique, valeurs et identités: les attitudes matérialistes et postmatérialistes des Québécois», dans *Politique et sociétés*, vol. 22, n° 1, 2003, Montréal: Société québécoise de science politique.

Tranca, Oana, «La diffusion des conflits ethniques: une approche dyadique», dans *Études internationales*, vol. 37, n° 4, décembre 2006, Université Laval: Institut québécois des hautes études internationales, 501-524.

Sociologie

Robert, François, «Engagement et participation en assemblée délibérante», dans *Nouvelles pratiques sociales*, vol. 20, n° 1, 2007, [Québec]: Presses de l'Université du Québec, 196-211.

Histoire

Cellard, André et Marie-Claude Thifault, «Sur quelques visages de la folie à Saint-Jean-de-Dieu au tournant du siècle dernier» [note de recherche], dans *Histoire sociale*, vol. 39, n° 78, novembre 2006, Ottawa: Presses de l'Université d'Ottawa, 451-465.

Thériaul, Raphaël, «L'assemblée nationale lance de nouveaux outils de recherche et d'information: productions audiovisuelles, expositions, bibliographies, guides en ligne», dans *Bulletin d'histoire politique*, vol. 15, n° 3, printemps 2007, Montréal: Association québécoise d'histoire politique, 325-328.

Relations industrielles, administration publique et évaluation de programmes

Bergeron, Jean-Guy et Patrice Jalette, «L'impact des relations industrielle sur la performance organisationnelle», dans *Relations industrielles*, vol. 57, n° 3, été 2002, Québec: Département de relations industrielles de l'Université Laval.

D'Arcimoles, Charles-Henri et Stéphane Trébucq, «L'actionnariat salarié au sein des entreprises familiales françaises: rôles et instrumentation», dans *Revue Gouvernance*, vol. 1, n° 1, printemps 2004, Ottawa.

Jaccoud, Mylène, «Les frontières "ethniques" au sein de la police», dans *Criminologie*, vol. 36, n° 2, automne 2003, Montréal: Presses de l'Université de Montréal.

Chapitre 5 – La théorie et le sens de la recherche

Science politique, relations, études et développement international, mondialisation

Rioux, Jean-Sébastien, «Les défis pour le Canada en matière d'aide publique au développement», dans *Études internationales*, vol. 33, n° 4, décembre 2002, Université Laval: Institut québécois des hautes études internationales, 723-743.

Sociologie

Bélanger, Paul R., Guy Cucumel, Pierre Langlois, Paul-André Lapointe et Benoît Lévesque, «Nouveaux modèles de travail dans le secteur manufacturier au Québec», dans *Recherches sociographiques*, vol. 44, n° 2, mai-août 2003, Québec: Département de sociologie de l'Université Laval.

Bonneville, Luc et Jean-Guy Lacroix, «Une médicamentation intensive des soins au Québec (1975 à 2005)», dans *Recherches sociographiques*, vol. 47, n° 2, mai-août 2006, Québec: Département de sociologie de l'Université Laval.

De Singly, François, «Intimité conjugale et intimité personnelle: à la recherche d'un équilibre entre deux exigences dans les sociétés modernes avancées», dans *Sociologie et sociétés*, vol. 35, n° 2, automne 2003, Montréal: Presses de l'Université de Montréal.

Dorais, Louis-Jacques, «Identités vietnamiennes au Québec», dans *Recherches sociographiques*, vol. 45, n° 1, janvier-avril 2004, Québec: Département de sociologie de l'Université Laval.

Hsieh, Michelle, Michael R. Smith et Yoko Yoshida, «Inégalité salariale, mobilité salariale et commerce international en Ontario et au Québec», dans *Recherches sociographiques*, vol. 46, n° 2, mai-août 2005, Québec: Département de sociologie de l'Université Laval.

Paquin, Sophie, « Le sentiment d'insécurité dans les lieux publics urbains et l'évaluation personnelle du risque chez des travailleuses de la santé », dans *Nouvelles pratiques sociales*, vol. 19, n° 1, 2006, [Québec] : Presses de l'Université du Québec.

Pronovost, Gilles, « Système de valeurs et rapports au temps des adolescents québécois », dans *Recherches sociographiques*, vol. 48, n° 2, mai-août 2007, Québec : Département de sociologie de l'Université Laval, 37-61.

Robert, François, « Engagement et participation en assemblée délibérante », dans *Nouvelles pratiques sociales*, vol. 20, n° 1, 2007, [Québec] : Presses de l'Université du Québec, 196-211.

Vultur, Mircea, « Aux marges de l'insertion sociale et professionnelle : étude sur les jeunes "désengagés" », dans *Nouvelles pratiques sociales*, vol. 17, n° 2, 2004, [Québec] : Presses de l'Université du Québec.

Histoire

Cellard, André et Marie-Claude Thifault, « Sur quelques visages de la folie à Saint-Jean-de-Dieu au tournant du siècle dernier » [note de recherche], dans *Histoire sociale*, vol. 39, n° 78, novembre 2006, Ottawa : Presses de l'Université d'Ottawa, 451-465.

Éducation

Bertrand, Richard et Rollande Deslandes, « Motivation des parents à participer au suivi scolaire de leur enfant au primaire », dans *Revue des sciences de l'éducation*, vol. 30, n° 2, 2004, Montréal : Association canadienne-française pour l'avancement des sciences.

Bouffard, Thérèse, Dubois, Valérie et Carole Vezeau, « Relation entre la conception de l'intelligence et les buts d'apprentissage », dans *Revue des sciences de l'éducation*, vol. 30, n° 1, 2004, Montréal : Association canadienne-française pour l'avancement des sciences.

Bouffard, Thérèse et Carole Vezeau, « Relation entre la théorie implicite de l'intelligence et les buts d'apprentissage chez des élèves du secondaire », dans *Revue des sciences de l'éducation*, vol. 28, n° 3, 2002, Montréal : Association canadienne-française pour l'avancement des sciences.

Crahay, Marcel et Monique Detheux, «L'évaluation des compétences, une entreprise possible? (Résolution de problèmes complexes et maîtrise de procédures mathématiques)», dans *Mesure et évaluation en éducation*, vol. 28, n° 1, 2005, Québec: Association des spécialistes de la mesure et de l'évaluation en éducation, 57-78.

Desaulniers, Marie-Paule, Joly, Jacques, Jutras, France et Georges A. Legault, «L'intervention professionnelle en enseignement: les conceptions de la profession chez le personnel enseignant du primaire et du secondaire», dans *Revue des sciences de l'éducation*, vol. 31, n° 3, 2005, Montréal: Association canadienne-française pour l'avancement des sciences.

Durand, Marc, Durny, Annick, Flavier, Éric et Philippe Veyrunes, «L'articulation de l'activité de l'enseignant et des élèves pour résoudre un problème de mathématiques à l'école primaire: une étude de cas», dans *Revue des sciences de l'éducation*, vol. 31, n° 2, 2005, Montréal: Association canadienne-française pour l'avancement des sciences.

Escribe, Christian et Nathalie Huet, «Croyances épistémiques, buts d'accomplissement de soi et engagement dans l'utilisation d'un média électronique chez des étudiants», dans *Revue des sciences de l'éducation*, vol. 30, n° 1, 2004, Montréal: Association canadienne-française pour l'avancement des sciences.

Galand, Benoît, «Le rôle du contexte scolaire et de la démotivation dans l'absentéisme des élèves», dans *Revue des sciences de l'éducation*, vol. 30, n° 1, 2004, Montréal: Association canadienne-française pour l'avancement des sciences.

Michaud, Clémence, «Conceptions du changement en formation des enseignants», dans *Revue des sciences de l'éducation*, vol. 29, n° 3, 2003, Montréal: Association canadienne-française pour l'avancement des sciences.

Potvin, Patrice et Marcel Thouin, «Étude qualitative d'évolutions conceptuelles en contexte d'explorations libres en physique-mécannique au secondaire», dans *Revue des sciences de l'éducation*, vol. 29, n° 3, 2003, Montréal: Association canadienne-française pour l'avancement des sciences.

Service social et gérontologie

Banting, Keith et Will Kymlicka, « Les politiques de multiculturalisme nuisent-elles à l'État-providence ? », dans *Lien social et politiques*, n° 53, printemps 2005, Montréal.

Bernier, Christiane, « Ménopause et mitan de vie : deux phénomènes, une symbolique », dans *Revue ontaroise d'intervention sociale et communautaire*, vol. 9, n° 1, printemps 2003, Sudbury, Reflets.

Relations industrielles, administration publique et évaluation de programme

Aubry, Tim D., Robert J. Flynn, Anne Gallant, Sophie Guindon, Isabelle Tardif et Monique Viau, « Validation d'une version française du Outcome Questionnaire et évaluation d'un service de counselling en milieu clinique », dans *Revue canadienne d'évaluation de programme*, vol. 17, n° 3, édition spéciale 2002, Toronto : Société canadienne d'évaluation.

Baril-Gingras, Geneviève, Marie Bellemare et Jean-Pierre Brun, « Interventions externes en santé et en sécurité au travail : influence du contexte de l'établissement sur l'implantation de mesures préventives », dans *Relations industrielles*, vol. 61, n° 1, hiver 2006, Québec : Département de relations industrielles de l'Université Laval.

Beaucage, André, Normand Laplante et Renée Légaré, « Le passage au travail autonome : choix imposé ou choix qui s'impose ? », dans *Relations industrielles*, vol. 59, n° 2, printemps 2004, Québec : Département de relations industrielles de l'Université Laval.

D'Arcimoles, Charles-Henri et Stéphane Trébucq, « L'actionnariat salarié au sein des entreprises familiales françaises : rôles et instrumentation », dans *Revue Gouvernance*, vol. 1, n° 1, printemps 2004, Ottawa.

Queuille, Ludovic et Valérie Ridde, « Un outil d'évaluation de l'empowerment : une tentative en Haïti », dans *Revue canadienne d'évaluation de programme*, vol. 21, n° 3, édition spéciale 2006, Toronto : Société canadienne d'évaluation.

Criminologie

Charest, Mathieu, « Peut-on se fier aux délinquants pour estimer leurs gains criminels ? », dans *Criminologie*, vol. 37, n° 2, automne 2004, Montréal : Presses de l'Université de Montréal.

Denis, Véronique, «Pour comprendre la pratique du "squeegee" à Montréal», dans *Criminologie*, vol. 36, n° 2, automne 2003, Montréal: Presses de l'Université de Montréal.

Chapitre 6 – La modélisation

Science politique, relations, études et développement international, mondialisation

Elias, Angelo, «La représentation proportionnelle: simulations à partir de l'élection canadienne de 2000 et de l'élection québécoise de 1998» [note de recherche], dans *Politique et sociétés*, vol. 22, n° 2, 2003, Montréal: Société québécoise de science politique.

Sociologie

Baer, Douglas, James Curtis, Edward Grabb et Thomas Perks, «Estimation des tendances de l'engagement dans les associations volontaires au cours des dernières décennies au Québec et au Canada anglais», dans *Sociologie et sociétés*, vol. 35, n° 1, printemps 2003, Montréal: Presses de l'Université de Montréal.

Côté, Sylvana, Richard E. Tremblay et Frank Vitaro, «Le développement de l'agression physique au cours de l'enfance: différences entre les sexes et facteurs de risque familiaux», dans *Sociologie et société*, vol. 35, n° 1, printemps 2003, Montréal: Presses de l'Université de Montréal.

Gauthier, Guy et Michèle Ollivier, «L'éclectisme culturel: l'exemple de la télévision au Québec», dans *Recherches sociographiques*, vol. 48, n° 1, janvier-avril 2007, Québec: Département de sociologie de l'Université Laval, 15-41.

Relations industrielles, administration publique et évaluation de programmes

Lehoux, Pascale et Olivier Sossa, «L'évaluation des technologies de la santé: comment l'introduire dans les hôpitaux universitaires du Québec?», dans *Revue canadienne d'évaluation de programme*, vol. 19, n° 2, automne 2004, Toronto: Société canadienne d'évaluation.

Chapitre 7 – La structure de la preuve

Science politique, relations, études et développement international, mondialisation

Apparicio, Philippe et Anne-Marie Séguin, «Évolution de la distribution spatiale de la population âgée dans la région métropolitaine montréalaise entre 1981 et 2001 : constat et enjeux pour les municipalités», dans *Revue canadienne des sciences régionales*, vol. 27, n° 1, printemps 2004, Halifax : Institute of Public Affairs, Dalhousie University, 79-98.

Bastien, Frédérick C., «Branchés, informés et engagés? Les Canadiens, Internet et l'élection fédérale de 2000» [note de recherche], dans *Politique et sociétés*, vol. 23, n° 1, 2004, Montréal : Société québécoise de science politique.

Bélanger, Éric, Giasson, Thierry et Richard Nadeau, «Débats télévisés et évaluations des candidats : la représentation visuelle des politiciens canadiens agit-elle dans la formation des préférences des électeurs québécois?», dans *Revue canadienne de science politique*, vol. 38, n° 4, décembre 2005, Waterloo : Waterloo University, 867-895.

Bélanger, Éric et Jean-François Godbout, «La dimension régionale du vote économique canadien aux élections fédérales de 1988 à 2000», dans *Revue canadienne de science politique*, vol. 35, n° 3, septembre 2002, Waterloo : Waterloo University, 567-588.

Bélanger-Bonneau, H., Bergeron, J., Bourbeau, R., Bussière, Y., Rannou, A. et J.P. Thouez, «Piétons victimes d'un accident de la route en milieux urbain et rural au Québec et en Ontario, 1995-1997», dans *Revue canadienne des sciences régionales*, vol. 26, n° 1, printemps 2003, Halifax : Institute of Public Affairs, Dalhousie University, 191-203.

Calkins, Peter et Virginie Nanhou Tsafack, «Rôles de la migration dans la transformation des rapports de genre dans les villages du Mali-Sud», dans *Revue canadienne d'études du développement*, vol. 25, n° 4, 2004, Ottawa : Presses de l'Université d'Ottawa, 573-589.

Charron, Jean, «Journalisme, politique, et discours rapporté. Évolution des modalités de la citation dans la presse écrite au Québec : 1945-1995», dans *Politique et société*, vol. 25, n°s 2-3, 2006, Montréal : Société québécoise de science politique, 147-181.

Coffey, William J. et David Trépanier, « La redistribution intramétropolitaine de l'emploi des services supérieurs dans les 4 plus grandes métropoles canadiennes, 1981-1996 », dans *Revue canadienne des sciences régionales*, vol. 27, n° 1, printemps 2004, Halifax : Institute of Public Affairs, Dalhousie University, 27-47.

Lamarche, Lucie, « L'impact des accords de commerce sur les Canadiennes : l'équité en emploi à titre d'étude de cas », dans *La politique étrangère du Canada*, vol. 12, n° 1, printemps 2005, Ottawa : Canadian Foreign Policy Publishing Group, 89-104.

Legault, Albert, « Les fusions-acquisitions en matière de gaz et de pétrole : le cas de l'Amérique du Nord », dans *Études internationales*, vol. 35, n° 3, septembre 2004, Université Laval : Institut québécois des hautes études internationales.

Leloup, Xavier, « Vers la ville pluraliste ? Distribution et localisation des minorités visibles à Montréal, Toronto et Vancouver en 2001 », dans *Revue canadienne des sciences régionales*, vol. 30, n° 2, 2007, Halifax : Institute of Public Affairs, Dalhousie University, 263-292.

Marenco dos Santos, André, « Le renouveau politique : carrières politiques et liens de parti au Brésil (1946-2002) », dans *Politique et sociétés*, vol. 23, n°s 2-3, 2004, Montréal : Société québécoise de science politique.

Martin, Régis, Emmanuel Mermet et Nadine Richez-Battesti, « Euro et degré de corporatisme dans la négociation salariale : un effet club ? », dans *Études internationales*, vol. 37 n° 3, septembre 2006, Université Laval : Institut québécois des hautes études internationales.

Patsias, Caroline et Sylvie Patsias, « Les comités de citoyens, une transformation "par le bas" du système démocratique ? L'exemple des groupes québécois et marseillais », dans *Politique et sociétés*, vol. 25, n° 1, 2006, Montréal : Société québécoise de science politique.

Richard-Nossal, Kim, « Les objectifs politiques des examens de politique étrangère : étude comparée de l'Australie et du Canada », dans *Études internationales*, vol. 37, n° 1, mars 2006, Université Laval : Institut québécois des hautes études internationales.

Rioux, Jean-Sébastien, « Les défis pour le Canada en matière d'aide publique au développement », dans *Études internationales*, vol. 33, n° 4, décembre 2002, Université Laval : Institut québécois des hautes études internationales, 723-743.

Simard, Carolle, «Qui nous gouverne au municipal: reproduction ou renouvellement?», dans *Politique et sociétés*, vol. 23, nᵒˢ 2-3, 2004, Montréal: Société québécoise de science politique.

Thomas, Olivier, «Les finances locales influencent-elles la croissance des villes? Le cas des communes du Département du Tarn», dans *Revue canadienne des sciences régionales*, vol. 30, nᵒ 1, 2007, Halifax: Institute of Public Affairs, Dalhousie University, 21-38.

Tranca, Oana, «La diffusion des conflits ethniques: une approche dyadique», dans *Études internationales*, vol. 37, nᵒ 4, décembre 2006, Université Laval: Institut québécois des hautes études internationales, 501-524.

Sociologie

Aubin-Horth, Shanoussa, Collin, Johanne et Pierre Doray, «L'état et l'émergence des "groupes professionnels"» [note de recherche], dans *Cahiers canadiens de sociologie*, vol. 29, nᵒ 1, hiver 2004, Edmonton: Département de sociologie de l'Université d'Alberta, 83-110.

Baer, Douglas, James Curtis, Edward Grabb et Thomas Perks, «Estimation des tendances de l'engagement dans les associations volontaires au cours des dernières décennies au Québec et au Canada anglais», dans *Sociologie et sociétés*, vol. 35, nᵒ 1, printemps 2003, Montréal: Presses de l'Université de Montréal.

Bernard, Paul, Benoît Laplante et Édith Martel, «Chômage et stratégies des familles: les effets mitigés du passage de l'assurance-chômage à l'assurance emploi», dans *Recherches sociographiques*, vol. 46, nᵒ 2, mai-août 2005, Québec: Département de sociologie de l'Université Laval.

Côté, Sylvana, Richard E. Tremblay et Frank Vitaro, «Le développement de l'agression physique au cours de l'enfance: différences entre les sexes et facteurs de risque familiaux», dans *Sociologie et société*, vol. 35, nᵒ 1, printemps 2003, Montréal: Presses de l'Université de Montréal.

Godin, Jean-François, Victor Piché et Jean Renaud, «L'origine nationale et l'insertion économique des immigrants au cours de leurs dix premières année au Québec», dans *Sociologie et sociétés*, vol. 35, nᵒ 1, printemps 2003, Montréal: Presses de l'Université de Montréal.

Hanel, Petr et Marc St-Pierre, «La collaboration entre les universités et les entreprises du secteur manufacturier canadien», dans *Cahiers de recherche sociologique*, n° 40, 2005, Montréal: Département de sociologie de l'UQAM, 70-109.

Julien, Pierre-André et Richard Lachance, «L'entrepreneuriat général encastré. Les cas du Centre-du-Québec et de la Mauricie», dans *Recherches sociographiques*, vol. 47, n° 3, septembre-décembre 2006, Québec: Département de sociologie de l'Université Laval, 531-554.

Ornstein, Michael, «Le néoconservatisme en Ontario: révolution ou coup d'État?», dans *Sociologie et sociétés*, vol. 35, n° 1, printemps 2003, Montréal: Presses de l'Université de Montréal.

Peter, Franz, «Rationalités du pouvoir et incorporation de l'islam: une comparaison franco-anglaise», dans *Sociologie et sociétés*, vol. 38, n° 1, printemps 2006, Montréal: Presses de l'Université de Montréal.

Sineau, Mariette, «Où en est l'égalité des sexes au Palais Bourbon?», dans *Cahiers de recherche sociologique*, n° 37, printemps 2002, Montréal: Département de sociologie de l'UQAM, 161-181.

Anthropologie

Dorais, Louis-Jacques, «Notes sur l'inuktitut parlé à Iqaluit (Nunavut) [note de recherche]», dans *Études inuit*, vol. 26, n° 1, 2002, Québec: Association Inuksuitiit Katimajiit.

Iankova, Katia, «Le tourisme et le développement économique des communautés autochtones du Québec», dans *Recherches amérindiennes au Québec*, vol. 36, n° 1, 2006, Montréal, Société des recherches amérindiennes au Québec, 69-78.

Histoire

Côté, Olivier, «Nouveau regard sur l'antisémitisme: enquête sur la position de cinq quotidiens canadiens-français au sujet de la question juive en Allemagne (1935-1939)», dans *Bulletin d'histoire politique*, vol. 15, n° 1, automne 2006, Montréal: Association québécoise d'histoire politique, 243-261.

Leroux, Manon, «Histoire et bande dessinée», dans *Bulletin d'histoire politique*, vol. 13, n° 3, printemps 2005, Montréal: Association québécoise d'histoire politique, 237-248.

Robert, Mario, « Le livre et la lecture dans la noblesse canadienne, 1670-1764 », dans *Revue d'histoire de l'Amérique française*, vol. 56, n° 1, été 2002, Montréal : Institut d'histoire de l'Amérique française.

Éducation

Barnabé, Clermont et Pierre Toussaint, « La situation professionnelle des professeurs en administration de l'éducation au Canada : une étude exploratoire », dans *Revue canadienne de l'éducation*, vol. 27, n° 4, 2002, Toronto : Société canadienne pour l'étude de l'éducation.

Bernier, Christiane et Simon Laflamme, « Discrimination sexuelle et discrimination linguistique : lecture des inégalités salariales au Canada et en Ontario », dans *Revue du Nouvel-Ontario*, n° 27, 2002, Sudbury : Institut franco-ontarien de l'Université Laurentienne, 63-91.

Brodeur, Monique, Deaudelin, Colette, Dussault, Marc et Jeanne Richer, « Validation de l'échelle du sentiment d'efficacité des enseignants à l'égard de l'intégration des technologies de l'information et des communications en classe (SETIC) », dans *Mesure et évaluation en éducation*, vol. 25, n°s 2-3, 2002, Québec : Association des spécialistes de la mesure et de l'évaluation en éducation, 1-10.

Brousseau, Lucie, Chartrand, Élise et Lyse Turgeon, « Traduction et validation du *Fear Survey Schedule for Children – Revised* (FSSC-R) auprès d'enfants québécois francophones d'âge scolaire », dans *Mesure et évaluation en éducation*, vol. 28, n° 2, 2005, Québec : Association des spécialistes de la mesure et de l'évaluation en éducation, 31-47.

Chouinard, Roch, Plouffe, Caroline et Normand Roy, « Caractéristiques motivationnelles des garçons du secondaire en difficulté d'apprentissage ou en trouble de la conduite », dans *Revue des sciences de l'éducation*, vol. 30, n° 1, 2004, Montréal : Association canadienne-française pour l'avancement des sciences.

Claus, Pat, Douibi, Abdelhalim, Galli Carminati, Giuliana, Géoui, Marinette, Gerber, Fabienne et Donatien Nsonde, « Le groupe "BDBD" », dans *Revue francophone de la déficience intellectuelle*, vol. 16, n°s 1 et 2, 2005, Montréal, 129-136.

Collard-Bovy, Olivier et Benoît Galand, « Socialisation et attribution causale : le rôle des études universitaires », dans *Revue des sciences de l'éducation*, vol. 29, n° 3, 2003, Montréal : Association canadienne-française pour l'avancement des sciences.

Emedi, Euphrasie et Athanase Simbgoye, «Utilisation des résultats des élèves en français et au test de compétences linguistiques (TPCL) comme outil de dépistage des élèves à risque d'échec fréquentant les écoles de langue française de l'Ontario», dans *Revue du Nouvel-Ontario*, n° 30, 2005, Sudbury: Institut franco-ontarien de l'Université Laurentienne, 127-153.

Escribe, Christian et Nathalie Huet, «Croyances épistémiques, buts d'accomplissement de soi et engagement dans l'utilisation d'un média électronique chez des étudiants», dans *Revue des sciences de l'éducation*, vol. 30, n° 1, 2004, Montréal: Association canadienne-française pour l'avancement des sciences.

Galand, Benoît, «Le rôle du contexte scolaire et de la démotivation dans l'absentéisme des élèves», dans *Revue des sciences de l'éducation*, vol. 30, n° 1, 2004, Montréal: Association canadienne-française pour l'avancement des sciences.

Lafontaine, Lizanne et Catherine Le Cunff, «Recherche comparée sur la prise de parole de certains élèves du préscolaire au primaire en français langue maternelle en France et au Québec», dans *Éducation canadienne et internationale*, vol. 34, n° 2, décembre 2005, Londres: Comparative and International Education Society of Canada, 72-97.

Lévesque, Stéphane, «Conceptions historiques et identitaires des élèves francophones et anglophones de l'Ontario à l'époque post-11 septembre», dans *Éducation canadienne et internationale*, vol. 34, n° 1, juin 2005, Londres: Comparative and International Education Society of Canada, 31-41.

Service social et gérontologie

Banting, Keith et Will Kymlicka, «Les politiques de multiculturalisme nuisent-elles à l'État-providence?», dans *Lien social et politiques*, n° 53, printemps 2005, Montréal.

Caron, Chantal, Delli-Colli, Nathalie et Nicole Dubuc, «Qu'advient-il des personnes âgées orientées en résidence privée à la suite d'un séjour en courte durée? Évolution du profil clinique sur une année», dans *Intervention*, n° 124, juin 2006, Montréal: Corporation professionnelle des travailleurs sociaux du Québec, 33-41.

Papillon, Martin, «Entre l'héritage colonial et la recherche d'autonomie politique: les peuples autochtones dans la tourmente des réformes de l'État-providence. Une comparaison de l'expérience australienne, américaine, et canadienne», dans *Lien social et politiques*, n° 53, printemps 2005, Montréal.

Relations industrielles, administration publique et évaluation de programme

Aubry, Tim D., Robert J. Flynn, Anne Gallant, Sophie Guindon, Isabelle Tardif et Monique Viau, «Validation d'une version française du Outcome Questionnaire et évaluation d'un service de counselling en milieu clinique», dans *Revue canadienne d'évaluation de programme*, vol. 17, n° 3, édition spéciale 2002, Toronto: Société canadienne d'évaluation.

Bernard, Sarah, Olivier Doucet et Gilles Simard, «Pratiques en GRH et engagement des employés: le rôle de la justice», dans *Relations industrielles*, vol. 60, n° 2, printemps 2005, Québec: Département de relations industrielles de l'Université Laval.

Godard, Laurence et Alain Schatt, «Faut-il limiter le cumul des fonctions dans les conseils d'administration? Le cas français», dans *Revue Gouvernance*, vol. 1, n° 1, printemps 2004, Ottawa.

Nantel, Jacques, «L'efficacité des sites web: quand les consommateurs s'en mêlent», dans *Gestion*, vol. 30, n° 1, printemps 2005, Laval.

Criminologie

Aubertin, Normand et Gilles Côté, «Psychopathie et lien avec la victime chez les agresseurs sexuels de femmes adultes», dans *Criminologie*, vol. 38, n° 1, printemps 2005, Montréal: Presses de l'Université de Montréal.

Bélanger, Annie et Nadine Lanctôt, «La régulation familiale et les comportements violents à l'adolescence: existe-t-il des différences sexuelles?», dans *Criminologie*, vol. 38, n° 2, automne 2005, Montréal: Presses de l'Université de Montréal.

Ben-Dat Fisher, Dahlia, Natacha M. De Genna, Naomi Grunzeweig, Sheilagh Hodgins, Jane Ledingham, Alex E. Schwartzman, Lisa A. Serbin, Dale M. Stack et Caroline E. Temcheff, «De l'agressivité à la maternité: Étude longitudinale sur 30 ans auprès de filles agressives devenues mères: trajectoires de leur agressivité durant l'enfance, indicateurs de leurs caractéristiques parentales et développement de leurs enfants», dans *Criminologie*, vol. 38, n° 1, printemps 2005, Montréal: Presses de l'Université de Montréal.

Blanchard, Brigitte, «La situation des mères incarcérées et de leurs enfants au Québec», dans *Criminologie*, vol. 35, n° 2, automne 2002, Montréal : Presses de l'Université de Montréal.

Boudreau, Annette et Lise Dubois, «L'affichage à Moncton : miroir ou masque?», dans *Revue de l'Université de Moncton*, vol. 36, n° 1, 2005, Moncton : Université de Moncton.

Charest, Mathieu, «Effets préventifs et dissuasifs : analyse d'impact d'une opération policière de prévention des cambriolages», dans *Criminologie*, vol. 36, n° 1, printemps 2003, Montréal : Presses de l'Université de Montréal.

Charest, Mathieu, «Peut-on se fier aux délinquants pour estimer leurs gains criminels?», dans *Criminologie*, vol. 37, n° 2, automne 2004, Montréal : Presses de l'Université de Montréal.

Déry, Michèle, Myriam Laventure et Robert Pauzé, «Gravité de la consommation de psychotropes des adolescents ayant un trouble des conduites», dans *Criminologie*, vol. 39, n° 2, automne 2006, Montréal : Presses de l'Université de Montréal.

Déry, Michèle, Robert Pauzé, Jean Toupin et Pierrette Verlaan, «L'agression indirecte : un indicateur d'inadaptation psychosociale chez les filles?», dans *Criminologie*, vol. 38, n° 1, printemps 2005, Montréal : Presses de l'Université de Montréal.

Hagan, John et Bill McCarthy, «L'argent change tout : les revenus personnels des adolescents et leur penchant à la délinquance», dans *Criminologie*, vol. 37, n° 2, automne 2004, Montréal : Presses de l'Université de Montréal.

Lemieux, Frédéric, «Évaluation des impacts d'une "gestion de crise" : une étude de cas», dans *Criminologie*, vol. 36, n° 1, printemps 2003, Montréal : Presses de l'Université de Montréal.

Robitaille, Clément, «À qui profite le crime? Les facteurs individuels de la réussite criminelle», dans *Criminologie*, vol. 37, n° 2, automne 2004, Montréal : Presses de l'Université de Montréal.

Chapitre 8 – L'étude de cas

Science politique, relations, études et développement international, mondialisation

Aebischer, Aurélia et Stéphane La Brance, « Les espaces tiers dans les régimes internationaux : le cas du lac Léman », dans *Études internationales*, vol. 38, n° 2, juin 2007, Université Laval : Institut québécois des hautes études internationales, 189-207.

Aznar, Olivier, Guérin, Marc et Philippe Jeanneaux, « La mise en œuvre de politiques environnementales par des acteurs locaux : étude sur une zone d'étude située en France », dans *Revue canadienne des sciences régionales*, vol. 29, n° 1, printemps 2006, Halifax : Institute of Public Affairs, Dalhousie University, 141-153.

Cadiou, Stéphane, « Les tentatives de coordination au sein de la "nouvelle gauche" : Le cas des dirigeants du syndicat Sud-PPT », dans *Politique et sociétés*, vol. 23, n° 1, 2004, Montréal : Société québécoise de science politique.

Lamarche, Lucie, « L'impact des accords de commerce sur les Canadiennes : l'équité en emploi à titre d'étude de cas », dans *La politique étrangère du Canada*, vol. 12, n° 1, printemps 2005, Ottawa : Canadian Foreign Policy Publishing Group, 89-104.

Patsias, Caroline et Sylvie Patsias, « Les comités de citoyens, une transformation "par le bas" du système démocratique ? L'exemple des groupes québécois et marseillais », dans *Politique et sociétés*, vol. 25, n° 1, 2006, Montréal : Société québécoise de science politique.

Sociologie

Julien, Pierre-André et Richard Lachance, « L'entrepreneuriat général encastré. Les cas du Centre-du-Québec et de la Mauricie », dans *Recherches sociographiques*, vol. 47, n° 3, septembre-décembre 2006, Québec : Département de sociologie de l'Université Laval, 531-554.

Anthropologie

Blain, Marie-Jeanne, « Parcours d'universitaires colombiens dans la région des Laurentides : déclassement professionnel et stratégies identitaires » [note de terrain], dans *Diversité urbaine (Cahiers du Groupe de recherche ethnicité et société)*, vol. 5, n° 1, printemps 2005, Montréal : Groupe de recherche ethnicité et société.

Fialho Costa, L'via A. et Christine Jacquet, « La souffrance comme désordre », dans *Anthropologie et sociétés*, vol. 30, n° 3, 2006, Québec : Département d'anthropologie de l'université Laval, 201-217.

LeBlanc, Marie Nathalie, « Les trajectoires de conversion et l'identité sociale chez les jeunes dans le contexte postcolonial ouest-africain : les jeunes musulmans et les jeunes chrétiens en Côte-d'Ivoire », dans *Anthropologie et sociétés*, vol. 27, n° 1, 2003, Québec : Département d'anthropologie de l'Université Laval.

Éducation

Barbu, Stéphanie, Forest, Dominique et Gérard Sensevy, « Analyse proxémique d'une leçon de mathématiques : une étude exploratoire », dans *Revue des sciences de l'éducation*, vol. 31, n° 3, 2005, Montréal : Association canadienne-française pour l'avancement des sciences.

Durand, Marc, Durny, Annick, Flavier, Éric et Philippe Veyrunes, « L'articulation de l'activité de l'enseignant et des élèves pour résoudre un problème de mathématiques à l'école primaire : une étude de cas », dans *Revue des sciences de l'éducation*, vol. 31, n° 2, 2005, Montréal : Association canadienne-française pour l'avancement des sciences.

Forget, Jacques, Giroux, Normand et Annie Paquet, « L'apprentissage d'un jeu de société chez un enfants autiste », dans *Revue francophone de la déficience intellectuelle*, vol. 15, n° 2, décembre 2004, Montréal, 201-216.

Vanhulle, Sabine, « Favoriser la formation du "je" professionnel en formation initiale : une étude de cas », dans *Revue des sciences de l'éducation*, vol. 31, n° 1, 2005, Montréal : Association canadienne-française pour l'avancement des sciences.

Service social et gérontologie

Béland, Daniel et André Lecours, « Décentralisations, mouvements nationalistes et politiques sociales : le cas du Québec et de l'Écosse », dans *Lien social et politiques*, n° 56, automne 2006, Montréal.

Lapoutte, Alexandrine et Marie-Claire Malo, « Caisse Desjardins de Lévis et ACEF Rive-Sud : une configuration partenariale innovatrice en microcrédit », dans *Économie et solidarités*, vol. 34, n° 1, 2003,

Montréal: Centre interuniversitaire de recherche, d'information et d'enseignement sur les coopératives, 105-122.

Malo, Marie-Claire et Tonia Mori, « Impacts du partenariat Nord-Sud sur le commerce équitable du vin : trois entreprises collectives partenaires de la même organisation du commerce équitable », dans *Économie et solidarités*, vol. 35, nᵒˢ 1-2, 2004, Montréal : Centre interuniversitaire de recherche, d'information et d'enseignement sur les coopératives, 175-192.

Morin, Paul et Justine Pori, « Réfugiés en milieu HLM : la trappe sociale plutôt que l'intégration », dans *Intervention*, nᵒ 126, 2007, Québec, 53-61.

Relations industrielles, administration publique et évaluation de programmes

Baril-Gingras, Geneviève, Marie Bellemare et Jean-Pierre Brun, « Interventions externes en santé et en sécurité au travail : influence du contexte de l'établissement sur l'implantation de mesures préventives », dans *Relations industrielles*, vol. 61, nᵒ 1, hiver 2006, Québec : Département de relations industrielles de l'Université Laval.

Éthier, Stéphane, Mailhot, Chantale, Simon, Laurent et Jean-Michel Viola, « Le dilemme technologie-individus dans l'implantation de la gestion des connaissances : le cas du Groupe Cossette Communication », dans *Gestion*, vol. 32, nᵒ 2, été 2007, Laval.

Guérin, Gilles et Jamal Ouadahi, « Pratiques de gestion mobilisatrices et implantation d'un système d'information : une évaluation qualitative », dans *Relations industrielles*, vol. 62, nᵒ 3, été 2007, Québec : Département de relations industrielles de l'Université Laval, 540-564.

Haines III, Victor Y., Denis Harrisson et Mario Roy, « Le partenariat patronal-syndical et la gestion des conflits : les rôles clés des représentants », dans *Gestion*, vol. 31, nᵒ 4, hiver 2007, Laval.

Chapitre 9 - La mesure

Science politique, relations, études et développement international, mondialisation

Auvachez, Élise, «Penser la citoyenneté européenne. Du livre blanc sur la gouvernance au projet de Traité constitutionnel», dans *Revue canadienne de science politique*, vol. 40, n° 2, 2007, Waterloo: Wilfrid Laurier University Press, 343-365.

Bastien, Frédérick C., «Écouter la différence? Les nouvelles, la publicité et le service public en radiodiffusion», dans *Revue canadienne de science politique*, vol. 37, n° 1, mars 2004, Waterloo: Waterloo University, 73-93.

Bherer, Laurence et Vincent Lemieux, «La référence aux valeurs dans le débat sur la réorganisation municipale au Québec», dans *Revue canadienne des sciences régionales*, vol. 25, n° 3, automne 2002, Halifax: Institute of Public Affairs, Dalhousie University, 447-472.

Coffey, William J. et David Trépanier, «La redistribution intramétropolitaine de l'emploi des services supérieurs dans les 4 plus grandes métropoles canadiennes, 1981-1996», dans *Revue canadienne des sciences régionales*, vol. 27, n° 1, printemps 2004, Halifax: Institute of Public Affairs, Dalhousie University, 27-47.

Dostie-Goulet, Eugénie, «Le mariage homosexuel et le vote au Canada» [note de recherche], dans *Politique et sociétés*, vol. 25, n° 1, 2006, Montréal: Société québécoise de science politique.

Martin, Régis, Emmanuel Mermet et Nadine Richez-Battesti, «Euro et degré de corporatisme dans la négociation salariale: un effet club?», dans *Études internationales*, vol. 37, n° 3, septembre 2006, Université Laval: Institut québécois des hautes études internationales.

Mercier, David, «L'idéal néolibéral dans le temps mondial, 1990-2002: même à Cuba?», dans *Études internationales*, vol. 33, n° 3, septembre 2002, Université Laval: Institut québécois des hautes études internationales, 447-475.

Simard, Carolle, «Qui nous gouverne au municipal: reproduction ou renouvellement?», dans *Politique et sociétés*, vol. 23, n°s 2-3, 2004, Montréal: Société québécoise de science politique.

Tranca, Oana, « La diffusion des conflits ethniques : une approche dyadique », dans *Études internationales*, vol. 37, n° 4, décembre 2006, Université Laval : Institut québécois des hautes études internationales, 501-524.

Sociologie

Angers-Fabre, Stéphanie, « Le versant canadien-français de la génération "non-conformiste" européenne des années trente : la revue *La Relève* », dans *Recherches sociographiques*, vol. 43, n° 1, janvier-avril 2002, Québec : Département de sociologie de l'Université Laval.

Cloutier, Richard, Sylvie Drapeau, Rachel Lépine et Marie-Christine Saint-Jacques, « Dimensions écologiques associées aux problèmes de comportement des jeunes de familles recomposées », dans *Nouvelles pratiques sociales*, vol. 16, n° 1, 2003, [Québec] : Presses de l'Université du Québec.

Ferland-Raymond, Amélie-Elsa, Andrée Fortin, Éric Gagnon et Annick Mercier, « Le temps du soi. Bénévolat, identité et éthique », dans *Recherches sociographiques*, vol. 48, n° 1, janvier-avril 2007, Québec : Département de sociologie de l'Université Laval, 43-64.

Gaudet, Stéphanie, « Responsabilité et identité dans les parcours d'entrée dans l'âge adulte : qu'est-ce que *répondre* de soi à l'âge adulte ? », dans *Revue canadienne de sociologie et d'anthropologie*, vol. 42, n° 1, février 2005, Calgary : Alta, 25-50.

Gauthier, Guy et Michèle Ollivier, « L'éclectisme culturel : l'exemple de la télévision au Québec », dans *Recherches sociographiques*, vol. 48, n° 1, janvier-avril 2007, Québec : Département de sociologie de l'Université Laval, 15-41.

Heinich, Nathalie et Pierre Verdrager, « Les valeurs scientifiques au travail », dans *Sociologie et sociétés*, vol. 38, n° 2, automne 2006, Montréal : Presses de l'Université de Montréal, 209-241.

Pronovost, Gilles, « Système de valeurs et rapports au temps des adolescents québécois », dans *Recherches sociographiques*, vol. 48, n° 2, mai-août 2007, Québec : Département de sociologie de l'Université Laval, 37-51.

Robert, François, « Engagement et participation en assemblée délibérante », dans *Nouvelles pratiques sociales*, vol. 20, n° 1, 2007, [Québec] : Presses de l'Université du Québec, 196-211.

Anthropologie

Armand, Françoise et Érica Maraillet, «L'éveil aux langues: des enfants du primaire parlent des langues et de la diversité linguistique», dans *Diversité urbaine (Cahiers du Groupe de recherche ethnicité et société)*, vol. 6, n° 2, hiver 2006, Montréal: Groupe de recherche ethnicité et société, 17-34.

Histoire

Côté, Olivier, «Nouveau regard sur l'antisémitisme: enquête sur la position de cinq quotidiens canadiens-français au sujet de la question juive en Allemagne (1935-1939)», dans *Bulletin d'histoire politique*, vol. 15, n° 1, automne 2006, Montréal: Association québécoise d'histoire politique, 243-261.

Robert, Mario, «Le livre et la lecture dans la noblesse canadienne, 1670-1764», dans *Revue d'histoire de l'Amérique française*, vol. 56, n° 1, été 2002, Montréal: Institut d'histoire de l'Amérique française.

Éducation

Allaire, Gratien, Durand, Louise et Simon Laflamme, «Les entreprises ontariennes et le bilinguisme: la perception des employeurs», dans *Revue du Nouvel-Ontario*, n° 30, 2005, Sudbury: Institut franco-ontarien de l'Université Laurentienne, 43-88.

Baillat, Gilles et Odile Espinoza, «L'attachement des maîtres de l'école primaire à la polyvalence: le cœur a ses raisons...», dans *Revue des sciences de l'éducation*, vol. 32, n° 2, 2006, Montréal: Association canadienne-française pour l'avancement des sciences.

Bédard, Denis, Joly, Jacques et Rolland Viau, «La motivation des étudiants en formation des maîtres à l'égard des activités pédagogiques innovatrices», dans *Revue des sciences de l'éducation*, vol. 30, n° 1, 2004, Montréal: Association canadienne-française pour l'avancement des sciences.

Bélair, Louise M. et Christine Lebel, «La persévérance chez les enseignants franco-ontariens «, dans *Éducation canadienne et internationale*, vol. 36, n° 2, 2007, Londres: Comparative and International Education Society of Canada, 33-50.

Blanchard, Céline, Otis, Nancy, Pelletier, Luc et Elizabeth Sharp, « Rôle de l'autodétermination et des aptitudes scolaires dans la prédiction des absences scolaires et l'intention de décrocher », dans *Revue des sciences de l'éducation*, vol. 30, n° 1, 2004, Montréal : Association canadienne-française pour l'avancement des sciences.

Briquet-Duhazé, Sophie et Éric Buhot, « Les rapports de visite des formateurs sur le stage en responsabilité des professeurs des écoles stagiaires : une diversité révélatrice de conceptions du savoir-enseigner », dans *Mesure et évaluation en éducation*, vol. 30, n° 1, 2007, Québec : Association des spécialistes de la mesure et de l'évaluation en éducation, 5-29.

Brodeur, Monique, Deaudelin, Colette, Dussault, Marc et Jeanne Richer, « Validation de l'échelle du sentiment d'efficacité des enseignants à l'égard de l'intégration des technologies de l'information et des communications en classe (SETIC) », dans *Mesure et évaluation en éducation*, vol. 25, n°s 2-3, 2002, Québec : Association des spécialistes de la mesure et de l'évaluation en éducation, 1-10.

Brousseau, Lucie, Chartrand, Élise et Lyse Turgeon, « Traduction et validation du *Fear Survey Schedule for Children – Revised* (FSSC-R) auprès d'enfants québécois francophones d'âge scolaire », dans *Mesure et évaluation en éducation*, vol. 28, n° 2, 2005, Québec : Association des spécialistes de la mesure et de l'évaluation en éducation, 31-47.

Cavanagh, Martine, « Profil scriptural d'élèves franco-albertains du primaire en vue de l'implantation d'un programme d'intervention en écriture », dans *Revue canadienne de l'éducation*, vol. 30, n° 3, 2007.

Collard-Bovy, Olivier et Benoît Galand, « Socialisation et attribution causale : le rôle des études universitaires », dans *Revue des sciences de l'éducation*, vol. 29, n° 3, 2003, Montréal : Association canadienne-française pour l'avancement des sciences.

Crahay, Marcel et Monique Detheux, « L'évaluation des compétences, une entreprise possible ? (Résolution de problèmes complexes et maîtrise de procédures mathématiques) », dans *Mesure et évaluation en éducation*, vol. 28, n° 1, 2005, Québec : Association des spécialistes de la mesure et de l'évaluation en éducation, 57-78.

Dupeyrat, Caroline et Claudette Mariné, « Conceptions de l'intelligence, orientation de buts et stratégies d'apprentissage chez des adultes en reprise d'études », dans *Revue des sciences de l'éducation*, vol. 30, n° 1, 2004, Montréal : Association canadienne-française pour l'avancement des sciences.

Escribe, Christian et Nathalie Huet, « Croyances épistémiques, buts d'accomplissement de soi et engagement dans l'utilisation d'un média électronique chez des étudiants », dans *Revue des sciences de l'éducation*, vol. 30, n° 1, 2004, Montréal : Association canadienne-française pour l'avancement des sciences.

Ferne, Tracy, Forgette-Giroux, Renée, Simon, Marielle et Catherine Turcotte, « Pratiques pédagogiques dans les écoles de langue française de l'Ontario selon les données contextuelles du PIRLS 2001 », dans *Mesure et évaluation en éducation*, vol. 30, n° 3, 2007, Québec : Association des spécialistes de la mesure et de l'évaluation en éducation, 59-80.

Jalbert, Julie et Linda Pagani, « La composante parentale d'un programme d'éveil numérique destiné aux enfants de milieu socioéconomiquement faible du niveau de la maternelle représente-t-elle une valeur ajoutée ? », dans *Revue des sciences de l'éducation*, vol. 33, n° 1, 2007, Montréal : Association canadienne-française pour l'avancement des sciences, 147-177.

Lafontaine, Lizanne et Catherine Le Cunff, « Recherche comparée sur la prise de parole de certains élèves du préscolaire au primaire en français langue maternelle en France et au Québec », dans *Éducation canadienne et internationale*, vol. 34, n° 2, décembre 2005, Londres : Comparative and International Education Society of Canada, 72-97.

Lévesque, Stéphane, « Conceptions historiques et identitaires des élèves francophones et anglophones de l'Ontario à l'époque post-11 septembre », dans *Éducation canadienne et internationale*, vol. 34, n° 1, juin 2005, Londres : Comparative and International Education Society of Canada, 31-41.

Rege Colet, Nicole, « L'arroseur arrosé : évaluation d'un service d'appui à l'évaluation de l'enseignement », dans *Mesure et évaluation en éducation*, vol. 25, n° 1, 2002, Québec : Association des spécialistes de la mesure et de l'évaluation en éducation, 19-45.

Service social et gérontologie

Sévigny, Andrée et Aline Vézina, « La contribution des bénévoles au soutien à domicile des personnes âgées : les frontières de leur action », dans *Revue canadienne du vieillissement*, vol. 26, n° 2, été 2007.

Relations industrielles, administration publique et évaluation de programmes

Bernard, Sarah, Olivier Doucet et Gilles Simard, « Pratiques en GRH et engagement des employés : le rôle de la justice », dans *Relations industrielles*, vol. 60, n° 2, printemps 2005, Québec : Département de relations industrielles de l'Université Laval.

Colbert, François, Alain d'Astous et Renaud Legoux, « L'utilisation de la promotion des ventes dans le contexte des arts de la scène », dans *Gestion*, vol. 30, n° 1, printemps 2005, Laval.

Criminologie

Bélanger, Annie et Nadine Lanctôt, « La régulation familiale et les comportements violents à l'adolescence : existe-t-il des différences sexuelles ? », dans *Criminologie*, vol. 38, n° 2, automne 2005, Montréal : Presses de l'Université de Montréal.

Blanchard, Brigitte, « La situation des mères incarcérées et de leurs enfants au Québec », dans *Criminologie*, vol. 35, n° 2, automne 2002, Montréal : Presses de l'Université de Montréal.

Deguire, Anne-Élyse et Marc Le Blanc, « Le taxage : une forme inédite de vol ? », dans *Criminologie*, vol. 35, n° 2, automne 2002, Montréal : Presses de l'Université de Montréal.

Déry, Michèle, Myriam Laventure et Robert Pauzé, « Gravité de la consommation de psychotropes des adolescents ayant un trouble des conduites », dans *Criminologie*, vol. 39, n° 2, automne 2006, Montréal : Presses de l'Université de Montréal.

Ireland, Timothy et Carolyn A. Smith, « Les conséquences développementales de la maltraitance des filles », dans *Criminologie*, vol. 38, n° 1, printemps 2005, Montréal : Presses de l'Université de Montréal.

LeBlanc, Gaston et Nha Nguyen, « Les effets de la réputation et de l'image d'une institution coopérative sur la fidélité de ses membres et clients », dans *Revue de l'Université de Moncton*, vol. 35, n° 1, 2004, Moncton : Université de Moncton.

Lemieux, Frédéric, « Évaluation des impacts d'une "gestion de crise" : une étude de cas », dans *Criminologie*, vol. 36, n° 1, printemps 2003, Montréal : Presses de l'Université de Montréal.

Chapitre 10 – L'échantillonnage

Science politique, relations, études et développement international, mondialisation

Bélanger, Éric, Giasson, Thierry et Richard Nadeau, «Débats télévisés et évaluations des candidats: la représentation visuelle des politiciens canadiens agit-elle dans la formation des préférences des électeurs québécois?», dans *Revue canadienne de science politique*, vol. 38, n° 4, décembre 2005, Waterloo: Waterloo University, 867-895.

Doyon, Amélie, «La reconstruction du système de santé en Afghanistan: le rôle des acteurs internationaux sur la prise de décision du gouvernement transitoire afghan», dans *Revue canadienne d'études du développement*, vol. 28, n° 1, 2007, Ottawa: Presses de l'Université d'Ottawa, 137-155.

Helly, Denise, Marie McAndrew et Caroline Tessier, «Pour un débat éclairé sur la politique canadienne du multiculturalisme: une analyse de la nature des organismes et des projets subventionnés (1983-2002)», dans *Politique et sociétés*, vol. 24, n° 1, 2005, Montréal: Société québécoise de science politique.

Poissant, Guylaine, «Lieux de reconnaissance des femmes d'un quartier populaire», dans *Égalité*, n° 48, Moncton: LaRevue, 99-114.

Rioux, Jean-Sébastien, «Les défis pour le Canada en matière d'aide publique au développement», dans *Études internationales*, vol. 33, n° 4, décembre 2002, Université Laval: Institut québécois des hautes études internationales, 723-743.

Thomas, Olivier, «Les finances locales influencent-elles la croissance des villes? Le cas des communes du Département du Tarn», dans *Revue canadienne des sciences régionales*, vol. 30, n° 1, 2007, Halifax: Institute of Public Affairs, Dalhousie University, 21-38.

Sociologie

Bélanger, Paul R., Guy Cucumel, Pierre Langlois, Paul-André Lapointe et Benoît Lévesque, «Nouveaux modèles de travail dans le secteur manufacturier au Québec», dans *Recherches sociographiques*, vol. 44, n° 2, mai-août 2003, Québec: Département de sociologie de l'Université Laval.

Bernard, Paul, Benoît Laplante et Édith Martel, «Chômage et stratégies des familles: les effets mitigés du passage de l'assurance-chômage à l'assurance emploi», dans *Recherches sociographiques*, vol. 46, n° 2, mai-août 2005, Québec: Département de sociologie de l'Université Laval.

Bernier, Christiane et Simon Laflamme, «Usages d'Internet selon le genre et l'âge: une double différenciation», dans *Revue canadienne de sociologie et d'anthropologie*, vol. 42, n° 2, mai 2005, Calgary: Alta, 301-323.

Chasserio, Stéphanie et Marie-Josée Legault, «Dans la nouvelle économie, la conciliation entre la vie privée et la vie professionnelle passe par... l'augmentation des heures de travail!», dans *Recherches sociographiques*, vol. 46, n° 1, janvier-avril 2005, Québec: Département de sociologie de l'Université Laval.

Cloutier, Richard, Sylvie Drapeau, Rachel Lépine et Marie-Christine Saint-Jacques, «Dimensions écologiques associées aux problèmes de comportement des jeunes de familles recomposées», dans *Nouvelles pratiques sociales*, vol. 16, n° 1, 2003, [Québec]: Presses de l'Université du Québec.

Côté, Serge, Frédéric Deschenaux, Madeleine Gauthier et Marc Molgat, «Pourquoi partent-ils? Les motifs de migration des jeunes régionaux», dans *Recherches sociographiques*, vol. 44, n° 1, janvier-avril 2003, Québec: Département de sociologie de l'Université Laval.

Côté, Serge, Camil Girard, Patrice LeBlanc et Dominique Potvin, «La migration des jeunes et le développement régional dans le croissant péri-nordique du Québec», dans *Recherches sociographiques*, vol. 44, n° 1, janvier-avril 2003, Québec: Département de sociologie de l'Université Laval.

Demers, Andrée et Sylvia Kairouz, «Inégalités socioéconomiques et bien-être psychologique: une analyse secondaire de l'Enquête sociale et de santé de 1998», dans *Sociologie et sociétés*, vol. 35, n° 1, printemps 2003, Montréal: Presses de l'Université de Montréal.

Després, Carole et Thierry Ramadier, «Les territoires de mobilité et les représentations d'une banlieue vieillissante de Québec», dans *Recherches sociographiques*, vol. 45, n° 3, septembre-décembre 2004, Québec: Département de sociologie de l'Université Laval.

Duncan, Greg J. et Katherine A. Magnuson, «Comment les expériences sociales avec assignation aléatoire permettent de mieux comprendre le comportement et les politiques de bien-être», dans *Sociologie et société*, vol. 35, n° 1, printemps 2003, Montréal: Presses de l'Université de Montréal.

Gaudet, Stéphanie, «Responsabilité et identité dans les parcours d'entrée dans l'âge adulte: qu'est-ce que *répondre* de soi à l'âge adulte?», dans *Revue canadienne de sociologie et d'anthropologie*, vol. 42, n° 1, février 2005, Calgary: Alta, 25-50.

Hanel, Petr et Marc St-Pierre, «La collaboration entre les universités et les entreprises du secteur manufacturier canadien», dans *Cahiers de recherche sociologique*, n° 40, 2005, Montréal: Département de sociologie de l'UQAM, 70-109.

Paquin, Sophie, «Le sentiment d'insécurité dans les lieux publics urbains et l'évaluation personnelle du risque chez des travailleuses de la santé», dans *Nouvelles pratiques sociales*, vol. 19, n° 1, 2006, [Québec]: Presses de l'Université du Québec.

Quéniart, Anne, «Présence et affection: l'expérience de la paternité chez les jeunes», dans *Nouvelles pratiques sociales*, vol. 16, n° 1, 2003, [Québec]: Presses de l'Université du Québec.

Anthropologie

Bilge, Sirma, «Célébrer la nation, construire la communauté: une "tradition" festive turque à Montréal», dans *Diversité urbaine (Cahiers du Groupe de recherche ethnicité et société)*, vol. 4, n° 1, printemps 2004, Montréal: Groupe de recherche ethnicité et société.

Éducation

Allaire, Gratien, Durand, Louise et Simon Laflamme, «Les entreprises ontariennes et le bilinguisme: la perception des employeurs», dans *Revue du Nouvel-Ontario*, n° 30, 2005, Sudbury: Institut franco-ontarien de l'Université Laurentienne, 43-88.

Armand, Françoise, «Capacités métalinguistiques d'élèves immigrants nouvellement arrivés en situation de grand retard scolaire», dans *Revue des sciences de l'éducation*, vol. 31, n° 2, 2005, Montréal: Association canadienne-française pour l'avancement des sciences.

Bernard, Huguette et Julie Desjardins, «Les administrateurs face à l'évaluation de l'enseignement», dans *Revue des sciences de l'éducation*, vol. 28, n° 3, 2002, Montréal: Association canadienne-française pour l'avancement des sciences.

Bertrand, Richard et Rollande Deslandes, «Motivation des parents à participer au suivi scolaire de leur enfant au primaire», dans *Revue des sciences de l'éducation*, vol. 30, n° 2, 2004, Montréal: Association canadienne-française pour l'avancement des sciences.

Born, Michel, Buidin, Geneviève, Galand, Benoît, Petit, Sylvie et Pierre Philippot, «Regards croisés sur les phénomènes de violence en milieu scolaire: élèves et équipes éducatives», dans *Revue des sciences de l'éducation*, vol. 30, n° 3, 2004, Montréal: Association canadienne-française pour l'avancement des sciences.

Chené, Adèle, Lessard, Claude, Riopel, Marie-Claude et Diane Saint-Jacques, «Les représentations que se font les enseignants du primaire de la dimension culturelle du curriculum», dans *Revue des sciences de l'éducation*, vol. 28, n° 1, 2002, Montréal: Association canadienne-française pour l'avancement des sciences.

Chiasson, Monique, IsaBelle, Claire et Claire Lapointe, «Pour une formation réussie des TIC à l'école: de la formation des directions à la formation des maîtres», dans *Revue des sciences de l'éducation*, vol. 28, n° 2, 2002, Montréal: Association canadienne-française pour l'avancement des sciences.

Emedi, Euphrasie et Athanase Simbgoye, «Utilisation des résultats des élèves en français et au test de compétences linguistiques (TPCL) comme outil de dépistage des élèves à risque d'échec fréquentant les écoles de langue française de l'Ontario», dans *Revue du Nouvel-Ontario*, n° 30, 2005, Sudbury: Institut franco-ontarien de l'Université Laurentienne, 127-153.

Houle, Pascale, «Les obstacles à l'intégration au marché du travail des femmes monoparentales à faible revenu», dans *Revue ontaroise d'intervention sociale et communautaire*, vol. 9, n° 2, automne 2003, Sudbury, Reflets.

Jalbert, Julie et Linda Pagani, «La composante parentale d'un programme d'éveil numérique destiné aux enfants de milieu socioéconomiquement faible du niveau de la maternelle représente-t-elle une valeur ajoutée?», dans *Revue des sciences de l'éducation*, vol. 33, n° 1, 2007, Montréal: Association canadienne-française pour l'avancement des sciences, 147-177.

Service social et gérontologie

Beaulieu, Marie et Lorraine Quevillon, « Les besoins des aînés en matière de sécurité dans les espaces publics de la ville de Sherbrooke », dans *Intervention*, n° 126, 2007, Québec, 95-105.

Beausoleil, Pierre, Brisoux, Jacques, Charbonneau, Lucie, Daigle, Marc et Sylvaine Raymond, « Des hommes en détresse : quels services vont-ils utiliser ? », dans *Intervention*, n° 116, juin 2002, Montréal : Corporation professionnelle des travailleurs sociaux du Québec, 5-12.

Bernier, Christiane, « Ménopause et mitan de vie : deux phénomènes, une symbolique », dans *Revue ontaroise d'intervention sociale et communautaire*, vol. 9, n° 1, printemps 2003, Sudbury, Reflets.

Bernier, Christiane et Natalie Dupont, « Politiques contre le harcèlement sexuel : Comparaison et perception des agents et des plaignantes », dans *Revue ontaroise d'intervention sociale et communautaire*, vol. 9, n° 1, printemps 2003, Sudbury : Reflets.

Cloutier, Geneviève, Duval, Michelle, Pontbriand, Annie et Jean-François René, « L'intervention en milieu de vie – l'expérience des Auberges du cœur », dans *Intervention*, n° 126, 2007, Québec, 73-83.

Damant, Dominique et Sylvie Thibault, « La violence conjugale chez les couples d'hommes gais », dans *Intervention*, n° 116, juin 2002, Montréal : Corporation professionnelle des travailleurs sociaux du Québec, 83-92.

Drolet, Marie, Rachel Hasan et Maryse Paquin, « Les conduites violentes chez les enfants de 3 à 6 ans : comprendre pour mieux intervenir », dans *Revue ontaroise d'intervention sociale et communautaire*, vol. 9, n° 1, printemps 2003, Sudbury, Reflets.

Lévesque, Maurice et Deena White, « La mobilisation des réseaux sociaux pour la sortie de l'aide sociale », dans *Revue canadienne de politique sociale*, n°s 49-50, 2002, Regina : Social Policy and Administration Network, 139-154.

Parent, Claudine et Caroline Robitaille, « Portrait de familles recomposées : analyse du discours de conjoints et de conjointes vivant en famille recomposée », dans *Intervention*, n° 122, juin 2005, Montréal : Corporation professionnelle des travailleurs sociaux du Québec, 102-110.

Criminologie

Allaire, Gratien, Boissonneault, Julie, Côté, Daniel, Michaud, Jacques et Cindy-Lynne Tremblay, «Décrochage, raccrochage et rétention scolaires selon les Jeunes franco-ontariens», dans *Francophonies d'Amérique*, n° 25, 2008, Ottawa: Presses de l'Université d'Ottawa, 125-155.

Bélanger, Annie et Nadine Lanctôt, «La régulation familiale et les comportements violents à l'adolescence: existe-t-il des différences sexuelles?», dans *Criminologie*, vol. 38, n° 2, automne 2005, Montréal: Presses de l'Université de Montréal.

Bérubé, Julie, «Lexique acadien et insécurité linguistique: correction des acadianismes dans l'épreuve de rédaction de 12ᵉ année au Nouveau-Brunswick», dans *Francophonies d'Amérique*, nᵒˢ 23-24, 2007, Ottawa: Presses de l'Université d'Ottawa, 139-162.

Cernkovich, Stephen A., Peggy C. Giordano et Catherine E. Kaukinen, «Les types de délinquance: une étude longitudinale des causes et des conséquences», dans *Criminologie*, vol. 38, n° 1, printemps 2005, Montréal: Presses de l'Université de Montréal.

Deguire, Anne-Élyse et Marc Le Blanc, «Le taxage: une forme inédite de vol?», dans *Criminologie*, vol. 35, n° 2, automne 2002, Montréal: Presses de l'Université de Montréal.

Déry, Michèle, Myriam Laventure et Robert Pauzé, «Gravité de la consommation de psychotropes des adolescents ayant un trouble des conduites», dans *Criminologie*, vol. 39, n° 2, automne 2006, Montréal: Presses de l'Université de Montréal.

Déry, Michèle, Robert Pauzé, Jean Toupin et Pierrette Verlaan, «L'agression indirecte: un indicateur d'inadaptation psychosociale chez les filles?», dans *Criminologie*, vol. 38, n° 1, printemps 2005, Montréal: Presses de l'Université de Montréal.

Forlot, Gilles, «Minorité et légitimité communautaire: la migration française de Toronto entre francophonie et anglophonie», dans *Francophonies d'Amérique*, n° 21, 2006, Ottawa: Presses de l'Université d'Ottawa, 131-149.

Hélie, Sonia, Marie-Claude Larivée, Marc Tourigny et Nico Trocmé, «Facteurs associés à la décision de recourir au Tribunal de la jeunesse lors de l'orientation des mesures de prise en charge», dans *Criminologie*, vol. 39, n° 1, printemps 2006, Montréal: Presses de l'Université de Montréal.

Ireland, Timothy et Carolyn A. Smith, «Les conséquences développementales de la maltraitance des filles», dans *Criminologie*, vol. 38, n° 1, printemps 2005, Montréal: Presses de l'Université de Montréal.

Lanctôt, Nadine, «Que deviennent les adolescentes judiciarisées près de dix ans après leur sortie du Centre jeunesse?», dans *Criminologie*, vol. 38, n° 1, printemps 2005, Montréal: Presses de l'Université de Montréal.

LeBlanc, Gaston et Nha Nguyen, «Les effets de la réputation et de l'image d'une institution coopérative sur la fidélité de ses membres et clients», dans *Revue de l'Université de Moncton*, vol. 35, n° 1, 2004, Moncton: Université de Moncton.

Chapitre 11 - L'éthique en recherche sociale

Service social et gérontologie

Béland, François, Bergman, Howard, Contandriopoulos, André-Pierre, Dallaire, Luc, Fletcher, John, Lebel, Paule et Pierre Tousignant, «Des services intégrés pour les personnes âgées fragiles (SIPA): expérimentation d'un modèle pour le Canada», dans *Revue canadienne du vieillissement*, vol. 25, n° 1, printemps 2006, Maple: Canadian Association on Gerontology, 5-24.

Chapitre 12 - L'observation directe

Science politique, relations, études et développement international, mondialisation

De Herdt, Tom, «Aide d'urgence et notions locales d'équité: analyse d'un programme d'aide nutritionnelle comme une interface sociale», dans *Revue canadienne d'études du développement*, vol. 24, n° 2, 2003, Ottawa: Presses de l'Université d'Ottawa, 287-301.

Le Texier, Emmanuelle, «L'engagement impossible? Femmes du *barrio* face à la gentrification», dans *Politique et sociétés*, vol. 24, n° 1, 2005, Montréal: Société québécoise de science politique.

Patsias, Caroline et Sylvie Patsias, «Les comités de citoyens, une transformation "par le bas" du système démocratique? L'exemple des groupes québécois et marseillais», dans *Politique et sociétés*, vol. 25, n° 1, 2006, Montréal: Société québécoise de science politique.

Poissant, Guylaine, «Lieux de reconnaissance des femmes d'un quartier populaire», dans *Égalité*, n° 48, Moncton: LaRevue, 99-114.

Sociologie

Dorais, Michel et Simon Louis Lajeunesse, «Intimité à vendre: comment devient-on travailleur du sexe?», dans *Sociologie et sociétés*, vol. 35, n° 2, automne 2003, Montréal: Presses de l'Université de Montréal.

Godin, Benoît, «Les pratiques de publication des chercheurs: les revues savantes québécoises entre impact national et visibilité internationale», dans *Recherches sociographiques*, vol. 43, n° 3, septembre-décembre 2002, Québec: Département de sociologie de l'Université Laval.

Anthropologie

Agrawal, Arun, «Communautés, gouvernement intime et sujets de l'environnement au Kumaon, Inde», dans *Anthropologie et sociétés*, vol. 29, n° 1, 2005, Québec: Département d'anthropologie de l'Université Laval.

Ambrosi, Sophie, Emmanuel Kahn, Patricia Lamarre et Julie Paquette, «Deux dynamiques intergroupes et pratiques linguistiques dans deux cégeps de Montréal», dans *Diversité urbaine (Cahiers du Groupe de recherche ethnicité et société)*, vol. 4, n° 1, printemps 2004, Montréal: Groupe de recherche ethnicité et société.

Bilge, Sirma, «Célébrer la nation, construire la communauté: une "tradition" festive turque à Montréal», dans *Diversité urbaine (Cahiers du Groupe de recherche ethnicité et société)*, vol. 4, n° 1, printemps 2004, Montréal: Groupe de recherche ethnicité et société.

Bousquet, Marie-Pierre, «Les jeunes Algonquins sont-ils biculturels? Modèles de transmission et innovations dans quelques réserves», dans *Recherches amérindiennes au Québec*, vol. 35, n° 3, 2005, Montréal, Société des recherches amérindiennes au Québec, 7-17.

Brunois, Florence, «La forêt peut-elle être plurielle? Définitions de la forêt des Kasua de Nouvelle-Guinée», dans *Anthropologie et sociétés*, vol. 28, n° 1, 2004, Québec: Département d'anthropologie de l'Université Laval.

Hébert, Martin, « L'autre main invisible : Deux rituels domestiques de prospérité chez les Tlapanèques du Guerrero, Mexique », dans *Recherches amérindiennes au Québec*, vol. 32, n° 1, 2002, Montréal, Société des recherches amérindiennes au Québec, 83-92.

Jolicœur, Fanny, Jean-François René et Maryse Soulières, « La place et la participation des parents dans les Organismes communautaires Famille : pratiques et défis pour une prise en charge citoyenne », dans *Nouvelles pratiques sociales*, vol. 17, n° 1, 2004, [Québec] : Presses de l'Université du Québec.

Labrèche, Yvan, « Habitations, camps et territoires des Inuit dans la région de Kangiqsujuaq-Salluit, Nunavik », dans *Études inuit*, vol. 27, n°s 1-2, 2003, Québec : Association Inuksuitiit Katimajiit.

Lamarre, Stéphanie et Patricia Lamarre, « Lorsque le marché économique n'est ni ici ni ailleurs... Nouvelle économie et nouvelles technologies à Montréal : pratiques langagières et discours », dans *Diversité urbaine (Cahiers du Groupe de recherche ethnicité et société)*, vol. 6, n° 1, printemps 2006, Montréal : Groupe de recherche ethnicité et société.

Le Gall, Josiane, « Le rapport à l'islam des musulmanes shi'ites libanaises à Montréal », dans *Anthropologie et sociétés*, vol. 27, n° 1, 2003, Québec : Département d'anthropologie de l'Université Laval.

Pastinelli, Madeleine, « Habiter le temps réel. Ethnographie des modalités de l'"être ensemble" dans l'espace électronique », dans *Anthropologie et sociétés*, vol. 30, n° 2, 2006, Québec : Département d'anthropologie de l'université Laval, 199-217.

Salazar, Guadalupe, « Politique des enfants de la rue au Chili », dans *Anthropologie et sociétés*, vol. 30, n° 1, 2006, Québec : Département d'anthropologie de l'Université Laval.

Éducation

Bertone, Stefano, Durand, Marc, Ria, Luc et Carole Sève, « Indétermination, contradiction et exploration : trois expériences typiques des enseignants débutants en éducation physique », dans *Revue des sciences de l'éducation*, vol. 30, n° 3, 2004, Montréal : Association canadienne-française pour l'avancement des sciences.

Durand, Marc, Durny, Annick, Flavier, Éric et Philippe Veyrunes, « L'articulation de l'activité de l'enseignant et des élèves pour résoudre un problème de mathématiques à l'école primaire : une étude de cas », dans *Revue des sciences de l'éducation*, vol. 31, n° 2, 2005, Montréal : Association canadienne-française pour l'avancement des sciences.

Duval, Isabelle et Jacques Forget, « Une analyse quantitative des comportements sociaux appropriés des enfants autistes dans leur milieu familial », dans *Revue francophone de la déficience intellectuelle*, vol. 16, n°s 1 et 2, 2005, Montréal, 111-128.

Forget, Jacques, Giroux, Normand et Annie Paquet, « L'apprentissage d'un jeu de société chez un enfants autiste », dans *Revue francophone de la déficience intellectuelle*, vol. 15, n° 2, décembre 2004, Montréal, 201-216.

Guinard, Jean-Yves et Gilles Kermarrec, « Une méthode qualitative-quantitative pour décrire les stratégies d'apprentissage d'élèves en éducation physique et sportive », dans *Revue des sciences de l'éducation*, vol. 32, n° 2, 2006, Montréal : Association canadienne-française pour l'avancement des sciences.

Jacquet, Marianne, « La formation des maîtres à la pluriethnicité : pédagogie critique, silence et désespoir », dans *Revue des sciences de l'éducation*, vol. 33, n° 1, 2007, Montréal : Association canadienne-française pour l'avancement des sciences, 25-45.

Lafontaine, Lizanne et Catherine Le Cunff, « Recherche comparée sur la prise de parole de certains élèves du préscolaire au primaire en français langue maternelle en France et au Québec », dans *Éducation canadienne et internationale*, vol. 34, n° 2, décembre 2005, Londres : Comparative and International Education Society of Canada, 72-97.

Lafontaine, Lizanne et Clémence Préfontaine, « Modèle didactique descriptif de la production orale en classe de français langue première au secondaire », dans *Revue des sciences de l'éducation*, vol. 33, n° 1, 2007, Montréal : Association canadienne-française pour l'avancement des sciences, 47-66.

Mottier Lopez, Lucie, « Régulations interactives situées dans des dynamiques de microculture de classe », dans *Mesure et évaluation en éducation*, vol. 30, n° 2, 2007, Québec : Association des spécialistes de la mesure et de l'évaluation en éducation, 23-47.

Vantourout, Marc, « Étude de l'activité évaluative de professeurs stagiaires confrontés à des productions d'élèves en mathématiques : quel référent pour l'évaluateur ? », dans *Mesure et évaluation en éducation*, vol. 30, n° 3, 2007, Québec : Association des spécialistes de la mesure et de l'évaluation en éducation, 29-58.

Service social et gérontologie

Cloutier, Geneviève, Duval, Michelle, Pontbriand, Annie et Jean-François René, «L'intervention en milieu de vie – l'expérience des Auberges du cœur», dans *Intervention*, n° 126, 2007, Québec, 73-83.

Hébert, Jacques, «Travail social et arts martiaux: un jumelage explosif ou prometteur? L'évaluation d'un projet en milieu scolaire», dans *Intervention*, n° 118, juillet 2003, Montréal: Corporation professionnelle des travailleurs sociaux du Québec, 31-40.

Sévigny, Andrée et Aline Vézina, «La contribution des bénévoles au soutien à domicile des personnes âgées: les frontières de leur action», dans *Revue canadienne du vieillissement*, vol. 26, n° 2, été 2007.

Relations industrielles, administration publique et évaluation de programme

Aubry, Tim D., Robert J. Flynn, Anne Gallant, Sophie Guindon, Isabelle Tardif et Monique Viau, «Validation d'une version française du Outcome Questionnaire et évaluation d'un service de counselling en milieu clinique», dans *Revue canadienne d'évaluation de programme*, vol. 17, n° 3, édition spéciale 2002, Toronto: Société canadienne d'évaluation.

Nantel, Jacques, «L'efficacité des sites web: quand les consommateurs s'en mêlent», dans *Gestion*, vol. 30, n° 1, printemps 2005, Laval.

Queuille, Ludovic et Valérie Ridde, «Un outil d'évaluation de l'empowerment: une tentative en Haïti», dans *Revue canadienne d'évaluation de programme*, vol. 21, n° 3, édition spéciale 2006, Toronto: Société canadienne d'évaluation.

Criminologie

Boudreau, Annette et Lise Dubois, «L'affichage à Moncton: miroir ou masque?», dans *Revue de l'Université de Moncton*, vol. 36, n° 1, 2005, Moncton: Université de Moncton.

Denis, Véronique, «Pour comprendre la pratique du "squeegee" à Montréal», dans *Criminologie*, vol. 36, n° 2, automne 2003, Montréal: Presses de l'Université de Montréal.

Forlot, Gilles, «Minorité et légitimité communautaire: la migration française de Toronto entre francophonie et anglophonie», dans

Francophonies d'Amérique, nº 21, 2006, Ottawa : Presses de l'Université d'Ottawa, 131-149.

LeBlanc, Matthieu, « Pratiques langagières dans un milieu de travail bilingue de Moncton », dans *Francophonies d'Amériques*, nº 22, 2006, Ottawa : Presses de l'Université d'Ottawa, 121-139.

Chapitre 13 – L'entrevue semi-dirigée

Science politique, relations, études et développement international, mondialisation

Calkins, Peter et Virginie Nanhou Tsafack, « Rôles de la migration dans la transformation des rapports de genre dans les villages du Mali-Sud », dans *Revue canadienne d'études du développement*, vol. 25, nº 4, 2004, Ottawa : Presses de l'Université d'Ottawa, 573-589.

De Herdt, Tom, « Aide d'urgence et notions locales d'équité : analyse d'un programme d'aide nutritionnelle comme une interface sociale », dans *Revue canadienne d'études du développement*, vol. 24, nº 2, 2003, Ottawa : Presses de l'Université d'Ottawa, 287-301.

Doyon, Amélie, « La reconstruction du système de santé en Afghanistan : le rôle des acteurs internationaux sur la prise de décision du gouvernement transitoire afghan », dans *Revue canadienne d'études du développement*, vol. 28, nº 1, 2007, Ottawa : Presses de l'Université d'Ottawa, 137-155.

Le Texier, Emmanuelle, « L'engagement impossible ? Femmes du *barrio* face à la gentrification », dans *Politique et sociétés*, vol. 24, nº 1, 2005, Montréal : Société québécoise de science politique.

Michaud, Pierre et Nacuzon Sall, « L'éducation et la technologie : perspective des femmes sénégalaises », dans *Revue canadienne d'études du développement*, vol. 26, nº 1, 2005, Ottawa : Presses de l'Université d'Ottawa, 107-130.

Patsias, Caroline et Sylvie Patsias, « Les comités de citoyens, une transformation "par le bas" du système démocratique ? L'exemple des groupes québécois et marseillais », dans *Politique et sociétés*, vol. 25, nº 1, 2006, Montréal : Société québécoise de science politique.

Poissant, Guylaine, « Lieux de reconnaissance des femmes d'un quartier populaire », dans *Égalité*, nº 48, Moncton : LaRevue, 99-114.

Simard, Carolle, « Qui nous gouverne au municipal : reproduction ou renouvellement ? », dans *Politique et sociétés*, vol. 23, nᵒˢ 2-3, 2004, Montréal : Société québécoise de science politique.

Sociologie

Beltramo, Jean-Paul, « La collaboration avec la recherche universitaire vue de l'entreprise : Quelques résultats d'enquêtes dans les secteurs des technologies optoélectroniques », dans *Cahiers de recherche sociologique*, n° 40, 2005, Montréal : Département de sociologie de l'UQAM, 112-169.

Brosseau, Marc et Anne Gilbert, « Le journal, acteur urbain ? *Le Droit* et la vocation du centre-ville de Hull », dans *Recherches sociographiques*, vol. 43, n° 3, septembre-décembre 2002, Québec : Département de sociologie de l'Université Laval.

Bruckert, Chris et Colette Parent, « La danse érotique comme métier à l'ère de la vente de soi », dans *Cahiers de recherche sociologique*, n°43, janvier 2007, Montréal : Département de sociologie de l'UQAM, 95-107.

Chasserio, Stéphanie et Marie-Josée Legault, « Dans la nouvelle économie, la conciliation entre la vie privée et la vie professionnelle passe par... l'augmentation des heures de travail ! », dans *Recherches sociographiques*, vol. 46, n° 1, janvier-avril 2005, Québec : Département de sociologie de l'Université Laval.

Cloutier, Richard, Sylvie Drapeau, Rachel Lépine et Marie-Christine Saint-Jacques, « Dimensions écologiques associées aux problèmes de comportement des jeunes de familles recomposées », dans *Nouvelles pratiques sociales*, vol. 16, n° 1, 2003, [Québec] : Presses de l'Université du Québec.

Després, Carole et Thierry Ramadier, « Les territoires de mobilité et les représentations d'une banlieue vieillissante de Québec », dans *Recherches sociographiques*, vol. 45, n° 3, septembre-décembre 2004, Québec : Département de sociologie de l'Université Laval.

Dorais, Louis-Jacques, « Identités vietnamiennes au Québec », dans *Recherches sociographiques*, vol. 45, n° 1, janvier-avril 2004, Québec : Département de sociologie de l'Université Laval.

Dorais, Michel et Simon Louis Lajeunesse, « Intimité à vendre : comment devient-on travailleur du sexe ? », dans *Sociologie et sociétés*, vol. 35, n° 2, automne 2003, Montréal : Presses de l'Université de Montréal.

Fontan, Jean-Marc et Juan-Luis Klein, « Syndicats et collectivités dans la gouvernance locale : une recherche exploratoire à Montréal », dans *Recherches sociographiques*, vol. 44, n° 2, mai-août 2003, Québec : Département de sociologie de l'Université Laval.

Gaudet, Stéphanie, « Responsabilité et identité dans les parcours d'entrée dans l'âge adulte : qu'est-ce que *répondre* de soi à l'âge adulte ? », dans *Revue canadienne de sociologie et d'anthropologie*, vol. 42, n° 1, février 2005, Calgary : Alta, 25-50.

Gilbert, Sophie et Véronique Lussier, « Déjouer l'impasse du lien et de la parole : d'autres repères pour l'aide en itinérance », dans *Nouvelles pratiques sociales*, vol. 20, n° 1, 2007, [Québec] : Presses de l'Université du Québec, 128-150.

Heinich, Nathalie et Pierre Verdrager, « Les valeurs scientifiques au travail », dans *Sociologie et sociétés*, vol. 38, n° 2, automne 2006, Montréal : Presses de l'Université de Montréal, 209-241.

Jacques, Julie, Catherine Jauzion-Graverolle et Anne Quériart, « Consommer autrement : une forme d'engagement politique chez les jeunes », dans *Nouvelles pratiques sociales*, vol. 20, n° 1, 2007, [Québec] : Presses de l'Université du Québec, 181-195.

Jolicœur, Fanny, Jean-François René et Maryse Soulières, « La place et la participation des parents dans les Organismes communautaires Famille : pratiques et défis pour une prise en charge citoyenne », dans *Nouvelles pratiques sociales*, vol. 17, n° 1, 2004, [Québec] : Presses de l'Université du Québec.

Lemieux, Denise, « La formation du couple racontée en duo », dans *Sociologie et sociétés*, vol. 35, n° 2, automne 2003, Montréal : Presses de l'Université de Montréal.

Paquin, Sophie, « Le sentiment d'insécurité dans les lieux publics urbains et l'évaluation personnelle du risque chez des travailleuses de la santé », dans *Nouvelles pratiques sociales*, vol. 19, n° 1, 2006, [Québec] : Presses de l'Université du Québec.

Pelland, Marie-Andrée et Marie Robert, « Les différentes postures à l'égard du travail salarié chez des jeunes vivant en situation de précarité : subir, résister et expérimenter », dans *Nouvelles pratiques sociales*, vol. 20, n° 1, 2007, [Québec] : Presses de l'Université du Québec, 80-93.

Pierrevelcin, Nadine, «Les défusions municipales sur l'île de Montréal comme stratégie d'affirmation culturelle», dans *Recherches sociographiques*, vol. 48, n° 1, janvier-avril 2007, Québec: Département de sociologie de l'Université Laval, 65-84.

Quéniart, Anne, «Présence et affection: l'expérience de la paternité chez les jeunes», dans *Nouvelles pratiques sociales*, vol. 16, n° 1, 2003, [Québec]: Presses de l'Université du Québec.

Robert, François, «Engagement et participation en assemblée délibérante», dans *Nouvelles pratiques sociales*, vol. 20, n° 1, 2007, [Québec]: Presses de l'Université du Québec, 196-211.

Robitaille, Martin, «La transformation des métiers du développement territorial au Québec», dans *Recherches sociographiques*, vol. 47, n° 3, septembre-décembre 2006, Québec: Département de sociologie de l'Université Laval.

Vultur, Mircea, «Aux marges de l'insertion sociale et professionnelle: étude sur les jeunes "désengagés"», dans *Nouvelles pratiques sociales*, vol. 17, n° 2, 2004, [Québec]: Presses de l'Université du Québec.

Anthropologie

Ambrosi, Sophie, Emmanuel Kahn, Patricia Lamarre et Julie Paquette, «Deux dynamiques intergroupes et pratiques linguistiques dans deux cégeps de Montréal», dans *Diversité urbaine (Cahiers du Groupe de recherche ethnicité et société)*, vol. 4, n° 1, printemps 2004, Montréal: Groupe de recherche ethnicité et société.

Bilge, Sirma, «Célébrer la nation, construire la communauté: une "tradition" festive turque à Montréal», dans *Diversité urbaine (Cahiers du Groupe de recherche ethnicité et société)*, vol. 4, n° 1, printemps 2004, Montréal: Groupe de recherche ethnicité et société.

Blain, Marie-Jeanne, «Parcours d'universitaires colombiens dans la région des Laurentides: déclassement professionnel et stratégies identitaires» [note de terrain], dans *Diversité urbaine (Cahiers du Groupe de recherche ethnicité et société)*, vol. 5, n° 1, printemps 2005, Montréal: Groupe de recherche ethnicité et société.

Bousquet, Marie-Pierre, «Les jeunes Algonquins sont-ils biculturels? Modèles de transmission et innovations dans quelques réserves», dans *Recherches amérindiennes au Québec*, vol. 35, n° 3, 2005, Montréal, Société des recherches amérindiennes au Québec, 7-17.

Collette, Vincent, «Rétention linguistique et changement social à Mistissini» [note de recherche], dans *Études inuit*, vol. 29, n°s 1-2, 2005, Québec: Association Inuksuitiit Katimajiit.

Dorais, Louis-Jacques, «Notes sur l'inuktitut parlé à Iqaluit (Nunavut) [note de recherche]», dans *Études inuit*, vol. 26, n° 1, 2002, Québec: Association Inuksuitiit Katimajiit.

Fialho Costa, L'via A. et Christine Jacquet, «La souffrance comme désordre», dans *Anthropologie et sociétés*, vol. 30, n° 3, 2006, Québec: Département d'anthropologie de l'université Laval, 201-217.

Iankova, Katia, «Le tourisme et le développement économique des communautés autochtones du Québec», dans *Recherches amérindiennes au Québec*, vol. 36, n° 1, 2006, Montréal, Société des recherches amérindiennes au Québec, 69-78.

Labrèche, Yvan, «Habitations, camps et territoires des Inuit dans la région de Kangiqsujuaq-Salluit, Nunavik», dans *Études inuit*, vol. 27, n°s 1-2, 2003, Québec: Association Inuksuitiit Katimajiit.

Le Gall, Josiane, «Le rapport à l'islam des musulmanes shi'ites libanaises à Montréal», dans *Anthropologie et sociétés*, vol. 27, n° 1, 2003, Québec: Département d'anthropologie de l'Université Laval.

Mary, André, «Parcours visionnaires et passeurs de frontières», dans *Anthropologie et sociétés*, vol. 27, n° 1, 2003, Québec: Département d'anthropologie de l'Université Laval.

Pastinelli, Madeleine, «Habiter le temps réel. Ethnographie des modalités de l'"être ensemble" dans l'espace électronique», dans *Anthropologie et sociétés*, vol. 30, n° 2, 2006, Québec: Département d'anthropologie de l'Université Laval, 199-217.

Salazar, Guadalupe, «Politique des enfants de la rue au Chili», dans *Anthropologie et sociétés*, vol. 30, n° 1, 2006, Québec: Département d'anthropologie de l'Université Laval.

Histoire

Bourassa, Chantal et Lucia Ferretti, «L'éclosion de la vocation religieuse chez les sœurs dominicaines de Trois-Rivières: pour un complément aux perspectives de l'historiographie récente», dans *Histoire sociale*, vol. 36, n° 71, mai 2003, Ottawa: Presses de l'Université d'Ottawa, 225-253.

Éducation

Bagaoui, Rachid et Donald Dennie, « Les facteurs de réussite des organisations du développement économique communautaire du Nord-Est de l'Ontario », dans *Revue du Nouvel-Ontario*, n° 27, 2002, Sudbury : Institut franco-ontarien de l'Université Laurentienne, 121-150.

Beauregard, France, « Représentations sociales des parents et des enseignants de leurs rôles dans l'intégration scolaire d'un élève dysphasique en classe ordinaire au primaire », dans *Revue des sciences de l'éducation*, vol. 32, n° 3, 2006, Montréal : Association canadienne-française pour l'avancement des sciences, 545-565.

Bernard, Huguette et Julie Desjardins, « Les administrateurs face à l'évaluation de l'enseignement », dans *Revue des sciences de l'éducation*, vol. 28, n° 3, 2002, Montréal : Association canadienne-française pour l'avancement des sciences.

Brassard, André, Cloutier, Martine, Corriveau, Lise, De Saedeleer, Sylvie, Fortin, Régent, Gélinas, Arthur et Lorraine Savoie-Zajc, « Rapport à l'activité éducative et à l'identité professionnelle chez les directeurs d'établissement des ordres d'enseignement préscolaire et primaire », dans *Revue des sciences de l'éducation*, vol. 30, n° 3, 2004, Montréal : Association canadienne-française pour l'avancement des sciences.

Combaz, Gilles, « Les chefs d'établissement face aux paradoxes de l'école démocratique de masse : l'exemple des principaux de collèges publics en France », dans *Revue des sciences de l'éducation*, vol. 29, n° 3, 2003, Montréal : Association canadienne-française pour l'avancement des sciences.

Desjardins, Michel, « Tabou sexuel et changement culturel : le point de vue et les attitudes des parents », dans *Revue francophone de la déficience intellectuelle*, vol. 16, n°s 1 et 2, 2005, Montréal, 49-62.

Duchesne, Claire, Savoie-Zajc, Lorraine et Michel Saint-Germain, « La raison d'être de l'engagement professionnel chez des enseignantes du primaire selon une perspective existentielle », dans *Revue des sciences de l'éducation*, vol. 31, n° 3, 2005, Montréal : Association canadienne-française pour l'avancement des sciences.

Gervais, Colette et Michel Lepage, « Accompagnement et évaluation d'un stagiaire en difficulté : parcours d'enseignants », dans *Mesure et évaluation en éducation*, vol. 30, n° 1, 2007, Québec : Association des spécialistes de la mesure et de l'évaluation en éducation, 31-53.

Grácio, Maria Luisa, Júlio Gonzalez-Pienda, José Carlos Núñe et Pedrio Rosário «Voix d'élèves sur l'apprentissage à l'entrée et à la sortie de l'université: un regard phénoménographique», dans *Revue des sciences de l'éducation*, vol. 33, n° 1, 2007, Montréal: Association canadienne-française pour l'avancement des sciences, 237-251.

Guinard, Jean-Yves et Gilles Kermarrec, «Une méthode qualitative-quantitative pour décrire les stratégies d'apprentissage d'élèves en éducation physique et sportive», dans *Revue des sciences de l'éducation*, vol. 32, n° 2, 2006, Montréal: Association canadienne-française pour l'avancement des sciences.

Lafontaine, Lizanne et Clémence Préfontaine, «Modèle didactique descriptif de la production orale en classe de français langue première au secondaire», dans *Revue des sciences de l'éducation*, vol. 33, n° 1, 2007, Montréal: Association canadienne-française pour l'avancement des sciences, 47-66.

Lanaris, Catherine et Lorraine Savoie-Zajc, «Regards et réflexions d'une communauté face au problème de l'abandon scolaire: le cas d'une recherche dans une école secondaire de l'Outaouais», dans *Revue des sciences de l'éducation*, vol. 31, n° 2, 2005, Montréal: Association canadienne-française pour l'avancement des sciences.

Leclerc, Martine et Mélanie Leclerc-Morin, «Facteurs favorables à l'implantation d'une communauté d'apprentissage professionnelle dans une école franco-ontarienne», dans *Revue du Nouvel-Ontario*, n° 32, 2007, Sudbury: Institut franco-ontarien de l'Université Laurentienne, 51-69.

Martineau, Stéphane et Annie Presseau, «Analyse exploratoire du discours sur la pratique chez des enseignants d'un CFER», dans *Revue des sciences de l'éducation*, vol. 30, n° 3, 2004, Montréal: Association canadienne-française pour l'avancement des sciences.

Ménard, Louise et Charlotte Semblat, «La motivation des élèves de formation professionnelle à poursuivre leurs études dans un programme technique harmonisé», dans *Revue des sciences de l'éducation*, vol. 32, n° 2, 2006, Montréal: Association canadienne-française pour l'avancement des sciences.

Michaud, Clémence, «Conceptions du changement en formation des enseignants», dans *Revue des sciences de l'éducation*, vol. 29, n° 3, 2003, Montréal: Association canadienne-française pour l'avancement des sciences.

Minier, Pauline, « Des représentations de l'apprentissage de parents et d'enseignants d'élèves du primaire qui éclairent les interactions vécues », dans *Revue des sciences de l'éducation*, vol. 32, n° 3, 2006, Montréal : Association canadienne-française pour l'avancement des sciences, 623-648.

Pierre, Régine, « Décoder pour comprendre : le modèle québécois en question », dans *Revue des sciences de l'éducation*, vol. 29, n° 1, 2003, Montréal : Association canadienne-française pour l'avancement des sciences.

Potvin, Patrice et Marcel Thouin, « Étude qualitative d'évolutions conceptuelles en contexte d'explorations libres en physique-mécanique au secondaire », dans *Revue des sciences de l'éducation*, vol. 29, n° 3, 2003, Montréal : Association canadienne-française pour l'avancement des sciences.

Reichhart, Frédéric, « La cristallisation du lien social des usagers du secteur médico-social », dans *Revue francophone de la déficience intellectuelle*, vol. 16, n°s 1 et 2, 2005, Montréal, 63-73.

Riverin, Danielle et Yanik Simard, « L'autre projet professionnel : le volontariat », dans *Revue canadienne pour l'étude de l'éducation des adultes*, vol. 16, n° 1, mai 2002, Toronto, 56-78.

Service social et gérontologie

Allard, Denis, Chevalier, Serge, Kimpton, Marie-Anne et Elisabeth Papineau, « Appréciation des intervenants du programme expérimental de traitement du jeu pathologique », dans *Intervention*, n° 124, juin 2006, Montréal : Corporation professionnelle des travailleurs sociaux du Québec, 109-121.

Andrew, Caroline et Anne Gilbert, « Les facteurs du bien-être de la population vieillissante : le point de vue des intervenants », dans *Revue canadienne de politique sociale*, n°s 49-50, 2002, Regina : Social Policy and Administration Network, 93-111.

Beaudry, Raymond et Carol Saucier, « La richesse sociale : le point de vue d'acteurs de l'économie sociale », dans *Économie et solidarités*, vol. 36, n° 1, 2005, Montréal : Centre interuniversitaire de recherche, d'information et d'enseignement sur les coopératives, 27-42.

Beaulieu, Marie et Julien Bélanger, « L'évaluation clinique de l'inaptitude : des travailleurs sociaux et des médecins commentent le travail de l'autre et leurs espaces de rencontre », dans *Intervention*, n° 124, juin 2006, Montréal: Corporation professionnelle des travailleurs sociaux du Québec, 61-70.

Bernier, Christiane, «Ménopause et mitan de vie: deux phénomènes, une symbolique», dans *Revue ontaroise d'intervention sociale et communautaire*, vol. 9, n° 1, printemps 2003, Sudbury, Reflets.

Bernier, Christiane et Sika Eliev, «Perceptions de femmes cadres dans une entreprise typiquement masculine», dans *Revue ontaroise d'intervention sociale et communautaire*, vol. 9, n° 2, automne 2003, Sudbury, Reflets.

Blanchard, Nathalie, Charpentier, Michèle et Maryse Soulières, «Stratégie de vie et pouvoir d'agir des personnes âgées vivant en milieu d'hébergement», dans *Intervention*, n° 124, juin 2006, Montréal: Corporation professionnelle des travailleurs sociaux du Québec, 42-51.

Bourque, Denis, «Ententes de services dans le Programme de soutient aux jeunes parents et nouveaux rapports public-communautaire», dans *Intervention*, n° 126, 2007, Québec, 42-51.

Caron, Chantal, Delli-Colli, Nathalie et Nicole Dubuc, «Qu'advient-il des personnes âgées orientées en résidence privée à la suite d'un séjour en courte durée? Évolution du profil clinique sur une année», dans *Intervention*, n° 124, juin 2006, Montréal: Corporation professionnelle des travailleurs sociaux du Québec, 33-41.

Chamberland, Claire, Damant, Dominique et Geneviève Lessard, «Complexité et défis de l'intervention auprès des familles qui vivent une double problématique de violence», dans *Intervention*, n° 122, juin 2005, Montréal: Corporation professionnelle des travailleurs sociaux du Québec, 80-89.

Chartré, Marie-Ève et Dominique Damant, «La trajectoire des femmes immigrantes et de leur famille dans un contexte de guerre ou de terrorisme d'État», dans *Intervention*, n° 123, décembre 2005, Montréal: Corporation professionnelle des travailleurs sociaux du Québec, 37-46.

Chevalier, Serge, Geoffrion, Catherine et Élisabeth Papineau, «Les multiples visages des joueurs pathologiques qui demandent de l'aide», dans *Intervention*, n° 118, juillet 2003, Montréal: Corporation professionnelle des travailleurs sociaux du Québec, 82-91.

Cloutier, Geneviève, Duval, Michelle, Pontbriand, Annie et Jean-François René, «L'intervention en milieu de vie – l'expérience des Auberges du cœur», dans *Intervention*, n° 126, 2007, Québec, 73-83.

Damant, Dominique et Sylvie Thibault, « La violence conjugale chez les couples d'hommes gais », dans *Intervention*, n° 116, juin 2002, Montréal : Corporation professionnelle des travailleurs sociaux du Québec, 83-92.

Devault, Annie, « La transition à la paternité : une comparaison entre pères économiquement favorisés et défavorisés », dans *Intervention*, n° 125, décembre 2006, Montréal : Corporation professionnelle des travailleurs sociaux du Québec, 46-56.

Drolet, Marie, Rachel Hasan et Maryse Paquin, « Les conduites violentes chez les enfants de 3 à 6 ans : comprendre pour mieux intervenir », dans *Revue ontaroise d'intervention sociale et communautaire*, vol. 9, n° 1, printemps 2003, Sudbury, Reflets.

Dufour, Sarah, Dulac, Germain, Lindsay, Jocelyn, Rondeau, Gilles et Daniel Turcotte, « La demande d'aide chez les hommes en difficulté : trois profils de trajectoires », dans *Intervention*, n° 116, juin 2002, Montréal : Corporation professionnelle des travailleurs sociaux du Québec, 37-51.

Jacques, Julie, Jauzion, Catherine et Anne Quéniart, « Le commerce équitable : un moteur de transformation chez les consommateurs », dans *Économie et solidarités*, vol. 37, n° 2, 2006, Montréal : Centre interuniversitaire de recherche, d'information et d'enseignement sur les coopératives, 57-73.

Lamontagne, Sylvain, « Comment la technobureaucratie construit l'intervention sociale : l'exemple du Centre jeunesse de Montréal », dans *Intervention*, n° 120, juillet 2004, Montréal : Corporation professionnelle des travailleurs sociaux du Québec, 78-88.

LaRue, Andrée, Romaine Malenfant, Lucie Mercier et Michel Vézina, « Précarité d'emploi, rapport au travail et intégration sociale », dans *Nouvelles pratiques sociales*, vol. 15, n° 1, 2002, [Québec] : Presses de l'Université du Québec.

Mireault, Gilles, Paquet, Gaétan et Ève Pouliot, « Le partenariat de recherche au Centre jeunesse de Québec – Institut universitaire : le point de vue des praticiens », dans *Intervention*, n° 119, décembre 2003, Montréal : Corporation professionnelle des travailleurs sociaux du Québec, 35-46.

Parent, Claudine et Caroline Robitaille, « Portrait de familles recomposées : analyse du discours de conjoints et de conjointes vivant en famille recomposée », dans *Intervention*, n° 122, juin 2005, Montréal : Corporation professionnelle des travailleurs sociaux du Québec, 102-110.

Pelletier, Daniel et Aline Vézina, « La participation à l'aide et aux soins des conjoints et des enfants auprès des personnes âgées nouvellement hébergées en centre d'hébergement et de soins de longue durée », dans *Revue canadienne du vieillissement*, vol. 23, n° 1, printemps 2004, Maple : Canadian Association on Gerontology, 59-71.

Relations industrielles, administration publique et évaluation de programme

Baubion-Broye, Alain, Le Blanc, Alexis et Mègemont, Jean-Luc, « Mémoire sociale et perspectives temporelles futures de salariés à la suite d'une catastrophe industrielle », dans *Relations industrielles*, vol. 62, n° 4, automne 2007, Québec : Département de relations industrielles de l'Université Laval, 714-739.

Baubion-Broye, Alain et Christine Martin-Canizarès, « Transition professionnelle et orientation de rôle dans la fonction de cadre », dans *Relations industrielles*, vol. 62, n° 4, automne 2007, Québec : Département de relations industrielles de l'Université Laval, 641-663.

Fournier, Geneviève, Gauthier, Christine et Hélène Zimmermann, « Analyse des conduites de salariés en transition de fin de carrière : le cas de travailleurs et travailleuses en situation d'emploi atypique », dans *Relations industrielles*, vol. 62, n° 4, Québec : Département de relations industrielles de l'Université Laval, 740-767.

Guérin, Gilles et Jamal Ouadahi, « Pratiques de gestion mobilisatrices et implantation d'un système d'information : une évaluation qualitative », dans *Relations industrielles*, vol. 62, n° 3, été 2007, Québec : Département de relations industrielles de l'Université Laval, 540-564.

Haines III, Victor Y., Denis Harrisson et Mario Roy, « Le partenariat patronal-syndical et la gestion des conflits : les rôles clés des représentants », dans *Gestion*, vol. 31, n° 4, hiver 2007, Laval.

Lehoux, Pascale et Olivier Sossa, « L'évaluation des technologies de la santé : comment l'introduire dans les hôpitaux universitaires du Québec ? », dans *Revue canadienne d'évaluation de programme*, vol. 19, n° 2, automne 2004, Toronto : Société canadienne d'évaluation.

Nantel, Jacques, « L'efficacité des sites web : quand les consommateurs s'en mêlent », dans *Gestion*, vol. 30, n° 1, printemps 2005, Laval.

Criminologie

Allaire, Gratien, Boissonneault, Julie, Côté, Daniel, Michaud, Jacques et Cindy-Lynne Tremblay, « Décrochage, raccrochage et rétention scolaires selon les Jeunes franco-ontariens », dans *Francophonies d'Amérique*, n° 25, 2008, Ottawa : Presses de l'Université d'Ottawa, 125-155.

Barrette, Martine, Natacha Brunelle et Denis Lafortune, « L'incarcération du père : expérience et besoins des familles », dans *Criminologie*, vol. 38, n° 1, printemps 2005, Montréal : Presses de l'Université de Montréal.

Beaulieu, Louise et Wladyslaw Cichocki, « Innovation et maintien dans une communauté linguistique du nord-est du Nouveau-Brunswick », dans *Francophonies d'Amérique*, n° 19, 2005, Ottawa : Presses de l'Université d'Ottawa, 155-175.

Boudreau, Annette et Lise Dubois, « L'affichage à Moncton : miroir ou masque ? », dans *Revue de l'Université de Moncton*, vol. 36, n° 1, 2005, Moncton : Université de Moncton.

Bourassa, Chantal et Elda Savoie, « Le portrait de la violence conjugale dans le comté de Kent : une expérience de recherche-action », dans *Revue de l'Université de Moncton*, vol. 36, n° 2, 2005, Moncton : Université de Moncton.

Cameron, Sylvie, Leblanc, Huguette et Guylaine Racine, « Perceptions de stagiaires en service social sur leur expérience de stage », dans *Intervention*, n° 119, décembre 2003, Montréal : Corporation professionnelle des travailleurs sociaux du Québec, 71-85.

Cernkovich, Stephen A., Peggy C. Giordano et Catherine E. Kaukinen, « Les types de délinquance : une étude longitudinale des causes et des conséquences », dans *Criminologie*, vol. 38, n° 1, printemps 2005, Montréal : Presses de l'Université de Montréal.

Denis, Véronique, « Pour comprendre la pratique du "squeegee" à Montréal », dans *Criminologie*, vol. 36, n° 2, automne 2003, Montréal : Presses de l'Université de Montréal.

Déry, Michèle, Robert Pauzé, Jean Toupin et Pierrette Verlaan, « L'agression indirecte : un indicateur d'inadaptation psychosociale chez les filles ? », dans *Criminologie*, vol. 38, n° 1, printemps 2005, Montréal : Presses de l'Université de Montréal.

Forgues, Éric, Giraud, Sylvie et Mario Paris, « La revitalisation économique des communautés de langue officielle en situation minoritaire au Canada : le cas du réseau de développement économique et d'employabilité », dans *Francophonies d'Amérique*, n° 22, 2006, Ottawa : Presses de l'Université d'Ottawa, 57-72.

Forlot, Gilles, « Minorité et légitimité communautaire : la migration française de Toronto entre francophonie et anglophonie », dans *Francophonies d'Amérique*, n° 21, 2006, Ottawa : Presses de l'Université d'Ottawa, 131-149.

Gravel, Hélène et Diane Pruneau, « Une étude de la réceptivité à l'environnement chez les adolescents », dans *Revue de l'Université de Moncton*, vol. 35, n° 1, 2004, Moncton : Université de Moncton.

Ireland, Timothy et Carolyn A. Smith, « Les conséquences développementales de la maltraitance des filles », dans *Criminologie*, vol. 38, n° 1, printemps 2005, Montréal : Presses de l'Université de Montréal.

Jaccoud, Mylène, « Les frontières "ethniques" au sein de la police », dans *Criminologie*, vol. 36, n° 2, automne 2003, Montréal : Presses de l'Université de Montréal.

Lamoureux, Sylvie A., « Transition scolaire et changements identitaires », dans *Francophonies d'Amérique*, n° 20, 2005, Ottawa : Presses de l'Université d'Ottawa, 111-121.

LeBlanc, Matthieu, « Pratiques langagières dans un milieu de travail bilingue de Moncton », dans *Francophonies d'Amériques*, n° 22, 2006, Ottawa : Presses de l'Université d'Ottawa, 121-139.

Leclerc, Martine, « Apports des technologies de l'information et de la communication dans une école élémentaire francophone de l'Ontario », dans *Francophonies d'Amérique*, n° 21, 2006, Ottawa : Presses de l'Université d'Ottawa, 171-183.

Linteau, Véronique, « Les prêteurs sur gage dans le marché des biens volés à Montréal et leur impact sur la criminalité contre les biens », dans *Criminologie*, vol. 37, n° 1, printemps 2004, Montréal : Presses de l'Université de Montréal.

Moldoveanu, Mirela, « La compétence multiculturelle : condition nécessaire pour enseigner en milieu urbain ? Perceptions d'étudiants-maîtres francophones », dans *Francophonies d'Amérique*, n° 21, 2006, Ottawa : Presses de l'Université d'Ottawa, 151-170.

Moldoveanu, Mirela, « Quitter l'espace rural francophone : parcours d'apprentissage transformationnel relatif à la diversité ethnoculturelle », dans *Francophonies d'Amérique*, n°s 23-24, 2007, Ottawa : Presses de l'Université d'Ottawa, 163-184.

Perrot, Marie-Ève, «Statut et fonction symbolique du chiac : Analyse de discours épilinguistiques», dans *Francophonies d'Amérique*, n° 22, 2006, Ottawa : Presses de l'Université d'Ottawa, 141-152.

Stelling, Louis Edward, «Attitudes linguistiques et transfert à l'anglais à Southbridge (Massachusetts)», dans *Francophonies d'Amérique*, n°s 23-24, 2007, Ottawa : Presses de l'Université d'Ottawa, 231-251.

Chapitre 14 - L'approche biographique

Science politique, relations, études et développement international, mondialisation

Le Texier, Emmanuelle, «L'engagement impossible? Femmes du *barrio* face à la gentrification», dans *Politique et sociétés*, vol. 24, n° 1, 2005, Montréal : Société québécoise de science politique.

Sociologie

Ferland-Raymond, Amélie-Elsa, Andrée Fortin, Éric Gagnon et Annick Mercier, «Le temps du soi. Bénévolat, identité et éthique», dans *Recherches sociographiques*, vol. 48, n° 1, janvier-avril 2007, Québec : Département de sociologie de l'Université Laval, 43-64.

Keightley, Emily et Michael Pickering, «Les deux voies du passé : le ressouvenir, entre progrès et perte», dans *Cahiers de recherche sociologique*, n° 44, 2007, Montréal : Département de sociologie de l'UQAM, 83-96.

Anthropologie

Castro, Arachu et Paul Farmer, «Violence structurelle, mondialisation et tuberculose multirésistante», dans *Anthropologie et sociétés*, vol. 27, n° 2, 2003, Québec : Département d'anthropologie de l'Université Laval.

Fialho Costa, L'via A. et Christine Jacquet, «La souffrance comme désordre», dans *Anthropologie et sociétés*, vol. 30, n° 3, 2006, Québec : Département d'anthropologie de l'université Laval, 201-217.

Histoire

Thuot, Jean-René, « Élites locales et institutions à l'époque des Rébellions : Jacques Archambault et l'épisode du presbytère de Saint-Roch-de-l'Achigan », dans *Histoire sociale*, vol. 38, n° 76, novembre 2005, Ottawa : Presses de l'Université d'Ottawa, 339-365.

Éducation

Bélair, Louise M. et Christine Lebel, « La persévérance chez les enseignants franco-ontariens «, dans *Éducation canadienne et internationale*, vol. 36, n° 2, 2007, Londres : Comparative and International Education Society of Canada, 33-50.

Lafontaine, Lizanne et Catherine Le Cunff, « Recherche comparée sur la prise de parole de certains élèves du préscolaire au primaire en français langue maternelle en France et au Québec », dans *Éducation canadienne et internationale*, vol. 34, n° 2, décembre 2005, Londres : Comparative and International Education Society of Canada, 72-97.

Piron, Florence, « La tolérance culturelle et éthique du décrochage scolaire : un regard anthropologique », dans *Revue des sciences de l'éducation*, vol. 28, n° 1, 2002, Montréal : Association canadienne-française pour l'avancement des sciences.

Service social et gérontologie

Chartré, Marie-Ève et Dominique Damant, « La trajectoire des femmes immigrantes et de leur famille dans un contexte de guerre ou de terrorisme d'État », dans *Intervention*, n° 123, décembre 2005, Montréal : Corporation professionnelle des travailleurs sociaux du Québec, 37-46.

Grell, Paul, « Représentations des jeunes précaires à propos de leurs pratiques dans le monde du travail et de la vie quotidienne », dans *Revue ontaroise d'intervention sociale et communautaire*, vol. 10, n° 1, 2004, Sudbury, Reflets.

Relations industrielles, administration publique et évaluation de programme

Biétry, Frank, «L'adhésion au syndicalisme autonome en France : récits de pratique de militants Sud», dans *Relations industrielles*, vol. 62, n° 1, hiver 2007, Québec : Département de relations industrielles de l'Université Laval, 118-142.

Criminologie

Cousineau, Marie-Marthe, Michèle Fournier et Sylvie Hamel, «La victimisation : un aspect marquant de l'expérience des jeunes filles dans les gangs», dans *Criminologie*, vol. 37, n° 1, printemps 2004, Montréal : Presses de l'Université de Montréal.

Chapitre 15 – Le groupe de discussion

Science politique, relations, études et développement international, mondialisation

Calkins, Peter et Virginie Nanhou Tsafack, «Rôles de la migration dans la transformation des rapports de genre dans les villages du Mali-Sud», dans *Revue canadienne d'études du développement*, vol. 25, n° 4, 2004, Ottawa : Presses de l'Université d'Ottawa, 573-589.

Sociologie

Fontan, Jean-Marc et Juan-Luis Klein, «Syndicats et collectivités dans la gouvernance locale : une recherche exploratoire à Montréal», dans *Recherches sociographiques*, vol. 44, n° 2, mai-août 2003, Québec : Département de sociologie de l'Université Laval.

Jolicœur, Fanny, Jean-François René et Maryse Soulières, «La place et la participation des parents dans les Organismes communautaires Famille : pratiques et défis pour une prise en charge citoyenne», dans *Nouvelles pratiques sociales*, vol. 17, n° 1, 2004, [Québec] : Presses de l'Université du Québec.

Robitaille, Martin, «La transformation des métiers du développement territorial au Québec», dans *Recherches sociographiques*, vol. 47, n° 3, septembre-décembre 2006, Québec : Département de sociologie de l'Université Laval.

Tremblay, Diane-Gabrielle, «Articulation emploi-famille: les usages du temps chez les pères et les mères», dans *Nouvelles pratiques sociales*, vol. 16, n° 1, 2003, [Québec]: Presses de l'Université du Québec.

Anthropologie

Armand, Françoise et Érica Maraillet, «L'éveil aux langues: des enfants du primaire parlent des langues et de la diversité linguistique», dans *Diversité urbaine (Cahiers du Groupe de recherche ethnicité et société)*, vol. 6, n° 2, hiver 2006, Montréal: Groupe de recherche ethnicité et société, 17-34.

Éducation

Beauregard, France, «Représentations sociales des parents et des enseignants de leurs rôles dans l'intégration scolaire d'un élève dysphasique en classe ordinaire au primaire», dans *Revue des sciences de l'éducation*, vol. 32, n° 3, 2006, Montréal: Association canadienne-française pour l'avancement des sciences, 545-565.

Bourdeau, Jacqueline, «Vers une intégration pédagogique de la vidéocommunication dans la formation des maîtres», dans *Revue des sciences de l'éducation*, vol. 28, n° 2, 2002, Montréal: Association canadienne-française pour l'avancement des sciences.

Hébert, Manon, «Les cercles littéraires entre pairs en première secondaire: études des relations entre les modalités de lecture et de collaboration», dans *Revue des sciences de l'éducation*, vol. 30, n° 3, 2004, Montréal: Association canadienne-française pour l'avancement des sciences.

Houle, Pascale, «Les obstacles à l'intégration au marché du travail des femmes monoparentales à faible revenu», dans *Revue ontaroise d'intervention sociale et communautaire*, vol. 9, n° 2, automne 2003, Sudbury, Reflets.

Service social et gérontologie

Beaulieu, Marie et Lorraine Quevillon, «Les besoins des aînés en matière de sécurité dans les espaces publics de la ville de Sherbrooke», dans *Intervention*, n° 126, 2007, Québec, 95-105.

Bourgoin, Marie-Ève et Gilles Tremblay, «Fonctionnement et efficacité du programme Temps d'arrêt: le point de vue des participantes», dans *Intervention*, n° 126, 2007, Québec, 105-115.

Chevalier, Serge, Geoffrion, Catherine et Élisabeth Papineau, «Les multiples visages des joueurs pathologiques qui demandent de l'aide», dans *Intervention*, n° 118, juillet 2003, Montréal: Corporation professionnelle des travailleurs sociaux du Québec, 82-91.

Cloutier, Geneviève, Duval, Michelle, Pontbriand, Annie et Jean-François René, «L'intervention en milieu de vie – l'expérience des Auberges du cœur», dans *Intervention*, n° 126, 2007, Québec, 73-83.

Comeau, Yvan et Daniel Turcotte, «Les effets du financement étatique sur les associations», dans *Lien social et politiques*, n° 48, 2002, Montréal.

Garceau, Mathieu, Robichaud, Line et Claude Vincent, «La télésurveillance comme outil favorisant la participation sociale des personnes âgées à domicile» [note de recherche], dans *Revue canadienne du vieillissement*, vol. 26, n° 1, printemps 2007, Maple: Canadian Association on Gerontology, 59-72.

Relations industrielles, administration publique et évaluation de programme

Haines III, Victor Y., Denis Harrisson et Mario Roy, «Le partenariat patronal-syndical et la gestion des conflits: les rôles clés des représentants», dans *Gestion*, vol. 31, n° 4, hiver 2007, Laval.

Criminologie

Bélanger-Hardy, Louise et Gabrielle St-Hilaire, «Trente ans et mille personnes diplômées en 2007, l'enseignement de la *common law* en français à l'Université d'Ottawa», dans *Francophonies d'Amérique*, n° 25, 2008, Ottawa: Presses de l'Université d'Ottawa, 89-111.

Bourassa, Chantal et Elda Savoie, «Le portrait de la violence conjugale dans le comté de Kent: une expérience de recherche-action», dans *Revue de l'Université de Moncton*, vol. 36, n° 2, 2005, Moncton: Université de Moncton.

Chapitre 16 - L'analyse de contenu

Science politique, relations, études et développement international, mondialisation

Auvachez, Élise, «Penser la citoyenneté européenne. Du livre blanc sur la gouvernance au projet de Traité constitutionnel», dans *Revue canadienne de science politique*, vol. 40, n° 2, 2007, Waterloo : Wilfrid Laurier University Press, 343-365.

Bastien, Frédérick C., «Écouter la différence ? Les nouvelles, la publicité et le service public en radiodiffusion», dans *Revue canadienne de science politique*, vol. 37, n° 1, mars 2004, Waterloo : Waterloo University, 73-93.

Belley, Serge, «La politique municipale à Montréal dans les années 1990 : du "réformisme populaire" au "populisme gestionnaire"» [note de recherche], dans *Politique et sociétés*, vol. 22, n° 1, 2003, Montréal : Société québécoise de science politique.

Bherer, Laurence et Vincent Lemieux, «La référence aux valeurs dans le débat sur la réorganisation municipale au Québec», dans *Revue canadienne des sciences régionales*, vol. 25, n° 3, automne 2002, Halifax : Institute of Public Affairs, Dalhousie University, 447-472.

Charron, Jean, «Journalisme, politique, et discours rapporté. Évolution des modalités de la citation dans la presse écrite au Québec : 1945-1995», dans *Politique et société*, vol. 25, n° 2-3, 2006, Montréal : Société québécoise de science politique, 147-181.

Côté, Jean-Roch, «Une analyse discursive de trois énoncés québécois de politique internationale», dans *Étude internationales*, vol. 37, n° 1, mars 2006, Université Laval : Institut québécois des hautes études internationales.

Labbé, Cyril, Labbé, Dominique et Denis Monière, «Les styles discursifs des premiers ministres québécois de Jean Lesage à Jean Charest», dans *Revue canadienne de science politique*, vol. 41, n° 1, 2008, Waterloo : Wilfrid Laurier University Press, 43-69.

Mercier, David, «L'idéal néolibéral dans le temps mondial, 1990-2002 : même à Cuba ?», dans *Études internationales*, vol. 33, n° 3, septembre 2002, Université Laval : Institut québécois des hautes études internationales, 447-475.

Michaud, Pierre et Nacuzon Sall, «L'éducation et la technologie: perspective des femmes sénégalaises», dans *Revue canadienne d'études du développement*, vol. 26, nº 1, 2005, Ottawa: Presses de l'Université d'Ottawa, 107-130.

Mullen, Stéphanie et Manon Tremblay, «Le Comité permanent de la condition féminine de la Chambre des communes du Canada: un outil au service de la représentation politique?», dans *Revue canadienne de science politique*, vol. 40, nº 3, 2007, Waterloo: Wilfrid Laurier University Press, 615-637.

Richard-Nossal, Kim, «Les objectifs politiques des examens de politique étrangère: étude comparée de l'Australie et du Canada», dans *Études internationales*, vol. 37, nº 1, mars 2006, Université Laval: Institut québécois des hautes études internationales.

Rioux, Jean-Sébastien, «Les défis pour le Canada en matière d'aide publique au développement», dans *Études internationales*, vol. 33, nº 4, décembre 2002, Université Laval: Institut québécois des hautes études internationales, 723-743.

Rollet, Vincent, «Nouveau concept de sécurité et gestion des épidémies en Chine», dans *Politique et société*, vol. 25, nᵒˢ 2-3, 2006, Montréal: Société québécoise de science politique, 69-103.

Sociologie

Angers-Fabre, Stéphanie, «Le versant canadien-français de la génération "non-conformiste" européenne des années trente: la revue *La Relève*», dans *Recherches sociographiques*, vol. 43, nº 1, janvier-avril 2002, Québec: Département de sociologie de l'Université Laval.

Armony, Victor, «Des Latins du Nord? L'identité culturelle québécoise dans le contexte panaméricain», dans *Recherches sociographiques*, vol. 43, nº 1, janvier-avril 2002, Québec: Département de sociologie de l'Université Laval.

Bernard, Paul et Sébastien Saint-Arnaud, «Du pareil au même? La position des quatre principales provinces canadiennes dans l'univers des régimes providentiels», dans *Cahiers canadiens de sociologie*, vol. 29, nº 2, printemps 2004, Edmonton: Département de sociologie de l'Université d'Alberta, 209-239.

Brosseau, Marc et Anne Gilbert, «Le journal, acteur urbain? *Le Droit* et la vocation du centre-ville de Hull», dans *Recherches sociographiques*, vol. 43, nº 3, septembre-décembre 2002, Québec: Département de sociologie de l'Université Laval.

Caillé, Geneviève et Jean-Marie Lafortune, « Regards croisés sur l'évolution du déficit démocratique au Québec », dans *Recherches sociographiques*, vol. 48, n° 2, mai-août 2007, Québec : Département de sociologie de l'Université Laval, 53-71.

Castonguay, Charles, « Assimilation linguistique et remplacement des générations francophones et anglophones au Québec et au Canada », dans *Recherches sociographiques*, vol. 43, n° 1, janvier-avril 2002, Québec : Département de sociologie de l'Université Laval.

Côté, Serge, Camil Girard, Patrice LeBlanc et Dominique Potvin, « La migration des jeunes et le développement régional dans le croissant péri-nordique du Québec », dans *Recherches sociographiques*, vol. 44, n° 1, janvier-avril 2003, Québec : Département de sociologie de l'Université Laval.

Ferland-Raymond, Amélie-Elsa, Andrée Fortin, Éric Gagnon et Annick Mercier, « Le temps du soi. Bénévolat, identité et éthique », dans *Recherches sociographiques*, vol. 48, n° 1, janvier-avril 2007, Québec : Département de sociologie de l'Université Laval, 43-64.

Fontan, Jean-Marc et Juan-Luis Klein, « Syndicats et collectivités dans la gouvernance locale : une recherche exploratoire à Montréal », dans *Recherches sociographiques*, vol. 44, n° 2, mai-août 2003, Québec : Département de sociologie de l'Université Laval.

Nadal, Marie-José, « Entre innovation et conservation : la Nouvelle Broderie commerciale maya », dans *Revue canadienne de sociologie et d'anthropologie*, vol. 40, n° 5, décembre 2003, Calgary : Alta, 541-564.

Peter, Franz, « Rationalités du pouvoir et incorporation de l'islam : une comparaison franco-anglaise », dans *Sociologie et sociétés*, vol. 38, n° 1, printemps 2006, Montréal : Presses de l'Université de Montréal.

Thériault, Marius, Catherine Trudelle et Paul Villeneuve, « Trois décennies de conflits urbains dans la région de Québec : visibilité de la participation des femmes entre 1965 et 2000 », dans *Recherches sociographiques*, vol. 47, n° 1, janvier-avril 2006, Québec : Département de sociologie de l'Université Laval.

Anthropologie

Ambrosi, Sophie, Emmanuel Kahn, Patricia Lamarre et Julie Paquette, « Deux dynamiques intergroupes et pratiques linguistiques dans deux cégeps de Montréal », dans *Diversité urbaine (Cahiers du Groupe de recherche ethnicité et société)*, vol. 4, n° 1, printemps 2004, Montréal : Groupe de recherche ethnicité et société.

Blain, Marie-Jeanne, « Parcours d'universitaires colombiens dans la région des Laurentides : déclassement professionnel et stratégies identitaires » [note de terrain], dans *Diversité urbaine (Cahiers du Groupe de recherche ethnicité et société)*, vol. 5, n° 1, printemps 2005, Montréal : Groupe de recherche ethnicité et société.

Chartier, Denis, « ONG internationales environnementalistes et politiques forestières tropicales : l'exemple de Greenpeace en Amazonie », dans *Anthropologie et sociétés*, vol. 29, n° 1, 2005, Québec : Département d'anthropologie de l'Université Laval.

Histoire

Aubin-Des Roches, Caroline, « Retrouver la ville à la campagne : la villégiature à Montréal au tournant du XXe siècle », dans *Revue d'histoire urbaine*, vol. 34, n° 2, printemps 2006, Ottawa : National Museum of Man, division histoire, 17-29.

Beaudreau, Sylvie, « Déconstruire le rêve de nation : Lionel Groulx et la Révolution tranquille », dans *Revue d'histoire de l'Amérique française*, vol. 56, n° 1, été 2002, Montréal : Institut d'histoire de l'Amérique française.

Bérubé, Harold, « La ville au cœur de la nation : l'utilisation du passé dans l'élaboration de l'identité urbaine », dans *Revue d'histoire urbaine*, vol. 30, n° 2, mars 2002, Ottawa : National Museum of Man, division histoire, 16-27.

Cellard, André et Marie-Claude Thifault, « Sur quelques visages de la folie à Saint-Jean-de-Dieu au tournant du siècle dernier » [note de recherche], dans *Histoire sociale*, vol. 39, n° 78, novembre 2006, Ottawa : Presses de l'Université d'Ottawa, 451-465.

Cossette, Évelyne et Valérie D'Amour, « Le bétail et l'activité économique en Nouvelle-France : la vente et la location » [note de recherche], dans *Revue d'histoire de l'Amérique française*, vol. 56, n° 2, automne 2002, Montréal : Institut d'histoire de l'Amérique française.

Côté, Olivier, « Nouveau regard sur l'antisémitisme : enquête sur la position de cinq quotidiens canadiens-français au sujet de la question juive en Allemagne (1935-1939) », dans *Bulletin d'histoire politique*, vol. 15, n° 1, automne 2006, Montréal : Association québécoise d'histoire politique, 243-261.

Coulombe, Caroline, « Entre l'art et la science : la littérature culinaire et la transformation des habitudes alimentaires au Québec », dans

Revue d'histoire de l'Amérique française, vol. 58, n° 4, printemps 2005, Montréal : Institut d'histoire de l'Amérique française.

Fontaine-Bernard, Steven, « Le Bas-Canada dans la presse française de 1830 à 1838 », dans *Bulletin d'histoire politique*, vol. 13, n° 2, hiver 2005, Montréal : Association québécoise d'histoire politique, 171-190.

Gendron, Étienne et Steve Tremblay, « *Opponents of war :* le *New York Times* et les opposants à la participation des États-Unis à la Grande Guerre », dans *Cahiers d'histoire*, vol. 23, n° 1, automne 2003, Montréal : Université de Montréal, Département d'histoire, 59-77.

Hébert, Geneviève, « Les femmes de mauvaise vie dans la communauté (Montpellier, 1713-1742) », dans *Histoire sociale*, vol. 36, n° 72, novembre 2003, Ottawa : Presses de l'Université d'Ottawa, 497-517.

Leroux, Manon, « Histoire et bande dessinée », dans *Bulletin d'histoire politique*, vol. 13, n° 3, printemps 2005, Montréal : Association québécoise d'histoire politique, 237-248.

Malo, Isabelle, « Représentations physiques des hommes et idéal masculin. Châtelaine, 1960-1975 », dans *Cahiers d'histoire*, vol. 25, n° 2, hiver 2006, Montréal : Université de Montréal, Département d'histoire, 93-112.

Paradis, Kim, « La représentation des Andes dans l'imaginaire français, 1860-1900 », dans *Cahiers d'histoire*, vol. 26, n° 1, automne 2006, Montréal : Université de Montréal, Département d'histoire, 115-127.

Robert, Mario, « Le livre et la lecture dans la noblesse canadienne, 1670-1764 », dans *Revue d'histoire de l'Amérique française*, vol. 56, n° 1, été 2002, Montréal : Institut d'histoire de l'Amérique française.

Éducation

Arens, Sheila A., « L'étude du raisonnement dans les pratiques évaluatives », dans *Mesure et évaluation en éducation*, vol. 29, n° 3, 2006, Québec : Association des spécialistes de la mesure et de l'évaluation en éducation, 45-56.

Bournot-Trites, Monique, Brodeur, Monique, Deaudelin, Collette, Dubé, Caroline et Linda S. Siegel, « Croyances et pratiques d'enseignants de la maternelle au sujet des habiletés métaphononologiques [*sic*] et de la connaissance des lettres », dans *Revue des sciences de l'éducation*, vol. 29, n° 1, 2003, Montréal : Association canadienne-française pour l'avancement des sciences.

Bourque, Jimmy, Cleaver, Alicia F. et Noémie Poulin, « Évaluation de l'utilisation et de la présentation des résultats d'analyses factorielles et d'analyses en composantes principales en éducation », dans *Revue des sciences de l'éducation*, vol. 32, n° 2, 2006, Montréal : Association canadienne-française pour l'avancement des sciences.

Briquet-Duhazé, Sophie et Éric Buhot, « Les rapports de visite des formateurs sur le stage en responsabilité des professeurs des écoles stagiaires : une diversité révélatrice de conceptions du savoir-enseigner », dans *Mesure et évaluation en éducation*, vol. 30, n° 1, 2007, Québec : Association des spécialistes de la mesure et de l'évaluation en éducation, 5-29.

Chené, Adèle, Lessard, Claude, Riopel, Marie-Claude et Diane Saint-Jacques, « Les représentations que se font les enseignants du primaire de la dimension culturelle du curriculum », dans *Revue des sciences de l'éducation*, vol. 28, n° 1, 2002, Montréal : Association canadienne-française pour l'avancement des sciences.

Durand, Marc, Durny, Annick, Flavier, Éric et Philippe Veyrunes, « L'articulation de l'activité de l'enseignant et des élèves pour résoudre un problème de mathématiques à l'école primaire : une étude de cas », dans *Revue des sciences de l'éducation*, vol. 31, n° 2, 2005, Montréal : Association canadienne-française pour l'avancement des sciences.

Falardeau, Érick et Denis Simard, « Rapport à la culture et approche culturelle de l'enseignement I », dans *Revue canadienne de l'éducation*, vol. 30, n° 1, 2007.

Guinard, Jean-Yves et Gilles Kermarrec, « Une méthode qualitative-quantitative pour décrire les stratégies d'apprentissage d'élèves en éducation physique et sportive », dans *Revue des sciences de l'éducation*, vol. 32, n° 2, 2006, Montréal : Association canadienne-française pour l'avancement des sciences.

Jacquet, Marianne, « La formation des maîtres à la pluriethnicité : pédagogie critique, silence et désespoir », dans *Revue des sciences de l'éducation*, vol. 33, n° 1, 2007, Montréal : Association canadienne-française pour l'avancement des sciences, 25-45.

Jutras, France, « L'éducation à la citoyenneté : une responsabilité désormais explicite à l'école québécoise d'accord, mais au nom de quelles valeurs ? », dans *Éducation canadienne et internationale*, vol. 34, n° 1, juin 2005, Londres : Comparative and International Education Society of Canada, 12-22.

Minier, Pauline, « Des représentations de l'apprentissage de parents et d'enseignants d'élèves du primaire qui éclairent les interactions vécues », dans *Revue des sciences de l'éducation*, vol. 32, n° 3, 2006, Montréal : Association canadienne-française pour l'avancement des sciences, 623-648.

Pierre, Régine, « Décoder pour comprendre : le modèle québécois en question », dans *Revue des sciences de l'éducation*, vol. 29, n° 1, 2003, Montréal : Association canadienne-française pour l'avancement des sciences.

Vanhulle, Sabine, « Favoriser la formation du "je" professionnel en formation initiale : une étude de cas », dans *Revue des sciences de l'éducation*, vol. 31, n° 1, 2005, Montréal : Association canadienne-française pour l'avancement des sciences.

Weisser, Marc, « Compétences argumentatives des enfants d'âge scolaire : les profils interactionnels au cours préparatoire et au cours moyen », dans *Revue des sciences de l'éducation*, vol. 30, n° 2, 2004, Montréal : Association canadienne-française pour l'avancement des sciences.

Service social et gérontologie

Bernier, Christiane et Natalie Dupont, « Politiques contre le harcèlement sexuel : Comparaison et perception des agents et des plaignantes », dans *Revue ontaroise d'intervention sociale et communautaire*, vol. 9, n° 1, printemps 2003, Sudbury : Reflets.

Bernier, Christiane et Sika Eliev, « Perceptions de femmes cadres dans une entreprise typiquement masculine », dans *Revue ontaroise d'intervention sociale et communautaire*, vol. 9, n° 2, automne 2003, Sudbury, Reflets.

Hébert, Jacques, « Travail social et arts martiaux : un jumelage explosif ou prometteur ? L'évaluation d'un projet en milieu scolaire », dans *Intervention*, n° 118, juillet 2003, Montréal : Corporation professionnelle des travailleurs sociaux du Québec, 31-40.

Houle, Pascale, « Les obstacles à l'intégration au marché du travail des femmes monoparentales à faible revenu », dans *Revue ontaroise d'intervention sociale et communautaire*, vol. 9, n° 2, automne 2003, Sudbury, Reflets.

Turcotte, Pierre, « Le rapport à la conjointe et la décision des hommes à entreprendre une démarche d'aide pour violence conjugale », dans *Intervention*, n° 116, juin 2002, Montréal : Corporation professionnelle des travailleurs sociaux du Québec, 62-71.

Relations industrielles, administration publique et évaluation de programme

Baubion-Broye, Alain et Christine Martin-Canizarès, «Transition professionnelle et orientation de rôle dans la fonction de cadre», dans *Relations industrielles*, vol. 62, n° 4, automne 2007, Québec: Département de relations industrielles de l'Université Laval, 641-663.

Brun, Jean-Pierre et Èvelyn Kedl, «Porter plainte pour harcèlement psychologique au travail: un récit difficile», dans *Relations industrielles*, vol. 61, n° 3, été 2006, Québec: Département de relations industrielles de l'Université Laval.

Haines III, Victor Y., Denis Harrisson et Mario Roy, «Le partenariat patronal-syndical et la gestion des conflits: les rôles clés des représentants», dans *Gestion*, vol. 31, n° 4, hiver 2007, Laval.

Criminologie

Beaulieu, Louise et Wladyslaw Cichocki, «Innovation et maintien dans une communauté linguistique du nord est du Nouveau-Brunswick», dans *Francophonies d'Amérique*, n° 19, 2005, Ottawa: Presses de l'Université d'Ottawa, 155-175.

Bergada, Cécile, Katherine Gauthier et Andrée Lajoie, «Claire L'Heureux-Dubé, la Cour suprême et les minorités», dans *Revue juridique La femme et le droit*, vol. 15, n° 1, 2003, Ottawa: National Association Women and the Law.

Bérubé, Julie, «Lexique acadien et insécurité linguistique: correction des acadianismes dans l'épreuve de rédaction de 12ᵉ année au Nouveau-Brunswick», dans *Francophonies d'Amérique*, nᵒˢ 23-24, 2007, Ottawa: Presses de l'Université d'Ottawa, 139-162.

Boudreau, Annette et Lise Dubois, «L'affichage à Moncton: miroir ou masque?», dans *Revue de l'Université de Moncton*, vol. 36, n° 1, 2005, Moncton: Université de Moncton.

Forgues, Éric, Giraud, Sylvie et Mario Paris, «La revitalisation économique des communautés de langue officielle en situation minoritaire au Canada: le cas du réseau de développement économique et d'employabilité», dans *Francophonies d'Amérique*, n° 22, 2006, Ottawa: Presses de l'Université d'Ottawa, 57-72.

Guérin, Pierre M. et Sylvia Kasparian, « Une forme de purification de la langue : étude des jurons et des gros mots chez des minoritaires francophones, le cas des Acadiens », dans *Francophonies d'Amérique*, n° 19, 2005, Ottawa : Presses de l'Université d'Ottawa, 125-138.

Hélie, Sonia, Marie-Claude Larivée, Marc Tourigny et Nico Trocmé, « Facteurs associés à la décision de recourir au Tribunal de la jeunesse lors de l'orientation des mesures de prise en charge », dans *Criminologie*, vol. 39, n° 1, printemps 2006, Montréal : Presses de l'Université de Montréal.

Lamoureux, Sylvie A., « Transition scolaire et changements identitaires », dans *Francophonies d'Amérique*, n° 20, 2005, Ottawa : Presses de l'Université d'Ottawa, 111-121.

Lemonde, Lucie, « Note de recherche : les droits des jeunes en centre de réadaptation au Québec – bilan des enquêtes » [note de recherche], dans *Revue canadienne de droit et société*, vol. 19, n° 1, 2004, Calgary : University of Calgary Press.

Linteau, Véronique, « Les prêteurs sur gage dans le marché des biens volés à Montréal et leur impact sur la criminalité contre les biens », dans *Criminologie*, vol. 37, n° 1, printemps 2004, Montréal : Presses de l'Université de Montréal.

Moldoveanu, Mirela, « Quitter l'espace rural francophone : parcours d'apprentissage transformationnel relatif à la diversité ethnoculturelle », dans *Francophonies d'Amérique*, n° 23-24, 2007, Ottawa : Presses de l'Université d'Ottawa, 163-184.

Nadasdi, Terry, Mougeon, Raymond et Katherine Rehner, « Expression de la notion de "véhicule automobile" dans le parler des adolescents de l'Ontario », dans *Francophonies d'Amérique*, n° 17, printemps 2004, Ottawa : Presses de l'Université d'Ottawa.

Perrot, Marie-Ève, « Statut et fonction symbolique du chiac : Analyse de discours épilinguistiques », dans *Francophonies d'Amérique*, n° 22, 2006, Ottawa : Presses de l'Université d'Ottawa, 141-152.

Chapitre 17 – Le sondage

Science politique, relations, études et développement international, mondialisation

Bélanger, Éric, Giasson, Thierry et Richard Nadeau, «Débats télévisés et évaluations des candidats: la représentation visuelle des politiciens canadiens agit-elle dans la formation des préférences des électeurs québécois?», dans *Revue canadienne de science politique*, vol. 38, n° 4, décembre 2005, Waterloo: Waterloo University, 867-895.

De Herdt, Tom, «Aide d'urgence et notions locales d'équité: analyse d'un programme d'aide nutritionnelle comme une interface sociale», dans *Revue canadienne d'études du développement*, vol. 24, n° 2, 2003, Ottawa: Presses de l'Université d'Ottawa, 287-301.

Le Texier, Emmanuelle, «L'engagement impossible? Femmes du *barrio* face à la gentrification», dans *Politique et sociétés*, vol. 24, n° 1, 2005, Montréal: Société québécoise de science politique.

Tremblay, Rémy, «Ottawa parmi les technopoles nord-américaines: mythe ou réalité?», dans *Revue canadienne des sciences régionales*, vol. 28, n° 2, été 2005, Halifax: Institute of Public Affairs, Dalhousie University, 283-298.

Sociologie

Baer, Douglas, James Curtis, Edward Grabb et Thomas Perks, «Estimation des tendances de l'engagement dans les associations volontaires au cours des dernières décennies au Québec et au Canada anglais», dans *Sociologie et sociétés*, vol. 35, n° 1, printemps 2003, Montréal: Presses de l'Université de Montréal.

Beaucage, André et Guy Bellemare, «La diversité du succès des travailleurs autonomes», dans *Recherches sociographiques*, vol. 48, n° 2, mai-août 2007, Québec: Département de sociologie de l'Université Laval, 11-36.

Bélanger, Paul R., Guy Cucumel, Pierre Langlois, Paul-André Lapointe et Benoît Lévesque, «Nouveaux modèles de travail dans le secteur manufacturier au Québec», dans *Recherches sociographiques*, vol. 44, n° 2, mai-août 2003, Québec: Département de sociologie de l'Université Laval.

Bernier, Christiane et Simon Laflamme, «Usages d'Internet selon le genre et l'âge: une double différenciation», dans *Revue canadienne de sociologie et d'anthropologie*, vol. 42, n° 2, mai 2005, Calgary: Alta, 301-323.

Côté, Serge, Frédéric Deschenaux, Madeleine Gauthier et Marc Molgat, «Pourquoi partent-ils? Les motifs de migration des jeunes régionaux», dans *Recherches sociographiques*, vol. 44, n° 1, janvier-avril 2003, Québec: Département de sociologie de l'Université Laval.

Côté, Serge, Camil Girard, Patrice LeBlanc et Dominique Potvin, «La migration des jeunes et le développement régional dans le croissant péri-nordique du Québec», dans *Recherches sociographiques*, vol. 44, n° 1, janvier-avril 2003, Québec: Département de sociologie de l'Université Laval.

De Singly, François, «Intimité conjugale et intimité personnelle: à la recherche d'un équilibre entre deux exigences dans les sociétés modernes avancées», dans *Sociologie et sociétés*, vol. 35, n° 2, automne 2003, Montréal: Presses de l'Université de Montréal.

Godin, Benoît, «Les pratiques de publication des chercheurs: les revues savantes québécoises entre impact national et visibilité internationale», dans *Recherches sociographiques*, vol. 43, n° 3, septembre-décembre 2002, Québec: Département de sociologie de l'Université Laval.

Ornstein, Michael, «Le néoconservatisme en Ontario: révolution ou coup d'État?», dans *Sociologie et sociétés*, vol. 35, n° 1, printemps 2003, Montréal: Presses de l'Université de Montréal.

Pronovost, Gilles, «Système de valeurs et rapports au temps des adolescents québécois», dans *Recherches sociographiques*, vol. 48, n° 2, mai-août 2007, Québec: Département de sociologie de l'Université Laval, 37-51.

Sineau, Mariette, «Où en est l'égalité des sexes au Palais Bourbon?», dans *Cahiers de recherche sociologique*, n° 37, printemps 2002, Montréal: Département de sociologie de l'UQAM, 161-181.

Tremblay, Diane-Gabrielle, «Articulation emploi-famille: les usages du temps chez les pères et les mères», dans *Nouvelles pratiques sociales*, vol. 16, n° 1, 2003, [Québec]: Presses de l'Université du Québec.

Éducation

Allaire, Gratien, Durand, Louise et Simon Laflamme, «Les entreprises ontariennes et le bilinguisme: la perception des employeurs», dans *Revue du Nouvel-Ontario*, n° 30, 2005, Sudbury: Institut franco-ontarien de l'Université Laurentienne, 43-88.

Allard, Réal, Deveau, Kenneth et Rodrigue Landry, «Facteurs reliés au positionnement envers la langue de scolarisation en milieu minoritaire francophone: le cas des ayants droit de la Nouvelle-Écosse (Canada)», dans *Revue des sciences de l'éducation*, vol. 32, n° 2, 2006, Montréal: Association canadienne-française pour l'avancement des sciences.

Baillat, Gilles et Odile Espinoza, «L'attachement des maîtres de l'école primaire à la polyvalence: le cœur a ses raisons...», dans *Revue des sciences de l'éducation*, vol. 32, n° 2, 2006, Montréal: Association canadienne-française pour l'avancement des sciences.

Bédard, Denis, Joly, Jacques et Rolland Viau, «La motivation des étudiants en formation des maîtres à l'égard des activités pédagogiques innovatrices», dans *Revue des sciences de l'éducation*, vol. 30, n° 1, 2004, Montréal: Association canadienne-française pour l'avancement des sciences.

Beer-Toker, Mia et Andrée Gaudreau, «Représentations, attitudes et pratiques de littératie chez des élèves allophones: construction d'un outil de dépistage des difficultés en matière de littératie», dans *Revue des sciences de l'éducation*, vol. 32, n° 2, 2006, Montréal: Association canadienne-française pour l'avancement des sciences.

Bertrand, Richard et Rollande Deslandes, «Motivation des parents à participer au suivi scolaire de leur enfant au primaire», dans *Revue des sciences de l'éducation*, vol. 30, n° 2, 2004, Montréal: Association canadienne-française pour l'avancement des sciences.

Blanchard, Céline, Otis, Nancy, Pelletier, Luc et Elizabeth Sharp, «Rôle de l'autodétermination et des aptitudes scolaires dans la prédiction des absences scolaires et l'intention de décrocher», dans *Revue des sciences de l'éducation*, vol. 30, n° 1, 2004, Montréal: Association canadienne-française pour l'avancement des sciences.

Born, Michel, Buidin, Geneviève, Galand, Benoît, Petit, Sylvie et Pierre Philippot, «Regards croisés sur les phénomènes de violence en milieu scolaire: élèves et équipes éducatives», dans *Revue des sciences de l'éducation*, vol. 30, n° 3, 2004, Montréal: Association canadienne-française pour l'avancement des sciences.

Bouchamma, Yamina, «Relation entre les explications de l'échec scolaire et quelques caractéristiques d'enseignants du collégial», dans *Revue des sciences de l'éducation*, vol. 28, n° 3, 2002, Montréal: Association canadienne-française pour l'avancement des sciences.

Bouffard, Thérèse, Denoncourt, Isabelle, Dubois, Valérie et Mélina McIntyre, «Relations entre les facteurs du profil motivationnel d'élèves de sixième année du primaire et leurs anticipations envers le secondaire», dans *Revue des sciences de l'éducation*, vol. 30, n° 1, 2004, Montréal: Association canadienne-française pour l'avancement des sciences.

Bouffard, Thérèse, Dubois, Valérie et Carole Vezeau, «Relation entre la conception de l'intelligence et les buts d'apprentissage», dans *Revue des sciences de l'éducation*, vol. 30, n° 1, 2004, Montréal: Association canadienne-française pour l'avancement des sciences.

Bouffard, Thérèse et Carole Vezeau, «Relation entre la théorie implicite de l'intelligence et les buts d'apprentissage chez des élèves du secondaire», dans *Revue des sciences de l'éducation*, vol. 28, n° 3, 2002, Montréal: Association canadienne-française pour l'avancement des sciences.

Bournot-Trites, Monique, Brodeur, Monique, Deaudelin, Collette, Dubé, Caroline et Linda S. Siegel, «Croyances et pratiques d'enseignants de la maternelle au sujet des habiletés métaphononologiques [*sic*] et de la connaissance des lettres», dans *Revue des sciences de l'éducation*, vol. 29, n° 1, 2003, Montréal: Association canadienne-française pour l'avancement des sciences.

Brodeur, Monique, Deaudelin, Colette, Dussault, Marc et Jeanne Richer, «Validation de l'échelle du sentiment d'efficacité des enseignants à l'égard de l'intégration des technologies de l'information et des communications en classe (SETIC)», dans *Mesure et évaluation en éducation*, vol. 25, n°s 2-3, 2002, Québec: Association des spécialistes de la mesure et de l'évaluation en éducation, 1-10.

Brousseau, Lucie, Chartrand, Élise et Lyse Turgeon, «Traduction et validation du *Fear Survey Schedule for Children – Revised* (FSSC-R) auprès d'enfants québécois francophones d'âge scolaire», dans *Mesure et évaluation en éducation*, vol. 28, n° 2, 2005, Québec: Association des spécialistes de la mesure et de l'évaluation en éducation, 31-47.

Cartier, Sylvie C., « Stratégies d'apprentissage par la lecture rapportées par des élèves en difficulté d'apprentissage de première secondaire en classe de cheminement particulier de formation », dans *Revue des sciences de l'éducation*, vol. 32, n° 2, 2006, Montréal : Association canadienne-française pour l'avancement des sciences.

Chené, Adèle, Lessard, Claude, Riopel, Marie-Claude et Diane Saint-Jacques, « Les représentations que se font les enseignants du primaire de la dimension culturelle du curriculum », dans *Revue des sciences de l'éducation*, vol. 28, n° 1, 2002, Montréal : Association canadienne-française pour l'avancement des sciences.

Chouinard, Roch, Plouffe, Caroline et Normand Roy, « Caractéristiques motivationnelles des garçons du secondaire en difficulté d'apprentissage ou en trouble de la conduite », dans *Revue des sciences de l'éducation*, vol. 30, n° 1, 2004, Montréal : Association canadienne-française pour l'avancement des sciences.

Collard-Bovy, Olivier et Benoît Galand, « Socialisation et attribution causale : le rôle des études universitaires », dans *Revue des sciences de l'éducation*, vol. 29, n° 3, 2003, Montréal : Association canadienne-française pour l'avancement des sciences.

Combaz, Gilles, « Les chefs d'établissement face aux paradoxes de l'école démocratique de masse : l'exemple des principaux de collèges publics en France », dans *Revue des sciences de l'éducation*, vol. 29, n° 3, 2003, Montréal : Association canadienne-française pour l'avancement des sciences.

Crahay, Marcel et Monique Detheux, « L'évaluation des compétences, une entreprise possible ? (Résolution de problèmes complexes et maîtrise de procédures mathématiques) », dans *Mesure et évaluation en éducation*, vol. 28, n° 1, 2005, Québec : Association des spécialistes de la mesure et de l'évaluation en éducation, 57-78.

Deprez, Monique, « Avant et après la formation TEACCH : les perceptions des participants », dans *Revue francophone de la déficience intellectuelle*, vol. 15, n° 1, juin 2004, Montréal, 75-91.

Desaulniers, Marie-Paule, Joly, Jacques, Jutras, France et Georges A. Legault, « L'intervention professionnelle en enseignement : les conceptions de la profession chez le personnel enseignant du primaire et du secondaire », dans *Revue des sciences de l'éducation*, vol. 31, n° 3, 2005, Montréal : Association canadienne-française pour l'avancement des sciences.

Deslandes, Rollande, Lebel, Christine, Ouellet, Sylvie et Marie-Claude Rivard, «La représentation des valeurs des adolescents en relation avec les compétences transversales du renouveau pédagogique», dans *Revue des sciences de l'éducation*, vol. 33, n° 1, 2007, Montréal : Association canadienne-française pour l'avancement des sciences, 67-87.

Dupeyrat, Caroline et Claudette Mariné, «Conceptions de l'intelligence, orientation de buts et stratégies d'apprentissage chez des adultes en reprise d'études», dans *Revue des sciences de l'éducation*, vol. 30, n° 1, 2004, Montréal : Association canadienne-française pour l'avancement des sciences.

Duquette, Georges, «Le bilinguisme des élèves inscrits dans les écoles secondaires de langue française de l'Ontario : perceptions, valeurs et comportement langagier», dans *Revue des sciences de l'éducation*, vol. 32, n° 3, 2006, Montréal : Association canadienne-française pour l'avancement des sciences, 665-689.

Escribe, Christian et Nathalie Huet, «Croyances épistémiques, buts d'accomplissement de soi et engagement dans l'utilisation d'un média électronique chez des étudiants», dans *Revue des sciences de l'éducation*, vol. 30, n° 1, 2004, Montréal : Association canadienne-française pour l'avancement des sciences.

Félix, Christine, «L'étude à la maison : un système didactique auxiliaire», dans *Revue des sciences de l'éducation*, vol. 28, n° 3, 2002, Montréal : Association canadienne-française pour l'avancement des sciences.

Galand, Benoît, «Le rôle du contexte scolaire et de la démotivation dans l'absentéisme des élèves», dans *Revue des sciences de l'éducation*, vol. 30, n° 1, 2004, Montréal : Association canadienne-française pour l'avancement des sciences.

Grenon, Vincent, Karsenti, Thierry, Larose, François et Yves Lenoir, «Les facteurs sous-jacents au transfert des compétences informatiques construites par les futurs maîtres du primaire sur le plan de l'intervention éducative», dans *Revue des sciences de l'éducation*, vol. 28, n° 2, 2002, Montréal : Association canadienne-française pour l'avancement des sciences.

Jalbert, Julie et Linda Pagani, «La composante parentale d'un programme d'éveil numérique destiné aux enfants de milieu socioéconomiquement faible du niveau de la maternelle représente-t-elle une valeur ajoutée ?», dans *Revue des sciences de l'éducation*, vol. 33, n° 1, 2007, Montréal : Association canadienne-française pour l'avancement des sciences, 147-177.

Jutras, France, «L'éducation à la citoyenneté: une responsabilité désormais explicite à l'école québécoise d'accord, mais au nom de quelles valeurs?», dans *Éducation canadienne et internationale*, vol. 34, n° 1, juin 2005, Londres: Comparative and International Education Society of Canada, 12-22.

Lanaris, Catherine et Lorraine Savoie-Zajc, «Regards et réflexions d'une communauté face au problème de l'abandon scolaire: le cas d'une recherche dans une école secondaire de l'Outaouais», dans *Revue des sciences de l'éducation*, vol. 31, n° 2, 2005, Montréal: Association canadienne-française pour l'avancement des sciences.

Lévesque, Stéphane, «Conceptions historiques et identitaires des élèves francophones et anglophones de l'Ontario à l'époque post-11 septembre», dans *Éducation canadienne et internationale*, vol. 34, n° 1, juin 2005, Londres: Comparative and International Education Society of Canada, 31-41.

Parent, Ghyslain, Charles Paré et Rollande Deslandes, «Relation entre les valeurs des futurs enseignants, membres de la génération Y, et celles de leurs parents», dans *Revue des sciences de l'éducation*, vol. 32, n° 3, 2006, Montréal: Association canadienne-française pour l'avancement des sciences, 593-621.

Prairat, Eirick et Annick Rétornaz, «La polyvalence des maîtres en France: une question de débat», dans *Revue des sciences de l'éducation*, vol. 28, n° 3, 2002, Montréal: Association canadienne-française pour l'avancement des sciences.

Rege Colet, Nicole, «L'arroseur arrosé: évaluation d'un service d'appui à l'évaluation de l'enseignement», dans *Mesure et évaluation en éducation*, vol. 25, n° 1, 2002, Québec: Association des spécialistes de la mesure et de l'évaluation en éducation, 19-45.

Service social et gérontologie

Allard, Denis, Chevalier, Serge, Kimpton, Marie-Anne et Élisabeth Papineau, «Appréciation des intervenants du programme expérimental de traitement du jeu pathologique», dans *Intervention*, n° 124, juin 2006, Montréal: Corporation professionnelle des travailleurs sociaux du Québec, 109-121.

Beausoleil, Pierre, Brisoux, Jacques, Charbonneau, Lucie, Daigle, Marc et Sylvaine Raymond, «Des hommes en détresse: quels services vont-ils utiliser?», dans *Intervention*, n° 116, juin 2002, Montréal: Corporation professionnelle des travailleurs sociaux du Québec, 5-12.

Bernier, Christiane et Natalie Dupont, «Politiques contre le harcèlement sexuel : Comparaison et perception des agents et des plaignantes», dans *Revue ontaroise d'intervention sociale et communautaire*, vol. 9, n° 1, printemps 2003, Sudbury : Reflets.

Caputto, Anna, John, Lindsay, Moretti, Jocelyne, Mosticyan, Sylvia et Samantha Wehbi, «Évaluation de l'opinion du personnel en ce qui concerne les initiatives pour faciliter l'accessibilité aux services de santé par les clients provenant des communautés ethnoculturelles», dans *Intervention*, n° 118, juillet 2003, Montréal : Corporation professionnelle des travailleurs sociaux du Québec, 106-116.

Clément, Marie-Ève et Karine Côté, «Description et efficacité d'un programme d'éducation parentale offert à une communauté ethnique minoritaire de Montréal», dans *Intervention*, n° 120, juillet 2004, Montréal : Corporation professionnelle des travailleurs sociaux du Québec, 54-63.

Comeau, Yvan et Daniel Turcotte, «Les effets du financement étatique sur les associations», dans *Lien social et politiques*, n° 48, 2002, Montréal.

Drolet, Marie, Rachel Hasan et Maryse Paquin, «Les conduites violentes chez les enfants de 3 à 6 ans : comprendre pour mieux intervenir», dans *Revue ontaroise d'intervention sociale et communautaire*, vol. 9, n° 1, printemps 2003, Sudbury, Reflets.

Fortier, Linda, «Exploration des connaissances relatives à la collaboration interprofessionnelle chez les finissants d'une école de service social», dans *Intervention*, n° 118, juillet 2003, Montréal : Corporation professionnelle des travailleurs sociaux du Québec, 21-30.

Lévesque, Maurice et Deena White, «La mobilisation des réseaux sociaux pour la sortie de l'aide sociale», dans *Revue canadienne de politique sociale*, n°s 49-50, 2002, Regina : Social Policy and Administration Network, 139-154.

Mozas Moral, Adoración, «Rompre avec le modèle de gouvernance démocratique dans les coopératives d'huile d'olive», dans *Économie et solidarités*, vol. 35, n°s 1-2, 2004, Montréal : Centre interuniversitaire de recherche, d'information et d'enseignement sur les coopératives, 121-140.

Ouellette, Pierre et Dom Raymond Carette OSB, «Les pourquoi d'une retraite à l'Abbaye Saint-Benoît-du-Lac», dans *Revue ontaroise d'intervention sociale et communautaire*, vol. 12, n° 1, 2006, 144-166.

Pouliot, Ève, Saint-Jacques, Marie-Christine et Daniel Turcotte, «Les pratiques auprès des familles en difficulté: convergences et divergences entre les réalités en Centre jeunesse et en CLSC», dans *Intervention*, n° 122, juin 2005, Montréal: Corporation professionnelle des travailleurs sociaux du Québec, 90-101.

Relations industrielles, administration publique et évaluation de programme

Aubry, Tim D., Robert J. Flynn, Anne Gallant, Sophie Guindon, Isabelle Tardif et Monique Viau, «Validation d'une version française du Outcome Questionnaire et évaluation d'un service de counselling en milieu clinique», dans *Revue canadienne d'évaluation de programme*, vol. 17, n° 3, édition spéciale 2002, Toronto: Société canadienne d'évaluation.

Bastien, Marie-France, Jean Bégin, Camil Bouchard, Christian Dagenais, Daniel Fortin et Michel Tourigny, «Évaluation de l'implantation et des effets d'un programme de soutien intensif offert à des familles afin d'éviter un placement en milieu substitut», dans *Revue canadienne d'évaluation de programme*, vol. 18, n° 2, automne 2003, Toronto: Société canadienne d'évaluation.

Beaucage, André, Normand Laplante et Renée Légaré, «Le passage au travail autonome: choix imposé ou choix qui s'impose?», dans *Relations industrielles*, vol. 59, n° 2, printemps 2004, Québec: Département de relations industrielles de l'Université Laval.

Bernard, Sarah, Olivier Doucet et Gilles Simard, «Pratiques en GRH et engagement des employés: le rôle de la justice», dans *Relations industrielles*, vol. 60, n° 2, printemps 2005, Québec: Département de relations industrielles de l'Université Laval.

Chênevert, Denis et Michel Tremblay, «Le rôle des stratégies externes et internes dans le choix des politiques de rémunération», dans *Relations industrielles*, vol. 57, n° 2, printemps 2002, Québec: Département de relations industrielles de l'Université Laval.

Colbert, François, Alain d'Astous et Renaud Legoux, «L'utilisation de la promotion des ventes dans le contexte des arts de la scène», dans *Gestion*, vol. 30, n° 1, printemps 2005, Laval.

Guérin, Gilles et Tania Saba, «Efficacité des pratiques de maintien en emploi des cadres de 50 ans et plus», dans *Relations industrielles*, vol. 58, n° 4, automne 2003, Québec: Département de relations industrielles de l'Université Laval.

Haines III, Victor Y., Klarsfeld, Alain et Sylvie St-Onge, «La rémunération basée sur les compétences: déterminants et incidences», dans *Relations industrielles*, vol. 59, n° 4, automne 2004, Québec: Département de relations industrielles de l'Université Laval.

Lehoux, Pascale et Olivier Sossa, «L'évaluation des technologies de la santé: comment l'introduire dans les hôpitaux universitaires du Québec?», dans *Revue canadienne d'évaluation de programme*, vol. 19, n° 2, automne 2004, Toronto: Société canadienne d'évaluation.

Lemire, Louise et Christian Rouillard, «Le plafonnement de carrière: étude dans une municipalité au Québec», dans *Relations industrielles*, vol. 58, n° 2, printemps 2003, Québec: Département de relations industrielles de l'Université Laval.

Martineau, Yvon, Michel Tremblay et Thierry Wils, «La multiplicité des ancres de carrière chez les ingénieurs québécois: impacts sur les cheminements et le succès de carrière», dans *Relations industrielles*, vol. 60, n° 3, été 2005, Québec: Département de relations industrielles de l'Université Laval.

Niosi, Jorge, «Alliance, innovation et compétences: la croissance des entreprises spécialisées dans la biotechnologie humaine», dans *Gestion*, vol. 28, n° 1, printemps 2003, Laval.

Criminologie

Allard, Réal, Deveau, Kenneth et Rodrigue Landry, «Conscientisation ethnolangagière et comportement engagé en milieu minoritaire», dans *Francophonies d'Amérique*, n° 20, 2005, Ottawa: Presses de l'Université d'Ottawa, 95-109.

Bagaté, Mariame, Lemery, Jodie, Martin, Véronique, Stelling, Louis et Nadja Wyvekens, «Attitudes linguistiques et transfert à l'anglais dans une communauté franco-américaine non homogène: le cas de Bristol (Connecticut)», dans *Francophonies d'Amérique*, n° 17, printemps 2004, Ottawa: Presses de l'Université d'Ottawa.

Bélanger-Hardy, Louise et Gabrielle St-Hilaire, «Trente ans et mille personnes diplômées en 2007, l'enseignement de la *common law* en français à l'Université d'Ottawa», dans *Francophonies d'Amérique*, n° 25, 2008, Ottawa: Presses de l'Université d'Ottawa, 89-111.

Ben-Dat Fisher, Dahlia, Natacha M. De Genna, Naomi Grunzeweig, Sheilagh Hodgins, Jane Ledingham, Alex E. Schwartzman, Lisa A. Serbin, Dale M. Stack et Caroline E. Temcheff, « De l'agressivité à la maternité : Étude longitudinale sur 30 ans auprès de filles agressives devenues mères : trajectoires de leur agressivité durant l'enfance, indicateurs de leurs caractéristiques parentales et développement de leurs enfants », dans *Criminologie*, vol. 38, n° 1, printemps 2005, Montréal : Presses de l'Université de Montréal.

Berthelot, Sylvie, Vallerand, Johann et Yves Robichaud, « L'entrepreneuriat : une solution à l'exode des jeunes du Canada atlantique ? », dans *Francophonies d'Amérique*, n°s 23-24, 2007, Ottawa : Presses de l'Université d'Ottawa, 185-201.

Blanchard, Brigitte, « La situation des mères incarcérées et de leurs enfants au Québec », dans *Criminologie*, vol. 35, n° 2, automne 2002, Montréal : Presses de l'Université de Montréal.

Boissonneault, Julie, « Divergences et convergences dans les représentations du bilinguisme », dans *Francophonies d'Amérique*, n° 25, 2008, Ottawa : Presses de l'Université d'Ottawa, 19-48.

Chevalier, Gisèle et Véronica d'Entremont, « Dire l'heure en acadien », dans *Francophonies d'Amérique*, n° 19, 2005, Ottawa : Presses de l'Université d'Ottawa, 139-153.

Deguire, Anne-Élyse et Marc Le Blanc, « Le taxage : une forme inédite de vol ? », dans *Criminologie*, vol. 35, n° 2, automne 2002, Montréal : Presses de l'Université de Montréal.

Déry, Michèle, Robert Pauzé, Jean Toupin et Pierrette Verlaan, « L'agression indirecte : un indicateur d'inadaptation psychosociale chez les filles ? », dans *Criminologie*, vol. 38, n° 1, printemps 2005, Montréal : Presses de l'Université de Montréal.

Deveau, Kenneth et Rodrigue Landry, « Au-delà de l'autodéfinition : composantes distinctes de l'identité ethnolinguistique », dans *Francophonies d'Amérique*, n° 20, 2005, Ottawa : Presses de l'Université d'Ottawa, 79-93.

Dionne, Anne-Marie, Giasson, Jocelyne et Lise Saint-Laurent, « Caractéristiques et perception de la littératie chez les parents ayant de faibles compétences en lecture et en écriture », dans *Revue de l'Université de Moncton*, vol. 35, n° 2, 2004, Moncton : Université de Moncton.

Duquette, Georges, « Les différentes facettes identitaires des élèves âgés de 16 ans et plus inscrits dans les écoles de langue française de l'Ontario », dans *Francophonies d'Amérique*, n° 18, automne 2004, Ottawa : Presses de l'Université d'Ottawa.

Forgues, Éric, Giraud, Sylvie et Mario Paris, « La revitalisation économique des communautés de langue officielle en situation minoritaire au Canada : le cas du réseau de développement économique et d'employabilité », dans *Francophonies d'Amérique*, n° 22, 2006, Ottawa : Presses de l'Université d'Ottawa, 57-72.

Guimond, Laurie, « L'identité en Basse-Côte-Nord francophone : un moteur de vitalité ? » dans *Francophonies d'Amérique*, n°s 23-24, 2007, Ottawa : Presses de l'Université d'Ottawa, 203-230.

Laflamme, Simon, « Usage d'Internet et exposition aux autres médias : représentations de la communauté de résidence chez les élèves du nord-est de l'Ontario », dans *Francophonies d'Amérique*, n°s 23-24, 2007, Ottawa : Presses de l'Université d'Ottawa, 111-137.

Lanctôt, Nadine, « Que deviennent les adolescentes judiciarisées près de dix ans après leur sortie du Centre jeunesse ? », dans *Criminologie*, vol. 38, n° 1, printemps 2005, Montréal : Presses de l'Université de Montréal.

Langlois, Lyse, Claire Lapointe et Michel Saint-Germain, « Les relations entre les écoles françaises hors-Québec et leur communauté », dans *Francophonies d'Amérique*, n°s 23-24, 2007, Ottawa : Presses de l'Université d'Ottawa, 67-110.

LeBlanc, Gaston et Nha Nguyen, « Les effets de la réputation et de l'image d'une institution coopérative sur la fidélité de ses membres et clients », dans *Revue de l'Université de Moncton*, vol. 35, n° 1, 2004, Moncton : Université de Moncton.

Nadasdi, Terry, Mougeon, Raymond et Katherine Rehner, « Expression de la notion de "véhicule automobile" dans le parler des adolescents de l'Ontario », dans *Francophonies d'Amérique*, n° 17, printemps 2004, Ottawa : Presses de l'Université d'Ottawa.

Chapitre 18 – Les données secondaires

Science politique, relations, études et développement international, mondialisation

Apparicio, Philippe et Anne-Marie Séguin, «Évolution de la distribution spatiale de la population âgée dans la région métropolitaine montréalaise entre 1981 et 2001 : constat et enjeux pour les municipalités», dans *Revue canadienne des sciences régionales*, vol. 27, n° 1, printemps 2004, Halifax: Institute of Public Affairs, Dalhousie University, 79-98.

Bastien, Frédérick C., «Branchés, informés et engagés? Les Canadiens, Internet et l'élection fédérale de 2000» [note de recherche], dans *Politique et sociétés*, vol. 23, n° 1, 2004, Montréal: Société québécoise de science politique.

Bélanger, Éric et Jean-François Godbout, «La dimension régionale du vote économique canadien aux élections fédérales de 1988 à 2000», dans *Revue canadienne de science politique*, vol. 35, n° 3, septembre 2002, Waterloo: Waterloo University, 567-588.

Bélanger-Bonneau, H., J. Bergeron, R. Bourbeau, Y. Bussière, A. Rannou, et J.P. Thouez, «Piétons victimes d'un accident de la route en milieux urbain et rural au Québec et en Ontario, 1995-1997», dans *Revue canadienne des sciences régionales*, vol. 26, n° 1, printemps 2003, Halifax: Institute of Public Affairs, Dalhousie University, 191-203.

Bernard, Paul, Benoît Laplante et Édith Martel, «Chômage et stratégies des familles: les effets mitigés du passage de l'assurance-chômage à l'assurance emploi», dans *Recherches sociographiques*, vol. 46, n° 2, mai-août 2005, Québec: Département de sociologie de l'Université Laval.

Calkins, Peter et Virginie Nanhou Tsafack, «Rôles de la migration dans la transformation des rapports de genre dans les villages du Mali-Sud», dans *Revue canadienne d'études du développement*, vol. 25, n° 4, 2004, Ottawa: Presses de l'Université d'Ottawa, 573-589.

Coffey, William J. et David Trépanier, «La répartition spatiale de l'emploi dans la grande région de Montréal, 1996-2001», dans *Revue canadienne des sciences régionales*, vol. 26, n°ˢ 2-3, été-automne 2003, Halifax: Institute of Public Affairs, Dalhousie University, 319-336.

Coffey, William J. et David Trépanier, «La redistribution intramétropolitaine de l'emploi des services supérieurs dans les 4 plus grandes
métropoles canadiennes, 1981-1996», dans *Revue canadienne des
sciences régionales*, vol. 27, n° 1, printemps 2004, Halifax: Institute
of Public Affairs, Dalhousie University, 27-47.

De Herdt, Tom, «Aide d'urgence et notions locales d'équité: analyse d'un
programme d'aide nutritionnelle comme une interface sociale»,
dans *Revue canadienne d'études du développement*, vol. 24, n° 2, 2003,
Ottawa: Presses de l'Université d'Ottawa, 287-301.

Dostie-Goulet, Eugénie, «Le mariage homosexuel et le vote au Canada»
[note de recherche], dans *Politique et sociétés*, vol. 25, n° 1, 2006,
Montréal: Société québécoise de science politique.

Helly, Denise, Marie McAndrew et Caroline Tessier, «Pour un débat éclairé
sur la politique canadienne du multiculturalisme: une analyse de la
nature des organismes et des projets subventionnés (1983-2002)»,
dans *Politique et sociétés*, vol. 24, n° 1, 2005, Montréal: Société
québécoise de science politique.

Lachapelle, Guy et Gilbert Gagné, «Intégration économique, valeurs et
identités: les attitudes matérialistes et postmatérialistes des Québécois», dans *Politique et sociétés*, vol. 22, n° 1, 2003, Montréal: Société
québécoise de science politique.

Lavoie, Nathalie et Pierre Serré, «Du vote bloc au vote social: le cas des
citoyens issus de l'immigration de Montréal, 1995-1996», dans *Revue
canadienne de science politique*, vol. 32, n° 1, mars 2002, Waterloo:
Waterloo University, 49-74.

Legault, Albert, «Les fusions-acquisitions en matière de gaz et de pétrole:
le cas de l'Amérique du Nord», dans *Études internationales*, vol. 35,
n° 3, septembre 2004, Université Laval: Institut québécois des hautes
études internationales.

Leloup, Xavier, «Vers la ville pluraliste? Distribution et localisation des
minorités visibles à Montréal, Toronto et Vancouver en 2001», dans
Revue canadienne des sciences régionales, vol. 30, n° 2, 2007, Halifax:
Institute of Public Affairs, Dalhousie University, 263-292.

Marenco dos Santos, André, «Le renouveau politique: carrières politiques
et liens de parti au Brésil (1946-2002)», dans *Politique et sociétés*,
vol. 23, n° 2-3, 2004, Montréal: Société québécoise de science
politique.

Potter, Evan H., «Le Canada et le monde: Continuité et évolution dans l'opinion publique au sujet de l'aide, de la sécurité et du commerce international, 1993-2002», dans *Études internationales*, vol. 33, n° 4, décembre 2002, Université Laval: Institut québécois des hautes études internationales, 697-722.

Tremblay, Rémy, «Ottawa parmi les technopoles nord-américaines: mythe ou réalité?», dans *Revue canadienne des sciences régionales*, vol. 28, n° 2, été 2005, Halifax: Institute of Public Affairs, Dalhousie University, 283-298.

Sociologie

Armony, Victor, «Des Latins du Nord? L'identité culturelle québécoise dans le contexte panaméricain», dans *Recherches sociographiques*, vol. 43, n° 1, janvier-avril 2002, Québec: Département de sociologie de l'Université Laval.

Beltramo, Jean-Paul, «La collaboration avec la recherche universitaire vue de l'entreprise: Quelques résultats d'enquêtes dans les secteurs des technologies optoélectroniques», dans *Cahiers de recherche sociologique*, n° 40, 2005, Montréal: Département de sociologie de l'UQAM, 112-169.

Bonneville, Luc et Jean-Guy Lacroix, «Une médicamentation intensive des soins au Québec (1975 à 2005)», dans *Recherches sociographiques*, vol. 47, n° 2, mai-août 2006, Québec: Département de sociologie de l'Université Laval.

Castonguay, Charles, «Assimilation linguistique et remplacement des générations francophones et anglophones au Québec et au Canada», dans *Recherches sociographiques*, vol. 43, n° 1, janvier-avril 2002, Québec: Département de sociologie de l'Université Laval.

Cloutier, Richard, Sylvie Drapeau, Rachel Lépine et Marie-Christine Saint-Jacques, «Dimensions écologiques associées aux problèmes de comportement des jeunes de familles recomposées», dans *Nouvelles pratiques sociales*, vol. 16, n° 1, 2003, [Québec]: Presses de l'Université du Québec.

Demers, Andrée et Sylvia Kairouz, «Inégalités socioéconomiques et bien-être psychologique: une analyse secondaire de l'Enquête sociale et de santé de 1998», dans *Sociologie et sociétés*, vol. 35, n° 1, printemps 2003, Montréal: Presses de l'Université de Montréal.

Gauthier, Guy et Michèle Ollivier, «L'éclectisme culturel: l'exemple de la télévision au Québec», dans *Recherches sociographiques*, vol. 48, n° 1, janvier-avril 2007, Québec: Département de sociologie de l'Université Laval, 15-41.

Godin, Jean-François, Victor Piché et Jean Renaud, «L'origine nationale et l'insertion économique des immigrants au cours de leurs dix premières année au Québec», dans *Sociologie et sociétés*, vol. 35, n° 1, printemps 2003, Montréal: Presses de l'Université de Montréal.

Goldmann, Gustave et Jean Renaud, «Les répercussions du 11 septembre 2001 sur l'établissement économique des nouveaux immigrants au Canada et au Québec», dans *Recherches sociographiques*, vol. 46, n° 2, mai-août 2005, Québec: Département de sociologie de l'Université Laval.

Hanel, Petr et Marc St-Pierre, «La collaboration entre les universités et les entreprises du secteur manufacturier canadien», dans *Cahiers de recherche sociologique*, n° 40, 2005, Montréal: Département de sociologie de l'UQAM, 70-109.

Hsieh, Michelle, Michael R. Smith et Yoko Yoshida, «Inégalité salariale, mobilité salariale et commerce international en Ontario et au Québec», dans *Recherches sociographiques*, vol. 46, n° 2, mai-août 2005, Québec: Département de sociologie de l'Université Laval.

Juby, Heather, Céline Le Bourdais, Nicole Marcil-Gratton et Louis-Paul Rivest, «Pauvreté des familles monoparentales et parcours professionnel des mères après la rupture», dans *Recherches sociographiques*, vol. 46, n° 2, mai-août 2005, Québec: Département de sociologie de l'Université Laval.

Pierrevelcin, Nadine, «Les défusions municipales sur l'île de Montréal comme stratégie d'affirmation culturelle», dans *Recherches sociographiques*, vol. 48, n° 1, janvier-avril 2007, Québec: Département de sociologie de l'Université Laval, 65-84.

Vultur, Mircea, «Aux marges de l'insertion sociale et professionnelle: étude sur les jeunes "désengagés"», dans *Nouvelles pratiques sociales*, vol. 17, n° 2, 2004, [Québec]: Presses de l'Université du Québec.

Vultur, Mircea, «Diplôme et marché du travail: la dynamique de l'éducation et le déclassement au Québec», dans *Recherches sociographiques*, vol. 47, n° 1, janvier-avril 2006, Québec: Département de sociologie de l'Université Laval.

Anthropologie

Agrawal, Arun, «Communautés, gouvernement intime et sujets de l'environnement au Kumaon, Inde», dans *Anthropologie et sociétés*, vol. 29, n° 1, 2005, Québec : Département d'anthropologie de l'Université Laval.

Bilge, Sirma, «Célébrer la nation, construire la communauté : une "tradition" festive turque à Montréal», dans *Diversité urbaine (Cahiers du Groupe de recherche ethnicité et société)*, vol. 4, n° 1, printemps 2004, Montréal : Groupe de recherche ethnicité et société.

Chartier, Denis, «ONG internationales environnementalistes et politiques forestières tropicales : l'exemple de Greenpeace en Amazonie», dans *Anthropologie et sociétés*, vol. 29, n° 1, 2005, Québec : Département d'anthropologie de l'Université Laval.

Dorais, Louis-Jacques, «Notes sur l'inuktitut parlé à Iqaluit (Nunavut) [note de recherche]», dans *Études inuit*, vol. 26, n° 1, 2002, Québec : Association Inuksuitiit Katimajiit.

Iankova, Katia, «Le tourisme et le développement économique des communautés autochtones du Québec», dans *Recherches amérindiennes au Québec*, vol. 36, n° 1, 2006, Montréal, Société des recherches amérindiennes au Québec, 69-78.

Ibrahim, Humera et Derek Janhevich, «Les musulmans au Canada : un profil démographique et indicatif», dans *Nos diverses cités*, n° 1, printemps 2004, Ottawa : Metropolis Project, 47-54.

Jantzen, Lorna, «Les sept plus grandes régions métropolitaines de recensement autochtones : problèmes semblables, situations différentes», dans *Nos diverses cités*, n° 1, printemps 2004, Ottawa : Metropolis Project, 75-85.

Labrèche, Yvan, «Habitations, camps et territoires des Inuit dans la région de Kangiqsujuaq-Salluit, Nunavik», dans *Études inuit*, vol. 27, n°s 1-2, 2003, Québec : Association Inuksuitiit Katimajiit.

Ouédraogo, Dieudonné, «Migrations circulaires et enjeux identitaires en Afrique de l'Ouest», dans *Diversité urbaine (Cahiers du Groupe de recherche ethnicité et société)*, vol. 3, n° 1, printemps 2002, Montréal : Groupe de recherche ethnicité et société.

Histoire

Cellard, André et Marie-Claude Thifault, «Sur quelques visages de la folie à Saint-Jean-de-Dieu au tournant du siècle dernier» [note de recherche], dans *Histoire sociale*, vol. 39, n° 78, novembre 2006, Ottawa: Presses de l'Université d'Ottawa, 451-465.

Dessureault, Christian, «L'évolution de la productivité agricole dans la plaine de Montréal, 1853-1871: grandes et petites exploitations dans un système familial d'agriculture», dans *Histoire sociale*, vol. 38, n° 76, novembre 2005, Ottawa: Presses de l'Université d'Ottawa, 235-265.

Thuot, Jean-René, «Élites locales et institutions à l'époque des Rébellions: Jacques Archambault et l'épisode du presbytère de Saint-Roch-de-l'Achigan», dans *Histoire sociale*, vol. 38, n° 76, novembre 2005, Ottawa: Presses de l'Université d'Ottawa, 339-365.

Éducation

Bagaoui, Rachid et Donald Dennie, «Les facteurs de réussite des organisations du développement économique communautaire du Nord-Est de l'Ontario», dans *Revue du Nouvel-Ontario*, n° 27, 2002, Sudbury: Institut franco-ontarien de l'Université Laurentienne, 121-150.

Barnabé, Clermont et Pierre Toussaint, «La situation professionnelle des professeurs en administration de l'éducation au Canada: une étude exploratoire», dans *Revue canadienne de l'éducation*, vol. 27, n° 4, 2002, Toronto: Société canadienne pour l'étude de l'éducation.

Bernier, Christiane et Simon Laflamme, «Discrimination sexuelle et discrimination linguistique: lecture des inégalités salariales au Canada et en Ontario», dans *Revue du Nouvel-Ontario*, n° 27, 2002, Sudbury: Institut franco-ontarien de l'Université Laurentienne, 63-91.

Bowen, François, Chouinard, Roch et Michel Janosz, «Modèles des déterminants des buts de maîtrise chez des élèves du primaire», dans *Revue des sciences de l'éducation*, vol. 30, n° 1, 2004, Montréal: Association canadienne-française pour l'avancement des sciences.

Chiasson, Monique, IsaBelle, Claire et Claire Lapointe, «Pour une formation réussie des TIC à l'école: de la formation des directions à la formation des maîtres», dans *Revue des sciences de l'éducation*, vol. 28, n° 2, 2002, Montréal: Association canadienne-française pour l'avancement des sciences.

Ferne, Tracy, Forgette-Giroux, Renée, Simon, Marielle et Catherine Turcotte, « Pratiques pédagogiques dans les écoles de langue française de l'Ontario selon les données contextuelles du PIRLS 2001 », dans *Mesure et évaluation en éducation*, vol. 30, n° 3, 2007, Québec: Association des spécialistes de la mesure et de l'évaluation en éducation, 59-80.

Jalbert, Julie et Linda Pagani, « La composante parentale d'un programme d'éveil numérique destiné aux enfants de milieu socioéconomiquement faible du niveau de la maternelle représente-t-elle une valeur ajoutée? », dans *Revue des sciences de l'éducation*, vol. 33, n° 1, 2007, Montréal: Association canadienne-française pour l'avancement des sciences, 147-177.

Morlaix, Sophie et Bruno Suchaut, « Identification des compétences à l'école élémentaire: une approche empirique à partir des évaluations institutionnelles », dans *Mesure et évaluation en éducation*, vol. 30, n° 2, 2007, Québec: Association des spécialistes de la mesure et de l'évaluation en éducation, 1-22.

Service social et gérontologie

Beaulieu, Marie et Nancy Leclerc, « Peur du crime et santé mentale des personnes âgées: comprendre pour mieux intervenir », dans *Intervention*, n° 121, décembre 2004, Montréal: Corporation professionnelle des travailleurs sociaux du Québec, 51-60.

Legault, Marie-Josée, « Les francophones d'Ottawa: une communauté diverse », dans *Revue ontaroise d'intervention sociale et communautaire*, vol. 11, n° 1, 2005, Sudbury, Reflets.

Mejjati Alami, Rajaa, « Microentreprises informelles et cadre institutionnel au Maroc », dans *Économie et solidarités*, vol. 37, n° 1, 2006, Montréal: Centre interuniversitaire de recherche, d'information et d'enseignement sur les coopératives, 225-239.

Najem, Elmustapha et Renaud Paquet, « Une analyse de la qualité des emplois et des pratiques de gestion dans les entreprises à but non lucratif au Canada », dans *Économie et solidarités*, vol. 37, n° 1, 2006, Montréal: Centre interuniversitaire de recherche, d'information et d'enseignement sur les coopératives, 126-142.

Papillon, Martin, «Entre l'héritage colonial et la recherche d'autonomie politique: les peuples autochtones dans la tourmente des réformes de l'État-providence. Une comparaison de l'expérience australienne, américaine, et canadienne», dans *Lien social et politiques*, n° 53, printemps 2005, Montréal.

Turcotte, Pierre, «Le rapport à la conjointe et la décision des hommes à entreprendre une démarche d'aide pour violence conjugale», dans *Intervention*, n° 116, juin 2002, Montréal: Corporation profession-nelle des travailleurs sociaux du Québec, 62-71.

Relations industrielles, administration publique et évaluation de programme

Bergeron, Jean-Guy et Patrice Jalette, «L'impact des relations industrielle sur la performance organisationnelle», dans *Relations industrielles*, vol. 57, n° 3, été 2002, Québec: Département de relations indus-trielles de l'Université Laval.

Vultur, Mircea, «Le chômage des jeunes au Québec et au Canada: tendances et caractéristiques», dans *Relations industrielles*, vol. 58, n° 2, printemps 2003, Québec: Département de relations indus-trielles de l'Université Laval.

Criminologie

Allard, Réal, Deveau, Kenneth et Rodrigue Landry, «Conscientisation ethnolangagière et comportement engagé en milieu minoritaire», dans *Francophonies d'Amérique*, n° 20, 2005, Ottawa: Presses de l'Université d'Ottawa, 95-109.

Aubertin, Normand et Gilles Côté, «Psychopathie et lien avec la victime chez les agresseurs sexuels de femmes adultes», dans *Criminologie*, vol. 38, n° 1, printemps 2005, Montréal: Presses de l'Université de Montréal.

Bagaté, Mariame, Lemery, Jodie, Martin, Véronique, Stelling, Louis et Nadja Wyvekens, «Attitudes linguistiques et transfert à l'anglais dans une communauté franco-américaine non homogène: le cas de Bristol (Connecticut)», dans *Francophonies d'Amérique*, n° 17, printemps 2004, Ottawa: Presses de l'Université d'Ottawa.

Beaudin, Maurice, Béland, Nicolas et Éric Forgues, « Évolution des écarts entre les salaires des hommes francophones et anglophones âgés de 25 à 54 ans selon le bilinguisme au Nouveau-Brunswick de 1970 à 2000 », dans *Francophonies d'Amérique*, n° 25, 2008, Ottawa : Presses de l'Université d'Ottawa, 49-87.

Beaudin, Maurice et Éric Forgues, « La migration des jeunes francophones en milieu rural : considérations socioéconomiques et démolinguistiques », dans *Francophonies d'Amérique*, n° 22, 2006, Ottawa : Presses de l'Université d'Ottawa, 185-207.

Bélanger-Hardy, Louise et Gabrielle St-Hilaire, « Trente ans et mille personnes diplômées en 2007, l'enseignement de la *common law* en français à l'Université d'Ottawa », dans *Francophonies d'Amérique*, n° 25, 2008, Ottawa : Presses de l'Université d'Ottawa, 89-111.

Desjardins, Pierre-Marcel, « L'Acadie des Maritimes : en périphérie de la périphérie ? », dans *Francophonies d'Amérique*, n° 19, 2005, Ottawa : Presses de l'Université d'Ottawa, 107-124.

Deveau, Kenneth et Rodrigue Landry, « Au-delà de l'autodéfinition : composantes distinctes de l'identité ethnolinguistique », dans *Francophonies d'Amérique*, n° 20, 2005, Ottawa : Presses de l'Université d'Ottawa, 79-93.

Gilbert, Anne et André Langlois, « Organisation spatiale et vitalité des communautés francophones des métropoles à forte dominance anglaise du Canada », dans *Francophonies d'Amérique*, n° 21, 2006, Ottawa : Presses de l'Université d'Ottawa, 105-129.

Hagan, John et Bill McCarthy, « L'argent change tout : les revenus personnels des adolescents et leur penchant à la délinquance », dans *Criminologie*, vol. 37, n° 2, automne 2004, Montréal : Presses de l'Université de Montréal.

Hélie, Sonia, Marie-Claude Larivée, Marc Tourigny et Nico Trocmé, « Facteurs associés à la décision de recourir au Tribunal de la jeunesse lors de l'orientation des mesures de prise en charge », dans *Criminologie*, vol. 39, n° 1, printemps 2006, Montréal : Presses de l'Université de Montréal.

Lefebvre, Marie, « L'identité bilingue et le capital linguistique communautaire : le cas du Grand Moncton », dans *Francophonies d'Amérique*, n° 22, 2006, Ottawa : Presses de l'Université d'Ottawa, 185-207.

Lemieux, Frédéric, «Évaluation des impacts d'une "gestion de crise": une étude de cas», dans *Criminologie*, vol. 36, n° 1, printemps 2003, Montréal: Presses de l'Université de Montréal.

Linteau, Véronique, «Les prêteurs sur gage dans le marché des biens volés à Montréal et leur impact sur la criminalité contre les biens», dans *Criminologie*, vol. 37, n° 1, printemps 2004, Montréal: Presses de l'Université de Montréal.

Lippel, Katherine, «Droit et statistiques: réflexions méthodologiques sur la discrimination systémique dans le domaine de l'indemnisation pour les lésions professionnelles», dans *Revue juridique La femme et le droit*, vol. 14, n° 2, 2002, Ottawa: National Association Women and the Law.

Mucchielli, Laurent, «Délinquance et immigration en France: un regard sociologique», dans *Criminologie*, vol. 36, n° 2, automne 2003, Montréal: Presses de l'Université de Montréal.

Robitaille, Clément, «À qui profite le crime? Les facteurs individuels de la réussite criminelle», dans *Criminologie*, vol. 37, n° 2, automne 2004, Montréal: Presses de l'Université de Montréal.

Sibidé, Hamadoun, «Modes d'expansion internationale des entreprises francophones et anglophones du Nouveau-Brunswick», dans *Revue de l'Université de Moncton*, vol. 35, n° 1, 2004, Moncton: Université de Moncton.

Simard, Carolle, «Qui nous gouverne au municipal: reproduction ou renouvellement?», dans *Politique et sociétés*, vol. 23, n°s 2-3, 2004, Montréal: Société québécoise de science politique.

Stelling, Louis Edward, «Attitudes linguistiques et transfert à l'anglais à Southbridge (Massachusetts)», dans *Francophonies d'Amérique*, n°s 23-24, 2007, Ottawa: Presses de l'Université d'Ottawa, 231-251.

Chapitre 19 – La recherche-action

Sociologie

Abelson, Julia, John Eyles, Pierre-Gerlier Forest, François-Pierre Gauvin, Élisabeth Martin et Catherine Perreault, «Une expérience de consultation publique délibérative dans Charlevoix», dans *Recherches sociographiques*, vol. 45, n° 1, janvier-avril 2004, Québec: Département de sociologie de l'Université Laval.

Desjardins, Nicole, Ouellet, Francine et Geneviève Turcotte, «Engagement paternel et mobilisation communautaire: étude de cas de deux initiatives communautaires», dans *Cahiers de recherche sociologique*, n° 39, 2003, Montréal: Département de sociologie de l'UQAM, 237-257.

Histoire

Maheux, Gisèle, da Silvera, Yvonne et Diane Simard, «La situation de l'inuttitut en formation des enseignants inuit: analyse d'une expérience de travail depuis 1984», dans *Cahiers d'histoire*, vol. 24, n° 1, automne 2004, Montréal: Université de Montréal, Département d'histoire, 107-129.

Éducation

Armand, Françoise, «Capacités métalinguistiques d'élèves immigrants nouvellement arrivés en situation de grand retard scolaire», dans *Revue des sciences de l'éducation*, vol. 31, n° 2, 2005, Montréal: Association canadienne-française pour l'avancement des sciences.

Balsamo, Antonia, Humbeeck, Bruno, Lhaye, Willy et Jean-Pierre Pourtois, «Les relations école-famille: de la confrontation à la coéducation», dans *Revue des sciences de l'éducation*, vol. 32, n° 3, 2006, Montréal: Association canadienne-française pour l'avancement des sciences, 649-664.

Beaumont, Claire, Bertrand, Richard, Bowen, François et Égide Royer, «L'adaptation psychosociale des élèves en trouble de comportement agissant comme médiateurs», dans *Revue des sciences de l'éducation*, vol. 30, n° 3, 2004, Montréal: Association canadienne-française pour l'avancement des sciences.

Boudreault, Paul et Alain Cadieux, «Effets d'une intervention parentale en lecture sur la connaissance du nom et du son des lettres et la sensibilité phonologique d'élèves à risque», dans *Revue des sciences de l'éducation*, vol. 29, n° 3, 2003, Montréal: Association canadienne-française pour l'avancement des sciences.

Bourdeau, Jacqueline, «Vers une intégration pédagogique de la vidéocommunication dans la formation des maîtres», dans *Revue des sciences de l'éducation*, vol. 28, n° 2, 2002, Montréal: Association canadienne-française pour l'avancement des sciences.

Boyer, Michel, Desmarais, Danielle et Martine Dupont, «À propos de la recherche-action-formation en alphabétisation populaire : dynamique des finalités et des positions des sujets-acteurs», dans *Revue des sciences de l'éducation*, vol. 31, n° 2, 2005, Montréal : Association canadienne-française pour l'avancement des sciences.

Brodeur, Monique, Deaudelin, Colette et Marc Dussault, «Impact d'une stratégie d'intégration des TIC sur le sentiment d'autoefficacité d'enseignants du primaire et leur processus d'adoption d'une innovation», dans *Revue des sciences de l'éducation*, vol. 28, n° 2, 2002, Montréal : Association canadienne-française pour l'avancement des sciences.

Claus, Pat, Douibi, Abdelhalim, Galli Carminati, Giuliana, Géoui, Marinette, Gerber, Fabienne et Donatien Nsonde, «Le groupe "BDBD"», dans *Revue francophone de la déficience intellectuelle*, vol. 16, n° 1 et 2, 2005, Montréal, 129-136.

Davidson, Ann-Louise, «Le projet "On our own together II" : à l'aube d'une ère nouvelle», dans *Revue francophone de la déficience intellectuelle*, vol. 15, n° 2, décembre 2004, Montréal, 235-246.

Service social et gérontologie

Bédard, Annick et Philippe Landreville, «Étude préliminaire d'une intervention non-pharmacologique pour réduire l'agitation verbale chez les personnes atteintes de démence», dans *Revue canadienne du vieillissement*, vol. 24, n° 4, hiver 2005, Maple : Canadian Assocation on Gerontology, 319-328.

Hébert, Jacques, «Travail social et arts martiaux : un jumelage explosif ou prometteur? L'évaluation d'un projet en milieu scolaire», dans *Intervention*, n° 118, juillet 2003, Montréal : Corporation professionnelle des travailleurs sociaux du Québec, 31-40.

Relations industrielles, administration publique et évaluation de programme

Lemire, Louise et Christian Rouillard, «Restructurations et pratiques d'accompagnement des nouveaux retraités dans l'administration publique fédérale du Canada : une analyse quantitative critique», dans *Revue Gouvernance*, vol. 1, n° 1, printemps 2004, Ottawa.

Criminologie

Bouchard-Lamothe, Diane, Casimiro, Lynn, Hall, Pippa et Manon Tremblay, «Vers un modèle de collaboration novateur pour l'enseignement interprofessionnel: conception d'un atelier en ligne pour stimuler le travail en milieu rural», dans *Francophonies d'Amérique*, n°s 23-24, 2007, Ottawa: Presses de l'Université d'Ottawa, 45-66.

Bourassa, Chantal et Elda Savoie, «Le portrait de la violence conjugale dans le comté de Kent: une expérience de recherche-action», dans *Revue de l'Université de Moncton*, vol. 36, n° 2, 2005, Moncton: Université de Moncton.

Chapitre 20 – Une science objective?

Sociologie

Wheaton, Blair, «Quand les méthodes font toute la différence», dans *Sociologie et sociétés*, vol. 35, n° 1, printemps 2003, Montréal: Presses de l'Université de Montréal

Chapitre 21 – L'évaluation de la recherche par sondage

Science politique, relations, études et développement international, mondialisation

Bélanger-Bonneau, H., Bergeron, J., Bourbeau, R., Bussière, Y., Rannou, A. et J.P. Thouez, «Piétons victimes d'un accident de la route en milieu urbain et rural au Québec et en Ontario, 1995-1997», dans *Revue canadienne des sciences régionales*, vol. 26, n° 1, printemps 2003, Halifax: Institute of Public Affairs, Dalhousie University, 191-203.

COLLABORATEURS
ET COLLABORATRICES

Benoît Gauthier a étudié la science politique à l'Université Laval et à l'Université Carleton, ainsi que l'administration publique à l'École nationale d'administration publique. Après avoir travaillé en évaluation de programmes à la Société canadienne d'hypothèques et de logement et à Communications Canada, il a agi à titre de vice-président principal des Associés de recherche Ekos avant de mettre sur pied le Réseau Circum inc., un cabinet-conseil en recherche sociale appliquée. Il se spécialise en recherche et en intervention stratégiques et organisationnelles, en évaluation des programmes, en recherche sociale appliquée et en analyse des politiques. Au fil des ans, son implication dans plus de 400 mandats de recherche et d'intervention lui ont conféré une expertise particulière dans les domaines des droits d'auteur, des arts, de la culture, de la gestion de la clientèle, de la technologie et de la mesure du rendement. Il est aussi activement engagé dans le développement de logiciels de gestion de sondages. Il a enseigné les méthodes de recherche à l'École nationale d'administration publique, à l'Université d'Ottawa et à l'Université du Québec en Outaouais. Outre quelque 40 000 pages de rapports produits sur une base privée, il a piloté la publication de chacune des cinq éditions de *Recherche sociale: de la problématique à la collecte des données*. Il a aussi contribué aux revues *Social Indicators Research, Revue canadienne d'évaluation de programme, Politique, Revue québécoise de science politique, Revue canadienne de science politique* et *Documentation et bibliothèques*.

Jean-Pierre Beaud est professeur titulaire au Département de science politique et vice-doyen à la recherche de la Faculté de science politique et de droit de l'Université du Québec à Montréal. Il a obtenu un doctorat en science politique de l'Université Laval. Ses recherches ont d'abord porté sur les forces politiques. Depuis près de deux décennies, il travaille essentiellement dans le domaine de l'histoire et de la sociopolitique des statistiques officielles. Il a publié de nombreux textes (souvent en collaboration avec Jean-Guy Prévost) sur le système statistique canadien et sur plusieurs systèmes statistiques étrangers, sur divers types de classements (selon la langue, l'ethnie, etc.) et sur l'émergence de nouveaux outils conceptuels en statistique (comme le pourcentage).

Jean Bernatchez, politologue spécialisé en éducation, est professeur au Département des sciences de l'éducation de l'Université du Québec à Rimouski (UQAR). Il œuvre principalement dans le cadre du Diplôme d'études supérieures spécialisées (DESS) en administration scolaire, un programme qui s'adresse aux directeurs et directrices d'établissements scolaires et aux personnes qui aspirent à occuper cette fonction. Ses recherches portent sur la gestion et la gouvernance scolaires et sur les politiques publiques de l'éducation, dans une perspective de comparaison internationale. Il a aussi publié sur des sujets liés aux politiques publiques de l'enseignement supérieur et de la science.

André Blais est professeur titulaire au Département de science politique de l'Université de Montréal et chercheur associé au Centre interuniversitaire de recherche en économie quantitative, au Centre interuniversitaire de recherche sur l'analyse des organisations et au Centre d'étude sur la citoyenneté démocratique. Il est titulaire d'une chaire de recherche du Canada en études électorales et il a été président de l'Association canadienne de science politique. Il a publié une vingtaine de livres et environ 120 articles. Il a été membre de l'équipe de recherche responsable des études électorales fédérales de 1988 à 2006.

Danielle Boisvert est titulaire d'un baccalauréat spécialisé en histoire de l'Université de Sherbrooke et d'une maîtrise en bibliothéconomie de l'Université de Montréal. Elle a de plus ajouté à sa formation initiale un diplôme d'études supérieures en andragogie et un certificat en animation. Elle est bibliothécaire à l'Université du Québec en Outaouais et responsable de la formation aux compétences informationnelles des étudiants en sciences sociales, travail social, sciences infirmières, psychologie et psychoéducation. Elle est membre du groupe de travail pour le Programme de développement des compétences informationnelles (PDCI) du réseau de l'Université du Québec. Elle assure également une charge de cours à l'UQO pour le cours d'intégration à l'Université : Atelier de réussite universitaire.

Jacques Chevrier est professeur titulaire au Département des sciences de l'éducation de l'Université du Québec en Outaouais (UQO). Il détient un Ph.D. en psychologie de l'Université de Montréal. Depuis 1977, ses recherches ont porté sur les applications pédagogiques de l'ordinateur, sur l'apprentissage en contexte scolaire, plus particulièrement sur les stratégies d'apprentissage, les styles d'apprentissage chez l'adulte et l'apprentissage expérientiel, sur l'apprentissage transfomationnel en éducation à la santé, ainsi que sur la construction de l'identité professionnelle des enseignants, thèmes pour lesquels il a contribué à la publication de livres et d'articles. Il a été responsable des programmes de maîtrise et de doctorat en éducation à l'UQO.

Catherine Côté est politologue et professeure à l'École d'études politiques de l'Université d'Ottawa. Elle également été chercheure invitée à la Chaire d'études politiques et économiques américaines de l'Université de Montréal. Ses principaux intérêts de recherche portent sur la communication politique, l'analyse de discours et les dynamiques d'opinion publique. Dès sa thèse de doctorat, complétée à l'Université Queen's, elle a élaboré une nouvelle méthode pour analyser le discours médiatique, qui puise autant dans les approches quantitative que qualitative. Depuis, en plus d'enseigner les relations entre politique et médias, elle partage ses connaissances de la méthodologie avec les étudiants de différents cycles universitaires.

Jean Crête (D. Phil. Oxford) est professeur de science politique à l'Université Laval. Ses recherches en cours portent sur les politiques publiques au Québec et sur la confiance des populations dans leurs institutions. En plus des articles et ouvrages scientifiques, il est coauteur de trois manuels de méthode et a contribué à d'autres ouvrages à titre de collaborateur. Il œuvre activement dans plusieurs organisations consacrées à la recherche. Il fut entre autres directeur du Centre d'analyse des politiques publiques (CAPP), directeur du Département de science politique de l'Université Laval, président de la Société québécoise de science politique, codirecteur de la revue *Canadian Journal of Political Science/Revue canadienne de science politique*, vice-président de la Canadian Federation of Social Sciences et de la Canadian Association of Applied Social Research.

Danielle Desmarais, Ph.D., est anthropologue et professeure titulaire à l'École de travail social de l'Université du Québec à Montréal. Ses recherches portent, d'une part, sur le processus de construction identitaire et sur divers aspects du rapport à l'écrit et des parcours scolaires (analphabétisme, illettrisme, formation des intervenantes sociales) et, d'autre part, sur l'épistémologie et la méthodologie de la démarche autobiographique en recherche, en formation des adultes et en intervention.

Psychologue et éducateur de formation, **André Dolbec** a, par la suite, obtenu son doctorat en systèmes de l'Université de Lancaster au Royaume-Uni. Il est professeur au Département des sciences de l'éducation de l'Université du Québec en Outaouais (UQO) depuis 1976. Engagé dans des projets de recherche-action depuis près de trente ans, il s'intéresse au développement des leaders et des gestionnaires dans les milieux de l'éducation et de l'administration publique. Il a été directeur de son département et responsable des programmes de maîtrise et de doctorat en éducation à l'UQO. Il a assumé les fonctions de secrétaire et de président de la Société canadienne pour l'étude de l'éducation (SCÉÉ) et de président de l'Association canadienne des chercheurs en éducation.

Claire Durand est professeure titulaire au Département de sociologie de l'Université de Montréal. Ses recherches et son enseignement portent sur la méthodologie des sondages et sur l'analyse quantitative des données. Ses recherches actuelles portent sur le rôle des sondages dans la société, entre autres pendant les campagnes électorales. Elle a publié de nombreux articles sur les sondages électoraux des élections présidentielles françaises et des élections québécoises et canadiennes. Elle s'intéresse également à la gestion de la méthodologie des sondages et au travail des interviewers.

Après avoir obtenu un MBA de l'Université York de Toronto, **Paul Geoffrion** a travaillé dans le domaine du marketing pour, entre autres, la Banque Nationale où le dernier poste qu'il a occupé était celui de directeur du marketing. Depuis plus de 15 ans, il est conseiller en marketing et se spécialise dans le domaine de la recherche qualitative. À cet égard, il a réalisé des centaines de projets dans des industries très variées à travers le Canada et les États-Unis.

François-Pierre Gingras a enseigné la méthodologie pendant une longue carrière dont la plus grande partie fut passée à l'École d'études politiques de l'Université d'Ottawa. Diplômé en sociologie des universités de Montréal, McGill et René-Descartes (Paris), il a aussi occupé de nombreuses fonctions dans diverses sociétés savantes, dont l'Association internationale de science politique. Ancien codirecteur de la *Revue canadienne de science politique*, il a publié de nombreuses études en sociologie politique, sociologie de la religion, sur les mouvements nationalistes et les questions identitaires, ainsi que sur divers aspects de la politique canadienne et québécoise. Il fut l'un des chefs de file de l'intégration des technologies électroniques dans l'enseignement des sciences sociales.

Claude-Anne Godbout-Gauthier a étudié en affaires internationales, langues modernes et pensée politique au niveau du baccalauréat et de la maîtrise, à l'Université d'Ottawa et à l'Institut d'études politiques de Grenoble. Ses travaux d'études supérieures portaient sur le sujet humain dans le contexte biotechnologique. Elle agit à titre d'analyste de recherche dans le secteur privé.

Anne Laperrière est professeure associée au Département de sociologie de l'Université du Québec à Montréal. Elle a fait de la recherche et enseigné dans les champs de la méthodologie qualitative, des relations ethniques et de l'éducation. Elle a participé, entre autres, à un ouvrage collectif de Jean Poupart *et al.* (1997) sur la recherche qualitative (*Vol. 1 : La recherche qualitative : enjeux épistémologiques et méthodologiques* et *Vol. 2 : La recherche qualitative : diversité des champs et des pratiques au Québec*). Ses autres recherches ont porté sur la construction sociale de l'identité culturelle et des relations interethniques chez les jeunes, puis sur les représentations de la citoyenneté et le vécu démocratique des jeunes à l'école et, enfin, sur les sociétés divisées et la traversée des frontières linguistiques dans les écoles de l'ouest de Montréal.

Professeure titulaire à l'École d'études politiques de l'Université d'Ottawa, **Koula Mellos** a publié de nombreux articles dans le domaine de la philosophie politique. Parmi ses ouvrages marquants figurent *Perspectives on Ecology*, en codirection, *Rationalité, communication et modernité, Agir communicationnel et philosophie politique, Pluralisme et délibération : enjeux en philosophie politique contemporaine*, ainsi que *L'Idéologie et la reproduction du capital*.

Luc Prud'homme est professeur au Département des sciences de l'éducation de l'Université du Québec à Trois-Rivières. D'abord enseignant au primaire, il a exercé tour à tour au Nouveau-Brunswick, au Yukon, en

Alberta et au Québec, pour ensuite agir comme directeur d'école puis comme conseiller pédagogique en innovation au sein d'organisations scolaires québécoises. Sa pratique professionnelle et son cheminement doctoral l'ont amené à exploiter l'étude de soi [le *self-study*] et la recherche-action au cœur de sa pratique socialement engagée pour soutenir le développement professionnel en enseignement et en formation des maîtres.

Jean Robillard est philosophe, spécialiste de l'épistémologie des sciences sociales et de la communication, et professeur de communication à la Téluq-UQAM. Ses travaux de recherche portent sur la philosophie des sciences sociales, la communication et la cognition sociale, la théorie des modèles, la théorie des probabilités et l'épistémologie des statistiques. Auparavant, et après quelques années d'expérience dans l'enseignement au collégial, il a œuvré comme conseiller en communication et en relations publiques auprès d'entreprises, d'institutions financières et d'organismes divers durant une quinzaine d'années, tout en poursuivant ses travaux de recherche.

Simon N. Roy est titulaire d'un doctorat en sociologie de l'Université Paris X-Nanterre et d'une maîtrise en relations industrielles de l'Université Laval. Après ses études doctorales, il s'est joint à une firme de recherche et mène depuis 1995 une carrière en évaluation de programmes et en recherche socioéconomique appliquée. Il a eu la chance d'évaluer une grande variété de politiques et programmes gouvernementaux, y compris des programmes de développement de ressources humaines, de services pour les Premières Nations et les Inuits, de développement économique et de promotion de la santé. Il a également mené des mandats de recherche appliquée dans plusieurs domaines, notamment dans le domaine du travail et de la formation professionnelle. Ces différents projets de recherche l'ont amené à utiliser différentes méthodes de recherche, de l'entrevue individuelle au sondage téléphonique à grande échelle. Il est aujourd'hui associé pour la firme Goss Gilroy inc. et chargé de cours à l'Université du Québec en Outaouais.

Paul Sabourin est professeur au Département de sociologie de l'Université de Montréal depuis 1987. Il enseigne dans les domaines de la méthodologie qualitative, de la sociologie de l'économie et de l'épistémologie sociologique. Ses recherches portent sur l'économie francophone et la sociologie de la connaissance économique au Québec, l'usage des logiciels informatiques pour assister la démarche de recherche qualitative, la sociologie de la pauvreté et la mémoire sociale. Il est actuellement président de l'Association des sociologues et anthropologue de langue française (ACSALF).

Lorraine Savoie-Zajc est professeure au Département des sciences de l'éducation de l'Université du Québec en Outaouais et elle donne des cours portant sur la dynamique du changement en éducation ainsi que sur la méthodologie de la recherche. Elle détient un Ph.D. de la Indiana University de Bloomington, Indiana. Elle travaille depuis plusieurs années sur des recherches en lien avec la persévérance et la réussite scolaires de même que sur l'abandon scolaire. Elle travaille actuellement sur une recherche portant sur l'accompagnement de personnels scolaires en lien avec les projets pédagogiques qu'ils mettent en place pour soutenir la persévérance et la réussite scolaires des élèves.

Jean Turgeon, politologue spécialisé en santé, est professeur à l'École nationale d'administration publique (ENAP) depuis 1991. Auparavant, il avait travaillé pendant dix ans en évaluation de programmes au ministère de la Santé et des Services sociaux du Québec. Il s'intéresse aux questions de la décentralisation et de la régionalisation des systèmes de santé de même qu'à la formulation, la mise en œuvre et l'évaluation des politiques favorables à la santé au Québec. Ce dernier champ d'investigation l'a par ailleurs conduit à créer, avec des collègues de l'Université Laval et de Téluq-UQAM, le Groupe d'étude sur les politiques publiques et la santé (GEPPS). Il est également codirecteur du Centre de recherche et d'expertise en évaluation (CREXE) de l'ENAP.

TABLE DES MATIÈRES DÉTAILLÉE

Partie 3
La formation de l'information 309